개념 학습과 정리가 한번에 끝나는 기본서

개념플

사회·문화

개념책

▪ 핵심 개념을 흐름으로 쉽게 풀어 가는 개념 학습법 도입
▪ 시험에 자주 출제되는 자료를 완벽하게 분석한 특강 구성
▪ 내신과 수능 대비를 위한 다양한 유형의 단계별 문제 수록

개념과 정리가 한번에 끝나는 기본서

개념풀

— 사회·문화 —

쉽게 풀어 이해가 잘되는

개념책

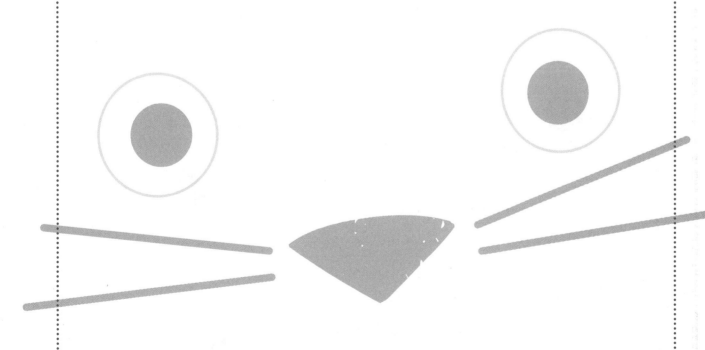

자율학습에 용이한 개념풀 사회·문화
교재 구성과 학습 시스템

교재 구성

개념과 정리를 한번에!

쉽게 풀어 이해가 잘 되는
개념책

학습한 개념을 정리해 보는 나만의
정리노트

의구심이 남지 않는 완벽한
정답과 해설

학습 시스템

1st 개념을 익힌다.

사회·문화에 나오는 모든 개념을 친절하고 상세한 내용 정리로 술술 익힌다.

준비물 개념책

읽으면, 나도 모르게 개념이 쏙쏙 들어온다~옹!

2nd 개념을 적용한다.

단계별 문제 풀이로 학습한 개념을 적용하고 실력을 다진다.

준비물 개념책, 정답과 해설

개념을 적용해서 문제를 풀면 만점도 맞을 수 있다~옹!

3rd 개념을 완성한다.

정리노트에 학습한 개념을 자기만의 스타일로 정리하여 개념을 완성한다.

준비물 개념책, 정리노트

내 입맛대로 노트를 정리하면, 개념 공부는 끝이다~옹!

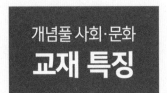

개념풀 사회·문화
교재 특징

쉽게 풀어 이해가 잘 되는 개념책

이해하기 쉬운 개념 학습

▪ 술술 읽히는 개념과 자료 정리

5종 교과서를 철저하게 비교·분석하여 이해하기
쉽게 풀어 정리했습니다.

❶ **핵심 질문으로 흐름잡기** 중요 개념과 흐름을 핵
심 질문으로 한눈에 파악

❷ **시험에 잘 나오는 자료** 시험 단골 자료와 꼭 알
아야 하는 한줄 분석

❸ **내용 이해를 돕는 팁** 내용 이해에 도움이 되는
Q&A와 용어 정리

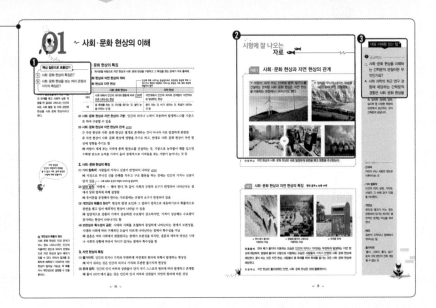

▪ 수능 자료로 개념을 다지는 개념 POOL

자주 나오는 수능 기출 자료를 유형별로 상세하게
분석하여 개념을 자료에 적용하는 방법을 알려 주
어 수능에도 대비할 수 있습니다.

쉽게 풀어 이해가 잘 되는 **개념책**

다양한 유형의 단계별 문제

▪ 콕콕! 개념 확인하기
앞에서 정리한 주요 개념을 다시 확인할 수 있습니다.

▪ 탄탄! 내신 다지기
학교 시험 난이도로 구성된 다양한 유형의 문제로 내신에 대비할 수 있고, 출제율이 높아지고 있는 서술형 문제를 연습할 수 있습니다.

▪ 도전! 실력 올리기
고난도 문제와 수능 기출·수능 유형 문제로 내신 만점뿐 아니라 수능에도 대비할 수 있습니다.

실전에 대비하는 대단원 학습

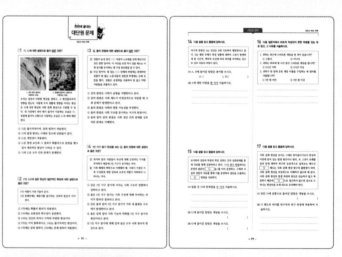

▪ 한눈에 보는 대단원 정리
주요 내용을 중단원별로 정리하여 핵심 내용을 한눈에 파악할 수 있습니다.

▪ 한번에 끝내는 대단원 문제
대단원을 아우르는 문제로 중간·기말 고사에 대비할 수 있으며, 출제율이 높아지고 있는 서답형 문제를 연습할 수 있습니다.

학습한 개념을 직접 써 보는 나만의 **정리노트**

정리노트만 있으면 시험 준비 끝! 내가 설명해 줄게.

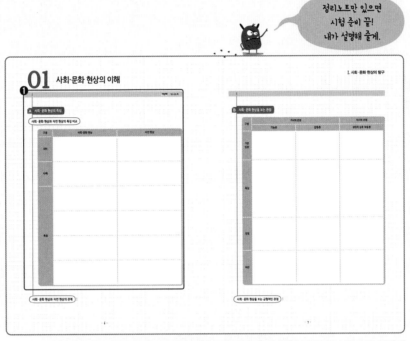

❶ 중단원 내용 구조가 한눈에 보이도록 구성하여 개념책과 교과서를 보면서 빈 공간에 나만의 노트 정리를 할 수 있습니다.

❷ 대단원에서 꼭 알아둬야 할 개념이나 용어를 정리하여 들고 다니며 틈나는 대로 익힐 수 있습니다.

❸ 마인드맵을 그려 보면서 대단원의 전체적인 내용과 흐름을 제대로 알고 있는지 확인해 볼 수 있습니다.

선배들의 정리노트 다운로드 바로 가기

차례

무엇을 공부할지 함께
확인해 볼까~옹?

대단원	중단원	소단원	개념풀	지학사	교학사	미래엔	비상교육	천재교과서
I 사회·문화 현상의 탐구	01 사회·문화 현상의 이해	A 사회·문화 현상의 특징	12	12~14	10~13	12~14	10~13	12~14
		B 사회·문화 현상을 보는 관점	14	15~19	14~19	15~21	14~21	15~21
	02 사회·문화 현상의 탐구 방법	A 사회·문화 현상의 연구 방법	26	20~27	20~27	22~26	22~26	22~26
		B 자료 수집 방법	28	28~37	28~37	27~33	27~33	27~35
	03 사회·문화 현상의 탐구 절차와 윤리	A 사회·문화 현상의 탐구 절차	40	23, 25	38~42	34~36	39~41	36~40
		B 사회·문화 현상의 탐구 태도와 가치 중립	42	38~41	43~45	37~40	34~36, 42	41~43
		C 사회·문화 현상의 탐구와 연구 윤리	44	42~45	46~47	41~43	37~38	44~49
II 개인과 사회 구조	01 개인과 사회의 관계	A 사회 구조의 이해	62	52~53	54~55	50~52	74~76	54~55
		B 개인과 사회의 관계를 보는 관점	62	54~56	56~57	53~57	50~53	56~57
	02 사회적 존재로서의 인간	A 인간의 사회화	68	57~58	58~59	58~59	54~55	58
		B 사회화 기관	68	59~61	60~62	60~62	56~57	59~60
		C 사회적 지위와 역할	70	62~64	63~64	63~64	58	61~62
		D 역할 갈등과 해결 방안	72	65~67	65~68	65~67	59~61	62~65
	03 사회 집단과 사회 조직	A 사회 집단의 의미와 유형	82	68~71	69~71	68~71	62~66	66~70
		B 사회 조직의 의미와 유형	84	72, 76~77	72~73	72~74	67~68	71~73
		C 관료제와 탈관료제	86	73~75	74~77	75~77	69~73	74~77
	04 일탈 행동	A 일탈 행동의 의미와 영향	96	78~80	78~79	78~79	77	78~81
		B 일탈 행동을 설명하는 이론	98	81~85	80~85	80~87	78~83	82~89
III 문화와 일상생활	01 문화의 이해	A 문화의 의미와 속성	114	92~95	90~93	94~97	90~93	94~98
		B 문화를 이해하는 관점과 태도	116	96~101	94~101	98~105	94~99	99~103
	02 하위문화와 대중문화	A 하위문화의 의미와 기능	126	102~104	102~104	106~107	100~101	104~106
		B 하위문화의 대표적인 유형	126	105~109	105~110	108~111	102~104	107~109
		C 대중문화의 이해	128	110~117	111~117	112~117	105~111	110~117

우리 학교 교과서가 개념풀의 어느 단원에 해당하는지 확인하세요!

교과서랑 비교하며 공부할때 유용하다~옹!

I
사회·문화 현상의 탐구

배울 내용 한눈에 보기

01 사회·문화 현상의 이해

사회·문화 현상

- 사회·문화 현상과 자연 현상의 특징
- 사회·문화 현상을 보는 관점
  - 기능론
  - 갈등론
  - 상징적 상호 작용론

자연 현상과 사회·문화 현상은 밀접한 관련이 있지만 서로 다른 특징을 가지고 있어. 사회·문화 현상을 보는 관점에는 기능론, 갈등론, 상징적 상호 작용론이 있어.

02 사회·문화 현상의 탐구 방법

사회·문화 현상의 탐구

- 연구 방법
  - 양적 연구
  - 질적 연구
- 자료 수집 방법
  - 질문지법
  - 면접법
  - 참여 관찰법
  - 실험법
  - 문헌 연구법

사회·문화 현상의 연구 방법으로는 양적 연구 방법과 질적 연구 방법이 있어. 그리고 자료 수집 방법에는 질문지법, 면접법, 참여 관찰법, 실험법, 문헌 연구법이 있어.

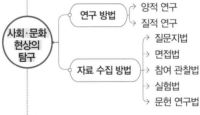

03 사회·문화 현상의 탐구 절차와 윤리

사회·문화 현상의 탐구 절차

- 탐구 절차
  - 양적 연구의 절차
  - 질적 연구의 절차
- 연구 태도
  - 객관적 태도
  - 개방적 태도
  - 성찰적 태도
  - 상대주의적 태도
- 연구 윤리

사회·문화 현상을 탐구할 때는 연구 방법별 절차를 알고 있어야 해. 또한, 사회·문화 현상의 연구 태도에는 객관적, 개방적, 상대주의적, 성찰적 태도가 있고, 연구자가 지켜야 할 연구 윤리도 있어.

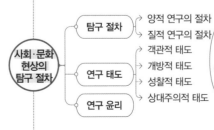

〜 사회·문화 현상의 이해

A 사회·문화 현상의 특징

| **시·험·단·서** | 제시문을 바탕으로 자연 현상과 사회·문화 현상을 구분하고 그 특징을 찾는 문제가 주로 출제돼.

1. 사회·문화 현상과 자연 현상의 의미

(1) 사회·문화 현상과 자연 현상

> 인간에 의해 나타나는 현상일지라도 유전적인 특성에 의해 나타나거나 개인적 차원에서 나타나는 현상은 사회·문화 현상에 해당하지 않아.

구분	사회·문화 현상❶	자연 현상
의미	사회 내에서 인간의 의지와 행동에 따라 인위적으로 나타나는 현상	자연계에서 인간의 의지와 관계없이 자연적으로 발생하는 현상
예	꽃 축제를 하는 것, 우산을 챙기는 것, 쌓인 눈을 치우는 것 등	꽃이 피는 것, 비가 내리는 것, 폭설이 내리는 것 등

(2) 사회·문화 현상과 자연 현상의 구분: 인간의 의지나 노력이 작용하여 발생하느냐를 기준으로 하여 구분할 수 있음

(3) 사회·문화 현상과 자연 현상의 관계 [자료1]

① 자연 현상과 사회·문화 현상은 별개로 존재하는 것이 아니라 서로 밀접하게 관련됨

② 자연 현상이 사회·문화 현상에 영향을 주기도 하고, 반대로 사회·문화 현상이 자연 현상에 영향을 주기도 함

[예] 바람이 세게 부는 지역에 풍력 발전소를 건설하는 것, 가뭄으로 농작물이 해를 입으면 수확량 감소로 농작물 가격이 올라 경제적으로 어려움을 겪는 사람이 늘어나는 것 등

2. 사회·문화 현상의 특징

(1) 가치 함축적: 사람들의 가치나 신념이 반영되어 나타남 [자료2]

[예] 지진으로 무너진 건물 잔해를 치우고 구조 활동을 하는 것에는 인간의 가치나 신념이 담겨 있음 ── 사회 속에서 인간이 마땅히 지켜야 할 법칙이야.

(2) 당위 법칙: '마땅히 ~ 해야 한다.'와 같이 사회의 규범적 요구가 반영되어 나타난다는 점에서 당위 법칙에 의해 설명됨

[예] 웃어른을 공경해야 한다는 가르침에는 규범적 요구가 반영되어 있음

(3) 개연성과 확률의 원리❷: 현상의 발생 요인과 그 결과가 법칙으로 대응하기보다 확률적으로 관련을 맺고 있어 예외적인 현상이 나타날 수 있음

[예] 일반적으로 상품의 가격이 상승하면 수요량이 감소하지만, 가격이 상승해도 수요량이 증가하는 현상이 나타나기도 함

(4) 보편성과 특수성의 공존: 시대와 사회를 초월하여 동일하게 나타난다는 점에서 보편성을, 시대와 사회에 따라 구체적인 모습이 다르게 나타난다는 점에서 특수성을 지님

[예] 결혼은 여러 사회에서 관찰된다는 점에서 보편성을 띠지만, 결혼의 세부적 양상은 시대나 사회적 상황에 따라서 차이가 있다는 점에서 특수성을 띰

3. 자연 현상의 특징

(1) 몰가치적: 인간의 의지나 가치와 무관하게 자연계의 원리에 의해서 발생하는 현상임

[예] 비가 내리는 것은 인간의 의지나 가치와 무관한 몰가치적 현상임

(2) 존재 법칙: 인간의 인식 여부와 상관없이 단지 자기 스스로의 원리에 따라 발생하고 존재함

[예] 물이 100℃에서 끓는 것은 인간의 인식 여부와 상관없이 자연의 원리에 따른 것임

---

❶ 사회·문화 현상

우리가 일상생활에서 다른 사람과 관계를 맺고 사회적 상호 작용을 한 결과로 나타나는 인간의 모든 사회 활동 및 이와 관련된 현상을 사회·문화 현상이라고 한다.

> 자연 현상은 인간이 개입하여 변화를 줄 수 없고 사회·문화 현상은 사람에 의해 만들어져.

❷ 개연성과 확률의 원리

사회·문화 현상도 인과 관계가 어느 정도 나타나지만, 인간의 자율적인 판단과 의지가 반영되므로 자연 현상과 달리 예외가 있을 수 있다. 따라서 결과를 정확하게 예측하기 어려우며 어떤 현상이 일어날 가능성, 즉 확률이나 개연성으로 설명할 수 있을 뿐이다.

시험에 잘 나오는 자료

자료1 사회·문화 현상과 자연 현상의 관계

▼ 바람이 세게 부는 지역에 풍력 발전소를 건설하는 것처럼 사회·문화 현상은 자연 현상을 이용하는 과정에서 나타나기도 한다.

▼ 빙하가 무너져 내리는 모습을 보기 위해 모인 관광객들

▲ 한파   ▲ 겨울 용품 수요 급증   ▲ 화석 연료의 과도한 사용   ▲ 지구 온난화

자료·분석 바람이 세게 부는 지역에 풍력 발전소를 건설하는 것은 바람이 세게 분다는 자연 현상에 대해 풍력 발전소 건설이라는 사회·문화 현상이 나타난 것이다. 빙하가 무너져 내리는 현상은 지구 온난화로 빙하가 녹으면서 나타나는 자연 현상인데, 빙하가 무너져 내리는 모습을 보기 위해 관광객들이 모이는 것은 사회·문화 현상이다. 한파는 자연 현상이고, 이에 따라 겨울 용품의 수요가 급증하는 것은 사회·문화 현상이다. 화석 연료의 과도한 사용은 사회·문화 현상이고, 이로 인해 발생하는 지구 온난화는 자연 현상이다.

한·줄·핵·심 자연 현상과 사회·문화 현상은 서로 밀접하게 관련을 맺고 영향을 주고받는다.

자료2 사회·문화 현상과 자연 현상의 특징   관련 문제 ▶ 56쪽 O1번

▲ 연어 떼가 줄지어 이동하는 모습   ▲ 명절에 줄지어 고향으로 이동하는 모습   ▲ 유채꽃 축제

자료·분석 연어 떼가 줄지어 이동하는 모습은 인간의 의지나 가치와는 무관하게 발생하는 자연 현상에 해당하며, 명절에 줄지어 고향으로 이동하는 모습은 사람들의 가치가 반영된 사회·문화 현상에 해당한다. 꽃이 피는 것은 자연 현상, 사람들이 꽃 축제를 하며 축제를 즐기는 것은 사회·문화 현상에 해당한다.

한·줄·핵·심 자연 현상은 몰가치적인 반면, 사회·문화 현상은 가치 함축적이다.

내용 이해를 돕는 팁

❓ **궁금해요**

Q. 사회·문화 현상을 이해하는 간학문적 관점이란 무엇인가요?

A. 사회 과학의 최근 연구 경향에 해당하는 간학문적 경향은 사회·문화 현상을 다양한 학문적 관점에서 총체적으로 접근하는 연구 경향이야. 예를 들어 청소년 문제에 대해 사회학, 정치학, 경제학, 법학, 심리학 등 다양한 학문의 관점에서 접근하는 것이 간학문적 관점이지.

용어 더하기

* **인위적**
자연이 아닌 사람의 힘으로 이루어지는 것

* **가치 함축적**
인간의 의지, 감정, 가치관, 신념이 그 속에 담겨 있음을 의미한다.

* **개연성**
원인과 결과가 어느 정도 관련되어 있기는 하지만, 필연적인 관계는 아님을 의미한다.

* **예외**
일반적 규칙이나 정례에서 벗어나는 일

* **몰가치적**
'옳다, 그르다, 좋다, 싫다' 등의 가치 판단이 전혀 개입될 수 없는 것

사회·문화 현상과 자연 현상의 특징

사회·문화 현상	자연 현상
가치 함축성	몰가치성
당위 법칙	존재 법칙
개연성과 확률의 원리	필연성과 확실성의 원리
보편성+특수성	보편성

(3) 필연성과 확실성의 원리: 특정 원인에 따라 반드시 그에 상응하는 결과가 예외 없이 발생함
　예 100℃가 되면 물이 끓는 것처럼 자연 현상은 인과 관계가 분명함

(4) 보편성: 자연 현상은 발생 원리가 시대와 장소에 상관없이 동일하므로 일정한 조건만 갖춰지면 항상 같은 현상이 발생함
　예 중력이 작용하는 곳에서 물이 위에서 아래로 흐르는 현상은 언제 어디서나 똑같이 나타남

B 사회·문화 현상을 보는 관점

| 시·험·단·서 |　제시문에 나타난 사회·문화 현상을 보는 관점을 파악하고 그 특징을 고르는 문제가 주로 출제돼.

1. 거시적 관점*과 미시적 관점❸ 자료 3

(1) 거시적 관점

　① 기본 입장

　• 사회 전체의 특성을 바탕으로 사회·문화 현상을 이해하려 함

　• 사회 구조*나 제도 등에 초점을 맞추어 사회 전체와의 관련 속에서 사회·문화 현상을 이해함

　② 관련 이론: 기능론, 갈등론
　　　　　　　└─ 사회 구조에 의해 개인의 생활이 영향을 받는 것을 설명할 수 있어.

(2) 미시적 관점

　① 기본 입장

　• 특정 사회·문화 현상이 발생하는 상황 맥락 속에서 그 현상이 갖는 의미를 이해하려 함

　• 일상생활에서 이루어지는 개인 간의 상호 작용이나 개개인의 주관적인 세계에 초점을 맞추어 사회·문화 현상을 파악함
　　　　　　　　　　└─ 개인의 능동적 사고 과정 및 타인과의 상호 작용을 중시해.

　② 관련 이론: 상징적 상호 작용론

2. 기능론 자료 4

(1) 기본 입장

　① 사회 유기체설❹을 바탕으로 사회를 하나의 유기적 통합 체계로 보고 사회·문화 현상을 이해함

　② 사회 구성 요소들은 사회 전체의 유지와 통합에 필요한 기능을 분담하여 수행하며, 상호 의존적인 관계임

(2) 특징

　① 사회의 각 부분들은 상호 의존적인 관계를 맺으며, 사회가 유지되고 전체적으로 원활하게 작동하는 데 기여함

　② 사회의 유지에 필요한 핵심적인 가치나 규범에 관하여 사회적 합의가 존재함

　③ 유기체가 항상성*을 갖듯이 사회도 구성 요소들이 각각 맡은 역할을 수행하며 안정 상태를 이루고 있음
　　　　　　　　　　기능론은 사회가 본질적으로 조화와 균형 상태에 있다는 점을 강조해. ──┘

　④ 사회 문제나 갈등은 사회 구성 요소가 제 기능을 제대로 수행하지 못해 발생하는 병리적인 현상이라고 봄 → 사회 구성 요소가 원래의 기능을 회복하면 사회는 다시 안정을 이룸

(3) 장점과 비판

장점	사회 각 부분 간에 나타나는 상호 의존성과 사회의 안정성을 설명하는 데 유용함
비판	• 사회 갈등이나 변동의 중요성을 간과함 • 혁명과 같은 급격한 사회 변동을 설명하기 어려움 • 사회 안정을 강조하여 기득권층의 이익을 대변하는 논리로 이용될 우려가 있음

❸ 거시적 관점과 미시적 관점
거시적 관점과 미시적 관점의 차이는 인간 행위의 특성에 대한 서로 다른 생각으로부터 비롯된다. 거시적 관점은 사회 구성원의 행위가 그들이 속한 사회 구조적 특성으로부터 강한 영향을 받는다고 본다. 이와 달리 미시적 관점은 인간이 자율성을 가지고 사회·문화 현상을 구성해 가는 주체라고 본다.

❹ 사회 유기체설
사회를 생물 유기체로 간주하고 생물의 진화나 항상성이라는 특성을 활용해 사회 변화나 사회 내부의 작동 원리 등을 설명하려는 입장이다. 이에 따르면 인간 사회는 인간의 신체와 유사한데, 사회 각 부분들이 제 기능을 온전히 수행하기만 한다면 사회는 조화와 균형을 유지한다고 본다.

자료3 실업 문제를 보는 거시적 관점과 미시적 관점

> 갑: 실업은 산업 구조 변화와 경기 불황에 그 원인이 있습니다. 산업 구조의 중심이 섬유, 건설 등에서 반도체, 정보 기술(IT) 등과 같이 고용 창출 효과가 작은 산업으로 옮겨 갔기 때문입니다. 또한 경기 침체로 노동의 공급보다 노동의 수요가 적어 실업률이 증가하였습니다.
>
> 을: 실업 문제를 바라볼 때, 실업자가 주변 사람들과 상호 작용하면서 낙오자로 인식되는 과정에 초점을 두어야 합니다. 사회 구성원들이 실업자를 무능력자, 낙오자, 게으른 사람 등으로 바라보면 실업자는 스스로 위축되고 자신을 낙오자로 인식하게 되어 사회에 더욱더 적응하지 못하게 됩니다.

자료·분석 실업 문제의 원인이 산업 구조와 경기 불황에 있다고 보는 갑은 거시적 관점, 주변 사람들과의 상호 작용을 중시하는 을은 미시적 관점에서 실업 문제를 바라보고 있다.

한·줄·핵·심 사회 구조나 제도에 초점을 두는 것은 거시적 관점, 개인 간의 상호 작용과 인간 행위에 담긴 의미에 초점을 두는 것은 미시적 관점이다.

자료4 학교 교육을 보는 기능론과 갈등론 　관련 문제 ▶ 23쪽 10번

> 갑: 학교 교육은 개인이 사회에 적응하도록 하는 데 중요한 기능과 역할을 합니다. 예를 들어 개인은 교육을 통해 사회에서 공유되는 가치를 배울 수 있고, 사회적 규칙을 내면화할 수 있습니다. 또한 개인이 직업을 갖는 데 필요한 능력을 배워 사회 구성원으로 잘 적응하게 합니다. 한편 사회적 차원에서 보면, 교육은 독립적으로 존재하는 수많은 개인을 결속함으로써 사회 질서를 유지합니다. 또한 문화를 다음 세대로 전승함으로써 국민적 일체감과 사회적 정체 의식을 지니게 하여 사회 통합을 증진하고 사회 안정을 도모하는 데 이바지합니다.
>
> 을: 학교 교육은 지배 – 피지배 집단 간의 불평등한 권력 관계를 정당한 것으로 받아들이도록 하는 데 이바지합니다. 학교에서 학생들은 학교가 시키는 대로 규칙을 따르고 공부를 합니다. 그리고 그것에 잘 순종하는 것이 성공의 길이라고 배웁니다. 이 과정에서 학생들은 권위에 복종하고 묵묵하게 규칙을 지키며 수직적인 위계질서를 자연스럽게 받아들이게 됩니다. 결국 학교는 지배 집단인 자본가의 명령에 순종하고 잘 따르는 노동자를 길러 내는 역할을 함으로써 사회의 불평등 구조를 재생산하는 데 이바지합니다.

자료·분석 갑은 기능론적 관점, 을은 갈등론적 관점에서 학교 교육을 바라보고 있다. 기능론에서는 학교에서 가르치는 교과 내용은 사회 구성원들의 합의에 의한 것이라고 보며, 학교는 사회가 요구하는 기술, 지식, 공동체 의식을 전수함으로써 사회의 존속과 질서 유지에 기여한다고 본다. 갈등론에서는 학교에서 가르치는 내용은 지배 계급의 이익을 위한 것이라고 보며, 학교는 지배 계급이 선호하는 규범, 가치관 등을 전수함으로써 기존의 위계질서를 재생산한다고 본다.

한·줄·핵·심 교육이 사회의 존속과 통합에 기여함을 강조하면 기능론, 지배 집단의 기득권을 유지하기 위한 수단임을 강조하면 갈등론이다.

？ 궁금해요

Q. 거시적 관점과 미시적 관점에서는 개인에 대한 사회 구조의 영향력을 어떻게 보고 있나요?

A. 개인을 구속하는 사회 구조의 영향력을 강조하는 관점은 거시적 관점이고, 개인의 능동적인 측면을 강조하는 관점은 미시적 관점이야.

용어 더하기

* **인과 관계**
특정 원인에 따라 특정 결과가 발생하는 관계, 즉 어떤 사실과 다른 사실 사이의 원인과 결과 관계를 말한다.

* **관점**
어떤 사물이나 현상을 관찰할 때, 관찰 대상을 바라보고 생각하는 태도나 방식

* **사회 구조**
사회 집단, 사회 조직, 사회 제도 등의 복합적인 전체로 개인의 행동 등을 정해 주는 일정한 틀을 말한다.

* **항상성**
외부 환경의 변화나 내부의 조건 변화와 상관없이 체온이나 혈압 등 내부 요소를 일정한 상태로 유지해 가는 생물의 특성

❺ 갈등론에서의 사회 변동
갈등론에서는 사회 질서 이면에 숨어 있는 모순과 갈등을 통해 사회적 희소가치를 갖지 못한 피지배 집단이 지배 집단에 저항하는 과정에서 사회 변동이 일어난다고 본다.

❻ 사회적 희소가치
부, 명예, 권력처럼 누구나 갖고 싶어 하지만 모두를 충족해 줄 만큼 많지 않은 사회적 자원을 말한다. 기능론에서는 사회적 합의에 의해 분배가 이루어진다고 보는 반면, 갈등론에서는 지배 집단의 강압에 의해 분배가 이루어진다고 본다.

❼ 상황 정의
행위 주체가 특정 상황에 대하여 그것이 발생하게 된 시간적·맥락적 조건에 따라 의미를 부여하는 것으로서 상호 작용의 바탕이 된다.

사회·문화 현상을 보는 관점

기능론	• 사회는 유기체와 유사한 특성을 지님 • 사회는 조화와 균형, 질서와 안정을 실현하는 힘을 지님
갈등론	• 사회 제도는 지배 집단이 피지배 집단을 억압하기 위한 수단임 • 집단 간 갈등은 불가피함
상징적 상호 작용론	• 인간은 사회·문화 현상을 만들어 가는 능동적인 존재임 • 사회·문화 현상의 의미는 상황에 따라 다를 수 있음

3. 갈등론 ❺

(1) 기본 입장

① 사회는 사회적 희소가치❻를 많이 가진 집단과 그렇지 않은 집단이 지배와 피지배* 관계를 이루고 있다고 봄

② 사회 구조나 제도는 지배 집단의 기득권*을 보호하고 계급을 재생산하기 위한 것임

(2) 특징

① 사회는 이익을 둘러싸고 대립하는 계급으로 구성됨

② 사회 구조나 제도는 지배와 피지배 관계를 반영하여 형성되었으며, 지배 계급의 이익 보호와 계급 재생산의 수단이 됨 ┐ 갈등론에서 지배 집단은 이미 권력을 가진 계급을 의미하므로 그들은 자신들의 계급을 재생산하기 위해 자신들에게 유리한 사회 제도를 만든 거야.

③ 갈등은 사회의 본질적인 속성이며, 사회 변동의 원동력이 된다고 봄

(3) 장점과 비판

장점	사회 구조 속에 존재하는 지배와 피지배의 관계와 갈등의 측면을 이해하는 데 유용함
비판	• 사회 각 부분 간의 복잡한 관계를 지배와 피지배의 관계로 단순화함 • 사회에서 협동과 통합이 이루어지는 현상을 설명하기 어려움

4. 상징적 상호 작용론 [자료 5]

(1) 기본 입장

┌ 상징적 상호 작용론에서 인간의 상호 작용이란 일정한 의미를 지닌 언어나 문자, 몸짓 등의 상징을 통해 자신의 생각을 다른 사람에게 전달하기도 하고 또는 받아들이기도 하는 등의 능동적인 과정이라고 봐.

① 개인들이 일상적으로 상호 작용하는 과정에서 나타나는 행위의 주관적인 동기와 의미의 해석에 초점을 두어 사회 현상을 봄

② 인간은 자율성을 지닌 능동적 존재이며, 상징*을 활용하여 사물이나 행위에 의미를 부여할 수 있음 ┐ 인간은 상징의 조작자야. 상징의 조작을 통해 사람들은 상호 작용을 하고, 특정한 대상의 의미는 대상 자체에 있는 것이 아니라 사람들이 그것에 부여하는 의미에 있어. 이렇듯 상징적 상호 작용론은 언어와 의미에 대한 관심에서 출발해.

③ 인간은 자신이 처한 상황에 대한 정의(상황 정의❼)에 기초하여 행동함

(2) 특징

① 사물이나 행위의 의미는 행위 주체인 인간이 부여하는 의미에 따라 달라짐

② 사회적 상호 작용은 개인이 타인의 행위에 대하여 그 의미를 해석하고 반응을 보이는 과정임

(3) 장점과 비판

장점	개인 간 상호 작용의 주관적 의미를 이해하고 밝히는 데 유용함
비판	개인의 행위가 사회 구조나 제도의 영향에 의해 나타날 수 있음을 간과함

5. 사회·문화 현상을 보는 균형적인 관점

(1) 사회·문화 현상을 이해하는 여러 관점의 관계: 기능론, 갈등론, 상징적 상호 작용론의 관점은 모두 사회·문화 현상의 본질을 올바르게 파악하려는 시도에서 나타난 것임

(2) 사회·문화 현상을 보는 관점의 조화와 균형 [자료 6]

① 하나의 사회·문화 현상을 이해할 때 하나의 관점만 적용하면 그 관점이 설명하지 못하는 것을 놓치게 되어 다양한 측면에서 현상을 이해하기 어려움

② 특정 관점이 현상을 설명할 때 갖는 장점과 한계를 비교하면서 여러 관점을 균형 있게 적용해 볼 필요가 있음

③ 조화와 균형 있는 관점은 깊이 있는 이해와 함께 다각적인 해결 방안을 모색할 수 있으므로, 다양한 관점으로 살펴보며 균형과 조화를 이루도록 하는 자세가 필요함

내용 이해를 돕는 팁

❓ 궁금해요

Q. 상징적 상호 작용론에서 바라보는 사회·문화 현상의 의미는 무엇인가요?

A. 상징적 상호 작용론은 사회·문화 현상의 의미가 고정되어 있거나 상황 맥락을 초월하여 절대적으로 규정되는 것이 아니라고 주장해. 사회·문화 현상의 의미는 사람들에게 주어지는 것이 아니라 사람들이 만들어 가는 것이지.

자료5 상징적 상호 작용론 관련 문제 ▶ 22쪽 09번

우리는 중요한 시험을 앞두고 있는 주변 사람들에게 다양한 종류의 선물을 한다. 전통적으로는 주로 떡이나 엿을 주었는데, 이것을 받은 사람은 '시험에 떨어지지 말고 잘 붙어야 한다.'는 합격 기원의 의미를 생각하게 된다. 최근에는 시험을 앞두고 있는 친구에게 포크나 두루마리 휴지를 선물하기도 한다. 특별히 설명하지 않아도 이것을 받은 사람은 시험 문제를 잘 '찍고', 잘 '풀라'는 의미로 이해하고 고맙게 여긴다. 그런데 이런 상징에 익숙하지 않은 시험을 앞둔 외국인에게 포크나 두루마리 휴지를 선물한다면 매우 당황해하거나 우스꽝스러운 행동으로 오해할 수도 있을 것이다.

자·료·분·석 '선물'은 시험을 앞두고 있는 사람에게 시험을 잘 보라는 의미를 상징하고 있다. 상징적 상호 작용론에서는 인간이 각자의 상황 정의를 바탕으로 행위를 선택하고, 의미 전달의 수단으로 상징을 활용하여 타인과 상호 작용을 한다고 본다.

▶ **한·줄·핵·심** 상징적 상호 작용론은 인간이 자율성을 갖는 주체라는 점을 강조한다.

자료6 사회·문화 현상을 보는 균형적인 관점

○○뉴스 　　　　　　　　　　　　 ○○○○년 ○○월 ○○일

리우데자네이루 올림픽은 남아메리카 대륙에서 처음 개최된 대회라는 점에서 의미가 남다르다. 또한, 올림픽 사상 처음으로 전 세계 난민 선수들로 구성된 난민팀도 참가하여 지구촌 축제의 의미를 더하였다. 이번 올림픽은 206개 회원국에서 1만 1천여 명의 선수가 참가하여, 308개의 금메달을 놓고 기량을 겨루었다. 적은 예산을 들이고도 '다양성'과 '자연'으로 브라질의 정체성을 표현하였던 개회식은 세계인에게 감동을 주었다. 그러나 브라질 내에서는 정치적 불안과 경제적 어려움을 겪으면서 올림픽을 반대하는 목소리도 높았다.

갑: 올림픽은 여러 나라를 하나로 묶는 지구촌 축제입니다. 이 행사를 통해 세계 각국은 구성원들의 결속을 다질 수 있어요. 특히 개최국 국민은 국제적인 행사를 치렀다는 자긍심을 가지게 되어 국민 통합에 이바지하는 바가 큽니다.

을: 올림픽은 부자 국가와 가난한 국가를 차별하는 대표적인 행사입니다. 메달 숫자로 표시되는 국력 싸움이지요. 게다가 개최국은 이 행사를 이용하여 정치권력을 강화하고, 국민의 정치적 불만을 잠재우는 데 이용할 수 있어요.

병: 올림픽 메달의 의미는 선수마다 다를 수 있습니다. 심지어 메달을 따는 것보다는 올림픽 참가 자체에 더 의미를 두는 선수들도 많아요. 이에 따라 선수마다 경기 결과를 받아들이는 모습이 다양하게 나타납니다.

자·료·분·석 갑은 기능론, 을은 갈등론, 병은 상징적 상호 작용론의 관점에서 올림픽 행사를 바라보고 있다. 갑은 통합과 안정 측면을, 을은 대립과 갈등 측면을, 병은 개인 행위의 주관적 의미와 해석을 강조하고 있다. 이와 같이 다양한 관점으로 살펴보며 균형과 조화를 이루는 자세가 필요하다.

▶ **한·줄·핵·심** 사회·문화 현상을 다양한 관점으로 살펴보며 균형과 조화를 이루어야 한다.

📖 용어 더하기

* **지배**
어떤 사람이나 집단, 조직, 사물 등을 자기의 의사대로 복종하게 하여 다스리는 것

* **피지배**
지배를 당하는 것

* **기득권**
특정 개인이나 집단이 이미 차지한 권리

* **계급 재생산**
현세대에 존재하는 지배 계급과 피지배 계급의 관계가 다음 세대에서도 동일하게 나타나는 현상으로, 계급의 세습 또는 대물림을 가리킨다.

* **상징**
인간이 사물이나 행위에 대하여 특정한 의미를 부여한 것으로, 사물이나 행위는 그것이 갖는 상징을 통해 인간과 인간의 상호 작용을 매개하는 역할을 한다.

자연 현상과 사회·문화 현상

개념풀 Guide 자연 현상과 사회·문화 현상을 구분하여 각각의 특징과 연결해 보자.

1. 자연 현상과 사회·문화 현상의 특징

철새는 계절에 따라 ㉠일정한 대형으로 무리 지어 이동한다. ㉡자신의 이익만을 좇아 이리저리 옮겨 다니는 사람을 지칭할 때 철새라는 말을 쓰지만, 철새의 이동 방식에는 과학적 원리와 지혜가 숨어 있다. 한 연구팀이 철새에게 측정 장비를 달아 ㉢위치와 속도, 날갯짓 횟수 등을 분석한 결과, V자 대형으로 날 때 ㉣앞선 새가 만드는 상승 기류로 인해 에너지 소모를 줄이는 효과가 있었다. 또한 철새들은 가장 힘이 드는 맨 앞자리를 번갈아 가며 비행하여 협력하는 것으로 나타났다.

질문 \ 학생	갑	을	병	정	무
㉠과 같은 현상은 존재 법칙을 따르는가?	×	×	○	○	○
㉡과 같은 현상은 경험적 자료를 바탕으로 연구할 수 있는가?	×	○	×	○	○
㉢과 같은 현상은 인간의 가치가 반영되어 나타나는가?	○	○	×	○	○
㉣과 같은 현상은 같은 조건하에서는 항상 동일한 결과가 발생하는가?	×	○	○	×	○

(○: 예, ×: 아니요)

분석 ㉠과 ㉣은 자연 현상, ㉡과 ㉢은 사회·문화 현상이다. 자연 현상은 존재 법칙을 따르고, 사회·문화 현상은 자연 현상과 더불어 경험적 자료를 바탕으로 연구할 수 있다. 사회·문화 현상은 인간의 가치가 반영되어 나타나고, 자연 현상은 같은 조건에서는 항상 동일한 결과가 발생한다. 따라서 무만이 모든 질문에 옳게 답했다.

2. 자연 현상과 사회·문화 현상의 관계

폭염과 가뭄으로 ㉠더위에 강한 일본 뇌염 모기가 증가하고 있다고 하는군.

㉡태풍으로 물웅덩이가 증가하면 일반 모기 개체 수도 늘어날 거야. 보건 당국의 ㉢방역 관리가 필요하겠네.

분석 ㉠과 ㉡은 자연 현상, ㉢은 사회·문화 현상이다. ㉠과 ㉡으로 인해 ㉢과 같은 현상이 나타나듯이, 자연 현상이 원인이 되어 사회·문화 현상이 나타날 수 있다.

3. 자연 현상과 사회·문화 현상 관련 문제 ▶ 24쪽 03번

아열대 기후가 나타나는 국가에서는 최근 ㉠갑작스러운 기후 변화로 예년보다 기온이 낮아지는 일이 잦아지고 있다. 게다가 ㉡바람에 의해 피부에 느껴지는 온도를 지표화한 체감 온도는 실제 온도보다 더 낮다. 그래서 노약자들에게 ㉢저체온증이나 심혈관 질환이 발생하여 사망자가 나오기도 한다. 반면, 우리나라에서는 예년보다 기온이 높아지는 경우가 많아지고 있다. 입동(立冬) 무렵이 되면 수능 시험을 치르는데, 그때 발생하던 ㉣입시 한파라고 불리는 매서운 추위가 최근에는 잘 나타나지 않는다.

분석 • ㉠과 ㉢은 자연 현상, ㉡과 ㉣은 사회·문화 현상이다.
• 자연 현상은 몰가치적이고, 사회·문화 현상은 당위 법칙을 따른다.
• 자연 현상과 사회·문화 현상 모두 인과 관계가 나타난다. 다만, 자연 현상이 사회·문화 현상보다 인과 관계가 더 명확하다.
• 자연 현상은 확실성의 원리가 적용되고, 사회·문화 현상은 보편성보다 특수성이 강하게 나타난다.

4. 자연 현상과 사회·문화 현상

㉠감기에 걸렸을 때 감기약을 먹으면 7일 만에 낫고, 그렇지 않으면 일주일 만에 낫는다는 말이 있다. 이는 우리 몸에 ㉡병을 치유할 수 있는 자생력이 내재되어 있음을 의미하는 말이다. 사회에도 우리 몸과 같이 비정상적인 상태를 바로잡아 정상적인 상태로 회복시켜 주는 장치가 내재되어 있다.

질문 \ 답변	예	아니요
A	㉠	㉡
B	㉡	㉠

분석 • ㉠은 사회·문화 현상, ㉡은 자연 현상이다.
• A에는 사회·문화 현상에 '예'라는 답변을, 자연 현상에 '아니요'라는 답변을 할 수 있는 질문이 들어가야 한다. '당위 법칙이 적용되는가?'는 A에 적절한 질문이다.
• B에는 사회·문화 현상에 '아니요'라는 답변을, 자연 현상에 '예'라는 답변을 할 수 있는 질문이 들어가야 한다. '동일 조건하에서 동일 현상이 발생하는가?'는 B에 적절한 질문이다.

사회·문화 현상을 보는 관점

개념풀 Guide 사회·문화 현상을 보는 관점에는 기능론, 갈등론, 상징적 상호 작용론이 있다. 각 관점의 특징을 구분해 보자.

1. 노인 소외의 원인을 보는 관점   관련 문제 ▶ 25쪽 08번

> 사회자: 노인 소외의 원인에 대하여 말씀해 주십시오.
>
> 갑: 급격한 사회 변동에 따라 가치관과 규범이 변화되고, 세대 간의 관계도 새롭게 정의되었습니다. 사회 변화에 노인들이 적응할 수 있도록 지원하는 정책이 미비하여 노인들이 소외되는 것입니다.
>
> 을: 가족 구성원들이 노인을 의존적인 존재로 여기고, 노인도 이를 수용하면서 스스로 위축될 수밖에 없습니다. 그러다 보니 자녀들과 원활한 의사소통을 하지 못하여 노인들이 소외되는 것입니다.
>
> 병: 현대 사회에서는 경제력을 가진 사람들이 주도권을 갖게 됩니다. 부와 권력의 분배를 중년층이 좌우하면서 노인들의 능력이나 노력과 상관없이 사회적 역할에서 노인들을 배제해 그들이 소외되는 것입니다.

분석 • 갑은 기능론, 을은 상징적 상호 작용론, 병은 갈등론의 관점에서 노인 소외 문제를 바라보고 있다.

• 기능론은 사회를 유기체에 비유하고, 각 부분은 사회 전체의 존속과 통합을 위해 맡은 기능을 수행한다고 본다.

• 갈등론은 사회를 사회적 희소가치를 둘러싼 구성원 간 갈등과 대립의 장으로 본다.

• 상징적 상호 작용론은 인간이 자신이 처한 상황에 대한 주관적인 정의(상황 정의)에 기초하여 행동한다고 본다.

2. 교육을 보는 관점

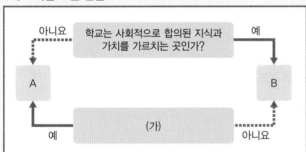

분석 • 학교를 사회적으로 합의된 지식과 가치를 가르치는 곳으로 보는 관점은 기능론이므로 A는 갈등론, B는 기능론이다.

• (가)에는 교육을 보는 갈등론의 관점이 들어갈 수 있다. 기능론은 교육이 계층 불평등 해소에 기여한다고 본다. 반면, 갈등론은 교육의 성과가 가정 배경에 의해 결정된다고 본다.

3. 교육을 보는 관점

> 학교와 학교 교육에 대한 서로 다른 관점이 존재한다. A의 관점은 C의 관점과 달리 학교 교육은 사회적 합의에 기초한 지배적 가치를 다양한 집단의 구성원들에게 전수하여 사회 질서 유지에 기여한다고 본다. B의 관점은 A, C의 관점과 달리 능동적 존재로서의 학생들이 학교와 학교 교육에 대해 부여하는 다양한 의미와 그 해석에 주목한다.

분석 • 학교 교육에 대한 관점 A는 기능론, B는 상징적 상호 작용론, C는 갈등론이다.

• 기능론과 갈등론은 사회 구조나 사회 제도에 대한 이해를 중시하는 거시적 관점, 상징적 상호 작용론은 개인 간 상호 작용을 중시하는 미시적 관점에 해당한다.

4. 가족 문제를 보는 관점

질문 \ 관점	(가)	(나)	(다)
가족 문제에 대해 사회 구조적 차원에서 접근하는가?	예	아니요	예
가족 구성원 간의 갈등을 필연적이고 자연스러운 것으로 간주하는가?	예	아니요	아니요

분석 • (가)는 갈등론, (나)는 상징적 상호 작용론, (다)는 기능론이다.

• 갈등론은 가족 문제에 대해 사회 구조적 차원에서 접근하며, 가족 구성원 간의 갈등을 필연적이고 자연스러운 것으로 간주한다.

• 상징적 상호 작용론은 미시적 관점이므로 사회 구조적 차원에서의 접근이 아니며, 기능론은 거시적 관점이므로 사회 구조적 차원의 접근에 해당한다.

A 사회·문화 현상의 특징

01 자연 현상과 사회·문화 현상에 해당하는 사례를 바르게 연결하시오.

(1) 물은 100 ℃에서 끓는다.　　　　　　　•

(2) 결혼 적령기가 되어 결혼한다.　　　　•　　　　　• ㉠ 자연 현상

(3) 사람이 죽으면 장례 의식을 행한다.　•　　　　　• ㉡ 사회·문화 현상

(4) 바람은 고기압 지대에서 저기압 지대로 분다. •

02 옳은 설명에 ○표, 틀린 설명에 ×표를 하시오.

(1) 자연 현상은 인간의 의지나 가치와 무관하다.　　　　　　　　(　　)

(2) 사회·문화 현상은 자연 현상과 달리 특수성을 띤다.　　　　　(　　)

(3) 사회·문화 현상과 자연 현상은 모두 인과 관계가 존재한다.　(　　)

(4) 사회·문화 현상은 존재 법칙, 자연 현상은 당위 법칙이 적용된다.　(　　)

B 사회·문화 현상을 보는 관점

03 다음 진술과 관련 있는 사회·문화 현상을 보는 관점을 쓰시오.

(1) 힘을 가진 세력이 일방적으로 대중을 규제한다.　　　　　　(　　　　)

(2) 권력은 사회적 필요에 따라 정당하게 배분된다.　　　　　　(　　　　)

(3) 현상의 본질은 구성원의 해석에 따라 달라진다.　　　　　　(　　　　)

(4) 사회의 지배적인 가치는 사회 구성원들의 합의에 따라 만들어진다.　(　　　　)

(5) 사회 문제는 의미를 부여하는 개인이나 집단들에 의해 달리 규정된다. (　　　　)

04 빈칸에 알맞은 관점을 쓰시오.

> 사회·문화 현상을 바라볼 때 어느 관점만이 옳다고 말할 수 없다. (1)□□□은 사회 질서와 통합이 이루어지는 현상의 이해에는 유용하지만, 급진적 사회 변동을 설명하기에는 곤란하다. (2)□□□은 사회 내 지배와 피지배 관계, 갈등의 측면을 이해하기에는 유용하지만, 사회 관계를 단순화하고 사회의 협동과 통합 현상을 설명하기에는 곤란하다. (3)□□□ □□ □□□은 개인 간 상호 작용의 주관적 의미 이해에는 유용하지만, 개인 행위에 대한 사회 구조의 영향력에 소홀하다는 한계가 있다. 따라서 특정 관점에 치우치기보다는 다양한 관점에 기초하여 균형적이고 종합적으로 사회·문화 현상을 바라봐야 한다.

정답과 해설 2쪽

A 사회·문화 현상의 특징

01 밑줄 친 ㉠~㉣ 중 사회·문화 현상에 해당하는 것은?

> ○○ 지역에서 다음 주에 개최될 예정이었던 ㉠단풍 축제는 ㉡전국에 많은 비가 내릴 것이 예상된다는 ㉢기상청의 예보에 따라 단풍 구경에 차질이 빚어질 것으로 보인다. 특히 ○○ 지역에는 많은 비가 올 것으로 예상되면서 바람에 취약한 ㉣단풍의 낙화가 우려된다.

① ㉠, ㉡   ② ㉠, ㉢   ③ ㉡, ㉢
④ ㉡, ㉣   ⑤ ㉢, ㉣

02 사회·문화 현상의 특징으로 옳은 것은?

① 몰가치적이다.
② 존재 법칙의 지배를 받는다.
③ 법칙의 발견과 예측이 용이하다.
④ 시·공간적 보편성과 특수성을 가진다.
⑤ 인과 관계가 분명하며, 확실성의 원리가 적용된다.

03 밑줄 친 '이 현상'에 대한 옳은 설명을 〈보기〉에서 고른 것은?

> 이 현상은 보편성과 함께 특수성을 지닌다. 예를 들어 세계 각국의 사람들은 사람이 죽으면 장례를 치르고, 결혼 적령기가 되면 결혼을 한다는 점에서는 보편성이 있지만, 나라마다 각기 다른 모습의 장례 문화와 혼인 문화가 나타난다는 점에서는 특수성을 지닌다.

보기
> ㄱ. 몰가치적이다.
> ㄴ. 존재 법칙이 지배한다.
> ㄷ. 개연성과 확률의 원리가 적용된다.
> ㄹ. 인과 관계가 존재하지만 불분명하다.

① ㄱ, ㄴ   ② ㄱ, ㄷ   ③ ㄴ, ㄷ
④ ㄴ, ㄹ   ⑤ ㄷ, ㄹ

04 (가), (나)와 같은 현상의 일반적 특징에 대한 옳은 설명을 〈보기〉에서 고른 것은?

> (가) 봄이 지나고 나면 여름이 온다.
> (나) 국회 의원 선거를 통해 대표를 선출한다.

보기
> ㄱ. (가)와 같은 현상은 예외가 존재한다.
> ㄴ. (나)와 같은 현상은 당위 법칙의 지배를 받는다.
> ㄷ. (가)와 같은 현상은 (나)와 같은 현상과 달리 개연성이 나타난다.
> ㄹ. (나)와 같은 현상은 (가)와 같은 현상과 달리 사람들의 가치나 신념이 반영되어 나타난다.

① ㄱ, ㄴ   ② ㄱ, ㄷ   ③ ㄴ, ㄷ
④ ㄴ, ㄹ   ⑤ ㄷ, ㄹ

05 밑줄 친 ㉠, ㉡과 같은 현상의 특징에 대한 설명으로 옳지 않은 것은?

올해 폭염이 1994년 이후 24년 만에 최악의 ㉠폭염으로 기록됐대.

그래, 너무 더워서 본격적인 피서철에 접어들었음에도 ㉡해수욕장을 찾는 발길이 뜸하다고 하더라고.

① ㉠과 같은 현상은 존재 법칙의 지배를 받는다.
② ㉡과 같은 현상은 확률의 원리가 적용된다.
③ ㉠과 같은 현상은 몰가치적, ㉡과 같은 현상은 가치 함축적이다.
④ ㉡과 같은 현상은 ㉠과 같은 현상에 비해 인과 관계가 분명하다.
⑤ ㉡과 같은 현상은 ㉠과 같은 현상과 달리 보편성과 특수성이 함께 나타난다.

06 밑줄 친 ㉠~㉢에 대한 설명으로 옳은 것은?

> 지난 주말 전국에 내린 ㉠폭염 특보는 해제되었고, 이번 주말에는 ㉡태풍이 느린 속도로 제주도 남쪽 해상으로 이동할 것으로 분석됐다. 이에 따라 기상청 관계자는 남해안과 동해안, 제주도 저지대에서는 ㉢만조가 나타나는 시기에 ㉣침수 피해가 없도록 유의해야 한다고 말했다.

① ㉠, ㉣과 같은 현상은 확실성의 원리를 따른다.
② ㉡과 같은 현상과 달리 ㉣과 같은 현상은 인과 관계가 존재한다.
③ ㉢과 같은 현상은 ㉡과 같은 현상과 달리 당위 법칙의 지배를 받는다.
④ ㉠, ㉡, ㉢과 같은 현상은 모두 경험적 자료에 의해 연구할 수 있다.
⑤ ㉠, ㉣과 같은 현상과 달리 ㉢과 같은 현상은 인간의 의지와 감정이 개입되어 발생한다.

B 사회·문화 현상을 보는 관점

07 다음 글에 나타난 사회·문화 현상을 보는 관점에 대한 옳은 설명을 〈보기〉에서 고른 것은?

> 대상의 본질은 그 대상을 인식하는 사람이 그 대상에 대하여 부여한 의미이다. 인간은 대상에 대하여 스스로 부여한 의미에 기초하여 행동하고, 의미를 수정하거나 변경할 수 있다.

보기
ㄱ. 개인에 대한 사회 구조의 영향력을 중시한다.
ㄴ. 인간 행동의 동기에 대한 의미와 해석을 경시한다.
ㄷ. 인간은 상황에 대한 자신의 해석을 바탕으로 행동한다고 본다.
ㄹ. 사회·문화 현상의 의미는 그것이 발생하는 상황 맥락에 따라 달라질 수 있다고 본다.

① ㄱ, ㄴ　　　② ㄱ, ㄷ　　　③ ㄴ, ㄷ
④ ㄴ, ㄹ　　　⑤ ㄷ, ㄹ

08 다음 글에 나타난 사회·문화 현상을 보는 관점에 대한 옳은 설명을 〈보기〉에서 고른 것은?

> 사회도 유기체가 자동 안정화 기능에 의해 항상성을 갖듯이 구성 요소들의 역할 수행에 의해 안정 상태를 이루고 있다. 또한 사회의 하위 체계 구성 요소들이 정상적으로 작동해야 사회 통합이 유지될 수 있다.

보기
ㄱ. 급격한 사회의 변동을 설명하기에 용이하다.
ㄴ. 사회 규범이 특정 집단의 합의를 통해 형성된다고 본다.
ㄷ. 사회가 스스로 균형을 유지하려는 속성을 지닌다고 본다.
ㄹ. 사회 구성원은 사회의 조화와 안정에 필요한 역할을 수행한다고 본다.

① ㄱ, ㄴ　　　② ㄱ, ㄷ　　　③ ㄴ, ㄷ
④ ㄴ, ㄹ　　　⑤ ㄷ, ㄹ

09 다음 글에 나타난 사회·문화 현상을 보는 관점에 대한 설명으로 옳은 것은?

> 우리는 중요한 시험을 앞두고 있는 주변 사람들에게 전통적으로는 주로 떡이나 엿을 주었는데, 이것을 받은 사람은 '시험에 떨어지지 말고 잘 붙어야 한다.'는 합격 기원의 의미를 생각하게 된다. 최근에는 포크나 두루마리 휴지를 선물하기도 한다. 이것을 받은 사람은 시험 문제를 잘 '찍고', 잘 '풀라'는 의미로 이해하고 고맙게 여긴다.

① 사회는 이익을 둘러싸고 대립하는 계급으로 구성된다고 본다.
② 인간이 상황 정의에 기초하여 행동하는 자율적인 존재라고 본다.
③ 사회 구조나 제도는 지배와 피지배의 관계를 반영하여 형성된다고 본다.
④ 사회의 유지에 필요한 핵심적인 가치나 규범에 관하여 사회적 합의가 존재한다고 본다.
⑤ 사회의 각 부분이 역할을 제대로 수행함으로써 조화와 균형을 회복할 힘을 갖고 있다고 본다.

10 학교 교육을 바라보는 갑과 을의 관점에 대한 설명으로 옳지 <u>않은</u> 것은?

> 갑: 학교 교육은 개인이 사회에 적응하도록 하는 데 중요한 기능과 역할을 합니다. 예를 들어 개인은 교육을 통해 사회에서 공유되는 가치를 배울 수 있고, 사회적 규칙을 내면화할 수 있습니다.
> 을: 학교는 지배 집단인 자본가의 명령에 순종하고 잘 따르는 노동자를 길러 내는 역할을 함으로써 사회의 불평등 구조를 재생산하는 데 이바지합니다.

① 갑의 관점은 보수적인 관점이라는 비판을 받는다.
② 을의 관점은 학교에서 가르치는 내용이 지배 계급의 이익을 위한 것이라고 본다.
③ 갑의 관점은 을의 관점과 달리 학교는 사회의 존속과 질서 유지에 기여한다고 본다.
④ 갑, 을의 관점은 모두 개인의 행위가 사회 구조의 영향을 받아 나타난다고 본다.
⑤ 갑, 을의 관점은 모두 학교와 학교 교육에 대해 학생들이 부여하는 다양한 의미와 해석에 주목한다.

11 다음 대화에서 사회·문화 현상을 보는 갑, 을의 관점에 대한 옳은 설명을 〈보기〉에서 고른 것은?

> 나는 학교 교칙이 기성 세대들의 기득권 유지를 위한 수단이라고 생각해.
>
> 학교 교칙은 학교의 질서와 안정을 이룰 수 있고, 학생들이 학교생활에 잘 적응할 수 있는 데 기여해.

> 보기
> ㄱ. 갑의 관점은 사회의 지배적 규범 습득이 사회 존속에 필수적이라고 본다.
> ㄴ. 을의 관점은 개인이 각자의 주관에 따라 다양한 사회상을 만들어 낸다고 본다.
> ㄷ. 갑의 관점은 을의 관점과 달리 사회화가 현재의 불평등한 구조를 정당화한다고 비판한다.
> ㄹ. 을의 관점은 갑의 관점에 비해 사회 통합의 유지를 중시한다.

① ㄱ, ㄴ   ② ㄱ, ㄷ   ③ ㄴ, ㄷ
④ ㄴ, ㄹ   ⑤ ㄷ, ㄹ

12 표는 사회·문화 현상을 보는 관점 (가), (나)를 비교한 것이다. 이에 대한 설명으로 옳은 것은?

질문	답변	
	(가)	(나)
인간의 능동적 사고와 자율적 행위의 측면을 강조하는가?	예	아니요
사회는 사회 구성원 전체의 합의에 따라 만들어진다고 보는가?	아니요	예

① (가)의 관점은 개인에 대한 사회 구조의 영향력을 간과한다.
② (가)의 관점은 사회 구성원은 사회의 안정과 조화에 필요한 역할을 수행한다고 본다.
③ (나)의 관점은 현상의 본질이 구성원의 해석에 따라 달라진다고 본다.
④ (나)의 관점은 사람들이 행위를 해석하고 정의하는 과정에 초점을 둔다.
⑤ (가)의 관점과 (나)의 관점 모두 거시적 관점에 해당한다.

┌─ **서술형 문제** ┄┄┄┄┄┄┄┄┄┄┄┄┄┄┄┄┄┄┄┄┄

13 다음 대화에서 사회·문화 현상을 보는 갑, 을의 관점을 쓰고, 각 관점의 한계점을 <u>한 가지</u> 서술하시오.

> 갑: 법은 사회 구성원 모두의 합의를 반영하여 제정됩니다. 이러한 법이 있으므로 사회 구성원 모두의 권리와 이익이 보장될 수 있고, 사회 질서를 유지할 수 있습니다.
> 을: 법은 지배 집단의 의도와 가치관을 반영하여 제정됩니다. 따라서 법은 지배 집단의 이익을 보장하고, 지배 집단이 피지배 집단을 억압하고 통제하기 위한 수단에 불과합니다.

01 밑줄 친 ㉠~㉣과 같은 현상에 대한 질문에 옳게 응답한 학생은?

> ㉠기온이 떨어지면서 ㉡벚꽃 축제를 즐기는 사람들이 두터운 외투를 입고 있다. 그런데도 ㉢벚꽃을 즐기려는 관광객은 오히려 증가하고 있다. ㉣일기 예보에서는 추운 날씨가 계속될 것이라고 한다.

학생	질문	응답			
		㉠	㉡	㉢	㉣
갑	몰가치적 현상인가?	○	×	○	×
을	존재 법칙의 적용을 받는가?	○	×	×	×
병	확률의 원리가 적용되는가?	×	○	×	○
정	보편성과 특수성이 공존하는가?	×	×	○	○
무	경험적 자료에 의해 연구할 수 있는가?	○	○	×	×

(○: 예, ×: 아니요)

① 갑   ② 을   ③ 병   ④ 정   ⑤ 무

02 밑줄 친 ㉠~㉢과 같은 현상의 일반적인 특징에 대한 옳은 설명을 〈보기〉에서 고른 것은?

> ○○연구팀은 ㉠평균 기온이 2 ℃ 오르면 범죄는 15%, 집단 분쟁은 50% 이상 증가한다는 연구 결과를 발표하면서, "㉡급격한 기온 상승이 농작물의 생육을 저해하고, 이로 인해 경제가 어려워져 개인이나 집단 간에 갈등이 증가하면서 분쟁이 늘어난다."라고 설명하였다. 이에 대해 □□연구팀은 "폭염으로 인한 스트레스와 긴장 때문일 수도 있다. ㉢인간 신체는 과도한 열에 반응하여 스트레스 호르몬을 생성하는데, 이 호르몬의 활동은 공격성과 연결되어 있다."라고 주장하였다.

보기
ㄱ. ㉠과 같은 현상은 확률의 원리를 따른다.
ㄴ. ㉡과 같은 현상은 인과 관계가 분명하다.
ㄷ. ㉠과 같은 현상은 ㉢과 같은 현상에 비해 보편성이 강하게 나타난다.
ㄹ. ㉡과 같은 현상은 ㉢과 같은 현상과 달리 몰가치적이다.

① ㄱ, ㄴ   ② ㄱ, ㄷ   ③ ㄴ, ㄷ
④ ㄴ, ㄹ   ⑤ ㄷ, ㄹ

03 밑줄 친 ㉠~㉣과 같은 현상의 일반적인 특징에 대한 설명으로 옳은 것은?

> 아열대 기후가 나타나는 국가에서는 최근 ㉠갑작스러운 기후 변화로 예년보다 기온이 낮아지는 일이 잦아지고 있다. 게다가 ㉡바람에 의해 피부에 느껴지는 온도를 지표화한 체감 온도는 실제 온도보다 더 낮다. 그래서 노약자들에게 ㉢저체온증이나 심혈관 질환이 발생하여 사망자가 나오기도 한다. 반면, 우리나라에서는 예년보다 기온이 높아지는 경우가 많아지고 있다. 입동(立冬) 무렵이 되면 수능 시험을 치르는데, 그때 발생하던 ㉣입시 한파라고 불리는 매서운 추위가 최근에는 잘 나타나지 않는다.

① ㉠과 같은 현상은 ㉣과 같은 현상과 달리 인과 관계가 나타난다.
② ㉡과 같은 현상은 ㉢과 같은 현상과 달리 당위 법칙을 따른다.
③ ㉢과 같은 현상은 ㉠과 같은 현상과 달리 확률의 원리가 적용된다.
④ ㉣과 같은 현상은 ㉡과 같은 현상과 달리 보편성보다 특수성이 강하다.
⑤ ㉠, ㉡과 같은 현상은 ㉢, ㉣과 같은 현상과 달리 몰가치적이다.

04 다음 글에 나타난 사회·문화 현상을 보는 관점에 대한 설명으로 가장 적절한 것은?

> 새끼손가락 하나라도 다치면 정상적인 활동에 지장이 생기듯이 사회에서도 시내버스 운전기사들의 파업으로 버스 운행이 중단되면 시민들은 불편함을 느낀다. 이처럼 사회의 어느 구성 요소라도 그 기능을 제대로 수행하지 못하면 사회 구조가 정상적으로 작동하기 어렵다.

① 사회 갈등이 사회 변동의 원동력이 된다고 본다.
② 사회 질서는 특정 집단의 합의에 근거한다고 본다.
③ 질서 유지를 위한 사회 하위 체계의 기능에 주목한다.
④ 개인 간 상호 작용의 주관적 의미를 이해하고 밝히는 데 유용하다.
⑤ 사회 구조보다는 개별 행위의 맥락적인 의미와 동기 해석이 중요하다고 본다.

05 교육을 바라보는 갑, 을의 관점에 대한 설명으로 옳은 것은?

> **○○ 고민 게시판**
>
> 원하는 대학에 가고 좋은 직장도 가지고 싶은데 어떻게 해야 할까요?
>
> └ Re: (갑) 열심히 공부하면 누구나 원하는 대학에 갈 수 있어요. 대학에서 높은 학점을 받고 실력을 쌓으면 자기 전공에 맞게 취업도 할 수 있어요. 이처럼 우리 교육이 인재를 양성해서 사회가 필요한 곳에 배치하는 역할을 잘 수행하고 있으니 열심히 노력해 보세요.
>
> └ Re: (을) 그렇지 않아요. 솔직히 부유층 자녀들만 원하는 대학에 가고 좋은 직장 갖는 거 아닌가요? 그렇지 않은 아이들은 좋은 대학에도 못가지만, 설령 가더라도 좋은 직장에 취업하기는 어려워요. 결국 교육은 가진 자들이 기득권을 유지하는 수단일 뿐이에요.

① 갑의 관점은 교육에 있어 가정 배경의 영향력을 중시한다.

② 갑의 관점은 교육 수준에 따른 사회적 희소가치의 차등 배분을 정당하다고 본다.

③ 을의 관점은 교육이 계층의 재생산을 억제한다고 본다.

④ 을의 관점은 교육이 사회 이동의 기회를 제공함을 강조한다.

⑤ 갑, 을의 관점은 모두 학교 교육에 대한 교사와 학생의 상황 정의에 주목한다.

06 다음 글에 나타난 사회·문화 현상을 보는 관점에 대한 옳은 설명을 <보기>에서 고른 것은?

> 인간은 자신이 처한 상황에 대한 정의에 기초하여 각자의 주관적인 신념과 가치에 따라 행동한다. 이러한 상황 정의는 행위 주체가 특정 상황에 대하여 그것이 발생하게 된 시간적·맥락적 조건에 따라 의미를 부여하는 것으로서 상호 작용의 바탕이 된다.

보기
> ㄱ. 사회 문제를 병리적인 현상으로 간주한다.
> ㄴ. 개인에 대한 사회 구조의 영향력을 경시한다.
> ㄷ. 인간의 능동적 사고와 자율적 행위의 측면을 강조한다.
> ㄹ. 사회적 희소가치의 분배 기준이 사회적으로 합의된 것이라고 본다.

① ㄱ, ㄴ   ② ㄱ, ㄷ   ③ ㄴ, ㄷ

④ ㄴ, ㄹ   ⑤ ㄷ, ㄹ

07 다음 사회·문화 현상을 보는 관점에 대한 비판으로 적절한 것은?

> 사회는 유기체처럼 다양한 부분들이 상호 의존적으로 연결되어 하나의 체계를 형성하고 있다. 마치 생명체의 여러 기관들이 각각의 역할을 수행하며 하나의 생명체를 유지하는 것과 같다. 이는 사회 각 부분들이 사회 전체의 존속과 통합을 위해 맡은 역할을 수행하는 것을 보면 알 수 있다.

① 사회적 합의를 경시한다.

② 사회 안정 및 균형의 측면을 간과한다.

③ 기득권층의 이익을 대변하는 논리로 악용될 수 있다.

④ 사회 관계를 지배와 피지배의 관계로 단순화하였다.

⑤ 개인의 행위가 사회 구조의 영향을 받음을 간과한다.

08 사회·문화 현상을 바라보는 갑~병의 관점에 대한 설명으로 옳은 것은?

> 사회자: 노인 소외의 원인에 대하여 말씀해 주십시오.
>
> 갑: 급격한 사회 변동에 따라 가치관과 규범이 변화되고, 세대 간의 관계도 새롭게 정의되었습니다. 사회 변화에 노인들이 적응할 수 있도록 지원하는 정책이 미비하여 노인들이 소외되는 것입니다.
>
> 을: 가족 구성원들이 노인을 의존적인 존재로 여기고, 노인도 이를 수용하면서 스스로 위축될 수밖에 없습니다. 그러다 보니 자녀들과 원활한 의사소통을 하지 못하여 노인들이 소외되는 것입니다.
>
> 병: 현대 사회에서는 경제력을 가진 사람들이 주도권을 갖게 됩니다. 부와 권력의 분배를 중년층이 좌우하면서 노인들의 능력이나 노력과 상관없이 사회적 역할에서 노인들을 배제해 그들이 소외되는 것입니다.

① 갑의 관점은 상황에 대한 개인의 주관적 의미 부여를 강조한다.

② 을의 관점은 사회가 필연적으로 변화하며 집단 간 갈등이 변화의 동력이라고 본다.

③ 병의 관점은 기득권층의 이익을 대변하는 논리로 사용된다는 비판을 받는다.

④ 갑의 관점은 병의 관점과 달리 사회 구성 요소의 기능과 역할은 사회적으로 합의된 것이라고 본다.

⑤ 을, 병의 관점은 갑의 관점과 달리 사회 문제를 설명하는 데 사회 구조적 요인을 중시한다.

02 ～ 사회·문화 현상의 탐구 방법

핵심 질문으로 흐름잡기

A 사회·문화 현상의 연구 방법의 종류와 각각의 특징은?

B 자료 수집 방법의 종류와 각각의 특징은?

❶ 자연 과학과 사회 과학
자연 현상을 대상으로 하는 연구와 사회·문화 현상을 대상으로 하는 연구는, 연구 대상은 다르지만 경험 과학이라는 공통점을 갖는다. 즉, 자연 과학과 사회 과학은 모두 경험적인 자료에 근거하여 현상에 대한 지식을 알아내고자 한다. 경험적인 자료는 인간의 시각이나 청각 등의 감각을 통해 관찰할 수 있거나 접할 수 있는 자료이다.

❷ 콩트의 방법론적 일원론
콩트는 사회·문화 현상에도 자연 현상과 마찬가지로 인과 법칙이 존재하며, 이를 측정이나 실험과 같은 실증적 방법을 통해 탐구할 수 있다고 생각하였다.

❸ 베버의 방법론적 이원론
베버는 실증주의 전통을 비판하면서 인간의 사회적 행위를 깊이 있게 이해하려면 계량화된 방법이 아니라 직관적인 통찰을 통해 행위의 이면을 해석적으로 이해해야 한다고 주장하였다.

A 사회·문화 현상의 연구 방법

|시·험·단·서| 사례에 나타난 연구 방법이 무엇인지 파악하고 그 특징을 고르는 문제가 주로 출제돼.

1. 사회·문화 현상의 과학적 탐구 ❶

(1) **과학적 지식**: 사회·문화 현상을 엄격한 연구 절차와 방법에 따라 체계적으로 분석하여 발견한 지식으로, 누구나 신뢰할 만하고 타당하다고 인정할 수 있음

(2) **과학적 지식을 얻기 위한 탐구 방법**: 과학적 지식은 이성적이고 체계적인 연구를 통해 얻을 수 있음 → 양적 연구 방법과 질적 연구 방법으로 구분됨 `자료 1`

2. 양적 연구 방법

(1) **의미**: 사회·문화 현상의 인과 관계를 경험적 자료의 <u>계량화</u>를 통해 설명하고, 법칙을 발견하려는 연구 방법으로 실증적 연구 방법이라고도 함 └ 어떤 현상의 특성이나 경향을 수량으로 표시하는 것을 말해.

(2) **전제**: 사회·문화 현상이 자연 현상과 본질적으로 동일한 특성을 지니고 있으므로 자연 현상의 연구 방법을 사회·문화 현상의 연구에 적용할 수 있음(방법론적 일원론 ❷)

(3) **연구 목적**: 사회·문화 현상의 인과 관계를 규명하여 일반적인 법칙을 발견함

(4) **특징**

① 자연 현상과 마찬가지로 사회·문화 현상에 대한 측정과 계량화, 통계적 분석 등 양적 접근이 가능함

② 자연 현상에 대한 연구를 통해 법칙을 발견하듯이 사회·문화 현상에 대한 자연 과학적인 연구를 통해 일반화하거나 법칙을 발견할 수 있음

③ 사회·문화 현상에 대한 측정을 위해 필요한 경우 <u>개념의 조작적 정의</u>를 하게 됨 `자료 2` └ 단순히 개념을 일반적으로 정의내리는 것과는 다른 의미야.

④ 연구자의 주관적 가치를 배제한 객관적 연구가 가능함

(5) **장점과 한계**

장점	• 사회·문화 현상에 대한 측정과 계량화, 통계 분석을 통해 정밀하고 정확한 연구가 가능함 • 연구자의 가치가 개입되는 것을 막는 데 용이함 • 일반화된 법칙을 찾아내 사회·문화 현상을 설명하거나 예측하는 데 용이함
한계	• 계량화하기 어려운 인간의 주관적이고 정신적인 영역의 연구에는 제약이 있음 • 행위 주체인 인간의 주관적 가치를 배제한 연구를 함으로써 사회·문화 현상에 대한 피상적인 연구에 그칠 우려가 있음

3. 질적 연구 방법

(1) **의미**: 사회·문화 현상에 담긴 인간의 주관적인 행위 동기나 목적 등을 깊이 있게 이해하려는 연구 방법으로 해석적 연구 방법이라고도 함

(2) **전제**: 사회·문화 현상은 자연 현상과 본질적으로 다른 특성을 가지므로 자연 과학적 연구 방법으로는 사회·문화 현상을 연구할 수 없음(방법론적 이원론 ❸)

(3) **연구 목적**: 행위자의 주관적 가치 및 행위 동기, 상황 맥락 등과 불가분의 관계에 있는 사회·문화 현상에 대하여 심층적으로 이해하고자 함

시험에 잘 나오는 자료

자료1 사회·문화 현상의 연구 방법

청소년들의 주관적 행복이 학교에서의 다양한 경험과 관련되어 있음을 확인하고자 한다.

양적 연구
- 401명의 중학생을 조사 대상으로 선정하고, 이들을 성별, 학년별, 부모 소득별(사회·경제적 배경)로 각각 구분하였다.
- 이 학생들을 대상으로 ① 삶의 만족도, ② 긍정 및 부정적 자아 인식, ③ 교사의 사회적 지지 정도로 구성된 질문지를 만들어 조사하였다.
- 질문지의 응답 결과를 수치화하여 청소년들의 주관적 행복과 교사의 사회적 지지와의 상관관계를 통계적으로 분석하였다.

질적 연구
- 조사 대상인 401명의 학생 중 50명을 선발하여 8개의 심층 면담 집단으로 나누어 면담을 진행하였다.
- 면담 주요 내용은 학생들이 개인적으로 행복을 느끼는 시기와 정도, 높은 사회적 지지를 전달하는 교사들의 행동 특징 등에 관한 것이었다.
- 면담 내용을 정리한 결과, 설문지만으로는 파악하기 어려웠던 학생들이 원하는 삶과 부모와 교사의 역할 등에 대한 깊이 있는 정보를 파악하였다.

자료·분석 제시된 자료는 같은 주제를 가지고 질문지법을 통해 자료를 수집하여 연구한 양적 연구와 면접법을 통해 자료를 수집하여 연구한 질적 연구이다. 양적 연구와 질적 연구는 동시에 활용하여 진행할 수도 있다.

한·줄·핵·심 양적 연구 방법은 계량화된 자료 수집과 통계 분석을 통해 결론을 도출하는 방법이고, 질적 연구 방법은 연구 대상자의 생활 세계에 대한 관찰이나 면담 등으로 자료를 수집하여 연구자의 해석을 통해 결론을 도출하는 방법이다.

자료2 양적 연구 방법에서의 가설*과 개념의 조작적 정의

양적 연구 방법에서 말하는 가설과 조작적 정의를 살펴보면?

1. 가설 만들기
가. 가설의 의미: 어떤 현상을 경험적으로 증명하여 설명하기 위한 잠정적인 주장을 말함
나. 가설의 형태
 – 주로 원인이 되는 현상인 독립 변수와 원인으로부터 영향을 받아 결과가 되는 현상인 종속 변수의 관계를 진술하는 것이 좋음
  예) 부모와 자녀의 친밀도가 높을수록 자녀의 학업 의욕이 높을 것이다.
 – 인과 관계를 진술하는 것이 어려울 경우에는 두 변수 간의 관련성을 진술할 수 있음
  예) 거주 지역에 따라 자녀의 학업 성취에서 차이가 날 것이다.
다. 가설 만들 때 유의점
 – '좋은 성적을 받기 위해 더 많이 공부해야 할 것이다.' 같은 당위적 진술은 하지 않아야 함
 – 분석할 때 혼란을 줄이기 위해서 '높지 않을 것이다' 같은 부정어는 사용하지 않아야 함
2. 조작적 정의하기
가. 조작적 정의의 의미: 추상적인 개념을 측정 가능하도록 계량화된 지표로 바꾸는 과정을 말함
나. 조작적 정의의 형태: 연구자가 관찰을 통해 측정 가능하도록 지표를 제시하면 됨
 예) • 부모와 자녀의 친밀도: 일주일 동안 부모와 자녀가 대화한 시간
  • 자녀의 학업 의욕: 일주일 동안 자녀가 스스로 학습한 시간

자료·분석 양적 연구에서 가설은 어떤 현상을 경험적으로 증명하여 설명하기 위한 잠정적 결론을 말한다. 그리고 가설에 사용된 추상적인 개념을 측정 가능한 구체적인 개념으로 바꾸는 조작적 정의 과정을 거친다. 조작적 정의에 의해 수치화된 자료는 통계 기법을 활용하여 분석한다. 이 과정을 거치면서 일반화된 지식과 인과 법칙을 발견할 수 있다.

한·줄·핵·심 양적 연구 방법은 사회·문화 현상을 객관적으로 관찰하고 측정할 수 있도록 추상적인 개념이나 용어를 구체화하는 개념의 조작적 정의 과정을 거친다.

궁금해요

Q. 연역법과 귀납법이 무슨 뜻인가요?

A. 연역법은 일반적이고 추상적인 공리나 이론으로부터 연구자가 관심을 가지고 있는 특수하고 개별적인 현상에 대한 가설을 도출하는 방법이라고 할 수 있어. 이와는 달리 귀납법은 가장 구체적이고 특수한 다양한 사례들 혹은 사실들에 대한 관찰로부터 연구를 시작하는 방법이야.

용어 더하기

* **일반화**
개별적인 사례를 통해 알아낸 결론을 전체 사례로 확장하여 적용하는 과정을 말한다. 1,000명의 조사 대상자를 통해 파악한 여론을 국민의 여론으로 간주하는 것은 일반화의 사례이다.

* **개념의 조작적 정의**
추상적인 개념을 관찰과 측정이 가능한 구체적인 지표로 나타내는 것으로, 의미를 풀이하여 명확히 하는 일반적인 개념 정의와는 다르다.

* **가설**
어떤 관련성을 지닌 일련의 현상 간의 관계를 잠정적으로 설정한 진술

❹ 직관적 통찰
현상에 대한 체계적이고 계량화
된 분석이 아닌 연구자의 지식과
판단 능력에 의존하여 감각적으
로 현상의 의미를 꿰뚫어 보는
방법을 말한다.

(4) 특징
① 연구자의 직관적 통찰❹과 감정 이입적인 이해를 통해 사회·문화 현상의 본질을 이해함
② 인간에 의해 주관적으로 의미가 부여되고 구성되는 사회·문화 현상에 대한 측정과 계
량화, 통계적 분석은 무의미함
└─ 연구자와 연구 대상자 사이의 상호 이해와
   공감대 형성을 통해서 이루어져.
③ 자연 현상에 대한 연구와 달리 사회·문화 현상에 대한 연구에서는 인과 법칙의 발견을
추구하지 않으며, 상황 맥락❺ 속에서 규정되는 사회·문화 현상의 의미에 대한 해석을 시
도함

(5) 장점과 한계

장점	· 계량화하기 어려운 영역을 연구할 수 있음 · 편지, 일기 등과 같은 비공식적 자료를 활용하여 행위자들의 주관적 세계를 깊이 이해할 수 있음
한계	· 연구자의 주관적 가치 개입으로 연구의 객관성이 결여될 수 있음 · 정밀한 연구를 통한 일반화나 객관적 법칙 발견이 어려움

❺ 상황 맥락
개인의 특정 행위를 둘러싼 개인
외부의 시간적·공간적·인적 배
경으로서, 특정 행위가 발생하게
된 동기나 목적, 그 행위에 부여
된 주관적인 의미를 이해하는 데
중요한 역할을 하여 질적 연구를
위한 토대가 된다.

4. 양적 연구 방법과 질적 연구 방법의 조화
① 사회·문화 현상에 대한 올바른 지식을 갖추기 위해서는 사회·문화 현상의 규칙성과 행
위자의 주관적 세계에 대한 심층적인 이해가 모두 필요함
② 양적 연구 방법과 질적 연구 방법은 각각 장단점을 지니고 있으므로, 두 연구 방법을 상
호 보완적으로 활용할 필요가 있음

❻ 표본의 대표성과 표본 추출

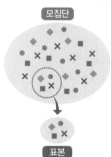

표본으로 추출한 집단이 모집단
의 특성을 제대로 대표할 수 있
어야 조사 결과를 일반화할 수
있다.

B 자료 수집 방법

|시·험·단·서| 자료 수집 방법을 도식화한 자료를 분석하거나 여러 사례에 나타난 자료 수집 방법을 파악하여 비교
하는 문제가 주로 출제돼.

1. 질문지법 자료 3
(1) 의미: 조사하려는 내용을 질문지로 만들어 조사 대상자에게 나누어 주고 답변을 하게 한
후, 이를 바탕으로 자료를 수집하는 방법
(2) 특징
① 다수를 대상으로 한 대량의 자료 수집·계량화된 자료를 수집할 때 이용함
② 모집단에서 표본*을 선정하여 표본 조사❻를 수행하는 경우가 일반적임
③ 연구 대상자에 똑같은 내용의 질문과 응답 항목을 제시하여 구조화된 자료❼ 수집 방법
에 가까움
(3) 장점과 단점

장점	· 짧은 시간에 적은 비용으로 대량의 자료 수집 가능 · 자료 분석 시 분석 기준이 명확하여 통계 처리가 용이하고 비교 분석 연구에 적합함
단점	· 문맹자에게 실시하기 곤란하고, 회수율과 응답률이 낮은 경우가 많음 · 응답자가 성의 없이 피상적으로 답할 가능성이 있음

❼ 구조화된 자료
응답자가 자신의 생각을 자유롭
게 기술하는 것이 아니라 제시된
질문의 틀 안에서 응답하여 얻은
자료를 구조화된 자료 혹은 표준
화된 자료라고 한다.

2. 면접법 자료 4
(1) 의미: 연구자가 연구 대상자와 대면하면서 직접 대화를 통해 자료를 수집하는 방법
(2) 특징
┌─ 질적 연구에서 자료 수집 방법으로 주로 활용돼.
① 비교적 소수의 응답자로부터 심층 정보를 수집하려 할 때 이용함
② 연구 대상자와 신뢰 관계 형성을 통해 깊이 있는 정보를 얻을 수 있음

시험에 잘 나오는 자료

자료3 질문지 작성 시 유의 사항 관련 문제 ▶ 39쪽 06번

질문지를 만들 때 유의 사항

❶ 한 문항에서는 한 가지 내용만 묻는다.

❷ 묻는 내용이 명료하지 않아서 응답에 혼란을 주어서는 안 된다.

❸ 특정한 답을 유도하거나 가치를 개입한 내용을 넣어 질문해서는 안 된다.

❹ 답지는 서로 겹치지 않고 상호 배타성을 띠도록 해야 한다.

❺ 답지는 어느 한 방향으로 치우치지 않도록 균형 있게 구성해야 한다.

❻ 답지는 특정한 경우가 배제되지 않도록 예측 가능한 모든 경우를 포함해야 한다.

자료·분석 질문지를 만들 때 여러 가지 유의해야 할 사항들이 있다. 하나의 질문에서 두 개 이상의 정보를 물을 경우 응답자에게 혼란을 초래할 수 있으니 유의해야 하고, 질문은 간결하고 명료하여 조사 대상자들 모두가 똑같은 의미로 해석할 수 있어야 한다. 또한 특정 응답을 유도해서는 안 되며, 응답 항목 간 의미의 중복이 발생하지 않도록 응답 항목 간에는 배타성이 있어야 한다. 그리고 조사 대상자가 제시된 응답 항목 중에서 하나를 선택할 수 있도록 응답 항목은 포괄성을 갖추어야 한다.

한·줄·핵·심 질문지법과 관련된 문제에서 잘못된 부분이 포함된 질문지를 제시했을 때 어느 부분이 잘못된 것인지 파악할 수 있어야 하므로 질문지 작성 시 유의 사항에 대해 꼼꼼하게 봐 두어야 한다.

자료4 면접법의 특징과 장단점

학교생활 하면서 가장 스트레스를 받을 때가 언제였는지, 구체적인 경험을 이야기해 주세요.

자료·분석 면접법은 일반적으로 피면접자를 직접 대면하여 그의 주관적인 의식을 언어로 표현하게 함으로써 자료를 수집한다. 면접법은 소수의 사람을 상대로 주관적인 세계에 대한 깊이 있는 자료를 수집하는 데 적합하다. 또한 대화를 통해 자료를 수집하므로 문맹자를 대상으로 자료를 수집할 수 있으며, 무성의한 응답이나 악의적인 응답의 문제점을 줄일 수 있다.

한·줄·핵·심 면접법은 문맹자에게 실시 가능하며 심층적인 자료 수집이 가능하다는 장점이 있다. 반면, 많은 시간과 비용이 소요되고, 연구자의 주관이나 편견 개입 가능성이 있다는 단점이 있다.

내용 이해를 돕는 팁

? 궁금해요

Q. 전수 조사와 표본 조사는 어떻게 다른가요?

A. 사회 조사에서 원래의 조사 대상자 전체를 모집단이라고 하고, 모집단 구성원 중에서 실제 조사를 위해 선택된 대상자 집단을 표본이라고 해. 전수 조사는 모집단을 대상으로, 표본 조사는 표본을 대상으로 자료를 수집하는 거야. 질문지법을 활용한 사회 조사는 표본 조사 방식인 경우가 많아.

Q. 구조화된 면접법이란 무엇인가요?

A. 일반적으로 면접법은 유연한 진행을 특징으로 하지만 조사 대상자 간 비교 분석을 의도할 경우 질문 내용이나 방법, 절차 등을 통일시켜 진행하는 면접을 실시하기도 해. 이러한 경우가 구조화된 면접법에 해당해.

용어 더하기

* **모집단**
연구 과정에서 연구 대상으로 삼은 집단 전체

* **표본**
모집단을 대표하는 집단으로 연구에 실제 참여하는 집단

* **심층**
사물이나 사건에서 겉으로 잘 드러나지 않는 부분

❽ 실험법의 연구 방법

▲ 기본적인 실험 설계 방법

사전 검사와 사후 검사의 결과를 비교하여 해당 처치의 효과를 측정한다.

❾ 1차 자료와 2차 자료

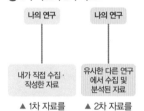

| ▲ 1차 자료를 활용하는 연구 | ▲ 2차 자료를 활용하는 연구 |

연구자 자신의 의도에 따라 직접 수집하여 최초로 분석되는 자료를 1차 자료라고 하고, 다른 연구에서 수집하고 분석하여 재분석되는 자료를 2차 자료라고 한다.

자료 수집 방법의 장점

질문지법	통계 분석을 위한 다량의 자료를 효율적으로 수집할 수 있음
면접법	소수의 연구 대상자와 대화를 통해 심층적인 자료를 수집하는 데 유리함
참여 관찰법	현지에 직접 가서 생생하고 심층적인 자료를 수집할 수 있음
실험법	인위적인 조작과 통제를 통해 독립 변인과 종속 변인 간의 관계를 파악하는 데 적합함
문헌 연구법	1차 자료를 수집하기 곤란할 때나 기존 연구 성과나 동향을 파악하고자 할 때 유용함

(3) 장점과 단점

장점	• 대화를 통해 자료를 수집하므로 문맹자에게도 실시할 수 있음 • 응답자의 솔직한 답변을 유도할 수 있어 심층 정보의 수집이 가능함
단점	• 시간과 비용이 많이 들고, 연구 목적에 적합한 연구 대상자를 선정하기 어려움 • 조사 과정에서 조사자의 편견이 개입될 우려가 있음

3. 참여 관찰법 [자료 5]

(1) 의미: 연구자가 연구 대상자들과 함께 생활하면서 그들의 모습을 직접 관찰하여 자료를 수집하는 방법

(2) 특징

① 심층적인 이해를 목적으로 하는 질적 연구에서 주로 활용됨

② 연구 대상자의 생활에 통제를 가하지 않고 있는 그대로의 모습을 관찰하는 전형적인 비구조화된 자료 수집 방법임

(3) 장점과 단점

장점	• 의사 소통이 어려운 대상(어린이, 이민족 등)에 대한 연구가 가능함 • 조사자가 현지에서 직접 관찰·수집한 정보로서 자료의 실제성을 확보할 수 있음
단점	• 관찰자의 편견이 개입될 수 있으며, 예상치 못한 변수의 통제가 곤란함 • 관찰하고자 하는 현상이 나타날 때까지 기다려야 함 → 시간과 비용이 많이 듦

4. 실험법 [자료 6]

(1) 의미: 다른 변수를 통제한 후 조사 대상자에게 독립 변수에 해당하는 인위적 조작을 가하고 그로 인해 나타나는 종속 변수의 변화를 파악하여 자료를 수집하는 방법

(2) 특징

① 원인과 결과 사이의 명확한 관계를 파악하기 위한 양적 연구에서 주로 활용함

② 연구 대상을 실험 집단과 통제 집단으로 구성한 후, 실험 집단에 실험 처치를 하고 처치에 따른 효과를 통제 집단과 비교하여 파악함❽

③ 실험 집단에 인위적으로 가한 조작이 독립 변수이고, 독립 변수의 영향을 받아 변화하는 변수가 종속 변수임

(3) 장점과 단점

장점	인과 관계를 정확하게 파악할 수 있어 법칙 발견에 유용함
단점	• 실험 대상이 인간이므로 윤리적·법적 문제 제기의 가능성이 있음 • 실험 결과가 반드시 현실적으로 적용될 수 있다고 보기 어려움

5. 문헌 연구법 ┌─ 문헌이라고 하면 책자만 떠오를 수도 있는데, 신문 기사, 인터넷 문서, 논문, 도서, 그림, 동영상 등 문헌의 형태는 다양해.

(1) 의미: 과거에 수집 및 분석하여 기록으로 남아 있는 자료를 활용하여 정보를 수집하는 방법

(2) 특징

① 1차 자료❾를 직접 수집하기 어려운 경우에 2차 자료 수집용으로 많이 활용함

② 양적 연구와 질적 연구 모두에 활용됨

(3) 장점과 단점

장점	• 시간과 장소의 제약으로부터 비교적 자유로움 • 연구 문제에 대한 기존의 연구 동향을 알 수 있음
단점	• 문헌 해석 시 연구자의 편견이 개입될 수 있음 • 문헌의 정확성과 신뢰성을 확보하기 곤란한 경우가 많음

시험에 잘 나오는 자료

자료5 참여 관찰법을 활용한 마거릿 미드(Mead, M.)

자료·분·석 문화 인류학자는 언어적 의사소통이 어려운 사회의 문화를 참여 관찰을 통해 연구한다. 위는 참여 관찰법을 활용하여 연구를 한 문화 인류학자 마거릿 미드(Mead, M.)의 사진이다. 문화를 연구하는 사람들은 직접 체험해야만 문화를 제대로 이해할 수 있다고 보기 때문에 참여 관찰법을 주로 활용한다. 미드는 사모아섬 청소년들의 성장 과정을 오랜 기간 관찰하고, 성 역할이 후천적으로 형성된다는 점을 밝혀냈다.

한·줄·핵·심 참여 관찰법은 의사소통이 어려운 집단을 조사할 때 유용하지만, 관찰하고자 하는 현상이 나타날 때까지 기다려야 한다는 단점이 있다.

자료6 실험법

자료·분·석 실험 과정에서는 원칙적으로 두 차례 종속 변인에 대한 검사를 실시한다. 독립 변인 처치 이전의 검사를 사전 검사, 독립 변인 처치 이후의 검사를 사후 검사라고 한다. 사전 검사에서는 가, 나 집단 모두 5.2점이었는데, 실험 처치 후 사후 검사에서 가 집단은 2점, 나 집단은 0.2점이 올랐다. 따라서 감사함을 표현하는 활동이 사람들의 자아 존중감을 높이는 데 영향을 줌을 알 수 있다.

한·줄·핵·심 실험법은 인위적인 상황에서 독립 변인을 처치하고 그로 인해 나타나는 종속 변인의 변화를 파악하는 방법이다.

? 궁금해요

Q. 자료의 실제성이 무엇인가요?

A. 연구자가 수집하여 분석하는 자료가 실제 연구자가 연구하고자 했던 현상과 일치하는 정도를 말해. 참여 관찰법은 연구자가 연구하고자 하는 사회·문화 현상을 직접 접하기 때문에 자료의 실제성 확보에 매우 유리한 것이지.

용어 더하기

* **실제성**
현실에 존재하는 성질

* **조작**
기계나 기구 따위를 일정한 방식에 따라 다루어 움직이는 것

* **실험 집단**
실험에서 독립 변수의 효과를 측정하기 위해 실험 처치를 하는 집단

* **통제 집단**
실험에서 실험 요인을 적용한 실험 집단과 비교하기 위해 실험 처치를 하지 않은 집단으로, 비교 집단이라고도 한다.

사회·문화 현상의 탐구

개념풀 Guide   제시된 자료에 나타난 사회·문화 현상의 연구 방법과 자료 수집 방법을 파악해 보자.

1. 양적 연구와 질적 연구   관련 문제 ▶ 38쪽 03번

(가) 구성원에게 물질적 성공이라는 가치를 고무시키는 사회에서 모두가 이러한 성공에 도달할 수 있는 합법적 수단을 갖는 것은 아니다. 그래서 제도적 수단이 제한적인 하층에서 범죄를 저지를 가능성이 높다. 이를 검증하기 위해서는 계층을 개념화하고 범죄를 유형화하여 이들 간의 상관관계를 분석하는 ㉠연구 방법을 사용해야 한다.

(나) 범죄도 학습의 산물이다. 친구나 가족으로부터 범죄 태도와 행동을 배운다. 특히 약물 범죄의 경우 약물에 대한 우호적 태도와 사용 기술이 요구되므로 경험자와의 연줄이 중요하다. 이를 파악하기 위해서는 심층 면접을 통해 약물 사용에 동조하고 함께하는 친구와의 연결망을 형성하는 과정을 이해할 수 있는 ㉡연구 방법을 사용해야 한다.

분석 • (가)에서는 하층에서 범죄를 저지를 가능성이 높다는 일반화를 도출하기 위하여 계층을 개념화하고 범죄를 유형화하여 상관관계를 분석하였다. 따라서 ㉠은 양적 연구이다.
• (가)에서는 계층을 개념화하고 범죄를 유형화하는 개념의 조작적 정의를 활용하였다.
• (나)에서는 범죄자가 친구나 가족으로부터 범죄 태도와 행동을 배운다며 심층 면접을 통해 범죄에 동조하는 친구와의 연결망을 형성하는 과정을 이해하고자 한다. 따라서 ㉡은 질적 연구이다.
• (나)에서는 연구자의 직관적 통찰을 통해 사회·문화 현상을 이해하고자 하며, 심층적인 이해를 위해 심층 면접을 활용하였다.

2. 양적 연구 방법과 질적 연구 방법

연구 주제	1920년대 여성의 사회적 지위 변화	
연구 방법	(가)	(나)
연구 설계 개요	1920년대 여성의 근대 학교 진학률과 취업률, 직업 분포를 조사하여, 당시 여성의 교육 수준과 사회적 지위 변화 사이의 상관관계를 분석하고자 함	1920년대 소설의 이면에 담긴 신여성에 대한 인식과 신여성의 자아 정체감을 해석하여, 당시 여성의 사회적 지위 변화의 의미를 심층적으로 이해하고자 함

분석 (가)는 1920년대 여성의 교육 수준이라는 독립 변수와 사회적 지위 변화라는 종속 변수 간의 상관관계를 분석하는 것이므로 양적 연구이다. (나)는 소설의 이면에 담긴 신여성에 대한 인식을 통해 당시 여성의 사회적 지위 변화의 의미를 심층적으로 이해하고자 하므로 질적 연구이다.

3. 자료 수집 방법

자료 수집 방법	사례
(가)	청소년 일탈을 연구하기 위해 가족 간 대화 빈도와 일탈 행동을 측정할 수 있는 설문 문항을 개발하여 전국의 중·고등학생 2,000명을 대상으로 조사를 실시하였다.
(나)	초등학생의 음악 활동과 사회성 간의 관계를 연구하기 위해 초등학생 20명과 심층 인터뷰를 하여 오케스트라 활동이 친구 관계에 미치는 영향을 탐구하였다.
(다)	실외 놀이를 통해 나타나는 유아들의 특징을 살펴보고자 4개월간 ○○ 어린이집에 머물며 유아들의 행동과 대화 내용, 놀이 상황 등 전반적인 상황을 모두 기록하였다.

분석 다수(전국의 중·고등학생 2,000명)를 대상으로 설문을 통해 자료를 수집하는 (가)는 질문지법이다. 소수(초등학생 20명)를 대상으로 심층 인터뷰를 하여 자료를 수집하는 (나)는 면접법이다. 조사 대상자의 일상 생활 세계에 직접 참여하여 자료를 수집하는 (다)는 참여 관찰법이다.

4. 자료 수집 방법   관련 문제 ▶ 39쪽 08번

구분		주로 계량화된 자료를 수집하는 데 활용되는가?	
		예	아니요
(가)	예	A	B
	아니요	C	D

분석 • 주로 계량화된 자료를 수집하는 데 활용되는 자료 수집 방법은 실험법과 질문지법이다. 따라서 A와 C는 각각 실험법과 질문지법 중 하나이고, B와 D는 각각 면접법과 참여 관찰법 중 하나이다.
• (가)가 '언어적 상호 작용에 의한 자료 수집이 필수적인가?'라면 A는 질문지법, B는 면접법, C는 실험법, D는 참여 관찰법이다.

A 사회·문화 현상의 연구 방법

01 다음 내용을 읽고 양적 연구에 해당하면 '양', 질적 연구에 해당하면 '질'이라고 쓰시오.

(1) 방법론적 이원론을 전제로 하고 있다. ( )

(2) 정밀하고 정확한 연구가 가능하다는 장점이 있다. ( )

(3) 사회·문화 현상의 주관적 측면을 심층적으로 이해하는 데 유리하다. ( )

(4) 사회·문화 현상에 내재한 규칙성을 발견함으로써 일반화나 법칙 정립을 목적으로 한다.
( )

02 (가), (나)에 해당하는 연구 방법을 쓰시오.

> 교사: 각 조의 조장은 탐구 프로젝트를 수행하기 위한 연구 주제를 발표해 보세요.
> 갑: 교과 선생님과의 유대 관계와 학업 성취도 간의 상관관계를 연구하려고 합니다.
> 을: 스마트폰 사용이 청소년기의 인성 형성에 미치는 영향을 알아보기 위해 한 달 동안 청소년들과 같이 생활하면서 관찰해 보려고 합니다.
> 교사: 갑의 연구는 [(가)]에, 을의 연구는 [(나)]에 해당하는군요.

(가): ( ), (나): ( )

B 자료 수집 방법

03 알맞은 말에 ○표를 하시오.

(1) 연구 주제와 관련된 기존의 연구 동향을 파악하는 데는 (질문지법, 문헌 연구법)이 유용하다.

(2) 비교적 소수의 응답자로부터 심층 정보를 수집하려 할 때에는 (면접법, 실험법)이 이용된다.

(3) 다수를 대상으로 짧은 시간에 적은 비용으로 대량의 자료를 수집하는 데에는 (참여 관찰법, 질문지법)이 유리하다.

04 갑～정이 사용한 자료 수집 방법을 〈보기〉에서 고르시오.

> 보기
> ㄱ. 질문지법   ㄴ. 실험법   ㄷ. 참여 관찰법   ㄹ. 문헌 연구법

(1) 갑: 1980년대 신문 기사를 통해 그 시대의 상황을 분석하였다. ( )

(2) 을: △△ 부족 원주민과 같이 생활하면서 그들의 기우제 풍습에 대해 기록하며 그 의미에 대해 이해하였다. ( )

(3) 병: 학교 급식 만족도를 알아보기 위해 전교 학생 모두에게 설문지를 나누어 주고, 결과를 통계 분석하였다. ( )

(4) 정: 담임 교사의 칭찬과 학생들의 학업 성취도와의 상관관계를 알아보기 위해 학생들을 두 그룹으로 나누어 한 그룹은 담임 교사가 칭찬을 해 주고, 다른 그룹은 칭찬의 보상을 주지 않고 그 결과를 비교해 보았다. ( )

A 사회·문화 현상의 연구 방법

01 다음과 같은 연구 방법에 대한 설명으로 옳은 것은?

> 자연 과학의 대상이 사회 과학의 대상보다 더 규칙적이다. 하지만 사회 현상에도 고도의 규칙성이 있다. 예를 들어 사람들이 아이를 낳는 이유는 매우 다양하지만, 한 사회의 출산율은 매년 큰 변동 없이 안정적이다. 개인의 태도가 아니라 사회가 출산율을 결정하기 때문이다. 따라서 출산율을 결정하는 요인은 사회에 관한 객관적 연구를 통해 확인할 수 있다.

① 연구 대상자의 주관적 상황 정의를 중시한다.
② 변인 간 관계에 대한 법칙 발견을 목적으로 한다.
③ 사회·문화 현상에 대하여 심층적으로 이해하고자 한다.
④ 사회 과학은 자연 과학과는 다른 방법으로 연구해야 한다고 본다.
⑤ 연구자의 직관적인 통찰에 의한 인간 행위의 의미 이해를 중시한다.

02 다음과 같은 사회·문화 현상 연구 방법의 한계로 옳은 것은?

> • 연구 목적: 청소년의 스마트폰 사용과 학업 성취도와의 상관관계 조사
> • 연구 과정 및 내용: 청소년의 스마트폰 사용 횟수와 사용 시간, 스마트폰에 저장되어 있는 어플리케이션의 개수와 실제로 사용하는 것의 개수 등을 측정한다.
> …(후략)…

① 변인 간의 상관관계를 알아보기 곤란하다.
② 정밀하고 정확한 연구 결과를 얻기 힘들다.
③ 연구자의 주관적 가치가 개입될 우려가 크다.
④ 경험적 자료를 근거로 하여 결론을 도출하기 어렵다.
⑤ 계량화하여 분석하기 곤란한 연구에는 적합하지 않다.

03 A 대학 연구팀에서 사용한 연구 방법에 대한 설명으로 옳은 것은?

> A 대학 연구팀은 닮은 사람에 대한 기억이 낯선 사람에 대한 신뢰도를 좌우하는지에 대해 연구하고자 하였다. 연구를 위해 30명의 참가자를 반으로 나누어, 만난 적이 없는 사람의 사진과 이전에 알던 사람의 사진을 이용하여 얼마나 신뢰할 수 있는지에 대해 알아보며 실험법을 통해 연구를 진행하였다. 연구 결과, 사람들이 낯선 사람들을 왜 신뢰하고 불신하는지에 대해 밝혀낼 수 있었다.

① 편지, 일기 등 비공식적인 자료를 주로 활용한다.
② 사회·문화 현상이 나타나게 된 사회적 맥락의 이해에 중점을 둔다.
③ 경험적인 자료의 계량화를 통해 사회·문화 현상을 분석하려고 한다.
④ 사회·문화 현상의 탐구 방법이 자연 현상의 탐구 방법과는 다르다고 본다.
⑤ 인간 행위의 동기나 의도를 파악하여 사회·문화 현상의 의미를 이해하고자 한다.

04 밑줄 친 '이 연구 방법'에 대한 옳은 설명을 〈보기〉에서 고른 것은?

> 이 연구 방법을 추구하는 사회학자들은 자연 과학이 물리적 세계의 기능을 설명하듯이 사회 세계의 법칙을 설명하는 사회 과학을 창조하려고 한다. 인간 사회를 지배하는 법칙의 발견이 인류 복지를 증진하는 데 도움을 준다고 믿고 있기 때문이다.

〈보기〉
ㄱ. 연구 대상자와의 정서적 교감을 중시한다.
ㄴ. 연구 설계를 할 때 개념의 조작적 정의가 이루어질 수 있다.
ㄷ. 측정과 계량화를 통해 사회·문화 현상을 정밀하게 분석할 수 있다고 본다.
ㄹ. 연구 대상의 사회·문화적 맥락 이해를 중시하는 방법론적 이원론에 기반한다.

① ㄱ, ㄴ   ② ㄱ, ㄷ   ③ ㄴ, ㄷ
④ ㄴ, ㄹ   ⑤ ㄷ, ㄹ

05 밑줄 친 '이 연구 방법'을 적용하여 연구하기에 적절하지 <u>않은</u> 주제는?

> 콩트는 사회 현상도 자연 현상처럼 연구를 통해 법칙을 발견할 수 있다고 보았다. 또한 그는 사회 현상도 법칙을 발견할 수 있다면 미래를 예측할 수 있고 앞으로 나타날 사회 문제의 예측과 해결 방안을 모색할 수 있을 것이라 생각했다. 이러한 생각을 바탕으로 한 이 연구 방법은 사회 현상을 연구하는 과정이 기본적으로 자연 현상을 연구하는 과정과 큰 차이가 없다는 점이 전제되어 있다.

① 유럽 국가별 복지 재정 지출 실태 비교 연구
② 청소년의 대화에 나타난 줄임말 사용 빈도 연구
③ 부모와의 유대와 학업 성취도 간의 상관관계 연구
④ 직업별 결혼 이주 여성의 경제 활동 참가율 변화 연구
⑤ 섬 거주 주민들의 주민 공동체 행위에 대한 사례 연구

06 다음과 같은 사회·문화 현상의 연구 방법에 대한 옳은 설명을 〈보기〉에서 고른 것은?

> 사회 현상에는 가치관을 가진 인간의 행위가 당연히 포함된다. 인간의 행위에는 감정이 개입되기 때문에 변수 간의 인과 관계를 규명하기 위한 실험을 하기 어렵다. 외부 변수를 차단하는 것이 매우 어렵기 때문이다. 오히려 특정 행위의 상황을 자세히 살펴보고 전체적으로 이해하는 것이 바람직하다.

〈보기〉
ㄱ. 연구자의 감정 이입을 통해 사회 현상을 이해한다.
ㄴ. 법칙 발견을 통해 사회 현상을 설명하고 예측하고자 한다.
ㄷ. 자연 과학의 연구 방법을 사회 현상 연구에 적용할 수 없다고 본다.
ㄹ. 경험적 자료를 수량으로 측정하고, 통계적으로 분석하고자 한다.

① ㄱ, ㄴ   ② ㄱ, ㄷ   ③ ㄴ, ㄷ
④ ㄴ, ㄹ   ⑤ ㄷ, ㄹ

07 다음과 같은 사회·문화 현상의 연구 방법에 대한 옳은 설명만을 〈보기〉에서 있는 대로 고른 것은?

> 사회 과학에서 중요한 것은 '구체적 현상을 어떻게 이해할 것인가'이다. 이를 위해서는 연구 대상에 대한 피상적인 관찰보다는 연구 대상자의 행위에 담긴 동기에 대한 심층적인 이해가 요구된다.

〈보기〉
ㄱ. 자료 해석 과정에서 연구자의 직관적 통찰을 중시한다.
ㄴ. 인간 행동의 동기, 의도와 같은 본질을 이해하고자 한다.
ㄷ. 연구 대상자가 구성해 내는 생활 세계에 연구의 초점을 둔다.
ㄹ. 측정이나 실험을 통해 사회·문화 현상을 연구하는 방법론적 일원론의 전통을 따른다.

① ㄱ, ㄴ   ② ㄱ, ㄹ   ③ ㄷ, ㄹ
④ ㄱ, ㄴ, ㄷ   ⑤ ㄴ, ㄷ, ㄹ

B 자료 수집 방법

08 다음에서 공통으로 사용된 자료 수집 방법에 대한 설명으로 옳지 <u>않은</u> 것은?

> • 조선 시대 사료(史料)를 통해 신분별 가족 구성원 형태를 분석한다.
> • 조선 시대 여인들의 문집이나 서간문 등을 통해 그들의 생애사에 대해 심층적으로 살펴본다.

① 시간과 장소의 제약에서 비교적 자유롭다.
② 1차 자료의 수집용으로 활용되는 경우가 많다.
③ 양적 연구와 질적 연구 모두에 활용될 수 있다.
④ 기존 연구 동향이나 성과 파악을 통한 참고 자료 수집에 적합하다.
⑤ 자료의 해석 과정에서 연구자의 주관적 가치가 개입될 우려가 있다.

09 다음은 기준 A에 따라 자료 수집 방법을 비교한 것이다. 이에 대한 옳은 설명을 〈보기〉에서 고른 것은? (단, ㉠은 질적 연구에서, ㉡은 양적 연구에서 주로 쓰인다.)

A : ㉠ > ㉡

보기
- ㄱ. A가 '현상의 계량화 정도'라면, ㉠은 면접법, ㉡은 질문지법이 될 수 있다.
- ㄴ. A가 '연구자의 주관이 개입될 가능성 정도'라면, ㉠은 면접법, ㉡은 실험법이 될 수 있다.
- ㄷ. A가 '자료 수집 상황에 대한 통제 수준'이라면, ㉠은 참여 관찰법, ㉡은 실험법이 될 수 있다.
- ㄹ. A가 '자료의 실제성 확보가 용이한 정도'라면, ㉠은 참여 관찰법, ㉡은 질문지법이 될 수 있다.

① ㄱ, ㄴ ② ㄱ, ㄷ ③ ㄴ, ㄷ
④ ㄴ, ㄹ ⑤ ㄷ, ㄹ

10 그림은 자료 수집 방법의 특징을 도식화한 것이다. A~C에 대한 옳은 설명을 〈보기〉에서 고른 것은? (단, A~C는 각각 면접법, 참여 관찰법, 질문지법 중 하나이다.)

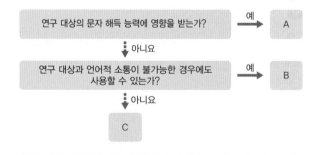

연구 대상의 문자 해득 능력에 영향을 받는가? → 예 → A
↓ 아니요
연구 대상과 언어적 소통이 불가능한 경우에도 사용할 수 있는가? → 예 → B
↓ 아니요
C

보기
- ㄱ. A는 B에 비해 자료의 통계적 처리가 용이하다.
- ㄴ. B는 C에 비해 추가적 질문을 통해 자료의 정확성을 높일 수 있다.
- ㄷ. B와 C는 A에 비해 연구자의 편견이 개입될 가능성이 크다.
- ㄹ. C는 A에 비해 법적·윤리적 문제에서 자유롭지 않다.

① ㄱ, ㄴ ② ㄱ, ㄷ ③ ㄴ, ㄷ
④ ㄴ, ㄹ ⑤ ㄷ, ㄹ

11 자료 수집 방법 A~D에 대한 설명으로 옳은 것은? (단, A~D는 각각 질문지법, 실험법, 면접법, 참여 관찰법 중 하나이다.)

다수의 응답자를 대상으로 실시하는 데 적합한 A는 시간과 비용이 적게 들고 연구자의 주관 개입 가능성도 낮다. B는 인위적 조작화 정도가 가장 낮으며, 조사자가 직접 관찰하고 수집한 정보로서 자료의 실제성을 확보할 수 있다. C는 D에 비해 연구자와 연구 대상자 사이의 정서적 유대가 중요하게 작용한다.

① A는 C에 비해 자료 수집 과정에서 연구자의 유연한 대처가 용이하다.
② B는 D에 비해 윤리적 문제가 발생할 가능성이 크다.
③ C는 A와 달리 대량의 자료를 수집하는 데 유리하다.
④ C는 D에 비해 연구자의 주관이 개입될 가능성이 크다.
⑤ A, D는 B, C에 비해 조사자의 편견이 개입될 가능성이 크다.

12 '청소년의 SNS 이용'에 대해 알아보기 위해 갑~병이 활용한 자료 수집 방법에 대한 설명으로 옳은 것은?

갑: 수도권 고등학생 800명을 무작위 추출하여 설문 조사를 했어요.
을: 고등학교 한 학급을 선정하여 한 달 정도 같이 지내면서 학생들의 SNS 이용을 살펴보았어요.
병: 고등학생 20명을 개별적으로 만나 SNS 이용에 대한 그들의 의견을 직접 듣는 방식을 활용했어요.

① 갑의 방법은 을의 방법보다 통계 분석에 용이하다.
② 갑의 방법은 병의 방법보다 깊이 있는 정보의 수집에 적당하다.
③ 을의 방법은 병의 방법과 달리 2차 자료를 수집할 때 사용한다.
④ 병의 방법은 갑의 방법보다 연구 결과의 일반화에 유리하다.
⑤ 갑의 방법은 주로 질적 연구에, 을과 병의 방법은 주로 양적 연구에 사용한다.

13 (가), (나)의 자료 수집 방법에 대한 설명으로 가장 적절한 것은?

> (가) 질문과 대화를 통해 토론하고 논쟁하는 학습 방법인 하브루타 수업의 효과를 분석하기 위해 학생들에게 수업 만족도에 관한 질문지를 돌려 응답하도록 하였다.
> (나) 유목민이었던 케냐의 투루카나족이 호수에 정착해 어업을 통해 생계를 유지하고 있는 모습 및 정착화에 따른 삶의 방식 변화의 의미를 그들과 같이 생활하면서 관찰하였다.

① (가)는 (나)에 비해 시간과 비용이 많이 든다.
② (가)는 (나)에 비해 깊이 있는 자료를 수집하기에 적합하다.
③ (가)는 (나)와 달리 다수의 응답자에게 동일한 내용을 조사하기 곤란하다.
④ (나)는 (가)와 달리 기존 연구 동향 파악을 위한 자료 수집에 적합하다.
⑤ (나)는 (가)와 달리 언어가 통하지 않는 유아나 아동에게 실시할 수 있다.

14 자료 수집 방법 A, B에 대한 설명으로 가장 적절한 것은?

자료 수집 방법	사례
A	호피 인디언들의 세계 속으로 들어가 그들과 생활을 같이하면서 기우제 춤에 대해 조사하고 기우제 춤이 갖는 의미를 이해하였다.
B	대학생들의 여가 시간 활용의 행태를 알아보기 위해 전국에 있는 대학생 중 표본으로 추출한 1,000명을 대상으로 설문 조사를 통해 자료를 수집하고 응답 결과를 통계 분석하였다.

① A는 연구 대상자가 모집단을 대표하는지를 중시한다.
② B는 자료의 실제성을 확보하는 데 유리하다.
③ A는 B와 달리 1차 자료를 수집할 때 사용한다.
④ B는 A에 비해 구조화된 자료 수집 방법이다.
⑤ B는 A보다 심층적인 자료를 얻기에 용이하다.

서술형 문제

15 밑줄 친 '이것'이 무엇인지 쓰고, 이것이 주로 사용되는 사회·문화 현상 연구 방법의 연구 목적을 쓰시오.

> 이것은 사회·문화 현상에 대한 자료를 수집할 때 현상을 분석적으로 파편화시켜 측정하는 것이 아니라 가치 있는 자료를 포착하기 위해 현상의 전체에 담겨 있는 의미를 꿰뚫어 보는 방법이다. 이것에 따라 자료를 수집할 때에는 연구를 위해 고안된 질문지나 실험 처치 등 인위적인 도구를 사용하는 것이 아니라 연구자의 경험과 지식 등으로부터 형성된 통찰력을 활용한다.

16 빈칸 (가)에 들어갈 단점을 서술하고, 빈칸 (나)에 해당하는 연구 방법이 무엇인지 쓰시오.

> 참여 관찰법은 조사 대상자와 친해지면서 편견을 가질 수도 있고, 시간과 비용이 많이 들며, 관찰 과정에서 예상하지 못한 상황이나 변인이 발생할 수 있다는 단점이 있다. 그리고 이 외에도 참여 관찰법의 단점으로는 (가) . 또한 참여 관찰법은 주로 (나) 연구에서 사용된다.

01 다음 글에 나타난 사회·문화 현상의 연구 방법에 대한 옳은 설명을 〈보기〉에서 고른 것은?

> 사회·문화 현상의 연구에서 주관적으로 의미 있는 행동에 대한 해석적 이해는 매우 중요하다. 우리는 감정 이입에 의해 다른 사람이 되지 않고서도 그의 행동을 이해할 수 있다. 이때 감정 이입은 생활 세계를 함께 하거나 행위자의 생활 세계에 대한 전반적인 이해가 있을 때에만 실제 가능하다. 같은 생활 세계를 가진 사람들이 각자의 주관적인 행위들을 아무 부담 없이 자동적으로 이해하는 것도 이 때문이다.

> **보기**
> ㄱ. 주로 연역적 과정을 통해 결론을 도출한다.
> ㄴ. 사회·문화 현상이 자연 현상과 본질적으로 다르다고 전제한다.
> ㄷ. 행위자의 주관적 가치 및 행위 동기에 대해 심층적으로 이해하고자 한다.
> ㄹ. 사회·문화 현상에 내재한 규칙성을 발견함으로써 일반화나 법칙을 정립하고자 한다.

① ㄱ, ㄴ   ② ㄱ, ㄷ   ③ ㄴ, ㄷ
④ ㄴ, ㄹ   ⑤ ㄷ, ㄹ

02 다음 사회·문화 현상의 연구 방법 A, B에 대한 설명으로 옳은 것은?

> A는 과학적으로 정밀한 도구와 절차에 따른 탐구를 통해서 법칙을 발견하고자 하며, 사회·문화 현상에도 자연 현상과 같이 법칙이 존재한다고 전제한다. B는 방법론적 이원론을 전제로 하며 구체적 사례에 담긴 인간의 주관적 동기와 의미를 해석하여 이해하고자 한다.

① A는 감정 이입과 직관적 통찰을 통한 이해를 중시한다.
② B는 사회·문화 현상 연구에 자연 과학적 연구 방법을 사용한다.
③ A는 B와 달리 계량화된 자료의 통계적 분석을 중시한다.
④ B는 A와 달리 경험적 자료를 중시한다.
⑤ A, B 모두 연구자가 연구 대상으로부터 분리될 수 있다고 본다.

03 밑줄 친 ㉠, ㉡과 같은 연구 방법의 일반적 특징에 대한 설명으로 옳지 않은 것은?

> (가) 구성원에게 물질적 성공이라는 가치를 고무시키는 사회에서 모두가 이러한 성공에 도달할 수 있는 합법적 수단을 갖는 것은 아니다. 그래서 제도적 수단이 제한적인 하층에서 범죄를 저지를 가능성이 높다. 이를 검증하기 위해서는 계층을 개념화하고 범죄를 유형화하여 이들 간의 상관관계를 분석하는 ㉠연구 방법을 사용해야 한다.
> (나) 범죄도 학습의 산물이다. 친구나 가족으로부터 범죄 태도와 행동을 배운다. 특히 약물 범죄의 경우 약물에 대한 우호적 태도와 사용 기술이 요구되므로 경험자와의 연줄이 중요하다. 이를 파악하기 위해서는 심층 면접을 통해 약물 사용에 동조하고 함께하는 친구와의 연결망을 형성하는 과정을 이해할 수 있는 ㉡연구 방법을 사용해야 한다.

① ㉠과 같은 방법은 경험적 자료를 통해 연구 대상자의 가치나 태도를 객관적으로 파악하고자 한다.
② ㉡과 같은 방법은 직관적 통찰을 통해 주로 인간 행위의 이면보다 행위 자체를 분석하고자 한다.
③ ㉠과 같은 방법은 ㉡과 같은 방법에 비해 연구 결과를 일반화할 수 있어 현상에 대한 예측력이 높다.
④ ㉡과 같은 방법은 ㉠과 같은 방법에 비해 연구자와 연구 대상자 간의 정서적 교감을 중시한다.
⑤ ㉠과 같은 방법은 방법론적 일원론, ㉡과 같은 방법은 방법론적 이원론에 기초하고 있다.

04 A~D에 대한 설명으로 옳은 것은? (단, A~D는 각각 면접법, 실험법, 질문지법, 참여 관찰법 중 하나이다.)

> • A, B는 모두 질적 연구에서 사용된다.
> • B와 C는 언어적 상호 작용이 필수적이다.
> • C, D는 모두 양적 연구에서 사용된다.

① A는 기존 연구의 경향성 파악에 용이하다.
② B는 문맹자에게 사용하기 어렵다.
③ C는 시간과 비용이 많이 든다.
④ D는 일상생활을 심층적으로 파악하기에 용이하다.
⑤ 자료 수집 상황에 대한 통제 수준은 D>C>B>A 순이다.

05 사회·문화 현상의 연구 방법 A, B에 대한 옳은 설명을 〈보기〉에서 고른 것은?

> A는 사회적 경험이 만들어지는 과정에 중점을 두어 그 경험의 의미를 이해하고자 한다. 이에 비해 B는 계량화된 경험적 자료를 통해 변수들 간의 일반적 법칙을 발견하고자 한다.

〈보기〉
ㄱ. A는 연구 대상자가 구성해 내는 생활 세계에 연구의 초점을 둔다.
ㄴ. B는 연구자와 연구 대상이 되는 사회·문화 현상을 분리할 수 있다고 본다.
ㄷ. A는 B에 비해 객관적이고 정밀한 연구에 용이하다.
ㄹ. B는 A와 달리 직관적 통찰과 감정 이입적 이해를 중시한다.

① ㄱ, ㄴ   ② ㄱ, ㄷ   ③ ㄴ, ㄷ
④ ㄴ, ㄹ   ⑤ ㄷ, ㄹ

06 다음 자료는 방과 후 수업을 듣고 있는 고등학생에게 방과 후 수업 수강 관련 조사를 하기 위해 만든 질문지의 일부이다. 이에 대한 평가로 옳지 <u>않은</u> 것은?

> (1) 귀하의 학년은?
> ① 1학년   ② 2학년   ③ 3학년
> (2) 귀하의 방과 후 학교 수강 시간은?
> ① 2시간 미만
> ② 2시간 이상~3시간 미만
> ③ 3시간 이상~4시간 미만
> ④ 4시간 이상
> (3) 귀하는 학기 중 방과 후 학교와 방학 중 방과 후 학교 중 선택해야 한다면 어떤 것을 더 선호하십니까?
> ① 학기 중 방과 후 학교
> ② 방학 중 방과 후 학교

① 특정 응답을 유도하는 문항은 없다.
② 선택지가 포괄적이지 않은 문항은 없다.
③ 선택지가 상호 배타적이지 않은 문항은 없다.
④ 두 가지 내용을 동시에 묻고 있는 문항은 없다.
⑤ 묻는 것이 명료하지 않아 응답에 혼란을 주는 문항은 없다.

07 다음 연구에 대한 설명으로 옳지 <u>않은</u> 것은?

> 연구자 갑은 ㉠다른 사람의 차 크기에 따라 운전자들의 반응이 어떻게 다른지 연구하기 위한 실험을 했다. 차를 타고 사거리에서 신호를 기다리다가 녹색등으로 ㉡신호가 바뀐 뒤에도 일부러 한동안 출발하지 않으면 뒤차 운전자의 반응이 어떻게 나타나는가를 살펴보았다. ㉢갑이 경차를 타고 있는 상황에서는 녹색등으로 바뀌자마자 뒤차들이 대부분 곧바로 마구 경적을 울려 댔다. ㉣갑이 대형 승용차를 타고 있는 상황에서는 신호가 바뀌고 나서도 뒤차들이 대부분 한참 후 조심스럽게 경적을 울렸다. 갑은 같은 장소에서 여러 차례 이 ㉤실험을 반복해 보았는데 결과는 대체로 비슷하게 나타났다.

① ㉠을 통해 실험법이 사용되었음을 알 수 있다.
② ㉡은 갑의 연구에서 독립 변인이다.
③ ㉢과 ㉣은 모두 실험 처치가 이루어졌다.
④ ㉤을 통해 갑의 연구가 일반화되는 것은 아니다.
⑤ 이 연구는 양적 연구에 해당한다.

수능 기출

08 다음은 자료 수집 방법 A~D를 분류한 것이다. 이에 대한 설명으로 옳은 것은? (단, A~D는 각각 면접법, 실험법, 질문지법, 참여 관찰법 중 하나이다.)

구분		주로 계량화된 자료를 수집하는 데 활용되는가?	
		예	아니요
(가)	예	A	B
	아니요	C	D

① (가)는 '인위적으로 통제된 상황에서 변수의 효과를 관찰하는 방법인가?'가 적절하다.
② (가)가 '언어적 상호 작용에 의한 자료 수집이 필수적인가?'라면 A는 질문지법, D는 참여 관찰법이다.
③ (가)가 '자료 수집 시 연구 대상자의 응답이 필수 요건인가?'라면 B는 면접법, C는 질문지법이다.
④ A가 질문지법이라면 (가)는 '다수를 대상으로 한 자료 수집에 주로 사용되는가?'가 적절하다.
⑤ B가 참여 관찰법이라면 (가)는 '연구자가 현상이 실제로 발생한 현지에 가서 연구해야 하는가?'가 적절하다.

03 ~ 사회·문화 현상의 탐구 절차와 윤리

핵심 질문으로 흐름잡기

A 양적 연구와 질적 연구의 탐구 절차는?

B 사회·문화 현상의 탐구 태도와 과학적 탐구 과정에서 가치 중립이란?

C 사회·문화 현상 탐구에서의 연구 윤리는?

❶ 가설
연구 주제에 관한 잠정적인 결론을 말한다. 좋은 가설이 되려면 다음의 조건을 갖추어야 한다.
• 변수 간 관계가 명확해야 한다.
• 구체적으로 진술되어야 한다.
• 경험적 검증이 가능해야 한다.
• 참이나 거짓이 당연한 것은 안 된다.

❷ 개념의 조작적 정의
'경제 성장 정도'를 '실질 GDP'로 측정하기로 하는 것, 계층을 구분할 때 '중층 가구'를 '중위 소득 50~150% 소득을 얻는 가구'로 정의하는 것과 같이 추상적인 개념의 속성을 보여주는 대표적인 지표를 선정하는 방식으로 나타난다.

❸ 직관적 통찰
연구자 자신의 경험과 지식 등으로부터 형성된 직관을 통하여 연구 대상자가 처해 있는 상황의 의미를 전체적으로 꿰뚫어 보는 방법이다. 이는 연구자의 경험과 지식 등을 통해 형성된 통찰력을 바탕으로 이루어진다.

❹ 비공식적 자료
일기나 낙서, 대화록, 관찰 일지 등 사적인 차원에서 기록되거나 제작된 자료이다. 행위 주체의 행위 동기나 목적 등의 주관적 세계를 담고 있어 질적 연구의 중요한 자료로 활용된다.

A 사회·문화 현상의 탐구 절차

| 시·험·단·서 | 사례에 나타난 탐구 절차를 파악하고 각 단계의 특징을 묻는 문제가 주로 출제돼.

1. 양적 연구의 탐구 절차 [자료 1]

(1) 연구 주제 선정

① 기존에 존재하는 이론이나 가설❶, 새롭게 등장한 주장 등에 대한 연구자의 관심으로부터 연구 주제가 선정됨

② 독립 변인과 종속 변인 간의 관계를 분석하고자 하는 주제를 선정함

(2) 가설 설정: 연구 주제와 연관된 선행 연구를 검토하고 이를 바탕으로 가설을 설정함

(3) 연구 설계

> 양적 연구의 과정은 일반적으로 가설을 설정하고 이를 검증하는 방식으로 이루어지므로 양적 연구에서 가설은 매우 중요해.

① **연구 진행을 위한 구체적인 계획 마련**: 연구 대상자 선정, 자료 수집 대상 및 방법 선정, 자료 분석 방법 선택, 연구 기간 설정 등이 이루어짐

② **개념의 조작적 정의❷**: 가설의 추상적 개념을 측정 가능한 구체적인 지표로 규정함

(4) 자료 수집

① 연구 목적에 맞게 제작된 자료 수집 도구를 활용하여 경험적인 자료를 수집함

② 질문지법, 실험법 등과 같이 수량화된 자료 수집이 용이한 방법을 주로 활용함

(5) 자료 분석: 수집된 자료를 정리하여 분석하는 과정으로 주로 통계 분석 기법을 활용함

(6) 가설 검증

① 자료 분석 결과를 토대로 가설의 수용 여부를 결정하는 과정임

② 자료 분석 결과와 가설이 일치하면 가설을 수용하고 일치하지 않으면 가설을 기각함

(7) 결론 도출 및 일반화: 연구 주제에 대한 결론을 도출하고, 가설의 타당성이 인정되면 가설을 모집단 전체에 적용하는 일반화를 함

2. 질적 연구의 탐구 절차

(1) 연구 주제 선정

① 심층적인 이해의 필요성을 느끼는 사회·문화 현상을 연구 주제로 선정함

② 질적 연구는 연구의 특성상 가설을 설정하지 않는 것이 일반적임

(2) 연구 설계

> 질적 연구는 연구의 특성상 현상을 있는 그대로 관찰해야 하므로 가설을 설정하면 오히려 연구의 폭을 제한하여 현상을 이해하는 데 방해가 될 수 있기 때문이야.

① 연구 대상, 자료 수집 및 해석 방법, 연구 기간 등 연구를 위한 구체적인 계획을 마련함

② 통계 분석을 중시하지 않으므로 대체로 개념을 조작적으로 정의하지는 않음

(3) 자료 수집

① 행위 주체의 주관적인 가치나 행위 동기 등 주관적 세계를 해석할 수 있는 경험적인 자료를 수집함

② 주로 오랜 기간에 걸친 일상생활 관찰이나 면접 등을 활용해 질적 자료를 수집함

③ 자료 수집 과정에서 연구자의 직관적 통찰❸ 활용, 비공식적 자료❹의 수집도 중시됨

> 질적 연구에서는 자료 수집과 자료 해석이 동시에 이루어지기도 해.

(4) 자료 해석: 감정 이입적인 이해 기법 등을 통해 수집된 자료에서 행위자의 주관적 가치나 동기 등 주관적인 의미를 파악함

> 연구자가 연구 대상자의 상황 맥락 속으로 들어가 그들의 입장이 되어 그들의 행위가 갖는 의미를 해석하는 방법이야.

(5) 결론 도출: 개별적인 자료로부터 해석된 행위자의 주관적 세계가 갖는 의미를 종합하여 연구 주제에 대한 결론을 도출함

자료1 양적 연구의 절차와 질적 연구의 절차

왼쪽 (양적 연구)

01 연구 주제 선정

고등학생의 가족과의 대화 시간과 스마트폰 중독 간의 관계에 대한 연구

02 가설 설정

가족과의 대화 시간이 많은 고등학생일수록 스마트폰 중독 가능성이 작을 것이다.

03 연구 설계

• 개념의 조작적 정의
－ 가족과의 대화 시간: 하루 평균 가족과 대면 또는 비대면하여 대화를 하는 시간
－ 스마트폰 중독: 스마트폰을 하루 평균 5시간 이상 사용함
• 자료 수집 대상: 모든 고등학생에 대하여 대표성을 갖도록 전국에서 선정된 고등학생 1,000명
• 자료 수집 방법: 설문 조사

04 자료 수집

조사 대상으로 선정된 고등학생들에게 설문지를 배포하고 답변을 수집한다.

05 자료 분석

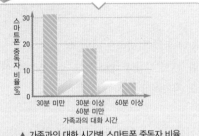

▲ 가족과의 대화 시간별 스마트폰 중독자 비율

06 가설 검증

자료 분석 결과 가족과의 대화 시간과 스마트폰 중독 학생의 비율 간에 부(－)의 관계가 나타났으므로 가설은 타당하다.

07 결론 도출

고등학생의 가족과의 대화 시간과 스마트폰 중독 비율 간의 관계를 볼 때 가족과의 대화 시간 감소가 고등학생의 스마트폰 중독을 심화할 수 있음을 알 수 있다.

오른쪽 (질적 연구)

01 연구 주제 선정

스마트폰에 중독된 고등학생의 학교생활에서 나타나는 중독 양상에 대한 연구

02 연구 설계

• 연구 대상: 스마트폰에 중독된 ○○ 고등학교 2학년 학생 5명
• 자료 수집 방법: 연구 대상자들의 수업 시간 및 학교생활 관찰, 비정기적 면접
• 자료 수집 기간: 20△△년 △월부터 20△△년 △월까지

03 자료 수집

3개월간 학교 수업 시간과 같이 스마트폰을 사용하지 못하는 환경에서 나타나는 연구 대상자들의 행동을 관찰하면서 필요한 장면을 녹화한다. 관찰 과정에서 연구 대상자의 행동에 특이한 사항이 발견되면 방과 후에 면접을 시행하여 그러한 행동을 하는 동기나 목적 등을 알아본다.

04 자료 분석

… (중략) … 영주(가명)는 학교생활에서 즐거움을 찾지 못하고 있다. 그러면서도 학교를 벗어나는 행동은 바람직하지 않다는 생각을 하고 있다. 이러한 모순적인 상황에서 선택한 대안이 바로 스마트폰을 통해 자신만의 즐거움을 찾는 것이었다. "스마트폰으로 연예인 기사를 검색하고 친구들과 문자 메시지를 주고받을 때는 시간 가는 줄 모를 정도로 즐거워요."라고 말하는 영주는 스마트폰을 통해 학교에서 누릴 수 없는 즐거움을 보상받고 있었다. … (하략) …

05 결론 도출

스마트폰 중독으로 인한 연구 대상자들의 학교생활 양상은 다양한 유형으로 나타났다. … (중략) … 대안 모색형의 경우 학교생활에 심각한 문제가 발생하고 있음에도 스마트폰이 지루한 학교생활에 유일한 대안이라고 생각하여 중독의 심각성을 외면하고 있다.

자료·분석 양적 연구는 가설 설정의 단계를 거치며, 조사 대상을 통해 파악한 두 변인 간의 관계를 전체 연구 대상의 특성으로 일반화하는 결론을 내린다. 질적 연구는 자료 수집과 해석 과정에서 연구자의 직관적 통찰과 감정 이입적 이해를 중시하며, 양적 연구와 달리 일반화를 중시하지 않기 때문에 연구 사례가 아닌 다른 모든 사례를 설명하고자 하는 결론을 제시하지 않는다.

한·줄·핵·심 질적 연구는 양적 연구와 달리 일반적으로 가설 설정 단계를 거치지 않으며, 양적 연구는 연구 설계 단계에서 추상적 개념을 측정 가능한 지표로 규정하는 개념의 조작적 정의를 한다.

내용 이해를 돕는 팁

❓ 궁금해요

Q. 독립 변인과 종속 변인은 무엇인가요?

A. 독립 변인은 다른 변인에 영향을 미쳐 변화를 초래하는 변인이고, 종속 변인은 독립 변인의 영향을 받아 변화하는 변인이야. 예를 들어 '가족과의 대화 시간이 많은 고등학생일수록 스마트폰 중독 가능성이 낮을 것이다.'라는 가설에서 '가족과의 대화 시간'이 독립 변인, '스마트폰 중독'이 종속 변인이지.

용어 더하기

* **이론**
사물이나 현상의 이치를 논리적으로 일반화한 체계

* **수량화**
수량으로 나타내기 어려운 양적 특성이 수량으로 나타내어지는 것

* **통계 분석**
통계 조사를 통하여 얻은 자료를 바탕으로 표본 간의 차이점이나 공통점 등을 찾기 위하여 행하는 수학적인 분석 작업

* **수용**
다른 사람의 의견이나 가치 등 어떤 것을 받아들이는 것

* **기각**
어떤 사물을 버리고 쓰지 않음

* **직관적**
경험이나 추리, 판단 등에 의하지 않고 대상을 직접적으로 파악하는 것

❺ 객관성과 상호 주관성
비슷한 경험을 한 사람들은 자신의 주관에 따라 그것을 보더라도 여러 사람의 주관이 모이면서 그 안에 담긴 나름의 유사성을 발견할 수 있고, 그 유사성으로 일정한 결론에 도달할 수 있다. 이처럼 여러 사람의 주관 속에 담긴 나름의 공유되는 주관성을 '상호 주관성'이라고 하며, 우리가 흔히 주장하는 '객관성'이란 사회 과학에서는 실제로 '상호 주관성'을 가리킬 때가 많다.

❻ 문화 연구와 상대주의적 태도
세계 여러 민족의 문화를 연구하는 데 상대주의적 태도는 필수적이다. 문화는 그것이 존재하는 사회의 자연환경이나 역사적 배경을 떠나 의미를 가질 수 없기 때문이다. 만약, 목욕을 자주 하지 않는 사막 지역 유목 민족의 문화를 우리의 입장에서 평가한다면 그들의 문화가 갖는 가치를 바르게 이해할 수 없다.

사회·문화 현상의 탐구 태도

객관적 태도	관찰을 통해 경험적 증거에 따라 제삼자의 눈으로 보는 태도
개방적 태도	연구 결과에 관한 비판과 새로운 주장의 가능성을 허용하는 태도
상대주의적 태도	사회·문화 현상을 각 사회의 맥락에서 이해하는 태도
성찰적 태도	사회·문화 현상의 이면에 담긴 의미를 적극적·능동적으로 이해하는 태도

❼ 사실과 가치
사실은 경험적으로 검증할 수 있으며, 참과 거짓을 판단할 수 있다. 가치는 주관적인 평가가 개입되어 경험적으로 증명할 수 없다.

B 사회·문화 현상의 탐구 태도와 가치 중립

| 시·험·단·서 | 사회·문화 현상을 탐구하는 태도인 객관적, 개방적, 상대주의적, 성찰적 태도를 구분하는 것이 중요해. 또한 연구 과정 중 어느 단계에서 가치 중립과 가치 개입이 요구되는지를 묻는 문제가 출제돼.

1. 사회·문화 현상을 탐구하는 태도

(1) 객관적 태도 ❺

① **의미**: 연구자의 주관적 가치나 편견, 이해관계 등을 배제하고 제3자의 입장에서 사실을 있는 그대로 관찰하는 태도

② **필요성** ┌─ 연구자가 속한 사회나 시대의 지배적인 가치가 연구자도 모르는 사이에 연구에 개입될 수 있음을 고려해야 해.

- 연구자 자신이 <u>사회·문화 현상의 일부</u>이기 때문에 엄격한 객관성을 확보하기 어려움
- 연구 과정에서 객관성이 지켜지지 않을 경우 연구자는 사실을 정확하게 파악할 수 없고, 연구 결과가 왜곡될 수 있음

(2) 개방적 태도 [자료 2]

① **의미**

- 여러 가지 가능성이 동시에 공존할 수 있다는 것과 같이 자신의 주장과 다른 주장이 존재할 수 있음을 인정하고, 자신의 주장에 대한 비판을 허용하는 태도
- 다른 연구자의 주장이나 다른 연구의 결론을 경험적으로 실증될 때까지는 하나의 가설로서만 받아들이는 태도

② **필요성**: 과학적 연구의 결론이라도 반증에 의해 얼마든지 진리가 아님이 밝혀질 가능성이 있는 잠정적인 진리이므로, 새로운 주장의 가능성을 인정하고 허용해야 함

(3) 상대주의적 태도 ❻

① **의미**: 사회·문화 현상을 그 사회의 역사적·문화적 배경과 사회적 맥락을 고려하여 이해하는 태도

② **필요성**

- 동일한 사회·문화 현상이라도 시대와 사회에 따라 다른 의미를 지닐 수 있음
- 특정 맥락이나 배경 속에서 의미를 갖는 사회·문화 현상에 대한 연구 결론을 맥락이나 배경이 다른 사회에 맹목적으로 적용하려는 태도를 지양해야 함

(4) 성찰적 태도 [자료 3]

① **의미**: 사회·문화 현상을 보이는 그대로 받아들이기보다 현상의 이면에 담겨 있는 인과 관계나 의미, 그것이 초래할 결과 등에 대하여 적극적·능동적으로 탐구하는 태도

② **필요성** ┌─ 문제 의식을 가진다는 점에서 사회·문화 현상 탐구의 출발점이 돼.

- <u>사회·문화 현상을 연구하는 시작</u>이 되며, 사회를 새롭게 바라보고 발전을 모색하도록 함
- 연구자 자신이 연구 절차나 연구 방법 등을 제대로 지키고 있는지를 되짚어 보게 한다는 점에서 연구 과정에서도 요구됨
- 사회·문화 현상의 발생 과정과 원인은 단순하지 않고 복잡하므로 성찰적으로 접근하지 않으면 겉으로 드러나는 현상만을 보게 됨

2. 사회·문화 현상 탐구에서의 가치 중립과 가치 개입

(1) 사실과 가치 ❼의 구분 ┌─ 옳고 그름이나 좋고 싫음의 문제가 가치야.

① **사실**: 인간의 주관적인 가치 및 평가와 무관하게 존재하는 객관적인 현상

② **가치**: 현상에 대한 인간의 주관적인 평가나 주장

③ **사실과 가치 구분의 필요성**: 사실과 가치는 서로 다른 특성을 갖기 때문에 그 두 가지를 구분해야 함 → 사실과 가치를 구분하지 못할 경우 연구의 객관성이 훼손될 수 있고, 끊임없는 논쟁에 휘말릴 수 있음

시험에 잘 나오는 자료

자료2 칼 포퍼(Popper, K. R.)의 반증 가능성과 개방적 태도 관련 문제 ▶ 50쪽 10번

어느 날 친구가 "나는 어제 신의 음성을 들었어."라고 말할 때, 우리는 이것을 경험적 근거를 들어 반박할 수 없다. 그러므로 신의 음성을 들었다는 것은 과학적 진술이 아니고, 신의 영역을 탐구하는 것 역시 과학적 탐구의 영역이라고 할 수 없다. 하지만 과학은 경험적 근거를 들어 반증할 수 있고, 이를 통해 기존의 이론이 수정되고 변경되어 더 새로운 이론으로 발전해 나간다. 이때 반증을 받아들이고 기존의 이론을 수정하며 변경하는 데 필요한 태도가 개방적 태도이다. 즉 개방적 태도는 과학적 진보에서 매우 중요하다.

자료·분석 포퍼에 따르면, 과학에서 중요한 것은 반증을 통해 처음에 제시되었던 이론이 뒤집힐 수 있음을 인정하고 그것에 맞게 기존의 이론이 폐기되어 새로운 이론에 따른 연구가 이루어지는 것이다. 포퍼는 이론은 반증 가능성을 갖고 있어야 과학적 진술이며, 반증 불가능한 명제를 탐구하는 것은 과학이라고 할 수 없다고 주장한다.

한·줄·핵·심 어떤 주장이라도 이것이 경험적으로 실증될 때까지는 이를 가설로서만 받아들이며, 타인의 비판적인 주장과 새로운 입장에 대해 수용적인 태도인 개방적 태도를 지녀야 한다.

자료3 커피에 대한 사회학적 상상력으로 보는 성찰적 태도

사회·문화 현상 연구에서는 개인의 일상, 그가 속한 집단, 더 큰 사회에서 나타나는 여러 가지 사회·문화 현상을 연구할 때 성찰적 태도가 필요하다. 이러한 태도를 갖기 위해서는 미국의 사회학자 밀즈(Mills, C.)가 말한 사회학적 상상력을 동원할 필요가 있다.
사회학적 상상력은 어떤 사회 현상을 단선적으로 이해하는 것이 아니라, 관련 주제를 확대하면서 특정 현상에 대하여 다양한 연구 질문을 통해 이해하는 것이다. 커피를 마시는 일상 행위에 대해서도 사회학적 상상력을 동원하여 여러 탐구 문제를 인식할 수 있다.

세계화 시대에 커피를 윤리적으로 소비한다는 것의 의미는 무엇일까?	커피는 사람들의 사회적 관계 맺기에 어떤 역할을 할까?
다른 중독 물질과 달리 카페인이 들어간 커피는 왜 허용할까?	국제 거래 관계에서 커피 생산국 대부분이 빈곤한 까닭은 무엇일까?

자료·분석 개인의 일상, 그가 속한 집단, 더 큰 사회에서 나타나는 여러 가지 사회·문화 현상을 연구할 때 성찰적 태도가 필요하다. 커피를 마시는 일상 행위에 대해서도 여러 탐구 문제를 인식할 수 있다. 다수의 사람이 상식이라고 여기는 주장 중에는 사실과 다른 것들이 많다. 연구자는 당연하게 여겨지는 현상이라도 그 원인과 전개 과정을 하나하나 살펴 따져보는 성찰적 태도를 지녀야 한다.

한·줄·핵·심 성찰적 태도란 사회·문화 현상을 보이는 그대로 받아들이기보다 현상의 이면에 담겨 있는 의미를 이해하고, 그것의 발생 원인이나 결과 등에 관하여 적극적이고 능동적으로 살펴보려는 태도를 말한다.

내용 이해를 돕는 팁

❓ 궁금해요

Q. 객관적 태도와 개방적 태도는 어떤 관계인가요?

A. 객관적 태도는 연구 대상에 대해, 개방적 태도는 다른 연구자나 연구 내용에 대해 가져야 할 태도야. 개방적 태도는 주관성이 개입될 우려가 있는 사회 과학에서 상호 비판을 허용함으로써 연구 결과의 객관성을 높이는 데 이바지할 수 있어.

용어 더하기

* **제3자**
  어떤 일에 대하여 직접적인 관계가 있거나 관계한 당사자가 아닌 사람

* **실증**
  실제 생활과 경험을 통해 알 수 있는 자료에 의해 뒷받침되는 것

* **반증**
  기존의 주장에서 활용된 근거에 반대되는 근거를 통해 기존의 주장이 참이 아님을 증명하는 것

* **맹목적**
  주관이나 원칙이 없이 덮어 놓고 행동하는 또는 그런 것

* **주관적**
  자기의 견해나 관점을 기초로 하는 또는 그런 것

* **익명성**
  어떤 행위를 한 사람이 누구인지 드러나지 않는 특성

❽ 연구 단계에 따른 가치 중립과 가치 개입

(2) 가치 중립과 가치 개입

연구자가 가치를 가져서는 안 된다는 것이 아니라, 주관적 가치 때문에 연구 과정이나 결과가 왜곡되어서는 안 된다는 것을 의미해.

구분	가치 중립 자료4	가치 개입
의미	연구자가 자신의 주관적 가치를 배제하고 객관적으로 연구를 수행하는 것	연구자가 어떤 특정한 가치를 전제하고 탐구에 임하는 것
필요성	연구자가 자신의 주관에 따라 사회·문화 현상을 해석하고 연구할 경우, 연구 결과가 왜곡될 수 있음	연구자는 자신이 속한 계층이나 집단의 가치에 의해 영향을 받으며, 연구 과정에서 가치를 개입시켜 사회 문제 해결에 적극적으로 나서야 함

(3) 과학적 탐구 과정에서의 가치 중립과 가치 개입❽

① **연구 주제 선정과 연구 결과의 활용**: 탐구 활동 역시 사회 구성원 다수에게 영향을 미치는 사회·문화 현상이므로 연구 주제를 선정하거나 연구 결과에 따른 대책 등을 마련할 때 사회적 가치나 인류 보편적 가치를 존중하는 가치 판단이 요구됨

② **자료 수집 및 분석, 가설 검증, 결론 도출**: 연구자의 가치가 개입되면 연구하고자 하는 사회·문화 현상이 지닌 의미가 왜곡될 수 있으므로 가치 중립이 요구됨 → 가치 중립 필요

③ **가설 설정, 연구 설계**: 연구자의 연구 의도가 반영될 수밖에 없는 과정으로, 가치 중립적인 자료 수집 및 분석 과정 등을 통해 그 적절성이 평가되어야 함 → 가치 개입 허용

❾ 연구 참여에 대한 동의

사전에 연구 대상자에게 연구의 목적이나 내용을 알리면 연구 대상자의 사전 인지가 연구 대상자의 행동에 영향을 줌으로써 수집된 자료의 신뢰도가 떨어지는 경우가 있다. 이에 따라 불가피하게 미리 알리지 못한 경우에는 연구가 끝나고 나서 반드시 연구에 대한 정보를 제공하고 이러한 사실을 연구 내용에 포함해도 되는지에 대하여 동의를 얻어야 한다.

C 사회·문화 현상의 탐구와 연구 윤리

|시·험·단·서| 연구 대상자와 관련된 윤리, 연구 과정과 관련된 윤리, 연구 결과의 공표와 관련된 윤리의 내용을 구분하여 묻는 문제들이 출제돼.

1. 사회·문화 현상의 탐구에서 연구 윤리의 필요성

(1) **연구 윤리**: 연구자가 연구 과정이나 결과의 활용에서 인간의 존엄성을 존중하는 것

(2) **연구 윤리의 필요성**: 사회·문화 현상은 탐구 대상이 인간이므로 연구를 할 때 많은 제약이 따르며, 연구 윤리가 엄격히 지켜져야 함

2. 연구 대상자와 관련된 윤리 자료5

(1) **연구 대상자의 자발적인 참여 보장❾**

① 연구의 목적과 과정 등을 사전에 알리고 연구 참여에 대한 동의를 구해야 함

② 연구 목적을 미리 알려주면 연구 결과를 왜곡할 우려가 있는 경우에는 사후에 연구 목적을 밝히고, 동의를 얻어야 함

(2) 연구가 진행되는 과정과 연구가 끝난 후에도 연구 대상자의 권리와 이익을 보장해야 함

(3) 연구 대상자의 개인 정보와 사생활 관련 정보에 대한 비밀을 보장해야 하며, 수집한 정보를 연구 이외의 목적으로 활용해서는 안 됨

자료 수집 과정에서 연구 대상자에게 수치심을 주는 질문을 하거나 강제로 답변을 요구하면 안 되고, 연구 대상자에게 해로운 영향을 줄 수 있는 실험을 해서도 안 돼.

3. 연구 과정 및 연구 결과의 공표와 관련된 윤리 자료6

(1) **연구 과정에서 연구자의 정직성**

① 의도한 연구 결과를 얻기 위해 자료 수집 및 분석 과정에서 위조나 변조 등을 하면 안 됨

② 자료의 내용과 일치하지 않는 해석을 하는 행위, 즉 왜곡을 해서는 안 됨

(2) **연구 결과의 공표에서 윤리성**

① 표절* 행위, 인용*이나 출처 표시를 하지 않고 활용하는 행위, 자신의 연구 결과를 중복하여 학술지에 게재하는 행위 등을 해서는 안 됨

② 자신의 이해관계를 반영하여 연구 결과를 은폐하거나 축소 또는 과장해서는 안 됨

③ 연구 결과가 사회적으로 악용되지 않도록 연구 결과에 책임지는 자세가 필요함

연구자가 지켜야 할 연구 윤리

연구 대상자와 관련된 윤리	자발적 참여 보장, 인권 존중, 사생활 보호
연구 과정 및 결과 활용과 관련된 윤리	비윤리적 연구 목적 제한, 객관적인 자료 수집, 타인의 연구 결과물 도용 금지

시험에 잘 나오는 자료

자료4 **가치 중립에 관한 베버(weber. M.)와의 인터뷰**

> **대담자:** 사회 과학 연구에서 연구자의 가치 중립은 왜 필요한가요?
>
> **베버:** 연구자도 사회 속의 행위자이기에 연구 과정에서 연구자의 가치나 감정이 개입될 가능성이 큽니다. 가치나 감정이 개입되면 과학적 지식을 얻을 수 없습니다.
>
> **대담자:** 가치 중립을 위해서는 어떻게 해야 하나요?
>
> **베버:** 자료 수집을 할 때 체계적인 방법을 적용하고, 자료 분석 과정에서는 합리적으로 분석하고, 분석한 자료에 근거하여 논리적인 결론을 도출하면서 연구자의 가치 개입을 막아야죠.

자료·분석 베버에 따르면, 가치 중립이란 사실과 가치를 분리해야 함을 뜻한다. 즉, 연구자는 존재하는 현상을 객관적으로 서술해야 하고, 현상 자체를 주관적으로 평가하여 결론을 내려서는 안 된다.

한·줄·핵·심 자료를 수집하고 분석하여 결론을 도출하는 단계에서는 가치 중립적 자세가 요구된다.

자료5 **연구에서 지켜야 할 연구 윤리** 관련 문제 ▶ 51쪽 15번

> ### 제6조 조사 대상자에 대한 책임
>
> 1. 조사자는 조사 대상자에게 응답을 강요하지 않고, 그들을 기만하는 행위를 하지 않으며, 그들을 모욕하여 수치심을 유발하는 수단과 방법을 사용하지 않는다.
> 2. 조사자는 조사 대상자의 사생활을 존중하고 익명성을 보장해 주어야 한다. 단, 조사 대상자가 허용하는 경우 대상자의 이름을 사용하거나 밝힐 수 있다.
> 3. 조사자는 조사 대상자가 자유의사로 조사를 거절하거나 도중에 중단할 수 있는 권리를 존중한다.

자료·분석 한국조사연구학회가 제정한 「조사 윤리 강령」에서 '조사 대상자에 대한 책임' 부분이다. 사회·문화 현상은 탐구 대상이 인간이므로 연구 대상자와 관련한 윤리가 엄격히 지켜져야 한다.

한·줄·핵·심 사회·문화 현상의 연구에서는 연구 대상자의 인권과 사생활 보호가 강조된다.

자료6 **연구 윤리의 필요성** 관련 문제 ▶ 58쪽 12번

> 갑은 ○○시에 카지노 시설을 유치해야 한다고 주장하며 범죄 증가를 우려하는 주민들을 설득하기 위해 2014년부터 카지노 시설을 운영하는 □□시의 범죄 건수 변동 양상을 연구하였다. 갑은 위의 표와 같은 자료를 수집하였는데, 백의 자리에서 반올림하여 범죄 건수 증가율을 분석하고, 그 결과를 발표하였다.
>
> **〈□□시의 범죄 건수 추이〉**
> (단위: 건)
>
> | 연도 | 2013 | 2014 | 2015 | 2016 |
> |------|------|------|------|------|
> | 범죄 건수 | 13,516 | 14,435 | 14,472 | 14,493 |

자료·분석 자료의 수치를 백의 자리에서 반올림하면 모든 연도에 범죄 건수가 14,000건으로 동일해진다. 즉, 실제 범죄가 증가함에도 불구하고 범죄가 증가하지 않은 것처럼 발표한 것이다.

한·줄·핵·심 연구 결과의 공표에서 연구자는 연구 결과를 은폐하거나 축소 또는 과장해서는 안 된다.

내용 이해를 돕는 팁

? 궁금해요

Q. 연구 윤리의 준수가 왜 필요할까요?

A. 연구 윤리를 위반하는 것은 연구자에게 자신의 노력에 상응하지 않는 부당한 이익을 가져다 줄 수 있어. 또한 진실을 왜곡하면 그 피해가 사회 전체에 미칠 수 있다는 점에서 심각한 문제를 초래할 수 있지.

Q. 연구 후원자의 정보를 왜 보호하지 않나요?

A. 사회·문화 현상의 연구에서 연구 대상자에 대한 정보와 달리 연구 후원자에 대한 정보는 원칙적으로 공개될 필요가 있어. 경제적 지원 등을 통해 연구를 후원하는 개인이나 집단을 공개하지 않는다면 연구의 순수성이나 객관성을 의심받을 수 있기 때문이지.

용어 더하기

*표절
타인의 아이디어, 연구 내용, 연구 결과 등을 적절한 출처 표시 없이 사용하는 행위를 말한다.

*인용
남의 말이나 글을 자신의 말이나 글 속에 끌어 쓰는 것을 말한다.

사회·문화 현상의 탐구 절차와 윤리

개념풀 Guide 사회·문화 현상의 양적 연구 절차와 질적 연구 절차를 이해하고, 사회·문화 현상의 탐구 태도와 연구 윤리를 파악해 보자.

1. 사회·문화 현상의 탐구 절차

○ **연구 주제 설정:** 정보 격차 문제를 파악하기 위해 A 지역 고등학생의 인터넷 이용 형태에 부모의 경제 수준 및 부모의 인터넷 이용 행태가 미치는 영향을 탐구하기로 하였다.

(가) 부모의 경제 수준이 높을수록 자녀의 정보 지향적 인터넷 이용 정도가 높아지고, 부모의 정보 지향적 인터넷 이용 정도가 높을수록 자녀의 정보 지향적 인터넷 이용 정도가 높아질 것이라고 가설을 설정하였다. └ 독립 변수 └ 독립 변수 └ 종속 변수

(나) A 지역에서 선정된 6개 고등학교 학생 1,000명 중 부모도 응답 가능한 300명을 대상으로 구조화된 질문지를 통해 자료를 수집하였다.

(다) 경제 수준은 월평균 소득으로, 정보 지향적 인터넷 이용 정도는 인터넷 이용 시간 중 정보 검색 시간 비중으로 측정하기로 하였다. └ 개념의 조작적 정의

(라) 부모의 월평균 소득에 따라 자녀의 정보 검색 시간 비중은 통계적으로 유의미한 차이가 나타나지 않았다. 반면, 부모의 정보 검색 시간 비중이 높을수록 자녀의 정보 검색 시간 비중은 통계적으로 유의미하게 높아지는 것으로 나타났다.

분석 • 제시된 연구는 종속 변수와 독립 변수로 구성된 가설을 설정한 것으로 보아 양적 연구이다.
• (가)는 가설 설정, (나)는 자료 수집, (다)는 연구 설계, (라)는 자료 분석 단계이다.
• 따라서 (가) → (다) → (나) → (라)의 순서로 연구가 진행되었다.

2. 사회·문화 현상의 탐구 태도

• 사회학자의 임무는 어떤 사회·문화 현상에 대해 정확하게 보고하는 것이다. 사회학자의 보고에는 그의 취향이나 선호가 반영되지 않아야 한다.
• 사회학의 연구 대상은 경험한 것이나 경험할 수 있는 것에 한정되어야 한다. 또한 사회학자는 인간의 삶과 행위의 관찰 과정에서 제3자의 관점을 취해야 한다.

분석 자료에 공통으로 나타난 탐구 태도는 객관적 태도이다. 객관적 태도란 탐구 과정에서 연구자가 자신의 주관적 가치나 편견, 이해관계 등을 배제하고 사회·문화 현상이 가진 사실로서의 특성만을 파악하는 태도이다.

3. 가치 중립과 가치 개입

연구자는 사회 현상의 연구 과정에서 가치 개입과 가치 중립의 문제에 직면한다. 연구자는 학문적 객관성을 위해 가급적 [(가)]을 지켜야 한다. 하지만 연구 과정에서 어떠한 가치 판단도 전제하지 않는 연구는 불가능하므로 [(나)]이 용인되는 단계도 있다.

분석 • (가)는 가치 중립, (나)는 가치 개입이다.
• 자료 수집 및 분석, 가설 검증, 결론 도출 단계에서는 가치 중립이 요구된다.
• 자료 수집 방법을 선택할 때, 가설을 설정할 때, 개념을 조작적으로 정의할 때에는 가치 개입이 용인된다.

4. 연구 윤리   관련 문제 ▶ 53쪽 08번

연구자는 연구 목적과 절차, 연구자가 미칠 수 있는 영향 등을 연구 대상자에게 공지하고 자료 수집에 대하여 허락을 받아야 합니다.
갑

연구자는 정직한 방법으로 자료를 수집해야 하며, 의도한 결론을 이끌어 내기 위해 자료를 왜곡하여 분석해서는 안 됩니다.
을

분석 • 갑은 연구 대상자와 관련된 윤리 문제 중 연구 대상자의 동의를 받아 연구 대상자의 자발적인 참여를 보장해야 함을 강조한다.
• 을은 연구 과정 및 결과 활용과 관련된 윤리 문제 중 의도한 결론을 끌어내기 위해 자료를 조작해서는 안 된다고 주장한다.

A 사회·문화 현상의 탐구 절차

01 다음 내용이 이루어지는 연구 단계를 쓰시오.

(1) 잠정적 결론이 수용되었음을 확인한다.   (   )
(2) 독서량을 구체적으로 무엇으로 어떻게 측정할 것인지 정한다.   (   )
(3) 선호하는 책과 독서량에 대한 성별 비교에 대해 연구하고자 한다. (   )
(4) 연구 대상을 △△고등학교 2학년 학생으로 하고, 자료 수집 방법은 질문지법을 사용하기
로 계획한다.   (   )

B 사회·문화 현상의 탐구 태도와 가치 중립

02 다음에 해당하는 사회·문화 현상의 탐구 태도를 쓰시오.

(1) 현상의 이면에 담긴 의미를 능동적으로 탐구하는 태도   (   )
(2) 연구자의 주관이나 선입관 또는 이해관계를 배제하는 태도   (   )
(3) 각 사회의 문화에 대해 특수성을 인정하고 사회·문화 현상을 상대적으로 인식하는 태도
             (   )
(4) 여러 가지 가능성이 동시에 공존할 수 있다는 사실을 인정하고, 자신의 주장에 대한 비판
을 허용하는 태도   (   )

03 다음의 연구 단계가 엄격한 '가치 중립'이 이루어져야 하는 단계인지, '가치 개입'이 용인되는 단계인
지 바르게 연결하시오.

(1) 문제 인식 및 연구 설계 •
(2) 가설 설정   •   • ㉠ 가치 개입
(3) 자료 수집 및 분석   •
(4) 가설 검증 및 결론 도출 •
(5) 연구 결과의 활용   •   • ㉡ 가치 중립

C 사회·문화 현상의 탐구와 연구 윤리

04 빈칸에 알맞은 말을 쓰시오.

(1) 연구 대상자의 사생활을 보호하려면 자료를 수집할 때 연구 대상자의 □□□을/를 보장
해야 한다.
(2) 연구자는 다른 연구의 결과물을 자신의 연구에 활용할 때에는 인용이나 □□ 표시를 해
야 한다.

A 사회·문화 현상의 탐구 절차

01 양적 연구의 연구 설계 단계에 대한 설명으로 옳지 <u>않은</u> 것은?

① 개념의 조작적 정의가 이루어진다.

② 연구에 대한 구체적인 계획을 세운다.

③ 잠정적 결론인 가설 설정 다음 단계에 행해진다.

④ 자료 수집 방법으로 주로 질문지법이나 실험법을 선택한다.

⑤ 가설과 자료 분석 결과가 일치하면 가설을 수용하고 일치하지 않으면 기각한다.

02 질적 연구의 탐구 절차에 대한 설명으로 옳지 <u>않은</u> 것은?

① 가설을 설정하지 않는 것이 일반적이다.

② 연구 문제를 인식함으로써 연구가 시작된다.

③ 자료를 해석할 때는 통계적 분석 기법을 활용한다.

④ 주로 면접법이나 참여 관찰법을 통해 자료를 수집한다.

⑤ 자료 수집과 해석 단계에서는 연구자의 감정 이입이나 직관적 통찰이 중시된다.

03 ㉠이 엄격히 지켜져야 하는 연구 단계를 바르게 짝지은 것은?

일반적으로 사회 과학 연구는 ㉠ 적이어야 한다. ㉠ 이란 가치 판단이 개입되지 않는 것을 말한다. 그러나 ㉠ 이 사회 과학자가 가치를 가져서는 안 된다는 것을 의미하는 것이 아니다. 사회 과학적 탐구 과정에서의 ㉠ 이란 사회 과학자가 연구 과정에서 자신의 가치 판단을 배제하고 객관적으로 연구를 수행해야 한다는 의미로 해석되어야 한다.

① 가설 설정, 연구 설계

② 연구 설계, 자료 수집

③ 자료 수집, 자료 분석

④ 연구 주제 선정, 가설 설정

⑤ 결론 도출, 연구 결과의 활용

04 (가)~(라)는 사회·문화 현상의 연구 과정 중 일부를 나타낸 것이다. 이에 대한 설명으로 옳은 것은?

(가) SNS 활동 시간과 성격과의 상관관계에 관해 연구하기로 하였다.

(나) 'SNS의 활동 시간'과 '성격'을 구체적인 현상에 적용할 수 있게 측정 가능하도록 하였다.

(다) 수도권에 거주 중인 성인 남녀 1,000명을 대상으로 통계 처리가 가능한 질문지를 이용하여 설문 조사를 하였다.

(라) "SNS 활동 시간이 많을수록 성격이 외향적일 것이다."라는 잠정적 결론을 내렸다.

① (가)에서는 연구자의 가치 개입이 배제되어야 한다.

② (나)에서는 개념의 조작적 정의가 이루어졌다.

③ (다), (라)의 연구 단계에서는 연구자의 가치가 개입된다.

④ 연구 결과를 우리나라 성인 전체로 일반화할 수 있다.

⑤ 이 연구는 질적 연구로 (가) → (라) → (나) → (다)의 순으로 이루어진다.

05 (가)~(라)는 어느 연구 과정을 순서에 상관없이 나열한 것이다. 이에 대한 설명으로 옳은 것은?

(가) 청소년들의 스마트폰 사용 중독을 줄이기 위한 방안을 제시하였다.

(나) 수집한 자료를 분석한 결과 가설이 수용되었다.

(다) 수도권에 거주하는 고등학생 1,000명을 무작위로 뽑아 스마트폰을 사용하는 시간과 중독 실태를 조사하였다.

(라) 스마트폰 사용에 중독된 청소년일수록 학교 수업 중 집중도가 낮을 것이라는 잠정적 결론을 내렸다.

① (가)에서는 엄격한 가치 중립이 요구된다.

② (나)를 통해 연구 결과를 우리나라 청소년 전체로 일반화할 수 있다.

③ (다)에서 사용된 자료 수집 방법은 실험법이다.

④ (다)에서 무작위로 선정된 고등학생 1,000명은 모집단에 해당한다.

⑤ (라)에서는 가치가 개입된다.

06 다음 연구에 대한 설명으로 옳은 것은?

연구 단계	내용
(가)	고등학생의 아르바이트 경험이 갖는 의미에 대해 심층적으로 연구하기로 함
(나)	• 수도권의 고등학교 학생 50명을 조사 대상자로 선정함 • 면접법을 통해 자료 수집을 하기로 함
(다)	면접법을 통해 심층적인 대화를 나누며 아르바이트를 하는 동기나 목적을 이해함
(라)	결론을 도출함

① (가)는 가설 설정 단계이다.

② (나)는 가설 검증 단계이다.

③ (다)에서는 감정 이입적인 이해를 통한 자료 해석이 이루어질 수 있다.

④ (라)는 가치가 개입될 수밖에 없는 단계이다.

⑤ 조사 대상자의 수가 많을 경우에 적합한 자료 수집 방법을 사용하였다.

07 다음 연구에 대한 옳은 분석을 〈보기〉에서 고른 것은?

• 연구 주제: 교사의 칭찬과 학생들의 학업 성취도와의 상관관계
• 연구 가설: 교사의 칭찬 횟수가 많을수록 학생들의 학업 성취도가 높을 것이다.
• 조사 대상: ○○시에 소재한 △△고등학교의 전체 교사 80명과 전교생 800명
• 자료 수집 방법: 질문지법

<보기>
ㄱ. 표본이 모집단의 특성을 대표한다.
ㄴ. 표준화된 자료 수집 방법을 채택하였다.
ㄷ. 경험적으로 검증 불가능한 가설이 설정되었다.
ㄹ. '학생들의 학업 성취도'는 종속 변수에 해당한다.

① ㄱ, ㄴ   ② ㄱ, ㄷ   ③ ㄴ, ㄷ
④ ㄴ, ㄹ   ⑤ ㄷ, ㄹ

08 검증이 불가능한 가설에 해당하는 것은?

① 필기구의 종류가 많을수록 학업 성취도가 높을 것이다.

② 모둠 활동 수업과 학업 성취도는 정(+)의 관계가 있을 것이다.

③ 거울을 보는 횟수가 많을수록 외모에 대한 자신감이 클 것이다.

④ 바람직한 삶을 살기 위해서는 좋은 가치관을 가져야 할 것이다.

⑤ 부모와의 유대가 높은 학생일수록 학교생활 만족도가 높을 것이다.

09 다음 연구 과정에 대한 옳은 설명만을 〈보기〉에서 있는 대로 고른 것은?

• 연구 주제: 부모의 양육 태도가 초등학생의 시험 불안에 미치는 영향
• (가) : 부모의 양육 태도가 자녀에게 수용적일수록 초등학생의 시험 불안감은 줄어들 것이다.
• 연구 설계: 전국 초등학생 1,000명과 그 부모를 대상으로 하며, 부모의 양육 태도와 초등학생의 시험 불안을 측정할 수 있는 검사지를 개발하여 조사하였다.
• (나) : 조사 대상자를 상대로 설문지를 배부하여 조사를 하였다.
• 자료 분석: 수집한 자료를 분석한 결과 부모의 양육 태도 점수와 초등학생의 시험 불안 점수 간에 부(−)의 관계가 나타났다.
• 결론 도출: 자녀의 시험 불안을 해소하기 위해 부모는 자녀에게 수용적인 양육 태도를 지녀야 할 것이다.

<보기>
ㄱ. 표준화된 도구를 통해 자료를 수집하였다.
ㄴ. 양적 자료를 분석하여 결론을 도출하였다.
ㄷ. (가)에서 (나)로의 과정은 연역적이다.
ㄹ. (가), (나) 단계에서는 모두 연구자의 엄격한 가치 중립이 요구된다.

① ㄱ, ㄴ   ② ㄱ, ㄹ   ③ ㄷ, ㄹ
④ ㄱ, ㄴ, ㄷ   ⑤ ㄴ, ㄷ, ㄹ

10 (가), (나)에서 강조하는 사회·문화 현상의 탐구 태도로 옳은 것은?

> (가) 사회 현상을 올바로 인식하고 탐구하기 위해서는 여러 가지의 가능성이 동시에 공존할 수 있다는 사실을 인정하는 태도가 필요하다.
> (나) 연구자는 자신의 주관적 가치나 편견, 이해관계 등을 배제하고 사회·문화 현상이 가진 사실로서의 특성만을 파악하는 태도를 지녀야 한다.

	(가)	(나)
①	객관적 태도	개방적 태도
②	개방적 태도	객관적 태도
③	개방적 태도	성찰적 태도
④	성찰적 태도	객관적 태도
⑤	상대주의적 태도	개방적 태도

11 다음 사례와 관련 있는 사회·문화 현상의 탐구 태도에 대한 옳은 설명을 〈보기〉에서 고른 것은?

> • 우리나라는 소고기를 즐겨 먹지만 힌두교인들은 소고기를 먹는 것이 금기시되어 있다.
> • 1960년대만 해도 미니스커트는 단속의 대상이 되기도 하였지만, 오늘날에는 단속의 대상이 아닌 옷을 입는 사람의 뜻에 따라 자유롭게 입을 수 있는 옷으로 인식되어 있다.

보기
ㄱ. 해당 사회와 문화의 특수성을 고려하여 이해하는 태도이다.
ㄴ. 해당 사회와 문화를 상대적으로 인식하고 탐구하는 태도이다.
ㄷ. 인간의 주관적 가치가 개입되지 않은 사물의 참된 특성을 발견하기 위한 태도이다.
ㄹ. 살펴보고 반성하며 현상에 대하여 지적 호기심을 갖는 능동적인 태도이다.

① ㄱ, ㄴ   ② ㄱ, ㄷ   ③ ㄴ, ㄷ
④ ㄴ, ㄹ   ⑤ ㄷ, ㄹ

12 다음 글의 필자가 강조하는 사회·문화 현상의 탐구 태도로 가장 적절한 것은?

> 사회·문화 현상의 발생 과정과 원인은 단순하지 않고 복잡하기 때문에 겉으로 드러나는 현상만을 보면 안 된다. 또한 자신이 연구 절차나 방법, 연구 윤리 등을 제대로 지키며 탐구하고 있는지 되짚어 보아야 한다.

① 주관적 가치와 편견을 배제하는 태도
② 사회·문화 현상이 발생한 맥락을 고려하여 탐구하는 태도
③ 자신의 주장에 대하여 다른 사람의 비판을 허용하는 태도
④ 영원불변하는 절대적인 진리가 존재할 수 없다는 진리관을 갖는 태도
⑤ 당연해 보이는 현상일지라도 적극적·능동적으로 의문을 가지며 검토하는 태도

13 다음은 연구 절차를 순서 없이 나열한 것이다. 반드시 가치 중립을 지켜야 하는 단계만을 있는 대로 고른 것은?

> (가) 자료 분석 결과 1년간 토론 수업을 한 학급 학생들의 성적이 2.1점 더 높게 나왔다.
> (나) 토론 수업이 성적 향상에 어떤 영향을 미치는지 궁금해졌다.
> (다) 토론 수업을 1년간 시행한 학급이 그렇지 않은 학급보다 성적이 높을 것이라고 잠정적으로 결론을 내렸다.
> (라) 잠정적인 결론에 기초하여 1년간 토론 수업을 한 학급들과 그렇지 않은 학급들의 성적에 관한 자료를 수집하였다. (전국 학교 대상, 100개 학급씩 수집)
> (마) 이를 바탕으로 모든 학교에 가능한 한 토론 수업을 시행할 것을 제안하였다.

① (가), (다)   ② (가), (라)
③ (나), (마)   ④ (가), (라), (마)
⑤ (나), (다), (라)

14 사회·문화 현상의 연구에 있어 연구자가 지켜야 할 윤리적 원칙으로 옳지 <u>않은</u> 것은?

① 사실을 왜곡하지 않는 자세를 갖는다.

② 비윤리적인 연구 목적을 세우지 않는다.

③ 연구자는 연구 대상자의 사생활 관련 정보 및 개인 정보를 연구 목적 이외의 용도로 활용해서는 안 된다.

④ 연구를 진행하면서 예상하지 못한 문제가 발생할 경우 연구 대상자의 안전과 이익을 최대한 고려해야 한다.

⑤ 연구 목적을 알려 주는 것이 연구 결과에 크게 영향을 미치는 경우 연구 목적을 끝까지 알리지 않아도 된다.

15 밑줄 친 '연구 윤리'에 해당하는 내용으로 가장 적절한 것은?

> 연구자 갑은 실험을 통해 교도소 생활이 인간에게 미치는 영향을 알아보았지만 결국 실험은 단 6일 만에 중단되었다. 그는 실제 감옥과 유사하게 만든 세트에서 24명의 지원자에게 역할을 부여하고 생활하도록 한 후 이들을 관찰하였다. 실험이 진행될수록 죄수 역을 맡은 참여자들은 정신적 발작을 일으키게 되었고, 간수 역을 맡은 참여자들은 죄수 역할 참여자들을 구타하는 등 여러 가지 문제가 발생하게 된 것이다. 이 실험은 연구 대상자의 익명성도 보장하고, 그들에게 연구 목적과 과정도 알리고 동의를 얻었지만, <u>연구 윤리</u>가 잘 지켜지지 않은 대표적인 사례이다.

① 연구 결과를 은폐하거나 왜곡, 축소, 과장해서는 안 된다.

② 다른 연구자의 연구물을 활용하는 경우 그 출처를 정확하게 밝혀야 한다.

③ 연구 과정에서 인권이 침해되어서는 안 되며, 인간의 존엄성을 존중해야 한다.

④ 사생활 관련 정보 및 개인 정보를 연구 목적 이외의 용도로 활용해서는 안 된다.

⑤ 연구 성과가 사회적으로 악용되지 않도록 결과에 대하여 책임 있는 자세를 보여야 한다.

16 다음 글과 관련하여 연구자가 가져야 할 연구 윤리 태도에 부합하는 것은?

> 히틀러는 인간에게는 우수한 형질을 가진 자와 그렇지 않은 자가 나누어진다는 우생학자들의 연구 결과를 믿었다. 그리고 우수한 형질을 가지지 못한 인간은 부정적이기에 그들을 사회에서 제거해야 한다는 주장을 끌어냈다. 이에 따라 혼혈아와 청소년 범죄자에게는 불임 시술을 했고, 유대인을 학살하기까지 이르렀다.

① 연구자는 어떤 경우에라도 연구 대상자의 익명성을 지켜주어야 한다.

② 연구자는 연구의 목적과 내용, 그리고 연구자 자신에 대하여 명확하게 밝혀야 한다.

③ 연구자는 자신이 연구하는 주제와 내용이 사회와 사람들에게 미칠 영향도 고려해야 한다.

④ 연구 결과가 인류에게 미칠 영향에 대하여 사전에 성찰하기보다는 사후에 반성적으로 성찰할 필요가 있다.

⑤ 연구 주제가 사회의 정의를 위한 것이라면 연구자는 연구 윤리 논란에 있어서 자유로워진다.

서술형 문제

17 (가)~(라)를 사회·문화 현상 탐구의 과정에 맞게 나열하고, ⊙ <u>연구자의 가치가 개입되는 단계</u>와 ⓒ <u>개입되어서는 안 되는 단계</u>를 구분하여 기호를 쓰시오.

> (가) 최근에 가장 큰 사회적 관심으로 떠오르고 있는 저출산 문제를 다루기로 하였다.
> (나) 우리나라의 합계 출산율과 저출산에 관한 자료를 문헌 연구법을 이용하여 수집하였다.
> (다) 자료를 바탕으로 시기별 출산율과 저출산 실태를 그래프로 나타내어 서로 비교하며 분석해 보았다.
> (라) 우리나라 저출산 문제와 관련된 잠정적 결론을 설정하였다.

01 (가)~(라)는 사회·문화 현상의 연구 과정 중 일부이다. 이에 대한 설명으로 옳지 <u>않은</u> 것은?

> (가) 교사 갑은 거꾸로 수업 모형을 실제 강의에 적용하면 학생들의 학업 성취도가 향상될 것인지 궁금하였다.
> (나) 갑은 자신이 근무하는 고등학교 2학년 두 학급을 대상으로 ㉠한 학급에는 거꾸로 수업 모형으로 수업을 하고 ㉡다른 한 학급에는 평소에 하던 대로 강의식 수업을 하였다.
> (다) 거꾸로 수업 모형으로 수업한 학급의 기말고사 점수가 강의식 수업으로 수업한 학급과 큰 차이가 없었다.
> (라) 갑은 "거꾸로 수업 모형과 학업 성취도는 관련이 있을 것이다."라는 잠정적 결론을 내렸다.

① ㉠을 실험 집단, ㉡을 통제 집단으로 설정하였다.
② 설정한 가설은 변수와 변수 간의 관계가 명확하다.
③ (가)는 연구 주제 선정 단계로 가치가 개입된다.
④ (다) 단계에서는 엄격한 가치 중립이 요구된다.
⑤ 연구는 (가) → (라) → (나) → (다) 순으로 이루어진다.

02 밑줄 친 ㉠~㉕에 대한 설명으로 옳은 것은?

> 연구자 갑은 ㉠고등학생의 건전한 인성 형성과 봉사 활동의 관계를 연구하기로 하였다. 이에 따라 가설을 세우고 이를 검증하기 위해 고등학생 ㉡1,000명을 무작위로 추출한 후, ㉢타인 배려 정도, 관용 정신 정도를 지수화하여 ㉣조사하였다. 그리고 조사 대상자를 ㉤봉사 활동 시간이 많은 A 집단과 적은 B 집단으로 나누어 그들의 응답을 분석해 보았다. 그 결과, ㉕봉사 활동 시간이 타인 배려 정도에는 유의미한 영향을 미치는 것으로, 관용 정신 정도에는 거의 영향을 미치지 않는 것으로 나타났다.

① ㉠ 단계에서는 연구자의 가치 중립이 요구된다.
② ㉡은 표본으로, ㉤은 실험 집단으로 선정된 것이다.
③ ㉢은 종속 변인을 조작적으로 정의하는 과정이다.
④ ㉣은 사전 조사를 통해 기존의 연구 동향을 파악한 것이다.
⑤ ㉕을 통해 갑의 가설은 검증되지 않았음을 알 수 있다.

03 (가)~(라)에 대한 옳은 설명을 〈보기〉에서 고른 것은?

> (가) 연구자 갑은 우리나라 청소년의 연예인에 관한 관심과 진로 희망과의 상관관계에 대해 궁금하였다.
> (나) 수도권 소재 고등학생 500명을 상대로 설문지를 통해 연예인에 관한 관심과 진로 희망을 조사하였다.
> (다) 청소년의 연예인에 관한 관심이 높을수록 연예인으로의 진로를 희망하는 정도가 높을 것이라는 잠정적 결론을 내렸다.
> (라) 회수된 설문지를 통계 처리 컴퓨터 프로그램을 활용하여 분석하였다.

> **보기**
> ㄱ. (나)를 통해 연구 결과를 일반화할 수 있다.
> ㄴ. (다)를 통해 양적 연구가 행해졌음을 알 수 있다.
> ㄷ. (나), (다)에서는 엄격하게 가치 중립을 지켜야 한다.
> ㄹ. 연구는 (가) → (다) → (나) → (라)의 순서로 이루어진다.

① ㄱ, ㄴ   ② ㄱ, ㄷ   ③ ㄴ, ㄷ
④ ㄴ, ㄹ   ⑤ ㄷ, ㄹ

04 다음 연구에 대한 설명으로 옳은 것은?

> (가) 서울 소재 ☆☆고등학교 1학년 두 개 반의 학생들을 대상자로 선정하였다.
> (나) 종이 신문 읽기가 인터넷 기사 읽기보다 학업 성취도 향상에 더 기여할 것이라는 잠정적 결론을 내렸다.
> (다) 종이 신문 읽기와 인터넷 기사 읽기가 고등학생의 학업 성취도에 미치는 영향에 관해 연구하고자 한다.
> (라) 종이 신문 읽기가 인터넷 기사 읽기보다 학업 성취도를 더 높인다는 결론을 도출하였다.
> (마) A반 학생들에게는 종이 신문을, B반 학생들에게는 인터넷 기사를 읽게 하여 학업 성취도의 변화를 비교하였다.

① 연구 결과를 우리나라 고등학생에게 일반화할 수 있다.
② (나), (라)에서 가설이 기각되었음을 알 수 있다.
③ (다)에서는 연구자의 엄격한 가치 중립이 요구된다.
④ (라), (마)에서는 연구자의 가치 개입이 불가피하다.
⑤ 연구는 (다) → (나) → (가) → (마) → (라)의 순서로 이루어진다.

05 밑줄 친 ㉠, ㉡에 대한 설명으로 옳지 <u>않은</u> 것은?

> 사회·문화 현상의 연구에서는 연구자의 ㉠가치 판단이 요구되는 단계도 있지만, ㉡가치 중립이 요구되는 단계도 있다. 연구자의 가치가 개입되면 연구하고자 하는 사회·문화 현상이 지닌 의미가 왜곡될 수 있기 때문이다.

① 연구 주제 선정 단계는 ㉠에 해당한다.
② 개념을 조작적으로 정의하는 단계는 ㉠에 해당한다.
③ 모집단이 청소년일 때, 연구 대상자를 고등학생으로 선정하기로 하는 것은 ㉠에 해당한다.
④ 가설의 진위 여부 확인을 통해 가설의 수용 여부를 결정하는 것은 ㉡에 해당한다.
⑤ 독립 변수와 종속 변수 간의 관계를 명확히 하여 잠정적 결론을 설정하는 것은 ㉡에 해당한다.

수능 유형

06 다음 글에 나타난 사회·문화 현상의 탐구 태도로 가장 적절한 것은?

> 사회 과학자도 인간이기에 자신이 중요하다고 여기는 가치에 얽매일 수 있고, 자신의 가치에 따라 판단한 결과 사회 현상의 본질을 파악하지 못할 수도 있다. 이러한 문제를 해결하기 위해서는 사회 과학자가 철저히 자료에 의해 검증될 수 있는 것만을 탐구해야 한다. 그리고 사회 과학자는 사실로부터 도출되는 진리를 발견하려는 학문적 의무에 충실해야 한다.

① 타인의 비판을 편견 없이 받아들이는 태도이다.
② 연구자가 연구 절차나 방법이 제대로 수행되었는지 살펴보는 태도이다.
③ 자신과 관련된 이해관계를 떠나 경험적 근거에 기초하여 탐구하는 태도이다.
④ 사회·문화 현상의 이면에 담겨 있는 인과 관계나 의미를 파악하려는 태도이다.
⑤ 사회·문화 현상의 탐구 과정에서 해당 사회의 문화적 맥락이나 배경을 고려하는 태도이다.

07 다음 글에서 강조하는 사회 과학자의 자세로 가장 적절한 것은?

> 연구자는 사회·문화 현상의 사회적·역사적·환경적 맥락을 배제하고 연구할 수 없다. 연구자가 속한 사회의 맥락으로 옮겨 놓고 연구하는 것은 더더욱 옳지 않다. 연구자는 사회·문화 현상이 위치하는 상황 맥락 속에서만 그 의미를 지닌다는 점을 고려해야 하고, 그에 따라 연구해야 한다.

① 자신의 이해관계를 떠나 객관성을 유지한다.
② 가치와 관련된 주제의 연구는 자제해야 한다.
③ 여러 가지 가능성이 공존할 수 있음을 인정한다.
④ 사회·문화 현상이 발생하는 문화적·사회적 맥락을 고려한다.
⑤ 연구 절차나 연구 윤리에 따라 탐구하고 있는지를 되짚어 본다.

수능 기출

08 갑, 을이 강조하는 연구 윤리에 대한 옳은 설명을 〈보기〉에서 고른 것은?

연구자는 연구 목적과 절차, 연구자가 미칠 수 있는 영향 등을 연구 대상자에게 공지하고 자료 수집에 대하여 허락을 받아야 합니다.

연구자는 정직한 방법으로 자료를 수집해야 하며, 의도한 결론을 이끌어 내기 위해 자료를 왜곡하여 분석해서는 안 됩니다.

보기
ㄱ. 공동 연구 성과를 단독 연구 성과로 발표하는 것은 갑이 강조하는 연구 윤리에 어긋난다.
ㄴ. 연구 대상자에게 연구 참여에 대한 동의를 받지 않는 것은 갑이 강조하는 연구 윤리에 어긋난다.
ㄷ. 연구 의뢰자의 이익을 위해 자료를 조작하여 분석하는 것은 을이 강조하는 연구 윤리에 어긋난다.
ㄹ. 갑은 자료 분석 단계에서, 을은 연구 결과 발표 단계에서 지켜야 할 연구 윤리를 강조하고 있다.

① ㄱ, ㄴ   ② ㄱ, ㄷ   ③ ㄴ, ㄷ
④ ㄴ, ㄹ   ⑤ ㄷ, ㄹ

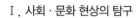

01
사회·문화 현상의 이해

A 사회·문화 현상의 특징

사회·문화 현상	자연 현상
• 가치 함축성 • 당위 법칙 • 개연성과 확률의 원리 • 특수성과 보편성 공존 • 규칙성 발견 및 예측 곤란	• 몰가치성 • 존재 법칙 • 필연성과 확실성의 원리 • 보편성 • 규칙성 발견 및 예측 용이

B 사회·문화 현상을 보는 관점

(1) 기능론

입장	사회 구성 요소들은 사회 전체의 유지와 통합에 필요한 기능을 분담하여 수행하며, 상호 의존적인 관계임
특징	• 사회의 유지에 필요한 핵심적인 가치나 규범에 관하여 사회적 합의가 존재함 • 사회는 구성 요소들의 역할 수행에 의해 안정 상태를 이루고 있음
비판	급격한 사회 변동을 설명하기 어려우며, 기득권층의 이익을 대변하는 논리로 이용될 수 있음

(2) 갈등론

입장	사회는 희소 가치를 둘러싸고 대립하는 집단들로 구성되어 있음
특징	• 사회 구조나 제도는 지배 계급의 이익 보호와 계급 재생산의 수단이 됨 • 지배 계급과 피지배 계급 간에는 갈등이 필연적이며, 이러한 갈등이 사회 변동의 원동력이 됨
비판	사회 관계를 지배와 피지배의 관계로 단순화함

(3) 상징적 상호 작용론

입장	인간은 자율성을 지닌 능동적 존재이며, 사물이나 행위에 복잡한 의미를 부여할 수 있는 상징을 활용할 수 있음
특징	• 사물이나 행위의 의미는 행위 주체인 인간이 부여하는 의미에 따라 달라짐 • 사회적 상호 작용은 개인이 타인의 행위에 대하여 그 의미를 해석하고 반응을 보이는 과정임
비판	개인의 행위가 사회 구조나 제도의 영향에 의해 나타날 수 있음을 간과함

02
사회·문화 현상의 탐구 방법

A 사회·문화 현상의 연구 방법

구분	양적 연구 방법	질적 연구 방법
의미	자료를 계량화하여 사회·문화 현상을 분석하는 연구	직관적 통찰을 통해 사회·문화 현상을 이해하는 연구
목적	사회·문화 현상에 대한 법칙 발견 및 일반화	사회·문화 현상의 의미 해석을 통한 이해
특징	• 질문지법, 실험법을 주로 사용 • 방법론적 일원론	• 면접법, 참여 관찰법을 주로 사용 • 방법론적 이원론
장점	정확하고 정밀한 연구, 법칙 발견에 유리	인간 행동의 개인적·사회적 의미 이해
한계	계량화가 어려운 사회·문화 현상 연구 곤란, 인간 행위의 심층적 이해 곤란	객관적 법칙 발견 곤란, 정확성과 정밀성의 결여

B 자료 수집 방법

구분	장점	단점
질문 지법	• 대량의 자료 수집 용이 • 시간과 비용 측면에서 효율적 • 통계 분석에 용이	• 질문지 회수의 어려움 • 문맹자에 활용이 어려움 • 응답자가 성의 없이 피상적으로 답할 가능성
면접법	• 심층적 자료 수집에 유리 • 문맹자를 대상으로 자료 수집 가능	• 면접자의 주관 개입 우려 • 시간과 비용이 많이 들고 대상자 선정이 어려움
참여 관찰법	• 자료의 실제성 확보 및 심층적인 자료 수집 • 의사소통이 곤란한 집단을 대상으로 조사 가능	• 연구자의 주관 개입, 예상치 못한 변수 통제 곤란 • 관찰하려는 현상이 나타날 때까지 기다려야 함
실험법	• 인과 관계 파악을 통한 법칙 발견 용이 • 정확하고 객관성 높은 결론 도출	• 완벽하게 통제된 실험을 하기 어려움 • 인간을 실험 대상으로 하여 윤리적 문제 야기
문헌 연구법	• 시간과 비용 측면에서 효율적 • 시간과 장소의 제약에서 자유로움	• 문헌 해석 시 연구자의 주관적 가치 개입 우려 • 문헌의 정확성이 연구의 신뢰도에 영향

03
사회·문화 현상의 탐구 절차와 윤리

A 사회·문화 현상의 탐구 절차

(1) 양적 연구의 절차

연구 주제 선정	연구자의 관심으로부터 연구 주제 선정

⇩

가설 설정	연구 주제에 대해 잠정적인 결론 제시

⇩

연구 설계	개념의 조작적 정의, 자료 수집 대상 및 방법, 시기 등 선정

⇩

자료 수집	질문지법, 실험법을 사용하여 자료 수집

⇩

자료 분석	통계적 분석으로 변수 간 관계 분석

⇩

가설 검증	가설의 수용 여부 결정

⇩

결론 도출 및 일반화	연구 주제에 대한 결론 도출, 가설의 타당성이 인정되면 일반화

(2) 질적 연구의 절차

연구 주제 선정	연구자의 관심으로부터 연구 주제 선정

⇩

연구 설계	자료 수집 방법, 연구 대상 등에 대한 세부 계획 설계

⇩

자료 수집	참여 관찰법, 면접법을 사용하여 자료 수집

⇩

자료 해석	직관적 통찰과 감정 이입적 이해 활용

⇩

결론 도출	연구 주제에 대한 결론 도출

B 사회·문화 현상의 탐구 태도와 가치 중립

(1) 사회·문화 현상의 탐구 태도

객관적 태도	주관적 가치나 편견, 이해 관계 등을 배제하고 제3자의 입장에서 사실을 있는 그대로 관찰하는 태도
개방적 태도	연구 결과에 관한 비판과 새로운 주장의 가능성을 허용하는 태도
상대주의적 태도	사회·문화 현상을 각 사회의 맥락에서 이해하는 태도
성찰적 태도	사회·문화 현상의 이면에 담긴 의미를 적극적·능동적으로 탐구하는 태도

(2) 과학적 탐구 과정에서의 가치 중립과 가치 개입

가치 개입	연구 주제 선정, 가설 설정, 연구 설계, 결과 활용
가치 중립	자료 수집 및 분석, 가설 검증, 결론 도출

C 사회·문화 현상의 탐구와 연구 윤리

연구 대상자와 관련된 윤리	자발적 참여 보장, 연구 과정에서 권리와 이익 보호, 개인 정보 및 사생활 보호
연구 과정 및 결과 활용과 관련된 윤리	비윤리적 연구 목적 제한, 객관적 자료 수집, 타인의 연구 결과물 도용 금지, 연구 과정과 결과 공표에 있어서의 진실성

01 ㉠, ㉡에 대한 설명으로 옳지 <u>않은</u> 것은?

▲ 연어 떼가 줄지어 이동하는 모습   ▲ 명절에 줄지어 고향으로 이동하는 모습

우리는 살면서 다양한 현상을 접하고, 그 현상들로부터 영향을 받는다. 이렇게 우리 생활에 영향을 미치는 현상은 크게 자연 현상과 사회·문화 현상으로 구분할 수 있다. 위 사진에서 연어 떼가 줄지어 이동하는 모습은 ㉠, 명절에 줄지어 고향으로 이동하는 모습은 ㉡의 예에 해당한다.

① ㉠은 몰가치적이며, 당위 법칙이 적용된다.
② ㉠의 발생 원리는 시대와 장소에 상관없이 같다.
③ ㉡은 개연성이 적용된다.
④ ㉡은 발생 요인과 그 결과가 확률적으로 관련을 맺고 있어 예외적인 현상이 나타날 수 있다.
⑤ ㉠과 ㉡은 모두 인과 관계가 존재한다.

02 (가), (나)와 같은 현상의 일반적인 특징에 대한 설명으로 옳은 것은?

(가) 여름이 가면 가을이 온다.
(나) 동해안에는 해돋이를 즐기려는 인파의 발길이 이어졌다.

① (가)에는 확률의 원리가 적용된다.
② (나)에는 보편성과 특수성이 공존한다.
③ (나)는 인간의 의지나 가치와 무관한 현상이다.
④ (가)는 가치 함축적이고, (나)는 몰가치적인 현상이다.
⑤ (가)에는 당위 법칙이, (나)에는 존재 법칙이 적용된다.

03 갑, 을의 관점에 대한 설명으로 옳지 <u>않은</u> 것은?

갑: 경찰이 농성 중인 ○○ 자동차 노조원을 강제 해산시킨 것은 잘한 일이야. 이 사건을 보면 역시 경찰 제도는 사회 질서를 유지하는 데 가장 중요함을 알 수 있어.
을: 무슨 말이야. 힘 있는 ◇◇ 단체의 파업에는 관대하던 경찰이 힘 없는 노동자들의 생존권 투쟁에는 강제 진압을 했어. 경찰은 공권력을 사용하여 힘 없고 약한 사람들을 괴롭히고 있어.

① 갑의 관점은 사회가 균형을 지향한다고 본다.
② 갑의 관점은 사회 제도가 비정상적으로 작동할 때 사회 문제가 발생한다고 본다.
③ 을의 관점은 사회의 변동 가능성을 부정한다.
④ 을의 관점은 사회 구조를 중시하는 거시적 관점이다.
⑤ 을과 달리 갑의 관점은 사회 집단 간의 관계를 상호 의존 관계로 이해한다.

04 1인 가구 증가 현상을 보는 갑, 을의 관점에 대한 설명으로 옳은 것은?

갑: 과거와 달리 사람들이 독신에 대해 긍정적인 가치를 부여하기 때문에 1인 가구가 증가하는 거야.
을: 가족 해체의 맥락으로 이해해야 해. 가족이 가졌던 가족 구성원에 대한 양육과 보호의 역할이 약화하여 나타나는 거야.

① 갑은 1인 가구 증가에 미치는 사회 구조의 영향력이 강하다고 본다.
② 을은 1인 가구 증가는 가족 구성에 대해 부여하는 의미가 달라진 결과라고 본다.
③ 갑은 을과 달리 1인 가구 증가가 가족 내 불평등 구조에서 발생한다고 본다.
④ 을은 갑과 달리 가족 기능의 약화를 1인 가구 증가의 원인이라고 본다.
⑤ 1인 가구 증가에 대해 갑과 을은 모두 사회 병리적 현상으로 본다.

05 다음 글에 나타난 연구 방법의 한계를 〈보기〉에서 고른 것은?

> 사회·문화 현상을 탐구하기 위해서는 행위자의 동기나 의도 또는 사회 조직과 제도의 의미를 심층적으로 이해하려는 노력과 방법이 요구된다.

〈보기〉
ㄱ. 연구자의 주관적 가치 개입의 우려가 크다.
ㄴ. 일반화할 수 있는 결론이나 법칙을 발견하는 데 적합하지 않다.
ㄷ. 계량화하여 분석하기 곤란한 사회·문화 현상의 연구에는 적합하지 않다.
ㄹ. 인간의 주관적 가치를 배제한 연구를 함으로써 사회·문화 현상에 관한 피상적 연구에 그칠 우려가 있다.

① ㄱ, ㄴ   ② ㄱ, ㄷ   ③ ㄴ, ㄷ
④ ㄴ, ㄹ   ⑤ ㄷ, ㄹ

06 다음 글에 나타난 연구 방법에 대한 옳은 설명을 〈보기〉에서 고른 것은?

> '청소년 약물 남용 실태에 관한 연구'를 위하여 15세부터 18세까지의 청소년을 연구 대상으로 선정하였다. 나이, 성별, 가계 소득, 약물 접촉 빈도, 약물 접촉 경로 등에 관하여 설문 조사를 실시하였다. 그리고 조사 자료를 근거로 약물 남용 청소년의 특징에서 나타나는 규칙성을 발견하고, 청소년 약물 남용 현상을 예측하였다.

〈보기〉
ㄱ. 방법론적 일원론을 전제로 한다.
ㄴ. 계량화를 통한 법칙 발견이 용이하다.
ㄷ. 사회·문화 현상에 대하여 심층적으로 이해하고자 한다.
ㄹ. 연구자의 직관적 통찰에 의하여 사회 현상의 의미를 이해하고자 한다.

① ㄱ, ㄴ   ② ㄱ, ㄷ   ③ ㄴ, ㄷ
④ ㄴ, ㄹ   ⑤ ㄷ, ㄹ

07 다음 갑과 을이 사용한 자료 수집 방법의 공통적인 특징으로 옳은 것은?

> 머드 축제의 실태를 조사하기 위하여 갑은 관련 공무원을 면접하여 머드 축제의 준비 및 진행 방법과 시기, 의의 등을 알아보았고, 을은 머드 축제 기간 동안 충남 보령 지역에 머물면서 축제를 관찰하였다.

① 시간과 비용이 절약된다.
② 연구자의 편견이 개입될 우려가 있다.
③ 연구 대상자의 수가 많을 때 주로 사용한다.
④ 불성실한 응답으로 인해 신뢰성의 문제가 발생한다.
⑤ 관찰하고자 하는 상황이 나타날 때까지 기다려야 한다.

08 A∼D에 대한 설명으로 옳지 <u>않은</u> 것은?(단, A∼D는 각각 면접법, 질문지법, 실험법, 참여 관찰법 중 하나이다.)

> A와 B는 양적 연구 방법에서 주로 사용되며, C와 D는 질적 연구 방법에서 주로 사용된다. A는 B와 달리 많은 사람으로부터 비슷한 정보를 얻으려 할 때 주로 사용하며, C는 D와 달리 의사소통이 불가능한 경우에는 사용할 수 없다.

① A는 시간과 비용이 절약되고, 자료의 비교 분석이 용이하다.
② B는 법적·윤리적 문제를 초래할 우려가 있다.
③ B는 실험 집단에 일정한 조작을 가해 나타난 변화를 통제 집단과 비교하여 자료를 수집한다.
④ C는 낮은 회수율, 불성실한 응답 등으로 신뢰성의 문제가 발생한다.
⑤ D는 언어나 문자로 표현할 수 없는 현상까지도 조사 가능하다.

09 다음 연구 절차를 수행하는 단계에 대한 설명으로 옳은 것은?

> 추상적 개념을 경험적으로 관찰할 수 있는 속성으로 바꾸어 정의하는 것으로, '정치 참여'를 '투표율의 변동'이나 '촛불 집회 횟수'로 나타내는 것을 예로 들 수 있다.

① 결론을 도출하고, 일반화하는 단계이다.
② 수집된 자료를 정리하여 분석하는 단계이다.
③ 연구 주제에 대한 잠정적인 결론을 제시한다.
④ 개념의 조작적 정의와 세부 실행 계획 구상을 한다.
⑤ 자료 분석 결과에 따라 가설의 수용 여부를 결정한다.

10 밑줄 친 ⊙~⑩에 대한 설명으로 옳지 <u>않은</u> 것은?

> 갑은 ⊙"한 학기에 책 한 권 읽기가 고등학생의 학업 성취도 향상에 효과적일 것이다."라는 연구 가설을 세웠다. 이를 검증하기 위해 ○○ 고등학교에서 학업 성취도 수준이 유사한 ⓒ두 집단을 무작위로 추출한 후 ⓒ한 집단에는 한 학기에 책 한 권 읽기 시간을 갖게 하고, ②다른 집단에는 갖지 않도록 하였다. 그 후 ⑩학업 성취도에 영향을 주는 다른 변인들의 개입을 막으면서 적절한 시점에 두 집단을 대상으로 학업 성취도 검사를 실시하였다.

① ⊙은 변수들 간의 인과 관계가 분명하다.
② ⓒ은 동질적으로 구성되어야 한다.
③ ⓒ은 종속 변수에 해당하는 실험 처치를 가한 집단이다.
④ ⑩은 변인 통제 과정이다.
⑤ 실험 후 ⓒ의 학업 성취도가 ②보다 높아졌다면 ⊙은 수용될 것이다.

11 빈칸에 알맞은 사회·문화 현상을 탐구하는 태도는?

> 과학은 경험적 근거를 통해 반증할 수 있고, 이를 통해 기존의 이론이 수정되어 더 새로운 이론으로 발전한다. 이때 반증을 받아들이는 데 필요한 태도가 [　　　]이다.

① 개방적 태도　　　　② 객관적 태도
③ 성찰적 태도　　　　④ 비판적 태도
⑤ 상대주의적 태도

12 (가), (나)에 나타난 연구 윤리의 문제점만을 〈보기〉에서 있는 대로 고른 것은?

> (가) 갑은 도자기 만들기 활동이 우울증 심리 치료에 미치는 효과를 연구하기 위해 학교장에게만 허락을 구한 뒤 해당 학교의 우울증 증세를 나타내는 학생 10명을 대상으로 동의 절차 없이 도자기 만들기 활동을 하였다.
> (나) 을은 아파트 경비원의 택배 보관에 대한 어려움을 파악하기 위해 아파트 경비원 20명을 대상으로 면접을 시행하였다. 연구 결과를 발표하면서 일방적으로 아파트 이름과 연구 대상자의 이름을 공개하였다.

<보기>
ㄱ. (가) – 연구 대상자의 동의를 구하지 않았다.
ㄴ. (나) – 연구자의 의도적인 조작이 이루어졌다.
ㄷ. (나) – 연구 대상자의 익명성을 보장하지 않았다.
ㄹ. (가), (나) – 수집된 자료를 연구 이외의 목적으로 활용하였다.

① ㄱ, ㄷ　　　② ㄱ, ㄹ　　　③ ㄴ, ㄷ
④ ㄱ, ㄴ, ㄷ　　　⑤ ㄴ, ㄷ, ㄹ

13 다음 사례를 연구 윤리 측면에서 가장 적절하게 평가한 것은?

> 갑은 ○○시에 카지노 시설을 유치해야 한다고 주장하며, 범죄 증가를 우려하는 ○○시의 주민들을 설득하기 위해 2014년부터 카지노 시설을 운영하는 □□시의 범죄 건수 변동 양상을 연구하였다. 갑은 아래 표와 같은 자료를 수집하였는데, 백의 자리에서 반올림하여 범죄 건수 증가율을 분석하고, 그 결과를 발표하였다.
>
> 〈□□시의 범죄 건수 추이〉
> (단위: 건)
>
> | 연도 | 2013 | 2014 | 2015 | 2016 |
> |------|------|------|------|------|
> | 범죄 건수 | 13,516 | 14,435 | 14,472 | 14,493 |

① 연구 대상자의 익명성을 보장하지 않았다.
② 다른 연구자의 연구를 활용하고 그 출처를 밝혔다.
③ 연구 대상자의 자발적 참여 기회를 보장하지 않았다.
④ 연구자의 이해관계를 반영하여 연구 결과를 축소하였다.
⑤ 연구 대상자에게 연구 관련 정보를 사전에 제공하지 않았다.

14 다음 글을 읽고 물음에 답하시오.

> 미시적 관점인 A는 인간은 B에 기초하여 행동한다고 본다. B는 행위 주체가 특정 상황에 대하여 그것이 발생하게 된 시간적, 맥락적 조건에 따라 의미를 부여하는 것으로 상호 작용의 바탕이 된다.

(1) A, B에 들어갈 알맞은 용어를 쓰시오.

　　　A: (　　　　　　　), B:(　　　　　　)

(2) A에 대한 비판을 <u>한 가지</u> 서술하시오.

_____

_____

_____

15 다음 글을 읽고 물음에 답하시오.

> 교사와의 상담과 학생의 학업 성취도 간의 상관관계를 통계 자료를 통해 검증하려고 한다. ㉠이 연구 방법에서는 잠정적 결론인　ⓛ　을/를 미리 설정하고, 구체적 사실과 경험적 자료를 통해 이를 증명하여 결론을 도출하는　ⓒ　방법을 사용한다.

(1) 밑줄 친 ㉠의 한계점을 <u>두 가지</u> 서술하시오.

_____

_____

_____

(2) ⓛ에 들어갈 알맞은 개념을 쓰시오.

　　　　　　　　　(　　　　　　)

(3) ⓒ에 들어갈 알맞은 개념을 쓰시오.

　　　　　　　　　(　　　　　　)

16 다음 질문지에서 바르게 작성되지 못한 부분을 있는 대로 찾고, 그 이유를 서술하시오.

> 1. 귀하는 최근에 스마트폰 게임을 한 적이 있습니까?
> 　① 그렇다.　　　　　② 아니다.
> 2. 귀하는 하루에 몇 시간 동안 스마트폰 게임을 합니까?
> 　① 2시간 이하　　　　② 2시간 이상
> 3. 귀하가 한 달에 유료 게임 어플을 구입하는 데 얼마를 지출합니까?
> 　① 1만 원 미만　　　　② 2만 원 이상

_____

_____

_____

17 다음 글을 읽고 물음에 답하시오.

> 사회·문화 현상을 보이는 그대로 받아들이기보다 현상의 이면에 담겨 있는 발생 원인이나 원리, 또 그것이 초래할 결과 등에 대하여 적극적·능동적으로 살펴보는 태도인　㉠　태도는 사회·문화 현상 탐구의 출발점이 되며, 사회·문화 현상을 피상적으로 이해하지 않도록 해 준다. 사회·문화 현상의 발생 과정과 원인은 단순하지 않고 복잡하기 때문에　㉠　으로 접근하지 않으면 겉으로 드러나는 현상만을 보게 되므로 유의해야 한다.

(1) 빈칸 ㉠에 공통으로 들어갈 알맞은 개념을 쓰시오.

　　　　　　　　　(　　　　　　)

(2) ㉠ 태도의 의미를 연구자의 연구 과정에 적용하여 서술하시오.

_____

_____

II
개인과
사회 구조

배울 내용 한눈에 보기

01 개인과 사회의 관계

개인과
사회
- 사회 구조
  - → 사회 구조의 특징
  - → 개인과 사회의 관계
- 개인과 사회의 관계를 보는 관점
  - → 사회 명목론
  - → 사회 실재론

 개인과 사회를 바라보는 사회 명목론과 사회 실재론, 두 가지 관점의 차이점을 이해하자.

02 사회적 존재로서의 인간

사회적
존재로서
인간
- 사회화
  - 사회화의 의미와 과정
  - 사회화 기관의 유형
- 사회적 지위와 역할
  - 지위
    - → 귀속 지위
    - → 성취 지위
  - 역할
    - → 역할 행동
    - → 역할 갈등

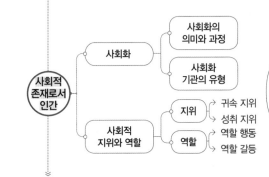 인간의 사회화 과정과 사회화 기관의 유형과 특징을 이해하자. 또한, 지위와 그에 따른 역할을 이해하고 역할 갈등이 발생하는 원인과 해결 방안에 대해 알아보자.

03 사회 집단과 사회 조직

사회
집단과
사회
조직
- 사회 집단
  - → 1차 집단 / 2차 집단
  - → 공동 사회 / 이익 사회
  - → 내집단 / 외집단
- 사회 조직
  - → 공식 조직 / 자발적 결사체
  - → 관료제 / 탈관료제

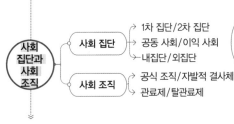 사회 집단의 구분 기준에 따라 다양한 집단의 유형을 파악하고 사회 조직의 특징과 유형, 대표적 사회 조직인 관료제와 자발적 결사체에 대해 꼼꼼히 파악하자.

04 일탈 행동

일탈
행동
- 의미와 영향
  - → 일탈 행동의 상대성
  - → 긍정적 영향 / 부정적 영향
- 일탈 행동을 설명하는 이론
  - → 아노미 이론
  - → 차별 교제 이론
  - → 낙인 이론

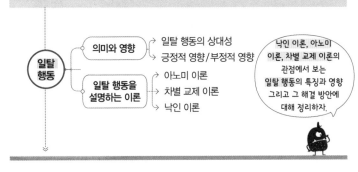 낙인 이론, 아노미 이론, 차별 교제 이론의 관점에서 보는 일탈 행동의 특징과 영향 그리고 그 해결 방안에 대해 정리하자.

01 ~ 개인과 사회의 관계

핵심 질문으로 흐름잡기

A 사회 구조의 의미와 특징은?

B 개인과 사회의 관계를 보는 관점은?

❶ 사회 구조의 형성 과정

사회적 상호 작용
지속 ⇩ 반복
사회적 관계
정형화 ⇩ 안정화
사회 구조

❷ 사회 실재론과 사회 명목론

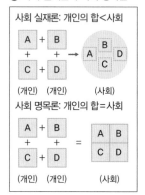

사회 명목론과 사회 실재론은 개인의 외부에 사회가 실존하는지에 대한 인식의 차이가 존재한다.

❸ 사회 유기체설

사회를 생물 유기체에 비유하고, 사회 구성원으로서의 개인을 생물 유기체의 기관에 비유한 사회학설이다. 사회 유기체설은 개인은 사회 유기체의 한 부분으로서 저마다의 역할을 수행하지만, 사회 유기체를 떠나서는 존재할 수 없다고 설명한다.

❹ 사회 계약설

국가는 개인 간의 계약에 따라 성립되었으므로, 국가의 의무는 개인의 자유와 권리를 보장하는 것이라고 보는 사회관이다.

A 사회 구조의 이해

|시·험·단·서| 사회 구조의 의미를 이해하고, 사회 구조의 특징을 구분하는 문제가 자주 출제돼.

1. 사회적 관계와 사회 구조

(1) **사회적 관계**: 사회적 상호 작용이 지속해서 반복되어 형성된 일정한 행위의 방식
 예 부모와 자녀 관계, 부부 관계, 교사와 학생 관계, 사용자와 노동자 관계 등

(2) **사회 구조❶**: 한 사회의 개인과 집단이 사회적 관계를 맺는 방식이 정형화되어 안정된 틀을 이룬 상태

(3) **사회 구조의 특징**

지속성	시간이 지나 사회 구성원이 바뀌어도 사회 구조는 쉽게 바뀌지 않고 유지됨
안정성	사회 구성원이 사회적으로 구조된 행동*을 따르기 때문에 안정적인 사회적 관계를 유지할 수 있음
변동성	사회 구성원의 행동이나 가치, 규범 등의 변화에 따라 사회 구조의 성격이 달라질 수 있음
강제성	사회 구성원의 의지와는 상관없이 어떤 특정한 행동을 하도록 구속함

2. 사회 구조와 개인의 관계

(1) **사회 구조가 개인에게 미치는 영향** ┌── 개인의 행위는 사회 구조와 밀접한 관련이 있으며, 사회 구조가 개인의 행동에 미치는 영향은 매우 커.

① 사회 구조는 개인이 행동할 수 있는 범위나 방향을 정해 주는 사회적 틀로 작용함

② 개인은 사회 구조 속에서 안정적인 사회생활을 영위할 수 있으며, 다른 개인의 사회생활을 쉽게 예측할 수 있음 ┌── 사회 구조가 일방적으로 개인의 행위를 구속하고 강제하는 것은 아니며, 개인도 사회 구조에 영향을 미칠 수 있어.

(2) **개인이 사회 구조에 미치는 영향**: 사회 구성원의 행위가 사회 구조를 변동시키기도 함 `자료1`

B 개인과 사회의 관계를 보는 관점

|시·험·단·서| 사회 실재론과 사회 명목론의 기본 입장을 이해하고, 두 이론을 비교하는 문제가 자주 출제돼.

1. 사회 실재론과 사회 명목론❷ ┌── 사회는 개인들과는 별개의 특성을 가졌기 때문에 개인으로 환원할 수 없으며, 개인의 특성과 다른 고유한 특성을 지니는 실체라고 봐.

구분	사회 실재론	사회 명목론
기본 입장	• 사회는 개인들을 모두 합한 단순한 덩어리가 아니라 개인의 합을 넘는 존재로, 개인과 별도로 존재하는 실체임 → 개인보다 사회의 우월성 강조 `자료2` • 사회는 개인의 삶에 영향을 미치고 사고와 행동을 구속함	• 사회는 단지 개인의 집합체를 이르는 표현으로 독립적인 실체로서 존재하지 않으며, 사회 구성원인 개인만이 실제로 존재함 → 사회보다 개인의 우월성 강조 • 개인은 자신의 자유 의지에 따라 행동함 → 개인의 자율성 강조
사회·문화 현상 이해	개인의 특성보다 사회 제도나 사회 구조 등에 초점을 둠 → 사회 문제의 해결책으로 사회 구조나 제도의 개선 강조	사회보다 개인의 특성과 행동 양식에 초점을 둠 → 사회 문제의 해결책으로 개인의 의식과 행동 변화 중시
관련 이론	집단주의, 전체주의, 사회 유기체설❸	개인주의, 자유주의, 사회 계약설❹ `자료3`
장점	사회가 개인의 사고와 행동에 어떤 영향을 미치는지를 설명할 수 있음	개인의 자유 의지에 기초한 능동적인 행동을 설명할 수 있음
한계	• 개인의 자율성 경시 • 지나칠 경우 전체주의를 정당화할 우려가 있음	• 개인에 대한 사회의 영향력 간과 • 극단적 이기주의로 흐를 우려가 있음

2. 개인과 사회의 관계를 보는 바람직한 관점: 사회는 개인 없이 존재할 수 없고, 개인은 사회 없이 정체성을 갖기 힘듦 → 사회 실재론과 사회 명목론의 조화가 필요함

시험에 잘 나오는 자료

내용 이해를 돕는 팁

자료1 개인이 사회 구조에 미치는 영향   관련 문제 ▶ 66쪽 01번

(가) 과거 미국 사회에서는 흑백 분리법으로 인해 버스 내 흑인과 백인 좌석이 분리되어 있었을 뿐만 아니라 흑인 좌석이라도 백인이 앉을 자리가 없으면 흑인이 좌석을 양보해야 했다. 그러나 흑인 인권 운동이 일어나면서 흑인을 차별하는 제도가 사라지게 되었다.

(나) 우리나라는 과거에는 직장에서 오랜 시간 동안 근무하는 것을 자연스럽게 여겼지만, 오늘날 일-가정의 양립이 중요한 가치로 떠오르면서 정시 퇴근을 강조하는 풍토가 생겨나고 있다.

자료·분석 (가)는 사회 구조를 바꾸고자 하는 의식적인 행동에 의해 사회 구조가 바뀐 사례이고, (나)는 사람들의 가치관이 변화하면서 자연스럽게 사회 구조가 바뀐 사례이다.

한·줄·핵·심 사회 구조는 개인에게 영향을 주지만, 개인이 사회 구조를 바꾸기도 한다.

자료2 『도덕적 인간과 비도덕적 사회』   관련 문제 ▶ 66쪽 06번

니부어는 사회를 단순히 개인의 합이나 연장선이 아니라 독자적인 성격을 갖는 실체라고 보았다. 니부어는 개인은 다른 사람의 이익을 이해하고 그것을 고려할 수 있는 '도덕적인 존재'라고 보았다. 그러나 집단은 충동을 통제하는 이성, 다른 사람의 필요를 이해하는 능력 등이 개인보다 떨어지기 때문에 집단 이기주의에 빠질 수 있다고 주장하였다.

자료·분석 미국의 윤리학자 니부어는 각각의 도덕적 개인들이 모여 비도덕적 사회를 형성할 수 있다고 주장하였는데, 이는 개인과 다른 실체적 존재로서의 사회를 인정하는 사회 실재론과 관련 있다.

한·줄·핵·심 사회 실재론은 사회를 개인에게 영향력을 행사할 수 있는 독립적 실체로 보는 관점이다.

자료3 사회 계약설   관련 문제 ▶ 66쪽 05번

(가) 국가는 인간의 노력으로 만들어지는 인위적인 산물이다. 사람들은 자연 상태에서 일어날 수 있는 분쟁을 해결하고 자신의 생명과 자유와 재산을 더 안전하게 지키고 누리기 위해, 각자가 스스로 동의한 계약에 따라 국가를 형성한다. - 로크, 『시민 정부』 -

(나) 개인과 개인은 연합하여 각 개인의 생명과 재산을 방어하고 보존하는 일종의 연합체를 만든다. 그 후 개인은 이러한 연합체에 결합하지만, 종전처럼 자기 자신에게만 복종하고 전처럼 자유를 잃지 않는 형태로 연합체가 유지되도록 해야 한다. 이것이 사회 계약으로 이루어져야 할 근본 문제이다. - 루소, 『사회 계약론』 -

자료·분석 로크와 루소는 대표적인 사회 계약 사상가들이다. 사회 계약설에 따르면 국가는 개인의 권리를 보장하기 위해 사회 구성원들의 계약에 의해 인위적으로 만들어진 조직체이다.

한·줄·핵·심 사회 계약설은 개인을 바탕으로 국가가 성립되었다고 보므로 사회 명목론과 관련 있다.

궁금해요

Q. 사회 구조는 어떤 기능을 하나요?

A. 사람들은 사회 구조라는 틀 안에서 행동하기 때문에 개인들의 행동 양식을 예측할 수 있게 하여 원만한 사회생활을 가능하게 하지. 이런 점은 사회 통합에 이바지해. 반면, 개인의 자율적인 행동을 규제함으로써 개인의 행동을 제약하고 자유를 구속하기도 해.

용어 더하기

* **정형화**
일정한 형식이나 틀에 맞추는 것

* **사회적으로 구조화된 행동**
정형화되어 사회 구성원 대부분이 당연한 것으로 받아들이고 따르는 행동

* **실체**
실제의 물체 또는 외형에 대한 실상(實相)

* **구속**
행동이나 의사의 자유를 제한하거나 속박함

* **전체주의**
국가나 민족 등 전체를 위해 개인의 희생을 당연시하는 사상으로, 개인은 전체 속에서 존재 가치를 인정받을 수 있다고 보기 때문에 강력한 국가 권력을 통해 국민을 통제할 수 있다고 생각한다.

사회 실재론과 사회 명목론

개념풀 Guide 　사회 실재론과 사회 명목론을 구분하고, 각 관점의 특징을 정리해 보자.

1. 자살률과 사회의 관계

한 사회학자의 분석에 따르면, 규범적 통합이 강한 집단에서는 자살률이 낮은 반면, 규범적 통합이 약한 집단에서는 자살률이 높다고 한다. 이것은 사회 통합의 정도에 따라 개인의 행위가 달라질 수 있다는 것으로 해석된다.

그러나 '나'는 자살률의 높고 낮음이 집단의 특성이 아니라 개인의 특성에서 비롯된다고 생각한다. 사회 현상에 대한 이해는 개별 인간의 행위에 대한 이해를 통해서만 가능하다. 그러므로 개인의 행위에 초점을 두고 사회를 연구해야 한다.

분석 • '한 사회학자'는 사회 규범이 개인의 행위에 미치는 영향을 중시하므로 사회 실재론의 관점을 지니고 있다.
• '나'는 개인의 행위에 초점을 두고 사회를 연구해야 한다고 주장하므로 사회 명목론의 관점이다.

2. 사회 제도를 보는 관점 　관련 문제 ▶ 67쪽 04번

　(가)　에 따르면 결혼·가족·종교의 본질은 해당 제도에 대응되는 개인적 욕구인 성적 욕구, 부모의 애정, 종교적 본능 등으로 구성된 것이다. 이 경우 개인의 정신 상태가 유일하게 관찰 가능한 대상이 된다.

그러나 제도란 그 자체로 다양하고 복합적인 역사적 맥락을 가지며 개인의 의식 외부에 실체로서 존재하는 것이다. 실체가 존재하지 않는다면 사회학은 그 자체의 연구 대상을 가질 수가 없기에, 　(나)　을 바탕으로 할 때 사회학이 연구 대상을 가지게 된다.

분석 • (가)는 결혼 제도, 가족 제도, 종교 제도 등 사회 제도의 본질을 개인에서 찾고 있으므로 사회 명목론의 관점이다.
• (나)는 제도가 개인의 의식 외부에 실체로서 존재한다고 보고 있으므로 사회 실재론의 관점이다.

3. 사회 실재론과 사회 명목론의 특징

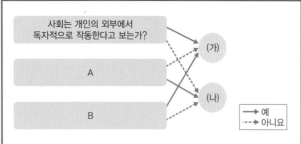

분석 • 사회가 개인의 외부에서 독자적으로 작동한다고 보는 (가)는 사회 실재론, 그렇지 않다고 보는 (나)는 사회 명목론이다. 따라서 A에는 사회 명목론의 특징이, B에는 사회 실재론의 특징이 들어갈 수 있다.
• 사회 실재론은 개인의 능동성보다 사회 규범의 구속성을 중시하며, 사회가 개인으로 환원될 수 없다고 본다. 사회 명목론은 사회를 실체가 없는 허구적 개념에 불과한 것으로 보며, 사회 문제 해결을 위한 개인의 의식 변화를 강조한다.

4. ☆☆팀의 성적 부진 원인 분석

분석 • 갑은 팀이 스타 감독 개인에 의해 바뀔 수 있다고 보고 있으므로, 개인의 자율성을 강조하는 사회 명목론의 입장이다.
• 을은 개인보다 팀의 조직력을 회복해야 팀이 달라질 수 있다고 보고 있으므로, 사회가 개인의 행동에 미치는 영향력을 중시하는 사회 실재론의 입장이라고 볼 수 있다.

A 사회 구조의 이해

01 다음 내용이 옳으면 ○표, 틀리면 ×표를 하시오.

(1) 사회적 상호 작용이 지속해서 반복되어 형성된 일정한 행위의 방식을 사회 구조라고 한다. ( )

(2) 사회 구조는 개인들의 행동 양식에 대한 예측을 가능하게 하여 사회적 통합을 가능하게 한다. ( )

(3) 사회 구조가 일단 형성되면 사회 구성원들이 구조화되어 안정된 사회 관계를 유지하므로, 사회 구조의 변동은 일어나지 않는다. ( )

02 사회 구조의 특징과 그 내용을 바르게 연결하시오.

(1) 지속성 •

(2) 변동성 •

(3) 안정성 •

(4) 강제성 •

• ㉠ 사회 구성원의 가치관이나 행동 변화에 따라 변화함

• ㉡ 사회 구성원이 바뀌어도 사회 구조는 쉽게 바뀌지 않고 유지됨

• ㉢ 사회 구성원의 의지와는 상관없이 어떤 특정한 행동을 하도록 구속함

• ㉣ 사회 구성원이 사회적으로 구조화된 행동을 따르기 때문에 안정적인 사회적 관계가 유지됨

B 개인과 사회의 관계를 보는 관점

03 빈칸에 알맞은 말을 쓰시오.

(1) 사회 ☐☐☐은/는 사회가 단순한 개인의 집합체일 뿐이며 그것을 지칭하기 위한 이름에 불과하다고 본다.

(2) 사회를 개인들의 노력에 의한 인위적 산물로 인식하는 사회 계약설은 사회 ☐☐☐와/과 관련 있다.

(3) 사회 ☐☐☐은/는 지나칠 경우 국가나 민족 등을 위한 개인의 희생을 당연시하는 전체주의를 정당화할 우려가 있다.

04 다음 내용이 옳으면 ○표, 틀리면 ×표를 하시오.

(1) 사회 명목론은 개인이 사회 속에서만 존재 의미가 있다고 본다. ( )

(2) 사회 명목론은 개인의 발전이 사회의 발전으로 이어진다고 본다. ( )

(3) 사회 실재론은 사회적 사실이 개인적 행위로 환원될 수 없다고 본다. ( )

(4) 사회 실재론은 개인의 능동성이 사회의 구속성보다 우선한다고 본다. ( )

(5) 사회 실재론은 개인이 자신의 의지에 따라 행동하고 사회의 구속을 받지 않는다고 본다. ( )

(6) 사회 문제의 해결을 위해 사회 명목론은 개인의 의식 개선을, 사회 실재론은 사회 제도의 개선을 강조한다. ( )

탄탄! 내신 다지기

정답과 해설 19쪽

A 사회 구조의 이해

01 다음 내용이 나타내는 사회 구조의 특징으로 가장 적절한 것은?

> 과거 미국 사회에서는 흑백 분리법으로 인해 버스 내 흑인과 백인 좌석이 분리되어 있었을 뿐만 아니라 흑인 좌석이라도 백인이 앉을 자리가 없으면 흑인이 좌석을 양보해야 했다. 그러나 흑인 인권 운동이 일어나면서 흑인을 차별하는 제도가 사라지게 되었다.

① 지속성　② 강제성　③ 실체성
④ 안정성　⑤ 변동성

02 사회 구조의 특징에 대한 설명으로 옳지 <u>않은</u> 것은?

① 사회 구성원이 바뀌어도 쉽게 바뀌지 않고 유지된다.
② 다른 사회 구성원들의 사회생활을 쉽게 예측하게 한다.
③ 사회 구성원들의 행동이나 가치, 규범 등이 변해도 변화하지 않는다.
④ 사회 구성원의 의지와는 상관없이 어떤 특정한 행동을 하도록 구속할 수 있다.
⑤ 사회 구성원들이 구조화된 행동을 따르게 하여 안정적인 사회적 관계를 유지할 수 있게 한다.

B 개인과 사회의 관계를 보는 관점

03 사회 명목론의 관점에 부합하는 진술은?

① 사회는 단순한 개인의 집합체 그 이상이다.
② 한 개인의 성향을 관찰하면 그 나라의 국민 성향을 알 수 있다.
③ 선거에서 후보자의 능력이나 자질보다 소속 정당의 특성을 더 중요하게 생각한다.
④ 생물이 여러 기관으로 구성되어 있듯이 사회 구조도 여러 부분으로 이루어져 있다.
⑤ 학군을 중요하게 여기는 것은 개인의 학습에 학교의 분위기가 영향을 준다고 생각하기 때문이다.

04 다음 글에 나타난 개인과 사회의 관계를 보는 관점에 부합하는 진술은?

> 우리는 종종 개개인의 체중이나 체력과 같은 신체적 조건이 상대 팀보다 불리한 경우에도 불구하고 줄다리기 시합에서 이기는 팀을 볼 수 있다.

① 사회는 개인의 총합에 불과하다.
② 사회는 개인의 사고와 행동을 구속한다.
③ 개인의 특성을 종합하면 사회의 특성이다.
④ 사회는 개인으로 환원될 수 있는 성질을 지닌다.
⑤ 개인이 존재하지 않는다면 사회도 존재할 수 없다.

05 다음 글에 나타난 개인과 사회의 관계를 보는 관점에 부합하는 진술은?

> 시민 사회는 인간의 노력으로 만들어진 인위적인 산물이다. 시민들은 자연 상태에서 자신의 권리가 침해당하는 것을 막기 위해 계약을 맺어 국가를 형성한 것이다.

① 사회는 개인의 집합을 넘어선다.
② 사회는 살아있는 유기체와 같다.
③ 개인의 특성이 사회의 특성을 결정한다.
④ 사회는 개인의 삶을 구속하는 영향력을 갖는다.
⑤ 사회의 이익을 위해서 개인의 이익은 희생할 수 있다.

서술형 문제

06 개인과 사회의 관계를 바라보는 다음 글의 관점을 쓰고, 그 한계점을 <u>두 가지</u> 서술하시오.

> 니부어는 사회를 단순한 개인의 합이 아니라 독자적인 성격을 갖는 실체라고 보았다. 니부어는 개인은 다른 사람의 이익을 이해하고 그것을 고려할 수 있는 '도덕적인 존재'라고 보았다. 그러나 집단은 충동을 통제하는 이성, 다른 사람의 필요를 이해하는 능력 등이 개인보다 떨어지기 때문에 집단 이기주의에 빠질 수 있다고 주장하였다.

도전! 실력 올리기

01 (가), (나)의 밑줄 친 부분에 나타난 사회 구조의 특징으로 옳은 것은?

> (가) 전화기나 자동차 등 교통·통신 기술은 100년 전과 비교하면 엄청나게 발전했는데, 학교는 그때나 지금이나 큰 차이가 없다.
> (나) 서울에서 규모가 큰 학교를 다니던 갑은 가족이 남도의 작은 농촌 지역으로 이사하게 되면서 규모가 작은 학교로 전학을 왔다. 전학 온 학교에서 갑은 수업이나 시험이 이전 학교와 비교해 크게 다르지 않아 쉽게 적응할 수 있었다.

	(가)	(나)		(가)	(나)
①	안정성	지속성	②	변동성	안정성
③	지속성	안정성	④	지속성	강제성
⑤	강제성	지속성			

수능 유형

02 개인과 사회의 관계를 바라보는 갑~병의 관점에 대한 설명으로 옳은 것은?

> 갑: 후보자가 속한 정당이 어떤 정당인지를 고민해 봐야 해. 그가 속한 당이 어떤 정책을 지지하는가에 따라 당선 이후의 정책에 큰 영향을 주기 때문이지.
> 을: 나는 후보자의 소속 정당보다 개인이 거쳐온 삶의 과정이 더 중요하다고 생각해. 그가 어떤 경력을 지녔는가가 대표자가 되고 난 이후의 태도에 영향을 주거든.
> 병: 후보자와 정당을 분리해서 바라보는 것은 타당하지 않아. 정당의 정책에 대한 태도도 중요하고 후보자의 자질도 중요하지. 서로 영향을 주고받기 때문이야.

① 갑은 사회보다 개인이 우선한다고 본다.
② 갑은 사회 구조가 개인의 의사 결정에 영향력을 미치지 못한다고 본다.
③ 을은 사회의 영향력과 개인의 의지를 모두 중시한다.
④ 을은 개인의 특성이 집단의 특성을 결정하는 핵심적 요소라고 생각한다.
⑤ 병의 관점은 갑의 관점이 지나친 개인주의로, 을의 관점이 개인에 대한 억압으로 흐를 것을 우려한다.

03 다음 글에 나타난 개인과 사회의 관계를 바라보는 관점에 부합하는 주장을 〈보기〉에서 고른 것은?

> 사원 여러분! 최근 회사는 창사 이래 최대의 위기를 겪고 있습니다. 회사가 겪고 있는 어려움을 해결하기 위해 인원 감축을 하지 않는 대신 불가피하게 올해 급여를 일부 삭감하여 지급하게 되었습니다. 사원 여러분들의 어려움이 예상됨에도 불구하고 이같이 조치하게 된 것은 회사가 없으면 사원도 존재할 수 없고, 회사가 살아야 우리 모두 함께 살 수 있기 때문입니다.

> 보기
> ㄱ. 사회는 독립된 실체로서 존재한다.
> ㄴ. 사회 현상의 주체는 결국 개인일 수밖에 없다.
> ㄷ. 사회에 따라 개인의 사고와 행동은 달라진다.
> ㄹ. 개인의 사고와 행동은 자율적 선택의 결과이다.

① ㄱ, ㄴ ② ㄱ, ㄷ ③ ㄴ, ㄷ
④ ㄴ, ㄹ ⑤ ㄷ, ㄹ

수능 기출

04 개인과 사회의 관계를 바라보는 관점 (가), (나)에 대한 옳은 설명을 〈보기〉에서 고른 것은?

> ⌐ (가) ⌐에 따르면 결혼, 가족, 종교의 본질은 해당 제도에 대응되는 개인적 욕구인 성적 욕구, 부모의 애정, 종교적 본능 등으로 구성된 것이다. 이 경우 개인의 정신 상태가 유일하게 관찰 가능한 대상이 된다. 그러나 제도란 그 자체로 다양하고 복합적인 역사적 맥락을 가지며 개인의 의식 외부에 실체로서 존재하는 것이다. 실체가 존재하지 않는다면 사회학은 그 자체의 연구 대상을 가질 수가 없기에, ⌐ (나) ⌐을 바탕으로 할 때 사회학이 연구 대상을 가지게 된다.

> 보기
> ㄱ. (가)는 사회가 개인들의 속성으로 환원될 수 없다고 본다.
> ㄴ. (가)는 사회가 개인의 자율적인 의지에 의해 형성된다고 본다.
> ㄷ. (나)는 개인은 사회 속에서만 존재 의미가 있다고 본다.
> ㄹ. (나)는 개인들이 옳다고 믿기 때문에 사회 규범이 존재한다고 본다.

① ㄱ, ㄴ ② ㄱ, ㄷ ③ ㄴ, ㄷ
④ ㄴ, ㄹ ⑤ ㄷ, ㄹ

02 ~ 사회적 존재로서의 인간

핵심 질문으로 흐름잡기

A 사회화의 의미와 유형은?

B 사회화 기관의 유형과 특징은?

C 지위와 역할의 의미와 관계는?

D 역할 갈등의 의미와 그 해결 방안은?

❶ 탈사회화

탈사회화는 기존에 습득한 규범이나 생활 방식을 버리는 과정을 의미한다. 재사회화가 이루어질 때에는 탈사회화가 동시에 나타나기도 한다.

❷ 현대 사회와 재사회화

현대 사회는 사회 변화의 속도가 매우 빨라서 변화된 기술 및 가치관에 적응하기 위한 재사회화가 더욱 중요해졌다. 평생교육이 중요하게 다루어지는 것도 같은 맥락에서 이해할 수 있다.

❸ 사회화 기관

사회화를 담당하는 집단이나 기관 등을 모두 포함하는 개념이다. 사회화 기관은 가족과 같은 집단, 또래 집단과 같은 추상적인 관계, 직장과 같은 공식적인 조직 등의 여러 형태가 존재한다.

❹ 사회화 기관의 유형

• 가족: 1차적 사회화 기관, 비공식적 사회화 기관

• 학교: 2차적 사회화 기관, 공식적 사회화 기관

• 직장, 대중 매체: 2차적 사회화 기관, 비공식적 사회화 기관

A 인간의 사회화

| 시·험·단·서 | 사회화의 의미를 이해하고, 사회화의 유형을 구분하는 문제가 자주 출제돼.

1. 사회화의 의미와 기능

(1) **사회화**: 인간이 사회생활에 필요한 언어와 지식 등을 습득하고, 한 사회의 가치와 규범 등을 내면화하면서 사회적 존재로 성장해 가는 과정

(2) **사회화의 기능** ┌─ 사람은 사회에서 살아가는 데 필요한 능력을 모두 갖추고 태어나는 것은 아니야. 다른 사람들과의 상호 작용을 통해 사회 속에서 살아가는 데 필요한 많은 것을 배우고 익히며 성장해.

① **개인적 차원**: 개인은 사회화를 통해 언어와 지식, 기술, 행동 양식 등을 습득하고, 자아 정체성과 인성을 형성함 [자료1]

② **사회적 차원**: 사회화를 통해 사회 구성원에게 그 사회의 문화를 전달함으로써 사회의 유지와 존속 및 발전에 기여함

2. 사회화 과정 ┌─ 사회화는 특정 시기에만 이루어지는 것이 아니라 평생에 걸쳐 이루어지며, 그 내용은 시대와 사회에 따라 다르게 나타나.

유아기·아동기	가족이나 주변 사람들과 상호 작용을 하면서 기본적인 욕구 충족 방법과 정서적인 반응 방식, 언어와 규칙 등을 배우는데, 이때 이루어지는 사회화는 개인의 인성 형성에 결정적인 영향을 미침
청소년기	많은 시간을 학교에서 보내고 또래 친구들과 어울리는데, 이 과정에서 지식과 기술, 규범, 가치 등을 습득하고 진로와 직업을 탐색함
성인기	직장 생활을 시작하고 가정을 꾸리는데, 이 과정에서 새로운 지식과 행동 양식 등을 배움

3. 사회화의 유형❶ [자료2]

(1) **재사회화**❷: 사회의 변동이나 개인의 환경 변화에 적응하기 위해 새로운 지식이나 가치, 행동 양식 등을 습득하는 과정 예 정보 사회에 적응하기 위한 노인들의 컴퓨터 교육, 우리나라에 사는 외국인 이주민의 한국어 학습 등

(2) **예기 사회화**: 미래에 속하게 될 특정 사회나 집단에 적응하는 데 필요한 규범이나 기술 등을 미리 학습하는 과정 예 신입 사원 연수, 신병 교육, 신입생 예비 교육 등

B 사회화 기관

| 시·험·단·서 | 가족, 학교, 직장, 대중 매체 등 대표적인 사회화 기관의 특징을 구분하는 문제가 자주 출제돼.

1. 사회화 기관의 의미와 유형

(1) **사회화 기관**❸: 개인의 사회화에 영향을 미치는 기관

(2) **사회화 기관의 유형**❹ [자료3]

① **사회화의 내용에 따른 구분**

1차적 사회화 기관	유아기와 아동기 시절에 언어나 기초 생활 방식 등 기초적인 수준의 초기 사회화를 담당하는 기관 예 가족, 또래 집단 등
2차적 사회화 기관	아동기 이후 체계적인 교육이나 훈련 등을 통해 전문적인 지식이나 가치, 규범 등을 사회화하는 기관 예 학교, 직장, 대중 매체 등

② **형성 목적에 따른 구분** ┌─ 개인의 자아 정체성과 정서적 안정 형성에 많은 영향을 주는 기관이야.

공식적 사회화 기관	사회화 자체를 목적으로 형성된 기관 예 학교, 연수원, 직업 훈련원 등
비공식적 사회화 기관	사회화 자체를 목적으로 형성되지는 않았지만, 사회화에 영향을 미치는 기관 예 가족, 또래 집단, 직장, 대중 매체 등

자료1 사회화의 중요성 관련 문제 ▶ 76쪽 02번

1920년 인도에서는 한 선교사가 늑대 굴에서 두 소녀를 발견하였는데, 두 소녀에게는 '카말라'와 '아말라'라는 이름이 붙여졌다. 처음에 이들은 늑대처럼 행동하였다. 그들은 네 발로 걷고 뛰었으며 우유와 고기만을 먹었고 음식을 먹기 전에 냄새부터 맡았다. 물론 의사소통은 불가능하였고 이들이 할 수 있었던 유일한 소리는 울부짖음뿐이었다. 아말라는 1년 후 바로 죽었지만 카말라는 9년을 더 살았는데, 그동안의 교육에도 불구하고 약 30개의 어휘만 구사할 수 있었다.   — 민경배, 『신세대를 위한 사회학 나들이』—

자·료·분·석 인간이 사회적 존재로 살아가기 위해서는 사회 구성원과의 상호 작용을 통해 사회생활에 필요한 지식, 규범, 가치 등을 습득하는 사회화 과정을 거쳐야 한다.

▶ **한·줄·핵·심** 사회화를 통해 인간은 비로소 사회적인 존재로 성장할 수 있다.

자료2 다양한 사회화의 유형 관련 문제 ▶ 76쪽 03번

(가) 최근 노인들을 대상으로 한 스마트폰 활용 교육이 인기가 많다. 한 할아버지는 "스마트폰 교육을 통해 여러 가지를 배워 누리 소통망(SNS) 등 각종 앱으로 가족, 이웃들과 자주 연락할 수 있어서 좋다."라고 말하였다.

(나) 서울 ○○구는 예비부부와 미혼 남녀를 대상으로 예비부부 교실 '우리 결혼할까요'를 운영하고 있다. 결혼을 준비하는 미혼 남녀를 대상으로 자신과 상대를 깊이 이해할 수 있는 의사소통 방법과 갈등 대처 방법 등을 알려 준다.

자·료·분·석 (가)는 노인들이 변화된 사회 환경에 맞추어 스마트폰 활용 교육을 받는 내용을 소개하고 있는데, 이는 재사회화에 해당한다. (나)는 결혼을 앞둔 예비부부를 대상으로 부부 생활에 대해 교육을 하고 있으므로, 이는 예기 사회화에 해당한다.

▶ **한·줄·핵·심** 사회화는 재사회화, 예기 사회화와 같은 다양한 방식으로 이루어진다.

자료3 사회화 기관의 유형 관련 문제 ▶ 76쪽 06번

▼학교

▼직장

자·료·분·석 학교는 전문적인 지식과 정보 등을 사회화하는 2차적 사회화 기관이며, 사회화를 목적으로 형성된 공식적 사회화 기관이다. 회사는 2차적 사회화 기관이며 비공식적 사회화 기관이다.

▶ **한·줄·핵·심** 사회화 기관은 사회화의 내용에 따라 1차적 사회화 기관과 2차적 사회화 기관, 형성 목적에 따라 공식적 사회화 기관과 비공식적 사회화 기관으로 분류할 수 있다.

❓ 궁금해요

Q. 실생활에서 예기 사회화, 탈사회화는 어떻게 나타나나요?

A. 북한을 이탈한 사람들을 '새터민'이라고 하는데, 새터민이 우리나라에 들어오면 우리나라에서 사회생활을 하는 데 필요한 여러 가지 교육을 받아. 그 과정에서 북한에서 배운 생각들이 한국 사람들의 방식으로 조금씩 바뀌게 되지. 다시 말해 한국 사회에 정착하기 위한 예기 사회화가 이루어지고, 동시에 탈사회화가 이루어지는 거야.

용어 더하기

* **자아 정체성**
자신의 성격, 취향, 가치관, 능력 등에 대해 비교적 명료하게 이해하고 있으며, 그러한 이해가 지속성과 통합성을 지니는 상태

* **예기(豫期)**
예상하고 기대한다는 의미로, 앞으로 닥칠 일을 예상하거나 기대한다는 뜻

* **또래 집단**
같은 지역이나 공동체 속에서 생활하는 비슷한 나이의 구성원들이 주로 놀이를 중심으로 형성한 집단

02 ~ 사회적 존재로서의 인간

가족은 가장 먼저 사회화가 이루어지는 사회화 기관으로, 평생동안 끼치는 영향력이 매우 커.

❺ 대중 매체와 청소년

최근 1년 동안 휴대전화로 가장 많이 이용한 기능

(단위: %)

기능	%
채팅	23.6
SNS	18.7
게임	15.2
음악 듣기	11.1
사진·동영상	7.2
인터넷 이용	7.2
전화 통화	7.0
문자 메시지	4.4

※'기타' 및 '모름/무응답' 미제시
(한국청소년정책연구원, 2016)

휴대전화의 사용이 빈번한 청소년들은 페이스북이나 트위터, 인스타그램과 같은 누리 소통망을 통해 다양한 정보를 주고받으며 의사소통을 하고 사회적 이슈를 파악하며 공감대를 형성한다. 이처럼 뉴 미디어라는 대중 매체는 청소년의 사회화에 미치는 영향력이 점차 커지고 있다.

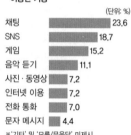

내가 갖는 지위들을 써 보자.
• 귀속 지위: _____
• 성취 지위: _____

❻ 귀속 지위

귀속 지위는 일정한 나이가 되었을 때 자연적으로 얻게 되는 지위도 포함한다. 어린이, 청소년, 노인 등이 일정한 나이가 되었을 때 얻게 되는 귀속 지위에 해당한다.

2. 사회화 기관의 특징

(1) 가족(유아기~아동기) [자료 4]

① 가장 중요하고 기초적인 사회화 기관

② 가족 구성원과의 상호 작용을 통해 언어, 예절 및 의식주 습관 등 기본적인 생활 양식을 습득함

(2) 또래 집단(아동기~청소년기)

① 또래 집단과의 상호 작용을 통해 집단생활에 필요한 규칙이나 질서 의식 등을 배움

② 청소년기에는 또래 집단의 결속력*이 강화되고 그들만의 문화가 형성됨 → 자아 정체성을 형성하는 데 중요한 역할을 함

(3) 학교(아동기~청소년기) [자료 4]

① 지속적·체계적으로 교육을 담당하는 대표적인 공식적 사회화 기관

② 전문 지식과 기술을 습득하고, 친구와 교사 등 다양한 사회적 관계를 통해 집단생활에 필요한 규칙, 질서 등을 배움

(4) 직장(성인기) — 직장은 가정을 유지하기 위한 소득의 원천이 되는 동시에 개인의 자아 정체성을 형성하고, 성취감을 높여 주기도 해.

① 개인이 직업 활동을 수행하는 데 필요한 지식, 가치, 태도 등을 익히는 기관

② 직장에서의 업무나 지위의 빈번한 변화 → 지속적인 재사회화가 이루어짐

(5) 대중 매체(아동기~성인기)❺ [자료 5]

① 사회 구성원들에게 새로운 정보를 제공하고, 변화된 삶의 방식을 소개함

② 현대 사회에서 사회화에 미치는 영향력이 커지고 있음

③ 인터넷의 발달과 스마트폰의 보급 확대로 누리 소통망(SNS)*과 같은 뉴 미디어가 청소년의 사회화에 많은 영향을 끼침

C 사회적 지위와 역할

| 시·험·단·서 | 귀속 지위와 성취 지위를 구분하는 문제나 역할과 역할 행동을 구별하는 문제가 자주 출제돼.

1. 지위의 의미와 유형

(1) **지위**: 한 개인이 집단이나 사회 속에서 차지하는 위치

(2) **지위의 특징**

① 한 개인은 여러 집단에 소속되어 사회적 관계*를 맺으므로 여러 가지 지위를 동시에 가짐

예 아이가 있는 가정의 남자는 아버지이자 남편이며, 회사에서는 회사원의 지위를 가짐

② 지위는 개인의 사회적 정체성을 형성하고 다른 사람들과의 상호 작용에 영향을 미침

(3) **지위의 유형** [자료 6]

유형	의미	사례
귀속 지위❻	개인의 능력이나 노력과는 관계없이 태어나면서부터 갖게 되는 지위	남성/여성, 아들/딸, 귀족/평민/천민, 어린이/청소년/성인/노인 등
성취 지위	개인의 의지나 노력에 의해 후천적으로 획득한 지위	교사/학생, 남편/아내, 아버지/어머니, 회사 직원/회사 임원 등

아들, 딸은 개인의 노력과 상관없이 태어나면서 갖게 되므로 귀속 지위이고, 아버지와 어머니는 개인의 의지에 따라 아버지나 어머니가 되거나 되지 않을 수 있으므로 성취 지위야.

(4) **과거와 현재의 지위**

① 전통 사회에서는 신분과 같은 귀속 지위가 중요하였지만, 현대 사회에서는 성취 지위의 중요성이 더 커지고 있음

② 현대 사회에서는 한 개인이 속하는 사회 집단의 수가 많아져 한 개인이 여러 개의 지위를 동시에 가짐

자료 4 사회화 기관으로서의 가족과 학교

자료 ❶ 가족은 유아기와 아동기에 가장 중요한 사회화 기관이다. 가족 구성원과의 상호 작용을 통해 언어, 예절 등 기본적인 생활 양식을 습득하는데, 이 중에는 의도적으로 전달되는 부분도 있고 자연스럽게 습득되는 부분도 있다.

자료 ❷ 학교는 사회 구성원으로 살아가는 데 필요한 내용을 선별하여 가르친다. 학생들은 학교가 의도적으로 가르치는 지식, 태도, 기능 외에도 학교생활을 통해 사회적 관계나 집단생활의 규칙 등을 자연스럽게 습득한다.

자료·분·석 가족은 개인이 태어나 최초로 경험하는 사회화 기관이며, 유아기와 아동기에는 가족을 중심으로 사회화가 이루어진다. 학교는 지속적·체계적으로 교육을 담당하는 대표적인 공식적 사회화 기관이다. 학교에서는 공동체 생활을 통해 사회적 관계 형성에 필요한 규범과 태도 등을 학습한다.

한·줄·핵·심 가족은 **기초적인 사회화 기관**이고, 학교는 대표적인 **공식적 사회화 기관**이다.

자료 5 누리 소통망(SNS)

누리 소통망(SNS)이란 특정한 관심이나 활동을 공유하는 사람들 사이의 관계망을 구축해 주는 온라인 서비스이다. 사람들은 누리 소통망을 통해 다른 사람들과 정보뿐만 아니라 각자의 사회적 경험을 공유하면서 인적 관계를 형성해 나간다. 정보 추구를 기반으로 한 활동의 결과가 관계의 형성과 유지로 이어지는 것이다.

자료·분·석 누리 소통망(SNS)은 사회화 기관 중 대중 매체에 속한다. 인터넷의 발달과 스마트폰의 보급 확대로 오늘날 많은 사람이 누리 소통망을 통해 정보를 얻고 지식과 기능 등을 학습하고 있다.

한·줄·핵·심 현대 사회에서는 **누리 소통망** 등 대중 매체가 사회화에 미치는 영향력이 커지고 있다.

자료 6 성취 지위와 귀속 지위 관련 문제 ▶ 77쪽 10번

우리 ㉠딸에게 보내는 편지
너의 세대가 더 좋은 세상에서 살게 해 주기 위해 우리 세대가 할 수 있는 일은 수도 없이 많아. 오늘 ㉡엄마와 ㉢아빠는 세상을 위해 조금이나마 도움이 될 수 있는 인생을 살기로 했단다. 아빠는 계속해서 아빠가 운영하는 회사의 ㉣최고 경영자(CEO)로 남아 있을 테지만, 미래를 위한 준비는 나이를 먹고 시작하기에는 너무나도 중요해서 기다릴 수가 없단다. …… 우리는 전 세계의 다른 사람과 함께 다음 세대의 아이들을 위해 사람의 잠재력을 진화시키고 평등을 촉진할 수 있는 일을 할 거란다.

자료·분·석 ㉠은 자신의 의지와 상관없이 태어나면서 갖게 되는 귀속 지위에 해당하며, ㉡~㉣은 개인의 의지나 노력에 의해 후천적으로 획득한 성취 지위에 해당한다.

한·줄·핵·심 귀속 지위는 선천적으로 부여된 지위이며, 성취 지위는 후천적으로 획득한 지위이다.

❼ 지위와 역할
지위가 있으면 그 지위에 수반되는 역할이 존재한다. 예를 들어, 부모라는 지위에는 자녀의 양육을 기대하고, 교사라는 지위에는 학습 지도와 생활 지도 등을 기대한다. 한 사람이 가지는 지위가 여럿이기 때문에 기대되는 역할도 다양하며, 개인은 사회화를 통해 각 지위에 상응하는 역할을 학습한다.

2. 역할과 역할 행동

(1) **역할**❼: 개인의 지위에 따라 사회적으로 기대되는 행동 양식 → 같은 지위라도 시대나 장소의 변화에 따라 기대되는 역할은 달라짐

 예 전통 사회에서는 가사 노동이 여성의 역할이었으나, 현대 사회에서는 남녀 모두의 역할임

(2) **역할 행동**: 개인이 자신의 역할을 실제로 수행하는 구체적인 방식 → 같은 지위를 가지고 있더라도 역할 행동은 사람마다 다양하게 나타남

 예 어떤 부모는 자녀를 엄하게 양육하지만, 어떤 부모는 자유분방하게 양육함

(3) **역할 행동에 대한 보상*과 제재*** 자료7 ── 보상과 제재는 역할이 아니라 역할 행동에 대해 주어지는 것이야.

 ① 보상: 역할 행동이 역할에 대한 사회적 기대에 부응하면 보상을 받음

 예 호수에 빠진 사람을 구하기 위해 물에 뛰어든 청년에게 감사패 수여

 ② 제재: 역할 행동이 역할에 대한 사회적 기대에 부응하지 못했을 때 제재를 받음

 예 범죄를 저지른 사람이 징역과 같은 처벌을 받는 것

 ③ 보상과 제재의 효과: 사회 구성원이 사회적으로 바람직한 행동을 하도록 유도하고, 바람직하지 않은 행동을 하지 않도록 억제하는 효과를 가짐

❽ 영화 속의 역할 갈등

▲ 영화 「아바타」

영화 「아바타」의 주인공 제이크는 회사가 운영하는 프로그램의 참가자로서 회사일에 협조해야 하는 역할과 나비족의 일원으로서 나비족의 안전을 지켜야 하는 역할 사이에서 갈등을 겪는다. 즉, 역할 갈등 상황에 있다.

D 역할 갈등과 해결 방안

| 시·험·단·서 | 역할 갈등의 해결 방안을 개인적 차원과 사회적 차원으로 구분하는 문제가 자주 출제돼.

1. 역할 갈등의 의미와 양상 자료8

(1) **역할 갈등**: 한 개인이 동시에 두 가지 이상의 서로 다른 지위에 따른 역할을 수행하고자 할 때, 역할 간에 충돌이 발생하는 것

(2) **역할 갈등의 양상**❽ ── 하나의 지위에 서로 다른 역할이 요구되어 충돌이 발생하는 것을 역할 긴장, 두 가지 이상의 지위에 따른 역할의 충돌은 역할 모순이라고 해.

 ① 하나의 지위에 대해 서로 다른 역할이 기대되는 경우

 예 담임 교사에게 친구처럼 다정할 것과 엄격한 교사가 될 것이 동시에 요구되는 경우

 ② 둘 이상의 지위에 따른 역할이 동시에 요구되어 역할들 사이에 충돌이 발생하는 경우

 예 직장인이 자녀의 학교 행사에 참석해야 하는 경우

2. 역할 갈등의 해결

(1) **역할 갈등의 원인과 해결의 필요성**

 ① 역할 갈등의 원인: 개인에게 여러 가지 역할이 동시에 요구되며, 사회가 급변하면서 요구되는 역할의 내용도 빠르게 변화함 → 역할 갈등 증가

 ② 해결의 필요성: 역할 갈등이 원만히 해결되지 못할 경우 개인은 심리적 불안감을 느끼고, 사회는 혼란에 빠질 수 있음

❾ 역할 갈등을 해결하기 위한 사회 제도적 장치

• 공공 보육 시설 및 직장 내 보육 시설 확충: 일과 양육을 동시에 해결해야 하는 직장 여성들의 역할 갈등 해결

• 육아 휴직 제도: 직장 생활을 하는 부모가 어린 자녀의 양육에 집중할 수 있도록 일정 기간 휴직을 허용

• 청탁 금지법: 공직자에 대한 부정 청탁 및 금품 수수를 금지하여 개인적 관계로 인해 공적 업무의 수행에 지장을 받지 않도록 하는 제도

(2) **역할 갈등의 해결 방안**

 ① 개인적 측면 ── 역할의 우선순위는 개인이 지닌 가치관이나 신념에 따라 달라질 수 있어.

 • 우선순위를 정하여 중요한 역할부터 수행하거나, 하나의 역할만 선택하고 다른 것은 포기함

 • 합리적 의사 결정을 통해 갈등을 일으키는 지위와 역할을 분석하여 타협점을 찾음

 • 역할 갈등을 겪는 사람의 상대방은 관용 정신*을 발휘하여 상대방을 인정하고 존중해야 함

 ② 사회적 측면❾ 자료9

 • 여러 역할을 동시에 수행할 수 있는 제도적 장치를 마련해야 함

 • 사회 구성원 다수에게 반복적으로 나타나는 역할 갈등의 경우에는 역할 간 중요성에 대한 합의된 규범을 마련해야 함 ── 개인이 합리적으로 역할 갈등을 해결할 수 있게 사회적 기준을 정해 주는 거야.

시험에 잘 나오는 자료

자료7 역할 행동에 대한 보상과 제재 관련 문제 ▶ 78쪽 13번

…이에 모범상을 수여합니다.

수업 시간에 자주 지각하면 안 돼요.

자료·분석 개인이 사회로부터 기대되는 역할을 충실히 수행하면 지위에 맞는 역할 행동을 장려하기 위해 보상이 주어진다. 하지만 실제 행동이 기대에 미치지 못하거나 부정적으로 평가될 경우 그러한 행동을 제한하기 위한 정신적·물질적 차원의 제재를 받게 된다.

한·줄·핵·심 지위에 따른 역할이 아니라 역할 행동에 대해 사회적 보상이나 제재가 주어진다.

자료8 역할 갈등 관련 문제 ▶ 78쪽 15번

체육 대회를 일주일 앞두고, 지호네 반은 이번 주 내내 방과 후에 응원 연습을 하기로 했다. 그런데 지호는 지금까지 방과 후에 자원봉사하던 곳에서도 이번 주 내내 일손이 필요하다고 하여 3일 정도 방과 후에 가겠다고 약속한 상황이다. 이제 와서 자원봉사를 취소하기도 어렵고 학급 친구들 눈치도 보여서 지호는 걱정이다.

자료·분석 지호는 학급 구성원으로서 체육 대회를 대비한 응원 연습에 참여해야 하고, 자원봉사자로서 자신이 약속한 자원봉사에도 참여해야 하는 상황에 놓여 있다. 이처럼 학급 구성원과 자원봉사자라는 각기 다른 지위에서 기대되는 역할이 상충하여 나타나는 문제를 역할 갈등이라고 한다.

한·줄·핵·심 개인이 차지한 여러 지위에 따른 역할 간에 충돌이 발생하면, 이를 역할 갈등이라고 한다.

자료9 역할 갈등의 사회적 해결 방안 관련 문제 ▶ 79쪽 19번

아이 돌봄 지원 사업 소개 – 만 12세 이하 아동을 둔 맞벌이 가정 등에 아이 돌보미가 직접 방문하여 아동을 안전하게 돌보아 주는 우리 가족 행복 돌보미, 아이 돌봄 서비스입니다.
아이 돌봄 지원 사업 목적 – 아이 돌봄 지원 사업은 가정의 아이 돌봄을 지원하여 아이의 복지 증진과 보호자의 일·가정 양립을 통한 가족 구성원의 삶의 질 향상과 양육 친화적인 사회 환경을 조성하는 데 목적이 있습니다.

자료·분석 아이 돌봄 지원 사업은 직장을 다니는 맞벌이 부모가 겪게 되는 역할 갈등을 줄여주기 위한 사회적 지원 제도이다. 직장인으로서 근무를 해야 하는 역할과 부모로서 자녀를 돌봐야 하는 역할을 동시에 할 수 없으므로, 아이를 돌봐주는 사회적 지원을 통해 역할 갈등을 줄일 수 있다.

한·줄·핵·심 사회 제도적인 장치와 지원을 마련하여 역할 갈등을 해결할 수 있다.

내용 이해를 돕는 팁

❓ 궁금해요

Q. 역할 갈등을 판단하는 기준은 무엇인가요?

A. 역할 갈등이 성립하기 위해서는 역할의 상충이 전제되어야 해. 지위에 따른 역할이 서로 충돌할 경우 어떤 역할을 우선해야 하는지 고민하는 과정에서 겪는 심리적 갈등이 역할 갈등이야. 따라서 진로 고민과 같은 경우는 역할의 상충에 따른 갈등이 아니므로 역할 갈등으로 볼 수 없어.

용어 더하기

* **보상**
어떤 행위에 대하여 긍정적인 대가를 주는 것 예) 칭찬, 상, 훈장 등

* **제재**
정해진 규칙을 위반하는 행동을 제한하거나 꾸짖는 것 예) 비난, 벌 등

* **부응**
요구나 기대 따위에 좇아서 응함

* **우선순위**
어떤 것을 먼저 차지하거나 사용할 수 있는 차례나 위치

* **관용 정신**
자신과는 다른 타인과의 차이를 자연스레 인정하며, 그 차이에 대해서 너그러운 마음을 가지는 것

사회화 기관 및 지위와 역할

개념풀 Guide 사회화 기관의 유형을 파악하고, 지위에 따른 역할 및 역할 갈등을 알아보자.

1. 사회화 기관의 구분 관련 문제 ▶ 80쪽 03번

자료 ① A국에서 ㉠대학을 다니던 갑은 난민 신청 절차를 거쳐 B국으로 입국하였다. B국에서 갑은 경제 및 의료 지원 프로그램을 운영하는 ㉡'○○ 난민 지원 센터'로부터 정착을 위한 서비스를 제공받고 있다. ㉢신문에서 A국과 관련된 기사를 볼 때마다 갑은 고향에 두고 온 ㉣가족이 떠올라 잠을 이루지 못한다. 하지만 갑은 낯선 B국에 정착하기 위하여 노력하고 있다.

자료 ②

사회화 기관 질문	(가)	(나)	(다)
사회화를 목적으로 설립되었는가?	예	아니요	아니요
기초적 수준의 사회화를 담당하는가?	아니요	아니요	예

분석 • 자료 ❷에서 '사회화를 목적으로 설립되었는가?'라는 질문은 공식적 사회화 기관인지를 묻는 것이고, '기초적 수준의 사회화를 담당하는가?'라는 질문은 1차적 사회화 기관인지를 묻는 것이다.
• 자료 ❷를 자료 ❶에 적용해 보면, ㉠ 대학은 공식적·2차적 사회화 기관이므로 (가)에 해당하고, ㉡ ○○ 난민 지원 센터와 ㉢ 신문은 비공식적·2차적 사회화 기관이므로 (나)에 해당한다. ㉣ 가족은 비공식적·1차적 사회화 기관이므로 (다)에 해당한다.

2. 인터뷰에 나타난 사회화 기관 및 지위와 역할 관련 문제 ▶ 81쪽 07번

기자

□□영화제에서 ㉠신인상을 받으셨습니다. 영화계에 입문한 계기는 무엇입니까?

○○대학 시절 인문학부의 ㉡공연 관람 동아리 활동을 통해 ㉢연극배우가 되겠다고 결심을 하였습니다. 졸업 후, ㉣◇◇대학 연극학과에 합격하였지만 영화 오디션을 통해 주연으로 발탁되어 입학을 포기하고 영화배우가 되었습니다.

영화배우 갑

기자

올해 새로운 대중 영화에 출연하셨고 △△ 독립 영화제 ㉤집행 위원장까지 맡으셨는데요. 어려운 점은 없나요?

독립 영화제의 홍보에 힘쓸지, 제가 출연한 영화의 홍보에 힘쓸지 ㉥고민이 큽니다.

영화배우 갑

분석 • ㉠ 신인상은 역할 행동에 대한 보상이 이루어진 것이다.
• ㉡ 공연 관람 동아리는 비공식적 사회화 기관, ㉣ ◇◇대학 연극학과는 공식적 사회화 기관이다.
• ㉤ 집행 위원장은 갑의 성취 지위이고, ㉢ 연극배우는 갑이 실제로 연극배우가 된 것은 아니므로 갑의 성취 지위라고 볼 수 없다.
• ㉥의 고민은 영화배우와 집행 위원장이라는 두 지위에 따르는 역할 간 충돌인 역할 갈등이다.

3. 일상생활에서 경험하는 사회화 및 지위와 역할 관련 문제 ▶ 81쪽 07번

• IT 회사의 앱 개발 팀장인 갑은 자신이 개발한 앱으로 인해 ㉠많은 부와 명예를 누리고 있다. 갑은 첫 출산을 앞두고 ㉡예비 부모 교실에 참석하면서 남편과 자녀 양육 분담을 계획하였다. 하지만 남편의 갑작스러운 해외 발령으로 자녀 양육에 대해 ㉢남편과 갈등을 겪고 있다.
• 가난한 집안의 장남인 을은 원하던 회사에 합격해 입사 전 ㉣신입 사원 연수를 받았다. 입사 이후 ㉤회사 생활에 회의를 느낀 을은 회사를 계속 다닐지 창업을 할지 고민하다가, 동료와 함께 창업 후 ㉥경영인상을 수상하는 등 기업의 대표로서 승승장구하고 있다.

분석 • ㉠ 많은 부와 명예, ㉥ 경영인상 수상은 역할 행동을 충실히 한 결과 갑과 을에게 주어진 보상이다.
• ㉡ 예비 부모 교실과 ㉣ 신입 사원 연수는 앞으로 획득하게 될 사회적 지위에 맞는 가치, 태도, 기술 등을 습득하는 예기 사회화이다.
• 갑이 겪은 ㉢ 남편과의 갈등과 을이 겪은 ㉤ 회사 생활에 대한 회의는 모두 지위에 따른 역할의 충돌로 인한 심리적 갈등이 아니므로 역할 갈등이 아니다.

A 인간의 사회화

01 빈칸에 알맞은 말을 쓰시오.

(1) 인간이 사회생활에 필요한 언어와 지식 등을 습득하고, 한 사회의 가치와 규범 등을 내면화하면서 사회적 존재로 성장해 가는 과정을 □□□(이)라고 한다.

(2) □□□□은/는 사회의 변동이나 개인의 환경 변화에 적응하기 위해 새로운 지식이나 가치, 행동 양식 등을 습득하는 과정이다.

B 사회화 기관

02 알맞은 말에 ○표를 하시오.

(1) 가장 중요하고 기초적인 사회화 기관은 (가족, 학교)이다.

(2) 학교, 직업 훈련소는 ㉠(1차적, 2차적) 사회화 기관, 사회화를 비의도적으로 보조적 차원에서 수행하는 가족, 직장은 ㉡(공식적, 비공식적) 사회화 기관이다.

03 밑줄 친 부분을 바르게 고쳐 빈칸에 쓰시오.

(1) <u>가족</u>은 지속해서 체계적으로 교육을 담당하는 기관이다.　　　　(　　　　　)

(2) <u>직장</u>은 인터넷과 스마트폰의 보급 확대로 청소년의 사회화에 많은 영향을 끼치고 있다.

(　　　　　)

C 사회적 지위와 역할

04 다음 내용이 옳으면 ○표, 틀리면 ×표를 하시오.

(1) 현대 사회에서는 성취 지위의 중요성이 더욱 커지고 있다.　　　　(　　　)

(2) 아들과 딸, 아버지와 어머니는 귀속 지위에 해당한다.　　　　(　　　)

05 알맞은 말에 ○표를 하시오.

(1) 개인의 지위에 따라 사회적으로 기대되는 행동 양식을 (역할, 역할 행동)이라고 한다.

(2) 개인이 수행한 (역할, 역할 행동)이 사회적 기대에 부응했을 때 보상을 받을 수 있다.

D 역할 갈등과 해결 방안

06 다음 글에 나타난 상황을 가리키는 개념을 쓰시오.

> 회사원이면서 학부모인 어떤 사람이 자녀의 담임 선생님과 상담하기로 약속한 날짜에 갑자기 출장을 가야 할 일이 생기면 그 사람은 역할 간에 충돌이 나타나 갈등 상황에 빠질 수밖에 없다.

(　　　　　)

A 인간의 사회화

01 사회화에 대한 설명으로 옳지 <u>않은</u> 것은?

① 사회마다 사회화의 내용은 다르다.

② 사회화는 그 사회의 문화를 학습하는 것이다.

③ 다른 사람과의 상호 작용을 통해 사회화가 이루어진다.

④ 사회화를 통해 인간은 비로소 인간다운 존재로 성장한다.

⑤ 사회화를 통해 사람들은 사회적으로 바람직한 내용만을 배우게 된다.

02 다음 글을 통해 도출한 결론으로 가장 적절한 것은?

> 1920년 인도에서는 한 선교사가 늑대 굴에서 두 소녀를 발견하였다. 처음에 이들은 늑대처럼 행동하였다. 물론 의사소통은 불가능하였고 이들이 할 수 있었던 유일한 소리는 울부짖음뿐이었다. 또한 9년 동안의 교육에도 불구하고 약 30개의 어휘만 구사할 수 있었다.

① 인간으로서의 특성은 선천적이다.

② 사회화는 유소년기에 대부분 완성된다.

③ 인간은 사회화를 통해 사회적 존재로 성장한다.

④ 사회화는 타인과의 상호 작용이 없어도 가능하다.

⑤ 사회에 따라 사회화의 내용과 방식은 다양하게 나타난다.

03 다음 사례를 통해 설명하기에 가장 적절한 개념은?

> 서울 ○○구는 예비부부와 미혼 남녀를 대상으로 예비부부 교실 '우리 결혼할까요'를 운영하고 있다. 결혼을 준비하는 미혼 남녀를 대상으로 자신과 상대를 깊이 이해할 수 있는 의사소통 방법과 갈등 대처 방법 등을 알려 준다.

① 탈사회화   ② 역할 행동   ③ 역할 갈등

④ 재사회화   ⑤ 예기 사회화

04 갑, 을이 경험하는 사회화의 유형으로 옳은 것은?

> • 미래에 속하게 될 집단에서 필요한 행동 양식을 미리 학습하는 갑
> • 사회 변화에 따라 기존에 습득한 규범이나 생활 방식을 버리는 을

	갑	을
①	재사회화	1차적 사회화
②	예기 사회화	재사회화
③	예기 사회화	탈사회화
④	1차적 사회화	재사회화
⑤	1차적 사회화	탈사회화

05 밑줄 친 '이것'의 사례로 적절하지 <u>않은</u> 것은?

> 태어나서 성인이 될 때까지 가족이나 또래 집단, 학교 등을 중심으로 사회적 가치를 배우고 내면화하는 과정을 원초적 사회화라고 한다면, 이것은 성인이 되어 새로운 상황에 적응해 나가는 것과 관련이 있다.

① 경력직 입사자 대상 사내 연수

② 유치원 원아들에 대한 놀이 학습

③ 교도소 재소자에 대한 교화 프로그램

④ 경로당 어르신 대상 인터넷 뱅킹 활용 교육 활동

⑤ 북한을 이탈한 새터민의 한국 사회 적응 프로그램

B 사회화 기관

06 밑줄 친 ㉠~㉣에 대한 옳은 설명을 〈보기〉에서 고른 것은?

> 사회화 기관은 ㉠1차적 사회화 기관과 ㉡2차적 사회화 기관으로 구분되거나, ㉢공식적 사회화 기관과 ㉣비공식적 사회화 기관으로 구분된다.

보기
> ㄱ. 재사회화를 담당하는 것은 ㉡뿐이다.
> ㄴ. 현대 사회에서는 ㉣의 영향력이 커지고 있다.
> ㄷ. ㉠보다 ㉡이 전문화된 사회화 내용을 다룬다.
> ㄹ. ㉠, ㉡은 형성 목적을 기준으로 구분한다.

① ㄱ, ㄴ   ② ㄱ, ㄷ   ③ ㄴ, ㄷ

④ ㄴ, ㄹ   ⑤ ㄷ, ㄹ

07 밑줄 친 ㉠~㉣의 사회화 기관 유형을 옳게 연결한 것은?

> 어려서 부모님을 여읜 A는 ㉠중학교 중퇴 이후 일용직을 전전하며 생계를 이어가다가, 그의 어려운 삶이 ㉡누리 소통망(SNS)에 소개되면서 여러 인터넷 이용자들의 관심을 받았다. 이후 A는 사람들의 후원을 받아 ㉢중소기업에 취업하였고, 자신처럼 배움의 기회를 놓친 사람들을 위해 지역 ㉣평생교육원에 월급의 일부를 기부하고 있다.

	공식적 사회화 기관	비공식적 사회화 기관
①	㉠, ㉡	㉢, ㉣
②	㉠, ㉢	㉡, ㉣
③	㉠, ㉣	㉡, ㉢
④	㉡, ㉢	㉠, ㉣
⑤	㉡, ㉣	㉠, ㉢

08 그림은 사회화 기관을 구분한 것이다. 이에 대한 분석으로 옳은 것은?

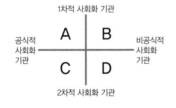

① A는 유아기, B는 성인기 이후의 사회화를 담당한다.
② A와 B를 구분하는 기준은 사회화가 이루어지는 시기이다.
③ B와 D를 구분하는 기준은 기관의 형성 목적이다.
④ C는 직장, D는 대중 매체가 이에 해당한다.
⑤ C의 사례로 학교나 직업 훈련소 등을 들 수 있다.

C 사회적 지위와 역할

09 지위에 대한 설명으로 옳은 것은?

① 직업상의 지위는 대부분 귀속 지위이다.
② 개인은 소속 집단에서 한 가지 지위만 갖는다.
③ 귀속 지위는 개인의 노력에 의해 획득이 가능하다.
④ 산업 구조의 고도화와 직업의 분화로 성취 지위의 획득 기회가 늘어났다.
⑤ 신분제 사회에서는 개인의 노력을 통한 성취 지위의 획득이 불가능했다.

10 밑줄 친 허준의 지위를 귀속 지위와 성취 지위로 바르게 구분한 것은?

> 허준은 양반 가문에서 서자로 태어났다. 신분 제도가 엄격한 조선 시대에 어머니가 정실이 아니었으므로 허준은 중인의 신분에 머물렀고, 과거 시험을 볼 수도 없었다. 대신 허준은 의학의 길을 선택해 내의원의 의관이 되었다. 임진왜란이 일어나자 허준은 선조의 의주 피란길에 동행하여 선조와 왕세자들을 극진히 보살폈고, 그 공적을 인정받아 종1품 숭록대부에 올랐다.

	귀속 지위	성취 지위
①	서자, 중인	의관, 숭록대부
②	서자, 의관	중인, 숭록대부
③	서자, 숭록대부	의관, 중인
④	의관, 숭록대부	서자, 중인
⑤	중인, 숭록대부	의관, 서자

11 다음 글과 관련하여 지위와 역할에 대한 옳은 설명을 〈보기〉에서 고른 것은?

> 전통 사회에서 부모의 역할은 일반적으로 한 집안의 가장으로서 가족의 생계를 책임지고 가족을 통솔하는 아버지의 역할과 집안 살림을 책임지고 일상생활에서 자녀를 섬세히 돌보는 어머니의 역할이 명확히 구분되었다. 그러나 현대 사회에서는 어머니도 가족의 생계를 책임질 수 있으며, 아버지도 자녀 양육에 적극적으로 임해야 한다는 인식이 확산되고 있다.

> 보기
> ㄱ. 지위에 따라 역할이 다르게 나타난다.
> ㄴ. 시대가 달라져도 지위에 따른 역할은 변하지 않는다.
> ㄷ. 지위에 따른 역할은 사회적 상황에 따라 달라질 수 있다.
> ㄹ. 현대 사회에서는 성취 지위의 중요성이 더욱 커지고 있다.

① ㄱ, ㄴ   ② ㄱ, ㄷ   ③ ㄴ, ㄷ
④ ㄴ, ㄹ   ⑤ ㄷ, ㄹ

12 다음 글의 빈칸에 공통으로 들어갈 사회학적 개념으로 옳은 것은?

> 지위가 있으면 그 지위에 수반되는 [   ]이/가 존재한다. 예를 들어, 부모라는 지위에는 자녀의 양육을 기대하고, 교사라는 지위에는 학습 지도와 생활 지도 등을 기대한다. 이렇게 사회는 각각의 지위에 대해 일정한 행동 방식을 기대하는데, 이를 [   ](이)라고 한다.

① 보상
② 역할
③ 역할 행동
④ 역할 갈등
⑤ 성취 지위

13 (가), (나)를 통해 알 수 있는 내용만을 〈보기〉에서 있는 대로 고른 것은?

(가)	(나)

…이에 모범상을 수여합니다.	수업 시간에 자주 지각하면 안 돼요.

> 보기
> ㄱ. (가)는 역할에 대해 주어지는 보상, (나)는 제재를 나타낸다.
> ㄴ. (가)는 사회 구성원이 사회적으로 바람직한 행동을 하도록 유도한다.
> ㄷ. 범죄를 저지른 사람이 징역과 같은 처벌을 받는 것은 (나)의 사례이다.
> ㄹ. (가)와 (나)는 개인이 자신의 역할을 수행하는 구체적인 방식과 관련이 있다.

① ㄱ, ㄴ
② ㄱ, ㄹ
③ ㄷ, ㄹ
④ ㄱ, ㄴ, ㄷ
⑤ ㄴ, ㄷ, ㄹ

D 역할 갈등과 해결 방안

14 갑, 을이 처한 상황을 설명하는 데 가장 적절한 사회학적 개념은?

> • 갑은 돈을 조금 적게 벌더라도 가정을 돌보는 아버지가 될 것인가, 가정에 조금 소홀하더라도 돈을 잘 벌어오는 아버지가 될 것인가에 대해 고민을 하고 있다.
> • 을은 다섯 살짜리 손자를 양육하는 할머니인데, 공공장소에서 공공 예절을 지키지 않고 장난을 심하게 치는 손자를 엄격히 훈육할 것인지 인자하게 용서하고 타이를 것인지에 대해 고민하고 있다.

① 지위
② 역할
③ 사회화
④ 역할 행동
⑤ 역할 갈등

15 밑줄 친 '고민'에 대한 옳은 설명을 〈보기〉에서 고른 것은?

> 갑은 아들과 영화관에 가기로 약속을 하고 평소보다 조금 일찍 회사에서 퇴근하였다. 퇴근 후 아들과의 약속 장소로 이동하던 갑은 급하게 처리해야 할 일이 있으니 다시 회사로 들어오라는 사장의 전화를 받았다. 갑은 어찌해야 할지 고민에 빠지게 되었다.

> 보기
> ㄱ. 갑의 역할 갈등이다.
> ㄴ. 갑이 한 가지 지위에서 상반된 역할을 요구받고 있다.
> ㄷ. 갑이 복수의 성취 지위로 인해 겪고 있는 역할 갈등이다.
> ㄹ. 갑이 가지는 성취 지위와 귀속 지위에 따른 역할 갈등이다.

① ㄱ, ㄴ
② ㄱ, ㄷ
③ ㄴ, ㄷ
④ ㄴ, ㄹ
⑤ ㄷ, ㄹ

16 (가), (나)의 사례를 설명하는 데 적절한 개념을 바르게 연결한 것은?

> (가) 권위 있고 엄격한 아버지가 되어 달라고 요구하는 큰 딸과 친구 같은 다정한 아버지가 되어 달라고 요구하는 작은 딸 사이에서 고민하는 A
> (나) 친구와 주말에 영화를 보기로 약속했는데, 부모님께서 사촌언니의 결혼식에 가야 하니 약속을 미루라고 하셔서 고민하는 B

	(가)	(나)
①	역할	역할 행동
②	역할	역할 갈등
③	역할 갈등	역할 갈등
④	역할 갈등	역할 행동
⑤	역할 행동	역할 행동

17 다음 글에서 갑이 처한 상황과 관련된 옳은 진술만을 〈보기〉에서 있는 대로 고른 것은?

> 이동 수업에 참여하기 위해 복도를 지나가던 갑은 다른 반에 있는 친한 친구 을을 만났다. 그리고 을로부터 어제 속상한 일이 있었다는 이야기를 듣다 보니 수업 시작 종소리가 들렸다. 갑은 순간 친구 을의 이야기를 계속 들어주고 수업에 늦어야 되는지, 아니면 을의 이야기를 중간에 끊고 수업에 참여해야 하는지 고민을 하게 되었다.

> 보기
> ㄱ. 갑이 가진 동일한 지위에 서로 다른 역할이 기대되고 있다.
> ㄴ. 갑은 학생으로 해야 할 역할과 친구로서의 역할 사이에서 고민하고 있다.
> ㄷ. 갑은 우선순위를 정하여 중요한 역할부터 수행하는 방법으로 갈등 상황을 해결할 수 있다.
> ㄹ. 을은 관용 정신을 발휘하여 갑이 처해 있는 상황을 인정하고 갑의 합리적 의사 결정을 존중해야 한다.

① ㄱ, ㄴ ② ㄱ, ㄷ ③ ㄴ, ㄷ
④ ㄱ, ㄴ, ㄹ ⑤ ㄴ, ㄷ, ㄹ

18 역할 갈등의 사례로 적절하지 <u>않은</u> 것은?

① 경제학과와 경영학과 중 어느 학과에 진학해야 할지 고민에 빠졌다.
② 딸의 잘못을 너그러이 용서해야 할지, 엄격하게 훈육해야 할지 고민에 빠져 있다.
③ 오케스트라 단원으로 순회공연을 하던 도중 아버지가 돌아가셨다는 소식을 듣게 되었다.
④ 회사에서 중요한 업무가 있는 날 딸이 아파서 병원에 긴급히 데려가야 한다는 연락을 받았다.
⑤ 친구 같이 다정한 교사와 원칙을 강조하는 엄격한 교사 중에서 어떤 모습이 좋은 모습인지 선택해야 한다.

19 다음 사례에서 갑의 고민을 해결하기 위한 대책을 바르게 연결한 것은?

> 갑은 유치원생인 아들을 키우는 부모이다. 갑의 아들은 오전 수업을 마치고 귀가하지만 아이를 돌봐줄 사람이 없어 하원 후에도 학원을 전전한다. 갑은 최근 회사의 중요한 사업을 담당하는 팀의 책임자가 되었고, 회사업무 수행과 아들의 정서적 안정을 뒷받침하는 일 사이에서 고민하고 있다.

① 개인적 차원 – 육아 휴직 제도 도입
② 개인적 차원 – 공공 보육 시설 확충
③ 사회적 차원 – 중요한 역할 우선 수행
④ 사회적 차원 – 한 가지 역할만을 선택
⑤ 사회적 차원 – 직장 내 돌봄 시설 설치

서술형 문제

20 (가), (나)의 사회화 기관을 각각 쓰고, 두 기관의 공통점을 서술하시오.

(가)	• 가장 중요하고 기초적인 사회화 기관 • 기본적인 생활 습관을 배우며, 이는 평생에 영향을 미침
(나)	• 업무에 필요한 지식과 기술 습득 • 조직 사회의 규범과 행동 양식을 배움

01 다음 글과 관련된 옳은 진술을 〈보기〉에서 고른 것은?

사회화는 가정, 학교, 동료 집단 등 다양한 매개체들을 통해 이루어진다. 오늘날에는 사회화를 논하는 데 신문과 방송 같은 대중 매체를 빼놓을 수 없으며, 특히 인터넷이 중요한 역할을 하고 있다. 청소년들은 어른들에 비해 모바일 미디어에 영향을 크게 받는다.

보기
ㄱ. 최근 청소년의 사회화에 공식적 사회화 기관이 큰 영향을 미치고 있다.
ㄴ. 기성세대는 청소년 세대보다 비공식적 사회화 기관의 영향을 더 받는다.
ㄷ. 오늘날에는 대중 매체가 사회화 기관으로서 미치는 영향력이 매우 크다.
ㄹ. 1차적 사회화 기관과 2차적 사회화 기관 모두 사회화에 영향을 주고 있다.

① ㄱ, ㄴ
② ㄱ, ㄷ
③ ㄴ, ㄷ
④ ㄴ, ㄹ
⑤ ㄷ, ㄹ

02 사회화 기관 A~C에 대한 설명으로 옳은 것은?

인간은 출생하면서 자연스럽게 A에서 기본적인 언어, 의식주 습관이나 인성 등을 배우게 된다. 이후 같은 연령대의 모임인 B를 통해 놀이에서의 규칙, 기초적인 인간관계를 형성한다. 어느 정도 연령이 되면 지속적이고 체계적인 학습을 위해 C에 들어가게 되고, C에서 장래 직업에 필요한 지식과 기술 등을 습득한다.

① A는 또래 집단으로 원초적 사회화를 담당한다.
② B는 A와 달리 비공식적 사회화 기관이다.
③ C는 A, B와 달리 2차적 사회화 기관이다.
④ C는 재사회화를 전담하는 공식적 사회화 기관이다.
⑤ C와 달리 A, B는 앞으로 얻게 될 지위에 요구되는 역할을 미리 학습하는 사회화 기관이다.

03 〈자료 1〉의 밑줄 친 ㉠~㉢을 〈자료 2〉의 (가)~(다)로 옳게 분류한 것은?

〈자료 1〉 A국에서 ㉠대학을 다니던 갑은 난민 신청 절차를 거쳐 B국으로 입국하였다. B국에서 갑은 경제 및 의료 지원 프로그램을 운영하는 ㉡'○○ 난민 지원 센터'로부터 정착을 위한 서비스를 제공받고 있다. ㉢신문에서 A국과 관련된 기사를 볼 때마다 갑은 고향에 두고 온 ㉣가족이 떠올라 잠을 이루지 못한다.

〈자료 2〉

질문 \ 사회화 기관	(가)	(나)	(다)
사회화를 목적으로 설립됐는가?	예	아니요	아니요
기초적 사회화를 담당하는가?	아니요	아니요	예

	(가)	(나)	(다)
①	㉠	㉡	㉢, ㉣
②	㉠	㉡, ㉢	㉣
③	㉡	㉢	㉠, ㉣
④	㉢	㉡, ㉣	㉠
⑤	㉠, ㉡	㉣	㉢

04 다음 두 사례에 대한 공통적인 설명으로 적절한 것은?

- 허준은 양반 가문에서 서자로 태어나, 의학의 길을 선택해 내의원의 의관이 되었다. 임진왜란이 일어나자 허준은 선조와 왕세자들을 극진히 보살폈으며, 후에 그 공적을 인정받아 종1품 숭록대부에 올랐다.
- 마리 퀴리는 남편인 피에르 퀴리와 함께 지속적인 연구 끝에 '폴로늄'이라는 원소를 발견하였고, 이후 강력한 방사능을 방출하는 새로운 원소인 '라듐'을 발견하였다. 마리 퀴리와 그녀의 남편은 라듐을 발견한 공로를 인정받아 노벨 물리학상을 받았다.

① 성취 지위와 귀속 지위 간 역할 갈등이다.
② 개인은 사회에서 하나의 지위만 가질 수 있다.
③ 개인에게 요구되는 역할들이 상충하는 상황이다.
④ 사회적으로 바람직한 역할 행동에는 보상이 주어진다.
⑤ 현대와 달리 과거에는 선천적으로 부여된 지위만 가질 수 있었다.

05 (가), (나)에 대한 옳은 설명을 〈보기〉에서 고른 것은?

(가) 종합 병원 의사인 갑은 접수 순서대로 입원 순위를 정하는 병원 내부 규정에도 불구하고 병원 입원 순서를 앞당겨 달라는 주변 지인들의 잦은 부탁 때문에 고민이다.

(나) ○○ 마을의 이장인 을은 인근 도시에서 이전하려는 화장장의 유치를 원하고 있지만, 일부 주민들이 강하게 반대하고 있어 반대하는 주민들을 설득하기 위한 깊은 고민에 빠져 있다.

〈보기〉
ㄱ. (가)는 부정한 청탁을 제한하는 법률을 제정함으로써 문제를 줄일 수 있다.
ㄴ. (나)에서 을은 같은 지위에서 요구되는 서로 다른 역할 때문에 고민하고 있다.
ㄷ. (가)와 (나)에는 모두 역할 갈등이 나타나 있다.
ㄹ. (가)의 갑과 (나)의 을은 모두 한 가지 이상의 성취 지위를 가지고 있다.

① ㄱ, ㄴ   ② ㄱ, ㄹ   ③ ㄴ, ㄷ
④ ㄴ, ㄹ   ⑤ ㄷ, ㄹ

06 밑줄 친 ㉠~㉣에 대한 옳은 설명을 〈보기〉에서 고른 것은?

A 대학의 입학 전형에서 ㉠면접 위원으로 참여하게 된 대학교수 갑은 최근 ㉡친척으로부터 자신의 자녀가 A 대학에 입학 원서를 접수했으니 잘 부탁한다는 전화를 받았다. 면접 위원은 ㉢지원자를 공정하게 평가해야 하는데, 자신의 친척 조카를 면접 고사장에서 만나면 어떻게 해야 할지 갑은 ㉣고민이다.

〈보기〉
ㄱ. ㉠은 학생, 교사와 같은 성취 지위이다.
ㄴ. ㉡은 개인의 의지나 노력에 의한 지위이다.
ㄷ. ㉢은 ㉠으로서 갑에게 요구되는 역할이다.
ㄹ. ㉣은 갑이 겪는 역할 갈등 상황으로 보기 어렵다.

① ㄱ, ㄴ   ② ㄱ, ㄷ   ③ ㄴ, ㄷ
④ ㄴ, ㄹ   ⑤ ㄷ, ㄹ

07 다음 대화에서 밑줄 친 ㉠~㉻에 대한 설명으로 옳은 것은?

□□영화제에서 ㉠신인상을 받으셨습니다. 영화계에 입문한 계기는 무엇입니까?

○○대학 시절 인문학부의 ㉡공연 관람 동아리 활동을 통해 ㉢연극배우가 되겠다고 결심을 하였습니다. 졸업 후, ㉣◇◇대학 연극학과에 합격하였지만 영화 오디션을 통해 주연으로 발탁되어 입학을 포기하고 영화배우가 되었습니다.

영화배우 갑

올해 새로운 대중 영화에 출연하셨고 △△ 독립 영화제 ㉤집행 위원장까지 맡으셨는데요. 어려운 점은 없나요?

독립 영화제의 홍보에 힘쓸지, 제가 출연한 영화의 홍보에 힘쓸지 ㉥고민이 큽니다.

영화배우 갑

① ㉠은 갑의 역할에 대한 보상이다.
② ㉡과 ㉣은 모두 공식적 사회화 기관이다.
③ ㉢과 ㉤은 모두 갑의 성취 지위이다.
④ ㉣에서 갑은 재사회화를 경험하였다.
⑤ ㉥은 갑의 역할 갈등이다.

08 밑줄 친 ㉠~㉤에 대한 옳은 설명만을 〈보기〉에서 있는 대로 고른 것은?

갑은 딸아이의 생일을 맞이하여 ㉠선물을 사서 집에 일찍 가기로 ㉡딸과 약속했는데, ㉢회사 ㉣상사가 업무 마감일을 앞당기는 바람에 약속한 시각까지 퇴근을 못하고 있어 ㉤고민이 깊어졌다.

〈보기〉
ㄱ. ㉠은 갑이 가지는 성취 지위에 따른 역할이다.
ㄴ. ㉡, ㉣은 모두 성취 지위이다.
ㄷ. ㉢은 공식적 사회화 기관이다.
ㄹ. ㉤은 갑이 겪는 역할 갈등 상황이다.

① ㄱ, ㄴ   ② ㄱ, ㄹ   ③ ㄷ, ㄹ
④ ㄱ, ㄴ, ㄷ   ⑤ ㄴ, ㄷ, ㄹ

03 ～ 사회 집단과 사회 조직

핵심 질문으로 흐름잡기

A 사회 집단의 유형과 특징은?
B 사회 조직의 유형 및 자발적 결사체의 의미는?
C 관료제와 탈관료제의 특징은?

❶ 사회 집단과 범주
남성이나 여성, 청소년, 노인과 같이 성별이나 나이 등에 따라 구분되는 사람들의 집합체는 엄밀한 의미에서 사회 집단으로 보지 않는다. 이들은 특정한 속성만을 공유할 뿐이며, 지속적이고 유형화된 상호 작용을 하지 않는 '범주(category)'에 해당한다.
└─ 사회적 범주라고도 해.

❷ 본질 의지
퇴니에스가 사용한 용어로, 공감이나 습관 등에 기초한 자연적 욕구에 의한 의지이다. 구성원의 인위적 결합 의지와 무관하게 자연스럽게 집단을 형성하게 하는 원천으로, 공동 사회를 성립하게 하는 근본 요소가 된다.

❸ 선택 의지
합리적으로 생각하고 이익과 손해를 따져 행동하려고 하는 의지로, 이익 사회를 성립하게 하는 근본 요소가 된다.

❹ 내집단과 외집단의 구분
내집단과 외집단을 구분하는 경계는 고정불변의 것이 아니며 상황에 따라 달라질 수 있다. 교내 체육 대회에서는 우리 반 이외의 다른 학급은 외집단이지만, 학교 대항전을 할 경우 상대 학교가 외집단이 되고 우리 반뿐 아니라 다른 학급도 내집단이 된다.

A 사회 집단의 의미와 유형

|시·험·단·서| 접촉 방식, 결합 의지, 소속감 여부에 따라 사회 집단을 구분하는 문제가 자주 출제돼.

1. 사회 집단

(1) **사회 집단**: 둘 이상의 사람들이 모여 소속감과 공동체 의식을 가지고 지속적인 상호 작용을 하는 모임 예 가족, 또래 집단, 학교, 직장, 동호회 등

(2) **성립 요건❶**: 두 사람 이상의 구성원, 지속적인 상호 작용, 구성원의 소속감과 공동체 의식

(3) **기능**: 집단이 추구하는 가치와 규범의 습득 및 내면화, 사회적 관계 형성 및 소속감 부여, 개인의 사회화 및 자아 정체성 형성에 기여
└─ 개인들이 집단의 이익과 조직의 권위를 존중하고 공동체의 조화로운 발전을 추구하려는 사고방식이야.

2. 사회 집단의 유형과 특징

(1) **1차 집단과 2차 집단: 구성원의 접촉 방식** `자료1`
└─ 쿨리의 구분

구분	1차 집단	2차 집단
의미	구성원 간의 친밀한 대면 접촉을 바탕으로 전인격적인 인간관계가 이루어지는 집단 예 가족, 또래 집단 등	특정한 목적을 달성하기 위해 구성원 간의 간접적이고 수단적인 인간관계가 이루어지는 집단 예 회사, 학교, 각종 직업 집단, 정당 등
특징	• 구성원 간 직접적이고 전면적인 접촉을 주로 하며, 친밀한 상호 작용을 함 • 개인의 인성 형성과 정서적 안정에 큰 영향을 미침 → 원초 집단이라고도 불림	• 구성원 간 관계가 형식적이고 계약적이며, 공식적 상호 작용이 일반적임 • 규칙과 법률 등에 따른 공식적 통제가 주로 나타남

(2) **공동 사회와 이익 사회: 구성원의 결합 의지**
└─ 퇴니에스의 구분   오늘날 산업화와 도시화로 공동 사회보다 이익 사회의 비중과 역할이 커지고 있어.

구분	공동 사회(공동체)	이익 사회(결사체)
의미	구성원의 본질 의지❷에 따라 자연 발생적으로 형성된 집단 예 가족, 친족, 전통 사회의 마을 공동체 등	구성원의 선택 의지❸에 따라 특정 목적을 위해 의도적으로 만들어진 집단 예 회사, 학교, 국가, 정당 등
특징	• 구성원 간 관계가 친밀하고 정서적이며, 상호 신뢰와 협동심이 강함 • 관습이나 전통에 따라 운영	• 구성원 간 관계가 목표 지향적이고 이해 타산적이며, 구성원 간에 경쟁심이 나타남 • 공식적인 계약과 규칙에 따라 운영

(3) **내집단과 외집단: 소속감 여부에 따른 구분❹** `자료2`
└─ 섬너의 구분

구분	내집단(우리 집단)	외집단(그들 집단)
의미	소속감과 공동체 의식을 가지는 집단	소속감을 느끼지 않는 집단으로, 경우에 따라 이질감이나 적대감을 느끼는 집단
특징	• 내집단에 대한 강한 정체감 → 구성원의 결속력 강화 및 집단 발전에 기여 • 내집단 의식이 지나치게 강하면 외집단에 대한 부정적이고 배타적인 태도로 이어져 사회 통합을 저해할 수 있음	

└─ 사람들은 내집단을 통해 자아 정체감을 형성하고 집단 구성원에게 강한 동질감을 느껴.

3. 준거 집단 `자료3`

(1) **준거 집단**: 개인이 행동이나 판단의 기준으로 삼는 집단 → 개인의 삶에 큰 영향을 미치므로 그 개인을 이해하는 데 중요한 길잡이가 됨

(2) **준거 집단과 소속 집단의 일치 여부**
└─ 준거 집단은 자신이 속해 있는 집단인 경우도 있지만 그렇지 않은 경우도 있어.

① 일치: 소속 집단에 대한 만족감이 높으며, 자신감과 안정감을 느낌

② 불일치: 상대적 박탈감을 느끼거나, 소속 집단에 불만을 느껴 준거 집단으로 옮겨 가려 노력할 수 있음

자료1 1차 집단의 성격이 나타나는 2차 집단

만화 『미생』에서 규모가 큰 무역 회사에 계약직 사원으로 들어간 주인공 장그래는 기본적인 사무도 처리하지 못해 많은 어려움을 겪는다. 이러한 상황에서 야단을 치면서도 장그래를 살뜰히 챙기는 아버지 같은 직장 상사가 등장하고, 장그래에게 처리해야 할 업무를 가르치며 격려하는 어머니 같은 직장 상사도 등장한다. 장그래가 속한 팀은 직장의 한 부서이지만, 동료들의 관계만 보면 마치 가족처럼 보인다.

자료·분석 회사는 수단적이고 형식적인 접촉이 주로 이루어지는 2차 집단이지만, 자료에 나타난 회사 동료들은 친밀하고 포괄적인 관계를 유지하고 있어 1차 집단의 특성이 나타나고 있다. 현대 사회에서는 2차 집단의 비중이 커지고 있는데, 친밀하고 인간적인 접촉과 만남을 원하는 사람들의 욕구가 점점 커지면서 2차 집단이 1차 집단의 성격을 가지는 사례가 증가하고 있다.

한·줄·핵·심 2차 집단 중 1차 집단의 성격을 동시에 지니는 사회 집단이 증가하고 있다.

자료2 내집단 의식의 장단점 관련 문제 ▶ 90쪽 04번

1990년대 이후 본격적으로 등장한 아이돌 그룹의 팬들은 팬클럽을 조직하여 체계적인 활동을 전개하기 시작하였다. 이들은 특정 아이돌 그룹의 팬이라는 것을 자랑스러워하며 아이돌 그룹을 옹호하고 홍보하는 데 단결된 모습을 보인다. 한편 다른 인기 아이돌 그룹의 활동을 비난하고 그들의 팬클럽과 마찰을 빚기도 한다.

자료·분석 내집단에 대한 강한 정체감은 공동체 의식을 강화하여 단결력을 높일 수 있지만, 내집단 의식이 지나치면 외집단과의 갈등을 초래하여 사회 통합을 저해할 수 있다. 자료는 지나친 내집단 의식의 강화가 외집단과의 갈등을 일으키는 사례를 보여 주고 있다.

한·줄·핵·심 내집단 의식은 단결력을 높이지만 지나칠 경우 사회 통합을 저해할 수 있다.

자료3 준거 집단 관련 문제 ▶ 91쪽 05번

학과 점퍼는 등판에 대학과 소속 학과 이름을 새긴 야구 점퍼를 말한다. 학생들 사이에서는 소속감을 느끼게 해 주며 행사 때마다 편하고 유용하게 입을 수 있는 옷이지만, 학교 간판을 드러내고 과시하는 수단으로 변해 가면서 학벌주의의 산물이라는 비난도 꾸준히 제기되고 있다. …… 소위 명문대 학과 점퍼는 최대 10만 원을 웃도는 가격에도 팔려 나갈 뿐 아니라 품귀 현상도 나타나고 있다. 수험생들이 명문대의 학과 점퍼를 사 입고 대학생처럼 행동하고 싶어 하기 때문이다.

자료·분석 대학생이 학과 점퍼를 입는 것은 자신이 소속되어 있는 내집단에 대한 소속감을 표현하는 수단이다. 그런데 학과 점퍼를 수험생들이 입는 것은 그 집단에 소속되길 바라는 마음을 나타낸 것으로, 해당 학과를 자신의 행동과 판단의 기준으로 여기는 준거 집단으로 설정한 것이다.

한·줄·핵·심 개인은 내집단과 준거 집단의 일치 여부에 따라 행복감이나 박탈감을 느낄 수 있다.

❓ 궁금해요

Q. 사회 집단과 군중은 어떻게 구별할 수 있나요?

A. 사회 집단과 군중은 둘 이상의 사람들이 모였다는 점에서 유사해. 그러나 군중은 공동체 의식과 지속적인 상호 작용 없이 같은 장소에 동시에 모여 있는 사람들을 의미하는 개념이지. 그래서 소속감과 공동체 의식을 가지고 지속적인 상호 작용을 하는 사회 집단과는 차이가 있어. 예를 들어 가족이나 학교는 사회 집단이고, 전철을 기다리며 서 있는 사람들 무리는 군중이야.

⁎ 용어 더하기

* **전인격적 인간관계**
집단 구성원의 부분적 특성이 아닌 모든 측면에 관심을 가지며 형성하는 인간적인 관계

* **정당**
정치적 이념을 같이하는 사람들이 정권 획득을 목적으로 결성한 사회 집단

* **원초 집단**
친밀하고 대면적인 공동생활과 협동을 특징으로 하는 집단으로, 개인의 정체성과 사회성을 형성하는 데 중요한 역할을 한다.

* **형식적 접촉**
사람들 간의 접촉이 개인 내면의 상태와는 상관없이 겉으로 드러나는 것만으로 이루어지는 형태

❺ 사회 조직

사회 집단은 사회 조직을 포괄하는 개념이다. 가족이나 또래 집단은 사회 집단에 해당하지만 사회 조직으로 보기는 어렵다. 반면, 학교, 회사, 정당 등은 사회 집단이면서 동시에 사회 조직이다.

❻ 공식 조직과 비공식 조직
비공식 조직은 공식 조직을 전제로 하며, 공식 조직에 소속되지 않은 비공식 조직은 존재하지 않는다. 따라서 비공식 조직에 속한 구성원은 해당 비공식 조직이 속한 공식 조직의 구성원이기도 하다.

❼ 이익 사회, 공식 조직과 비공식 조직, 자발적 결사체의 관계

• 결합 의지에 따라 분류할 경우 공식 조직과 비공식 조직은 모두 이익 사회에 해당한다.
• 공식 조직과 달리 비공식 조직은 모두 자발적 결사체에 해당한다.
• 자발적 결사체가 모두 비공식 조직은 아니다. 자발적 결사체는 공식 조직의 형태를 띠기도 하고, 공식 조직 내 비공식 조직의 형태를 띠기도 한다. 예를 들어 시민 단체나 이익 집단은 공식 조직이면서 자발적 결사체이고, 회사나 학교 내에 존재하는 동호회는 비공식 조직이면서 자발적 결사체에 해당한다.

B 사회 조직의 의미와 유형

|시·험·단·서| 공식 조직과 비공식 조직의 특징을 구분하고, 자발적 결사체의 유형을 묻는 문제가 자주 출제돼.

1. 사회 조직

(1) **사회 조직❺**: 목표가 구체적이고, 그 목표를 달성하기 위한 구성원의 지위와 역할이 명확하며, 공식적인 규범과 절차가 체계적으로 규정되어 있는 집단
└ 일반적으로 사회 조직은 공식 조직을 의미해.

(2) **사회 조직의 특징**
① 공식적인 규범과 절차에 따라 구성원의 행동을 통제함
② 조직 내에서는 목표 달성을 위한 구조화된 상호 작용을 함 → 형식적·수단적 인간관계

2. 공식 조직과 비공식 조직❻ 자료4

(1) **공식 조직**
① 의미: 특정한 목표 달성과 과업 수행을 위해 의도적이고 합리적인 기준에 따라 만들어진 사회 집단 예 학교, 병원, 기업 등
② 특징
• 명확한 규칙 및 절차 강조 → 업무 효율성이 높으나 창의성 저해 우려
• 지위와 역할에 따른 수단적이며 공식적인 인간관계 중시

(2) **비공식 조직**
① 의미: 공식 조직 내에 존재하면서 공통의 관심사나 취미 등에 따라 형성된 조직
예 회사 내의 동호회나 동문회 등 ┐ 비공식 조직은 반드시 공식 조직을 배경으로 존재한다는 걸 명심해!
② 특징 자료5
• 구성원의 만족감 및 친밀감 향상 → 긴장감과 소외감* 완화, 공식 조직의 과업 능률 향상
• 비공식 조직의 인간관계를 중시하여 업무의 공정성을 저해할 우려가 있음

3. 자발적 결사체❼

(1) **의미와 등장 배경**
① 자발적 결사체: 공통의 관심사나 목표를 가진 사람들이 자발적*으로 결성한 집단
② 등장 배경: 사회가 복잡하고 다양해지면서 사회 구성원들의 사회 참여 욕구가 증대되어 시민들이 스스로 만든 자발적 결사체가 등장함

(2) **유형** 자료6
① 친목 집단: 구성원의 취미 공유 및 친목을 도모하는 집단 예 동호회, 동창회, 향우회* 등
② 이익 집단: 특정 집단의 이익을 증진하기 위한 집단 예 의사협회, 노동조합 등
③ 시민 단체*: 사회 문제 해결이나 봉사 등을 통해 사회의 공익을 추구하기 위해 결성된 집단
예 환경 단체, 인권 단체, 소비자 단체 등

(3) **특징과 영향**
① 자발적 결사체의 특징
• 가입과 탈퇴가 비교적 자유로움 ┐ 자신이 가진 관심사나 목표에 따라 가입과 탈퇴가 이루어지기 때문이야.
• 구성원들이 뚜렷한 목표와 신념을 가지고 자발적으로 참여함
• 조직 내 의사 결정이 구성원의 토의와 합의를 거쳐 민주적으로 이루어짐

② 자발적 결사체의 영향

긍정적 영향	• 구성원들 간에 친밀한 인간관계를 형성함으로써 구성원들에게 정서적 안정감 제공 • 자발적 결사체의 증가는 사회의 다원화와 민주화에 이바지함
부정적 영향	다른 집단을 지나치게 배격하고 자기 집단만의 이익을 추구할 경우, 공익과 충돌하여 사회 통합을 저해할 우려가 있음 ┐ 집단 이기주의라고 해.

자료4 공식 조직과 비공식 조직

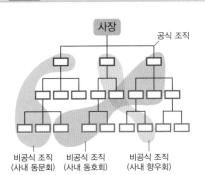

사장

공식 조직

비공식 조직
(사내 동문회)   비공식 조직
(사내 동호회)   비공식 조직
(사내 향우회)

자료·분·석 그림은 어느 회사의 조직을 나타낸 것이다. 일반적으로 회사와 같은 사회 조직은 공식 조직이다. 이러한 공식 조직 내에는 비공식 조직이 존재할 수 있다. 자료에서 비공식 조직의 예로 제시한 사내 동문회, 사내 동호회, 사내 향우회 등은 구성원 간의 친밀한 인간관계를 바탕으로 하므로 구성원들이 공식 조직에서 느낄 수 있는 긴장감을 해소하고 사기를 높이는 데 기여한다.

한·줄·핵·심 비공식 조직은 공식 조직의 구성원으로 이루어지며, 공식 조직과 상호 보완적 관계에 있다.

자료5 비공식 조직의 역기능 관련 문제 ▶ 91쪽 08번

자료❶

요즘 어떻게 지내?

얼마 전에 회사 클래식 동호회에 가입했는데, 스트레스 해소에 도움이 되어 업무 능률도 올랐어.

자료❷

○○○ 씨가 우리 회사 등산 동호회 활동을 엄청나게 열심히 하잖아. 사장님도 거기 회원이시고.

이번에 ○○○ 씨가 팀장으로 승진했다며? 업무 능력은 □□□ 씨가 더 좋잖아.

자료·분·석 자료 ❶에서 비공식 조직인 회사 클래식 동호회의 가입이 공식 조직인 회사에서의 과업 능률 향상으로 이어지고 있음을 보여 준다. 자료 ❷에서는 회사 등산 동호회라는 비공식 조직 내에서의 개인적 친분이 공식 조직의 업무나 인사 등의 공정성을 저해하는 역기능을 보여 주고 있다.

한·줄·핵·심 비공식 조직은 공식 조직의 업무 효율성을 향상하기도 하지만, 친밀한 인간관계를 강조하여 업무의 공정성을 저해할 수도 있다.

자료6 자발적 결사체의 유형 관련 문제 ▶ 92쪽 10번

(가) 'A 시민 단체' 회칙	(나) B 회사 내 '축구 사랑 동호회' 회칙
제1조: 본 단체는 우리 사회의 경제 정의와 사회 정의를 실현하기 위한 평화적 시민운동을 전개함을 목적으로 한다. **제3조:** 본 단체의 목적에 동의하여 본 단체의 사업에 참여하고자 하는 자로서 회원 명부에 등록한 자는 본 단체의 회원이 된다.	**제1조:** 본회는 회원들의 친목 도모와 건강 증진을 목적으로 한다. **제3조:** B 회사에 근무하면서 축구를 사랑하는 사람 중 본회에 참여를 희망하는 자는 본회의 회원이 된다. **제6조:** 회비는 월 10,000원으로 한다.

자료·분·석 (가)의 A 시민 단체는 구체적 목표를 달성하기 위해 조직된 공식 조직이며, 회원들의 자발적 참여를 기반으로 하므로 자발적 결사체이다. (나)의 축구 사랑 동호회는 회사라는 공식 조직 내에서 축구를 취미로 하는 사람들이 스스로 모여 결성한 비공식 조직이며 자발적 결사체이다.

한·줄·핵·심 자발적 결사체는 공식 조직의 형태를 띨 수도 있고 비공식 조직의 형태를 띨 수도 있다.

❓ **궁금해요**

Q. 자발적 결사체는 1차 집단인가요? 2차 집단인가요?

A. 자발적 결사체는 1차 집단의 특성이 강한 집단과 2차 집단의 특성이 강한 집단이 있어. 동호회나 동창회 같은 친목 집단은 구성원 간 취미나 여가를 공유하고 친밀감과 유대감을 갖기 위한 것이므로, 1차 집단의 특성이 강하지. 반면, 이익 집단이나 시민 단체 등은 특정한 목적을 달성하기 위해 결성되어 2차 집단의 성격이 강해.

용어 더하기

* 소외감
남에게 따돌림을 당하여 멀어진 듯한 느낌

* 자발적
남이 시키거나 요청하지 아니 하여도 자기 스스로 나아가 행하는 것

* 향우회
객지에서 고향 친구나 고향이 같은 사람끼리 친목을 위하여 가지는 모임

* 이익 집단
이해관계를 같이하는 사람들이 자신들의 특수 이익을 실현하기 위해 결성한 집단으로, 대표적인 이익 집단으로 노동조합을 들 수 있다.

* 시민 단체
사회의 공익 증진을 목표로 시민들이 자발적으로 만든 사회 집단

❽ 관료제(bureaucracy)
관료제는 책상과 사무실을 의미하는 'bureau'와 지배, 통치를 의미하는 'cracy'가 결합된 말이다. 즉, 관료제는 '관료에 의한 지배'를 의미한다.

❾ 레드 테이프(Red tape)
영국 관리들이 서류를 묶기 위해 사용하던 붉은색 끈에서 유래된 말이다. 관리들이 형식과 절차만을 중시하고 서류를 복잡하게 갖추게 하여 일 처리가 지연되는 현상으로, 관료제에서 나타나는 목적 전치 현상을 잘 보여 준다.

❿ 인간 소외 현상
소외(疏外; alienation)란 글자 그대로 밖으로 멀어진다는 의미인데, 인간의 활동 자체가 인간에게 속하지 않고 외부에 나타나는 상태를 일컫는다. 따라서 인간 소외 현상이란 인간이 목적이 아닌 수단으로 취급받으며 인간성이 상실되는 문제 현상을 말한다.

⓫ 팀제 조직

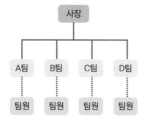

특정한 과업을 수행하기 위해 전문가로 팀을 조직하여 과업을 수행하는 조직 형태이다.

⓬ 네트워크형 조직

조직의 핵심 업무를 중심으로 각각의 독립적인 부서가 상호 유기적 관계를 유지하면서 부서 간 수평적인 의사소통이 이루어지는 조직 형태이다.

C 관료제와 탈관료제

| 시·험·단·서 | 관료제의 문제점 및 관료제와 탈관료제의 특징을 비교하여 묻는 문제가 자주 출제돼.

1. 관료제 `자료 7`

(1) **관료제❽**: 대규모 조직을 효율적으로 운영하기 위한 조직 체계 **예** 행정 기관, 회사 등

(2) **관료제의 특징** — 관료제는 효율적인 업무 처리, 권한과 책임의 명확화, 업무의 신속성과 안정성 확보 등의 순기능을 가지고 있어.

업무의 세분화·전문화	업무에 따라 부서가 나뉘고 하는 일이 뚜렷하게 구분되어 전문적인 업무 수행이 가능 → 업무 수행의 효율성을 높일 수 있음
위계의 서열화	권한과 책임의 정도에 따라 조직 내 지위가 서열화되어 있음 → 구성원들의 권한과 책임 소재가 분명함
규칙과 절차에 따른 업무 수행	업무 처리가 표준화되어 있고, 정해진 규칙과 절차에 따라 업무가 이루어짐 → 구성원이 바뀌어도 안정적이고 지속적인 과업 수행 가능
지위 획득의 공평한 기회	전문적인 자격이나 능력을 기준으로 경쟁하여 지위를 획득할 수 있음 → 공개 경쟁을 통해 지위를 획득할 수 있어 공평한 기회가 주어짐
연공서열에 따른 승진과 보상	승진과 보상에 있어 업적과 능력은 물론 연공서열이 중시됨 → 구성원들이 안정적으로 일할 수 있는 기반이 됨

(3) **관료제의 문제점** `자료 8`

목적 전치 현상	규칙과 절차를 따르는 데 집착하여 조직의 목적보다 규칙과 절차 준수가 우선시됨 → 레드 테이프❾ 현상, 창의성이나 융통성 발휘 곤란
무사안일주의	신분의 보장과 연공서열에 따른 보상으로, 주어진 의무에만 충실하여 소극적으로 업무를 수행하는 무능한 구성원 양성
조직의 경직성	경직된 조직 운영으로 외부의 빠른 사회 변화에 신속하고 유연하게 대응하지 못함
인간 소외 현상❿	획일화된 업무 처리로 인해 조직 구성원이 자율성과 창의성을 발휘하지 못하고, 구성원을 조직의 주체가 아닌 객체로 여기면서 인간 소외 현상이 나타남
권력의 독점과 남용	조직 내 의사 결정 권한이 소수의 상층부에 집중되어 일반 구성원과 소통을 소홀히 함 → 권력을 독점한 소수의 이익 실현을 위해 조직을 이용할 위험성이 있음

2. 탈관료제

(1) **탈관료제의 등장과 조직 유형**

① **등장 배경**: 정보와 지식이 중요해지고 사회 환경이 급속하게 변화함 → 관료제로는 빠른 변화에 창의적이고 신속하게 대응하는 데 한계가 있음 → 탈관료제의 등장

② **조직 유형**

팀제 조직⓫	특정한 목표를 달성하기 위해 임시로 형성되는 조직
네트워크형 조직⓬	독립성과 자율성을 가진 부서나 업무 단위체가 상호 유기적인 관계를 유지하면서 수평적 의사소통 관계로 형성된 조직
아메바형 조직	외부 환경에 능동적으로 대처하기 위해 조직의 형태를 특정하게 고정하지 않고 과업이나 목표에 따라 수시로 바꾸는 유연한 조직

(2) **탈관료제의 특징** `자료 9`

① **수평적 조직 체계**: 위계 서열적 관계에서 벗어나 수평화되거나 네트워크화됨 → 개인의 창의성과 자율성 중시, 의사 결정의 권한 분산

② **조직의 유연성**: 상황이나 목적에 따라 <u>조직이 자유롭게 구성되고 해체됨</u> → 환경 변화에 유연하게 대응하여 조직의 목표를 효율적으로 달성
— 규칙이나 절차에 얽매이지 않아.

③ **능력에 따른 보상**: 연공서열보다 능력과 업적에 대한 평가를 기준으로 승진과 임금 수준이 결정됨 → 개인의 성취동기와 사기 고취

(3) **단점**: 책임과 권한의 불명확성으로 인한 갈등, <u>조직의 안정성 유지 곤란</u>
— 구성원에게 심리적 불안감을 줄 수 있어.

자료7 관료제의 조직 구성 관련 문제 ▶ 92쪽 12번

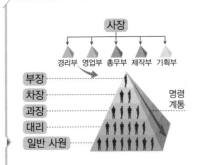

자료·분석 그림은 관료제의 조직 모형이다. 관료제는 산업화 이후 규모가 커진 사회 조직을 효율적으로 운영하기 위해 등장한 조직 체계로, 그림과 같이 수직적으로는 계층화, 수평적으로는 기능상 분업 체계를 이루고 있다. 정부 조직뿐 아니라 회사, 병원 등 현대 사회 대부분의 대규모 사회 조직이 관료제 조직의 성격을 지닌다.

한·줄·핵·심 관료제는 대규모 조직을 효율적으로 운영하기 위한 조직 체계이다.

자료8 관료제의 문제점 관련 문제 ▶ 93쪽 13번

영화 「나, 다니엘 블레이크」의 주인공은 심장 질환으로 실직하여 질병 수당을 받아야만 생활할 수 있다. 그가 수당을 신청하려고 관공서에 전화하자, 상담 직원은 전화로는 신청이 안 된다고 말하였다. 그래서 그는 관공서를 직접 방문하였는데, 담당 직원은 인터넷으로 신청해야 한다며 그를 컴퓨터 앞으로 데리고 갔다. 인터넷을 잘하지 못하는 그는 주변 사람의 도움을 받아 수당을 신청하였다. 그러자 담당 직원은 구직 활동을 하고 있다는 증명 서류를 제출하라고 하였다. 어렵게 구직 활동 증명 서류를 준비하여 지친 몸으로 다시 관공서를 찾은 다니엘 블레이크는 화장실에서 쓰러져 다시는 일어나지 못하였다.

자료·분석 사회 복지 기관의 각종 절차가 일 처리를 지연하여 급하게 도움이 필요한 사람이 결국 도움을 받지 못하게 되었다. 이는 관료제의 부작용인 목적 전치 현상을 나타내는 사례라고 할 수 있다.

한·줄·핵·심 조직의 목적보다 규칙과 절차의 준수가 우선시되는 현상을 목적 전치 현상이라고 한다.

자료9 탈관료제 조직의 특징

○○ 회사는 우선 부장, 차장, 과장, 대리, 사원(1~3) 등 수직적 직급 개념을 직무 역량 발전 정도에 따라 '경력 개발 단계(Career Level)'로 전환하고 직급을 CL1~CL4로 단순화하였다. 사원이 대리에게, 대리가 과장에게 보고하는 릴레이 보고 대신 팀원이 팀장에게 직접 보고도 가능하게 하였다. ○○ 회사 관계자는 "상사 눈치를 보며 퇴근하지 않는 눈치성 잔업 등 불필요한 잔업과 특근을 없애고, 필요하면 재택근무도 가능하게 할 방침"이라고 전하였다.

자료·분석 ○○ 회사는 회사의 직급 체계를 7단계에서 4단계로 단순화하였고, 구성원 간 수직적 위계성을 약화하는 등 업무 환경 개선을 시도하고 있다. 이는 기존의 위계 서열화된 구조와 표준화된 업무 처리 방식을 추구하는 관료제의 특성을 버리고, 신속한 의사 결정 및 개인의 자율성과 창의성을 존중하는 유연한 탈관료제 조직으로 변화하려는 움직임으로 볼 수 있다.

한·줄·핵·심 급속한 사회 변화에 적응하기 위해 유연성을 높인 탈관료제 조직이 등장하였다.

? 궁금해요

Q. 관료제는 역기능만 있고 순기능은 없나요?

A. 관료제로 인해 산업화 이후 등장한 대규모 조직의 효율적 관리가 가능해졌지. 관료제는 대규모 조직의 효율적 관리에 적합하지만, 빠른 변화에 창의적이고 신속하게 대응하는 데 한계가 있어 탈관료제가 등장하게 된 거야.

용어 더하기

* **연공서열(年功序列)**
근속 연수(한 자리에서 계속 근무한 년의 수)나 나이가 늘어감에 따라 지위나 임금이 올라가는 체계를 말한다.

* **무사안일주의**
큰 탈이 없이 편안하고 한가로운 상태만을 유지하려는 태도

* **수평화**
관료제의 엄격한 수직적 위계 구조를 완화하거나 제거하는 방향으로 조직을 운영하는 것

* **네트워크화**
조직의 물리적 경계를 벗어나 조직 기능을 핵심 역량 중심으로 조정하고 다른 외부 기관과 협력하여 나머지 기능을 수행하는 것

사회 집단과 사회 조직

개념풀 Guide   사회 집단 및 사회 조직을 기준에 따라 분류하고, 관료제와 탈관료제의 특징을 구분해 보자.

1. 가족 구성원으로 알아본 사회 집단과 사회 조직   관련 문제 ▶ 94쪽 04번

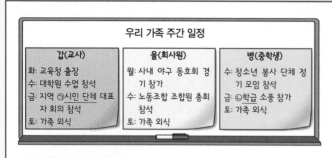

우리 가족 주간 일정		
갑 (교사)	**을 (회사원)**	**병 (중학생)**
화: 교육청 출장 수: 대학원 수업 참석 금: 지역 ㉠시민 단체 대표 　자 회의 참석 토: 가족 외식	월: 사내 야구 동호회 경 　기 참가 수: 노동조합 조합원 총회 　참석 토: 가족 외식	수: 청소년 봉사 단체 정 　기 모임 참석 금: ㉡학급 소풍 참가 토: 가족 외식

분석 • 갑~병은 모두 가족의 구성원이므로 1차 집단과 공동 사회에 속해 있다.
• 갑은 학교, 대학원, 지역 시민 단체에 속해 있으며, 을은 회사, 사내 야구 동호회, 노동조합에 속해 있고, 병은 학교, 청소년 봉사 단체에 속해 있다.
• 결합 의지를 기준으로 ㉠과 ㉡을 구분하면 ㉠ 시민 단체와 ㉡ 학급은 모두 선택적 의지에 의해 형성되는 이익 사회이다.

2. 사회 집단과 사회 조직의 구분

(가)
구성원의 의지와 무관하게 자연 발생적으로 형성된 집단

(나)
공식적인 목표와 과업을 효율적으로 달성하기 위해 형성된 조직

(다)
결합 의지에 따라 구분할 때, 특정한 목적을 위해 인위적으로 형성된 집단

(라)
공식 조직 내에서 친밀한 관계를 바탕으로 취미, 관심사 등에 의해 형성된 조직

분석 • 사회 집단은 구성원의 결합 의지에 따라 본질적·자연적 의지로 형성된 공동 사회와 의도적·선택적 의지로 형성된 이익 사회로 구분한다. (가)는 공동 사회, (다)는 이익 사회에 해당한다.
• (나)는 사회 조직에 대한 설명이다. 사회 조직은 대부분 공식적인 목표와 과업을 가지는 공식 조직을 의미하는데, 공식 조직 내에서 친밀한 인간관계를 바탕으로 (라)와 같은 비공식 조직이 형성되기도 한다.

3. 사회 집단의 유형과 자발적 결사체   관련 문제 ▶ 95쪽 05번

• A와 B는 구성원 간의 접촉 방식에 따라 분류한 것으로, A는 구성원들이 대면 접촉을 통해 전인격적인 관계를 맺는 집단이다.
• C와 D는 구성원의 결합 의지에 따라 분류한 것으로, C는 구성원의 선택 의지에 의해 결합된 집단이다.
• E는 다원화된 현대 사회에서 공통 관심과 목표를 가진 사람들이 자발적으로 결성한 집단이다.

분석 • 구성원 간의 접촉 방식에 따라 분류한 사회 집단은 1차 집단과 2차 집단이다. 전인격적인 관계를 맺는 집단은 1차 집단이므로 A는 1차 집단, B는 2차 집단이다.
• 구성원의 결합 의지에 따라 분류한 사회 집단은 공동 사회와 이익 사회이다. 선택 의지에 의해 결합한 집단은 이익 사회이므로, C는 이익 사회, D는 공동 사회이다.
• E는 자발적 결사체이다.

4. 관료제와 탈관료제의 구분

질문	사회 조직 유형	
	(가)	**(나)**
경력보다 업무 성과를 고려한 차등적 보상을 중시하는가?	아니요	예
A 예 조직의 운영에서 안정성을 중시하는가?	예	아니요
B 예 의사 결정 권한의 집중보다 분산을 지향하는가?	아니요	예

분석 • 사회 조직의 유형을 구분하면서 '경력보다 업무 성과를 고려한 차등적 보상을 중시하는가?'라고 질문한다면 이는 관료제와 탈관료제를 구분하는 것이다.
• '예'라고 답한 (나)는 탈관료제, '아니요'라고 답한 (가)는 관료제이다.
• A에는 관료제 조직의 특성에 관한 질문이, B에는 탈관료제 조직의 특성에 관한 질문이 들어가야 한다.

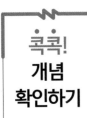

A 사회 집단의 의미와 유형

01 다음 내용이 옳으면 ○표, 틀리면 ×표를 하시오.

(1) 개인은 내집단과 외집단에 함께 소속될 수 있다. ( )

(2) 구성원 간의 접촉 방식을 기준으로 사회 집단을 분류했을 때, 특정 목적을 달성하기 위한 수단적·부분적 만남이 주를 이루는 집단은 2차 집단이다. ( )

02 알맞은 말에 ○표를 하시오.

(1) 사회 집단은 (소속감, 결합 의지)에 따라 공동 사회와 이익 사회로 구분할 수 있다.

(2) 한 개인의 준거 집단이 자신이 소속되어 있는 집단과 (일치, 불일치)할 경우 상대적 박탈감을 느낄 수 있다.

(3) 가족이나 소규모 촌락처럼 자연 발생적이고 구성원 간 인간관계가 친밀한 사회 집단을 (공동체, 결사체)라고 부른다.

B 사회 조직의 의미와 유형

03 다음 글에서 설명하는 사회 조직의 유형을 쓰시오.

> 공식 조직 안에서 공통의 관심사와 취미 등을 중심으로 자발적으로 생겨난 조직으로, 구성원끼리 전인격적 인간관계를 지향한다. 구성원의 만족감 및 친밀감 향상을 통해 공식 조직 내의 긴장감과 소외감이 완화되어 구성원에게 정서적 안정감을 제공한다.

( )

04 밑줄 친 부분을 바르게 고쳐 빈칸에 쓰시오.

(1) 공통의 목적을 가진 사람들이 이해관계를 관철하거나 정서적 만족을 얻기 위해서 자발적으로 결성한 집단을 <u>공식 조직</u>이라고 한다. ( )

(2) 노동조합과 같은 <u>시민 단체</u>는 특정 집단의 이익을 증진하기 위한 자발적 결사체이다.

( )

C 관료제와 탈관료제

05 빈칸에 알맞은 말을 쓰시오.

(1) 대규모의 업무를 효율적으로 처리하기 위해 등장한 사회 조직을 ㉠□□□(이)라고 부르는데, 이 조직은 미리 정해진 절차에 따라 ㉡□□□된 업무 처리 절차를 밟는다.

(2) 관료제의 문제점 중 □□ □□ 현상은 규칙과 절차를 따르는 데 집착하여 조직의 목적보다 규칙과 절차가 우선시되는 현상이다.

(3) 관료제 조직에서 나타나는 부작용을 막기 위해 탈관료제 조직은 □□□□보다 능력과 업적에 대한 평가를 기준으로 승진과 임금 수준을 결정한다.

탄탄! 내신 다지기

A 사회 집단의 의미와 유형

01 (가), (나)의 사회 집단에 대한 옳은 설명을 〈보기〉에서 고른 것은?

> (가) 특정한 목적을 달성하기 위하여 선택적 의지에 의해 형성된 집단
> (나) 구성원들의 본질적인 의지에 따라 자연스럽게 형성된 집단

〈보기〉
ㄱ. (가)는 공동 사회, (나)는 이익 사회이다.
ㄴ. (가), (나)는 구성원의 접촉 방식에 따라 사회 집단을 구분한 것이다.
ㄷ. (가)에는 회사, 학교 등이 해당하고, (나)에는 가족, 친족 등이 해당한다.
ㄹ. (가)는 (나)와 달리 간접적이고 수단적인 인간관계가 주로 이루어진다.

① ㄱ, ㄴ   ② ㄱ, ㄷ   ③ ㄴ, ㄷ
④ ㄴ, ㄹ   ⑤ ㄷ, ㄹ

02 다음 글의 '나'를 기준으로 밑줄 친 ㉠~㉤이 해당하는 사회 집단의 유형을 바르게 연결한 것은?

> 다음 주에는 드디어 내가 근무하는 ㉠○○기업에서 체육 대회가 열린다. 회사 내에 10개의 ㉡동호회가 장기 자랑을 펼치며, 부서별로 경쟁을 벌인다. 협력사인 ㉢△△기업에 다니는 ㉣◇◇ 초등학교 동창인 갑도 다른 사원들과 함께 우리 회사를 방문한다고 한다. 사실 갑과 몇몇 친구들은 나와 ◇◇ 초등학교 동기 이전에 오랜 ㉤동네 친구들이다.

① ㉠ - 외집단   ② ㉡ - 이익 사회
③ ㉢ - 내집단   ④ ㉣ - 1차 집단
⑤ ㉤ - 2차 집단

03 빈칸 ㉠, ㉡에 들어갈 사회 집단을 바르게 연결한 것은?

> 군대는 국토 방위라는 특정한 목적을 실현하기 위해 구성되었기 때문에 수단적 만남이 이루어진다는 점, 공식적인 절차와 규정에 따라 집단이 운영된다는 점, 공식적인 제재 방법을 가지고 있다는 점에서 전형적인 ㉠ 이다. 그런데 다음의 사례를 살펴보자.
> "내가 소속되어 있는 분대에 있는 사람들은 나의 특별한 친구들이었으며, 우리는 함께 뛰었고, 함께 잠잤으며, 함께 싸웠다."
> 위 사례는 분대원들 간에 친밀한 대면 접촉이 이루어지고 있음을 보여 준다. 즉, 군대에 ㉡ 의 특성이 나타나고 있다.

	㉠	㉡
①	내집단	외집단
②	공동 사회	이익 사회
③	이익 사회	준거 집단
④	1차 집단	2차 집단
⑤	2차 집단	1차 집단

04 밑줄 친 현상이 나타난 이유로 가장 적절한 것은?

> 1990년대 이후 본격적으로 등장한 아이돌 그룹의 팬들은 팬클럽을 조직하여 체계적인 활동을 전개하기 시작하였다. 이들은 특정 아이돌 그룹의 팬이라는 것을 자랑스러워하며 아이돌 그룹을 옹호하고 홍보하는 데 단결된 모습을 보인다. 한편, 다른 인기 아이돌 그룹의 활동을 비난하고 그들의 팬클럽과 마찰을 빚기도 한다.

① 1차 집단은 구성원끼리 강한 연대감과 친밀감을 형성하기 때문이다.
② 2차 집단의 인간관계에서는 협동심보다 경쟁심이 강조되기 때문이다.
③ 외집단을 통해 집단 간 서로 다른 판단과 행동의 기준을 자각하기 때문이다.
④ 이익 사회는 선택 의지에 따라 특정 목적을 위해 의도적으로 만들어지기 때문이다.
⑤ 강한 내집단 의식이 외집단에 대한 부정적이고 배타적인 태도로 이어졌기 때문이다.

05 다음 글에서 파악할 수 있는 사회 집단을 〈보기〉에서 고른 것은?

> 학과 점퍼는 등판에 대학과 소속 학과 이름을 새긴 야구 점퍼를 말한다. 학생들 사이에서는 소속감을 느끼게 해 주며 행사 때마다 편하고 유용하게 입을 수 있는 옷이지만, 학교 간판을 드러내고 과시하는 수단으로 변해 가면서 학벌주의의 산물이라는 비난도 꾸준히 제기되고 있다. 소위 명문대 학과 점퍼는 최대 10만 원을 웃도는 가격에도 팔려 나갈 뿐 아니라 품귀 현상도 나타나고 있다. 수험생들이 명문대의 학과 점퍼를 사 입고 대학생처럼 행동하고 싶어 하기 때문이다.

보기
> ㄱ. 내집단   ㄴ. 1차 집단
> ㄷ. 준거 집단   ㄹ. 공동 사회

① ㄱ, ㄴ   ② ㄱ, ㄷ   ③ ㄴ, ㄷ
④ ㄴ, ㄹ   ⑤ ㄷ, ㄹ

06 밑줄 친 ㉠~㉣에 대한 옳은 설명을 〈보기〉에서 고른 것은?

> 안녕하세요. 이번에 ㉠☆☆고등학교 2학기 회장 후보로 출마하게 된 2학년 6반 ○○○입니다. 저를 회장으로 뽑아 주신다면, 이번 학기에 새로운 변화를 위해 노력하겠습니다. 첫째, 저는 우리 반이 ㉡가족같이 따뜻한 반이 될 수 있도록 노력하겠습니다. 둘째, ㉢생활 지도부 선생님께 두발 자율화를 요구하겠습니다. 셋째, ㉣학급에 각종 동호회를 활성화하겠습니다.

보기
> ㄱ. ㉠은 선택적 의지로 형성된 집단이다.
> ㄴ. ㉡의 구성원 간에는 직접적 접촉이 일반적이다.
> ㄷ. ㉢은 ○○○의 내집단이다.
> ㄹ. ㉣은 공동 사회로 볼 수 있다.

① ㄱ, ㄴ   ② ㄱ, ㄷ   ③ ㄴ, ㄷ
④ ㄴ, ㄹ   ⑤ ㄷ, ㄹ

B 사회 조직의 의미와 유형

07 다음은 ○○ 기업 홈페이지에 게시된 소식이다. 밑줄 친 ㉠, ㉡에 대한 설명으로 옳지 않은 것은?

> ### ㉠○○ 기업 낚시 동호회 대모집
>
> • 모집 대상: 낚시에 관심이 있는 분
> • 신청 방법: 방문 및 이메일로 신청
> • 활동 내용: 전국의 이름난 낚시터 방문
> • 문의: ㉡인사부 △△△ 주임

① ㉠은 비공식 조직이다.
② ㉡은 공식 조직이다.
③ ㉠은 ㉡에 비해 친밀한 인간관계를 중시한다.
④ ㉠과 달리 ㉡은 관습과 전통에 의해 운영된다.
⑤ ㉡과 달리 ㉠은 공통의 관심을 가진 구성원들에 의해 자발적으로 형성된 조직이다.

08 다음 대화를 통해 알 수 있는 비공식 조직의 역기능으로 가장 적절한 것은?

① 업무의 책임 소재가 불분명하다.
② 목적과 과업 달성을 지나치게 중시한다.
③ 2차적 인간관계를 강조하여 인간 소외 현상을 초래한다.
④ 명확한 규칙과 절차를 강조하여 업무에서 개인의 창의성이 발휘되기 어렵다.
⑤ 비공식 조직의 인간관계를 중시하여 공식 조직의 업무 수행에 부정적 영향을 끼친다.

09 다음의 사회 집단에 대한 공통적인 설명으로 가장 적절한 것은?

▲ ○○고등학교 교사 연구 동아리

▲ 환경 운동을 하는 시민 단체

① 1차 집단의 성격이 강하다.
② 본질 의지에 의해 형성된 집단이다.
③ 구성원들의 자발성을 바탕으로 한다.
④ 구성원들의 권한과 책임이 명확하다.
⑤ 공식적인 상호 작용이 일반적으로 나타난다.

10 밑줄 친 (가), (나)에 대한 설명으로 옳은 것은?

> **(가) 'A 시민 단체' 회칙**
> • 제1조: 본 단체는 우리 사회의 경제 정의와 사회 정의를 실현하기 위한 평화적 시민운동을 전개함을 목적으로 한다.
> • 제6조: 본 단체는 총회, 중앙 위원회, 상임 집행 위원회로 구성된다.
>
> **(나) B 회사 내 '축구 사랑 동호회' 회칙**
> • 제1조: 본회는 회원들의 친목 도모와 건강 증진을 목적으로 한다.
> • 제3조: B 회사에 근무하면서 축구를 사랑하는 사람 중 본회에 참여를 희망하는 자는 본회의 회원이 된다.

① (가)는 비공식 조직, (나)는 공식 조직이다.
② (가)는 1차 집단, (나)는 2차 집단에 해당한다.
③ (가)는 (나)와 달리 선택 의지와 무관하게 자연 발생적으로 형성된다.
④ (가)와 달리 (나)는 사회의 공익을 증진하기 위한 집단이다.
⑤ (가), (나) 모두 가입과 탈퇴가 자유롭고 공통의 목표를 기반으로 조직된다.

11 다음은 갑의 하루 일과표이다. 밑줄 친 ㉠~㉤에 대한 설명으로 옳은 것은?

> • 오전 6시: ㉠조기 축구회 활동
> • 오전 8시: ㉡회사에 출근
> • 오전 12시: 거래처 ㉢영업부 김 대리와 점심 식사
> • 오후 6시: 회사 내 ㉣배드민턴 동호회 활동
> • 오후 7시: ㉤가족과 저녁 식사

① ㉠, ㉣은 자발적 결사체에 속한다.
② ㉠, ㉣은 이익 사회이자 공식 조직이다.
③ ㉠, ㉤은 본능적 결합 의지에 의해 만들어진다.
④ ㉡, ㉢은 갑의 내집단에 해당한다.
⑤ ㉡, ㉤은 공식 조직이라고 볼 수 있다.

C 관료제와 탈관료제

12 그림과 같은 사회 조직의 특징으로 옳은 것은?

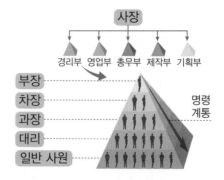

① 업무 범위와 권한이 포괄적이다.
② 위계 서열이 약한 수평적 조직이다.
③ 규약과 절차에 따라 업무가 수행된다.
④ 상향식 의사 결정이 주로 이루어진다.
⑤ 능력과 업무 성과에 따라 임금과 승진이 결정된다.

13 다음 글에 나타난 강조하는 관료제의 문제점으로 가장 적절한 것은?

> 갑은 심장 질환으로 실직하여 질병 수당을 받아야만 생활할 수 있다. 갑이 수당을 신청하려고 사회복지관에 전화하자, 상담 직원은 전화로는 신청이 안 된다고 말하였다. 그래서 갑은 복지관을 직접 방문했다. 담당 직원은 인터넷 신청만 가능하다고 하였다. 인터넷을 잘하지 못하는 갑은 주변 사람의 도움을 받아 수당을 신청하였다. 그러자 담당 직원은 구직 활동을 하고 있다는 증명 서류를 제출하라고 하였다.

① 연공서열을 지나치게 강조한다.
② 업무의 책임 소재가 명확하지 않다.
③ 무사안일주의를 유발하여 무능한 구성원을 양성한다.
④ 표준화된 업무 처리로 인해 개인의 창의성을 발휘하기 어렵다.
⑤ 조직의 목적보다 절차 준수가 우선시되는 목적 전치 현상이 나타난다.

14 그림과 같은 조직에 대한 옳은 설명을 〈보기〉에서 고른 것은?

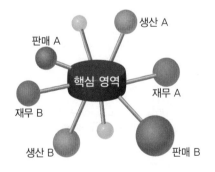

> 보기
> ㄱ. 팀 간 수평적 관계를 이룬다.
> ㄴ. 구성원들의 전문성이 보장되지 않는다.
> ㄷ. 여러 팀이 상호 유기적으로 운영될 수 있다.
> ㄹ. 급격한 사회 변화에 맞춰 조직이 유연하게 적응하기 어렵다.

① ㄱ, ㄴ   ② ㄱ, ㄷ   ③ ㄴ, ㄷ
④ ㄴ, ㄹ   ⑤ ㄷ, ㄹ

15 어떤 회사의 조직 체계를 (가)에서 (나)로 개편하였을 때 예측되는 현상으로 가장 적절한 것은?

(가)

```
        사장
         |
        임원
      /      \
   부장        부장
   /  \        /  \
 과장  과장  과장  과장
```

→

(나)

```
              사장
      /    |    |    \
   팀장   팀장  팀장   팀장
    |              |
 팀원 A         팀원 C
 팀원 B         팀원 D
  ⋮              ⋮
```

① 환경 변화에 유연하게 대응할 수 있다.
② 정형화된 규칙과 절차에 따라 업무가 수행된다.
③ 구성원들의 연공서열에 따라 승진과 보상이 이루어진다.
④ 구성원이 바뀌어도 안정적이고 지속적인 과업 수행이 가능하다.
⑤ 조직 내 의사 결정권이 소수의 상층부에 집중되어 일반 구성원과의 소통이 소홀해질 수 있다.

서술형 문제

16 (가), (나)에 나타난 소속 집단과 준거 집단의 관계를 비교하여 서술하시오.

> (가) 갑은 평소 가고 싶어 하던 A 대학에 합격하였다. 그는 대학 오리엔테이션부터 적극적으로 참여하였고, 수업이나 동아리 활동 등 대학 생활을 열심히 하면서 행복한 나날을 보내고 있다.
> (나) 을은 대학을 졸업한 후 B 회사에 입사하였다. 그러나 그녀는 어릴 적부터 입사를 꿈꾸던 C 회사로 이직하기 위하여 영어 공부를 비롯한 각종 취직 준비를 하고 있다.

01 다음은 사회 집단 A~C를 기준에 따라 비교한 것이다. 이에 대한 설명으로 옳은 것은?

> • 소속감, 친밀감, 지속성: A>B>C
> • 집단의 규모, 목표 지향성: A<B<C

① A에서는 공식적 통제가 주로 나타난다.
② C는 구성원 간 관계가 전인격적이다.
③ 사내 동호회는 B보다는 C에 해당한다.
④ B는 C보다 2차 집단적 성격이 강하다.
⑤ A는 1차 집단의 성격이 강하고 C는 2차 집단의 성격이 강하다.

02 그림의 사회 집단 A~C에 대한 옳은 설명만을 〈보기〉에서 있는 대로 고른 것은?

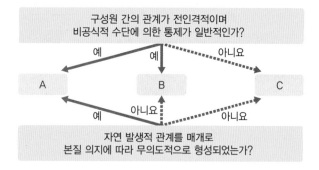

> 보기
> ㄱ. 가족은 A에 해당한다.
> ㄴ. 학교, 회사 같은 공식 조직은 대체로 C로 분류된다.
> ㄷ. 동호회 같은 조직은 구성원 간의 관계에 따라 B, C 둘 중 하나에 속한다.
> ㄹ. C와 달리 A, B에서는 구성원 간 수단적 만남과 간접적 접촉이 이루어진다.

① ㄱ, ㄴ   ② ㄴ, ㄹ   ③ ㄷ, ㄹ
④ ㄱ, ㄴ, ㄷ   ⑤ ㄱ, ㄷ, ㄹ

03 그림은 사회 집단 간 관계를 나타낸 것이다. 이에 대한 옳은 설명을 〈보기〉에서 고른 것은? (단, A~C는 각각 비공식 조직, 이익 사회, 자발적 결사체 중 하나이다.)

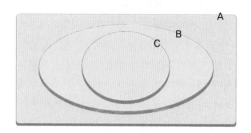

> 보기
> ㄱ. A는 본능적 의지에 의해 형성된다.
> ㄴ. B는 가입과 탈퇴가 자유롭다.
> ㄷ. C는 공식 조직의 효율성을 높이기도 한다.
> ㄹ. 시민 단체는 A~C 모두에 해당한다.

① ㄱ, ㄴ   ② ㄱ, ㄷ   ③ ㄴ, ㄷ
④ ㄴ, ㄹ   ⑤ ㄷ, ㄹ

수능 기출

04 그림은 어느 가족의 주간 일정표이다. 이에 대한 옳은 설명만을 〈보기〉에서 있는 대로 고른 것은?

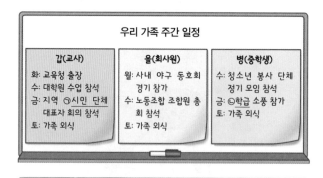

우리 가족 주간 일정

갑(교사)	을(회사원)	병(중학생)
화: 교육청 출장 수: 대학원 수업 참석 금: 지역 ㉠시민 단체 대표자 회의 참석 토: 가족 외식	월: 사내 야구 동호회 경기 참가 수: 노동조합 조합원 총회 참석 토: 가족 외식	수: 청소년 봉사 단체 정기 모임 참석 금: ㉡학급 소풍 참가 토: 가족 외식

> 보기
> ㄱ. ㉠과 ㉡은 선택적 의지에 의해 형성되는 이익 사회이다.
> ㄴ. 갑, 을은 병과 달리 자발적 결사체에 소속되어 있다.
> ㄷ. 을, 병은 갑과 달리 비공식 조직에 소속되어 있다.
> ㄹ. 갑~병은 모두 공동 사회와 공식 조직에 소속되어 있다.

① ㄱ, ㄴ   ② ㄱ, ㄹ   ③ ㄴ, ㄷ
④ ㄱ, ㄷ, ㄹ   ⑤ ㄴ, ㄷ, ㄹ

05 사회 집단과 사회 조직의 유형 A~E에 대한 설명으로 옳은 것은?

- A와 B는 구성원 간의 접촉 방식에 따라 분류한 것으로 A는 구성원들이 대면 접촉을 통해 전인격적인 관계를 맺는 집단이다.
- C와 D는 구성원의 결합 의지에 따라 분류한 것으로 C는 구성원의 선택 의지에 의해 결합된 집단이다.
- E는 다원화된 현대 사회에서 공통 관심과 목표를 가진 사람들이 자발적으로 결성한 집단이다.

① A에서는 B와 달리 특정 목적을 달성하기 위한 인간 관계가 주로 나타난다.

② D에서는 E와 달리 구성원의 가입과 탈퇴가 자유롭다.

③ A, D에서는 모두 형식적 인간관계가 주로 나타난다.

④ B, C에서는 모두 법적 제재보다 관습적 제재가 주로 적용된다.

⑤ 시민 단체와 이익 집단은 모두 C이면서 E에 속한다.

06 그림은 관료제와 탈관료제 조직의 특징을 나타낸 것이다. (가), (나)에 들어갈 수 있는 기준을 바르게 연결한 것은?

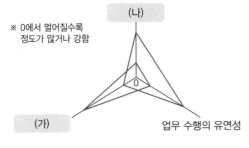

※ 0에서 멀어질수록 정도가 많거나 강함

	(가)	(나)
①	업무의 분업화	강한 위계 서열 구조
②	업무의 자율화	의사 결정 권한의 분산
③	업무의 자율화	권한과 책임의 명확성
④	업무의 표준화	강한 위계 서열 구조
⑤	업무의 표준화	의사 결정 권한의 분산

07 그림의 A에 들어갈 적절한 질문만을 〈보기〉에서 있는 대로 고른 것은? (단, (가), (나)는 관료제와 탈관료제 중 하나이다.)

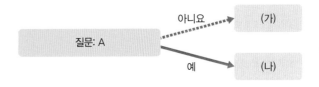

질문: A
아니요 ▷ (가)
예 → (나)

보기
ㄱ. 효율적인 과업 수행이 강조되는가?
ㄴ. 의사 결정 권한의 집중보다 분산이 강조되는가?
ㄷ. 조직의 운영에서 유연성보다 안정성이 강조되는가?
ㄹ. 규약에 따른 과업 수행보다 창의적 과업 수행이 강조되는가?

① ㄱ, ㄴ   ② ㄴ, ㄷ   ③ ㄷ, ㄹ
④ ㄱ, ㄷ, ㄹ   ⑤ ㄴ, ㄷ, ㄹ

08 (가), (나)의 특징에 대한 옳은 설명만을 〈보기〉에서 있는 대로 고른 것은?

A 기업은 ☐(가)☐ 의 대표적 사례이다. 직위에 따라 권한과 책임이 다르고, 승진과 보수는 경력과 직급에 따라 결정된다. 반면, B 기업은 ☐(나)☐ 의 대표적 사례이다. 업무의 성격이나 상황에 따라 여러 팀을 구성하여 운영한다. 팀 내 구성원의 관계는 수평적이며 세부적인 업무 절차와 내용도 자체적으로 결정할 수 있다.

보기
ㄱ. (가)는 무사안일주의로 인한 비효율성이 나타날 가능성이 크다.
ㄴ. (나)는 외부의 환경 변화에 신속하고 유연하게 대처하기가 용이하다.
ㄷ. (가)는 (나)와 달리 공식적 통제 방식으로 갈등을 해결한다.
ㄹ. (나)는 (가)에 비해 업무 결정권이 분산되며, 구성원의 창의성이 발휘되기가 더 용이하다.

① ㄱ, ㄴ   ② ㄱ, ㄷ   ③ ㄷ, ㄹ
④ ㄱ, ㄴ, ㄹ   ⑤ ㄴ, ㄷ, ㄹ

04 ~ 일탈 행동

핵심 질문으로 흐름잡기

A 일탈 행동의 의미와 영향은?

B 일탈 행동을 설명하는 이론은?

❶ 일탈 행동과 범죄
일탈 행동은 범죄보다 더 폭넓은 개념으로서 모든 범죄는 사회적인 일탈 행동이지만, 모든 일탈 행동이 반드시 범죄가 되지는 않는다. 예를 들면 학교에 자주 무단결석하는 것은 일탈 행동에 해당하지만, 이를 범죄로 취급하지는 않는다.

A 일탈 행동의 의미와 영향

| 시·험·단·서 | 일탈 행동의 상대성 및 일탈 행동의 긍정적·부정적 영향을 묻는 문제가 자주 출제돼.

1. 일탈 행동의 의미와 특성

(1) **일탈 행동❶**: 한 사회에서 일반적으로 받아들여지는 사회 규범에 어긋나는 행동

　　예 지각, 친구와의 약속을 어기는 행위, 절도나 폭력 같은 범죄 행위 등

(2) **일탈 행동의 상대성** 자료1 ┌─ 어떤 행위가 일탈 행동인지의 여부는 한 개인이 구체적으로 무엇을 했는지보다 그 행위가 어떤 상황에서 발생했는지, 특정 시대와 사회의 구성원이 그것을 어떻게 보는지에 따라 결정돼.

　　① 일탈 행동을 판단하는 기준은 시대의 변화에 따라 달라짐

　　예 1970년대에는 장발과 미니스커트가 일탈 행동이었으나, 현재는 개성의 표현임

　　② 사회적 상황에 따라 일탈 행동이 상대적으로 규정됨

　　예 화려한 의상과 진한 분장은 공연장에서는 자연스럽지만, 학교에서는 일탈이 됨

2. 일탈 행동의 영향

(1) **긍정적 영향❷** 자료2

　　① 사회적 통제에서 벗어나 개인의 창의성을 발휘하는 기회를 제공함

　　② 사회 구성원이 느끼는 심리적 긴장감에서 벗어날 수 있음

　　③ 기존 사회 질서나 규범의 모순과 문제점이 표면에 드러나게 하여 사회 질서나 규범이 변화하는 계기가 됨

❷ 일탈 행동에 대한 제재와 사회 질서
일탈 행동에 대한 규정은 정상적인 행동과 구별되는 행동을 보여줌으로써 사회적으로 바람직한 행동의 기준을 제시한다. 또한, 일탈 행동에 대한 제재는 잠재적인 일탈 행위자에 대한 경고 효과가 있다. 일탈 행위자에 대하여 제재가 가해지면, 이를 본 사회 구성원들은 일탈 행동을 하지 않겠다는 생각을 하게 된다.

(2) **부정적 영향**　　　　　　　　　　　　　┌─ 일탈 행동은 그 사회의 통합과 존속을 저해할 수 있어서 사회적으로 바람직하지 못한 행동으로 여겨져. 대부분의 사회에서는 일탈 행동에 대해 공식적·비공식적 제재를 가하는 것이 일반적이지.

　　① 개인의 지속적인 일탈 행동 → 사회 부적응 유발

　　② 개인 및 집단의 일탈 행동 증가 → 사회 질서 유지 곤란, 사회 불안 초래

　　③ 일탈 행동의 증가로 인한 문제를 해결하기 위한 대책 마련 과정에서 사회적 비용 증가

B 일탈 행동을 설명하는 이론

| 시·험·단·서 | 일탈 행동에 대한 아노미 이론, 차별 교제 이론, 낙인 이론의 주장을 비교하는 문제가 자주 출제돼.

1. 일탈 행동의 원인을 설명하는 접근 방식

(1) **개인적 측면과 사회 구조적 측면에서 설명하는 방식**

　　① **개인적 측면**: 개인의 신체적 특징이나 심리적 특성을 일탈 행동의 원인으로 봄

　　② **사회적 측면**: 개인의 사회적 환경과 배경, 사회 구조와 개인의 관계 등 사회 구조적 차원에서 일탈 행동의 원인을 설명함
　　　┌─ 유전적으로 결함이 있거나 타고난 성격이 나쁜 사람들이 일탈 행동을 저지른다고 생각하는 거야.

(2) **일탈 행동을 판단하는 절대적 기준의 유무를 기준으로 하는 관점**

　　① **절대적 기준이 없다는 관점**: 한 사회에서 특정 행동이 일탈 행동으로 규정되는 과정에 대해서 관심을 기울임

　　② **절대적 기준이 있다는 관점**: 어떤 행동이 일탈 행동인지는 이미 정해져 있다고 보기 때문에, 누가 왜 일탈 행동을 하는지에 대해 관심을 기울임

❸ 뒤르켐의 아노미 이론

2. 아노미 이론 자료3

(1) **뒤르켐의 아노미 이론❸**　　　┌─ 규범이 없는 무규범 상태이거나 상충되는 규범이 섞인 이중 규범 상태가 있을 수 있어.

　　① **뒤르켐의 아노미**: 급격한 사회 변동으로 기존의 지배적인 규범이나 가치관이 무너지고, 이를 대체할 새로운 가치관이 확립되지 않은 혼란한 '무규범 상태'

자료 1 일탈 행동의 상대성 관련 문제 ▶ 102쪽 01번

(가) 지금도 어떤 나라에서는 여성이 교통수단으로 자전거를 이용할 수 없다. 자전거를 취미로 탈 수는 있지만, 교통수단으로 탈 수는 없다. 여성이 교통수단으로 자전거를 탈 경우에는 처벌을 받는다.

(나) 상대방이 거절하는데도 끈질기게 구애하는 것이 사랑을 얻기 위한 의지의 표현이라고 생각했던 때도 있었다. 하지만 지금은 상대방의 의사에 반하여 지속적으로 접근을 시도해 교제를 요구하면 '지속적 괴롭힘'으로 보고 처벌한다.

자료·분석 (가)는 사회에 따라 여성이 자전거를 교통수단으로 타는 행동을 일탈로 볼 수 있다는 내용이고, (나)는 시대의 변화에 따라 끈질긴 구애의 행동이 일탈로 여겨지게 되었다는 내용이다.

한·줄·핵·심 일탈 행동은 장소나 사회 또는 시대에 따라 상대적으로 정의될 수 있다.

자료 2 일탈 행동의 긍정적 영향 관련 문제 ▶ 102쪽 02번

일반적으로 서구적 축제의 기원으로 언급되는 카니발은 종교적 금욕기에 들어가기 전에 마지막으로 벌이는 먹고 마시는 향연의 시기이다. 이 시기에는 평소 사회적 금기로 여겨졌던 것들이 일시적으로 해제되었다. 민중들은 카니발을 통해 억압된 사회 속에서 자신의 삶을 이어나갈 수 있었다. 즉 카니발은 일상에서 억압된 본능을 해소할 수 있도록 제도적으로 허용함으로써, 이러한 본능이 정치적으로 폭발하지 않도록 방지하는 안정 장치 역할을 한다. — 류정아, 『축제 인류학』 —

자료·분석 카니발을 통해 사람들이 그동안 억눌린 감정을 제도적으로 해소하게 되는데, 이러한 카니발의 역할이 사회를 유지시키는 데 기여하고 있다는 내용이다.

한·줄·핵·심 일탈 행동은 사회에 구성원의 심리적 긴장을 완화하는 등의 긍정적 영향을 미칠 수 있다.

자료 3 아노미 이론 관련 문제 ▶ 103쪽 07번

(가) 사회가 빠르게 변동하면서 사회 규범이 혼란에 빠졌어요. 이에 따라 사람들이 어떤 가치를 따라야 할지 방향성을 잃으며 범죄가 점차 증가하고 있어요.

(나) 우리 사회는 물질적 성공에 큰 가치를 두고 있는데, 이를 이루기 위한 적절한 제도적 수단을 가지지 못한 사람들이 크게 늘고 있어요. 이들이 합법적인 수단을 이용하지 않고 물질적 성공을 달성하려고 하기 때문에 범죄가 점차 증가하고 있어요.

자료·분석 (가)는 사회의 변동으로 사회 규범이 모호해진 규범 혼란 상태를 범죄와 같은 일탈의 원인으로 보고 있는데, 이는 뒤르켐의 아노미 이론과 같은 입장이다. (나)는 물질적 성공이라는 사회적 목표를 달성하기 위한 제도적 수단을 가지지 못한 사람들이 일탈을 일으킨다고 보고 있는데, 이는 머튼의 아노미 이론과 같은 입장이다.

한·줄·핵·심 아노미 이론은 '무규범 상태'나 목표와 수단의 불일치가 일탈 행동의 원인이라고 본다.

궁금해요

Q. 머튼의 일탈 이론에 대해 자세히 알고 싶어요.

A. 머튼은 하층 노동 계급 청년들의 재산 범죄가 높은 이유를 아노미 이론으로 설명했어. 물질적 성공이라는 문화적 목표와 자신의 사회적 위치에서 제공되는 제도적 수단 사이에서 불일치를 경험하게 되고, 그 결과 하층 노동 계급 청년들이 재산 범죄율에서 높은 비중을 차지하게 된다고 보았어.

용어 더하기

* **일탈**
  일탈(逸脫)은 글자 그대로 달아날 일(逸)과 벗어날 탈(脫)로, 일상적으로 이루어지는 안정적 상태에서 벗어나는 행위를 뜻한다.

* **사회 규범**
  사회에서 공동생활을 해 나가기 위해 사회 구성원이 지켜야 할 행위의 기준이나 규칙을 말한다. 법, 도덕, 관습, 종교 규범 등이 있다.

* **아노미**
  신의(神意)와 법(法)의 부재를 뜻하는 그리스어 '아노미아(anomia)'에서 유래한 용어로, 뒤르켐이 『사회 분업론』과 『자살론』을 통해 사회적 가치나 도덕적 규범이 상실된 무법, 무질서의 혼돈 상태를 나타내는 개념으로 사용하였다.

04 ～ 일탈 행동

 머튼의 아노미 이론

달성하고자 하는
문화적 목표의 존재

↓

목표를 달성할 수 있는
합법적 수단의 부재

↓

목표와 수단 간의 괴리에 따라
일탈 행동 발생

② **일탈 행동의 원인**: 급속한 사회 변동으로 인한 지배적인 사회 규범 약화, 새로운 가치관이 미처 확립되지 않아서 기존 규범과 새로운 규범 혼재

③ **사례**: 구소련의 붕괴 후 극심한 이데올로기적 혼란 상황에서 절도와 강도 등의 범죄 증가

④ **해결 방안**: 사회 규범의 정립을 통한 사회 통제* 기능 회복, 규범 교육의 강화 등

└─ 규범 교육을 통해 새로운 가치관을
확립할 수 있어.

(2) 머튼의 아노미 이론

① **머튼의 아노미**: 문화적 목표와 제도적 수단 간의 괴리에 따른 가치관의 혼란 상태

② **일탈 행동의 원인**: 사회적으로 달성하고자 하는 문화적 목표가 있는데 그 목표를 달성하기 위한 수단이 제대로 갖추어지지 않은 아노미 상태

③ **사례**: 시험 성적을 올리기 위해 부정행위를 하는 것 등

④ **해결 방안**: 문화적 목표를 이룰 수 있는 적합한 수단의 제공 등

(3) 아노미 이론의 의의와 한계

① **의의**: 사회 구조적 관점에서 일탈 행동의 원인을 찾음

② **한계**: 일탈 행동이 나타나는 구체적 맥락이나 과정 간과, 개인 간의 상호 작용이 일탈 행동에 미치는 영향 간과

❺ 차별 교제(差別交際) 이론
사회에는 많은 집단과 문화가 있어서 서로 다른 유형의 가치나 정의를 학습할 수 있는데, 사회의 일부 집단은 법률에 반하는 가치를 다른 집단에 비해 많이 가지고 있어 높은 범죄율을 보인다. 이러한 집단과의 교류가 일탈을 불러일으킨다는 이론이 차별 교제 이론이다.

3. 차별 교제 이론❺ [자료 4]
┌─ 일탈 행동이 발생하는 과정을 설명하는 데 용이하고, 사회적 상호 작용과
사회적 학습 과정에 주목함으로써 일탈 연구에 큰 기여를 하였어.

(1) 일탈 행동의 원인: 일탈 행동을 하는 집단과 지속적으로 접촉하여 일탈 행동의 방법과 일탈 행동을 정당화하는 가치관을 학습함

(2) 사례: 우범 지역에 거주하는 청소년은 일탈 행동을 하는 친구와 사귀면서 준법의식이 낮아지고 일탈 행동에 대한 도덕적 저항감이 낮아져 일탈 행동을 하게 됨

(3) 해결 방안: 일탈 행동을 하는 사람과의 접촉 차단 및 정상적인 사회 집단과의 교류 촉진 등

(4) 한계: 일탈 행위자와 장기간 접촉해도 일탈자가 되지 않는 경우, 일탈 집단과의 접촉 없이 나타나는 일탈 행동 및 우연적이고 충동적인 범죄를 설명하지 못함

낙인 이론에서는
일탈을 규정하는
객관적인 기준이
없다고 봐.

4. 낙인 이론 [자료 5]
┌─ 낙인 이론에서는 일탈 행동의 상대성을 강조해. 즉 일탈은 특정 행위 자체가 가지는 본질적인
특성이 아니라, 그 행위가 발생하는 상황과 여건에 따라 규정되는 것이라고 봐.

(1) 일탈 행동의 원인: 특정 행동을 일탈 행동으로 규정한 후, 그러한 행동을 한 사람들을 일탈자로 낙인* 찍었기 때문에 일탈 행동이 발생한다고 봄 → 일탈 행동의 상대성 강조

(2) 1차적 일탈과 2차적 일탈

① **1차적 일탈**: 일시적으로 발생하여 다른 사람의 눈에 띄지 않고 문제시되지 않는 일탈

② **2차적 일탈**: 1차적 일탈이 발각되어 일탈자로 낙인 찍힌 사람이 낙인을 받아들여 계속 일탈 행동을 하는 것 └─ 일상생활에서 신호등을 위반하는 것과 같은 가벼운 일탈 행동을 1차적 일탈이라고 해.

(3) 사례: 우발적으로 범죄를 저질러 실형을 선고받고 복역한 전과자가 출소 후에 전과자라는 사회적 편견 때문에 범죄를 계속 저지르게 되는 것

(4) 해결 방안: 타인의 행동에 대한 신중한 낙인, 일탈자의 올바른 정체성 회복을 위한 재사회화 지원 등

(5) 한계: 최초의 일탈이나 범죄의 원인을 설명하지 못하고, 낙인을 받았더라도 일탈을 하지 않은 경우를 설명하지 못함

5. 일탈 행동의 해결

(1) 발생 원인이 복합적이기 때문에 다양한 관점에서 일탈 행동의 원인을 분석해야 함

(2) 일탈 행동에 대한 종합적인 이해를 바탕으로 모든 이론을 조화롭게 활용하여 적절한 대책을 모색해야 함

일탈 행동 이론

아노미 이론	무규범 상태, 문화적 목표와 제도적 수단 간의 괴리 상태에서 일탈이 발생함
차별 교제 이론	타인과의 상호 작용을 통해 일탈을 학습함
낙인 이론	1차적 일탈에 대한 낙인으로 부정적 자아가 형성되어 2차적 일탈이 발생함

자료 4 **차별 교제 이론** 관련 문제 ▶ 103쪽 08번

부현(傅玄)이 편찬한 『태자소부잠(太子少傅箴)』에 '근묵자흑(近墨者黑) 근주자적(近朱者赤)'이라는 구절이 나온다. 검은 것을 가까이하면 검어지고, 붉은 것을 가까이하면 붉어진다는 뜻이다. 사람도 주위 환경이나 친구의 성향에 따라 변할 수 있다. 훌륭한 스승이나 모범적인 친구를 만나면 그 행실을 보고 배워 자연스럽게 스승이나 친구를 닮게 되고, 나쁜 무리와 어울리면 보고 듣는 것이 언제나 그릇된 것뿐이어서 자신도 모르게 그릇된 방향으로 나아가게 된다는 것을 일깨운 고사성어이다.

또한, 공자가 말한 '지란지교(芝蘭之交)'는 "착한 사람과 함께 있으면 마치 향기 그윽한 난초가 있는 방에 들어간 것과 같아서, 그와 함께 오래 지내면 비록 그 향기는 맡을 수 없게 되지만 자연히 그에게 동화되어 착한 사람이 된다. 그러나 악한 사람과 같이 있으면 마치 악취가 풍기는 절인 어물을 파는 가게에 들어간 것과 같아서, 그와 함께 오래 지내면 비록 그 악취는 맡지 못하더라도 그에게 동화되어 악한 사람이 된다."라는 내용이다.

자료·분석 차별 교제 이론은 일탈 행동을 하는 사람들과의 지속적인 상호 작용을 통해 일탈 행동의 방법과 정당화하는 가치관을 학습한다고 본다. '근묵자흑'이나 '지란지교'는 주위 환경이나 친구의 중요성을 강조하면서 일탈 행동의 발생 원인과 그 해결 방안을 동시에 제시하고 있다.

한·줄·핵·심 차별 교제 이론은 개인의 일탈 행동을 주변과의 상호 작용에 주목하여 설명한다.

자료 5 **낙인 이론** 관련 문제 ▶ 105쪽 06번

(가) 명문대 재학생들이 주말에 술을 마시다가 자동차 유리를 깬 것과 막노동을 하는 같은 연령대의 젊은이들이 술을 마시다가 자동차 유리를 깬 것의 사회적 반응은 다르게 나타날 수 있다. 명문대 재학생들에게는 흥을 이기지 못하고 실수하였다고 생각해 가볍게 넘어갈 수도 있지만, 똑같은 행동을 한 막노동을 하는 젊은이들에게는 범죄자라는 꼬리표가 붙을 수도 있다.　　　　　　　　 – 크리스토퍼 소프 외, 『사회학의 책』 –

(나) 에드와르도는 보통의 평범한 아이였다. 가끔 물건을 발로 차거나 아이들을 괴롭히면 어른들이 "넌 정말 못된 아이구나!"라고 하였고, 에드와르도의 행동은 점점 심해져 "세상에서 가장 못된 아이"라는 이야기를 듣게 되었다. 어느 날 에드와르도가 발로 찬 화분이 흙 위에 떨어졌다. 그것을 본 한 어른이 "에드와르도야, 정원을 가꾸기 시작했구나. 정말 예쁘다. 다른 식물들도 좀 더 심어 보렴."이라고 칭찬하였다. 에드와르도가 정성껏 식물을 기르자 사람들은 자기 정원을 맡겼고 에드와르도는 조금씩 변해 갔다.　　　　　　　　 – 존 버닝햄, 『에드와르도, 세상에서 가장 못된 아이』 –

자료·분석 낙인 이론은 자료 (가)에서처럼 특정 행동을 바라보는 사회 구성원의 반응에 따라 일탈 행동의 여부가 결정된다고 본다. 그리고 자료 (나)에서는 부정적인 주변의 시선이 아이를 더욱 말썽꾸러기로 만들었지만, 긍정적 인식을 해 주자 아이가 바뀌어 갔다. 이것은 낙인찍힌 사람은 주변 사람들의 일반적인 태도와 기대에 맞추어 자신의 역할을 학습하고 행동하게 되지만, 낙인의 대상이 올바른 가치관을 지닐 수 있도록 재사회화를 지원해 줌으로써 일탈 행동을 해결할 수 있다고 보는 것이다.

한·줄·핵·심 낙인 이론은 일탈 행동을 규정하는 기준이 특정 행동 자체에 있는 것이 아니라 주변의 인식에 따라 달라질 수 있다고 본다.

Q. 낙인 이론에서 일탈 행동은 어떻게 규정되나요?

A. 낙인 이론에서는 특정 행동을 일탈 행동으로 규정한 후, 그러한 행동을 한 사람들을 일탈자로 낙인 찍었기 때문에 일탈 행동이 발생한다고 설명해. 즉 일탈은 사회적으로 힘 있는 집단이 자신들과 다른 행동 양식이나 태도를 보인 집단이나 사람들을 일탈자로 규정한 결과라고 보는 거지.

용어 더하기

* **사회 통제**
사회가 질서를 유지하고 존속하도록 구성원에게 강제력을 가하는 것

* **낙인(烙印; stigma)**
낙인은 부정적인 고정 관념을 강하게 심는 것을 의미한다. 원래는 쇠붙이를 불에 달구어 찍는 도장을 의미하는 것으로, 가축이 자신의 소유임을 알리거나 범죄자를 쉽게 알아보기 위해서 사용하였다.

일탈 행동을 설명하는 이론들

개념풀 Guide 일탈 행동의 발생 원인 및 해결 방안을 각각의 이론에 따라 구분하여 정리해 보자.

1. 일탈 행동을 설명하는 다양한 이론들 관련 문제 ▶ 104쪽 02번

(가) 공식적으로 일탈자라고 규정되면 성공을 위한 합법적 수단으로부터 배제되고 일탈자라는 자아 개념을 가지게 되어, 미래의 일탈 가능성이 증가하게 된다. 결국, 일탈자라고 규정짓는 것은 사회적 지위를 부여하는 것과 같다.

(나) 경제적 성공을 강조하는 문화를 구성원 모두가 공유하는 사회에서, 제도화된 수단이 부족한 특정 계층은 성공에 어려움을 겪게 된다. 따라서 이들은 불법적인 방법을 통해서라도 성공하려고 시도함으로써 일탈 행동을 하게 된다.

(다) 하층에 속한 사람들이 일탈 행동을 많이 한다는 주장이 있지만, 하층에서도 일부만 일탈 행동을 한다. 이들이 일탈 행동을 하는 것은 일탈자와의 상호 작용을 통해 일탈적 가치와 태도를 수용하기 때문이다.

분석 • (가)는 주변으로부터 일탈자로 규정되면 부정적 자아 개념이 형성되어 앞으로의 일탈 가능성이 늘어난다고 보는 낙인 이론의 시각이다.

• (나)는 경제적 성공이라는 문화적 목표와 실제로 부자가 될 수 있는 제도적 수단과의 괴리로 일탈이 나타난다는 머튼의 아노미 이론이다.

• (다)는 일탈자와의 상호 작용을 통해 일탈적 가치와 태도를 수용한다는 차별 교제 이론이다.

2. 아노미 이론과 낙인 이론 관련 문제 ▶ 105쪽 07번

 통계에 따르면, 범죄자의 다수는 하류 계층 출신인 것으로 나타났습니다. 이에 대한 의견을 말씀해 주십시오.

 누구나 물질적 풍요를 원하지만 하류 계층 사람들은 상류 계층에 비해서 제도적 수단이 부족하여 불법적 수단을 더 많이 선택하기 때문입니다.

 하류 계층 사람들의 행동에 대한 부정적 인식과 그에 따른 사회적 반응의 결과라고 생각합니다. 하류 계층의 행동을 더 위험하게 생각하여 범죄로 규정할 가능성이 크기 때문입니다.

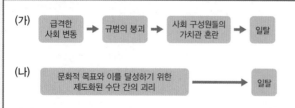

분석 • 갑은 문화적 목표와 제도적 수단 사이의 괴리를 일탈의 원인으로 보고 있으므로, 머튼의 아노미 이론의 입장이다.

• 을은 사회의 부정적 인식과 그에 따른 사회적 반응이 일탈을 일으킨다고 보므로 낙인 이론의 입장이다.

3. 일탈을 설명하는 아노미 이론

(가) 급격한 사회 변동 → 규범의 붕괴 → 사회 구성원들의 가치관 혼란 → 일탈

(나) 문화적 목표와 이를 달성하기 위한 제도화된 수단 간의 괴리 → 일탈

분석 • (가)는 급격한 사회 변동으로 인해 기존의 지배적인 규범이나 가치관이 무너지고, 이를 대체할 새로운 가치관이 확립되지 않아 나타나는 사회적 혼란이 일탈을 초래한다고 보는 뒤르켐의 아노미 이론을 도식화한 것이다.

• (나)는 문화적 목표와 목표 달성을 위해 사회가 인정한 제도적 수단 간의 불일치로 인해 나타나는 일탈 현상을 설명하는 머튼의 아노미 이론을 도식화한 것이다.

4. 일탈 행동 이론

(가) 최초의 일탈 행동 발생 → 사법 기관에 의한 차별적 법 집행 → 새로운 정체성 형성과 수용 → 일탈 행동 증가

(나) 일탈자와의 교류 증가 → 상호 작용을 통한 학습 과정 → 법 위반에 대한 호의적인 가치나 태도 습득 → 일탈 행동 증가

(다) 물질적 성공에 대한 욕구 증가 → 성공을 위한 합법적 수단 부족 → 문화적 목표와 수단 간 괴리 현상 발생 → 일탈 행동 증가

분석 • (가)는 낙인 이론의 관점을 나타낸다.

• (나)는 차별 교제 이론의 관점을 나타낸다.

• (다)는 머튼의 아노미 이론의 관점을 나타낸다.

A 일탈 행동의 의미와 영향

01 다음 내용이 옳으면 ○표, 틀리면 ×표를 하시오.

(1) 일탈 행동을 규정하는 기준은 장소와 사회에 따라 달라지지 않고 동일하다. (　　　)

(2) 일탈 행동은 사회 질서에 혼란을 가져와 사회 불안정을 초래하는 등 사회에 부정적인 영향만을 끼친다. (　　　)

(3) 우리나라에서 1970년대에는 여성이 짧은 치마를 입고 다니는 것을 단속하였지만 지금은 그렇지 않은 것은, 일탈이 시대에 따라 상대성을 지니고 있음을 보여 주는 사례이다. (　　　)

B 일탈 행동을 설명하는 이론

02 알맞은 말에 ○표를 하시오.

(1) 뒤르켐은 (급격한, 완만한) 사회 변동으로 규범이 부재하거나 혼재되어 있는 상태에서 일탈 행동이 나타난다고 보았다.

(2) 머튼은 (합법, 비합법)적인 수단을 사용해서 문화적 목표를 달성하려고 할 때 일탈 행동이 발생한다고 보았다.

(3) 뒤르켐과 머튼은 모두 (낙인, 아노미) 상태에서 일탈 행동이 나타난다고 주장하였다.

03 빈칸에 알맞은 말을 쓰시오.

(1) 차별 교제 이론에서는 개인이 일탈 행동을 하는 사람들과 지속적으로 □□ □□하면서 일탈 행동을 학습한다고 본다.

(2) 차별 교제 이론은 일탈 행동을 하는 집단과 지속적으로 접촉하여 일탈 행동의 ㉠□□와/과 일탈 행동을 정당화하는 ㉡□□□을/를 학습하게 된다고 보기 때문에 정상적인 사회 집단과의 교류를 촉진해야 한다고 주장한다.

04 밑줄 친 부분을 바르게 고쳐 빈칸에 쓰시오.

(1) 낙인 이론에서는 일탈 행동의 절대성을 강조하며 특정한 행동 자체보다 행동에 대한 사람들의 반응이 일탈 행동을 규정하는 데 큰 영향을 미친다고 본다. (　　　　　)

(2) 주변 사람들의 부정적 낙인으로 개인이 가지는 행동 선택의 자유가 위축되고 부정적인 자아가 형성되면 1차적 일탈을 저지르게 된다. (　　　　　)

05 일탈 이론과 그에 대한 대책을 바르게 연결하시오.

(1) 낙인 이론　　　　　　•　　　•㉠ 규범 교육의 강화

(2) 차별 교제 이론　　　　•　　　•㉡ 일탈 집단과의 교류 차단

(3) 아노미 이론(머튼)　　•　　　•㉢ 일탈자를 위한 재사회화 지원

(4) 아노미 이론(뒤르켐)•　　　•㉣ 문화적 목표를 이룰 적합한 수단 제공

탄탄! 내신 다지기

A 일탈 행동의 의미와 영향

01 다음 글을 통해 알 수 있는 일탈 행동의 특성으로 가장 적절한 것은?

> 상대방이 거절하는데도 끈질기게 구애하는 것이 사랑을 얻기 위한 의지의 표현이라고 생각했던 때도 있었다. 하지만 지금은 상대방의 의사에 반하여 지속하여 접근을 시도해 교제를 요구하면 '지속적 괴롭힘'으로 보고 처벌한다.

① 일탈 행동은 상대적으로 규정된다.
② 아노미 상태가 일탈 행동을 야기한다.
③ 일탈 행동은 학습에 의해 이루어진다.
④ 지배 집단과의 갈등으로 일탈이 발생한다.
⑤ 일탈에 대한 객관적 기준은 존재하지 않는다.

02 다음 글에 나타난 일탈 행동의 영향으로 가장 적절한 것은?

> 일반적으로 서구적 축제의 기원으로 언급되는 카니발은 종교적 금욕기에 들어가기 전에 마지막으로 벌이는 먹고 마시는 향연의 시기이다. 이 시기에는 평소 사회적 금기로 여겨졌던 것들이 일시적으로 해제되었다. 카니발은 일상에서 억압된 본능을 해소할 수 있도록 제도적으로 허용함으로써, 이러한 본능이 정치적으로 폭발하지 않도록 방지하는 안전 장치 역할을 하였다.

① 사회 질서의 유지가 어려워지고 사회 불안을 초래한다.
② 사회 구성원이 느끼는 심리적 긴장에서 벗어나는 기회를 제공한다.
③ 기존 사회 질서나 규범의 모순과 문제점을 표면에 드러내는 역할을 한다.
④ 사회적 통제에서 벗어나 개인의 창의성을 발휘하는 통로의 기능을 한다.
⑤ 다른 구성원으로부터 부정적인 평가를 받게 되어 사회 부적응에 빠질 우려가 있다.

B 일탈 행동을 설명하는 이론

03 다음 글의 일탈 행동을 바라보는 관점에 부합하는 진술은?

> 사회 질서는 외적 규제인 사회 통제와 내적 규제인 사회화를 통해 유지되는데, 일탈은 이러한 규제력들이 약화하였을 때 발생한다. 아울러 외적 규제가 약화하더라도 도덕적 규범이 내면화되어 내적 규제력을 발휘한다면 일탈은 발생하지 않을 수 있다.

① 일탈을 규정하는 절대적인 기준은 존재하지 않는다.
② 일탈 집단과의 접촉과 학습을 통해 일탈 행동이 발생한다.
③ 불평등한 사회 구조와 계급 갈등이 일탈 행동의 원인이 된다.
④ 일탈 행동은 문화적 목표와 수단 간의 괴리 때문에 발생한다.
⑤ 사회적 합의를 통한 지배적 규범의 정립을 통해 일탈 문제를 해결할 수 있다.

04 일탈 행동을 설명하는 (가), (나)의 이론을 바르게 연결한 것은?

> (가) 1차적 일탈 발생 → 일탈 행동에 따른 사회의 부정적 인식 → 부정적 자아 정체성 형성과 수용 → 일탈 행동 증가
> (나) 물질적 성공에 대한 욕구 증가 → 성공을 위한 합법적 수단 부족 → 문화적 목표와 제도적 수단 간 괴리 발생 → 일탈 행동 증가

	(가)	(나)
①	낙인 이론	아노미 이론
②	낙인 이론	차별 교제 이론
③	아노미 이론	낙인 이론
④	아노미 이론	차별 교제 이론
⑤	차별 교제 이론	아노미 이론

05 다음 글에 나타난 일탈 이론에 대한 설명으로 옳은 것은?

> 어떤 행동이 일탈 행동인가에 관한 객관적 기준은 존재하지 않는다. 일탈 행동은 사회 구성원이 "그것이 일탈 행동이다."라고 규정하기 때문에 생겨난다. 일탈 행동에 관한 사회적 규정은 사회적 행동과 상황에 따라 다르게 나타나는 것이 일반적이다.

① 일탈 행동이 무규범 상태에서 발생한다고 본다.
② 전과자가 지속해서 범죄를 저지르는 것을 설명하기 쉽다.
③ 일탈 행동은 목표와 수단 간의 괴리로 인해 발생한다고 본다.
④ 일탈 행동을 해결하려면 사회 규범의 통제력을 회복해야 한다고 주장한다.
⑤ 일탈자와 지속해서 접촉해도 일탈 행동을 하지 않는 사례를 설명하기 어렵다.

06 다음 글에 나타난 일탈 이론에 대한 설명으로 옳은 것은?

> 범죄가 높은 비율로 나타나는 A 지역은 주민들의 인종 구성이 과거에 비해 크게 변화했지만, 범죄 발생률은 높게 유지되었다. 이에 연구자 갑은 A 지역을 조사하여 지역 공동체 문화 유형과 범죄가 연관되어 있음을 밝혔다. 갑은 일탈 행위가 공동체 문화의 한 형태로 내재하여 있으며, 구성원들은 동조적 태도로 일탈의 가치와 기술을 전달한다고 보았다.

① 일탈 행동의 원인을 규범 부재에서 찾는다.
② 차별적인 제재가 일탈 행동의 원인이라고 본다.
③ 일탈 행동을 규정하는 절대적인 기준이 없다고 본다.
④ 일탈자와의 상호 작용을 통해 일탈 행동이 학습된다고 본다.
⑤ 일탈 행동 자체보다 일탈 행동에 대한 사회적 반응에 주목한다.

07 (가), (나)에 나타난 일탈 이론에 대한 옳은 설명만을 〈보기〉에서 있는 대로 고른 것은?

> (가) 사회가 빠르게 변동하면서 사회 규범이 혼란에 빠졌다. 사람들이 사익과 공익, 개인과 공동체, 물질적 성공과 정신적 가치 중 무엇을 따라야 할지 방향성을 잃으며 범죄가 증가하고 있다.
> (나) 우리 사회는 물질적 성공에 큰 가치를 두고 있는데, 성공을 위한 제도적 수단이 부족하다. 따라서 합법적인 수단을 이용하지 않고 성공하려는 사람이 늘어나고 있다.

보기
ㄱ. (가)는 지배적인 규범의 부재를 일탈 행동의 원인으로 본다.
ㄴ. (나)의 사례로 광복 이후 우리 사회의 이념적 혼란을 들 수 있다.
ㄷ. (가), (나)는 모두 아노미 상태에서 일탈 행동이 일어난다고 설명한다.
ㄹ. 일탈 행동의 대책으로 (가)는 지배적인 규범 정립을, (나)는 목표 달성 기회의 균등 보장을 주장한다.

① ㄱ, ㄴ   ② ㄱ, ㄷ   ③ ㄴ, ㄹ
④ ㄱ, ㄷ, ㄹ   ⑤ ㄴ, ㄷ, ㄹ

서술형 문제

08 다음 고사성어들과 관련된 일탈 이론을 쓰고, 해당 이론의 관점에서 일탈 행동의 발생 원인을 설명하시오.

> • 지란지교(芝蘭之交)
> • 맹모삼천지교(孟母三遷之敎)
> • 근묵자흑(近墨者黑) 근주자적(近珠者赤)

01 일탈 행동과 관련하여 자료에 대한 분석으로 옳은 것은?

> 수단에서는 여성이 바지를 입는 것을 법으로 금지한다. 2009년 수단의 여기자인 후세인은 이 규정이 여성의 인권을 침해한다며 바지를 입으며 항의했고, 이 과정에서 결국 체포되었다. 후세인의 이러한 행동은 수단 여성들의 인권 의식에 영향을 미쳤다.

① 일탈 행동은 사회에 부정적인 영향을 미친다.
② 일탈 행동을 규정하는 보편적 기준이 존재한다.
③ 사회는 모든 일탈 행동에 대해 법적인 처벌을 가한다.
④ 개인의 지속적 일탈은 사회 부적응의 문제를 야기한다.
⑤ 일탈 행동은 잠재된 문제를 표출시켜 사회 변화의 계기를 마련한다.

수능 기출

02 일탈 이론 (가)~(다)에 대한 설명으로 옳은 것은?

> (가) 공식적으로 일탈자라고 규정되면 성공을 위한 합법적 수단으로부터 배제되고 일탈자라는 자아 개념을 가지게 되어, 미래의 일탈 가능성이 증가하게 된다.
> (나) 경제적 성공을 강조하는 문화를 구성원 모두가 공유하는 사회에서, 제도화된 수단이 부족한 특정 계층은 성공에 어려움을 겪게 된다. 따라서 이들은 불법적인 방법을 통해서라도 성공하려고 시도함으로써 일탈 행동을 하게 된다.
> (다) 하층에 속한 사람들이 일탈 행동을 많이 한다는 주장이 있지만, 하층에서도 일부만 일탈 행동을 한다. 이들이 일탈 행동을 하는 것은 일탈자와의 상호 작용을 통해 일탈적 가치와 태도를 수용하기 때문이다.

① (가)는 (다)와 달리 사회의 지배적 가치와 규범을 사회화하지 못함으로써 일탈 행동이 발생한다고 본다.
② (나)는 (가)와 달리 일탈 행동의 발생에 있어 타인과의 상호 작용을 통한 학습 과정을 강조한다.
③ (다)는 (나)와 달리 일탈 행동을 초래하는 사회 구조의 영향력을 강조한다.
④ (가)는 (나), (다)와 달리 일탈이 행동의 속성이 아니라 그에 대한 사회적 반응에 의해 규정된다고 본다.
⑤ (나)는 (가), (다)와 달리 지배 집단의 기득권 보호를 위한 사회 제도 때문에 일탈 행동이 발생한다고 본다.

03 표는 다양한 일탈 이론을 정리한 것이다. 이에 대한 옳은 설명을 〈보기〉에서 고른 것은?

구분	일탈 행동의 발생 원인
(가)	문화적 목표와 제도적 수단 간의 괴리
(나)	일탈자와의 지속적인 접촉에 의한 일탈 행동의 학습
낙인 이론	(다)

> **보기**
> ㄱ. (가)의 일탈 행동 사례로 공무원의 뇌물 승진을 들 수 있다.
> ㄴ. (나)는 일탈 행동에 대한 객관적인 기준이 존재하지 않는다고 전제한다.
> ㄷ. (다)에는 '특정 행동에 대한 사회의 부정적인 낙인'이 들어갈 수 있다.
> ㄹ. (가)는 (나)보다 일탈 행동의 상대성을 더 강조한다.

① ㄱ, ㄴ   ② ㄱ, ㄷ   ③ ㄴ, ㄷ
④ ㄴ, ㄹ   ⑤ ㄷ, ㄹ

04 (가), (나)에 나타난 일탈 행동을 바라보는 관점에 대한 설명으로 옳은 것은?

> (가) 갑이 장난삼아 저지른 참외 서리에 대해 주위 사람들이 그를 '못된 놈'이라면서 멀리하였고, 이후 갑은 스스로를 나쁜 사람으로 생각하며 나쁜 짓을 계속하였다.
> (나) 을도 남들처럼 돈을 벌어 성공하고 싶었다. 그러나 을은 중학교 중퇴로 학력도 낮을뿐더러 변변한 기술을 갖고 있지 않아, 절도와 사기 등으로 생활비를 마련하였다.

① (가)는 일탈 행동을 규정하는 절대적 기준은 없다고 주장한다.
② (나)는 개인 간의 상호 작용에 의해 일탈 행동이 발생한다고 본다.
③ (가)는 (나)와 달리 일탈자를 대상으로 한 재사회화의 필요성을 인정하지 않는다.
④ (나)는 (가)보다 일탈 행동을 일으키는 사회 구조의 영향력을 간과한다.
⑤ (가), (나)는 모두 사회 지배 계층이 자신들의 가치관에서 벗어난 행동을 일탈 행동으로 규정한다고 본다.

05 다음 제도들은 특정 일탈 이론에서 제시하는 일탈 행동의 해결 방안이다. 이 이론에 관한 설명으로 옳은 것은?

> • 전과가 있더라도 마지막 범죄를 저지른 후 여러 해 동안 아무런 죄를 짓지 않고 살았으면 그 사람의 신청에 따라 전과 기록을 말소해 주는 제도가 있다.
> • 범법 행위를 한 소년이 소년원에서 학교 과정을 마치면 소년원에 수용되기 전까지 다녔던 학교의 졸업 증명서를 받을 수 있다.

① 일탈 행동의 원인이 사회 구조에 있다고 본다.
② 규범 혼란 상태가 일탈 행동의 원인이라고 본다.
③ 일탈 행동 자체보다 그에 대한 사회적 반응에 주목한다.
④ 일탈 행동이 목표와 수단 간의 괴리 때문에 발생한다고 본다.
⑤ 일탈자와의 접촉을 통한 학습으로 일탈 행동이 발생한다고 본다.

06 다음 글과 관련 있는 일탈 이론에 대한 옳은 설명을 〈보기〉에서 고른 것은?

> 명문대 재학생들이 주말에 술을 마시다가 자동차 유리를 깬 것과 막노동을 하는 같은 연령대의 젊은이들이 술을 마시다가 자동차 유리를 깬 것의 사회적 반응은 다르게 나타날 수 있다. 명문대 재학생들에게는 흥을 이기지 못하고 실수하였다고 생각해 가볍게 넘어갈 수도 있지만, 똑같은 행동을 한 막노동을 하는 젊은이들에게는 범죄자라는 꼬리표가 붙을 수도 있다.

보기
ㄱ. 일탈의 원인을 사회 구조적 측면에서 규명하고자 한다.
ㄴ. 사회 주류 세력의 인식에 따라 대상자의 정체성 형성에 영향을 줄 수 있다고 본다.
ㄷ. 특정 행위에 대해 낙인을 신중하게 하는 것이 문제 해결의 방법이 될 수 있다고 본다.
ㄹ. 사회적 목표를 달성하기 위한 적절한 수단이 공정하게 제공되는 해결 방안을 제시한다.

① ㄱ, ㄴ   ② ㄱ, ㄷ   ③ ㄴ, ㄷ
④ ㄴ, ㄹ   ⑤ ㄷ, ㄹ

07 다음 대화에 나타난 갑, 을의 일탈 이론에 대한 설명으로 옳은 것은?

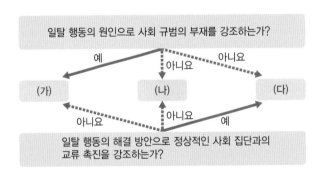

① 갑의 이론은 일탈 행동이 타인과의 상호 작용에서 비롯된다고 본다.
② 을의 이론은 부정적 자아가 형성되어 일탈 행동이 반복된다고 본다.
③ 갑의 이론은 을의 이론과 달리 일탈 행동을 미시적 관점에서 바라보고 있다.
④ 을의 이론은 갑의 이론과 달리 일탈을 규정하는 객관적 기준이 존재한다고 본다.
⑤ 갑, 을의 이론 모두 일탈 행동에 대한 대책으로 강력한 사회 통제를 강조한다.

08 그림의 일탈 이론 (가)~(다)에 대한 설명으로 옳은 것은? (단, (가)~(다)는 각각 낙인 이론, 뒤르켐의 아노미 이론, 차별 교제 이론 중 하나이다.)

일탈 행동의 원인으로 사회 규범의 부재를 강조하는가?

예 → (가)   아니요 ↓ (나)   아니요 → (다)

(가)   (나)   (다)

아니요 ← (가)   아니요 ↓ (나)   예 → (다)

일탈 행동의 해결 방안으로 정상적인 사회 집단과의 교류 촉진을 강조하는가?

① (가)는 일탈 행동의 상대성을 강조한다.
② (나)는 일탈 행동 자체보다 상호 작용을 통한 낙인 과정에 주목한다.
③ (다)는 급격한 사회 변동으로 인해 일탈 행동이 촉발된다고 본다.
④ (나)는 (다)와 달리 일탈 행동이 문화적 목표와 제도적 수단 간 괴리에서 비롯된다고 본다.
⑤ (가)~(다) 모두 일탈 행동에 대한 대책으로 불평등 구조의 근본적인 변화를 강조한다.

01
개인과 사회의 관계

A 사회 구조의 이해

(1) **사회 구조**: 사회적 관계가 정형화되어 안정된 틀을 이룬 상태

(2) **사회 구조의 특징**

지속성	사회 구성원이 바뀌어도 쉽게 바뀌지 않고 유지됨
안정성	구조화된 행동으로 안정적인 사회적 관계가 유지됨
변동성	사회 구성원의 가치관이나 행동 변화에 따라 변화함
강제성	의지와 상관없이 특정 행동을 하도록 개인을 구속함

B 개인과 사회의 관계를 보는 관점

(1) **사회 실재론**

기본 입장	• 사회는 개인의 합을 넘는 존재로, 개인과 별도로 실제로 존재함 → 개인보다 사회의 우월성 강조 • 사회는 개인의 사고와 행동에 영향을 미침
사회·문화 현상 이해	사회 구조나 사회 제도 등에 초점을 둠 → 사회 문제의 해결책으로 사회 구조나 제도의 개선 강조
관련 이론	집단주의, 전체주의, 사회 유기체설
장점	사회가 개인의 사고와 행동에 어떤 영향을 미치는지를 설명할 수 있음
한계	개인의 자율성을 경시하며, 지나칠 경우 전체주의를 정당화할 우려가 있음

(2) **사회 명목론**

기본 입장	• 사회는 단순한 개인의 집합체이며, 독립적인 실체로서 존재하지 않음 → 사회보다 개인의 우월성 강조 • 개인은 자신의 자유 의지에 따라 행동함 → 개인의 자율성 강조
사회·문화 현상 이해	개인의 특성과 행동 양식에 초점을 둠 → 사회 문제의 해결책으로 개인의 의식과 행동 변화 중시
관련 이론	개인주의, 자유주의, 사회 계약설
장점	개인의 자유 의지에 기초한 능동적인 행동을 설명할 수 있음
한계	개인에 대한 사회의 영향력을 간과하며, 극단적 개인주의로 흐를 우려가 있음

02
사회적 존재로서의 인간

A 인간의 사회화

(1) **사회화**: 사회적 존재로 인간이 살아가는 데 필요한 지식, 기능, 가치 판단 기준 등을 내면화하는 과정

(2) **사회화의 유형**

재사회화	사회의 변동이나 개인의 환경 변화에 적응하기 위해 새로운 지식이나 가치, 행동 양식 등을 습득하는 과정
예기 사회화	미래에 속하게 될 특정 사회나 집단에 적응하는 데 필요한 규범이나 기술 등을 미리 학습하는 과정

B 사회화 기관

구분	• 사회화 내용: 1차적 사회화 기관, 2차적 사회화 기관 • 형성 목적: 공식적 사회화 기관, 비공식적 사회화 기관
특징	• 가족: 가장 중요하고 기초적인 사회화 기관 • 또래 집단: 청소년기 자아 정체성 형성에 중요한 역할 • 학교: 교육을 담당하는 대표적인 공식적 사회화 기관 • 직장: 업무나 지위의 변화 → 지속적인 재사회화 • 대중 매체: 현대 사회에서 영향력이 더욱 커지고 있음

C 사회적 지위와 역할

지위	• 귀속 지위: 태어나면서 선천적으로 얻는 지위 • 성취 지위: 노력을 통해 후천적으로 얻는 지위
역할	지위에 따라 사회적으로 기대되는 행동 양식
역할 행동	개인이 역할을 실제로 수행하는 구체적인 방식

D 역할 갈등과 해결 방안

(1) **역할 갈등**: 개인이 동시에 서로 다른 지위에 따른 역할을 수행하고자 할 때, 역할 간에 충돌이 발생하는 것

(2) **역할 갈등의 해결 방안**

개인적 측면	우선순위를 정하여 중요한 역할부터 수행, 합리적 의사 결정, 관용 정신 발휘 등
사회적 측면	여러 역할을 동시에 수행할 수 있는 제도 마련, 역할 간 중요성에 대한 합의된 규범 마련 등

03
사회 집단과 사회 조직

A 사회 집단의 의미와 유형

(1) 사회 집단: 두 명 이상의 사람들이 소속감과 공동체 의식을 가지고 지속적인 상호 작용을 하는 집합체

(2) 사회 집단의 유형

접촉 방식	• 1차 집단: 친밀한 대면 접촉으로 전인격적 관계 형성 • 2차 집단: 간접적 접촉을 통한 형식적 관계 형성
결합 의지	• 공동 사회: 본질 의지에 따라 자연적으로 형성된 집단 • 이익 사회: 선택 의지에 따라 의도적으로 만들어진 집단
소속감	• 내집단: 개인이 소속감을 느끼는 집단 • 외집단: 개인이 소속감을 갖지 않는 집단

(3) 준거 집단: 개인이 가치 판단이나 행동의 기준으로 삼는 집단

B 사회 조직의 의미와 유형

(1) 공식 조직과 비공식 조직

공식 조직	목표 달성을 위해 의도적이고 합리적인 기준에 따라 만들어진 사회 집단 → 사회 조직은 대부분 공식 조직임
비공식 조직	공식 조직 내에서 구성원들의 관심과 친밀감을 바탕으로 형성된 조직 → 공식 조직 내 긴장감을 완화하는 역할

(2) 자발적 결사체: 공통의 목표를 가지고 자발적으로 결성된 집단

친목 집단	구성원의 취미 공유 및 친목을 도모하는 집단
이익 집단	특정 집단의 이익을 증진하기 위한 집단
시민 단체	공익을 추구하기 위해 결성된 집단

C 관료제와 탈관료제

(1) 관료제: 분업을 통한 대규모 조직의 효율적 운영 체계

특징	과업의 전문화, 위계의 서열화, 규정과 절차에 따른 업무, 지위 획득의 공평한 기회, 연공서열에 따른 보상 등
순기능	업무의 지속성, 효율적 업무 처리, 명확한 책임 등
역기능	목적 전치, 인간 소외, 무사안일주의, 조직의 경직성 등

(2) 탈관료제: 관료제의 역기능을 해소하기 위해 등장한 조직 → 수평적 조직 체계, 조직의 유연성, 능력에 따른 보상 등

04
일탈 행동

A 일탈 행동의 의미와 영향

의미	사회 규범이나 가치관에 어긋나는 행동
상대성	시대와 장소, 가치관의 변화에 따라 일탈 행동에 관한 판단 기준이 다르게 나타남
긍정적 영향	사회 구성원의 심리적 긴장감 완화, 사회의 문제를 표출함으로써 사회 변화의 계기가 될 수 있음
부정적 영향	사회적으로 바람직하지 못한 행동으로 사회 질서를 어지럽히고, 사회 불안을 초래함

B 일탈 행동을 설명하는 이론

(1) 아노미 이론: 사회 구조적 관점에서 일탈 행동의 원인 연구

뒤르켐	• 이론: 급격한 사회 변동으로 지배적 규범이 무너진 무규범 또는 규범 혼란 상태에서 일탈 행동 발생 • 대책: 규범 교육 강화, 새로운 사회 규범 확립
머튼	• 이론: 문화적 목표와 이를 달성할 수 있는 제도적 수단 간의 불일치로 인해 일탈 행동 발생 • 대책: 목표를 이룰 수 있는 적절한 수단 제공

(2) 차별 교제 이론

일탈 행동	일탈 행동을 하는 사람들과 지속적으로 상호 작용을 하면서 일탈 행동을 학습 → 상호 작용을 통해 일탈 행동에 대한 정당화 및 일탈 관련 기술 습득
대책	일탈 행동을 하는 사람과의 교류 차단
한계	같은 환경에 있어도 일탈에 빠지지 않는 사람과 우연적이고 충동적인 범죄를 설명하지 못함

(3) 낙인 이론

일탈 행동	일탈은 특정 행동에 대한 사람들의 반응이나 의미 규정에 따라 정의됨 → 주변 사람들의 부정적 낙인에 의해 일탈자로 지목된 사람은 일탈 행위를 반복하게 됨
대책	• 특정 행위에 대한 낙인을 신중하게 함 • 일탈자의 정체성 회복을 위한 재사회화 지원
한계	• 최초의 일탈 행위를 설명하지 못함 • 일탈을 저지르고도 사회적 냉대를 이겨낸 개인의 주체성을 설명하지 못함

01 (가), (나)에 나타난 개인과 사회의 관계를 보는 관점에 대한 옳은 설명을 〈보기〉에서 고른 것은?

> (가) 보수적이라고 알려진 정당도 당 지도부의 노선에 따라 개혁적인 정책을 펴나갈 수 있듯이, 정당원들의 성향에 따라 그 정당의 성격이 결정되는 것이다.
>
> (나) '뛰어봤자 부처님 손바닥 안이다.'라는 속담이 있듯이 아무리 자질이 뛰어난 후보라 할지라도 그가 소속된 정당의 성격이나 정책에 따를 수밖에 없다.

> 보기
> ㄱ. (가)는 사회 유기체설과 연관되어 있다.
> ㄴ. (가)는 개인주의적 관점에 토대를 두고 있다.
> ㄷ. (나)는 개인과 별개로 사회가 존재한다고 본다.
> ㄹ. (나)는 사회가 개인들의 인위적 약속으로 만들어졌다고 본다.

① ㄱ, ㄴ   ② ㄱ, ㄷ   ③ ㄴ, ㄷ
④ ㄴ, ㄹ   ⑤ ㄷ, ㄹ

02 밑줄 친 '이들'이 개인과 사회의 관계를 보는 관점에 대한 옳은 설명을 〈보기〉에서 고른 것은?

> 이들은 인간이 자신의 이익을 극대화하기 위하여 합리적으로 행동하려는 성향과 능력을 바탕으로 노력한 결과 사회 발전이 이룩된다고 본다. 이들은 사회는 구성원 개개인의 이익 극대화를 위하여 존재한다고 여긴다.

> 보기
> ㄱ. 사회 현상을 분석할 때 집단적 요인을 중시한다.
> ㄴ. 개인주의 및 자유주의적 시각에 바탕을 두고 있다.
> ㄷ. 사회를 생물 유기체에 비유하는 사회 유기체설에 근거한다.
> ㄹ. 사회 계약론자들이 개인과 사회를 보는 관점과 일맥상통한다.

① ㄱ, ㄴ   ② ㄱ, ㄷ   ③ ㄴ, ㄷ
④ ㄴ, ㄹ   ⑤ ㄷ, ㄹ

03 다음 '갑', '을'에게 공통으로 요구되는 것은?

> • 갑은 북한을 떠나 우리나라로 온 새터민이다. 갑은 오랫동안 한국 사회에 적응하기 위해 노력했으나 쉽게 적응하지 못하고 어려움을 겪고 있다.
> • 을은 장기간의 교도소 수감 생활을 끝내고 내일이면 만기 출소를 앞둔 상태이다. 을은 출소를 앞두고 기쁜 마음보다 많이 변해 있을 사회에 적응할 수 있을지 두려움에 싸여 있다.

① 역할 갈등의 극복
② 지속적 1차 사회화
③ 체계적인 재사회화
④ 기대에 부응하는 역할 행동
⑤ 개인의 특성을 고려한 예기 사회화

04 다음 글을 바탕으로 한 지위와 역할의 특징과 거리가 먼 것은?

> 과거 우리나라에서는 여성이 망치나 톱과 같은 도구를 사용하는 것이 여자답지 못한 행동이라고 여겨졌다. 그래서 여성이 이런 일을 하려고 하면 주변 사람들에게 혼쭐이 나기도 하였다. 하지만 오늘날에는 여성들이 도구를 사용하여 육체적인 일을 하는 것에 대해 차별적으로 바라보는 시선이 과거와 비교하면 확연히 줄어들었다.

① 역할은 사회의 규범에 따라 규정된다.
② 사회적 지위에 따라 역할이 다르게 나타난다.
③ 역할에는 지위에 따른 사회의 요구가 반영된다.
④ 귀속 지위에 따른 역할은 시대가 바뀌어도 변하지 않는다.
⑤ 역할에 대한 사회적 기대에 어긋나는 행동에는 제재가 따른다.

05 다음 글에서 찾을 수 있는 개념이 <u>아닌</u> 것은?

> 시어머니와 함께 사는 부부의 경우 남편의 태도가 어떤가에 따라 고부 관계가 좋아지기도 하고 나빠지기도 한다. 어머니와 아내 사이에서 어느 한쪽의 기대에 부응해 지나치게 편파적인 행동을 하면 부작용이 나타나기 때문이다. 따라서 아들이자 남편의 처지에서 양측을 중재하는 노력이 필요하다.

① 역할   ② 사회화   ③ 역할 갈등
④ 귀속 지위   ⑤ 성취 지위

06 밑줄 친 ㉠~㉣에 대한 옳은 설명을 〈보기〉에서 고른 것은?

> 3형제 중 ㉠장남인 갑은 다양한 모임에 참여하고 있다. 생일, 제사 등 ㉡가족 모임에 한 달에 한 번 이상 참석하고, 직장에서 골프를 좋아하는 직원들끼리 ㉢동호회를 만들어 일주일에 한 번씩 골프를 친다. 또한, 분기당 1회 이상 대기업 주주 총회의 문제점을 지적하는 소액 주주권 향상을 위한 ㉣시민 모임에 참가한다.

〈보기〉
ㄱ. ㉠은 성취 지위이다.
ㄴ. ㉡은 공동 사회이며 1차 집단이다.
ㄷ. ㉡과 ㉢은 갑에게 내집단이다.
ㄹ. ㉢과 ㉣은 자발적 결사체이며 공식 조직이다.

① ㄱ, ㄴ   ② ㄱ, ㄷ   ③ ㄴ, ㄷ
④ ㄴ, ㄹ   ⑤ ㄷ, ㄹ

07 (가), (나)의 사회 집단에 대한 옳은 설명을 〈보기〉에서 고른 것은?

> (가) 결합 의지에 따라 구분할 때, 특정한 목적에 의해 인위적으로 형성된 집단
> (나) 공식 조직 내에서 구성원 간의 개인적 친밀감이나 공통의 관심사를 중심으로 만들어진 조직

〈보기〉
ㄱ. (가)는 이익 사회이다.
ㄴ. (나)는 비공식 조직이다.
ㄷ. (가)는 모두 (나)에 해당한다.
ㄹ. (나)와 달리 (가)에서는 전인격적인 관계가 일반적이다.

① ㄱ, ㄴ   ② ㄱ, ㄷ   ③ ㄴ, ㄷ
④ ㄴ, ㄹ   ⑤ ㄷ, ㄹ

08 밑줄 친 사회 집단의 공통적인 특징으로 가장 적절한 것은?

> • ○○ 기업은 전체 100여 개의 유효 동호회가 개설돼 있는데 배드민턴, 바둑, 사진, 영화, 게임 등으로 그 종류도 다양하다. 직장인 동호회는 회사 내 모임인 만큼 기업 차원의 적극적인 지원이 이루어지지 않으면 동호회 결성 자체가 쉽지 않다.
> • 같은 동네에 사는 ◇◇ 지역 출신이면 ◇◇ 향우회의 회원 자격이 있다. 회원은 동네 음식점, 세탁소 등 소규모 자영업자 중심이다. 자영업자들이 많다 보니 자연히 동네에서 서로 돕고 살게 된다. 이왕이면 형님네 가게를 이용하고, 같은 값이면 동생네 음식점을 이용하는 식이다. 경조사도 챙긴다.

① 결합 자체가 집단의 목적이다.
② 구성원의 지위와 역할이 명확하다.
③ 자발적으로 결성한 사회 집단이다.
④ 공식 조직 내에서 만들어진 사회 집단이다.
⑤ 구성원의 본질 의지에 의해 자연 발생적으로 형성된다.

09 그림과 같은 형태를 보이는 조직의 특징을 〈보기〉에서 고른 것은?

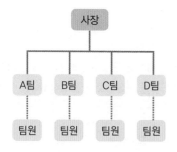

보기
ㄱ. 과업 수행에 대한 예측 가능성이 크다.
ㄴ. 조직 구성원들에게 자율성이 보장된다.
ㄷ. 과업의 전문화로 업무 수행이 효율적이다.
ㄹ. 환경의 변화에 대해 유연한 대처가 가능하다.

① ㄱ, ㄴ   ② ㄱ, ㄷ   ③ ㄴ, ㄷ
④ ㄴ, ㄹ   ⑤ ㄷ, ㄹ

10 다음 자료를 통해 알 수 있는 일탈 행동의 특징으로 가장 적절한 것은?

• 우리나라에서는 가까운 친족과 결혼하는 것이 법으로 금지되어 있다. 그러나 과거 신라에서는 가까운 왕족 간에 혼인하는 사례가 존재하기도 하였으며, 고대 이집트에서도 근친혼을 관습으로 받아들였다.
• 미국 사회에서는 술을 마시고 직장에 결근하면 알코올 중독으로 간주한다. 하지만 한국 사회에서는 술로 인해 직장 근무에 지장이 있어도 이를 용인하는 분위기가 강하게 나타난다.

① 사회 구조의 모순적 상황 때문에 발생한다.
② 지배적 사회 규범의 부재 때문에 발생한다.
③ 사회 구성원들의 심리적 긴장을 완화해 준다.
④ 시대와 사회적 상황에 따라 다르게 규정된다.
⑤ 대책을 마련하는 데 따른 사회적 비용을 증가시킨다.

11 다음 글에 나타난 일탈 이론에 대한 설명으로 옳지 <u>않은</u> 것은?

개인은 범죄적 규범을 가지고 있는 다른 사람들과 교제하면서 일탈자나 범죄자가 된다. 즉, 일탈 행동은 법을 준수하지 않는 사람들에게서 일탈 행동을 하는 과정을 학습함으로써 발생한다.

① 타인에 대한 신중한 낙인을 강조한다.
② '맹모삼천지교'와 같은 고사성어와 관련이 깊다.
③ 타인과의 상호 작용 과정에서 일탈을 배운다고 본다.
④ 정상적인 집단과의 교류 촉진을 문제의 해결책으로 제시한다.
⑤ 일탈 행동을 하는 사람과의 접촉을 차단하여 일탈 문제를 해결할 수 있다고 본다.

12 다음 글에 나타난 일탈 이론에 대한 설명으로 가장 적절한 것은?

경미 범죄 심사 위원회는 단순 절도나 무전취식 등 가벼운 범죄를 저지른 경범죄 사범을 심사해 피해 정도와 죄질 등 사유에 따라 처분을 감경해 준다. 경찰청 관계자는 "단순 절도 등 순간적인 실수로 죄를 짓게 됐을 때 처벌해서 전과자를 만드는 대신 반성의 기회를 주기 위해 운영하고 있다."라고 설명했다. 경찰의 이 같은 조치로 이들은 전과자가 될 위험에서 벗어났다. 즉결 심판(20만 원 이하의 벌금·구류 또는 과료에 해당하는 사건)이나 훈방 조치가 되면 범죄 경력(전과)이 남지 않는다. 만약 이들이 형사 입건돼 기소됐다면 소설 속 '장발장' 꼴이 됐을 수도 있다. 유죄 판결을 받으면 평생 '전과자' 취급을 당하며 힘든 삶을 살아야 하기 때문이다.

① 급속한 사회 변동을 일탈의 원인으로 본다.
② 정상적 집단과의 교류 강화를 대안으로 제시한다.
③ 인간의 주체성과 자율성을 경시한다는 비판을 받고 있다.
④ 문화적 목표를 이룰 적절한 수단의 제공을 해결책으로 본다.
⑤ 낙인으로 인해 부정적 자아가 형성되어 일탈 행동이 반복된다고 본다.

13 다음 주장을 읽고 물음에 답하시오.

> 과학적 태도로 사회를 보면 사회가 개인들로만 구성되어 있다고 생각하지 않게 된다. 사회 구조는 개인들의 속성으로 환원되어 설명될 수 없다. 사회 전체의 구조는 여러 구조로 구성되어 있으며, 이들의 속성과 관계에 따라서만 이해할 수 있다.

(1) 위의 주장에 나타난 개인과 사회의 관계를 보는 관점을 쓰시오.　　　　　　(　　　　　　)

(2) (1)의 관점이 가지는 장점과 한계를 각각 한 가지 서술하시오.

_____

_____

_____

_____

14 다음 대화에서 갑과 을이 휴학을 앞두고 고민하는 것의 차이점을 지위와 역할의 개념을 활용하여 설명하시오.

> 갑: 나는 원래 ◇◇ 대학에 가고 싶었어. △△ 대학에 등록은 했지만 만족스럽지가 않아. 아무래도 다시 ◇◇ 대학에 도전하려면 휴학을 해야 할지 고민이야.
> 을: 그렇구나. 나도 휴학을 해야 할지 고민이야.
> 갑: 무슨 일로 휴학하려는 건데?
> 을: 어머니께서 몸이 많이 안 좋아지셔서 거동이 불편하시거든. 그런데 시골에 혼자 계시니 돌봐드릴 사람이 나밖에 없어. 휴학하면 흐름이 끊겨 학점 관리도 힘들 텐데, 어쩌면 좋을까?

_____

_____

_____

_____

15 다음 글을 읽고 물음에 답하시오.

> 구성원 간의 수직적 관계 및 업무 수행의 경험과 훈련을 중시하며, 소수의 경영자가 다수의 노동자를 관리하던 대규모 A 조직은 큰 변화를 시도하였다. 정보 사회에서 강조되는 창의성과 다양성이 발현될 수 있는 새로운 조직 형태인 B 조직으로 바뀐 것이다.

(1) 위의 밑줄 친 A 조직과 B 조직의 유형을 쓰시오.

　A 조직: (　　　　　　), B 조직: (　　　　　　)

(2) A 조직과 구별되는 B 조직의 특징을 구성원 간의 관계 및 보상의 차원에서 설명하시오.

_____

_____

_____

_____

16 다음 글을 읽고 물음에 답하시오.

> (가) 우리 사회에서는 출세에 높은 가치를 두고 있지만 출세할 기회가 그리 쉽게 주어지지 않는다. 다수의 빈곤층은 충분한 교육을 받을 기회를 얻지 못해서 출세라는 사회적 가치를 획득하는 데 어려움을 겪는다. 이에 반사회적 행동을 통해 그 가치를 획득하려 할 수 있다.
> (나) 순자는 "쑥대가 삼대밭 속에서 자라면 부축해 주지 않아도 곧으며, 흰 모래가 개흙 속에 있으면 함께 모두 검어진다."라는 말을 하였다.

(1) (가), (나)와 관련 있는 일탈 이론을 각각 쓰시오.

　(가): (　　　　　　), (나): (　　　　　　)

(2) (1)의 일탈 이론에서 제시하는 일탈 행동의 대책을 서술하시오.

_____

_____

_____

_____

문화와
일상생활

배울 내용 한눈에 보기

01 문화의 이해

```
          ┌─ 문화의 의미 ──┬─→ 좁은 의미
          │                └─→ 넓은 의미
   문화 ──┼─ 문화의 속성
          │
          ├─ 문화를 바라보는 관점
          │
          └─ 문화를 이해하는 태도
```

문화는 넓은 의미에서 인간의 모든 생활 방식을 의미해. 문화를 올바르게 이해하기 위해서는 문화 상대주의적 태도를 가져야 해.

02 하위문화와 대중문화

```
   다양한    ┌─ 지역 문화
   하위  ────┼─ 세대 문화
   문화      └─ 반문화

   대중  ────┬─ 대중문화의 특징과 기능
   문화      └─ 대중문화와 대중 매체의 관계
```

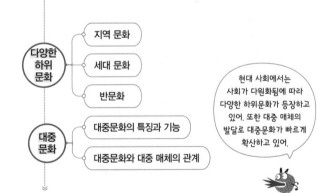
현대 사회에서는 사회가 다원화됨에 따라 다양한 하위문화가 등장하고 있어. 또한 대중 매체의 발달로 대중문화가 빠르게 확산하고 있어.

03 문화 변동

```
          ┌─ 변동 요인 ──┬─→ 발명, 발견
          │              └─→ 문화 전파
   문화 ──┼─ 변동 양상 ──┬─→ 내재적 변동
   변동   │              └─→ 문화 접변
          │                   ↓        ↓        ↓
          │               문화 동화 문화 공존 문화 융합
          └─ 문화 변동에 따른 문제점
```

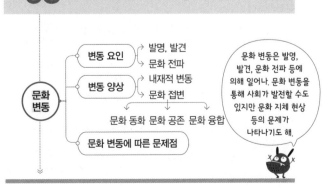
문화 변동은 발명, 발견, 문화 전파 등에 의해 일어나. 문화 변동을 통해 사회가 발전할 수도 있지만 문화 지체 현상 등의 문제가 나타나기도 해.

01 ~ 문화의 이해

핵심 질문으로 흐름잡기

A 문화의 의미와 속성은?

B 문화를 이해하는 관점과 태도는?

❶ 문화의 어원
'문화(culture)'는 경작이나 재배를 의미하는 라틴어 'cultus'에서 유래한 말로, 자연환경에 인간의 노력을 더해 만들어진 산물이라는 의미를 담고 있다.

❷ 사회화와 문화
문화는 타고난 것이 아닌 후천적으로 습득된 것이다. 개인이 한 사회의 문화를 습득하는 과정을 사회화라고 할 수 있으며, 이를 통해 공유성이 형성되고 사회가 유지된다.

❸ 문화의 변동성과 전체성의 차이
구체적으로 구분하기 어려운 점이 있으나, 문화의 양상이 시대의 흐름에 따라 달라지는 것은 변동성이고, 문화의 한 구성 요소에 변화가 생겨 그것이 연쇄적으로 다른 문화 요소에 영향을 주는 것은 전체성이다.

문화의 속성
• 공유성: 문화는 한 사회 구성원이 공통으로 가지는 생활 양식임
• 학습성: 문화는 후천적으로 학습됨
• 변동성: 문화는 시간이 지남에 따라 변화함
• 축적성: 문화는 한 세대에서 다음 세대로 전승되면서 풍부해짐
• 전체성: 문화의 각 요소들은 하나의 전체를 이룸

A 문화의 의미와 속성

|시·험·단·서| 좁은 의미의 문화와 넓은 의미의 문화를 구별하는 문제나, 사례에 나타난 문화의 속성을 파악하고 그 특징을 묻는 문제가 자주 출제돼.

1. 문화의 의미 ❶ 자료1

(1) **좁은 의미의 문화**: 예술적이고 교양* 있거나 세련된 것, 고급스러운 것 〔예〕 문화인, 문화생활, 문화 상품, 신문의 문화면 등
　　　　　└ 공연, 예술 등의 고급문화를 자주 누리는 사람을 말해.

(2) **넓은 의미의 문화**: 한 사회의 구성원들이 공유하는 행동 양식, 의식주, 가치 및 규범, 사고방식 등 인간의 모든 생활 양식 〔예〕 민족 문화, 대중문화, 청소년 문화, 한국 문화 등
　　　└ 한 민족이 형성한 그들만의 고유한 의식주, 장례, 교육, 가치관 등의 생활 양식을 총칭하는 거야.

2. 문화의 속성 자료2

(1) 공유성

의미	문화는 한 사회의 구성원이 공통으로 가지는 생활 양식임
특징	문화의 공유성으로 인해 한 사회의 구성원들은 특정한 상황에서 상대방이 어떻게 행동할지 예측할 수 있으므로 원활한 사회생활이 가능해짐 → 사회의 유지와 통합에 기여
사례	한국 사람들은 시험을 보기 전에 엿을 선물하면 시험을 잘 보라는 의미로 받아들이는 것, 중국에서는 붉은색이 행운을 가져다준다고 믿기 때문에 축의금을 낼 때 붉은 봉투를 사용하는 것 등

(2) 학습성
　　　　　┌ 태어날 때부터 가지는 생물학적 특성이나 생리적 욕구에 의한 인간의 행위는 문화라고 할 수 없어.

의미	문화는 선천적으로 타고나는 것이 아니라 후천적으로 학습하여 습득됨❷
특징	인간은 문화를 학습하는 과정에서 그 사회의 언어, 규범, 가치 등을 익히고 사회에 적응함 → 사회의 유지와 존속에 기여
사례	쌍둥이가 서로 다른 사회에 입양* 이 된 후 서로 다른 사고방식과 행동 양식을 보이는 것, 한국에서 태어난 아이가 한국의 식사 예절을 배우는 것 등

(3) 변동성

의미	문화는 고정된 것이 아니라 시간이 흐르면서 그 형태나 내용이 끊임없이 변화함
특징	문화가 변동하는 가운데 새로운 문화 요소가 추가되기도 하고 사라지기도 함
사례	과거와 현재의 결혼 풍습이 다른 것, 우리나라의 주거 양식이 한옥에서 아파트와 서양식 건축 형태로 바뀐 것 등

(4) 축적성

의미	문화는 언어와 문자를 통해 다음 세대로 전승* 되고 그 과정에서 새로운 요소가 더해짐
특징	문화의 내용은 그대로 전승되는 것이 아니라 새로운 요소가 추가되어 더욱 풍부해지고 다양해짐 → 문화가 발전할 수 있는 원동력이 됨 └ 문화는 오랜 시간과 역사에 걸쳐 누적된 지식과 경험의 결과물이야.
사례	우리가 먹는 발효 식품이 새로운 기술이나 재료 등이 가미되어 점점 다양해지는 것, 고대부터 그 내용이 쌓여 형성된 현대의 수학적 지식 등

(5) 전체성(총체성)❸

의미	문화는 여러 구성 요소들이 서로 밀접하게 연결되어 있어 하나로서의 전체를 이룸
특징	문화의 한 부분이나 요소가 변동하면 연쇄적으로 다른 부분에도 변화가 나타남 → 문화의 구성 요소는 상호 유기적인 관계를 맺고 있음
사례	분유, 세탁기 등의 발명으로 예전보다 가사와 육아로부터 자유로워진 여성들이 노동 시장에 참여하면서 여성들의 사회적·경제적 지위가 높아지고 양성평등 의식이 확산함

자료1 문화의 의미

자료·분석 문화의 의미는 좁은 의미와 넓은 의미로 구분할 수 있다. (가)의 포스터에 나타난 문화는 예술 활동을 의미하므로 좁은 의미의 문화라고 할 수 있다. (나)의 포스터에 나타난 문화는 우리나라 사람들의 의식주 생활 양식을 의미하므로 넓은 의미의 문화에 해당한다.

한·줄·핵·심 문화는 예술적이고 교양 있는 것을 뜻하는 좁은 의미의 문화와 인간의 모든 생활 양식을 뜻하는 넓은 의미의 문화로 구분된다.

자료2 윷놀이로 본 문화의 속성   관련 문제 ▶ 121쪽 09번

갑: 우리나라 사람들은 명절에 가족들이 모이면 자연스레 윷놀이하며 즐겁게 지내지. 윷놀이는 어른이나 아이 할 것 없이 모두가 즐기는 놀이야.

을: 맞아. 윷놀이는 놀이 규칙이 쉬워서 어린아이도 몇 번만 설명해 주면 쉽게 이해할 수 있어.

병: 윷놀이 같은 전통 놀이는 세대를 이어 계속해서 전해지지. 놀이법도 새로운 방식이 추가되곤 해. 애초에는 '도·개·걸·윷' 네 끗수밖에 없었는데 '모'가 나중에 추가되었고, 요즘에는 '백도'가 추가되어 끗수가 여섯 가지로 늘어났지.

정: 윷의 재료도 달라졌어. 예전에는 나무토막을 다듬어서 만들었는데 요즘에는 공장에서 플라스틱으로 만들기도 하지.

무: 윷놀이는 원래 정월에 즐기는 마을 축제의 일부였대. 윷판은 농토를, 윷말이 윷판을 돌아 나오는 것은 계절의 변화를 상징해서 풍년을 기원하는 소망이 담겨 있다고도 해.

자료·분석 갑은 우리나라 사람들이 윷놀이를 공유한다는 점에서 공유성을, 을은 윷놀이 규칙을 어린아이들이 학습한다는 점에서 학습성을, 병은 윷놀이가 전승되면서 방식이 추가된다는 점에서 축적성을, 정은 윷의 재료가 바뀌고 있다는 점에서 변동성을, 무는 윷놀이가 계절, 농경 등과 관계있다는 점에서 전체성을 이야기하고 있다.

한·줄·핵·심 문화의 속성에는 공유성, 학습성, 축적성, 변동성, 전체성이 있다.

❹ 문화의 보편성과 특수성

보편성	모든 사회에 공통으로 존재하는 문화 요소가 있음 예 가족, 혼인, 종교, 언어 등
특수성	각 사회는 자연환경과 역사적 경험에 따라 다른 사회와 구분되는 독특한 문화 요소를 형성함 예 나라마다 다른 주거 문화, 혼인 문화 등

❺ 종교적 맥락과 문화의 이해
한 사회의 문화를 이해하기 위해서는 그 사회의 종교적 맥락 또한 중요하게 고려해야 한다. 예를 들어 이슬람교는 단순히 종교의 기능만을 하는 것이 아니라 사회 구성원들의 의식주, 규범 등 모든 생활 양식에 절대적인 영향을 끼치기 때문이다.

❻ 명예 살인과 극단적 문화 상대주의
명예 살인은 이슬람권의 일부 지역에서 가족의 명예를 더럽혔다는 이유로 구성원, 주로 여성을 살해하는 행위이다. 이러한 인류의 보편적 가치를 부정하는 문화까지 문화 상대주의적 관점으로 이해하는 것을 극단적 문화 상대주의라고 한다.

문화를 이해하는 태도의 구분

문화 간에 우열이 있다고 보는 태도	자문화 중심주의, 문화 사대주의
문화 간에 우열이 없다고 보는 태도	문화 상대주의

B 문화를 이해하는 관점과 태도

| **시·험·단·서** | 문화를 바라보는 관점을 비교하거나, 문화 이해의 태도를 파악하는 문제가 주로 출제돼.

1. 문화를 바라보는 관점

(1) 비교론적 관점
① 의미: 서로 다른 사회의 문화 간에 나타나는 <u>유사성과 차이점을 분석</u>하여 문화가 지닌 보편성과 특수성❹을 파악하는 관점
└─ 음식 문화는 어느 사회에나 존재하지만, 구체적인 모습은 사회마다 다르게 나타나.
② 필요성: 자기 문화를 객관적이고 명료하게 이해할 수 있으며, 다른 문화에 대한 이해의 폭을 넓힐 수 있음

(2) 총체론적 관점
① 의미: 하나의 문화 현상을 다른 문화 요소와 연관지어 바라보고 전체 문화의 맥락 속에서 이해하는 관점
└─ 한 사회의 문화는 정치, 경제, 법률, 가족, 관습 등 다양한 요소로 구성되어 있으며, 서로 관련을 맺고 있어.
② 필요성: <u>문화의 각 구성 요소는 유기적인 관계를 맺고 있으므로</u> 어느 한 측면의 문화 요소만을 부분적으로 바라보면 해당 문화의 의미를 제대로 이해할 수 없음

(3) 상대론적 관점
① 의미: 한 사회의 문화를 이해할 때 그 사회의 자연환경이나 사회적 상황, 역사적 맥락 등을 고려하여 이해하는 관점❺
② 필요성: 특정 기준에 따라 문화의 우열을 평가하지 않고, 다른 문화를 그 사회의 맥락 속에서 <u>편견 없이 이해할 수 있음</u>
└─ 오늘날과 같은 세계화, 개방화 시대에는 다른 문화를 접할 기회가 많으므로 상대론적 관점에서 이를 편견 없이 이해하려는 태도가 필요해.

2. 문화를 이해하는 태도

(1) 자문화 중심주의 자료3
① 의미: 자기 문화를 가장 우수한 것으로 여기고 다른 문화를 열등하거나 비합리적인 것으로 평가하는 태도
② 장단점

장점	자기 문화에 대한 자부심을 높이고, 사회 통합에 기여함
단점	• 지나치게 자기 문화만을 중시하면 문화적 마찰이 발생하거나 국제적으로 소외될 위험이 있음 • 국수주의적 태도로 이어질 경우 다른 문화를 거부하면서 문화 발전이 지체될 수 있음 • 다른 문화를 자기 문화에 종속하려는 문화 제국주의를 정당화할 우려가 있음

(2) 문화 사대주의 자료4
① 의미: 다른 사회의 문화를 우수한 것으로 여기고 <u>자기 문화를 무시하거나 낮게 평가하는 태도</u>
└─ 문화의 상대성을 부정하고 다른 사회의 문화에 편중을 가진다는 점에서 자문화 중심주의와 비슷해.
② 장단점

장점	선진 문물의 수용으로 문화를 발전시키는 계기가 될 수 있음
단점	다른 문화를 무분별하게 수용하면 자기 문화의 주체성을 상실하고 전통문화를 잃을 수 있음

(3) 문화 상대주의 자료5
① 의미: 그 사회의 자연환경이나 사회적·역사적 맥락을 고려하여 각 사회의 문화가 지닌 고유한 특성과 가치를 인정하는 태도
② 장점: 타 문화를 올바르게 이해함으로써 <u>문화의 다양성을 보존하고 문화적 갈등과 분쟁을 예방하는 데 기여함</u>
└─ 문화 간 교류가 빈번한 현대 사회에서는 기본적으로 문화 상대주의적 태도를 지니는 것이 바람직해.
③ 단점: 인간의 존엄성이나 생명 등 인류의 보편적 가치를 부정하는 문화까지 무조건적으로 이해하려는 태도인 <u>극단적 문화 상대주의</u>❻로 치우칠 경우 인류의 보편적 가치를 훼손할 우려가 있음
└─ 극단적 문화 상대주의에 빠지지 않도록 유의하면서 문화의 다양성을 이해하고 공존을 위해 노력하는 자세가 중요해.

자료3 프랑스에서의 히잡과 부르카 착용 문제

초·중·고등학교에서 히잡과 부르카 등 이슬람 전통 의상 착용을 금지해 온 프랑스가 이 조치를 대학교에도 확대하는 방안을 추진 중이다. 히잡은 머리와 상반신에 두르지만 얼굴을 드러낼 수 있는 반면, 부르카는 온몸을 가리는 이슬람 전통 복장이다. 프랑스 총리실 직속의 통합 최고 자문 회의는 다른 종교에 위압감을 줄 수 있는 종교 상징물 착용을 대학교에서도 금지하는 내용의 보고서를 작성하였다. …… 이슬람교도는 프랑스 정부의 조치에 "이는 이슬람 문화를 존중하지 않는 행위"라며 반발하고 있다.

▲ 부르카를 입은 여성들

자·료·분·석 프랑스에서 이슬람 전통 의상의 착용을 금지하는 것은 자문화 중심주의적 태도라고 볼 수 있다. 자문화 중심주의는 자신의 문화를 기준으로 다른 사회의 문화를 바라봄으로써 다른 문화와 갈등을 빚을 수 있다.

▶ 한·줄·핵·심 자문화 중심주의는 자기 문화를 기준으로 다른 문화를 부정적으로 평가하는 태도이다.

자료4 천하도 관련 문제 ▶ 123쪽 16번

자·료·분·석 천하도는 조선 시대에 그려진 세계지도로, 중국을 세상의 중심에 두고 있어 조선이 중국에 사대주의적 태도를 보이고 있음을 알 수 있다. 문화 사대주의란 다른 사회의 문화를 우수한 것으로 여기고 자신이 속한 문화를 낮게 평가하는 태도로, 자기 문화의 주체성과 정체성을 상실할 우려가 있다.

◀ 천하도

▶ 한·줄·핵·심 문화 사대주의는 자기 문화보다 다른 사회의 문화를 우월하게 평가하는 태도이다.

자료5 티베트의 조장 풍습 관련 문제 ▶ 123쪽 16번

티베트에서는 사람이 죽으면 시신을 독수리의 먹이로 주는 조장(鳥葬) 풍습이 있다. 시신을 땅에 묻거나 화장을 하기 어려운 주변 환경과 시신을 먹은 새가 하늘을 날면 죽은 사람의 영혼이 하늘을 향한다는 믿음이 있기 때문이다.

자·료·분·석 티베트의 조장 풍습은 그 사회의 특수한 환경과 상황 및 역사적 맥락이 반영된 문화로, 이를 우리의 시각에서 이상한 문화로 간주하는 것은 바람직하지 못한 문화 이해 태도이다. 한 사회의 문화를 이해할 때는 그 사회의 맥락을 고려하는 문화 상대주의적 태도를 가져야 한다.

▶ 한·줄·핵·심 문화 상대주의는 각 사회의 문화가 지닌 고유한 가치를 인정하는 태도이다.

❓ 궁금해요

Q. 다른 문화를 이해하는 가장 바람직한 태도는 무엇인가요?

A. 각 사회의 문화는 그 사회가 처한 독특한 자연환경과 사회적 상황 속에서 만들어진 고유한 생활 양식이야. 그러므로 다른 사회의 문화를 접할 때는 문화 상대주의적 태도가 필요해. 문화 상대주의를 바탕으로 문화의 다양성을 인정하고 존중할 때 문화는 더욱 발전할 수 있어.

용어 더하기

* **국수주의**
자기 나라의 역사, 문화, 국민성 등이 다른 나라보다 뛰어난 것으로 믿고, 그것을 유지하고 발전해 나가기 위해 다른 나라나 민족을 배척하는 경향

* **문화 제국주의**
대중 매체와 상품의 수출 등으로 다른 나라에 진출하여 그 나라의 고유한 전통적 가치를 파괴하고 문화적으로 종속되게 만드는 것

* **전통문화**
한 나라에서 발생하여 전해 내려오는 그 나라만의 고유한 문화

* **보편적 가치**
인간의 존엄성, 자유, 평등 등과 같이 시대와 장소를 초월하여 언제나 존중되어야 할 가치

문화를 이해하는 태도

개념풀 Guide 문화를 이해하는 태도인 자문화 중심주의, 문화 사대주의, 문화 상대주의의 특징을 비교해 보자.

1. 각 사회의 장례 문화를 이해하는 태도 관련 문제 ▶ 125쪽 07번

갑: △△지역 ○○부족은 몇 년 동안 시신을 집안에 두었다가 ──○○부족의 관점에서 이해── 나중에 매장하는 풍습이 있어. 이러한 풍습은 △△지역의 자연적 조건과 장례를 성대하게 치를수록 내세에 더 좋은 곳으로 간다는 ○○부족의 믿음에서 비롯된 것으로 이해할 수 있어. ──○○부족의 문화를 낮게 평가──

을: 우리나라처럼 조상을 잘 모시고 묘를 잘 관리하는 전통에 비추어 볼 때, ○○부족의 장례 문화는 조상에 대한 모독일 뿐만 아니라 비위생적이라고 생각해. 우리처럼 해야 해.

병: 내가 알고 있는 A국에서는 이미 선진적인 화장(火葬)이 보편적인 장례 풍습으로 정착되었어. ○○부족이나 우리도 하루 빨리 화장으로 완전히 대체되어야 해. ──자기 나라의 문화를 낮게 평가──

분석 • 갑은 ○○부족의 문화를 그 사회 구성원의 관점에서 이해하고 있으므로 문화 상대주의적 태도를 가지고 있다.
• 을은 자기 문화를 중심으로 ○○부족의 문화를 낮게 평가하고 있으므로 자문화 중심주의적 태도를 가지고 있다.
• 병은 A국의 문화를 우수한 것으로 여겨 자기 문화를 낮게 평가하고 있으므로 문화 사대주의적 태도를 가지고 있다.

2. 각 사회의 식사 문화를 이해하는 태도

외국에 여행을 갔을 때 그 나라 사람들이 음식을 손으로 집어 먹는 모습을 보고 깜짝 놀랐어. 우리처럼 도구를 사용하여 음식을 먹는 것이 더 문명화된 모습이 아닐까?

예전에 한국에 처음 방문했을 때 여러 사람이 둘러앉아 자기 입에 넣었던 숟가락으로 찌개를 함께 떠먹는 모습을 보고 무척 당혹스러웠어. 음식은 당연히 각자 개인 그릇에 덜어 먹어야 하는 것 아니야?

식사 자리에서 대화를 즐기는 나라가 있는 반면, 조용히 식사에만 집중하는 나라도 있잖아. 이렇듯 식사 문화는 나라마다 고유한 특성을 가지고 있어. 이방인이 자기 시선으로 다른 나라의 식사 문화에 대해 우열을 따지는 것은 옳지 않아.

분석 • 갑은 도구를 사용하여 음식을 먹는 문화가 더 문명화된 문화라고 생각하고 있으므로 자문화 중심주의적 태도를 가지고 있다.
• 을 또한 음식을 개인 그릇에 덜어 먹는 것을 당연하다고 보고 한국의 찌개 문화를 낮게 평가하고 있으므로 자문화 중심주의적 태도를 가지고 있다.
• 병은 각 나라의 식사 문화는 고유한 특성을 가지고 있기 때문에, 식사 문화에 대해 우열을 따지는 것은 옳지 않다고 보고 있으므로 문화 상대주의적 태도를 가지고 있다.

3. 문화를 이해하는 태도

한 사회의 문화는 그 자체의 의미와 가치에 따라 이해해야 해.

내가 속한 사회의 문화를 기준으로 다른 문화에 대해 판단하는 것은 자연스럽고 바람직한 태도야.

우리 문화보다 우월한 선진국의 문화를 적극적으로 수용해서 낙후된 우리 문화의 수준을 향상시켜야 해.

분석 한 사회의 문화는 그 자체의 의미와 가치에 따라 이해해야 한다고 보는 갑의 태도는 문화 상대주의이다. 자기 문화를 기준으로 타 문화를 평가하는 것이 바람직하다고 보는 을의 태도는 자문화 중심주의이다. 자신의 문화보다 우월한 타 문화를 적극적으로 수용할 것을 주장하는 병의 태도는 문화 사대주의이다.

4. 문화 이해 태도의 비교

타 문화를 받아들임에 있어서 A는 B에 비해 수용적이지만, 자기 문화의 정체성을 보존하는 데는 B가 A보다 유리하다. 한편 문화의 다양성 신장을 위해서는 A, B보다 C가 필요하다.

분석 문화의 다양성 신장을 위해서 A, B보다 C가 필요하다는 점에서 C는 각 사회 문화의 고유한 특성과 가치를 인정하는 문화 상대주의임을 알 수 있다. 타 문화를 받아들임에 있어서 수용적인 A는 다른 사회의 문화를 우수한 것으로 여기는 문화 사대주의이며, 자기 문화의 정체성을 보존하는 데 유리한 B는 자문화 중심주의이다.

A 문화의 의미와 속성

01 다음 내용이 옳으면 ○표, 틀리면 ×표를 하시오.

(1) 좁은 의미의 문화는 문화를 세련된 것, 고급스러운 것으로 이해한다. ( )
(2) 문화 공연, 문화인, 문화생활 등의 용어는 넓은 의미의 문화에 해당한다. ( )
(3) 넓은 의미의 문화는 한 사회에서 나타나는 인간의 모든 생활 양식을 의미한다. ( )

02 문화의 속성과 그 내용을 바르게 연결하시오.

(1) 공유성 • • ㉠ 문화는 시간이 흐르면서 끊임없이 변화한다.
(2) 학습성 • • ㉡ 문화는 상징을 통해 세대 간에 전승되어 쌓인다.
(3) 변동성 • • ㉢ 문화는 사회화 과정을 통해 후천적으로 습득된다.
(4) 축적성 • • ㉣ 문화는 한 사회의 구성원이 공통으로 가지는 생활 양식이다.
(5) 전체성 • • ㉤ 문화를 구성하는 각 문화 요소들은 서로 상호 유기적인 관계를
맺고 있다.

B 문화를 이해하는 관점과 태도

03 다음 글을 읽고 물음에 답하시오.

> 한 사회의 문화를 올바르게 이해하기 위해서는 서로 다른 사회의 문화 간에 나타나는 유사성과
> 차이점을 비교할 필요가 있다. 이때 유사성은 문화의 ㉠ , 차이점은 문화의 ㉡ 에
> 해당한다. 이를 통해 자기 문화를 객관적으로 이해할 수 있으며, 다른 사회의 문화를 바라보는
> 안목을 기를 수 있다.

(1) 위 글에 나타난 문화를 바라보는 관점을 쓰시오. ( )
(2) 빈칸 ㉠, ㉡에 들어갈 알맞은 말을 쓰시오.
㉠: ( ), ㉡: ( )

04 빈칸에 알맞은 문화 이해의 관점을 쓰시오.

(1) 하나의 문화 현상을 전체 문화의 맥락 속에서 이해하는 것을 □□□□ 관점이라고 한다.
(2) 한 사회의 문화를 그 사회의 맥락 속에서 편견 없이 이해하는 것은 □□□□ 관점이다.

05 알맞은 말에 ○표를 하시오.

(1) 문화 상대주의는 문화 간에 우열이 (있다, 없다)고 본다.
(2) 문화 사대주의는 자신의 문화에 대한 주체성을 (강화, 약화)할 우려가 있다.
(3) 자문화 중심주의는 자신의 문화를 가장 우수한 것으로 여기고 다른 문화를 (낮게, 높게)
평가하는 태도이다.
(4) 문화를 이해할 때는 인간의 존엄성이나 생명 등 인류의 보편적 가치를 부정하는 문화까
지 이해하는 (국수주의, 극단적 문화 상대주의)에 빠지지 않도록 경계해야 한다.

A 문화의 의미와 속성

01 (가), (나)에 해당하는 문화의 의미로 사용된 용어를 바르게 연결한 것은?

> (가) 인간의 생활 양식 중 예술적이고 교양 있거나 세련된 것이다.
> (나) 인간이 자연환경에 적응하는 과정에서 만들어 낸 모든 생활 양식이다.

	(가)	(나)
①	문화인	문화재
②	문화재	청소년 문화
③	민족 문화	문화인
④	문화 공연	문화 상품권
⑤	문화 상품권	문화생활

02 문화의 의미와 관련하여 밑줄 친 ㉠, ㉡에 대한 옳은 설명을 〈보기〉에서 고른 것은?

> 인간은 자연환경에 적응하는 과정에서 의식주와 관련하여 다양한 생활 양식을 만들어 내는데, 이러한 생활 양식이 공통된 특징을 보이면서 지리적으로 분포하는 범위를 ㉠문화권이라고 한다. 한편 해당 지역에서는 고유한 생활 양식 중 일부를 ㉡문화 상품으로 이용하여 경제적 이익을 얻기도 한다.

> **보기**
> ㄱ. ㉠은 정신적·예술적으로 특별한 의미가 있는 것을 말한다.
> ㄴ. ㉡은 신문의 문화면과 같은 의미로 사용된다.
> ㄷ. ㉡은 고급스러운 것, 교양 있거나 세련된 것과 같은 의미로 사용된다.
> ㄹ. ㉠은 좁은 의미의 문화, ㉡은 넓은 의미의 문화에 해당한다.

① ㄱ, ㄴ ② ㄱ, ㄷ ③ ㄴ, ㄷ
④ ㄴ, ㄹ ⑤ ㄷ, ㄹ

03 문화에 대한 설명으로 옳지 않은 것은?

① 인간이 행하는 모든 행위는 문화이다.
② 예술뿐만 아니라 가치와 규범도 문화에 해당한다.
③ 인간이 누리는 문화는 어느 사회에서나 동일한 측면이 있다.
④ 문화는 좁은 의미의 문화와 넓은 의미의 문화로 구분할 수 있다.
⑤ 사회마다 공통으로 존재하는 문화가 있지만 그 양상은 다를 수 있다.

04 다음 문화의 의미에 부합하지 않는 사례는?

> 문화란 특정 사회의 구성원들에 의해 공유되고 전승되는 지식, 태도 및 생활 양식의 총체이다.

① 한국에는 추석에 송편을 빚는 문화가 있다.
② 중동의 국가 중에는 아직도 일부다처제 혼인 문화가 존재하는 나라가 있다.
③ 경복궁을 방문하는 외국 여행객들은 한국 문화를 체험하기 위해 한복을 입는다.
④ 인터넷의 발달로 SNS 문화가 발달하면서 다양한 사람들 간의 의사소통이 활발해졌다.
⑤ 정부는 국민의 여가 생활 증진을 위해 '문화가 있는 날'을 만들어 음악회 등을 주최한다.

05 문화의 속성에 대한 설명으로 옳은 것은?

① 문화는 태어나면서부터 선천적으로 습득된다.
② 문화는 다양한 구성 요소들이 독립적으로 존재한다.
③ 문화는 환경이나 가치관의 변화와 상관없이 고정불변한다.
④ 문화는 언어와 문자를 통해 한 세대에서 다음 세대로 전승된다.
⑤ 문화는 사회 구성원들이 서로의 행동을 예측하는 데 영향을 미치지 않는다.

06 (가), (나)와 관련 있는 문화의 속성을 바르게 연결한 것은?

> (가) 개인의 가치관이나 생활 양식 등은 개인적으로 형성
> 된다고 생각하기 쉬우나 사실은 그렇지 않다. 한 개
> 인의 가치관과 생활 양식은 그가 어떤 사회에서 성장
> 하였는가와 밀접한 관련이 있다. 태어나는 순간부터
> 사회화 과정을 통해 그 사회의 문화를 익히며 살아가
> 기 때문이다.
> (나) 한 사회의 문화는 지식, 가치, 예술, 규범, 제도 등 수
> 많은 요소로 구성되어 있고, 이러한 문화 요소는 별
> 도로 기능하는 것이 아니라 서로 긴밀한 유기적 연관
> 성을 지니고 있다.

	(가)	(나)
①	학습성	축적성
②	학습성	전체성
③	전체성	학습성
④	변동성	전체성
⑤	축적성	공유성

07 문화의 속성 (가)~(마)에 대한 설명으로 옳은 것은?

속성	내용
(가)	문화는 후천적 학습의 결과이다.
(나)	문화 요소는 상호 유기적으로 연관되어 있다.
(다)	문화는 인간이 새로운 환경에 적응하는 과정에서 변화한다.
(라)	문화는 세대 간 전승되며 점점 풍부해진다.
(마)	문화를 통해 한 사회의 구성원들은 타인의 행동을 예측하고 이해할 수 있다.

① (가)는 공유성에 해당한다.
② (나)는 문화가 본능에 따른 행동이 아님을 의미한다.
③ (다)는 한 요소의 변화가 다른 요소의 연쇄적 변화를 가져옴을 설명할 수 있다.
④ (라)는 인간의 문화가 동물의 단순한 후천적 학습과 다름을 설명할 수 있다.
⑤ (마)는 문화가 오랜 시간에 걸쳐 누적된 지식의 결과물임을 의미한다.

08 다음 글에 부각된 문화의 속성에 대한 설명으로 옳은 것은?

> 우리나라 사람들은 대부분 아침에 미역국을 먹었다고 하
> 면 생일이냐고 물을 것이다. 이와 비슷한 경우로 찹쌀떡
> 을 선물하면 자연스럽게 누군가가 시험을 치른다고 생각
> 한다. 찹쌀떡을 먹으면 시험에 찰싹 붙는다고 믿기 때문
> 이다. 하지만 다른 나라 사람들은 이러한 이야기들을 이
> 해하지 못한다.

① 문화는 시간이 지나면서 변화한다.
② 문화는 선천적인 것이 아니라 학습된 것이다.
③ 문화는 한 사회 구성원들이 공통으로 가지는 생활 양식이다.
④ 문화는 상징을 통해 다음 세대로 전해지면서 점점 풍요로워진다.
⑤ 문화는 다양한 문화 요소들이 상호 유기적인 관계를 유지하면서 전체를 이룬다.

09 밑줄 친 ㉠~㉢에 부각된 문화의 속성에 대한 옳은 설명을 〈보기〉에서 고른 것은?

> 갑: 나는 이번 명절에 가족들이랑 윷놀이를 했어.
> 을: 나도. ㉠우리나라에서는 명절에 누구나 윷놀이를 하잖아. 근데, 7살짜리 ㉡사촌 동생도 몇 번 설명해 주니까 잘하더라.
> 병: 근데 너희 그거 아니? ㉢윷을 예전에는 나무토막을 다듬어서 만들었는데, 요즘에는 공장에서 플라스틱으로 만들기도 한대.

> **보기**
> ㄱ. ㉠은 우리나라 사람들이 윷놀이를 공유하는 공유성을 나타낸다.
> ㄴ. ㉡은 문화가 후천적으로 학습되는 생활 양식임을 나타낸다.
> ㄷ. ㉢은 문화가 오랜 시간과 역사에 걸쳐 누적된 지식과 경험의 결과물임을 설명하기에 적합하다.
> ㄹ. ㉡은 전체성, ㉢은 축적성에 해당한다.

① ㄱ, ㄴ   ② ㄱ, ㄷ   ③ ㄴ, ㄷ
④ ㄴ, ㄹ   ⑤ ㄷ, ㄹ

10 (가), (나)는 문화의 속성을 보여 주는 사례이다. 이에 대한 옳은 설명을 〈보기〉에서 고른 것은?

> (가) 김치는 우리나라의 기후, 농경 문화 등과 관련이 있다.
> (나) 한글의 모음은 본래 11개였지만, 지금은 'ㆍ(아래 아)'가 사라지고 10개가 사용되고 있다.

보기
ㄱ. (가)를 통해 문화의 생성과 소멸 과정을 설명할 수 있다.
ㄴ. (가)는 문화의 한 부분에 변화가 생기면 다른 부분에도 변화가 생길 수 있음과 관련 있다.
ㄷ. (나)는 축적성을 설명하기 위한 사례이다.
ㄹ. (나)는 문화가 시간의 흐름에 따라 그 모습이나 내용이 변화하는 것과 관련 있다.

① ㄱ, ㄴ   ② ㄱ, ㄷ   ③ ㄴ, ㄷ
④ ㄴ, ㄹ   ⑤ ㄷ, ㄹ

B 문화를 이해하는 관점과 태도

11 다음 글에서 강조하는 문화를 바라보는 관점에 대한 설명으로 옳은 것은?

> 우리나라와 중국, 일본 사람들은 서로의 문화가 다르다고 여긴다. 하지만 각 나라의 위치가 서로 비슷한 위도와 경도에 있어 기후가 유사하고, 유교적인 문화, 불교 문화, 한자 문화 등 공통적인 부분이 많아 명확히 어떠한 점이 다른지 알고 있지는 않다. 각 나라의 문화를 제대로 이해하기 위해서는 서로 다른 세 나라의 문화 간 유사성과 차이점을 살펴보아야 한다.

① 문화를 평가의 대상으로 바라본다.
② 자기 문화를 객관적으로 파악하는 데 용이하다.
③ 한 사회의 문화를 그 사회의 맥락 속에서 파악하고자 한다.
④ 모든 문화의 보편적인 공통점에만 초점을 맞추어 이해한다.
⑤ 문화 요소와 관련된 종교, 역사 등 다양한 측면을 종합적으로 바라본다.

12 문화를 바라보는 관점 (가)~(다)에 대한 옳은 설명을 〈보기〉에서 고른 것은?

(가)	문화를 다른 문화 요소와의 유기적 관계와 전체 속에서 이해하려고 한다.
(나)	서로 다른 문화 간의 유사성과 차이점을 밝혀 한 사회의 문화를 이해하려고 한다.
(다)	각 사회가 처한 역사적·문화적 맥락 속에서 문화의 고유한 의미를 이해하려고 한다.

보기
ㄱ. (가)는 문화에 대한 편협한 이해를 방지한다.
ㄴ. (나)는 문화를 절대적 기준을 가지고 평가해야 한다고 강조한다.
ㄷ. (다)는 문화에 우열이 없다고 본다.
ㄹ. (가)와 (다)는 문화가 보편성과 특수성을 지니고 있음을 전제한다.

① ㄱ, ㄴ   ② ㄱ, ㄷ   ③ ㄴ, ㄷ
④ ㄴ, ㄹ   ⑤ ㄷ, ㄹ

13 다음 글과 같이 문화를 바라보는 관점에 대한 옳은 설명을 〈보기〉에서 고른 것은?

> 중국의 모든 지역에는 음식 문화가 존재하는데, 지역마다 독특한 양상을 보인다. 베이징에서는 기름기가 많은 고열량 식품이 발달하였으며, 상하이 요리는 풍부한 해산물과 쌀, 장유를 사용한다. 광저우에서는 전통 요리에 서양 요리법이 결합한 요리가 발달하였다.

보기
ㄱ. 문화의 보편성과 특수성을 밝히고자 한다.
ㄴ. 자기 문화의 특징을 객관적으로 이해할 수 있다.
ㄷ. 객관적인 기준에 따라 문화의 우열을 가릴 수 있다고 본다.
ㄹ. 여러 문화 요소 간의 관계를 바탕으로 문화를 이해하고자 한다.

① ㄱ, ㄴ   ② ㄱ, ㄷ   ③ ㄴ, ㄷ
④ ㄴ, ㄹ   ⑤ ㄷ, ㄹ

14 자문화 중심주의에 대한 설명으로 옳은 것은?

① 문화의 다양성을 보존하는 측면에서 유용하다.

② 각 사회가 지니고 있는 문화의 고유한 특성과 가치를 인정한다.

③ 특정 기준에 따른 문화 간의 우열이 존재함을 인정하지 않는다.

④ 다른 사회의 문화를 열등하거나 비합리적인 것이라고 낮추어 평가한다.

⑤ 다른 문화를 무분별하게 수용하여 자기 문화의 정체성을 상실할 우려가 있다.

15 문화를 이해하는 태도 ㉠~㉣에 대한 옳은 설명을 〈보기〉에서 고른 것은?

> 문화를 이해하는 데 있어서 절대적인 기준이 있다고 보는 태도에는   ㉠   와/과   ㉡   이/가 있다. 이 중   ㉠   은 다른 사회의 문화를 우월한 것으로 본다. 한편, 문화를 그 사회의 맥락 속에서 이해하고자 하는 태도에는   ㉢   이/가 있다. 그러나   ㉢   은/는 인류의 보편적 가치를 훼손하는 문화마저도 인정하는   ㉣   에 빠질 우려가 있다.

> ㄱ. ㉠과 ㉡은 모두 타 문화를 적극적으로 수용하려는 경향을 보인다.
> ㄴ. ㉠과 달리 ㉡은 다른 사회와 문화적 마찰을 겪을 가능성이 크다.
> ㄷ. ㉠, ㉡과 달리 ㉢은 문화의 다양성을 보존하는 데 기여한다.
> ㄹ. ㉢은 자문화 중심주의, ㉣은 극단적 문화 상대주의이다.

① ㄱ, ㄴ   ② ㄱ, ㄷ   ③ ㄴ, ㄷ

④ ㄴ, ㄹ   ⑤ ㄷ, ㄹ

16 (가), (나)에 나타난 문화를 이해하는 태도를 바르게 연결한 것은?

> (가) 조선 시대에 그려진 세계 지도인 천하도는 중국을 세상의 중심에 두고 있다.
> (나) 티베트에서는 사람이 죽으면 시신을 독수리의 먹이로 주는 조장(鳥葬) 풍습이 있다. 이는 시신을 땅에 묻거나 화장을 하기 어려운 주변 환경과 시신을 먹은 새가 하늘을 날면 죽은 사람의 영혼이 하늘을 향한다는 믿음이 있기 때문이다.

	(가)	(나)
①	문화 상대주의	문화 사대주의
②	문화 사대주의	문화 상대주의
③	문화 사대주의	자문화 중심주의
④	자문화 중심주의	문화 사대주의
⑤	자문화 중심주의	문화 상대주의

서술형 문제

17 다음 글에 나타난 문화를 이해하는 태도의 문제점을 서술하시오.

> A국에서는 지난해 1,000명 이상의 여성이 살해당했다. 가문의 명예를 실추시켰다는 이유로 자신의 아버지나 오빠들에 의해 살해당한 것이다. 그들이 신봉하는 종교에 의하면 부모의 허락 없이 남성을 사귀었거나 타 종교로 개종한 경우 등에 살인을 한다. 그리고 살인한 자는 살인죄로 처벌받기보다는 가문의 명예를 지켰다는 이유로 칭찬을 받기까지 한다. 이러한 문화라고 하더라도 그 사회 나름의 의미와 가치가 있으므로 이해할 필요가 있다.

01 밑줄 친 ㉠~㉣에 대한 설명으로 옳은 것은?

> 인간의 잠은 인간의 의지와는 무관한 ㉠생리적 현상이다. 하지만 인간은 ㉡집을 만들고 그 안에서 잠을 자며 살아가는 문화를 만들었다. 집은 기후에 따라 다른 모습을 보이는데, 열대 기후 지역에서는 습기와 해충을 막기 위해 ㉢고상 가옥을, 건조 기후 지역에서는 유목으로 인해 몽골의 '게르'와 같은 ㉣이동식 가옥이 나타난다.

① ㉠은 문화에 해당한다.
② ㉡은 좁은 의미의 문화이다.
③ ㉢을 문화로 보는 것은 한 사회 구성원이 공유하는 생활 양식의 총체를 문화로 이해하는 것이다.
④ ㉣은 ㉢과 달리 인간이 자연환경에 적응한 문화이다.
⑤ ㉡은 특수성, ㉢과 ㉣은 보편성을 통해 설명할 수 있다.

수능 기출

02 밑줄 친 ㉠~㉣에 나타난 문화의 속성에 대한 옳은 설명을 〈보기〉에서 고른 것은?

> 갑국의 ○○는 면발을 물에 끓여 먹던 △△에서 유래한 것이다. ○○는 ㉠기름에 튀겨 면발을 가공하는 기술이 △△에 접목되어 새롭게 만들어진 것이다. ㉡쌀 위주의 식생활을 하는 갑국에서 밀가루 음식인 ○○가 처음에는 국민들의 관심을 끌지 못했다. 그러나 국민들은 ○○를 ㉢간편하게 먹을 수 있다는 것을 알게 되었고, 갑국 정부는 쌀 부족으로 인한 식량 문제를 해결하기 위해 분식을 장려하였다. 이제 ○○는 ㉣국민 대다수가 즐겨 먹는 음식이 되었다.

〈보기〉
ㄱ. ㉡은 전승된 문화를 바탕으로 새로운 문화가 창출된다는 것을 보여 준다.
ㄴ. ㉢은 문화가 후천적으로 습득된다는 것을 보여 준다.
ㄷ. ㉣은 ㉠과 달리 문화 현상이 고정된 것이 아니라 지속적으로 변화함을 보여 준다.
ㄹ. ㉡, ㉣은 모두 문화가 구성원의 사고와 행동을 구속한다는 것을 보여 준다.

① ㄱ, ㄴ   ② ㄱ, ㄷ   ③ ㄴ, ㄷ
④ ㄴ, ㄹ   ⑤ ㄷ, ㄹ

03 두 사례에 공통으로 부각된 문화의 속성에 대한 설명으로 옳은 것은?

> • 초겨울 무렵 날씨가 쌀쌀해지면 텔레비전에서 김장 정보를 방송하고 주부라면 누구나 김장 준비를 서두른다. 그러나 우리나라에 처음 온 외국인들은 그 이유를 알지 못한다.
> • 설날에는 전국 어느 곳에서나 가족, 동네 주민들이 모여 윷놀이하는 모습을 쉽게 볼 수 있다. 또한 과거와 달리 오늘날에는 컴퓨터 게임으로 만들어진 윷놀이를 하기도 한다.

① 문화는 세대 간 전승되면서 풍요로워진다.
② 문화 요소들은 상호 간에 유기적인 관계를 맺고 있다.
③ 문화는 사회화의 과정을 통해 후천적으로 학습된 결과이다.
④ 문화는 시간이 지나면서 사회 구성원들의 요구에 따라 변화한다.
⑤ 문화를 통해 사회 구성원들의 사고방식을 이해하고 행동을 예측할 수 있다.

04 밑줄 친 ㉠~㉢에 대한 옳은 설명을 〈보기〉에서 고른 것은?

> 우리나라의 대표적인 발효 식품인 된장과 고추장은 ㉠언어적 혹은 비언어적 상징 수단을 통해 세대 간 전승되면서 ㉡새로운 재료가 가미되었다. 다양해진 발효 식품은 외국인들에게도 인기를 끌어 ㉢발효 식품 만들어보기 프로그램에 참여하는 이주민들도 증가하고 있다.

〈보기〉
ㄱ. ㉠을 통해 문화는 더욱 발전하고 다양해질 수 있다.
ㄴ. ㉡은 문화의 요소들이 서로 유기적인 관계에 있음을 보여 준다.
ㄷ. ㉢을 통해 후천적으로 문화를 익히며 사회에 적응할 수 있다.
ㄹ. ㉠과 ㉢에는 공통으로 문화의 전체성이 나타나 있다.

① ㄱ, ㄴ   ② ㄱ, ㄷ   ③ ㄴ, ㄷ
④ ㄴ, ㄹ   ⑤ ㄷ, ㄹ

05 다음 글에서 강조하는 문화 이해의 관점에 대한 설명으로 옳은 것은?

> 특정 문화 현상의 의미를 이해하기 위해서는 그 문화 현상이 해당 사회의 문화적 전통과 사회적 맥락에 의해 형성된 것임을 고려해야 한다. 죽은 이의 시체를 들판에 버려두어 비바람에 자연히 없어지게 하는 풍장과 같은 장례 문화처럼 외부인에게는 낯설고 이상하게 보이는 문화 현상도 그 사회 나름의 이유가 있기 때문이다.

① 자기 문화를 객관적으로 이해하고자 한다.
② 문화 요소 간의 유기적 관계를 이해하고자 한다.
③ 문화 요소 간의 공통점과 차이점을 파악하고자 한다.
④ 자기 문화의 관점에서 다른 사회의 문화를 이해하고자 한다.
⑤ 해당 문화 향유자들의 관점에서 문화의 의미를 파악하고자 한다.

06 갑, 을이 가진 문화 이해의 관점에 대한 옳은 설명을 〈보기〉에서 고른 것은?

> 갑: 한 사회의 문화를 객관적으로 이해하기 위해서는 그 사회와 유사하거나 대비되는 다른 사회의 문화를 함께 살펴봐야 해.
> 을: 힌두교도들이 소고기를 먹지 않는 것이나 이슬람교도들이 돼지고기를 금기시하는 것을 이해하려면 그 사회 구성원의 관점에서 문화를 바라봐야 해.

> 〈보기〉
> ㄱ. 갑의 관점은 문화를 다른 문화 요소와의 관계 속에서 이해하려 한다.
> ㄴ. 갑의 관점은 문화가 지니는 특수성을 통해서만 문화를 이해하고자 한다.
> ㄷ. 을의 관점은 절대적 기준으로 문화가 평가되어서는 안 된다고 본다.
> ㄹ. 을의 관점은 문화가 각 사회의 특수한 환경과 역사 속에서 형성되었음을 전제한다.

① ㄱ, ㄴ ② ㄱ, ㄷ ③ ㄴ, ㄷ
④ ㄴ, ㄹ ⑤ ㄷ, ㄹ

07 갑~병의 문화 이해 태도에 대한 설명으로 옳은 것은?

> 갑: △△지역 ○○부족은 몇 년 동안 시신을 집안에 두었다가 나중에 매장하는 풍습이 있어. 이러한 풍습은 △△지역의 자연적 조건과 장례를 성대하게 치를수록 내세에 더 좋은 곳으로 간다는 ○○부족의 믿음에서 비롯된 것으로 이해할 수 있어.
> 을: 우리나라처럼 조상을 잘 모시고 묘를 잘 관리하는 전통에 비추어 볼 때, ○○부족의 장례 문화는 조상에 대한 모독일 뿐만 아니라 비위생적이라고 생각해. 우리처럼 해야 해.
> 병: 내가 알고 있는 A국에서는 이미 선진적인 화장(火葬)이 보편적인 장례 풍습으로 정착되었어. ○○부족이나 우리도 하루 빨리 화장으로 완전히 대체되어야 해.

① 갑의 태도는 을의 태도와 달리 문화 간에 우열이 존재한다고 본다.
② 을의 태도는 갑의 태도에 비해 타 문화 수용에 적극적이다.
③ 을의 태도는 병의 태도에 비해 문화의 다양성 확보에 유리하다.
④ 병의 태도는 을의 태도와 달리 집단 구성원의 결속력을 높이는 데 기여한다.
⑤ 을, 병의 태도는 모두 특정 사회의 문화를 기준으로 타 문화를 평가할 수 있다고 본다.

08 문화 이해의 태도 (가)~(다)에 대한 설명으로 옳은 것은? (단, (가)~(다)는 각각 문화 상대주의, 문화 사대주의, 자문화 중심주의 중 하나이다.)

문화를 평가하는 절대적 기준이 있다고 보는가?	아니요 ┈▶ (가)
자기 문화가 우월하다고 보는가?	아니요 ┈▶ (나)
(다)	

(예 방향 아래로)

① (가)는 문화 간 우열이 존재한다고 본다.
② (가)는 자기 문화에 대한 주체성을 상실할 우려가 있다.
③ (나)는 문화 제국주의로 이어질 우려가 있다.
④ (다)는 (가)에 비해 문화 다양성 유지에 유리하다.
⑤ (다)는 (나)에 비해 자문화의 정체성 보존에 유리하다.

02 ~ 하위문화와 대중문화

핵심 질문으로 흐름잡기

A 하위문화의 의미와 기능은?

B 하위문화의 종류 및 특징은?

C 대중문화의 기능과 대중문화를 이해하는 바람직한 태도는?

❶ 주류 문화와 하위문화
주류 문화와 하위문화는 문화를 질적 수준으로 구분하는 것이 아니라, 문화를 향유하는 집단을 기준으로 구분하는 것이다.

A 하위문화의 의미와 기능

| 시·험·단·서 | 하위문화의 특징 중 상대성에 관한 문제가 자주 출제돼.

1. 주류 문화(전체 문화)와 하위문화❶

(1) **주류 문화(전체 문화)**: 한 사회의 구성원 대부분이 공유하는 문화 [예] 한국 문화

(2) **하위문화**: 한 사회 내의 일부 구성원만이 공유하는 문화 [예] 청소년 문화, 농촌 문화
└─ 하위문화를 누리는 일부 구성원들은 하위문화도 누리고 주류 문화도 누리는 거야.

2. 하위문화의 특징 [자료1]

(1) 주류 문화의 범주를 어떻게 규정하느냐에 따라 하위문화의 범주가 상대적으로 결정됨

(2) 사회가 복잡하고 다원화될수록 다양한 하위문화가 많이 형성됨

(3) 시간과 장소에 따라 상대적인 성격을 띰
└─ 한 사회의 하위문화가 다른 사회에서는 주류 문화일 수 있어.

3. 하위문화의 기능

순기능	다양한 문화적 욕구 충족, 주류 문화의 획일화* 방지, 소속감 형성과 결속력* 강화, 주류 문화에 대한 대안 제시, 사회의 유연성 증대 등
역기능	하위문화가 지향하는 다양한 가치 사이에 충돌이 발생하거나 주류 문화와 다른 성격으로 인하여 사회 통합을 저해할 수 있음

B 하위문화의 대표적인 유형

| 시·험·단·서 | 하위문화의 사례를 제시하고 그 유형을 파악하는 문제가 주로 출제돼.

1. 지역 문화

(1) **의미**: 한 나라를 구성하는 여러 지역 사회에서 각각 나타나는 고유한 생활 양식❷

(2) **특징**
┌─ 음식 문화가 대표적이야. 지역마다 얻을 수 있는 식자재가
│ 다르므로 자연스럽게 서로 다른 음식 문화가 형성되었어.

   ① 자연환경과 역사적 배경 등이 다르므로 지역마다 다양한 문화가 형성됨

   ② 지역의 고유성을 보존하고 지역 주민의 정체성과 유대감, 자부심을 높여 줌

   ③ 국가 전체적으로 문화의 다양성을 높여 전체 사회의 문화 획일화를 방지함
       └─ 최근에는 교통·통신의 발달로 지역 간 문화 차이가 줄어들어서 지역의 문화적 특성이 약화하는 경향이 있어.

2. 세대* 문화

(1) **의미**: 사고방식이나 생활 양식이 비슷한 일정한 범위의 연령층이 공유하는 문화

(2) **특징**: 특정한 시대의 역사적·사회적 경험을 공유하며 형성됨, 현대 사회에서는 급격한 사회 변동에 따라 세대 문화가 다양해짐, 세대 갈등❸을 유발하여 사회 통합을 저해할 수 있음

(3) **세대 문화의 하나인 청소년 문화**

   ① 기성세대의 문화에 대해 비판적이며 새로운 것을 추구하는 경향이 있음

   ② 미래 지향적, 변화 지향적, 소비 지향적 성격을 가짐

   ③ 대중 매체, 대중문화의 영향을 받아 충동적이거나 모방적인 성격을 보이기도 함

3. 반문화 [자료2]

(1) **의미**: 사회의 지배적인 문화에 저항하고 대립하는 문화

(2) **특징**: 반문화에 대한 규정은 시대나 사회에 따라 달라짐, 주류 문화와 대립하여 사회 갈등의 원인이 되기도 하지만 기존 문화의 문제점에 대한 성찰의 계기가 되어 사회 변화의 원동력이 됨
└─ 천주교가 우리나라에 처음 전파되었을 때는 반문화로 여겨져 탄압받았지만, 지금은 주류 문화로 인정받고 있어.

❷ 지역 축제

▲ 보령 머드 축제
지역 축제는 지역 특유의 문화나 정체성을 살려 진행하는 행사로, 해당 지역의 전통이나 문화를 계승·발전시키면서 지역 문화의 특수성과 우수성을 외부에 알릴 수 있다.

❸ 우리 사회의 세대 갈등 양상
우리 사회에서는 기성세대의 장유유서, 가부장적 질서 등의 가치관을 자녀 세대가 이해하지 못하여 세대 갈등이 발생하고 있다. 또한 고령화에 따른 사회 보장비 부담과 일자리를 둘러싼 갈등도 발생하고 있다.

시험에 잘 나오는 자료

자료1 주류 문화로 자리잡아 가는 아이돌 문화 관련 문제 ▶ 132쪽 02번

아이돌은 케이팝을 대표한다. 아이돌 그룹이 생산한 음악은 서양 팝 음악의 역사에서 잠깐 지배적인 위치에 있었던 적이 있지만, 역사적으로 보면 팝 음악 장르의 하위문화에 속한다고 볼 수 있다. 한국에서 아이돌 음악이 완전한 독점 체제를 구축한 것도 따지고 보면 2000년대 중반부터라고 할 수 있다. 아이돌 음악은 유행 형식으로 일시적이지만 강력한 효과를 생산하는데, 최근 아이돌은 한국 대중음악에서 일시적 유행 형식이 아닌 하나의 지배적인 장르이자 가장 핵심적인 제작 방식으로 그 입지를 굳히고 있다. 아이돌 음악은 이제 한철 장사가 아니라 한국 대중음악의 제작 자체를 좌지우지하는 주류 양식이 된 것이다. 하위문화의 한 형식이었던 아이돌 음악은 이제 한국 대중음악을 대변하게 된 것이다.

– 계간 「문학동네」 통권 73호 –

자료·분석 아이돌 음악은 팝 음악 장르의 하위문화에 속하였지만, 2000년대 중반부터 우리나라에서 아이돌 음악이 유행하기 시작하면서 현재는 한국 대중음악을 대표하는 주류 문화가 되었다. 이처럼 하위문화는 시간이 지남에 따라 주류 문화가 되기도 한다.

한·줄·핵·심 하위문화는 시간과 장소에 따라 **상대적으로 정의되는** 특징을 지닌다.

자료2 주류 문화에 저항한 히피 문화 관련 문제 ▶ 132쪽 05번

히피(hippy)는 1960년대 미국에서 기존의 사회 통념, 제도, 가치관 등에 저항하면서 전쟁과 폭력 반대, 인간성의 회복, 자연으로의 복귀 등을 주장했던 사람들을 말한다. 히피들은 폭동, 전쟁, 암살 등으로 많은 사람들이 죽고 다치는 모습을 보면서 사회에 대한 절망과 분노를 느꼈다. 그리고 이를 계기로 당시 사회에서 통용되던 규범과 가치 등 주류 문화를 비판하였다. 히피들은 긴 머리에 샌들을 신거나 맨발로 다니고, 다양한 색깔의 천으로 옷을 직접 만들어 입으면서 자신들의 저항 의식과 개성을 표현하였다. 이들은 생각을 공유하는 사

▲ 전쟁을 반대하는 히피

람들과 함께 '히피 빌리지'라는 새로운 공동체를 만들기도 했다. 이 공동체에서 사람들은 자유롭게 자신의 감정과 즐거움을 표현하였고, 폭력을 거부하며 평화를 노래하였다.

자료·분석 히피 문화는 1960년대에 기존의 사회 질서에 대한 비판을 시도하며 등장한 대표적인 반문화 중 하나이다. 반문화는 독자성이 강하고 지배 문화에 적대적인 경우가 많아 사회 갈등의 원인이 되기도 하지만, 기존 문화의 보수성이나 문제점에 대한 성찰의 계기를 마련하여 사회가 바람직한 방향으로 변화하는 데 도움을 주기도 한다. 따라서 반문화로 평가되는 문화를 가진 집단을 일방적으로 비난하기보다는 그들의 요구나 가치에 대하여 개방적인 관점에서 바라볼 필요가 있다.

한·줄·핵·심 반문화는 사회 갈등을 초래하기도 하지만, **사회 변화의 원동력**이 되기도 한다.

내용 이해를 돕는 팁

❓ 궁금해요

Q. 지역 문화는 어떤 역할을 하나요?

A. 지역 문화는 지역 주민에게 일체감과 자부심을 느끼게 하고, 사회 전체적으로는 문화적 다양성을 높이는 역할을 해. 최근에는 지역 특성을 반영한 축제나 행사 등을 개최하여 지역 문화의 고유성과 대중성을 높이고, 지역 사회의 발전을 꾀하고 있어.

용어 더하기

* **획일화**
모두가 한결같아서 다름없이 되는 것을 의미하며, 문화가 획일화될 경우 각 문화가 가지는 고유한 개성이 쇠퇴하여 문화의 발전을 저해할 수 있다.

* **결속력**
뜻이 같은 사람끼리 서로 단결하는 성질

* **유대감**
서로 밀접하게 연결되어 있는 공통된 느낌

* **세대**
같은 시대에 살면서 공통의 의식을 가지는 비슷한 연령대의 사람들을 말하는데, 대체로 노년, 장년, 청소년 등으로 세대를 구분한다.

02 ~ 하위문화와 대중문화

❹ 산업화와 대중문화
산업화로 국민의 소득이 증대되면서 사회 구성원들의 물질적 여유와 여가가 늘어났다. 또한 대량 생산이 가능해지면서 다수가 동시에 누릴 수 있는 문화가 보급되며 대중문화가 형성되었다.

❺ 대중 매체의 유형
· 일방향 매체: 신문, 잡지, 라디오, 텔레비전 등 전통적인 대중 매체로, 전문 제작자가 프로그램을 제작하여 일방적으로 대중에게 전달함
· 쌍방향 매체: 인터넷을 이용한 매체들로, 인터넷 이용자인 대중이 매체가 전달하는 내용의 생산에 직접 참여함

❻ 대중 조작
정치 지도자나 특정 집단이 대중의 의사, 가치관 등을 조작해 자신들의 뜻을 이루려는 것으로, 대중 매체를 통해 여론을 조작하거나 형성하는 것이 대표적이다.

❼ 대중문화의 발전을 위한 역할
· 대중: 다양한 방법으로 정보와 지식을 접하고 비교할 줄 아는 태도를 함양하며, 대중 매체를 끊임없이 감시함
· 대중문화 생산자: 장기적인 안목에서 수용자와 함께 대중문화의 질을 높이는 노력을 해야 함
· 정부: 대중문화 생산자와 수용자의 자율성을 보장하면서 건전한 대중문화의 발전을 위한 제도적 장치를 마련해야 함

C 대중문화의 이해

|시·험·단·서| 뉴 미디어를 중심으로 대중 매체와 대중문화의 관련성을 파악하거나, 대중문화의 비판적 수용을 묻는 문제가 주로 출제돼.

1. 대중문화의 의미와 형성

(1) 대중문화: 한 사회 내의 불특정 다수가 공유하면서 누리는 문화

(2) 형성
① 산업화,❹ 의무 교육*의 확대 및 보통 선거의 확립 등으로 대중의 지위가 상승하고 문화적 욕구가 커짐
② 신문, 라디오, TV 등 대중 매체가 보급됨 → 대중 매체가 생산한 문화 상품 수용 → 대중문화 형성

2. 대중 매체와 대중문화

(1) 대중 매체: 동일한 정보를 불특정 다수에게 동시에 대량으로 전달하는 수단

(2) 대중문화와의 관계: 대중문화는 대중 매체를 통해 형성되고 확산됨
└ 대중 매체를 통해 생산된 음악, 영화, 방송 등의 문화 상품을 대중이 쉽게 소비할 수 있기 때문이야.

(3) 대중 매체의 유형❺ [자료3] [자료4]
① 인쇄 매체: 활자를 통해 정보를 전달하는 매체 예 신문, 잡지 등
② 음성 매체: 소리를 통해 정보를 전달하는 매체 예 라디오 등
③ 영상 매체: 소리와 영상을 통해 정보를 전달하는 매체 예 텔레비전, 영화 등
④ 뉴 미디어: 인터넷, 누리 소통망(SNS*) 등 새롭게 등장한 대중 매체 → 사용자 간의 활발한 쌍방향 의사소통, 신속한 정보 전달, 정보 재가공의 편리성

(4) 뉴 미디어의 등장과 대중문화: 인터넷, 누리 소통망(SNS) 등 뉴 미디어의 등장으로 대중*이 대중문화의 생산에 직접 참여하게 됨
└ 과거에는 대중 매체를 통해 문화가 생산되고 대중은 대중문화의 소비자에 머물렀어.

3. 대중문화의 특징

(1) 대중이 일상생활 속에서 손쉽게 접하고 자연스럽게 즐길 수 있음

(2) 문화가 대량으로 생산되어 빠르게 확산하고 문화의 변동 속도가 빠름

4. 대중문화의 기능

순기능	· 오락 및 여가의 기회를 제공하여 휴식과 재충전의 시간을 가지게 함 → 삶의 활력소 · 과거 특권층이 누리던 문화적 혜택을 다수가 누릴 수 있게 함 → 문화의 민주화에 이바지 (└ 고급문화의 대중화라고도 해.) · 시민 의식의 성숙과 민주주의의 발전에 기여함 · 새로운 지식, 정보, 가치 등을 전달함 → 새로운 문화가 확산될 수 있는 기회 제공 · 사회에 대한 관심이나 비판적 욕구를 표출하고 공유하는 기회를 제공함
역기능	· 문화가 획일화되어 개인의 독창성과 개성이 쇠퇴하고 문화적 다양성이 약화될 수 있음 · 오락성에 치우쳐 대중의 정치적 무관심을 조장할 수 있음 · 지나친 상업화로 인해 대중문화의 질이 낮아질 수 있음 · 정치권력이나 특정 집단이 정보를 은폐하거나 왜곡하여 대중 조작❻ 수단으로 악용할 수 있음

└ 대중 매체는 공익보다 자신들의 경제적 이익을 위해 경쟁을 벌이므로 선정적이거나 자극적인 정보를 제공할 우려가 있어.

5. 대중문화 수용의 바람직한 자세❼ [자료5]

(1) 대중문화를 맹목적*으로 수용하는 것이 아니라 비판적으로 바라보며 주체적으로 수용함

(2) 대중문화의 상업성과 획일성을 살피며 선별적으로 수용함

(3) 정보의 출처를 살피고, 다른 매체는 어떤 시각으로 다루는지 비교함
└ 대중은 적극적으로 문화의 생산에 참여하여 대중문화의 창조자로서의 역할을 해야 해.

(4) 스스로를 대중문화를 만들어가는 주체로 인식하고 바람직한 대중문화를 만들기 위해 노력함

자료3 대중 매체의 발달 과정

자료·분석 책, 잡지, 신문 등 인쇄 매체를 시작으로 발달한 대중 매체는 라디오, 음반 등의 음성 매체를 거쳐 텔레비전, 영화 등의 영상 매체로 발달하였다. 오늘날에는 디지털 기술을 이용한 뉴 미디어가 등장하였고, 인터넷에 기반을 둔 쌍방향 텔레비전이 등장하는 등 전통적인 매체들이 뉴 미디어와 융합하는 경향을 보이고 있다.

한·줄·핵·심 대중 매체의 발달은 대중문화 형성의 가장 중요한 요인이다.

자료4 뉴 미디어의 등장과 대중문화

최근 출간된 김주대 시인의 시집 『사랑을 기억하는 방식』에는 300여 명의 주주가 있다. 이들은 시인이 자신의 누리 소통망에 제안한 소셜 펀딩*에 응해 투자를 결심한 사람들이다. 우리나라에서 한 번도 시도된 적 없는 이 독특한 출간 형식에 처음에는 과연 몇 명이 응할지 의심스러웠지만, 펀딩 금액은 하루 만에 1,000만 원을 넘어섰다. 누리 소통망(SNS)을 기반으로 한 책 출간은 작가와 출판사 모두가 승리할 수 있어 앞으로 더 확대될 것으로 보인다.

자료·분석 누리 소통망(SNS)을 활용하여 작가가 작품을 홍보하고, 팬들이 적극적으로 작품 개발에 참여하는 모습은 뉴 미디어를 통해 대중문화의 생산자와 소비자의 경계가 모호해짐을 보여 준다.

한·줄·핵·심 뉴 미디어의 등장으로 대중이 대중문화의 생산에 직접 참여할 수 있게 되었다.

자료5 대중문화의 비판적 수용 관련 문제 ▶ 133쪽 08번

운동 경기 보도나 선수 묘사에서 성차별적 요소가 종종 나타난다. 남성 선수는 빠르다거나 실력이 뛰어나다는 등 경기력에 초점을 맞추어 묘사하는 반면, 여성 선수는 예쁘다거나 미혼이라는 등 나이, 외모, 결혼 여부 등을 부각하여 언급하는 식이다. 지난 브라질 리우 올림픽 때도 마찬가지 현상이 지적되었는데 이번에는 그 방식이 독특하였다. 성차별적 중계가 보도되자, 한 누리꾼이 인터넷상에 성차별적 중계 사례 모음 파일을 만들어 게시하였고, 그 내용이 다른 사람들에게 전달되면서 많은 사람이 성차별적 사례 모음에 참여하였다. 이를 계기로 성차별적 중계 문제가 공론화되었고, 많은 누리꾼이 해당 언론사를 비판하고 적극적으로 시정을 요구하였다.

자료·분석 대중문화에서는 성차별, 성 불평등의 사례를 쉽게 찾아볼 수 있다. 따라서 양성평등적 가치관의 확립을 위해서 대중문화에 대한 비판적 수용과 견제가 필요하다.

한·줄·핵·심 대중문화의 발전을 위해서는 소비자들의 대중문화에 대한 비판적 수용이 필요하다.

주류 문화와 하위문화

개념풀 Guide 주류 문화와 하위문화의 의미를 바탕으로 자료에 나타난 문화의 유형을 구분해 보자.

1. 주류 문화, 하위문화, 반문화의 구분

구분	A	B	C
한 사회 내에서 일부 구성원들만 공유하는 문화인가?	예	예	아니요
한 사회의 지배적인 문화를 거부하거나 저항하는 문화인가?	예	아니요	아니요

분석 일부 구성원들만 공유하는 문화는 하위문화이므로 해당 질문에 '아니요'라고 응답한 C는 주류 문화이다. '한 사회의 지배적인 문화를 거부하거나 저항하는 문화인가?'에 '예'라고 응답한 A는 반문화이다. 따라서 B는 반문화의 성격이 없는 하위문화이다.

2. 하위문화와 반문화

문화는 사회마다 다를 뿐 아니라 같은 사회 내에서도 다양한 양상으로 나타난다. 한 사회 내의 특정 집단 구성원들만이 공유하는 문화가 있는데, 이를 A 문화라고 한다. 또한, 주류 문화에 반대하고 적극적으로 도전하는 양상을 보이는 B 문화도 있다. B 문화는 때로는 지배 집단에 의해 일탈로 규정되기도 한다.

분석 • A 문화는 한 사회 내의 특정 집단 구성원들만이 공유하는 문화이므로 하위문화이다.
• B 문화는 주류 문화에 반대하고 도전하는 양상을 보이는 문화이므로 반문화이다. 반문화도 하위문화에 해당한다.

3. 사례를 통한 주류 문화, 하위문화, 반문화의 구분 관련 문제 ▶ 135쪽 05번

중세 말기 유럽에서는 새롭게 부를 축적한 부르주아지가 등장하였다. 이들의 문화는 당시 엄격한 신분제에 기초한 봉건제적 문화와는 차별화된 성격을 띠고 있어 처음에는 A 문화였다. 그러나 부르주아지가 근대 시민 혁명을 통해 구체제를 전복하려 나선 시기에, 이들의 문화는 B 문화로서의 성격을 보였다. 그리고 마침내 구체제가 무너지고 새로운 근대 사회가 도래한 이후 이들의 문화는 점차 봉건제적 문화를 대체하며 C 문화로 성장하였다.

분석 A 문화는 부르주아지들만 가지고 있던 문화로 하위문화, B 문화는 구체제를 전복하려 했다는 점에서 반문화, C 문화는 새로운 근대 사회가 도래한 이후 부르주아지의 문화가 봉건제적 문화를 대체하였다는 점에서 주류 문화에 해당한다.

4. 반문화와 세대 문화의 구분 관련 문제 ▶ 134쪽 02번

유형	사례
A 문화	1960년대 미국의 히피족은 정치적으로 베트남전 참전을 위한 징집을 거부하는 등 정부 정책에 도전하며 평화를 추구하고, 물질적 풍요와 편의성보다는 자연과 공존하는 생활 태도를 중시하였다.
B 문화	최근 2030세대는 이전의 젊은 세대에 비해 현재를 중시하는 삶의 방식을 보인다. 이들은 미래에 투자하기보다 현재의 행복과 즐거움을 위해 소비하는 경향을 보인다. 이는 "You only live once(당신의 삶은 한 번 뿐이다)."의 줄임말인 '욜로(YOLO)' 현상으로 설명되기도 한다.

분석 • A 문화는 정부 정책에 도전하고 기존의 생활 태도를 거부하고 있으므로 반문화이다. 히피 문화는 대표적인 반문화의 사례로, 기존 사회 질서에 대한 비판을 시도했으며 문명 맹신적인 문화에 저항하였다.
• B 문화는 2030세대만이 가지는 문화적 특징을 보여 주고 있으므로 세대 문화에 해당한다.

A 하위문화의 의미와 기능

01 알맞은 말에 ○표를 하시오.

(1) 한 사회의 일부 구성원들이 공유하는 문화를 (주류, 하위)문화라고 한다.

(2) 전체 사회가 복잡해지고 다원화될수록 (다양한, 단순한) 하위문화가 나타난다.

(3) 시간과 공간에 따라 하위문화는 (상대적, 절대적)인 성격을 지닌다.

B 하위문화의 대표적인 유형

02 하위문화의 유형과 그에 대한 설명을 바르게 연결하시오.

(1) 지역 문화 •　　　　• ㉠ 사회의 지배적인 문화에 적극적으로 저항하고 대립하는 문화

(2) 세대 문화 •　　　　• ㉡ 일정한 범위의 연령층이 공유하고 있는 문화

(3) 반문화　 •　　　　• ㉢ 여러 지역 사회에서 각각 나타나는 고유한 생활 양식

03 다음과 같은 특징을 가지는 대표적인 세대 문화를 쓰시오.

> • 기존의 틀에 얽매이지 않고 새로운 것을 추구한다.
> • 생산 활동보다 소비 활동의 비중이 크며 변화 지향적이다.
> • 대중문화의 영향을 받아 충동적이거나 모방적인 성격을 보이기도 한다.

(　　　　　)

C 대중문화의 이해

04 다음 내용이 옳으면 ○표, 틀리면 ×표를 하시오.

(1) 대중문화는 특정 계층이 누리면서 공유하는 문화를 말한다. (　　)

(2) 산업화로 대량 생산과 대량 소비가 가능해지면서 대중문화가 형성되었다. (　　)

(3) 인터넷, 누리 소통망(SNS) 등의 뉴 미디어가 등장하면서 대중문화의 생산자와 소비자의 경계가 더욱 뚜렷해졌다. (　　)

(4) 대중문화는 대중 매체를 통해 다량으로 유통되므로 문화의 다양성이 강화된다. (　　)

(5) 대중문화의 지나친 상업화는 대중문화의 질을 떨어뜨릴 수 있다. (　　)

05 알맞은 말에 ○표를 하시오.

(1) (인쇄, 영상) 매체는 활자를 통해 정보를 전달하는 매체로, 신문이나 잡지 등이 이에 해당한다.

(2) 대중문화의 부정적인 기능을 극복하고 대중 매체가 전달하는 내용을 올바르게 이해하기 위해서는 대중문화를 (맹목적, 비판적)으로 수용해야 한다.

(3) 현대 사회에서 대중은 대중문화의 (소비자, 생산자)로서 스스로 대중문화를 만들어가는 주체로 인식하고 바람직한 대중문화를 만들기 위해 노력해야 한다.

A 하위문화의 의미와 기능

01 (가)에 들어갈 문화에 대한 설명으로 옳은 것은?

> 문화는 해당 문화를 향유하는 집단을 기준으로 하여 대다수의 사회 구성원이 누리는 주류 문화와 일부 특정 집단의 구성원들만이 누리는 ___(가)___ (으)로 구분할 수 있다.

① 사회의 유연성을 약화한다.
② 사회가 다원화될수록 그 종류가 줄어든다.
③ 주류 문화와 동일한 생활 양식이 나타난다.
④ 같은 문화를 공유하는 사람들 간의 결속력을 강화한다.
⑤ 주류 문화의 범주와는 상관없이 항상 동일하게 정의된다.

02 다음 글에서 알 수 있는 하위문화의 특징으로 옳은 것은?

> 아이돌 음악은 역사적으로 보면 팝 음악 장르의 하위문화에 속한다고 볼 수 있다. 한국에서 아이돌 음악이 완전한 독점 체제를 구축한 것도 2000년대 중반부터라고 할 수 있다. 그런데 최근 아이돌 음악은 한국 대중음악에서 일시적 유행 형식이 아닌 하나의 지배적인 장르이자 가장 핵심적인 제작 방식으로 그 입지를 굳히고 있다.

① 주류 문화를 획일화한다.
② 문화 갈등의 요인이 된다.
③ 사회에 따라 상대적으로 규정된다.
④ 다른 문화와의 동질감을 형성한다.
⑤ 한 사회 구성원들이 모두 공유한다.

03 하위문화의 기능으로 옳지 않은 것은?

① 문화의 획일화를 방지한다.
② 다양한 문화적 욕구를 충족시킨다.
③ 역동적인 사회를 만드는 데 기여한다.
④ 문화가 지향하는 가치 간의 충돌을 막아 문화의 보편성을 높인다.
⑤ 주류 문화에 대한 대안을 제시함으로써 문화에 활력을 불어넣는다.

B 하위문화의 대표적인 유형

04 밑줄 친 '유등 놀이'에 대한 옳은 설명을 〈보기〉에서 고른 것은?

> 진주 남강 유등 축제는 매년 10월에 경상남도 진주시에서 열린다. 진주 남강에 등을 띄우는 <u>유등 놀이</u>는 임진왜란 당시 진주성 대첩에서 유등이 군사 전술과 통신 수단으로 쓰이며 비롯되었다. 전투 이후 진주 사람들은 순국선열들의 넋을 위로하기 위해 남강에 유등을 띄웠고, 이 전통이 이어져 진주 남강 유등 축제로 자리잡았다.

> **보기**
> ㄱ. 전체 사회의 문화적 다양성을 강화한다.
> ㄴ. 특정 지역에서 나타나는 고유한 문화이다.
> ㄷ. 지역 구성원의 유대감과 자부심을 떨어뜨린다.
> ㄹ. 문화를 획일화하여 사회 구성원의 일체감을 높인다.

① ㄱ, ㄴ   ② ㄱ, ㄷ   ③ ㄴ, ㄷ
④ ㄴ, ㄹ   ⑤ ㄷ, ㄹ

05 밑줄 친 '히피 문화'와 같은 문화 유형에 대한 설명으로 옳은 것은?

> 히피(hippy)는 1960년대 미국에서 기존의 사회 통념, 제도, 가치관 등에 저항하면서 전쟁과 폭력 반대, 인간성의 회복, 자연으로의 복귀 등을 주장했던 사람들을 말한다. 히피들은 긴 머리에 샌들을 신거나 맨발로 다니고, 다양한 색깔의 천으로 옷을 직접 만들어 입으면서 자신들의 저항 의식과 개성을 표현하는 <u>히피 문화</u>를 만들었다.

① 사회 구성원의 연대 의식을 강화한다.
② 사회 구성원 다수가 향유하는 문화이다.
③ 사회 갈등보다는 사회 통합에 기여한다.
④ 사회의 지배적인 문화에 대항하는 성격을 지닌다.
⑤ 시대나 사회가 달라져도 해당 문화에 대한 규정은 달라지지 않는다.

C 대중문화의 이해

06 대중문화에 대한 옳은 설명만을 〈보기〉에서 있는 대로 고른 것은?

> 보기
> ㄱ. 문화의 민주화에 이바지한다.
> ㄴ. 시민 의식을 성장시켜 민주주의의 발전에 기여한다.
> ㄷ. 대중 매체를 통해 대량 유통되어 문화가 획일화될 우려가 있다.
> ㄹ. 한 사회 내의 다양한 집단 중 특정 집단의 구성원들이 공유하는 문화이다.

① ㄱ, ㄴ   ② ㄱ, ㄹ   ③ ㄴ, ㄷ
④ ㄱ, ㄴ, ㄷ   ⑤ ㄴ, ㄷ, ㄹ

07 다음 글에서 알 수 있는 대중문화의 특징을 〈보기〉에서 고른 것은?

> 인터넷을 통해 개인 방송을 운영하는 □□ 씨는 자신만의 독특한 화장법을 공유한다. 그녀의 방송은 요즘 대학생들에게 큰 인기를 끌어 모르는 학생들이 없을 정도다. □□ 씨가 방송에서 사용한 화장품은 다음날이 되면 품절이 될 정도로 인기가 좋다. 어느 날 방송된 립 메이크업을 강조한 화장법은 대학생들 사이에서 큰 화제가 되어 대부분의 학생들이 해당 화장을 하고 다니고 있다.

> 보기
> ㄱ. 오락성에 치우쳐서 정치적 무관심을 초래할 수 있다.
> ㄴ. 지나친 상업화로 인해 대중문화의 질이 낮아질 수 있다.
> ㄷ. 문화의 획일화로 문화의 다양성과 개성을 잃을 수 있다.
> ㄹ. 뉴 미디어의 등장으로 대중이 대중문화의 생산에 직접 참여할 수 있다.

① ㄱ, ㄴ   ② ㄱ, ㄷ   ③ ㄴ, ㄷ
④ ㄴ, ㄹ   ⑤ ㄷ, ㄹ

08 다음 글이 우리에게 주는 시사점으로 가장 적절한 것은?

> 운동 경기 보도나 선수 묘사에서 성차별적 요소가 종종 나타난다. 남성 선수는 빠르다거나 실력이 뛰어나다는 등 경기력에 초점을 맞추어 묘사하는 반면, 여성 선수는 예쁘다거나 미혼이라는 등 나이, 외모, 결혼 여부 등을 부각하여 언급하는 식이다. 지난 브라질 리우 올림픽에서도 성차별적 중계가 보도되자, 한 누리꾼이 인터넷상에 성차별적 중계 사례 모음 파일을 만들어 게시하였고, 그 내용이 다른 사람들에게 전달되면서 많은 사람이 성차별적 사례 모음에 참여하였다. 이를 계기로 성차별적 중계 문제가 공론화되었고, 많은 누리꾼이 해당 언론사를 비판하고 적극적으로 시정을 요구하였다.

① 대중문화의 획일성을 경계해야 한다.
② 대중문화의 양적 발전을 추구해야 한다.
③ 다양한 매체를 통해 정보와 지식을 접해야 한다.
④ 대중문화에 대한 비판적인 수용 자세가 필요하다.
⑤ 대중은 문화의 소비자이면서 생산자의 역할을 수행해야 한다.

서술형 문제

09 다음 글을 통해 알 수 있는 대중문화의 부정적 기능을 서술하시오.

> 제2차 세계 대전 중 독일 나치의 선전 및 미화를 책임졌던 선전 장관 요제프 괴벨스는 독일인들을 전쟁에 동원하기 위해 폴란드인들이 독일인들을 탄압한다는 주장과 유대인들에 대한 증오를 담은 내용을 라디오와 신문을 통해 전파하였다. 그의 이러한 선전 활동의 결과 많은 독일인이 전쟁이 필요하다고 생각하게 되었으며 유대인을 공격하였다.

01 다음 글에서 알 수 있는 하위문화의 특징으로 가장 적절한 것은?

> 조선 시대 후기에 천주교는 유교 문화에 배치된다는 이유로 박해를 받았다. 만약 천주교를 믿는 국가에 유교를 믿는 사람이 있었다면 그 사람도 이와 같은 박해를 받았을 것이다. 한편, 오늘날 천주교는 우리나라에서 공인받은 대표적인 종교 중 하나로 많은 사람에게 익숙한 종교가 되었다.

① 사회가 다원화될수록 다양해진다.
② 사회 변동에 따라 주류 문화가 되기도 한다.
③ 전체 사회가 추구하는 가치와 일맥상통한다.
④ 전체 사회의 문화적 다양성을 형성하는 데 기여한다.
⑤ 사회 구성원들의 다양한 문화적 욕구를 충족시킬 수 있다.

03 다음 글을 통해 파악할 수 있는 청소년 문화의 특징을 〈보기〉에서 고른 것은?

> 얼마 전 A 회사의 특정 외투가 100만 원대의 고가(高價)임에도 불구하고 청소년들 사이에서 선풍적인 인기를 끌었다. 청소년들은 그 이유로 친구들이 입고 다니기 때문에, 광고에 나온 연예인이 입었기 때문에 등을 들었다. 그러나 대다수의 청소년은 이미 몇 년 전에 유행했던 다른 회사의 특정 외투도 가지고 있었다.

> **보기**
> ㄱ. 반문화적 성격을 지닌다.
> ㄴ. 모방적인 성향이 강하다.
> ㄷ. 또래 집단의 영향을 많이 받는다.
> ㄹ. 기성세대의 문화에 대해 비판적이다.

① ㄱ, ㄴ ② ㄱ, ㄷ ③ ㄴ, ㄷ
④ ㄴ, ㄹ ⑤ ㄷ, ㄹ

수능 유형

02 하위문화의 유형인 A, B 문화의 일반적인 특징에 대한 설명으로 옳은 것은?

유형	사례
A 문화	1960년대 미국의 히피족은 정치적으로 베트남전 참전을 위한 징집을 거부하는 등 정부 정책에 도전하며 평화를 추구하고, 물질적 풍요와 편의성보다는 자연과 공존하는 생활 태도를 중시하였다.
B 문화	최근 2030세대는 이전의 젊은 세대에 비해 현재를 중시하는 삶의 방식을 보인다. 이들은 미래에 투자하기보다 현재의 행복과 즐거움을 위해 소비하는 경향을 보인다. 이는 "You only live once(당신의 삶은 한 번 뿐이다)."의 줄임말인 '욜로(YOLO)' 현상으로 설명되기도 한다.

① A 문화는 B 문화와 달리 전체 사회에 문화 다양성을 제공한다.
② B 문화는 A 문화와 달리 기존 문화에 저항하는 특징을 보인다.
③ A 문화나 B 문화에 속하는 것을 구분하는 기준은 상대적이다.
④ A 문화는 사회 통합에, B 문화는 사회 변동에 기여한다.
⑤ A 문화와 B 문화의 총합은 주류 문화이다.

수능 기출

04 (가), (나)의 사례에 대한 설명으로 옳은 것은?

> (가) 인터넷 및 스마트폰의 보급으로 누구나 온라인 게임을 손쉽게 접할 수 있게 되었다. 이제 온라인 게임은 청소년뿐만 아니라 중장년층 및 노년층까지 전 세대가 즐기는 대중적 문화가 되었다.
> (나) 최근 청소년들은 그들끼리만 통하는 언어를 사용한다. 인터넷 용어를 축약하여 표현하거나, 자음만으로 의사를 표현하는 등의 방법으로 신조어와 은어를 만들어 사용한다. 기성세대가 청소년들의 언어문화를 이해하지 못하여, 세대 간 의사소통의 장애가 발생하고 있다.

① (가)에서는 물질문화의 변동으로 인해 하위문화가 주류 문화로 변화되었다.
② (나)에서는 하위문화로 인해 세대 문화 간의 이질성이 약화되었다.
③ (가)는 (나)와 달리 문화 지체 현상을 포함하고 있다.
④ (나)는 (가)와 달리 반문화의 범위가 확장된 사례이다.
⑤ (가), (나)는 모두 특정 집단의 문화가 기존의 주류 문화를 대체한 사례이다.

수능 유형

05 A~C 문화에 대한 옳은 설명을 〈보기〉에서 고른 것은? (단, A~C 문화는 각각 주류 문화, 하위문화, 반문화 중 하나이다.)

> 중세 말기 유럽에서는 새롭게 부를 축적한 부르주아지가 등장하였다. 이들의 문화는 당시 엄격한 신분제에 기초한 봉건제적 문화와는 차별화된 성격을 띠고 있어 처음에는 A 문화였다. 그러나 부르주아지가 근대 시민 혁명을 통해 구체제를 전복하려 나선 시기에, 이들의 문화는 B 문화로서의 성격을 보였다. 그리고 마침내 구체제가 무너지고 새로운 근대 사회가 도래한 이후 이들의 문화는 점차 봉건제적 문화를 대체하며 C 문화로 성장하였다.

> 보기
> ㄱ. A 문화는 C 문화와 대립하여 사회 안정을 저해한다.
> ㄴ. C 문화는 사회 변동에 따라 A 문화가 되기도 한다.
> ㄷ. 한 사회에서 B 문화는 C 문화와 공존이 불가능하다.
> ㄹ. 한 사회에서 C 문화는 A 문화의 총합으로 설명할 수 없다.

① ㄱ, ㄴ   ② ㄱ, ㄷ   ③ ㄴ, ㄷ
④ ㄴ, ㄹ   ⑤ ㄷ, ㄹ

06 밑줄 친 ㉠, ㉡에 대한 옳은 설명만을 〈보기〉에서 있는 대로 고른 것은?

> 정보 사회에서는 ㉠뉴 미디어가 ㉡전통적인 대중 매체를 대체할 것이라고 기대되었다. 그러나 여전히 전통적인 대중 매체의 영향력은 남아 있다.

> 보기
> ㄱ. ㉠에는 인터넷, 누리 소통망(SNS) 등이 해당한다.
> ㄴ. ㉠의 등장으로 정보 생산자와 소비자 간의 일방향 의사소통이 강화되었다.
> ㄷ. ㉡에는 인쇄 매체, 음성 매체, 영상 매체 등이 있다.
> ㄹ. ㉠은 ㉡보다 대중문화의 생산자와 소비자의 경계가 모호하다.

① ㄱ, ㄷ   ② ㄴ, ㄷ   ③ ㄴ, ㄹ
④ ㄱ, ㄴ, ㄹ   ⑤ ㄱ, ㄷ, ㄹ

07 대중문화와 관련된 갑~정의 주장에 대한 분석으로 옳지 않은 것은?

> 갑: 오늘날 누구나 약간의 비용만 부담하면 뮤지컬이나 연극 공연과 같은 문화를 즐길 수 있어요.
> 을: 사람들이 신문의 정치면보다는 연예면을 즐겨보는 데서 문제점을 찾을 수 있어요.
> 병: 최근에는 드라마 시청자가 인터넷을 통해 의견을 제시함으로써 드라마의 결말이 바뀌는 등 시청자의 역할이 중요해지고 있어요.
> 정: 길거리에 나가보면 너나 할 것 없이 유명 연예인을 흉내 낸 머리 모양을 하고 있고, 노래방에서 부르는 노래도 히트곡 몇 곡으로 한정되어 있어요.

① 갑은 고급문화의 대중화를 주장하고 있다.
② 을은 대중문화가 정치적 무관심을 초래할 수 있음을 우려하고 있다.
③ 병은 대중문화의 일방성에 대해 비판적인 태도를 보이고 있다.
④ 정은 대중문화가 문화를 획일화한다고 보고 있다.
⑤ 갑~정은 모두 대중문화가 대중의 일상생활에 미치는 영향력을 인정하고 있다.

08 다음 글과 관련하여 대중문화에 대한 대응 자세로 가장 적절한 것은?

> 게이트 키핑(gate keeping)이란 기자나 편집자와 같은 뉴스 결정권자가 뉴스를 취사선택하는 일 또는 그 과정을 말한다. 뉴스가 되는 기준과 그 기준에 따라 선정된 사건이 뉴스로서 어떻게 보도되느냐는 점이 게이트 키핑의 핵심적 과제이다. 뉴스의 가치가 있는 특정 사건은 게이트 키핑 과정을 거치는 동안 내용이 수정 또는 왜곡될 수 있다. 경우에 따라서는 외부의 압력에 의해 기사가 공정성을 잃은 채 보도되기도 한다.

① 정치적 무관심을 극복해야 한다.
② 대중문화의 질적 수준을 높여야 한다.
③ 문화의 다양성을 확보하기 위해 노력해야 한다.
④ 상업적인 대중문화에 대한 선별적 수용이 필요하다.
⑤ 대중 매체가 제공하는 정보에 대한 비판적인 수용 자세가 필요하다.

03 ∿ 문화 변동

핵심 질문으로 흐름잡기

A 문화 변동의 내재적 요인과 외재적 요인은?

B 문화 접변의 유형 및 양상은?

C 문화 변동의 문제점과 대처 방안은?

❶ 1차 발명과 2차 발명

1차 발명은 이전에 전혀 존재하지 않았던 문화 요소나 원리를 처음으로 만들어 내는 것이고, 2차 발명은 이미 발명된 문화 요소들을 결합하거나 응용하여 새로운 문화 요소를 만들어 내는 것이다. 예를 들어 바퀴의 발명은 1차 발명이고, 바퀴를 이용하여 수레나 자동차를 만드는 것은 2차 발명이다.

❷ 문화 전파

한 사회의 문화 요소가 다른 사회로 전해져서 그 사회의 문화 요소로 정착되는 현상이다. 문화 전파는 문화 변동의 촉매제 역할을 한다. 실제로 문화 변동은 사회 안에서의 발명이나 발견보다 다른 지역으로부터의 문화 전파에 의해 이루어지는 경우가 많다.

❸ 한류

우리나라의 대중문화가 외국에서 대중성을 가지게 되는 것을 일컫는 용어이다. 2000년대에 들어 우리나라의 음악, 드라마 등이 인터넷, 누리 소통망(SNS) 등 다양한 대중 매체를 통해 외국에 전해져 한류 열풍을 불러일으킨 것은 간접 전파의 사례이다.

A 문화 변동의 의미와 요인

| **시·험·단·서** | 사례를 통해 문화 변동의 내재적 요인과 외재적 요인을 구분하는 문제가 주로 출제돼!

1. 문화 변동의 의미와 특징

(1) **문화 변동**: 새로운 문화 요소의 등장이나 다른 문화와의 접촉을 통해 문화가 변화하는 현상

(2) **특징**: 교통과 정보 통신 기술의 발달로 현대 사회에서는 과거보다 문화 변동의 속도가 매우 빠르고 광범위하게 나타나고 있음

2. 문화 변동의 내재적 요인

(1) **의미**: 한 사회 내부에서 새롭게 등장하여 그 사회의 문화 변동을 초래하는 요인

(2) **종류** 자료 1

① **발명❶**: 이전에 없었던 새로운 형태의 기술이나 사물 등의 문화 요소를 만들어 내는 것
예 전구, 인터넷, 자동차, 활, 종교, 사상 등 ─── 발명에는 물질적인 것뿐만 아니라 사상이나 가치관 등 비물질적·관념적인 것을 만들어 내는 것도 포함돼.

② **발견**: 이미 존재하고 있었지만 알려지지 않은 어떤 것을 찾아내는 것
예 비타민, 불, 바이러스, 전기 등

3. 문화 변동의 외재적 요인

(1) **의미**: 한 사회의 외부로부터 유입*되어 문화 변동을 초래하는 요인으로 **문화 전파❷**를 의미함 ─── 한 문화가 다른 문화와 교류하고 접촉하는 과정에서 새로운 문화 요소가 전달되는 것을 말해.

(2) **문화 전파의 종류**

① **직접 전파** 자료 2

• 의미: 전쟁, 정복, 식민 지배, 선교*, 교역* 등 다른 문화와의 직접적인 접촉을 통해 이루어지는 전파 ─── 직접 전파는 사회 구성원 간의 이동으로 이루어져.

• 사례: 중국에 사신으로 갔던 문익점이 중국에서 목화씨를 가져온 것, 라틴 아메리카 등지에 선교사들에 의해 가톨릭과 유럽의 문화가 전해진 것, 중국에서 우리나라로 불교와 한자가 전파된 것 등

② **간접 전파** 자료 3 ─── 최근에는 정보 통신 기술의 발달로 간접 전파가 늘어나고 있어.

• 의미: 인쇄물, 텔레비전, 인터넷 등과 같은 매개체를 통해 이루어지는 전파

• 사례: 동남아시아 등에서 인터넷을 통해 한국 아이돌을 접하며 이루어진 한류❸ 현상 등

③ **자극 전파**

• 의미: 외부 사회의 문화 요소로부터 아이디어를 얻어 새로운 문화 요소가 만들어지는 것

• 사례: 신라 시대에 설총이 중국의 한자에서 아이디어를 얻어 이두*를 발명한 것, 문자가 없었던 체로키족이 영어에서 착안하여 체로키 문자를 만든 것

─── 세쿼야라는 사람이 만들어서 세쿼야 문자라고도 해.

▲ 홍차
동인도 회사를 통해 중국의 차가 유럽으로 전해진 것은 직접 전파에 해당한다.

▲ 한국 드라마 열풍
대중 매체를 통해 우리나라의 드라마가 외국에 전파되는 것은 간접 전파에 해당한다.

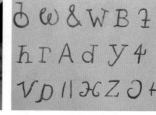

▲ 체로키 문자
체로키족이 알파벳에서 착안하여 만든 음절 문자로, 자극 전파에 해당한다.

시험에 잘 나오는 자료

내용 이해를 돕는 팁

자료1 **발명과 발견** 관련 문제 ▶ 144쪽 03번

> 1878년 에디슨이 축음기를 만들어 소리를 녹음하고 재생하는 데 성공하였다. 이후 '메리의 작은 양'이라는 민요를 녹음하는 등 레코드가 상업적으로 발달하기 시작하였고, 많은 사람이 음악을 쉽게 접할 수 있게 되었다.

> 1928년 알베르트 센트 디외르디는 체내의 각 기관에서 출혈 장애가 나타나는 괴혈병에 비타민 C를 공급하면 효과가 있다는 것을 발견하였다. 이후 비타민 C를 섭취하는 식생활로 변화하면서 괴혈병이 점차 줄어들었다.

자료·분석 자료에서 축음기의 제작과 비타민 C의 효과 발견이 문화 변동을 초래했음을 알 수 있다. 축음기의 제작은 이전에 없던 것을 만들었다는 점에서 발명에 해당하고, 비타민 C의 효과를 알아낸 것은 이미 존재하고 있었지만 알려지지 않은 것을 찾아낸 것으로 발견에 해당한다.

한·줄·핵·심 문화 변동의 내재적 요인으로는 발명과 발견이 있다.

자료2 **제지술의 전파**

> 751년 7월, 고구려 출신 당나라 장군 고선지는 군사를 이끌고 현재의 카자흐스탄 탈라스강 근처에서 이슬람군과 전투를 벌였고, 크게 패하였다. 이때 수만 명의 당나라 병사가 포로로 붙잡히게 되었는데, 그들 중에는 종이를 만드는 제지 기술자가 포함되어 있었다. 이렇게 탈라스 전투는 중국의 제지술이 이슬람 세계에 퍼지게 되는 직접적인 계기가 되었다. 당시 양가죽을 말려 두드린 양피지를 주로 사용하던 중동 지역에는 굉장한 신상품이 나타난 셈이었다. 제지술의 전래로 이슬람 제국의 문학과 학문은 크게 발달하였다. 제지술은 훗날 이집트를 거쳐 유럽에 전파되었다.

자료·분석 탈라스 전투를 통해 중국의 병사에 의해 중국의 제지술이 이슬람 세계에 전파된 것은 직접 전파에 해당한다. 직접 전파란 전쟁, 교역 등으로 다른 문화와의 직접적인 접촉을 통해 문화가 전파되는 것으로, 문화 변동의 외재적 요인 중 하나이다.

한·줄·핵·심 직접 전파는 다른 문화와의 직접적인 접촉을 통해 이루어진다.

자료3 **한류 현상**

자료·분석 자료는 폴란드에서 열린 K-POP 댄스 경연 대회의 모습이다. 대중 매체를 통해 우리나라의 대중음악이 세계로 전해지면서, 세계 각국에 한류가 형성되고 있다. 이처럼 텔레비전, 인터넷 등과 같은 매개체를 통해 문화가 전파되는 것을 간접 전파라고 하며, 간접 전파는 문화 변동의 외재적 요인 중 하나이다.

한·줄·핵·심 간접 전파는 인쇄물, 텔레비전, 인터넷 등과 같은 매개체를 통해 이루어진다.

❓ 궁금해요

Q. 자극 전파는 발명에 의한 것인데, 왜 외재적 요인에 해당하죠?

A. 발명은 그 사회 내부에서 자체적으로 이루어진 것을 말하기 때문에 내재적 요인이야. 반면, 자극 전파는 외부 사회의 문화에서 아이디어를 얻어 발명이 이루어진 것이므로 외재적 요인에 해당해.

용어 더하기

*유입
다른 사회의 문화, 지식, 사상 등이 한 사회로 흘러들어 오는 것

*선교
종교를 선전하여 세상에 널리 알리는 것

*교역
나라와 나라 사이에 물품을 사고팔며 서로 교환하는 것을 말하며, 무역이라고 할 수 있다.

*이두
한자의 음과 뜻을 빌려 우리말을 적은 표기법

03 ~ 문화 변동

❹ 문화 접변의 구분
자발적 문화 접변과 강제적 문화 접변은 문화 수용자의 입장에서 구분해야 한다. 문화 수용자의 의지와 상관없이 이루어진 문화 접변은 강제적 문화 접변, 문화 수용자가 스스로 다른 사회의 문화 요소를 받아들여 이루어진 문화 접변은 자발적 문화 접변에 해당한다.

❺ 문화 저항
강제적 문화 접변이 이루어지면 피지배 사회에서는 이에 거부하는 문화적 저항 운동이 나타날 수 있다. 일제 강점기 시대에 우리나라가 일본어 사용을 강요당했지만, 조선어학회와 같은 단체를 만들어 한글을 보급하는 등 저항한 것을 예로 들 수 있다.

❻ 간다라 미술

▲ 간다라 불상
기원전 4세기경 인도의 간다라 지방에서는 서양의 문화와 인도의 문화가 만나 독특한 미술 양식이 만들어졌는데, 이를 간다라 미술이라고 한다. 간다라 불상에는 얼굴의 윤곽이나 이목구비에 유럽인의 모습이 나타나 있다.

B 문화 변동의 양상

|**시·험·단·서**| 문화 접변의 유형을 사례를 통해 구분하는 문제나 도식을 바탕으로 문화 접변의 양상을 파악하는 문제가 자주 출제돼.

1. 문화 변동의 유형

(1) 내재적 변동

① **의미**: 발명, 발견과 같이 한 사회 내부에서 새롭게 등장한 문화 요소가 해당 사회의 문화 체계 속에서 확산하면서 나타나는 문화 변동

② **사례**: 증기기관의 발명에서 비롯된 산업 혁명을 통해 영국 문화가 총체적으로 변화한 것, 우리나라에서 세계 최초로 발명된 측우기에 의해 농업 기술이 발전한 것 등

(2) 접촉적 변동(문화 접변)

① **의미**: 서로 다른 두 사회가 장기간에 걸쳐 접촉하면서 한쪽 사회 또는 양쪽 사회에서 나타나는 문화 변동으로, 문화 접변이라고 함

② **문화 접변의 계기**: 전쟁, 교역, 선교, 대규모 이민 등

2. 문화 접변의 유형 ❹

(1) 강제적 문화 접변 자료 4

① **의미**: 정복이나 식민 지배와 같은 상황에서 물리적 강제력을 통해 자기 사회의 문화 요소를 다른 사회의 문화 체계 속에 이식함으로써 나타나는 문화 변동

② **사례**: 일제 강점기의 일본식 성명 강요와 일본어 사용, 서구 제국주의* 국가의 아프리카·라틴 아메리카·아시아에 대한 문화 이식 등 ❺

(2) 자발적 문화 접변 ┌ 식민 지배와 같은 특수한 상황을 제외하면 문화 접변은 대부분 자발적 문화 접변이라고 할 수 있다.

① **의미**: 두 사회가 지속적으로 접촉하는 과정에서 한 사회가 다른 사회의 문화를 필요하다고 느껴 스스로 다른 사회의 문화 요소를 받아들임으로써 나타나는 문화 변동

② **사례**: 북아메리카 대륙의 나바호족이 멕시코인과 교류하면서 은세공과 양탄자 직조 기술을 배워 자신들의 고유문화와 결합한 공예 양식을 발전시킨 것 등

3. 문화 접변의 양상 자료 5

(1) 문화 동화* 자료 6 ┌ 자기 문화에 대한 정체성이 약한 경우나 강제적 문화 접변일 때 나타나기 쉬워.

① **의미**: 한 사회의 전통문화 요소가 외래문화 요소로 대체됨으로써 고유한 문화적 정체성을 상실하는 현상

② **사례**: 미국에 이민 온 유럽인이 독자적인 문화적 전통을 잃어버리고 미국의 문화 속으로 흡수된 것, 라틴 아메리카의 원주민들이 원래 사용하던 언어 대신 포르투갈어나 에스파냐어를 사용하는 것 등

(2) 문화 공존(문화 병존) 자료 6

① **의미**: 한 사회의 문화 체계 속에 전통문화 요소와 외래문화 요소가 나란히 존재하는 현상 → 두 문화 요소가 고유한 성격을 잃지 않고 함께 존재함 ┌ 한 사회의 문화적 정체성이 보존되면서 문화적 다양성을 실현할 수 있어.

② **사례**: 우리나라에 토속 종교와 함께 천주교, 기독교, 이슬람교 등 다양한 종교가 존재하는 것, 우리나라의 차이나타운에서 중국인이 그들의 문화를 유지하면서 살아가는 것 등

(3) 문화 융합*

① **의미**: 서로 다른 문화 요소가 결합하여 두 문화 요소의 성격을 지니면서도 두 문화 요소와는 다른 새로운 성격의 문화가 형성되는 현상

② **사례**: 미국에서 아프리카 흑인 음악의 리듬과 유럽 백인 음악의 악기가 만나 재즈가 탄생한 것, 인도 문화와 서양 문화가 만나 만들어진 간다라 미술, ❻ 퓨전 음식 등

시험에 잘 나오는 자료

자료4 일제 강점기와 문화 변동

> 일제 강점기 당시 일본은 우리나라의 민족 문화를 말살하기 위한 여러 정책들을 펼쳤다. 특히 그들은 식민지 교육 정책을 강요하면서 우리 민족 문화를 왜곡하고 그들의 문화를 미화하는 한편, 신사 참배, 우리 어문(語文)의 사용 금지, 일본어 사용 강요, 일본식 성명 강요 등의 정책을 폈는데, 그 수법은 세계에서 유례를 찾기 힘들 정도로 악랄하였다.

자료·분석 일제 강점기에 일본은 우리나라 국민에게 신사 참배를 시켜 그들의 종교를 강요하였고, 일본식 성씨를 쓰도록 했다. 일제 강점기 당시 우리 사회가 겪은 문화 변동은 식민 지배 상황에서 물리적 강제력을 통해 이루어졌으므로 강제적 문화 접변에 해당한다.

한·줄·핵·심 강제적 문화 접변은 문화 수용자의 의사와 상관없이 외부의 물리적 강제력으로 이루어지는 문화 변동이다.

자료5 도식으로 보는 문화 접변의 양상

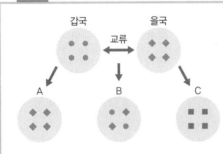

자료·분석 제시된 자료는 갑국과 을국의 문화 교류로 인해 갑국에서 발생한 결과를 나타낸 것이다. A는 갑국의 문화가 을국의 문화로 대체되었으므로 문화 동화, B는 갑국과 을국의 문화가 나란히 존재하고 있으므로 문화 공존, C는 갑국과 을국의 문화가 결합하여 새로운 문화가 나타난 것으로 문화 융합에 해당한다.

한·줄·핵·심 문화 접변의 양상에는 문화 동화, 문화 공존, 문화 융합이 있다.

자료6 문화 공존과 문화 동화 관련 문제 ▶ 145쪽 08번

> (가) 필리핀은 19세기 말부터 20세기 중반까지 미국의 식민 지배를 받았으며, 이후 필리핀 사람들은 타갈로그어와 함께 영어를 공용어로 사용한다. 캐나다의 퀘벡주도 프랑스의 영향을 많이 받아 영어와 프랑스어를 공용어로 사용한다.
>
> (나) 19세기 이후 서구 열강의 지배를 받은 아프리카의 많은 나라에 서양 문물이 전해졌는데, 그 결과 시간이 흐르면서 아프리카의 많은 나라에서는 그들 고유의 토속 신앙이 사라지고 서양 종교인 기독교로 종교가 대체되기도 하였다.

자료·분석 (가)의 필리핀과 캐나다의 퀘벡주에서 두 가지 언어가 공용어로 사용되는 것은 문화 공존의 사례에 해당한다. (나)의 아프리카의 많은 나라들에서 서구 열강의 지배 아래 그들 고유의 토속 신앙이 사라지고 기독교로 종교가 대체된 것은 문화 동화의 사례에 해당한다.

한·줄·핵·심 문화 접변의 결과 서로 다른 문화 요소가 한 사회 안에 나란히 존재하는 것은 문화 공존, 한 사회의 문화 요소가 외래문화로 대체되는 것은 문화 동화이다.

? 궁금해요

Q. 문화 융합과 자극 전파의 차이는 무엇인가요?

A. 문화 융합과 자극 전파를 혼동하는 이유는 결과물이 발명이라고 생각하기 때문이야. 자극 전파는 단지 다른 사회의 문화 요소로부터 아이디어만 얻은 것이고, 문화 융합은 두 사회의 문화 요소가 결합한 것이라는 점에서 차이가 있어.

용어 더하기

* **제국주의**
1870년부터 20세기 초에 걸쳐 우월한 군사력과 경제력을 바탕으로 다른 나라나 민족을 정벌하여 대국가를 건설하려는 침략주의적 경향

* **동화**
밖으로부터 들여온 문화, 지식, 사상 등을 완전히 자기 것으로 만드는 것

* **융합**
다른 종류의 것이 녹아서 서로 구별이 없게 하나로 합하여지거나 또는 그렇게 만드는 것

❼ 층간 소음과 문화 지체 현상
현대 사회에서 층간 소음은 심각한 사회 문제로 대두하고 있다. 층간 소음 또한 문화 지체 현상의 예이다. 주거 시설의 발전으로 아파트가 급격히 보급되었으나, 공동 주택 사용에 대한 예절이나 질서, 규범이 미처 정립되지 못하여 층간 소음 문제가 발생하기 때문이다.

❽ 스몸비(Smombie)족
스마트폰(Smart phone)과 좀비(Zombie)의 합성어로, 스마트폰을 보느라 앞을 보지 않는 스마트폰에 중독된 현대인들을 지칭하는 말이다. 스몸비족의 증가는 교통사고의 증가로 이어지고 있다.

❾ 아노미 현상과 문화 정체성 혼란
아노미 현상과 문화 정체성 혼란은 가치관과 관련되어 있다는 점에서는 유사하다. 하지만 아노미 현상은 기존 사회의 규범과 새로운 규범 사이의 무규범 상태를 강조하고, 문화 정체성 혼란은 새로운 문화 요소의 유입으로 인한 자기 문화에의 일체감 약화를 강조한다는 점에서 차이가 있다.

❿ 비판적인 문화 수용
외래문화를 맹목적으로 수용하는 것은 바람직하지 않다. 새로운 문화를 수용할 때는 그 사회에 필요한 것인지, 어느 정도 수용할 것인지 등을 따지는 비판적이고 주체적인 자세가 필요하다.

C 문화 변동에 따른 문제점과 대처 방안

|시·험·단·서| 문화 지체 현상과 아노미 현상 등 문화 변동 과정에서 발생하는 문제를 사례를 통해 파악하는 문제가 주로 출제돼.

1. 문화 변동 과정에서 발생하는 문제점

(1) **문화 지체 현상** 자료7

① **의미**: 물질문화의 변동 속도를 비물질문화의 변동 속도가 따라가지 못해 나타나는 문화 요소 간의 부조화 현상 └─ 물질문화는 사회 구성원들이 비교적 쉽게 새로운 것을 수용하여 변동 속도가 빠른 데 비해 비물질문화는 수용되는 데 시간이 걸려 변동 속도가 느려.

물질문화	인간의 삶을 영위하기 위해 만들고 사용하는 각종 재화나 그것을 제작·사용하는 기술
비물질문화	사회를 유지하기 위해 만든 규범 및 제도와 사회 구성원들의 사고방식, 가치관 등

② **특징**: 현대 사회에는 정보 통신 기술이 비약적으로 발전하였으나 관련 규범이나 제도 등이 마련되지 않아 다양한 사회 문제가 발생하고 있음

③ **사례**❼: 스마트폰의 등장으로 생활은 편리해졌지만, 몰래카메라, 스몸비족❽ 등 새로운 사회 문제가 발생한 것 등

(2) **아노미 현상**

① **의미**: 문화 변동 과정에서 전통적 규범과 가치관이 무너졌으나 이를 대체할 새로운 규범과 가치관이 정립되지 못하여 혼란과 무규범 상태가 발생하는 상황

② **특징**: 급격한 사회 변동 과정 중에서 흔히 발생하며, 이로 인해 문화 정체성의 혼란이 야기되기도 함

③ **사례**: 신분제 폐지로 인해 노비에서 해방된 사람이 여전히 과거의 규범에서 벗어나지 못하는 경우 등 └─ 오랫동안 특정한 이념이나 가치관 아래에서 생활하다 보면 새로운 이념이나 가치관이 등장해도 수용하지 못하는 경우가 많아. 노비에서 해방되었어도 양반이었던 사람에게 어떻게 대해야 할지 혼란스러울 거야.

(3) **문화 정체성 혼란**❾

① **의미**: 새로운 문화 요소, 가치관의 유입으로 인해 자기 문화에 대한 정체성이 약화되거나 정체성의 혼란이 발생하는 것

② **특징**: 자문화에 대한 자긍심 약화로 전통문화가 소멸되거나 자기 문화의 정체성을 상실할 우려가 있음

③ **사례**: 우리나라의 개화기에 서양 문물을 받아들이고 봉건적 사회 질서를 타파하는 과정에서 겪은 문화 정체성의 혼란 등

(4) **집단 간의 갈등**: 새로운 문화 요소를 받아들여 기존 문화를 대체하려는 집단과 기존 문화를 유지하려는 집단 간에 갈등이 일어날 수 있음

> 예 남녀 평등 의식의 확산에 따른 호주제 폐지를 둘러싼 찬반 갈등 등

2. 문화 변동으로 인한 문제점의 대처 방안 자료8

(1) **능동적인 대처**: 문화 변동에 유연한 자세를 가지고 새로운 문화 요소 중 필요하다고 인식되는 문화는 우리의 문화 체계 속에 적극적으로 정착시켜야 함

(2) **비판적인 문화 수용**❿: 새롭게 등장한 문화 요소를 무조건 수용하거나 거부하기보다 자기 문화에 대한 정체성을 바탕으로 외래문화를 비판적으로 수용해야 함

(3) **문화의 공존을 위한 노력**: 서로 다른 문화 요소 간의 차이를 인지하고 이를 이해하고 존중하는 태도가 필요함 └─ 새로운 문화 요소가 자기 문화의 정체성을 훼손한다고 여겨지면 이를 거부하거나 자기 문화에 도움이 되도록 변형하여 새로운 문화를 창조해야 해.

(4) **문화 변동에 걸맞은 규범 마련**: 문화 변동이나 새로운 물질문화를 뒷받침할 수 있는 규범, 제도, 관념 문화 등을 정립해야 함 → 문화 지체 현상이나 아노미 현상에 대처할 수 있음

(5) **상대주의적 태도와 관용의 자세**: 서로의 입장과 가치관이 다르다는 점을 인정하고 그 위에서 타협점을 찾아 나가야 함 → 집단 간 갈등을 해결할 수 있음

자료7 드론과 문화 지체 현상 관련 문제 ▶ 146쪽 12번

최근 무인 항공기인 '드론'의 대중화로 일반인들 사이에서도 드론을 취미나 여가에 활용하는 사례가 늘고 있다. 드론은 사진·영상 산업뿐만 아니라 군사, 유통, 방범 등 다양한 분야에서 급속히 보급되고 있다. 군사 무기로만 인식되었던 드론이 이제 일상 영역까지 파고든 것이다. 하지만 드론은 그 인기만큼이나 논란도 뜨겁다. 사람의 머리 위에서 아무런 제한 없이 촬영한다는 점 때문에 사생활 침해 문제가 지적되기도 한다. 각국 정부는 드론의 비행 구역을 제한하는 규제 마련으로 분주하다. 우리나라도 관련 법규가 제대로 정리되지 않고 드론 비행 허가 절차가 복잡하다 보니 제도 정비가 필요하다는 지적이 제기되고 있다. 드론의 안전 문제에 관한 본격적인 논의가 필요하다는 목소리도 나오고 있다.

자료·분석 드론은 촬영으로 인한 사생활 침해 문제와 비행 금지 구역에서의 비행, 소음, 추락 등에 따른 문제를 발생시키고 있다. 이는 규범, 제도 등의 비물질문화가 물질문화인 드론의 등장과 대중화의 속도를 따라가지 못하여 발생하는 문제로, 문화 지체 현상에 해당한다.

한·줄·핵·심 문화 지체 현상은 물질문화의 변동 속도를 비물질문화가 따라가지 못해 발생한다.

자료8 올바른 가치관과 제도의 정립

(가) 아름다운 말에서 아름다운 행동이 나오는 법이다. ○○ 고등학교 선플 누리단은 지난 19일 학교에서 '선플 달기 운동'을 펼쳤다. 선플은 '착한 인터넷 댓글'을 함축한 낱말이고, 영문 'sunfull'은 '햇살 가득한(full of sunshine)'을 합친 것으로, 따뜻한 인터넷 세상을 만들자는 뜻이다. 이는 인터넷의 익명성에 기댄 악성 댓글이 난무하는 현실을 정화하자는 취지로 등장한 용어이다.

(나) **사이버 윤리 강령**
* 타인의 인권과 사생활을 존중하고 보호한다.
* 비속어나 욕설 사용을 자제하고 바른 언어를 사용한다.
* 불건전한 정보를 배격하며 유포하지 않는다.
* 사이버 공간에 대한 자율적 감시와 비판 활동에 적극적으로 참여한다.
* 윤리 강령 실천을 통해 건전한 누리꾼 문화를 조성한다.

자료·분석 문화 변동에 따른 인터넷 문화의 확산으로 문화 지체 현상이나 아노미 현상 등에 대한 대처가 필요해졌다. 따라서 (가)에 제시된 선플 달기 운동 등을 통해 새로운 가치관을 확립하고, (나)의 사이버 윤리 강령과 같은 규범 및 제도를 만들어 문화 변동에 적절히 대처해야 한다.

한·줄·핵·심 문화 변동에 따른 문제를 해결하기 위해서는 변화를 뒷받침할 수 있는 가치관과 제도를 정립해야 한다.

문화 변동의 요인 및 문화 접변의 양상

개념풀 Guide 자료를 바탕으로 문화 변동의 요인을 파악하고, 문화 접변의 양상을 구분해 보자.

1. 문화 변동의 요인 구분 관련 문제 ▶ 148쪽 02번

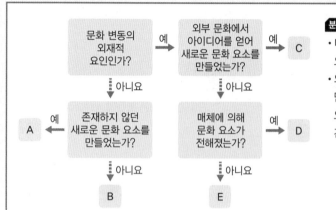

분석 • 문화 변동의 요인은 내재적 요인과 외재적 요인으로 구분된다.
• 내재적 요인에는 발명과 발견이 있는데, 존재하지 않던 새로운 문화 요소를 만드는 A는 발명에 해당한다. 따라서 B는 발견이다.
• 외재적 요인 중 외부 문화에서 아이디어를 얻어 새로운 문화 요소를 만드는 것은 자극 전파, 인터넷이나 텔레비전 등 매체에 의해 문화 요소가 전해지는 것은 간접 전파이다. 따라서 C는 자극 전파, D는 간접 전파, E는 직접 전파이다.

2. 문화 접변의 양상 구분

〈문화 접변의 양상〉

질문＼양상	(가)	(나)	(다)
기존 문화의 정체성이 남아 있는가?	예	예	아니요
외래문화의 요소가 변형되지 않은 상태로 정착되었는가?	예	아니요	예

분석 문화 접변의 양상에는 문화 동화, 문화 공존, 문화 융합이 있다. (가)는 기존 문화의 정체성이 남아 있으며 외래문화의 요소가 변형되지 않고 존재하는 것으로 문화 공존에 해당한다. (나)는 기존 문화의 정체성이 남아 있는 상태로 결합되어 새로운 문화가 만들어지는 것으로 문화 융합에 해당한다. (다)는 기존 문화의 정체성을 잃고 외래문화가 정착된 것으로 문화 동화에 해당한다.

3. 문화 변동의 요인과 문화 접변의 양상 관련 문제 ▶ 148쪽 04번

다음은 문화 변동의 요인을 (가)~(다)로 구분하고, 이를 통해 갑국과 을국의 문화 변동 사례를 분석한 자료이다. 갑국과 을국은 상호 교류 이외에 다른 제3의 국가와는 교류를 하지 않았다. 단, (가)~(다)는 각각 발명, 직접 전파, 자극 전파 중 하나이다.

〈문화 변동의 요인〉

구분	(가)	(나)	(다)
문화 변동의 요인 중 외재적 요인인가?	아니요	예	예
외래문화로부터 아이디어를 얻어 새로운 문화 요소가 만들어졌는가?	아니요	예	아니요

〈갑국과 을국의 문화 변동〉

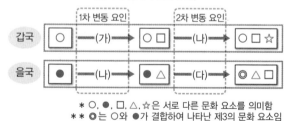

* ○, ●, □, △, ☆은 서로 다른 문화 요소를 의미함
** ◎는 ○와 ●가 결합하여 나타난 제3의 문화 요소임

분석 • 문화 변동의 외재적 요인이 아닌 (가)는 발명이다. 외래문화로부터 아이디어를 얻어 새로운 문화 요소가 만들어지는 것은 자극 전파이다. 따라서 (나)는 자극 전파, (다)는 직접 전파이다.
• 갑국에서는 발명과 자극 전파로 인한 문화 변동이, 을국에서는 자극 전파와 직접 전파로 인한 문화 변동이 나타났다. 특히 을국에서는 직접 전파를 통해 갑국의 문화 요소 ○와 을국의 문화 요소 ●가 결합하여 제3의 문화 요소 ◎이 등장했으므로, 문화 융합이 발생했음을 알 수 있다.

A 문화 변동의 의미와 요인

01 알맞은 말에 ○표를 하시오.

(1) 존재하고 있었으나 알려지지 않았던 것을 찾아낸 것은 (발명, 발견)이다.

(2) 전쟁, 정복, 식민 지배, 선교, 교역 등 다른 문화와의 직접적인 접촉을 통해 문화 요소가 전달되는 것을 (직접 전파, 자극 전파)라고 한다.

(3) 중국의 한자에서 아이디어를 얻어 이두를 발명한 것은 (자극 전파, 간접 전파)의 사례이다.

B 문화 변동의 양상

02 문화 접변의 유형 및 양상과 그 내용을 바르게 연결하시오.

(1) 문화 동화 •

(2) 문화 공존 •

(3) 문화 융합 •

(4) 강제적 문화 접변 •

(5) 자발적 문화 접변 •

• ㉠ 서로 다른 문화 요소들이 결합하여 제3의 문화가 형성되는 현상

• ㉡ 한 사회의 전통문화가 외래문화 요소에 흡수되어 소멸하는 현상

• ㉢ 정복 등과 같이 물리적 강제력에 기초해 새로운 문화 요소가 이식되는 현상

• ㉣ 서로 다른 사회의 문화가 한 사회의 문화 체계 속에서 나란히 존재하는 현상

• ㉤ 바람직하거나 필요하다고 느껴 스스로 다른 사회의 문화 요소를 받아들이는 현상

C 문화 변동에 따른 문제점과 대처 방안

03 다음 글을 읽고 물음에 답하시오.

> • 문화 변동 과정 중에 ㉠ 문화의 빠른 변동 속도를 ㉡ 문화의 변동 속도가 뒤따르지 못하여 나타나는 문화 요소 간의 부조화 현상을 ㉢ (이)라고 한다.
>
> • 프랑스의 사회학자 에밀 뒤르켐은 급속한 문화 변동이 나타날 경우 전통적인 규범의 통제력이 약화하는데, 이때 새로운 규범이 미처 확립되지 않아 사회적 혼란이 발생한다고 보았다.

(1) 빈칸 ㉠ ~ ㉢에 들어갈 말을 쓰시오.

㉠: (   ), ㉡: (   ), ㉢: (   )

(2) 위 글의 밑줄 친 부분에 해당하는 개념을 쓰시오.

(   )

04 다음 내용이 옳으면 ○표, 틀리면 ×표를 하시오.

(1) 문화 지체 현상에 대처하기 위해서는 물질문화를 더욱 빠르게 발전시켜야 한다. (   )

(2) 문화를 수용할 때는 자기 문화에 대한 정체성을 바탕으로 비판적인 수용 자세를 가져야 한다. (   )

(3) 문화 변동에 유연한 자세를 가지고 전통문화를 보존하기 위해 새로운 문화의 유입을 막아야 한다. (   )

A 문화 변동의 의미와 요인

01 (가), (나)에 들어갈 말을 바르게 연결한 것은?

문화 변동은 다양한 요인에 의해 일어난다. 그중 내재적 요인에는 이미 존재하고 있었으나 세상에 알려지지 않은 것을 찾아내는 **(가)** 와/과 존재하지 않았던 것을 새롭게 만들어 내는 **(나)** 이/가 있다.

	(가)	(나)
①	발명	발견
②	발명	간접 전파
③	발견	발명
④	발견	직접 전파
⑤	간접 전파	직접 전파

02 다음은 문화 변동의 요인과 관련하여 수업 중 필기한 내용이다. 이에 대한 옳은 설명을 〈보기〉에서 고른 것은?

주제: _____ (가) _____
- 의미: 다른 사회의 문화가 유입되어 문화 변동을 초래하는 것
- 유형

구분	사례
㉠	이민자, 유학생, 선교사 등에 의한 문화 전파
간접 전파	㉡
㉢	한자에서 착안하여 이두를 만든 것

보기
ㄱ. (가)는 문화 변동의 내재적 요인이다.
ㄴ. ㉠은 자극 전파이다.
ㄷ. ㉡에는 '인터넷을 통한 한류의 확산'이 들어갈 수 있다.
ㄹ. ㉢은 다른 사회의 문화에서 아이디어를 얻어 발명이 이루어지는 것이다.

① ㄱ, ㄴ   ② ㄱ, ㄷ   ③ ㄴ, ㄷ
④ ㄴ, ㄹ   ⑤ ㄷ, ㄹ

03 문화 변동의 요인 (가), (나)에 대한 설명으로 옳은 것은?

(가) 1928년 알베르트 센트 디외르디는 체내의 각 기관에서 출혈 장애가 나타나는 괴혈병에 비타민 C를 공급하면 효과가 있다는 것을 알아냈다.

(나) 1878년 에디슨이 축음기를 만들어 소리를 녹음하고 재생하는 데 성공하였다. 이후 레코드가 상업적으로 발달하기 시작하였고, 많은 사람이 음악을 쉽게 접할 수 있게 되었다.

① (가)는 존재하지 않았던 문화 요소를 만들어 내는 것이다.
② (나)에는 사상이나 가치관 등 비물질적인 것도 포함된다.
③ (나)의 사례로 외국 선교사들에 의해 새로운 종교가 전해진 것을 들 수 있다.
④ (가)와 (나)에는 모두 직접 전파가 나타나 있다.
⑤ (가)와 달리 (나)는 내재적 요인에 의한 문화 변동에 해당한다.

04 그림은 문화 변동의 요인 A~C를 나타낸 것이다. 이에 대한 옳은 설명을 〈보기〉에서 고른 것은? (단, A~C는 각각 직접 전파, 간접 전파, 자극 전파 중 하나이다.)

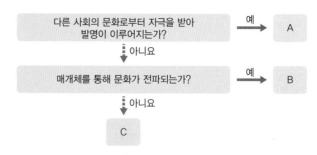

보기
ㄱ. A는 체로키족이 영어를 바탕으로 체로키 문자를 만든 것이 대표적 사례이다.
ㄴ. B는 정보 통신 기술의 발달에 큰 영향을 받는다.
ㄷ. C는 이미 존재하고 있었지만 알려지지 않았던 것을 찾아내는 것이다.
ㄹ. A는 B, C와 달리 전파된 외래문화 요소의 성격이 그대로 유지된다.

① ㄱ, ㄴ   ② ㄱ, ㄷ   ③ ㄴ, ㄷ
④ ㄴ, ㄹ   ⑤ ㄷ, ㄹ

05 밑줄 친 ⊙~ⓔ에 대한 설명으로 옳지 <u>않은</u> 것은?

> 사회가 급속도로 변화하면서 문화 역시 많은 변화를 겪고 있다. 이러한 문화 변동은 ⊙내재적 요인과 함께 ⓒ외재적 요인을 통해서 나타난다. 특히 교통수단의 발달에 따른 ⓒ서로 다른 사회의 구성원들 간의 접촉 증가, ⓔ통신 매체를 통한 문화 전파 등의 외재적 요인이 두드러지고 있다.

① ⊙에는 발명과 발견이 있다.
② ⓒ에는 직접 전파, 간접 전파, 자극 전파가 있다.
③ ⓒ은 전쟁, 식민 지배 등의 과정에서 발생할 수 있다.
④ ⓔ은 우리나라 음악, 영화 등의 세계적인 확산과 관련이 있다.
⑤ ⓒ과 ⓔ은 모두 전통 사회에서는 예를 찾아볼 수 없다.

B 문화 변동의 양상

06 다음 글에 나타난 문화 변동의 양상에 대한 옳은 설명을 〈보기〉에서 고른 것은?

> 고려 4대 왕인 광종은 후주에서 온 사신이었던 쌍기의 건의를 받아들여 과거제를 시행했다. 광종은 쌍기와 같은 외국의 인재를 널리 등용하여 선진 문물과 제도를 도입하고자 하였다. 현재 우리 사회에서도 종교, 음악, 스포츠 등 다양한 분야에서 자신들의 나라에서 가져온 문화를 전해주는 외국인들을 통해 문화 변동이 나타나고 있다.
> * 후주: 중국 오대(五代)의 마지막 왕조

> 보기
> ㄱ. 발명으로 인한 내재적 문화 변동이 나타나 있다.
> ㄴ. 직접 전파를 통한 문화 변동 양상을 파악할 수 있다.
> ㄷ. 강제적 문화 접변에 의한 문화 동화 현상이 나타나 있다.
> ㄹ. 스스로 다른 사회의 문화를 수용하려는 모습이 나타나 있다.

① ㄱ, ㄴ   ② ㄱ, ㄷ   ③ ㄴ, ㄷ
④ ㄴ, ㄹ   ⑤ ㄷ, ㄹ

07 다음 글에서 파악할 수 있는 문화 변동과 관련된 개념만을 〈보기〉에서 있는 대로 고른 것은?

> 2015년 통계청 자료에 의하면 우리나라의 종교인 43.9% 중 기독교(개신교)는 19.7%, 불교는 15.5%, 천주교는 7.9%인 것으로 나타났다. 이 중 천주교는 17세기에 명나라로부터 서학(서양 학문)이라는 이름으로 들어왔다. 당시 서학을 공부하던 사람들은 스스로 스승이 필요하다는 사실을 깨닫고 직접 중국으로 가서 배워오거나 외국인 성직자로부터 학습했다.

> 보기
> ㄱ. 문화 공존   ㄴ. 문화 동화
> ㄷ. 자발적 문화 접변   ㄹ. 강제적 문화 접변

① ㄱ, ㄴ   ② ㄱ, ㄷ   ③ ㄴ, ㄹ
④ ㄱ, ㄷ, ㄹ   ⑤ ㄴ, ㄷ, ㄹ

08 (가), (나)에 나타나 있는 문화 접변의 양상을 바르게 연결한 것은?

> (가) 캐나다는 영어를 사용하는 나라이지만, 캐나다 동부의 퀘벡주는 프랑스의 영향을 많이 받아 영어와 프랑스어를 공용어로 사용한다.
> (나) 19세기 이후 서구 열강의 지배를 받은 아프리카의 많은 나라에 서양 문물이 전해졌는데, 그 결과 시간이 흐르면서 아프리카의 많은 나라에서는 그들 고유의 토속 신앙이 사라지고 서양 종교인 기독교로 종교가 대체되기도 하였다.

	(가)	(나)
①	문화 동화	문화 공존
②	문화 동화	문화 융합
③	문화 공존	문화 융합
④	문화 공존	문화 동화
⑤	문화 융합	문화 동화

09 A국에 나타난 문화 변동에 대한 옳은 설명을 〈보기〉에서 고른 것은?

> 남태평양에 있는 A국은 오랜 기간 B국의 식민 지배 상태에 있었다. B국의 통치자들은 A국에 자신들의 언어를 사용하도록 강요하였다. 시간이 흐른 후 A국 고유의 언어는 소멸하였고, A국 국민은 B국의 언어를 사용하고 있다.

> 〈보기〉
> ㄱ. 외재적 요인에 의한 문화 변동이 나타났다.
> ㄴ. 내재적 요인에 의한 문화 융합 현상이 나타났다.
> ㄷ. 강제적 문화 접변에 의한 문화 동화 현상이 나타났다.
> ㄹ. 자발적 문화 접변에 의한 문화 공존 현상이 나타났다.

① ㄱ, ㄴ   ② ㄱ, ㄷ   ③ ㄴ, ㄷ
④ ㄴ, ㄹ   ⑤ ㄷ, ㄹ

10 (가), (나)에 공통으로 나타난 문화 접변의 양상에 대한 설명으로 옳은 것은?

> (가) 재즈는 19세기 말부터 20세기 초 미국의 뉴올리언스 지방을 중심으로 하여 유럽 백인들의 음악 기술에 아프리카 흑인들의 독특한 음악성이 가미되어 형성되었다.
> (나) 메스티소란 라틴 아메리카 인디언과 유럽계의 혼혈인을 가리키는데, 라틴 아메리카에서는 이러한 메스티소에 의해 형성된 문화가 발전해 오고 있다. 토착 인디언의 전통문화와 유럽의 문화가 결합된 이 문화를 메스티소 문화라고 한다.

① 자기 문화에 대한 정체성을 상실할 수 있다.
② 한 사회의 문화 요소가 외래문화 요소로 대체된다.
③ 서로 다른 두 사회의 문화가 합쳐서 새로운 성격의 문화가 생겨난다.
④ 서로 다른 두 사회의 문화가 한 사회 내에서 각각의 정체성을 유지하며 공존한다.
⑤ 우리나라에 불교, 천주교, 기독교 등 다양한 종교가 동시에 존재하는 것을 예로 들 수 있다.

11 밑줄 친 ㉠에 대한 옳은 설명을 〈보기〉에서 고른 것은?

> ㉠간다라 미술은 인도 문화와 서양 문화가 만나 만들어진 독특한 양식으로 인도의 불교 문화가 알렉산드로스 대왕의 동방 원정으로 서양의 문화를 만나 형성된 것이다. 간다라 미술 양식으로 만들어진 간다라 불상은 눈언저리가 깊고 콧대가 높아 이목구비에서 유럽인의 모습을 찾을 수 있다.

▲ 간다라 불상

> 〈보기〉
> ㄱ. 기존 문화 요소의 정체성이 상실되었다.
> ㄴ. 서로 다른 두 사회의 문화가 공존하고 있다.
> ㄷ. 직접 전파에 의한 문화 융합 사례에 해당한다.
> ㄹ. 서로 다른 두 사회의 문화 요소가 결합하여 제3의 문화가 만들어진 것이다.

① ㄱ, ㄴ   ② ㄱ, ㄷ   ③ ㄴ, ㄷ
④ ㄴ, ㄹ   ⑤ ㄷ, ㄹ

C 문화 변동에 따른 문제점과 대처 방안

12 다음 글에 나타난 문제점으로 가장 적절한 것은?

> 최근 무인 항공기인 '드론'의 대중화로 일반인들 사이에서도 드론을 취미나 여가에 활용하는 사례가 늘고 있다. 하지만 사람의 머리 위에서 아무런 제한 없이 촬영한다는 점 때문에 사생활 침해 문제가 지적되기도 한다. 우리나라는 아직 관련 법규가 제대로 정리되지 않고 드론 비행 허가 절차가 복잡하다 보니 제도 정비가 필요하다는 지적이 제기되고 있다.

① 문화 정체성이 약화되어 혼란이 나타나고 있다.
② 문화 수용에 대한 의견 차이로 갈등이 발생하고 있다.
③ 비물질문화의 변동 속도를 물질문화가 따라가지 못하고 있다.
④ 문화 지체 현상으로 문화 요소 간에 부조화 현상이 나타나고 있다.
⑤ 전통적 규범과 가치관이 무너지고 이를 대체할 새로운 규범과 가치관이 정립되지 않았다.

13 그림에 나타난 문화 변동의 문제점에 부합하는 사례를 〈보기〉에서 고른 것은?

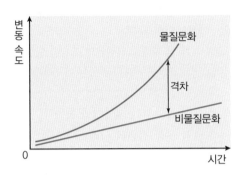

〈보기〉
ㄱ. 운전면허 시험이 간소화되면서 운전 미숙에 따른 사고가 증가하고 있다.
ㄴ. 주거 시설의 발전으로 아파트가 많아지면서 층간 소음 문제가 증가하고 있다.
ㄷ. 온라인 강의 수업이 늘어났지만 이를 뒷받침할 교육용 소프트웨어는 부족한 실정이다.
ㄹ. 스마트폰이 대중화되면서 스마트폰을 보느라 앞을 보지 않아 발생하는 교통사고가 증가하고 있다.

① ㄱ, ㄴ   ② ㄱ, ㄷ   ③ ㄴ, ㄷ
④ ㄴ, ㄹ   ⑤ ㄷ, ㄹ

14 문화 변동에 따른 문제점에 대처하는 방안으로 옳지 않은 것은?

① 문화 변동에 유연한 자세를 가지고 능동적으로 대처한다.
② 전통문화를 보존하기 위해서 외래문화의 수용에 반대한다.
③ 다른 사회의 문화를 존중함으로써 문화 공존의 자세를 가진다.
④ 새로운 물질문화를 뒷받침할 수 있는 규범이나 제도 등을 마련한다.
⑤ 자기 문화에 대한 정체성을 가지고 외래문화를 비판적으로 수용한다.

15 밑줄 친 ㉠, ㉡에 대한 옳은 설명을 〈보기〉에서 고른 것은?

스마트폰의 등장은 일상생활에 많은 편리함을 가져다주었다. 스마트폰을 활용하여 계좌이체 등 은행 업무를 볼 수 있게 되었으며, 상품을 살 때도 스마트폰을 이용하여 손쉽게 결제할 수 있다. 하지만 한편으로는 스마트폰을 활용한 범죄들이 사회 문제로 드러나고 있는데, 해킹을 통한 금융 사고와 몰래카메라 문제 등이 대표적이다. 이러한 문제를 해결하기 위해서는 ㉠개인적 측면과 ㉡구조적 측면의 노력이 필요하다.

〈보기〉
ㄱ. ㉠에는 문화 변동에 맞추어 올바른 가치관을 정립하는 것이 해당한다.
ㄴ. ㉡에는 문화에 대한 비판적인 수용 자세가 해당한다.
ㄷ. ㉡에는 새로운 물질문화에 적합한 제도의 마련 혹은 개선이 해당한다.
ㄹ. ㉠은 ㉡과 달리 문화 지체 현상을 해결하는 데 이바지한다.

① ㄱ, ㄴ   ② ㄱ, ㄷ   ③ ㄴ, ㄷ
④ ㄴ, ㄹ   ⑤ ㄷ, ㄹ

서술형 문제

16 다음 글을 읽고 물음에 답하시오.

(가) 미국의 식민 지배를 경험한 필리핀에서는 이후 그들 고유 언어인 타갈로그어와 영어가 공용어로 사용되고 있다.
(나) 라틴 아메리카의 A국은 기독교 국가인 B국의 식민 지배를 경험하며 전통적인 종교가 소멸하고 국민 대부분이 기독교를 믿고 있다.

(1) (가), (나)에 공통으로 나타난 문화 변동의 요인을 쓰시오. (   )

(2) (가)와 (나)를 문화 접변의 양상 측면에서 비교하여 서술하시오.

_____

_____

01 (가)~(다)에 대한 설명으로 옳은 것은? (단, (가)~(다)는 각각 발견, 직접 전파, 간접 전파 중 하나이다.)

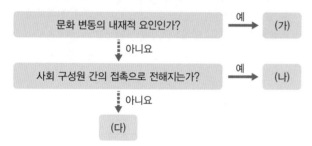

① (가)는 발견, (나)는 간접 전파이다.
② (가)는 이전에 없던 새로운 문화 요소를 만들어 내는 것이다.
③ (나)의 사례로 중국에서 문익점이 목화씨를 가져온 것을 들 수 있다.
④ (다)를 통해 새로운 제3의 문화 요소가 만들어진다.
⑤ 최근에는 (다)보다는 (나)를 통한 문화 변동이 증가하고 있다.

수능 기출

02 그림은 문화 변동 요인 A~E를 구분한 것이다. 이에 대한 설명으로 옳은 것은? (단, A~E는 각각 발견, 발명, 간접 전파, 자극 전파, 직접 전파 중 하나이다.)

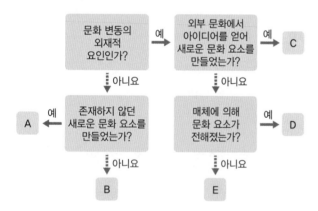

① 물질문화, 비물질문화 모두 A를 통해 만들어질 수 있다.
② 특정 종교의 창시는 B의 사례이다.
③ 상호 인적 교류가 없는 집단들 간에는 D를 통한 문화 변동이 이루어질 수 없다.
④ D와 달리 E는 C의 원인이 될 수 있다.
⑤ A, B와 달리 C, D, E는 문화 지체 현상을 초래할 수 있다.

03 다음 사례에 대한 분석으로 옳지 <u>않은</u> 것은?

> (가) 중국에서 이민자와 자신들의 고유문화를 유지하고 있는 인천의 차이나타운
> (나) 프랑스의 식민 지배로 자신들의 고유한 언어를 잃어버리고 프랑스어를 사용하고 있는 아프리카 국가들

① (가)에서는 각 문화의 정체성이 보존된다.
② (나)는 자발적 문화 접변의 사례이다.
③ (가)와 (나)는 모두 문화 접변의 양상이다.
④ (가)는 문화 공존, (나)는 문화 동화에 해당한다.
⑤ (가), (나)는 모두 직접 전파에 의한 문화 변동이다.

수능 유형

04 다음 자료에 대한 분석으로 옳은 것은?

> 다음은 문화 변동의 요인을 (가)~(다)로 구분하고, 이를 통해 갑국과 을국의 문화 변동 사례를 분석한 자료이다. 갑국과 을국은 상호 교류 이외에 다른 제3의 국가와는 교류를 하지 않았다. 단, (가)~(다)는 각각 발명, 직접 전파, 자극 전파 중 하나이다.

〈문화 변동의 요인〉

구분	(가)	(나)	(다)
문화 변동의 외재적 요인인가?	아니요	예	예
타 문화로부터 아이디어를 얻어 새로운 문화 요소가 만들어졌는가?	아니요	예	아니요

〈갑국과 을국의 문화 변동〉

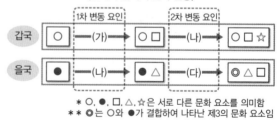

* ○, ●, □, △, ☆은 서로 다른 문화 요소를 의미함
** ◎는 ○와 ●가 결합하여 나타난 제3의 문화 요소임

① (가)는 발명, (나)는 직접 전파이다.
② 을국에서는 (다)로 인한 문화 융합이 나타났다.
③ 을국에서 창조된 문화 요소가 갑국으로 직접 전파되었다.
④ 갑국과 을국에서는 모두 문화 동화가 나타났다.
⑤ 을국은 1차 변동 이후 갑국의 영향을 받지 않았다.

05 밑줄 친 ㉠~㉣에 대한 설명으로 옳은 것은?

> 많은 사람은 ㉠외래 종교가 한 사회에 전해지면 전통 종교는 사라진다고 생각한다. 하지만 멕시코의 과달루페 성모 마리아는 그렇지 않다. ㉡멕시코 원주민들은 에스파냐 정복 세력이 가톨릭을 강요하자 어쩔 수 없이 모두 가톨릭을 믿게 되었다. 하지만 이후 그들은 본인들의 ㉢아즈텍 토착 여신을 성모 마리아상에 결합하여 그들만의 독특한 신앙을 형성하였다. 이와 유사한 사례로 우리나라의 가톨릭에서도 ㉣한복을 입은 성모 마리아와 아기 예수, 국악 형태의 찬송가 등 우리나라만의 독특한 가톨릭 문화가 형성되었다.

① ㉠은 문화 융합을 의미한다.
② ㉡은 강제적 문화 접변의 사례이다.
③ ㉢은 자극 전파에 의한 문화 융합의 사례이다.
④ ㉣은 문화 동화의 사례이다.
⑤ ㉣은 ㉡과 달리 간접 전파에 의한 문화 변동이다.

수능 기출

06 표는 문화 접변의 양상 A, B를 비교한 것이다. 이에 대한 옳은 설명을 〈보기〉에서 고른 것은?

구분	A	B
의미	(가)	서로 다른 문화가 결합하여 새로운 문화를 형성함
사례	○○국에서 고유 언어와 외래 언어를 모두 공용어로 사용함	(나)
공통점	(다)	

> **보기**
> ㄱ. (가)에는 '외래문화 요소에서 영감을 얻어 새로운 문화 요소를 만듦'이 들어갈 수 있다.
> ㄴ. (나)에는 '△△국에서 전통적인 온돌 문화와 외래의 침대 문화가 혼합된 돌침대가 만들어짐'이 들어갈 수 있다.
> ㄷ. (다)에는 '고유문화의 정체성이 남아 있음'이 들어갈 수 있다.
> ㄹ. A와 B의 구분 기준은 외래문화의 자발적 수용 여부이다.

① ㄱ, ㄴ   ② ㄱ, ㄷ   ③ ㄴ, ㄷ
④ ㄴ, ㄹ   ⑤ ㄷ, ㄹ

07 다음 사례에 대한 설명으로 가장 적절한 것은?

> 갑국은 군주 정치를 오랫동안 유지해왔기 때문에 국민의 군주에 대한 충성심이 높고 궁정 문화에 대한 자부심도 강했다. 하지만 을국을 통해 민주주의의 가치가 유입되면서 자신들이 그동안 존경하던 군주에 대한 믿음이 흔들리고 있다. 일부에서는 군주 정치 폐지를 주장하며 궁정 문화 역시 낡고 낙후된 문화로 인식하고 부정하는 태도를 보이고 있다.

① 갑국 사람들에게 문화 지체 현상이 나타나고 있다.
② 갑국과 을국 사이에 강제적 문화 접변이 나타났다.
③ 갑국 사람들에게 문화 정체성의 혼란이 나타나고 있다.
④ 갑국에서는 내재적 요인에 의한 문화 변동이 나타나고 있다.
⑤ 갑국의 국민 사이에 전통문화에 대한 일체감이 강화되고 있다.

08 밑줄 친 ㉠~㉤에 대한 설명으로 옳은 것은?

> 을국에는 갑국과의 ㉠교역을 통해 ㉡전통 음식인 A와 비슷한 갑국의 ㉢길거리 음식 B가 유입되었다. B는 길거리 음식 문화를 처음 접한 을국 젊은이들 사이에서 큰 인기를 끌었다. 이에 일부 사람들은 자신들의 전통 음식 문화인 A가 사라질까 염려하여 ㉣B 거부 운동을 실시했다. 한편 A를 판매하는 상인들은 B가 관련 식품 위생법을 위반했다며 소송을 제기했다. 이에 대해 ㉤B를 판매하는 사람들은 관련 법률의 미비로 인해 발생한 문제라며 해당 법률의 조속한 마련을 주장하고 있다.

① ㉠은 직접 전파로 을국에 비물질문화를 유입시켰다.
② ㉡과 ㉢이 결합되어 새로운 성격의 음식 문화가 만들어졌다.
③ ㉢은 강제적 문화 접변으로 대중화되었다.
④ ㉣은 문화 공존에 대한 우려에 해당한다.
⑤ ㉤에는 문화 지체 현상이 나타나 있다.

한눈에 보는
대단원 정리

Ⅲ. 문화와 일상생활

01
문화의 이해

02
하위문화와 대중문화

A 문화의 의미와 속성

(1) 문화의 의미

좁은 의미	예술적이고 교양 있거나 세련된 것, 고급스러운 것
넓은 의미	한 사회의 구성원들이 공유하는 행동 양식, 의식주, 가치 및 규범, 사고방식 등 인간의 모든 생활 양식

(2) 문화의 속성

공유성	문화는 한 사회의 구성원들이 공통으로 가지는 생활 양식임
학습성	문화는 선천적으로 타고나는 것이 아니라 후천적으로 학습하여 습득됨
변동성	문화는 고정된 것이 아니라 시간이 흐르면서 그 형태나 내용이 끊임없이 변화함
축적성	문화는 세대 간 전승되면서 새로운 요소가 축적됨
전체성	문화는 여러 구성 요소들이 서로 밀접하게 연결되어 있어 하나로서의 전체를 이룸

B 문화를 이해하는 관점과 태도

(1) 문화를 바라보는 관점

비교론적 관점	서로 다른 사회의 문화 간에 나타나는 유사성과 차이점을 분석하여 문화가 지닌 보편성과 특수성을 파악하는 관점
총체론적 관점	하나의 문화 현상을 다른 문화 요소나 전체와의 관련성 속에서 이해하는 관점
상대론적 관점	한 사회의 문화를 이해할 때 그 사회의 자연환경이나 사회적·역사적 맥락을 고려하여 이해하는 관점

(2) 문화를 이해하는 태도

자문화 중심주의	자기 문화를 가장 우수한 것으로 여기고 다른 문화를 열등하거나 비합리적인 것으로 평가하는 태도
문화 사대주의	다른 사회의 문화를 우수한 것으로 여기고 자기 문화를 무시하거나 낮게 평가하는 태도
문화 상대주의	한 사회의 자연환경이나 사회적·역사적 맥락을 고려하여 각 사회의 문화가 지닌 고유한 특성과 가치를 인정하는 태도 → 극단적 문화 상대주의 경계

A 하위문화의 의미와 기능

의미	한 사회 내의 일부 구성원만이 공유하는 문화
기능	• 순기능: 다양한 문화적 욕구 충족, 주류 문화의 획일화 방지, 소속감 형성과 결속력 강화 등 • 역기능: 문화 갈등 초래, 사회 통합 저해 등

B 하위문화의 대표적인 유형

지역 문화	• 의미: 한 나라를 구성하는 여러 지역 사회에서 나타나는 고유한 생활 양식 • 특징: 지역 주민의 정체성 강화, 문화의 획일화 방지
세대 문화	• 의미: 사고방식이나 생활 양식이 비슷한 일정한 범위의 연령층이 공유하는 문화 • 청소년 문화: 가장 대표적인 세대 문화 → 미래 지향적, 변화 지향적, 소비 지향적
반문화	• 의미: 사회의 지배적인 문화에 저항하고 대립하는 문화 • 특징: 시대나 사회에 따라 다르게 규정됨

C 대중문화의 이해

(1) 대중문화의 의미와 특징

의미	한 사회 내의 불특정 다수가 공유하면서 누리는 문화
특징	• 대중 매체를 통해 형성되고 확산됨 • 뉴 미디어의 등장으로 쌍방향 의사소통이 가능해짐 • 접근이 용이하고 확산 속도가 빠름

(2) 대중문화의 기능

순기능	• 오락 및 여가 기회 제공 • 고급문화의 대중화 → 문화의 민주화에 이바지 • 시민 의식 성숙과 민주주의의 발전에 기여
역기능	• 문화의 획일화 → 문화의 다양성 약화 • 지나친 상업화로 인한 대중문화의 질 저하 • 대중 조작 수단으로 악용될 가능성 • 정치적 무관심 초래

(3) 대중문화의 비판적 수용: 대중문화를 맹목적으로 수용하는 것이 아니라 비판적으로 바라보며 주체적으로 수용해야 함

03
문화 변동

A 문화 변동의 의미와 요인

의미	새로운 문화 요소의 등장이나 다른 문화와의 접촉을 통해 문화가 변화하는 현상
내재적 요인	• 발명: 이전에 없었던 새로운 문화 요소를 만들어 내는 것 • 발견: 이미 존재하고 있었던 어떤 것을 찾아내는 것
외재적 요인	• 직접 전파: 다른 문화와의 직접적인 접촉을 통해 이루어지는 문화 전파 • 간접 전파: 매개체를 통해 이루어지는 문화 전파 • 자극 전파: 외부 사회의 문화 요소로부터 아이디어를 얻어 새로운 문화 요소가 만들어지는 것

B 문화 변동의 양상

(1) 문화 접변의 유형

강제적 문화 접변	물리적 강제력을 통해 자기 사회의 문화 요소를 다른 사회의 문화 체계 속에 이식하는 것
자발적 문화 접변	한 사회가 다른 사회의 문화를 필요하다고 느껴 스스로 다른 사회의 문화 요소를 받아들이는 것

(2) 문화 접변의 양상

문화 동화	한 사회의 문화 요소가 외래문화 요소로 대체됨으로써 문화적 정체성을 상실하는 현상
문화 공존	서로 다른 사회의 문화 요소가 한 사회의 문화 체계 속에서 나란히 존재하는 현상
문화 융합	서로 다른 문화 요소가 결합하여 두 문화 요소의 성격을 지니면서도 새로운 성격의 문화가 형성되는 현상

C 문화 변동에 따른 문제점과 대처 방안

(1) 문화 변동에 따른 문제점

문화 지체 현상	물질문화의 변동 속도와 비물질문화의 변동 속도 간의 부조화 현상
아노미 현상	지배적인 규범과 가치관의 부재에 따른 무규범 상태
문화 정체성 혼란	자기 문화에 대한 정체성이 약화되거나 정체성의 혼란이 발생하는 것

(2) 대처 방안: 문화 변동에 대한 능동적 대처, 비판적 문화 수용, 문화 공존을 위한 노력, 문화 변동에 걸맞는 규범 마련 등

기억나는
키워드나 핵심 적어보기

A
B
C

A
B
C

A
B
C

자,
핵심 키워드도 모았겠다!
문제 풀러 가자!!!

01 문화의 의미와 관련하여 밑줄 친 ㉠, ㉡에 대한 옳은 설명을 〈보기〉에서 고른 것은?

> 갑: 난 주말에 ○○시에서 열린 아프리카 ㉠문화 전시회에 다녀왔어.
> 을: 오랜만에 ㉡문화생활을 즐겼구나. 나도 이번 주말에 가야겠다.

> 보기
> ㄱ. ㉠은 '문화인'에 사용된 문화와 같은 의미이다.
> ㄴ. ㉠은 모든 사회에서 나타나는 것으로, 그 사회의 생활 양식이다.
> ㄷ. ㉡은 의식주와 관련된 모든 규범을 포함한다.
> ㄹ. ㉡은 문화를 교양 있거나 세련된 것으로 본다.

① ㄱ, ㄴ ② ㄱ, ㄷ ③ ㄴ, ㄷ
④ ㄴ, ㄹ ⑤ ㄷ, ㄹ

02 문화의 속성 (가)~(다)와 관련된 사례를 〈보기〉에서 골라 바르게 연결한 것은?

> (가) 문화는 학습 능력과 상징체계에 의해 다음 세대로 계승된다.
> (나) 문화는 타인과의 상호 작용 등을 통해 후천적으로 습득하는 것이다.
> (다) 문화는 한 부분의 변동이 다른 부분에 영향을 주어 연쇄적 변동이 일어난다.

> 보기
> ㄱ. 인터넷의 발전이 사회 전 분야에 영향을 미친다.
> ㄴ. 마차의 작동 원리를 발전시켜 자동차를 발명한다.
> ㄷ. 추석에 가족들과 송편을 만들면서 송편 빚는 법을 배운다.
> ㄹ. 우리나라 사람들은 생일날 미역국을 먹는 것을 당연하게 여긴다.

	(가)	(나)	(다)		(가)	(나)	(다)
①	ㄱ	ㄷ	ㄴ	②	ㄴ	ㄷ	ㄱ
③	ㄴ	ㄷ	ㄱ	④	ㄷ	ㄴ	ㄱ
⑤	ㄹ	ㄷ	ㄱ				

03 갑~병의 대화에 나타난 문화 이해의 관점에 대한 설명으로 옳은 것은?

> 갑: 한국은 농경 문화의 영향으로 두레 문화, 기우제 등이 발달했어.
> 을: 같은 문화권인 일본, 중국도 쌀 요리가 있는데, 일본은 생선 반찬이 많고, 중국은 한국 음식보다 좀 더 기름지다는 차이가 있어.
> 병: 일본인들이 밥그릇을 들고 밥을 먹는 것은 일본의 사회적 맥락상 나름대로 이유가 있어.

① 갑의 관점은 개별 문화 요소를 부분적으로 이해한다.
② 갑의 관점은 문화의 보편성과 특수성을 파악하는 데 유리하다.
③ 을의 관점은 다른 문화를 깊이 이해하기 어렵다.
④ 을의 관점은 자기 문화에 대한 객관적 이해를 가능하게 한다.
⑤ 병의 관점은 문화 간 우열을 평가할 수 있다고 본다.

04 문화 이해 태도인 (가)~(다)에 대한 옳은 설명을 〈보기〉에서 고른 것은? (단, (가)~(다)는 각각 자문화 중심주의, 문화 사대주의, 문화 상대주의 중 하나이다.)

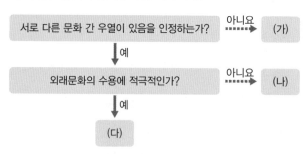

> 보기
> ㄱ. (가)는 자기 문화의 정체성을 상실할 우려가 있다.
> ㄴ. (나)는 문화 제국주의로 이어져 국제적 마찰을 일으킬 수 있다.
> ㄷ. (다)는 (가)와 달리 문화를 평가하는 절대적 기준이 있음을 인정한다.
> ㄹ. (나), (다)는 자기 문화에 대한 자부심을 높이고 사회 통합에 기여할 수 있다.

① ㄱ, ㄴ ② ㄱ, ㄷ ③ ㄴ, ㄷ
④ ㄴ, ㄹ ⑤ ㄷ, ㄹ

05 밑줄 친 ㉠, ㉡과 그 내용이 바르게 연결된 것만을 〈보기〉에서 있는 대로 고른 것은?

> 한 사회에는 수많은 하위문화가 존재한다. 특히 현대 사회가 더욱 복잡해지고 다원화되면서 다양한 하위문화가 형성되고 있는데, 하위문화는 ㉠긍정적 기능과 ㉡부정적 기능을 동시에 가진다.

<보기>
ㄱ. ㉠ - 주류 문화에서 채울 수 없었던 다양한 욕구를 충족시킨다.
ㄴ. ㉠ - 같은 문화를 공유하는 사람들끼리 소속감과 결속력을 다지게 해 준다.
ㄷ. ㉡ - 문화의 다양성을 감소시켜 주류 문화를 획일화시킨다.
ㄹ. ㉡ - 집단 간 대립과 갈등을 야기하여 사회 통합을 저해할 수 있다.

① ㄱ, ㄴ ② ㄱ, ㄷ ③ ㄷ, ㄹ
④ ㄱ, ㄴ, ㄹ ⑤ ㄴ, ㄷ, ㄹ

06 밑줄 친 '운동권 문화'에 대한 설명으로 옳지 <u>않은</u> 것은?

> <u>운동권 문화</u>는 1980년대 대학가에서 현실 정치에 저항하던 대학생들의 일련의 저항 행위를 말한다. 주로 사회 변혁을 위한 대학생 간의 학습, 정부에 반대하는 시위 등의 활동이 이루어졌다. 이러한 활동을 하지 않는 대학생들은 비운동권이라고 불렸다.

① 사회의 주류 문화를 거부한다.
② 사회적 혼란을 초래하여 부정적으로 인식된다.
③ 사회 내의 일부 집단에서만 누리는 하위문화이다.
④ 시대나 사회가 바뀌어도 그 성격은 변하지 않는다.
⑤ 사회 문제를 노출시킴으로써 사회 변화를 이끌어내기도 한다.

07 (가)에 대한 옳은 설명을 〈보기〉에서 고른 것은?

> 대중문화는 대중 매체를 통해 대량으로 생산되고 소비되며 빠르게 퍼져 나간다. 특히 오늘날에는 새롭게 등장한 ___(가)___ 을/를 통해 대중문화의 생산자와 소비자 간 쌍방향 의사소통이 가능해졌다.

<보기>
ㄱ. (가)에는 텔레비전, 신문 등이 해당한다.
ㄴ. (가)를 통해 기존 매체보다 신속한 정보 전달이 가능해졌다.
ㄷ. (가)의 등장으로 대중문화의 생산자와 소비자의 경계가 뚜렷해졌다.
ㄹ. (가)로 인해 무책임하고 왜곡된 정보가 생산되어 전파될 우려가 있다.

① ㄱ, ㄴ ② ㄱ, ㄷ ③ ㄴ, ㄷ
④ ㄴ, ㄹ ⑤ ㄷ, ㄹ

08 (가), (나)에 대한 설명으로 옳은 것은?

> (가) ○○ 아기 기저귀 광고에서는 엄마 모델만 등장하여 여성의 임신과 출산, 육아에 이르는 과정을 담고 있는데, 이는 아빠의 모습은 배제되어 출산과 육아의 책임이 여성에게 있다는 인식을 강화한다.
> (나) 대학 축제가 젊은이들의 낭만과 젊음을 발산하는 자리라는 것은 이제 옛말이 되었다. 인기 아이돌 초청 가수들이 주인공으로 자리를 잡았고, 이들을 모셔 오기 위한 '쩐(錢)의 전쟁'이 벌어지고 있기 때문이다.

① (가)는 대중문화가 지나치게 상업화될 때의 문제점을 보여 준다.
② (가)의 문제를 해결하기 위해 일방적인 정보를 적극적으로 받아들여야 한다.
③ (나)로 인한 대중의 정치적 무관심을 경계해야 한다.
④ (나)의 과정을 거쳐 대중문화의 질이 높아질 수 있다.
⑤ (가), (나)에는 대중문화의 역기능이 나타나 있다.

09 ㉠~㉣에 대한 설명으로 옳은 것은?

새로운 문화 요소의 등장이나 다른 문화와의 접촉을 통해 문화는 끊임없이 변화한다. 이러한 문화 변동의 내재적 요인에는 ㉠ , ㉡ 이/가 있는데, 이 중 ㉠ 은/는 기존에 없었던 것을 새로이 만들어 내는 것이다. 한편, 다른 사회의 문화가 전파되어 문화 변동이 일어나기도 하는데, ㉢ 은/는 매개체를 통해, ㉣ 은/는 사회 구성원 간의 직접적인 접촉을 통해 문화 변동이 나타난다.

① ㉠의 예로 불, 비타민 등이 있다.

② ㉡의 예로 자동차, 텔레비전 등이 있다.

③ ㉢을 통해 한류 문화가 세계화되고 있다.

④ ㉣은 인쇄물, 인터넷 등을 통해 이루어진다.

⑤ ㉠, ㉡과 달리 ㉢, ㉣에 의한 문화 변동은 부작용이 존재한다.

10 문화 접변의 양상 A~C에 대한 옳은 설명을 〈보기〉에서 고른 것은? (단, A~C는 각각 문화 공존, 문화 동화, 문화 융합 중 하나이다.)

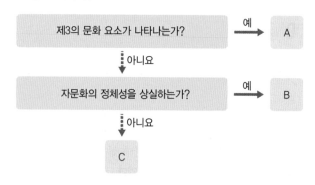

보기
ㄱ. A는 서로 다른 문화 요소가 그 성격을 유지하면서 결합하는 것이다.
ㄴ. B는 한식집, 일식집, 피자집이 나란히 있는 것을 예로 들 수 있다.
ㄷ. C는 외래문화 요소가 변형되지 않고 사회에 정착한 것이다.
ㄹ. B는 C에 비해 문화의 다양성 보존에 유리하다.

① ㄱ, ㄴ   ② ㄱ, ㄷ   ③ ㄴ, ㄷ
④ ㄴ, ㄹ   ⑤ ㄷ, ㄹ

11 다음은 어떤 사회에서 나타날 수 있는 문화의 접촉적 변동 양상을 유형화한 것이다. 이에 대한 옳은 분석을 〈보기〉에서 고른 것은?

자문화의 통합 정도 타 문화의 수용 정도	강	약
강제적	A	B
자발적	C	D

보기
ㄱ. A-문화 동화 현상이 나타난다.
ㄴ. B-외래문화의 영향이 크게 작용한다.
ㄷ. C-문화의 다양성을 촉진할 수 있다.
ㄹ. D-자문화에 대한 복고 운동이 강하게 일어난다.

① ㄱ, ㄴ   ② ㄱ, ㄷ   ③ ㄴ, ㄷ
④ ㄴ, ㄹ   ⑤ ㄷ, ㄹ

12 다음 자료에 대한 옳은 설명을 〈보기〉에서 고른 것은?

(가) 전자 상거래가 발달하면서 결제 수단으로 다양한 ㉠전자 화폐(디지털 캐시)가 사용되고 있다. 하지만 아직 ㉡관련 법률이나 제도가 마련되지 않아 해킹이나 위조 피해가 빈번하게 일어나고 있다.

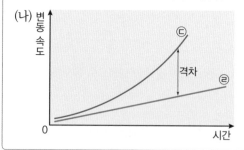

보기
ㄱ. (가)에는 아노미 현상이 나타나 있다.
ㄴ. (가)의 대응책으로 물질문화의 변동에 대한 제도 마련 및 올바른 가치관 정립을 들 수 있다.
ㄷ. ㉠은 비물질문화, ㉡은 물질문화이다.
ㄹ. ㉠이 ㉢, ㉡이 ㉣에 해당한다면, (나)는 문화 지체 현상을 나타낸 것이다.

① ㄱ, ㄴ   ② ㄱ, ㄷ   ③ ㄴ, ㄷ
④ ㄴ, ㄹ   ⑤ ㄷ, ㄹ

13 다음 글을 읽고 물음에 답하시오.

> ㉠감기에 걸려서 기침을 하는 것과 ㉡기침을 할 때 손수건으로 입을 가리는 행위는 문화인가 아닌가를 기준으로 구분할 수 있다. ㉢문화에 해당하는 행위는 의도적인 행위로 사회화의 결과물이라는 점에서 문화가 아닌 행위와 구별된다.

(1) 밑줄 친 ㉠, ㉡을 문화인 것과 문화가 아닌 것으로 구분하시오.

㉠: (   ), ㉡: (   )

(2) 밑줄 친 ㉢에서 알 수 있는 문화의 속성을 서술하시오.

14 (가), (나)를 통해 추론할 수 있는 하위문화의 특징을 서술하시오.

> (가) 조선 시대 양반들은 누구나 갓을 쓰고 비단으로 된 한복을 입었다. 하지만 지금 그런 모습을 한 사람들은 청학동 같은 곳에서나 볼 수 있다.
> (나) 우리나라 사람들에게 이슬람교의 율법에 따른 금식 기간인 '라마단'은 매우 생소한 단어이며, 이를 지키는 사람은 소수의 이슬람교인들 뿐이다. 하지만 중동 지역에서 라마단은 모든 사람이 지키는 신성한 종교 의식이다.

15 표는 문화 접변의 양상을 구분한 것이다. 이를 보고 물음에 답하시오. (단, A~C는 각각 문화 공존, 문화 동화, 문화 융합 중 하나이다.)

질문＼양상	A	B	C
한 사회의 문화가 정체성을 상실하였는가?	예	아니요	아니요
두 문화가 만나 새로운 문화가 형성되었는가?	아니요	아니요	예

(1) A~C에 들어갈 문화 접변의 양상을 쓰시오.

A: (   ), B: (   ), C: (   )

(2) B의 사례를 <u>한 가지</u> 제시하시오.

16 다음 글을 읽고 물음에 답하시오.

> DTO는 기관사가 수동으로 조작하지 않아도 전동차의 출발과 정지, 출입문 개폐가 가능한 자동 운전 시스템이다. 이 기술을 도입하여 무인 운행 전동차를 운행하고 있지만, 이로 인한 인력 감축 문제, 안전 문제 등을 해결할 제도는 아직 마련되지 않은 실정이다.

(1) 위 글을 통해 파악할 수 있는 문화 변동에 따른 문제점을 쓰시오.

(   )

(2) 위와 같은 문제점이 나타나는 이유를 서술하시오.

IV
사회 계층과
불평등

배울 내용 한눈에 보기

01 사회 불평등 현상의 이해

사회 불평등 ─┬─ 사회 불평등을 보는 관점 ─┬─ 기능론
　　　　　　 │　　　　　　　　　　　　　└─ 갈등론
　　　　　　 └─ 사회 계층화에 관한 이론 ─┬─ 계급론
　　　　　　　　　　　　　　　　　　　　└─ 계층론

사회 불평등은 사회적 희소가치의 차등적 분배로 인해 발생해.

02 사회 이동과 사회 계층 구조

사회 이동 ─┬─ 수직/수평 이동
　　　　　 ├─ 개인적/구조적 이동
　　　　　 └─ 세대 내/세대 간 이동

사회 계층 구조 ─┬─ 폐쇄적/개방적 계층 구조
　　　　　　　　└─ 피라미드형/다이아몬드형 모래시계형/타원형

사회 이동의 유형은 이동 방향, 이동 원인, 이동 범위에 따라 구분되고, 사회 계층 구조는 계층 이동 가능성, 계층 구성 비율에 따라 구분돼.

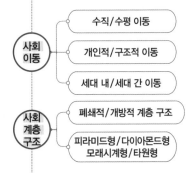

03 다양한 사회 불평등

다양한 사회 불평등 ─┬─ 사회적 소수자 문제
　　　　　　　　　　├─ 성 불평등 문제
　　　　　　　　　　└─ 빈곤 문제

사회 불평등의 양상으로는 사회적 소수자 문제, 성 불평등 문제, 빈곤 문제가 있어.

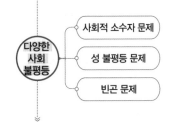

04 사회 복지와 복지 제도

복지 제도 ─┬─ 사회 보험
　　　　　 ├─ 공공 부조
　　　　　 └─ 사회 서비스

사회 보장 제도는 특징과 대상에 따라 사회 보험, 공공 부조, 사회 서비스 3가지 유형으로 구분돼. 오늘날에는 복지 제도의 한계를 극복하기 위해 생산적 복지가 확대되고 있어.

01 ～ 사회 불평등 현상의 이해

핵심 질문으로 흐름잡기

A 사회 불평등 현상의 다양한 형태 및 이를 보는 관점은?

B 사회 계층화 현상의 의미와 그에 대한 대표적 이론은?

❶ 사회·문화적 자원
사회적으로 존경받는 명예, 수준 높은 문화를 즐길 수 있는 소양, 다양한 여가를 누릴 수 있는 여유와 같은 요소를 사회·문화적 자원이라고 한다.

A 사회 불평등 현상

|시·험·단·서| 사회 불평등 현상을 보는 두 관점인 기능론과 갈등론을 구분하여 비교하는 문제들이 주로 출제돼.

1. 사회 불평등 현상의 이해

(1) 사회 불평등 현상의 의미와 발생 원인

① 사회 불평등 현상: 부, 권력, 명예 등의 사회적 자원❶이 차등적으로 분배되어 개인과 집단이 서열화하는 현상

② 발생 원인: 사회적 희소가치*와 그에 대한 접근 기회가 개인의 능력이나 업적 등 일정한 기준에 따라 차등적으로 분배되기 때문임 ┈ 의사, 변호사와 같이 사회적으로 요구되는 능력을 갖춘 경우 다른 직업보다 더 높은 소득을 벌고 있어.

③ 사회 불평등 현상의 보편성: 부, 권력, 명예 등의 사회적 자원은 어느 사회에서나 희소하므로, 사회 불평등 현상은 정도의 차이는 있어도 모든 사회에서 나타남

(2) 다양한 영역의 사회 불평등 현상 ┈ '부자 vs 가난한 사람'과 같이 가장 일반적이고 전형적인 사회 불평등이 경제적 불평등이야.

① 경제적 불평등: 소득이나 재산 등 경제적 가치의 차등 분배로 발생하는 불평등 [자료1]

② 정치적 불평등: 권력의 소유와 행사에서 비롯되는 불평등

③ 사회·문화적 불평등: 사회적 위신, 명예, 교육 수준, 지식 소유 등 사회·문화적 생활의 기회와 수준에서의 불평등 ┈ 정치 참여 기회의 제한을 예로 들 수 있어.

(3) 사회 불평등의 영향

① 사회 구성원의 생활 양식, 가치관, 사고방식에 큰 영향을 미침

② 사회 구성원 간 경쟁을 유발하여 사회적 효율성을 향상하기도 하나, 갈등을 유발하여 사회 통합을 저해하기도 함

❷ 차등 보상
기능론은 사회의 모든 직업이 사회의 안정적 유지를 위해 필요하지만, 그 중요도에는 차이가 있다고 전제한다. 따라서 중요한 직업에 뛰어난 능력을 갖춘 인재를 배치하기 위해서는 더욱 많은 보상이 필요하다고 본다. 즉, 차등 보상은 사회 전체의 유지와 발전을 위해 불가피하다고 주장한다.

2. 사회 불평등 현상을 보는 관점 [자료2]

(1) 기능론

사회 불평등의 발생 원인	직업별·사회적 역할의 중요도 및 기여도에 차이가 있고, 그 차이에 따른 차등 보상❷으로 인해 사회 불평등이 발생함
가치 배분 방식	개인의 노력, 능력, 업적 등 사회 전체적으로 합의된 정당한 기준
불평등의 사회적 기능	• 개인에게 성취동기 부여 ┈ 더 열심히 노력한 사람에게 더 많은 보상이 이루어진다면 당연히 열심히 노력하겠지. • 구성원 간 경쟁의 유발로 사회적 효율성 향상 • 필요한 능력을 갖춘 인재의 적재적소 배치 가능
불평등에 대한 평가	• 사회 불평등은 보편적이고 불가피한 현상임 • 사회의 유지와 발전을 위해 불평등은 존재해야 함

(2) 갈등론 ┈ 갈등론은 분배 구조가 개인의 능력과 노력보다는 부모의 소득과 학력 등 가정 환경에 따라 제한받는다고 봐.

사회 불평등의 발생 원인	직업의 기능적 중요도에는 차이가 없는데, 지배 집단이 그들의 이익에 부합하는 분배 구조❸를 만들어 적용하고 있어서 사회 불평등이 발생함
가치 배분 방식	사회 구성원이 합의한 것이 아니라 기득권 집단이 권력 유지를 위해 결정
불평등의 사회적 기능	• 사회적 희소가치가 개인의 능력과 무관하게 가정 배경 등에 따라 분배됨으로써 피지배 집단의 계층 상승 억제 → 상대적 박탈감 초래 • 희소 자원의 불공정한 분배로 사회적 갈등과 대립 유발 → 사회 전체의 발전 저해
불평등에 대한 평가	• 사회 불평등은 보편적 현상이나 불가피한 현상이 아니며, 부당하고 해소해야 할 현상임 • 사회 불평등의 제거를 위해서는 사회 구조의 변혁이 필요함

❸ 분배 구조
희소가치를 분배하는 제도, 체계를 의미한다. 예를 들어 우리나라의 경우 교육 제도가 중요한 분배 구조로 기능한다.

내용 이해를 돕는 팁

자료1 경제적 불평등 관련 문제 ▶ 165쪽 03번

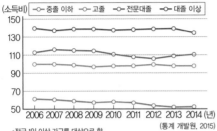

(가) 가구주 교육 수준별 소득비

(소득비)
— 중졸 이하 — 고졸 — 전문대졸 — 대졸 이상

150
130
110
90
70
50
2006 2007 2008 2009 2010 2011 2012 2013 2014 (년)
(통계 개발원, 2015)

*전국 1인 이상 가구를 대상으로 함
**소득비는 각 연도의 전체 가구의 월평균 가구 소득을 100으로 했을 때 해당 학력 집단의 소득비임

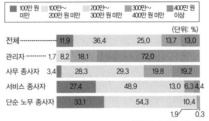

(나) 직업별 임금 비율

■100만 원 미만 ■100만~200만 원 미만 200만~300만 원 미만 ■300만~400만 원 미만 ■400만 원 이상

(단위: %)

	100만 원 미만	100만~200만 원 미만	200만~300만 원 미만	300만~400만 원 미만	400만 원 이상
전체	11.9	36.4	25.0	13.7	13.0
관리자	1.7	8.2	18.1		72.0
사무 종사자	3.4	28.3	29.3	19.8	19.2
서비스 종사자	27.4	48.9	13.0	6.3	4.4
단순 노무 종사자	33.1	54.3	10.4	1.9	0.3

(통계청, 2015년 상반기)

자료·분·석 (가)는 교육 수준에 따른 소득의 차이를, (나)는 직업에 따른 임금의 차이를 보여 주고 있다. 소득이나 임금은 교육 수준 또는 직업군에 따라 차등적으로 분배되고 있는데, 이처럼 소득이나 재산 등 경제적 가치의 차등 분배로 인해 발생하는 불평등을 경제적 불평등이라고 한다. 경제적 불평등은 어느 사회에서나 보편적으로 나타나는 현상이다.

한·줄·핵·심 임금, 소득과 같은 경제적 가치의 차등 분배로 경제적 불평등이 발생한다.

자료2 연봉 차이에 대한 기능론과 갈등론의 관점

미국 근로자 연봉,
최고 경영자의 300분의 1 수준

미국 한 연구소의 조사 결과, 미국의 각 사업장에서 나타난 최고 경영자와 근로자의 평균 연봉 비율은 약 303 대 1로 나타났다. 이들의 평균 연봉 비율은 1965년에 약 20 대 1이던 것이, 2014년에 약 303 대 1로 급격히 커졌다.

최고 경영자의 높은 연봉은 급변하는 시장 상황에서 최고 경영자의 역량이 기업의 운명을 좌우할 만큼 중요해졌고, 근로자의 능력으로는 대체할 수 없는 희소성이 있기 때문이야.

갑

최고 경영자의 높은 연봉은 그들의 역량과는 무관해. 최고 경영자의 생산량이 높아서가 아니라, 연봉을 결정할 때 더 많은 권력을 행사하기 때문에 높은 연봉을 받는 거야.

을

자료·분·석 최고 경영자와 근로자의 연봉 차이에 대해 갑은 최고 경영자와 근로자의 역할의 중요도와 기여도의 차이에 따른 것이라며 긍정적으로 바라보고 있다는 점에서 기능론적 관점에 해당한다. 반면, 을은 최고 경영자가 자신에게 유리한 분배 기준을 적용하여 더 많은 보상을 받고 있다고 본다는 점에서 갈등론적 관점에 해당한다.

한·줄·핵·심 기능론은 기여도에 따라 차등 분배가 발생함을, 갈등론은 지배 집단의 강제에 의해 차등 분배가 발생함을 강조한다.

❓ 궁금해요

Q. 사회 불평등 현상은 기능론과 갈등론 중 어떤 관점에서 이해해야 하나요?

A. 어느 하나의 관점으로 보기보다 두 관점이 지닌 각각의 장점을 바탕으로 균형 있게 이해하려는 태도가 필요해.
기능론만 강조하면 사회 불평등 현상을 정당한 것으로 여겨 문제를 개선하려는 노력이 소홀해질 수 있고, 갈등론만 강조하면 사회 불평등 현상으로 인한 집단 간 대립을 지나치게 부각하여 사회 통합을 저해할 수 있기 때문이야.

용어 더하기

*사회적 희소가치
소득, 학력, 지위, 권력 등과 같이 사람들의 욕구에 비해 상대적으로 부족한 가치를 말한다.

*상대적 박탈감
다른 집단의 상황과 자신의 조건을 비교함으로써 자신이 불리하거나 손해를 본다고 느끼는 감정

*최고 경영자
최고 경영자는 일반적으로 CEO(chief executive officer)로 불리는 사람으로, 어느 집단의 총체적인 경영을 책임지는 최고 위치에 있는 경영자이다.

❹ 중세 봉건 사회와 자본주의
사회의 계급 구분
농업을 기반으로 하는 중세 봉건
사회에서 중요한 생산 수단은 토
지였으며, 이에 따라 토지를 소
유한 영주와 그렇지 못한 농노의
관계가 중시되었다. 반면, 공업을
기반으로 하는 자본주의 사회에
서 중요한 생산 수단은 자본으로
자본가와 노동자의 관계가 중시
되고 있다.

B 사회 계층화 현상

|**시·험·단·서**| 사회 계층화 현상에 관한 두 이론인 계급론과 계층론을 구분하고 두 이론의 특징을 비교하는 문제들이 주로 출제돼.

1. 사회 계층화 현상의 이해

(1) 사회 계층화의 의미 및 양상

　① **사회 계층화의 의미**

　　• 사회 구성원 간 불평등이 일정한 요인에 따라 범주화되고, 범주화된 사람들 간에 구조적[*] 서열이 나타나는 현상

　　• 사회 불평등 현상이 일정한 틀이나 체계를 갖추어 나타나는 현상

　② **사회 계층화의 양상** ┬─ 시대와 사회를 초월하여 나타난다는 점에서 보편성이, 시대와 사회에 따라
　　　　　　　　　　　　　　└─ 다양하다는 점에서 특수성이 나타나고 있어.

　　• 사회 계층화는 일반적으로 시대와 사회를 초월하여 나타남

　　• 사회 계층화를 형성하는 요인과 범주화되는 양상은 시대와 사회에 따라 다양하게 나타남

(2) 전통 사회와 근대 이후 사회의 사회 계층화

　① **전통 사회의 사회 계층화**

　• 가문, 성별 등 출신 배경이나 신분과 같은 선천적 요인이 사회 계층화 현상의 주요 요인임

　• 개인의 능력이나 노력에 의한 계층 변화가 어려운 폐쇄적 계층 구조를 이룸

　• 대표 사례: 중세 유럽의 봉건 제도, 인도의 카스트 제도, 조선 시대의 신분 제도 등

　② **근대 이후 사회의 사회 계층화**

　• 개인의 능력과 업적, 성취 등 후천적 요인이 사회 계층화 현상의 주요 요인임

　• 개인의 능력이나 노력에 의해 계층 변화가 가능한 개방적 계층 구조를 이룸

　• 대표 사례: 근대 유럽의 산업 사회, 현대의 자유 민주주의 사회 등

계급론과 계층론 모두
사회 불평등의 요인으로
경제적 요인을 중시해.

2. 사회 계층화 현상에 관한 대표적 이론 자료3

(1) 계급론(마르크스) 자료4

계급의 정의	• 계급은 생산 수단[*]을 둘러싸고 나타나는 위계 구조에서 공통의 위치를 차지하는 사람들의 집합체로, 마르크스가 사회 계층화 현상을 설명하기 위해 사용한 개념임 • 계급은 일원론적 개념으로 생산 수단의 소유 여부(경제적 요인)가 계급을 결정함
계급 구분❹	• 자본가 계급과 노동자 계급[*]으로 구분 → 두 계급 간의 관계는 적대적이며 계급 간 갈등의 발생은 불가피함
특징	• 불연속적·이분법적으로 계급을 구분함 • 동일한 계급 구성원 간의 소속감이나 연대 의식, 계급 의식을 중시함 • 계급 간 갈등 및 대립을 사회 변혁의 원동력으로 간주함

(2) 계층론(베버) 자료5

┌─ 계급론과 계층론의 가장 중요한 차이는 계층 구분의
└─ 요인이 하나이냐, 여러 가지이냐인 거야.

계층의 정의	• 계층은 다양한 요인에 의해 공통의 서열상 위치를 갖는 사람들의 집합체로, 베버가 사회 계층화 현상을 설명하기 위해 사용한 개념임 • 계층은 경제적 요인(계급), 사회적 요인(위신, 명예), 정치적 요인(권력) 등 다양한 요인에 의해 발생함 → 다원론적 개념
계층 구분	• 상층, 중층, 하층으로 구분 → 계층은 이분법적으로 구분되지 않고, 계층 간 경계도 명확하지 않으므로 소속감이나 연대 의식이 나타나기 어려움
특징	• 계층은 연속적이고 복합적으로 나타나는 서열임 → 동일한 계층 간 계급 의식이 필연적으로 형성되는 것은 아님 • 계층의 개념은 다양한 요인에 의한 사회적 희소가치의 불평등한 분배 상태를 범주화하여 지위 불일치 현상❺을 설명하기에 적합함

┌─ 계급론은 지배 계급/피지배 계급으로 이분법적으로 구분하지만,
└─ 계층론은 상층/중층/하층과 같이 연속적으로 계층을 구분해.

❺ 지위 불일치 현상
계급, 위신, 권력의 각 측면에서
나타나는 계층 서열에서 개인의
위치가 서로 다른 현상을 의미한
다. 예를 들어, 가난한 대학 교수
의 경우 사회적 위신은 높으나 경
제적으로는 낮은 계층이다. 지위
불일치 현상은 계급론으로는 설
명이 어렵다.

자료 3 계급론과 계층론 　관련 문제 ▶ 167쪽 10번

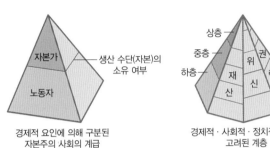

경제적 요인에 의해 구분된 자본주의 사회의 계급

경제적·사회적·정치적 요인이 고려된 계층

자료·분석 계급론은 일원론적 개념으로 경제적 요인인 생산 수단의 소유 여부에 따라 지배 계급과 피지배 계급으로 구분한다. 계층론은 다원론적 개념으로 경제적 계급, 사회적 위신, 정치적 권력이라는 세 가지 요인에 따라 사회 구성원들의 서열이 연속적으로 나타난다고 본다. 계층의 구분은 다양한 요인에 따른 범주화이므로 개인의 위치가 각 요인마다 서로 다른 현상인 지위 불일치가 나타나기도 한다.

한·줄·핵·심 계급론은 생산 수단의 소유 여부에 따라(일원론), 계층론은 경제적, 사회적, 정치적 요인에 따라(다원론) 사회 계층화 현상을 설명한다.

자료 4 계급론

계급론은 생산 수단을 소유한 자본가 계급이 유리한 경제적 지위를 이용하여 노동자 계급을 착취하고 지배한다고 보았다. 이러한 생산 수단의 소유와 분배를 둘러싼 지배와 종속의 관계는 '고대 노예제 사회의 귀족과 노예', '중세 봉건 사회의 영주와 농노', '근대 자본주의 사회의 자본가와 노동자'와 같이 역사적 생산 관계의 변천에 따라 다양한 형태로 나타났으며, 역사는 계급 간 갈등을 원동력으로 필연적으로 변화한다고 보았다.

자료·분석 계급론은 생산 수단의 소유와 분배를 둘러싼 지배와 종속 관계는 오랜 역사를 거쳐 변화하면서 계급 갈등을 형성해 왔고, 이러한 갈등을 통해 사회가 변화한다고 주장하였다.

한·줄·핵·심 계급론에서는 계급 간 갈등과 대립은 필연적 현상이며, 사회 변혁의 원동력이라고 본다.

자료 5 중산층의 기준

① 중산층의 생활을 규정하는 기준을 충족하는 사람들
② 중위 소득＊의 50~150%에 속하는 사람들
③ "자신은 상층, 중층, 하층 중에서 어디에 속한다고 생각하십니까?"라는 질문에 '중층' 이라고 답한 사람들

자료·분석 사회 계층화 현상은 사회 불평등이 범주화된 사람들 간에 구조적 서열이 존재하는 현상이다. 자료에 제시된 세 가지 조건은 모두 중산층이라는 계층을 범주화하는 기준에 해당한다.

한·줄·핵·심 사회 계층화 현상은 사회마다 나름의 기준에 따라 사회 구성원을 범주화한 결과이다.

사회 불평등 현상을 바라보는 관점

개념풀 Guide　사회 불평등 현상을 바라보는 관점에는 기능론과 갈등론이 있어. 이 두 관점이 사회 불평등의 발생 원인과 희소 가치의 배분 방식을 바라보는 방식을 비교해 보자.

1. 사회 불평등을 바라보는 기능론과 갈등론

하층 자녀가 능력이 있고 그 수준이 동일하다고 할 때, 그들의 노력 수준과 계층 이동 가능성 간의 관계가 사회 불평등을 바라보는 관점 A, B에서 어떻게 나타나는지 그림으로 표현해 보세요.

잘 표현했습니다.

분석 • A는 하층 자녀가 열심히 노력하면 상승 이동이 가능하다고 보므로 개인의 노력, 능력, 업적 등에 따라 사회적 역할이 주어진다고 보는 기능론이다.

• B는 하층 자녀가 아무리 노력해도 계층의 이동 가능성이 낮다고 보므로 개인의 노력이나 능력과는 무관하게 지배 집단이 만든 분배 구조에 따라 사회적 희소가치가 분배된다고 보는 갈등론이다.

2. 기능론과 갈등론의 비교　관련 문제 ▶ 168쪽 04번

구분	관점 A	관점 B
사회 불평등 현상이 발생하는 원인은 무엇인가?	사회적 역할의 중요도에 따른 보상의 차등 분배	(가)
사회적 희소가치의 배분 방식은 어떻게 결정되는가?	(나)	권력 유지를 위한 기득권 집단의 결정

분석 • 관점 A는 사회적 역할의 중요도, 즉 기여도에 따른 차등 분배를 사회 불평등의 원인으로 보고 있으므로 기능론이다.

• 관점 B는 사회적 희소가치의 배분 방식을 지배 집단이 스스로에게 유리하게 결정한다고 보고 있으므로 갈등론이다.

• (가)에는 갈등론, (나)에는 기능론의 입장이 들어가야 한다.

3. 기능론과 갈등론

기득권층이 정부 정책에 관여하여 자신들에게 이득이 되는 쪽으로 끌고 가기 때문이야.

국제 뉴스 A국 빈부 격차 날로 심화 지니계수 계속 높아져

지니계수

2008 2009 2010 2011 연도

신문

아니야! 열심히 노력한 사람들과 그렇지 않은 사람들의 몫이 반영된 당연한 결과가 아닐까?

갑　을

분석 • 갑의 관점은 지배 집단의 이익이 강화되는 과정에서 사회 불평등 정도가 심화한다고 보고 있으므로 갈등론이다.

• 을의 관점은 노력의 정도에 따른 차등 보상의 결과로 불평등이 발생한 것이라고 보고 있으므로 기능론이다.

4. 사회 불평등의 발생 원인에 대한 기능론과 갈등론

모든 사람에게 주어진 기회는 균등하지만, 개인의 능력이나 노력의 차이에 따라 사회 불평등이 발생하는 거야.

개인의 능력이나 노력의 차이보다 기득권자들이 사회적 희소가치를 독점하는 사회 구조 때문에 사회 불평등이 발생하는 거야.

갑　을

분석 • 갑은 능력이나 노력의 차이로 인해 사회 불평등이 발생함을 주장하고 있다는 점에서 기능론에 부합한다.

• 을은 능력이나 노력의 차이가 아니라, 지배 집단에 유리한 분배 구조로 인해 사회 불평등이 발생함을 강조하고 있다는 점에서 갈등론에 부합한다.

• 기능론은 사회 구조가 공정하다고 보는 반면, 갈등론은 불공정한 사회 구조로 인해 사회 불평등이 발생한다고 본다.

사회 계층화 현상에 관한 이론

개념풀 Guide　계급과 계층을 구분하는 기준과 계급론과 계층론의 특징을 비교해 보자.

1. 계급론과 계층론의 비교　관련 문제 ▶ 169쪽 08번

(가)	(나)
경제적, 정치적, 사회적 요인을 종합하여 사회 계층을 상층, 중층, 하층으로 구분	생산 수단의 소유 여부를 기준으로 사회 계층을 지배층과 피지배층으로 구분

분석 • (가)는 경제적, 정치적, 사회적 요인과 같이 다양한 요인에 의해 사회 계층이 상층·중층·하층으로 구분된다고 보고 있으므로 계층론에 해당한다. 계층론은 계층이 연속적이고 복합적으로 나타나는 서열화임을 강조한다.
• (나)는 생산 수단의 소유 여부라는 경제적 요인을 기준으로 지배 계급과 피지배 계급과 같이 이분법적으로 계급을 구분한다는 점에서 계급론에 해당한다. 계급론은 계급 간의 갈등과 대립을 사회 변혁의 원동력으로 간주한다.

2. 계층론의 이해　관련 문제 ▶ 169쪽 08번

사회 불평등 현상을 설명하는 A 이론은 생산 수단의 소유 여부와 더불어 소득이나 부의 크기도 계급을 결정하는 요인으로 본다. 그러나 소득이나 부의 크기는 계급 관계의 산물일 뿐, 계급을 구분하는 요인은 아니다. 또한, A 이론에서 사회 불평등을 구성하는 요인으로 보는 지위나 파당도 기본적으로 계급 관계에 의해 규정될 뿐이며, 그 자체로는 독자적인 기원을 가지지 못한다.

분석 A 이론은 계급, 지위, 파당 등을 불평등을 구성하는 요인으로 보므로 계층론에 해당한다. 제시문은 하단 부의 '지위나 파당이 계급 관계에 의해 규정될 뿐'이라는 표현으로 미루어 계급론의 입장이므로, 계급론의 입장에서 계층론인 A 이론에 관해 쓴 글이다.

3. 계급과 계층의 구분

〈갑의 분류〉

구분	생산 수단 소유 여부
자본가	A
노동자	B, C, D

〈을의 분류〉

구분	경제적 요인	정치적 요인	사회적 요인
상층	A	A, C	C
중층	B, C	D	A, B
하층	D	B	D

분석 • 갑의 분류는 생산 수단의 소유 여부가 기준이므로 계급이다.
• 을의 분류는 경제적·정치적·사회적 요인의 다양한 요인이 기준이므로 계층이다.
• A는 갑의 분류에 따르면 자본가, 을의 분류에 따르면 경제적·정치적으로는 상층, 사회적으로는 중층이다. 을의 분류에 따르면 A~D 모두 지위 불일치 사례이다.

4. 계급론과 계층론의 비교　관련 문제 ▶ 169쪽 07번

(가) 단순히 개인의 경제적 상황에 국한시켜 사회 불평등 현상을 이해해서는 안 된다. 경제적 계급이 다르더라도 동일한 지위 집단에 소속될 수 있으며, 지위 집단의 차이는 생활 양식의 차이 ┌ 지위 불일치 로 나타난다.

(나) 역사 발전 단계별로 주요한 생산 수단의 소유 여부에 따라 권력 관계가 결정된다. 자본주의 경제 체제에서는 자본을 소유한 집단과 그렇지 못한 집단 간에 권력 관계가 형성된다.

분석 • (가)는 경제적 상황에 국한해 사회 불평등을 바라봐서는 안 된다고 주장하고 있다. 즉, 다양한 요인에 의해 사회 불평등이 발생할 수 있음을 강조하고 있다. 또한 지위 불일치 현상을 설명하고 있으므로 (가)는 계층론이다.
• (나)는 생산 수단의 소유 여부가 권력 관계를 결정한다며 자본을 가진 집단인 자본가와 자본을 가지지 못한 집단인 노동자 사이의 권력 관계를 강조하고 있다는 점에서 계급론에 해당한다.

A 사회 불평등 현상

01 빈칸에 알맞은 말을 쓰시오.

(1) 부, 권력, 명예 등의 사회적 자원이 차등적으로 분배되어 개인 및 집단이 서열화하는 현상을 □□ □□□ 현상이라고 한다.

(2) 사회 불평등의 유형 중 권력의 소유와 행사의 차이로 나타나는 불평등은 □□□ 불평등이다.

(3) 사회 불평등을 보편적이면서도 불가피한 현상으로 보는 관점은 □□□이다.

(4) 갈등론에서는 사회 불평등 현상이 집단 간 □□과 대립을 초래하여 사회 전체의 발전을 저해한다고 본다.

02 알맞은 말에 ○표를 하시오.

(1) (경제적, 정치적) 불평등은 소득이나 재산 등의 사회적 희소가치가 차등적으로 분배되어 발생하는 불평등이다.

(2) (기능론, 갈등론)은 사회 불평등이 구성원에게 성취동기를 부여한다고 본다.

(3) (기능론, 갈등론)은 사회적 희소가치가 개인의 능력과 무관하게 가정 배경 등에 따라 분배된다고 본다.

(4) 갈등론은 사회적 희소가치의 분배 기준에 (사회 전체적, 특정 집단만의) 합의가 반영되었다고 본다.

B 사회 계층화 현상

03 알맞은 말에 ○표를 하시오.

(1) (계급론, 계층론)은 생산 수단의 소유 여부가 다른 모든 사회 불평등을 결정한다고 본다.

(2) 현대 사회에서 나타나는 지위 불일치 현상을 설명하기에 적합한 이론은 (계급론, 계층론)이다.

(3) 전통 사회와 달리 근대 이후의 사회에서는 (선천적, 후천적) 요인에 의해 사회 계층화 현상이 나타나고 있다.

04 다음 내용이 옳으면 ○표, 틀리면 ×표를 하시오.

(1) 근대 이후 사회에서는 개인의 능력이나 노력에 의한 계층 변화가 가능한 개방적 계층 구조가 나타났다. ( )

(2) 계층론은 사회 계층화가 연속적이고 복합적으로 나타나는 서열화임을 강조한다. ( )

(3) 계급론은 다양한 요인에 의한 사회적 희소가치의 불평등한 분배 상태를 범주화하여 설명한다. ( )

05 빈칸에 알맞은 말을 쓰시오.

(1) 계급론은 경제적 요인인 □□ □□의 소유 여부에 따라 사회 불평등이 결정된다고 본다.

(2) 한 개인이 가지는 계급, 위신, 권력의 세 측면에서 계층 서열 위치가 서로 다른 현상을 □□ □□□ 현상이라고 한다.

탄탄! 내신 다지기

A 사회 불평등 현상

01 다음 글에 나타난 사회 현상에 대한 옳은 설명을 〈보기〉에서 고른 것은?

> 사회적 희소가치의 소유 정도나 접근 기회에 있어서 사회 구성원 간에 차이가 나타나는 현상으로, 사회 구성원 간 경쟁을 유발하여 사회적 효율성을 높이기도 하나, 구성원 간 갈등을 유발하여 사회 통합을 저해하기도 한다.

보기
> ㄱ. 갈등론에서는 불가피한 현상으로 바라본다.
> ㄴ. 기능론에서는 제거해야 할 현상으로 바라본다.
> ㄷ. 사회 구성원 간 생활 양식, 가치관의 차이를 초래할 수 있다.
> ㄹ. 정치적 영역에서는 정치 참여 기회의 차이로 나타날 수 있다.

① ㄱ, ㄴ ② ㄱ, ㄷ ③ ㄴ, ㄷ
④ ㄴ, ㄹ ⑤ ㄷ, ㄹ

02 다음 글에 나타난 사회 불평등에 대한 설명으로 옳은 것은?

> 어떤 집단의 사람들은 인문학·클래식과 같은 고급문화를 향유하는 반면, 어떤 집단의 사람들은 대중가요와 같은 대중문화를 주로 향유하고 있다. 어떤 집단은 여행·공연 관람 등으로 여가 생활을 보내지만, 어떤 집단은 주로 텔레비전 시청으로 여가를 보내고 있다. 이처럼 향유하는 문화 및 여가 생활 등에서도 범주화된 차이가 나타나고 있다.

① 경제적 불평등에 해당한다.
② 경제적 가치가 차등 분배되고 있다.
③ 권력의 소유 및 행사에 있어 차이가 나타난다.
④ 가장 일반적이고 전형적인 불평등에 해당한다.
⑤ 사회·문화적 자원이 차등적으로 분배되고 있다.

03 다음 자료는 고용 형태별 임금 현황이다. 이에 대한 옳은 설명을 〈보기〉에서 고른 것은?

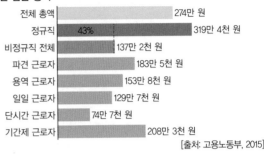

월 임금 총액
- 전체 총액: 274만 원
- 정규직: 43%, 319만 4천 원
- 비정규직 전체: 137만 2천 원
- 파견 근로자: 183만 5천 원
- 용역 근로자: 153만 8천 원
- 일일 근로자: 129만 7천 원
- 단시간 근로자: 74만 7천 원
- 기간제 근로자: 208만 3천 원

[출처: 고용노동부, 2015]

보기
> ㄱ. 정치 참여 기회가 일부에게만 부여되고 있다.
> ㄴ. 사회적 희소 자원의 분배에 차이가 나타난다.
> ㄷ. 고용 형태에 따라 소득이 차등 분배되고 있다.
> ㄹ. 사회·문화적 생활에서 불평등이 나타나고 있다.

① ㄱ, ㄴ ② ㄱ, ㄷ ③ ㄴ, ㄷ
④ ㄴ, ㄹ ⑤ ㄷ, ㄹ

04 기능론과 갈등론에 부합하는 진술을 〈보기〉에서 골라 바르게 연결한 것은?

보기
> ㄱ. 사회 불평등은 정당하고 불가피한 현상이다.
> ㄴ. 사회 불평등은 부당하고 해소해야 할 현상이다.
> ㄷ. 사회적 희소가치의 차등 분배는 사회의 발전 가능성을 높인다.
> ㄹ. 사회적 희소가치는 개인의 노력이 아닌 사회·경제적 배경에 의해 차등 분배된다.

	기능론	갈등론
①	ㄱ, ㄴ	ㄷ, ㄹ
②	ㄱ, ㄷ	ㄴ, ㄹ
③	ㄴ, ㄷ	ㄱ, ㄹ
④	ㄴ, ㄹ	ㄱ, ㄷ
⑤	ㄷ, ㄹ	ㄱ, ㄴ

05 다음 글에 나타난 사회 불평등 현상을 바라보는 관점에 부합하는 진술로 가장 적절한 것은?

> 유기체의 모든 부분이 전체를 위해 필요하지만 각 부분의 중요도에는 차이가 있듯이, 사회 내부의 모든 직업이 전체를 위해 필요하지만 각 직업의 중요도에는 차이가 있다. 따라서 직업별 중요도에 따라 사회적 희소가치를 차등 분배하는 것은 사회 전체를 위해 필요한 현상이다.

① 사회 불평등은 불가피한 현상이 아니다.
② 차등적 보상은 개인의 성취동기를 자극한다.
③ 빈곤 문제의 해결을 위해서는 사회 변혁이 필요하다.
④ 사회적 지위는 개인의 노력이나 능력을 반영하지 않는다.
⑤ 사회적 희소가치의 분배 기준은 지배 계급의 입장을 반영한다.

B 사회 계층화 현상

06 밑줄 친 ㉠, ㉡에 대한 설명으로 옳지 않은 것은?

> ㉠전통 사회에서는 가문 및 혈통, 성별 등 출신 배경이나 선천적 요인에 의해 결정된 개인의 신분이 사회 계층화 현상의 주요 요인이 되었다. 반면, ㉡현대 사회에서는 개인의 능력과 업적, 성취 등과 같은 후천적 요인이 사회 계층화 현상의 주요 요인으로 작용하고 있으며, 이를 바탕으로 사회 이동이 활발히 나타나고 있다.

① ㉠에서는 귀속 지위 중심으로 사회 계층화가 나타나고 있다.
② ㉡에서는 성취 지위 중심으로 사회 계층화가 나타나고 있다.
③ ㉠과 ㉡ 모두 사회 계층화 현상이 나타나고 있다.
④ ㉠은 ㉡과 달리 개인의 능력에 따른 사회 이동이 가능하다.
⑤ ㉠과 ㉡ 모두 사회적 희소가치가 구성원 사이에 차등적으로 분배되고 있다.

---

07 표는 전통 사회와 현대 사회의 사회 계층화 현상의 변화 양상을 구분한 것이다. (가)~(라)에 들어갈 옳은 내용을 〈보기〉에서 고른 것은?

사회	계층 구분 요인	사례
(가)	가문, 혈통, 성별 등	(다)
(나)	개인의 노력이나 능력	(라)

> **보기**
> ㄱ. (가) – 현대 사회
> ㄴ. (나) – 전통 사회
> ㄷ. (다) – 중세 유럽의 봉건 제도
> ㄹ. (라) – 현대 자유 민주주의 사회

① ㄱ, ㄴ   ② ㄱ, ㄷ   ③ ㄴ, ㄷ
④ ㄴ, ㄹ   ⑤ ㄷ, ㄹ

---

08 다음 대화의 빈칸에 들어갈 적절한 진술을 〈보기〉에서 고른 것은?

> 교사: 사회 계층화 현상은 계층론 또는 계급론으로 설명할 수 있어요. 계급론과 계층론에 대해 이야기해 볼까요?
> 학생: _____

> **보기**
> ㄱ. 계층론은 지위 불일치 현상을 설명하기 적절해요.
> ㄴ. 계층론은 이분법적으로 사회 계층화 현상을 설명해요.
> ㄷ. 계급론은 동일 계급 구성원 간의 소속감이나 연대 의식을 강조해요.
> ㄹ. 계급론은 다양한 요인으로 사회적 희소가치의 불평등한 배분 상태를 설명해요.

① ㄱ, ㄴ   ② ㄱ, ㄷ   ③ ㄴ, ㄷ
④ ㄴ, ㄹ   ⑤ ㄷ, ㄹ

09 표의 A, B에 대한 설명으로 옳은 것은?

구분	내용
공통점	A, B 모두 사회 계층화 현상을 설명하는 이론이다.
차이점	B는 A와 달리 생산 수단의 소유 여부를 기준으로 사회 계층화 현상을 설명한다.

① A는 자본가와 노동자로 계급을 구분한다.

② A는 일원론적 관점으로 사회 계층화를 설명한다.

③ B는 사회 계층화를 연속적인 서열화로 바라본다.

④ B는 동일한 계층의 구성원 간에 계급 의식이 나타난다고 본다.

⑤ A는 마르크스의 계급론, B는 베버의 계층론이다.

10 그림과 같이 사회 계층화 현상을 바라보는 이론에 대한 설명으로 옳은 것은?

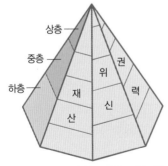

▲ 경제적·사회적·정치적 요인이 고려된 계층

① 노동자와 자본가로 계급을 구분한다.

② 계층 구성원 간의 계급 의식을 강조한다.

③ 사회 계층화 현상을 불연속적으로 바라본다.

④ 계층의 구분 기준으로 생산 수단을 강조한다.

⑤ 다원론의 입장에서 사회 계층화 현상을 바라본다.

서술형 **문제**

11 다음 글을 읽고 물음에 답하시오.

> 사회 불평등 현상은 직업별 중요도에 대응하여 사회적 희소가치가 차등 분배된 결과이며, 이러한 차등 분배가 유기체로서 사회의 생존과 지속성, 발전을 가능하게 한다. 따라서 사회적 희소가치의 차등 분배는 사회 구성원 모두가 수용해야 할 정당성을 지닌 현상일 뿐만 아니라 사회를 위해서 필요한 현상이다.

(1) 위의 글에 나타난 사회 불평등 현상을 이해하는 관점을 쓰시오.

(   )

(2) 사회 불평등 현상과 관련하여 위의 관점에 대하여 반박하는 내용을 <u>두 가지</u> 서술하시오.

_____

_____

_____

12 표는 사회 계층화 현상에 대한 이론 A, B를 구분한 것이다. 물음에 답하시오.

구분	A	B
공통점	(가)	
차이점	(나)	생산 수단의 소유 여부를 기준으로 일원론적으로 사회 계층화 현상을 분석한다.

(1) 표의 A, B에 들어갈 이론을 각각 쓰시오.

A: (   ), B: (   )

(2) 표의 (가), (나)에 들어갈 수 있는 내용을 각각 <u>한 가지</u> 서술하시오.

(가): _____

_____

(나): _____

_____

도전! 실력 올리기

01 다음 '성과급 분배 방식'에 나타난 사회 불평등 현상을 바라보는 관점에 부합하는 주장으로 가장 적절한 것은?

> ○○ 기업은 회사의 초과 이익에 따른 성과급을 직원들에게 동일한 금액으로 분배하였으나, 올해부터 직원들의 개인별 업무 역량에 따라 차등하여 성과급을 지급할 예정이다. 이를 통해 직원들 개인 간 경쟁 심리가 작용하여 직원들의 업무 능력이 향상되고, 이에 따라 회사의 영업 실적 또한 개선될 것으로 기대하고 있다.

① 사회 불평등은 제거되어야 할 사회 문제이다.
② 직업 간 기능적 중요도의 차이는 판단하기 어렵다.
③ 기여도에 따른 차등 분배는 사회 전체적 효율성 향상에 이바지한다.
④ 사회적 희소가치의 분배는 성취 지위가 아니라 귀속 지위에 의해 결정된다.
⑤ 사회적 희소가치의 분배 기준은 사회 전체적 합의를 바탕으로 하지 않는다.

02 표는 사회 불평등 현상에 대한 이론 A, B를 비교한 것이다. 이에 대한 설명으로 옳은 것은?

구분	A	B
발생 원인	직업별 사회적 중요도의 차이	(가)
가치 배분 기준		(나)
사회적 기능	(다)	

① A는 사회 불평등을 제거해야 할 대상으로 본다.
② B는 사회 불평등을 불가피한 현상으로 본다.
③ (가)에는 '사회 기여도에 따른 차등 보상'이 적절하다.
④ (나)에는 '사회 전체적 합의'가 적절하다.
⑤ (다)에는 '사회 구성원들에게 성취동기 부여'가 적절하다.

03 표는 사회 불평등을 바라보는 관점 A, B를 구분한 것이다. 이에 대한 옳은 설명을 〈보기〉에서 고른 것은?

항목	A	B
사회 불평등은 불가피한 현상인가?	예	아니요
사회적 희소가치의 분배 기준이 지배 집단에 유리하게 결정되는가?	아니요	예
(가)	예	아니요

> **보기**
> ㄱ. A는 사회 불평등이 사회 발전에 이바지한다고 본다.
> ㄴ. B는 가정 배경보다 개인의 자질과 능력에 따라 부가 배분된다고 본다.
> ㄷ. (가)에는 '사회 불평등 현상은 사회 전체적 합의를 반영하는가?'가 적절하다.
> ㄹ. (가)에는 '지배 계급과 피지배 계급 간의 대립 관계에서 사회 불평등을 이해하는가?'가 적절하다.

① ㄱ, ㄴ   ② ㄱ, ㄷ   ③ ㄴ, ㄷ
④ ㄴ, ㄹ   ⑤ ㄷ, ㄹ

04 사회 불평등 현상을 보는 관점 A, B에 대한 설명으로 옳은 것은?

구분	관점 A	관점 B
사회 불평등 현상이 발생하는 원인은 무엇인가?	사회적 역할의 중요도에 따른 보상의 차등 분배	(가)
사회적 희소가치의 배분 방식은 어떻게 결정되는가?	(나)	권력 유지를 위한 기득권 집단의 결정

① A는 계층화가 개인과 사회의 기능이 최대한 발휘되는 것을 저해한다고 본다.
② B는 사회 불평등 현상을 보편적인 현상으로 본다.
③ B는 A와 달리 개인의 성취동기가 지위 변동에 미치는 영향력을 중시한다.
④ (가)에는 '개인의 능력 차이에 따른 보상의 차등 분배'가 적절하다.
⑤ (나)에는 '사회의 효율적 운영을 위한 사회 구성원의 합의'가 적절하다.

05 다음 대화에서 밑줄 친 '한 사람'에 해당하는 사람은?

> 교사: 사회 계층화 현상을 설명하는 이론 A, B에 관해 이 야기해 볼까요?
> 갑: A는 생산 수단의 소유 여부를 중시해요.
> 을: B는 다양한 요인에 의해 계층이 범주화됨을 강조해요.
> 병: A는 B와 달리 이분법적, 불연속적으로 계층화를 설명해요.
> 정: A와 달리 B는 동일 계층 구성원 간의 동질감을 강조해요.
> 무: B와 달리 A는 지위 불일치 현상을 설명하는 데 유용하지 않아요.
> 교사: 한 사람을 제외하고 모두 옳게 대답했어요.

① 갑　　② 을　　③ 병　　④ 정　　⑤ 무

06 (가), (나)의 계층화 현상에 대한 옳은 설명을 〈보기〉에서 고른 것은?

(가)	중세 유럽의 봉건 제도, 조선 시대의 신분 제도, 인도의 카스트 제도
(나)	현대 한국 사회에서 나타나는 계층화, 서구 선진 산업 사회에서 나타나는 계층화

보기
ㄱ. (가)에서는 성취적 요인이 계층 형성의 주요 요인이 된다.
ㄴ. (나)에서는 개인의 능력 및 노력이 계층 형성의 주요 요인이 된다.
ㄷ. (가)에 비해 (나)에서는 다른 계층과의 교류가 자유롭지 못한 편이다.
ㄹ. 개인의 노력에 따른 계층 이동 가능성은 (가)보다 (나)에서 높게 나타난다.

① ㄱ, ㄴ　　② ㄱ, ㄷ　　③ ㄴ, ㄷ
④ ㄴ, ㄹ　　⑤ ㄷ, ㄹ

07 다음 사회 계층화 이론에 대한 옳은 설명을 〈보기〉에서 고른 것은?

> • 사회는 재산, 권력, 위신에 기초하여 계층화된다. 어떤 사람은 이들 중 한두 가지 차원에서 상층에서 속하더라도 나머지 다른 차원에서는 하층에 속할 수 있다.
> • 단순히 개인의 경제적 상황에 국한해서 사회 불평등 현상을 이해해서는 안 된다. 경제적 계급이 다르더라도 동일 지위 집단에 소속될 수 있다.

보기
ㄱ. 일원론적 관점에서 계층화 현상을 바라본다.
ㄴ. 현대 사회의 지위 불일치 현상을 설명하기 용이하다.
ㄷ. 동일 계층 구성원 간의 귀속 의식을 강조하지 않는다.
ㄹ. 사회 계층화 현상을 불연속적이고 이분법적으로 바라본다.

① ㄱ, ㄴ　　② ㄱ, ㄷ　　③ ㄴ, ㄷ
④ ㄴ, ㄹ　　⑤ ㄷ, ㄹ

수능 기출

08 밑줄 친 'A 이론'에 대한 옳은 설명을 〈보기〉에서 고른 것은?

> 사회 불평등 현상을 설명하는 A 이론은 생산 수단의 소유 여부와 더불어 소득이나 부의 크기도 계급을 결정하는 요인으로 본다. 그러나 소득이나 부의 크기는 계급 관계의 산물일 뿐, 계급을 구분하는 요인은 아니다. 또한, A 이론에서 사회 불평등을 구성하는 요인으로 보는 지위나 파당도 기본적으로 계급 관계에 의해 규정될 뿐이며, 그 자체로는 독자적인 기원을 가지지 못한다.

보기
ㄱ. 지위 불일치 가능성을 인정한다.
ㄴ. 다차원적 측면에서 사회 불평등 현상을 파악한다.
ㄷ. 동일 집단 구성원 간의 강한 연대 의식을 강조한다.
ㄹ. 사회 불평등 현상을 불연속적으로 구분되어 있는 상태로 본다.

① ㄱ, ㄴ　　② ㄱ, ㄷ　　③ ㄴ, ㄷ
④ ㄴ, ㄹ　　⑤ ㄷ, ㄹ

02 ∿ 사회 이동과 사회 계층 구조

핵심 질문으로 흐름잡기

Ⓐ 사회 이동의 의미와 유형은?

Ⓑ 사회 계층 구조의 유형별 특징은?

❶ 계층과 직업
사회 이동을 측정할 때 개인의 계층은 주로 직업을 활용하여 파악한다. 이는 직업이 개인의 소득, 사회적 위신, 권력 등을 드러내는 가장 적절한 자료이기 때문이다.

❷ 전근대 사회의 사회 이동
전근대 사회의 경우 신분제로 인하여 사회 이동이 극히 제한적으로 이루어졌으며, 개인의 능력이나 업적에 상관없이 신분이 개인의 계층을 결정하였다.

❸ 사회 계층 구조의 변화와 사회 이동
사회 계층 구조는 그대로이나 개인의 노력으로 개인의 계층이 이동하는 경우를 개인적 이동이라고 하며, 개인의 노력과 무관하게 사회 계층 구조 자체의 변화로 인하여 구성원의 계층이 변화하는 경우를 구조적 이동이라고 한다.

❹ 세대 간 이동
세대 간 이동은 한 개인의 사회 진출 이전 시기에 부모가 가졌던 계층과 그 개인이 중장년층 시기에 가지고 있는 계층을 비교하여 파악한다.

Ⓐ 사회 이동

| 시·험·단·서 | 사회 이동의 유형과 사회 이동의 특징을 파악하는 문제가 주로 출제돼.

1. 사회 이동의 의미와 특징

(1) **사회 이동❶**: 사회 계층 구조에서 개인이나 집단의 위치가 변화하는 현상 → 사회 구성원이 차지하고 있는 계층*이 변화하는 현상

(2) **사회 이동의 특징❷**

① 전근대 사회보다 근대 이후 사회에서 뚜렷하게 나타남

② 폐쇄적* 계층 구조를 보이는 사회보다 개방적 계층 구조를 보이는 사회에서, 농촌 사회보다 도시 사회에서 더 빈번하게 나타남

③ 사회 이동이 활발할수록 사회 구성원의 성취 욕구가 높아지고 사회 발전과 사회 통합이 용이함

2. 사회 이동의 유형 `자료1`

(1) **이동 방향에 따른 유형**

수평 이동	• 동일한 계층 내에서 다른 직업을 갖거나 소속을 옮기는 등의 이동 • 계층적 위치에 변화가 없음 • 예 인사팀 대리 → 재무팀 대리
수직 이동	• 한 계층에서 다른 계층으로 상승하거나 하강하는 이동 • 계층적 위치가 변화하며, 상승 이동과 하강 이동으로 구분됨 • 예 평사원 → 사장(상승 이동,) 사장 → 노숙자(하강 이동)

> 계층 위치가 상승하는 경우 상승 이동, 계층 위치가 하강하는 경우 하강 이동이라고 해.

(2) **이동 원인에 따른 유형❸**

개인적 이동	• 개인의 노력이나 능력 등과 같은 개인적 요인에 의해 계층적 위치가 변화하는 이동 • 사회 계층 구조의 변화를 수반하지 않음 • 예 개인의 노력으로 평사원에서 사장으로 승진한 경우
구조적 이동	• 급격한 사회 변동으로 인해 기존의 사회 구조가 변화하면서 개인이나 집단의 계층적 위치가 변화하는 이동 • 예 신분제 폐지로 노비에서 평민이 된 경우

> 전쟁, 혁명, 산업화, 신분제 폐지 등 급격한 사회 변동 과정에서 구조적 이동이 나타나.

(3) **세대 범위에 따른 유형** `자료2`

세대 내 이동	• 개인의 한 생애 내에서 나타나는 사회 이동 • 예 노점상으로 시작하여 대기업의 사장이 된 경우
세대 간 이동❹ `자료3`	• 두 세대 이상에 걸쳐 계층적 위치가 변화하는 이동 • 예 부모는 가난한 농부였지만, 자녀는 대기업의 사장이 된 경우

3. 사회 이동의 의의

(1) **사회 이동의 가능성**

① 사회 이동의 가능성은 사회 구성원의 사회에 대한 인식 및 태도에 영향을 미침

② 사회 이동의 가능성이 없거나 낮을 경우 사회에 대한 불만이 커질 수 있음

> 사회 구성원의 의욕이 낮아지고, 사회 발전이 저해될 수 있어.

(2) **계층 구조의 개방성**

① 사회 이동의 가능성은 계층 구조의 개방성을 판단하는 지표가 됨

② 일반적으로 개방적인 계층 구조가 폐쇄적인 계층 구조보다 사회 통합에 용이함

자료1 **사회 이동의 유형** 관련 문제 ▶ 177쪽 04번

대기업인 □□ 회사의 신임 회장 김○○는 고졸 출신이다. 30년 전 고등학교 졸업 후 생산직으로 입사하여 회장의 자리에 올랐다. 김 회장은 회사 내에서 성실하고 변화를 파악하는 능력이 뛰어난 사람으로 통한다. 그동안 김 회장이 기획한 신제품은 항상 시장에서 좋은 평가를 받아 회사의 성장에 크게 이바지하였다. 한편, 김 회장은 소외된 이웃에 대한 기업의 책임을 강조하는 사람으로 유명하다. 김 회장은 가난한 농민의 자녀로 태어나 어려운 가정형편으로 인해 대학 진학을 포기할 수밖에 없었던 경험이 있기 때문이다.

자료·분석 김○○ 회장은 □□ 회사에 생산직으로 입사하여 회장의 자리까지 올라왔으므로 사회 이동의 유형 중 수직 이동에 해당한다. 그리고 개인의 능력과 노력으로 사회 이동을 이루었으므로 개인적 이동에 해당한다. 또한 가난한 농민의 자녀로 태어나 생산직 사원으로 입사하여 회장이 되었으므로 세대 내 이동과 세대 간 이동 모두에 해당한다.

한·줄·핵·심 한 사람의 인생에는 여러 사회 이동의 유형이 나타날 수 있다.

자료2 **사회 이동의 측정**

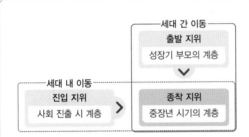

자료·분석 세대 내 이동은 일반적으로 개인이 사회에 진출하면서 최초로 갖게 된 계층(진입 지위)과 그 개인이 중장년층 시기에 확보하는 계층(종착 지위)을 비교한다. 세대 간 이동은 일반적으로 개인의 성장 시기 부모가 가졌던 계층(출발 지위)과 그 개인이 중장년층 시기에 확보하는 계층을 비교한다.

한·줄·핵·심 세대 내 이동은 개인의 최초 계층과 중장년기의 계층을 비교하고, 세대 간 이동은 부모의 계층과 개인의 중장년기 계층을 비교하여 판단한다.

자료3 **부모와 자녀의 계층 이동** 관련 문제 ▶ 180쪽 02번

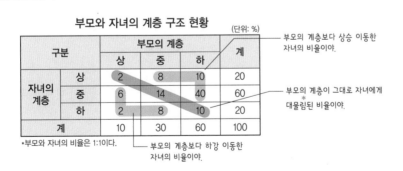

부모와 자녀의 계층 구조 현황
(단위: %)

구분		부모의 계층			계
		상	중	하	
자녀의 계층	상	2	8	10	20
	중	6	14	40	60
	하	2	8	10	20
계		10	30	60	100

*부모와 자녀의 비율은 1:1이다.

- 부모의 계층보다 상승 이동한 자녀의 비율이야.
- 부모의 계층이 그대로 자녀에게 대물림된 비율이야.
- 부모의 계층보다 하강 이동한 자녀의 비율이야.

자료·분석 부모의 계층이 중층이고 자녀의 계층이 상층인 경우는 상승 이동에 해당하며, 전체 자녀 중 8%가 이러한 상승 이동을 경험하였다. 반면, 부모의 계층이 상층이고 자녀의 계층이 하층인 경우는 하강 이동에 해당하며, 전체 자녀의 2%가 이러한 하강 이동을 경험하였다.

한·줄·핵·심 부모의 계층 위치와 자녀의 계층 위치를 비교하여 상승·하강 이동 여부를 파악할 수 있다.

❓ 궁금해요

Q. 세대 간 이동은 수직 이동을 의미하나요?

A. 세대 간 이동은 부모의 계층과 자녀의 계층 위치가 변화하는 이동을 의미해. 따라서 세대 간 이동은 수직 이동을 의미하지. 세대 간 이동이 잘 이루어지지 않는 사회는 부모의 지위가 자녀에게 세습되어 폐쇄적인 사회가 될 가능성이 높아.

용어 더하기

* **계층**
사회적 위치가 부, 권력, 명예 등에 따라 층화된 것으로, 일반적으로 상층, 중층, 하층으로 구분한다.

* **폐쇄적**
외부의 문화나 사상, 물질 등을 주고받지 않거나 관계를 맺지 않는 것

* **계층의 대물림**
부모의 계층과 자녀의 계층이 일치하는 경우를 계층이 대물림되었다고 한다.

⑤ 귀속 지위
귀속 지위는 노력과 관계없이 선천적으로 얻게 된 지위이다. 귀속 지위가 중시된다는 것은 부모의 계층이 자녀에게 세습됨을 의미하며 계층 구조가 개방적이지 않음을 의미한다.

B 사회 계층 구조

| 시·험·단·서 | 사회 계층 구조의 유형을 그림으로 제시하고, 각 유형의 특징을 비교해서 묻는 문제가 자주 출제돼.

1. 사회 계층 구조의 의미와 특징

(1) 사회 계층 구조: 한 사회 내에서 희소한 자원이 불평등하게 배분되고, 그러한 불평등이 지속하여 일정한 형태로 고정된 구조

(2) 사회 계층 구조의 특징

┌─ 개인이 소속된 계층에 따라 생활 양식에 차이가 나타나. 계층에 따른 하위문화는 이러한 구속성을 보여 주는 사례야.

① **구속성**: 계층 구조는 해당 계층 구성원의 <u>생활 양식</u>, 사고방식 등에 영향을 미침

② **지속성**: 한 번 형성된 계층 구조는 제도화된 형태로 오랜 기간 유지됨

③ **다양성**: 사회 계층을 구분하는 기준과 사회 계층 구조의 유형은 사회마다 다름

┌─ 여기서 의미하는 계층 간 이동은 수직 이동이야.

2. 사회 계층 구조의 유형

(1) 계층의 이동 가능성에 따른 유형 `자료 4`

구분	폐쇄적 계층 구조	개방적 계층 구조
의미	계층 간 이동이 엄격하게 제한된 계층 구조	계층 간 이동 가능성이 열려 있는 계층 구조
특징	• 전근대 사회에서 지배적으로 나타남 → 봉건적 신분 사회의 계층 구조 • 성취 지위보다 귀속 지위⑤가 중시됨 • 서로 다른 계층 간 교류가 엄격히 제한됨 → 수평 이동은 통제하지 않음	• 근대 이후의 사회에서 확산됨 → 현대 민주 사회의 계층 구조 • 귀속 지위보다 성취 지위가 중시됨 • 서로 다른 계층 간 교류에 제한이 없음 → 수직·수평 이동 모두 자유로움⑥

⑥ 수직 이동
계층의 위치가 변화하는 이동으로, 개인의 노력과 능력에 의해 수직 이동이 가능할 때 사회 구성원의 사회에 대한 소속감과 성취동기를 유발할 수 있다.

(2) 계층 구성 비율에 따른 유형 `자료 5`

구분	피라미드형 계층 구조	다이아몬드형 계층 구조
의미	하층의 비율이 가장 높고, 상층의 비율이 가장 낮은 계층 구조	중층의 비율이 상층과 하층의 비율보다 높은 계층 구조
특징	• 봉건적 신분제 사회나 오늘날의 저개발국 등에서 주로 나타남 • 소수의 상층이 자원을 독점하고 다수의 하층을 지배하고 통제함 • 희소 자원의 배분에서 소외된 하층의 비율이 가장 높아 사회 구조의 변화를 추구⑦하는 시도가 나타날 수 있음	• 근대 이후의 산업 사회에서 주로 나타남 • 산업화 이후 직업이 분화되고, 사회 복지 제도의 확충으로 인해 중층의 비율이 높아지면서 나타남 • 변화보다는 현 상태의 유지를 지향하는 중층의 비율이 가장 높아, 피라미드형과 비교하면 사회 안정 및 사회 통합에 유리함

⑦ 계층 구조와 안정성
피라미드형 계층 구조에서 현 체제에 대해 만족하고 안정을 바라는 상층, 중층과 달리 하층은 불평등한 분배에 대해 불만을 가질 수밖에 없으며, 이에 따라 계층 구조에 대한 변화를 추구하게 된다. 반면, 다이아몬드형 계층 구조에서의 하층은 상승 이동 가능성에 대한 기대로 인해 계층 구조에 대해 상대적으로 안정을 지향한다.

└─ 산업화 과정에서 중층의 비율이 증가한 거야. 즉, 상승 이동이 활발히 나타난 거지.

3. 정보화와 계층 구조의 변화 `자료 6`

(1) 모래시계형 계층 구조

① **의미**: 중층의 비율이 가장 낮고 소수의 상층과 다수의 하층으로 구성된 계층 구조

② **특징**
• 정보화를 비관적으로 예측하는 사람들이 주장하는 계층 구조임
• 정보 격차, AI의 등장에 따른 일자리 감소 등으로 인해 중층의 비율이 현저히 낮아짐
• 중층에서 몰락한 사람들의 상대적 박탈감 증가
• <u>사회 양극화 문제⑧</u>가 심각하게 나타남

└─ 정보 사회에 대해 비관적으로 바라보는 입장은 정보화로 인해 중층이 하층으로 몰락하여 중층의 비율이 가장 낮아질 것이라고 예상하고 있어.

(2) 타원형 계층 구조

⑧ 계층 구성과 사회 양극화
사회 구조의 안정성 정도는 중층의 비율이 높을수록 높아진다. 즉, 중층의 비율이 가장 높은 다이아몬드형 계층 구조는 사회 구조의 안정성이 높다. 반면, 중층의 비율이 가장 낮은 모래시계형 계층 구조는 사회 구조의 안정성이 가장 낮다. 상층과 하층으로만 계층이 형성되는 사회 양극화는 사회 구조에 위협 요인이 된다.

① **의미**: 계층 간 소득 격차가 감소하여 중층이 대다수를 차지하는 계층 구조

② **특징**
• 정보화를 낙관적으로 보는 사람들이 주장하는 계층 구조임
• 생산성 향상으로 기존 하층 사람들의 중층으로의 이동 증가
• 사회적 희소가치의 배분에 대한 불만이 적어 사회 안정 실현에 유리

시험에 잘 나오는 자료

관련 문제 ▶ 179쪽 09번

자료4 계층 이동 가능성에 따른 계층 구조

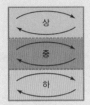

폐쇄적 계층 구조

다른 계층으로 상승하거나 하강할 가능성이 극히 제한된 계층 구조로, 과거 신분제 사회에서 주로 나타남

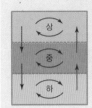

개방적 계층 구조

다른 계층으로 상승하거나 하강할 가능성이 열려 있는 계층 구조로, 근대 이후의 사회에서 주로 나타남

자·료·분·석 폐쇄적 계층 구조는 개인의 능력이나 노력에 상관없이 계층 이동이 극히 제한된 계층 구조이고, 개방적 계층 구조는 개인의 능력이나 노력에 따라 계층 이동 가능성이 열려 있는 계층 구조이다.

한·줄·핵·심 수직 이동의 가능성 유무로 계층 구조를 폐쇄적·개방적 계층 구조로 구분할 수 있다.

자료5 계층 구성 비율에 따른 계층 구조 관련 문제 ▶ 178쪽 07번

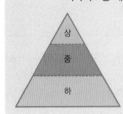

피라미드형 계층 구조

상층에서 하층으로 내려갈수록 구성원의 비율이 높아지는 계층 구조

다이아몬드형 계층 구조

상층과 하층에 비해 중층 구성원의 비율이 가장 높은 계층 구조

자·료·분·석 피라미드형은 사회 내 불평등이 심하게 나타나 사회적 안정도가 떨어지는 반면, 다이아몬드형은 중층이 상층과 하층 사이에서 완충 역할을 해 사회가 비교적 안정되어 있다.

한·줄·핵·심 상·중·하층의 구성 비율에 따라 피라미드형·다이아몬드형 계층 구조로 구분할 수 있다.

자료6 정보 사회의 계층 구조 관련 문제 ▶ 178쪽 06번

타원형 계층 구조

정보화로 계층 간 격차가 줄어들어 다이아몬드형 계층 구조에서 중층의 비율이 증가한 계층 구조

모래시계형 계층 구조

정보 격차에 따른 빈부 격차로, 중층의 비율이 현저히 낮고 압도적 다수가 하층을 차지하는 계층 구조

자·료·분·석 정보화에 대한 낙관론자는 정보화로 인해 지식과 정보에 접근할 수 있는 기회가 모든 계층으로 확대되어 계층 간 격차가 줄어들 것이라고 본다. 반면, 비관론자는 정보화가 진전됨에 따라 오히려 계층 간에 정보 격차가 발생하여 기존의 불평등이 더욱 심화할 것이라고 주장한다.

한·줄·핵·심 정보화에 대한 낙관론과 비관론에 따라 예상되는 계층 구조가 달라진다.

내용 이해를 돕는 팁

❓ 궁금해요

Q. 사회 계층 구조에서 중층의 비율은 왜 중요한가요?

A. 중층의 비율이 크면 중층이 상층과 하층 사이에서 완충 작용을 하기 때문에 사회의 안정성이 높아지지. 하지만 중층의 비율이 낮으면 상층과 하층 간 소득 양극화가 심화하여, 사회 갈등이 발생하고 사회가 혼란에 빠질 가능성이 커지기 때문에 중층의 비율이 중요한 거야.

용어 더하기

* **성취 지위**

개인의 의지나 노력을 바탕으로 후천적으로 획득한 지위

* **정보 격차**

정보 사회는 지식과 정보가 부가가치 창출의 중요한 원천이 되는데, 이러한 정보에 접근하거나 활용할 수 있는 능력에 차이가 발생하는 경우를 정보 격차라고 한다. 정보 사회에서 정보 격차는 빈부 격차로 이어질 수 있다는 점에서 중요한 사회 문제이다.

* **AI(인공 지능)**

인간의 지능이 가지는 학습, 추리, 적응, 논증 따위의 기능을 갖춘 컴퓨터 시스템

계층 구조의 파악

개념풀 Guide   제시된 자료를 통해 상층, 중층, 하층의 비율을 확인하여 계층 구조를 파악해 보자.

1. 계층 구성비 분석

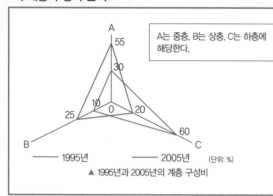

A는 중층, B는 상층, C는 하층에 해당한다.

▲ 1995년과 2005년의 계층 구성비

구분	상층	중층	하층
1995년	10	30	60
2005년	25	55	20

(단위: %)

분석 • 그림은 연도에 따른 각 계층별 구성비를 나타내고 있다. A는 중층, B는 상층, C는 하층이므로, A∼C에 상층∼하층을 대입하면 오른쪽 표와 같이 각 연도별 계층 구조를 파악할 수 있다.

• 1995년의 경우 상층 10%, 중층 30%, 하층 60%로, 하층의 비율이 가장 높고 상층의 비율이 가장 낮은 피라미드형 계층 구조를 보이고 있다.

• 2005년의 경우 상층 25%, 중층 55%, 하층 20%로, 중층의 비율이 상층과 하층의 비율보다 높은 다이아몬드형 계층 구조를 보이고 있다.

2. 계층 간 비율을 바탕으로 한 계층 구조 파악   관련 문제 ▶ 181쪽 08번

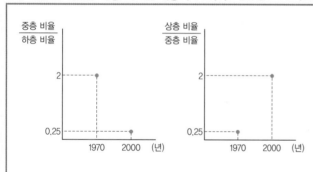

분석 • 1970년의 경우 중층/하층=2, 상층/중층=0.25이다. 하층을 10이라고 가정할 경우 중층은 20, 상층은 5가 된다. 따라서 상층 : 중층 : 하층의 비율이 5 : 20 : 10이므로, 중층의 비율이 다른 계층보다 높은 다이아몬드형 계층 구조에 해당한다.

• 2000년의 경우 중층/하층=0.25, 상층/중층=2이다. 하층을 40이라고 가정할 경우 중층은 10, 상층은 20이 된다. 따라서 상층 : 중층 : 하층의 비율이 20 : 10 : 40이므로, 중층의 비율이 가장 낮은 모래시계형 계층 구조에 해당한다.

3. 계층 구성비를 활용한 계층 구조 파악

※ 그림은 성인 자녀 1명을 둔 가구주 100명을 대상으로 부모 계층별 자녀 계층 구성비를 조사한 것이다.

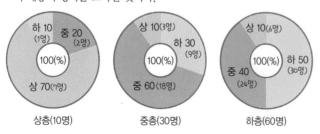

분석 • 가구주 100명 중 상층은 10명, 중층은 30명, 하층은 60명이므로, 부모 세대의 계층 구조는 피라미드형임을 알 수 있다.

• 상층 부모는 10명인데, 그 자녀 중 70%가 상층이므로 7명이 상층이다. 같은 방식으로 하면 중층은 2명, 하층은 1명이고, 중층 부모의 자녀 중 상층은 3명, 중층은 18명, 하층은 9명이다. 그리고 하층 부모의 자녀 중 상층은 6명, 중층은 24명, 하층은 30명이다.

• 계층별로 자녀 수는 모두 합하면 자녀 세대는 상층 16명(7+3+6), 중층 44명(2+18+24), 하층 40명(1+9+30)으로, 다이아몬드형 계층 구조임을 알 수 있다.

부모 세대와 자녀 세대의 계층 구성표

개념풀 Guide 자료를 바탕으로 부모 세대와 자녀 세대의 계층 구성표를 완성하여 세대 간 이동 현황 등을 파악해 보자.

1. 세대 간 이동 결과를 통한 계층 구성표 파악 관련 문제 ▶ 180쪽 04번

세대 간 계층별 구성 비율의 상대적 비

구분	A	B	C
부모 세대 해당 계층 대비 자녀 세대 해당 계층의 상대적 비	0.5	1	2

세대 간 계층 이동 현황 (단위: %)

구분	A	B	C
부모 세대 해당 계층 대비 부모와 자녀의 계층 불일치 비율	75	0	50

* 모든 부모의 자녀는 1명이고, 부모 세대의 계층 구조는 다이아몬드형임.
** A는 C보다 높은 계층이며, 부모 세대의 계층 구성비에서 A는 B와 C를 합한 것의 1.5배임.

분석
- 단서를 보면 부모 세대의 계층 구조는 다이아몬드형이고 부모 세대 A의 구성비가 가장 크므로, A는 중층이다. A는 C보다 높은 계층이므로 C는 하층, B는 상층이다.
- 부모 세대에서 중층 구성 비율은 상층과 중층 구성 비율을 합한 것의 1.5배이므로, 중층의 비율은 60%이다.
- 〈세대 간 계층별 구성 비율의 상대적 비〉에 따르면 중층 부모 세대 대비 중층 자녀 세대의 비가 0.50이므로 자녀 세대 중층 비율은 30%이다. 상층은 부모 세대와 같고, 하층은 자녀 세대가 부모 세대의 2배이다. 부모 세대 상층(B)의 구성 비율을 b, 하층(C)의 구성 비율을 c라고 하면 'b+c=40, b+2c=70'이 성립한다. 이를 통해 b=10, c=30임을 알 수 있다.
- 따라서 부모 세대 계층 구성비는 '상층 : 중층 : 하층=10 : 60 : 30'이고, 자녀 세대 계층 구성비는 '상층 : 중층 : 하층=10 : 30 : 60'이다.
- 〈세대 간 계층 이동 현황〉에 따르면 부모 세대 해당 계층 대비 부모와 자녀의 계층 불일치 비율이 중층의 경우 75%이므로 부모와 자녀 계층이 모두 중층인 비율은 15%, 상층의 경우 0%이므로 부모와 자녀 계층이 모두 상층인 비율은 10%, 하층의 경우 50%이므로 부모와 자녀 계층이 모두 하층인 비율은 15%이다.
- 부모 세대 상층 비율이 10%이므로, ㉠, ㉡은 모두 0이고, 자녀 세대 상층 비율이 10%이므로, ㉢, ㉣도 모두 0이다. 따라서 ㉣은 45%, ㉤은 15%이다.

구분		부모 세대의 계층			계(%)
		상층	중층	하층	
자녀 세대의 계층	상층	10	㉢(0)	㉤(0)	10
	중층	㉠(0)	15	㉥(15)	30
	하층	㉡(0)	㉣(45)	15	60
계		10	60	30	100

2. 부모 세대와 자녀 세대의 계층 구성표 파악

(가), (나)는 갑국에서 부모와 자녀의 계층이 일치하는 비율을 부모 세대와 자녀 세대의 계층별로 각각 나타낸 것이다. 자녀 세대의 계층 구성 비율은 상층 25%, 중층 50%, 하층 25%이다. 모든 부모의 자녀는 1명씩이고, 부모 세대 상층에서 자녀 세대 하층으로의 이동은 발생하지 않았다.

(가) 부모 세대 계층 대비 부모와 자녀의 계층이 일치하는 비율

부모 계층	비율(%)
상층	75
중층	50
하층	40

(나) 자녀 세대 계층 대비 부모와 자녀의 계층이 일치하는 비율

부모 계층	비율(%)
상층	60
중층	30
하층	80

분석
- 자녀 세대의 계층 구성 비율 및 부모 세대 상층에서 자녀 세대 하층으로의 이동이 없다는 조건을 바탕으로 부모와 자녀의 계층 구성표를 하나씩 작성해야 한다.
- (나)를 활용하여 a가 15(25%×0.6), b가 15, c가 20임을 알 수 있으며, 하층 자녀 비율이 25%이므로 d는 5가 된다.
- (가)에서 부모 세대 계층 대비 부모와 자녀의 계층이 일치하는 비율이 중층의 경우 50%이므로, b가 e의 50%이다. 따라서 e가 30, f가 10(30−15−5)이다. 이와 같은 방식으로 g는 20, h가 50이 된다.

▶ 부모 세대와 자녀 세대의 계층 구성표

구분		부모 세대의 계층			계(%)
		상층	중층	하층	
자녀 세대의 계층	상층	a(15)	f(10)	0	25
	중층	5	b(15)	30	50
	하층	0	d(5)	c(20)	25
계(%)		g(20)	e(30)	h(50)	100

A 사회 이동

01 다음 내용이 옳으면 ○표, 틀리면 ×표를 하시오.

(1) 사회 이동은 계층 구조에서 개인이나 집단의 위치가 변화하는 현상이다. (　　　)
(2) 수직 이동은 두 세대 이상에 걸쳐 계층적 위치가 변화하는 이동이다. (　　　)
(3) 신분제 폐지로 노비에서 평민이 된 경우는 개인적 이동에 해당한다. (　　　)
(4) 사회 이동의 가능성이 없거나 낮을 경우, 사회 구성원의 의욕이 낮아지고 사회 발전이 저
해될 수 있다. (　　　)

02 알맞은 말에 ○표를 하시오.

(1) (개인적 이동, 구조적 이동)은 기존의 사회 구조가 변화하면서 계층적 위치가 변화하는 사
회 이동이다.
(2) 한 계층에서 다른 계층으로 상승하거나 하강하는 이동은 (수평 이동, 수직 이동)이다.
(3) (세대 내 이동, 세대 간 이동)의 사례로, 부모는 가난한 농부였지만 자녀는 대기업의 회장이
된 경우를 들 수 있다.

B 사회 계층 구조

03 밑줄 친 부분을 바르게 고쳐 빈칸에 쓰시오.

(1) 타원형 계층 구조는 계층 간 이동이 엄격하게 제한된 계층 구조이다.
(　　　　　　)

(2) 하층의 비율이 높고 상층의 비율이 가장 낮은 계층 구조는 다이아몬드형 계층 구조이다.
(　　　　　　)

(3) 피라미드형 계층 구조는 정보화로 인한 일자리 감소 등으로 중층의 비율이 현저히 낮고
소수의 상층과 다수의 하층으로 구성될 것으로 예상되는 계층 구조이다.
(　　　　　　)

04 다음 내용이 옳으면 ○표, 틀리면 ×표를 하시오.

(1) 사회 계층을 구분하는 기준은 사회마다 모두 동일하다. (　　　)
(2) 폐쇄적 계층 구조에서는 귀속 지위에 비해 성취 지위가 중시된다. (　　　)
(3) 다이아몬드형 계층 구조는 근대 이후 산업 사회에서 주로 나타난다. (　　　)
(4) 모래시계형 계층 구조에서는 사회 양극화 문제가 심각하게 나타난다. (　　　)

05 빈칸에 알맞은 말을 쓰시오.

(1) 산업 사회에서 주로 나타나며, 중층의 비율이 가장 높아 사회 안정을 실현하는 데 용이한
계층 구조는 □□□□□ 계층 구조이다.
(2) 정보 사회에서 나타날 것으로 예상되며, 계층 간 소득 격차 감소로 중층이 대다수를 차지
하는 계층 구조는 □□□ 계층 구조이다.

A 사회 이동

01 다음에 나타난 갑의 사회 이동에 대한 옳은 설명을 〈보기〉에서 고른 것은?

> 갑의 부모는 가난한 농부였다. 갑은 어려운 집안 형편으로 인하여 대학 진학을 포기한 후 작은 회사에 입사하였다. 가장 낮은 직급으로 입사하였지만 누구보다 열심히 노력하였으며, 갑을 눈여겨본 회사 창업주의 추천으로 회사의 지원을 받아 대학 교육을 받았다. 대학 졸업 이후 회사에서 두드러진 성과를 보인 갑은 결국 회사의 사장 자리에까지 오르게 되었다.

> 보기
> ㄱ. 세대 간 이동을 하였다.
> ㄴ. 구조적 이동을 경험하였다.
> ㄷ. 개인적 이동을 경험하였다.
> ㄹ. 수직 이동 중 하강 이동을 경험하였다.

① ㄱ, ㄴ ② ㄱ, ㄷ ③ ㄴ, ㄷ
④ ㄴ, ㄹ ⑤ ㄷ, ㄹ

02 갑과 을이 공통으로 경험한 사회 이동의 유형을 〈보기〉에서 고른 것은?

> • 갑은 A국 왕의 아들로 태어나 왕위를 물려받았으나, 재임 중 발생한 민주주의 혁명으로 인하여 왕에서 쫓겨나 평민으로 일생을 마감하였다.
> • 을은 B 기업 회장의 첫째 아들로 태어나 기업을 물려받았으나, 경영 미숙에 따른 회사 부도로 사장에서 물러나 현재는 다른 회사의 경비 일을 하며 경제적 어려움을 겪고 있다.

> 보기
> ㄱ. 개인적 이동   ㄴ. 구조적 이동
> ㄷ. 세대 간 이동   ㄹ. 세대 내 이동

① ㄱ, ㄴ ② ㄱ, ㄷ ③ ㄴ, ㄷ
④ ㄴ, ㄹ ⑤ ㄷ, ㄹ

03 다음 대화에 나타난 A~D에 대한 설명으로 옳은 것은?

> 교사: 사회 이동은 이동 방향에 따라 A와 B로 구분되고, 이동 원인에 따라 C와 D로 구분됩니다. 이에 대한 사례를 말해 볼까요?
> 학생: 노비의 아들로 태어나 노비가 되었으나 신분제 폐지로 평민이 된 경우는 A와 C에 해당합니다.
> 교사: 정확히 대답하였습니다.

① A는 동일 계층 내에서의 이동을 의미한다.
② B는 상승 이동과 하강 이동으로 구분한다.
③ C는 개인의 능력이나 노력에 의한 이동이다.
④ D는 사회 계층 구조에 따른 사회 이동이다.
⑤ A는 수직 이동, C는 구조적 이동에 해당한다.

04 (가), (나)에 나타난 사회 이동에 대한 옳은 설명을 〈보기〉에서 고른 것은?

> (가) 갑은 대학 졸업 이후 직장을 구하지 못하고 노숙자 생활을 하였으나, 이후 성실히 노력하여 이제는 큰 식당의 사장이 되었다.
> (나) 작은 식당의 주방장이었던 을은 실력을 인정받아 국내 최대 규모 식당의 주방장으로 스카우트되어 현재 수석 주방장으로 일하고 있다.

> 보기
> ㄱ. (가)에 나타난 사회 이동은 수직 이동이다.
> ㄴ. (나)에 나타난 사회 이동은 수평 이동이다.
> ㄷ. (가), (나)에 공통으로 나타난 사회 이동은 개인적 이동이다.
> ㄹ. (가)와 달리 (나)에 나타난 사회 이동은 세대 내 이동이다.

① ㄱ, ㄴ ② ㄱ, ㄷ ③ ㄴ, ㄷ
④ ㄴ, ㄹ ⑤ ㄷ, ㄹ

05 교사의 질문에 옳게 답한 학생을 〈보기〉에서 고른 것은?

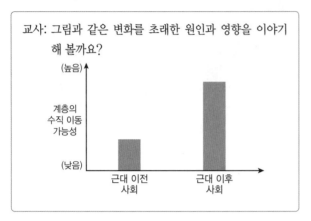

교사: 그림과 같은 변화를 초래한 원인과 영향을 이야기 해 볼까요?

(높음) ↑
계층의 수직 이동 가능성
(낮음)
근대 이전 사회 / 근대 이후 사회

보기
갑: 계층 구조의 개방성이 축소되었습니다.
을: 부모의 계층이 세습되는 신분제가 철폐되었습니다.
병: 귀속 지위를 중시하는 사회 문화가 형성되었습니다.
정: 부모로부터 자녀로 계층이 대물림될 가능성이 낮아졌습니다.

① 갑, 을   ② 갑, 병   ③ 을, 병
④ 을, 정   ⑤ 병, 정

B 사회 계층 구조

06 계층 구조 (가), (나)에 대한 설명으로 옳은 것은?

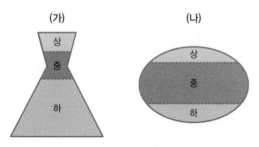

(가)   (나)

① (가)는 개방형 계층 구조이다.
② (가)는 사회 양극화가 나타나는 계층 구조이다.
③ (나)는 피라미드형 계층 구조이다.
④ (나)는 정보 사회에 대한 비관론을 바탕으로 한다.
⑤ (나)에 비해 (가)는 사회 안정성 실현에 용이하다.

07 (가), (나)는 계층 구성 비율에 따른 계층 구조이다. 이에 대한 옳은 설명을 〈보기〉에서 고른 것은?

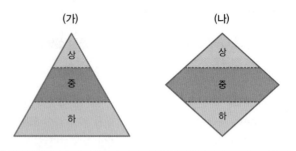

(가)   (나)
상/중/하   상/중/하

보기
ㄱ. (가)는 주로 봉건 사회에서 나타난다.
ㄴ. (나)는 주로 전근대 신분 사회에서 나타난다.
ㄷ. (가)에 비해 (나)는 사회 구조가 안정적이다.
ㄹ. (가)에 비해 (나)는 계층 구조가 보다 폐쇄적이다.

① ㄱ, ㄴ   ② ㄱ, ㄷ   ③ ㄴ, ㄷ
④ ㄴ, ㄹ   ⑤ ㄷ, ㄹ

08 다음 자료를 통해 파악할 수 있는 계층 구조 A~C에 대한 설명으로 옳은 것은?

[단서 1]
A~C는 각각 모래시계형 계층 구조, 피라미드형 계층 구조, 타원형 계층 구조 중 하나이다.
[단서 2]
A는 중층의 비율이 가장 높고, B는 중층의 비율이 가장 낮으며, C는 하층의 비율이 가장 높다.
[단서 3]
정보화를 낙관적으로 바라보는 사람은 A, 비관적으로 바라보는 사람은 B와 같은 계층 구조의 등장을 예상한다.

① A는 양극화된 계층 구조를 보인다.
② B는 피라미드형 계층 구조에 해당한다.
③ C는 타원형 계층 구조에 해당한다.
④ A는 C에 비해 사회 안정을 실현하는 데 유리하다.
⑤ A는 B에 비해 사람들의 상대적 박탈감이 커서 사회 통합의 필요성이 크다.

09 (가), (나)의 계층 구조에 대한 옳은 설명을 〈보기〉에서 고른 것은?

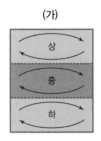 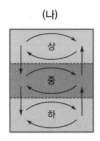

(가)　　　　　(나)

> **보기**
> ㄱ. (가)는 후천적 요인에 의해 계층이 변동할 수 있는 계층 구조이다.
> ㄴ. (나)는 귀속 지위보다 성취 지위가 중시되는 사회에서 나타난다.
> ㄷ. (가)는 수평 이동, (나)는 수직 이동만 나타난다.
> ㄹ. (가)는 전근대 사회, (나)는 근대 이후 사회에서 일반적으로 나타난다.

① ㄱ, ㄴ　　　② ㄱ, ㄷ　　　③ ㄴ, ㄷ
④ ㄴ, ㄹ　　　⑤ ㄷ, ㄹ

10 다음은 계층 구조 A~D를 특성에 따라 분류한 것이다. 이에 대한 설명으로 옳은 것은?

> 계층의 이동 가능성에 따라 A와 B로 구분할 수 있으며, 계층 구성원의 비율에 따라 C와 D로 구분할 수 있다. 봉건적 신분제 사회에서는 주로 A와 C가 나타났으며, 산업 사회에서는 주로 B와 D가 나타나고 있다.

① A는 수직 이동이 활발하다.
② B는 폐쇄적 계층 구조이다.
③ C는 다이아몬드형 계층 구조이다.
④ D는 하층의 비율이 가장 높다.
⑤ D는 C에 비해 중층의 비율이 높게 나타난다.

서술형 문제

11 다음 글을 읽고 물음에 답하시오.

> • 갑은 가난한 농부의 자녀로 태어나 농사일을 하며 어려운 삶을 살았으나, 이후 기업에 입사하여 실력을 인정받아 현재는 대기업의 임원으로 일하고 있다.
> • 을은 황제의 아들로 태어나 왕족으로 풍요로운 생활을 하였으나, 혁명으로 왕정 체제가 폐지됨에 따라 궁에서 쫓겨나 노점상을 하며 가난하게 살고 있다.

(1) 갑과 을의 사례에 나타나 있는 사회 이동의 유형을 각각 세 가지씩 쓰시오.
　　갑 - (　　　　　　　　　　　　　　　　　)
　　을 - (　　　　　　　　　　　　　　　　　)
(2) 갑의 사례에만 해당하는 사회 이동의 유형을 찾아 그 이유와 함께 서술하시오.

_____
_____
_____

12 제시된 표에서 부모 세대와 자녀 세대에 해당하는 계층 구조를 각각 쓰고, 부모 세대에 비해 자녀 세대의 계층 구조가 가지는 장점을 서술하시오.

부모 세대와 자녀 세대의 계층별 비율　　(단위: %)

구분	상층	중층	하층
부모 세대	10	30	60
자녀 세대	20	60	20

_____
_____
_____

01 표는 사회 이동의 유형을 구분한 것이다. (가)~(라)에 해당하는 사례를 〈보기〉에서 골라 바르게 연결한 것은?

구분	세대 간 이동	세대 내 이동
개인적 이동	(가)	(나)
구조적 이동	(다)	(라)

> 보기
> ㄱ. 갑은 노숙자 생활을 하면서도 틈틈이 공부하며 노력한 결과 현재는 대기업의 사장이 되었다.
> ㄴ. 을은 부유한 집안에서 태어났으나, 방탕한 생활로 인해 빈곤층으로 전락하였다.
> ㄷ. 병은 큰 식당의 주인이었으나 조국이 식민 지배를 받게 되면서 재산을 몰수당해 빈민층이 되었다.
> ㄹ. 정은 가난한 농부의 자식으로 태어났으나, 급격한 산업화로 인해 부모보다 계층적 지위가 높아졌다.

	(가)	(나)	(다)	(라)
①	ㄱ	ㄴ	ㄷ	ㄹ
②	ㄱ	ㄷ	ㄹ	ㄴ
③	ㄴ	ㄱ	ㄹ	ㄷ
④	ㄴ	ㄱ	ㄷ	ㄹ
⑤	ㄷ	ㄹ	ㄴ	ㄱ

수능 유형

02 표에 대한 옳은 분석을 〈보기〉에서 고른 것은? (단, 모든 부모의 자녀는 1명씩이다.)

부모와 자녀의 계층 구조 현황 (단위: %)

구분		부모 세대의 계층			계
		상층	중층	하층	
자녀 세대의 계층	상층	2	8	10	20
	중층	6	14	40	60
	하층	2	8	10	20
계		10	30	60	100

> 보기
> ㄱ. 세대 간 하강 이동이 상승 이동보다 많다.
> ㄴ. 세대 간 상승 이동한 경우는 전체의 58%이다.
> ㄷ. 부모의 계층이 대물림된 경우는 전체의 26%이다.
> ㄹ. 자녀 세대 계층 대비 부모와 자녀의 계층이 일치하는 비율은 상층이 가장 높다.

① ㄱ, ㄴ   ② ㄱ, ㄷ   ③ ㄴ, ㄷ
④ ㄴ, ㄹ   ⑤ ㄷ, ㄹ

03 표는 갑국의 빈곤 탈출률 추이를 나타낸 것이다. 이를 통해 추론할 수 있는 갑국의 상황으로 가장 적절한 것은?

(단위: %)

구분	2005년	2010년	2015년
빈곤 탈출률	25	15	5

* 빈곤 탈출률: 저소득층이 중산층이나 고소득층으로 이동한 비율

① 세대 간 이동이 증가하고 있다.
② 사회 이동이 빈번하게 나타나고 있다.
③ 계층 구조의 개방성이 축소되고 있다.
④ 사회 통합의 필요성이 약해지고 있다.
⑤ 다이아몬드형 계층 구조가 공고해지고 있다.

수능 기출

04 다음 자료에 나타난 갑국의 세대 간 계층 이동에 대한 옳은 분석을 〈보기〉에서 고른 것은? (단, 계층은 상층, 중층, 하층으로만 구분하며, A~C는 각각 상층, 중층, 하층 중 하나이다.)

세대 간 계층별 구성 비율의 상대적 비

구분	A	B	C
부모 세대 해당 계층 대비 자녀 세대 해당 계층의 상대적 비	0.5	1	2

세대 간 계층 이동 현황 (단위: %)

구분	A	B	C
부모 세대 해당 계층 대비 부모와 자녀의 계층 불일치 비율	75	0	50

* 모든 부모의 자녀는 1명이고, 부모 세대의 계층 구조는 다이아몬드형임.
** A는 C보다 높은 계층이며, 부모 세대의 계층 구성비에서 A는 B와 C를 합한 것의 1.5배임.

> 보기
> ㄱ. 세대 간 상승 이동한 자녀가 세대 간 하강 이동한 자녀의 3배이다.
> ㄴ. 자녀 세대 계층 대비 계층 대물림 비율은 상층이 가장 높고 하층이 가장 낮다.
> ㄷ. 중층으로 세대 간 상승 이동한 자녀와 중층으로 세대 간 하강 이동한 자녀의 수는 같다.
> ㄹ. 세대 간 계층 이동을 한 사람의 수는 중층 부모를 둔 자녀가 하층 부모를 둔 자녀의 3배이다.

① ㄱ, ㄴ   ② ㄱ, ㄷ   ③ ㄴ, ㄷ
④ ㄴ, ㄹ   ⑤ ㄷ, ㄹ

05 표는 갑국~병국의 계층 구성을 나타낸 것이다. 이에 대한 설명으로 옳은 것은? (단, 갑국의 계층 구조는 피라미드형이다.)

(단위: %)

구분	A 계층	B 계층	C 계층
갑국	60	30	10
을국	20	60	20
병국	60	10	30

① 을국의 계층 구조는 모래시계형이다.
② 을국에서는 사회 양극화 문제가 나타난다.
③ 병국의 계층 구조는 다이아몬드형이다.
④ 갑국과 병국 모두 폐쇄적 계층 구조이다.
⑤ 병국은 을국에 비해 사회 통합의 필요성이 높게 나타난다.

06 그림은 갑국의 부모 세대와 자녀 세대의 계층 비율 변화를 나타낸 것이다. 이에 대한 옳은 분석을 〈보기〉에서 고른 것은? (단, 갑국의 계층은 상층, 중층, 하층으로만 구분한다.)

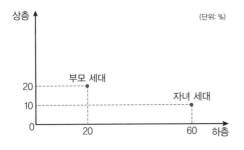

보기
ㄱ. 부모 세대와 자녀 세대의 중층 비율은 같다.
ㄴ. 자녀 세대보다 부모 세대의 계층 구조가 사회 안정에 유리하다.
ㄷ. 부모 세대에 비해 자녀 세대에서 사회 통합의 필요성이 더 높아졌다.
ㄹ. 부모 세대는 성취 지위 중심의 계층 구조이고, 자녀 세대는 귀속 지위 중심의 계층 구조이다.

① ㄱ, ㄴ ② ㄱ, ㄷ ③ ㄴ, ㄷ
④ ㄴ, ㄹ ⑤ ㄷ, ㄹ

07 표는 갑국와 을국의 계층 간 상대적 비율을 나타낸 것이다. 이에 대한 옳은 분석을 〈보기〉에서 고른 것은?

인구 비율	갑국	을국
중층/하층	1/2	3
상층/하층	1/6	1/1

보기
ㄱ. 갑국은 을국에 비해 계층 구조가 폐쇄적이다.
ㄴ. 갑국은 을국에 비해 산업 사회의 계층 구조에 가깝다.
ㄷ. 을국은 갑국에 비해 사회 안정을 실현하기 용이하다.
ㄹ. 갑국과 을국의 상층 인구 수가 같다면 전체 인구는 갑국이 더 많다.

① ㄱ, ㄴ ② ㄱ, ㄷ ③ ㄴ, ㄷ
④ ㄴ, ㄹ ⑤ ㄷ, ㄹ

08 (가), (나)는 갑국의 부모 세대와 자녀 세대 간 계층 이동을 나타낸 것이다. 이에 대한 옳은 분석만을 〈보기〉에서 있는 대로 고른 것은? (단, 계층은 상층, 중층, 하층으로만 구분한다.)

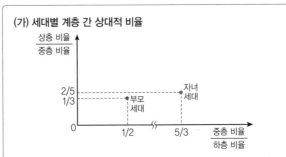

(나) 자녀 세대 계층 중 부모 세대와 자녀 세대 계층의 일치 비율

계층	상층	중층	하층
비율(%)	30	40	80

보기
ㄱ. 세대 간 이동을 경험한 비율은 50%이다.
ㄴ. 부모 세대 계층 대비 계층 대물림 비율은 하층에서 가장 낮다.
ㄷ. 부모 세대보다 자녀 세대의 계층 구조가 더 안정적이며 개방적이다.
ㄹ. 세대 간 상승 이동을 한 사람보다 세대 간 하강 이동을 한 사람이 더 많다.

① ㄱ, ㄴ ② ㄱ, ㄷ ③ ㄷ, ㄹ
④ ㄱ, ㄴ, ㄹ ⑤ ㄴ, ㄷ, ㄹ

03 ~ 다양한 사회 불평등

핵심 질문으로 흐름잡기

A 사회적 소수자의 특성과 사회적 차별 양상은?

B 성 불평등의 양상 및 해결 방안은?

C 빈곤의 유형과 해결 방안은?

❶ 신체적·문화적 특징

사회적 소수자는 성, 연령, 국적, 민족, 인종, 종교, 사상, 장애, 가치관 등 다양한 신체적·문화적 특징에 의해 규정될 수 있다.

❷ 적극적 우대 조치

역사적으로 오랜 기간 차별받아 온 집단에 대하여 진학이나 취업 등에 있어서 가산점을 부여하거나 일정 비율을 진학·취업시키도록 하는 할당제 등이 해당한다. 적극적인 차별 시정 정책이라고도 부른다.

❸ 성별 분업(갈등론적 관점)

남성이 주로 맡는 일이 여성이 주로 맡는 일보다 중요하다는 평가는 누가 내린 것일까? 갈등론에 따르면 이러한 평가는 사회 전체적 합의를 바탕으로 하지 않으며, 지배 계급인 남성에 의해 남성의 이익에 부합하기 위해 내려진 평가이다.

❹ 차별적 사회화

한 사회의 구성원에 대하여 서로 다른 방식 및 내용의 사회화를 경험하게 하는 과정을 말한다. 예를 들어 남자아이는 파란색이나 로봇을, 여자아이는 분홍색이나 인형을 좋아하는 것은 차별적 사회화의 결과라고 할 수 있다.

A 사회적 소수자 문제

| 시·험·단·서 | 사회적 소수자와 관련된 구체적인 사례를 중심으로 사회적 소수자의 차별 양상 및 해결 방안 등을 묻는 문제가 주로 출제돼.

1. 사회적 소수자의 의미와 특성 [자료 1]

(1) **사회적 소수자**: 신체적 또는 문화적 특징❶으로 인해 사회의 주류 집단*으로부터 구분되어 차별받으며, 스스로도 차별의 대상임을 인식하고 있는 사람들 예 외국인 근로자, 장애인, 여성, 결혼 이민자, 북한 이탈 주민 등

(2) **특성**

① 인종, 민족, 국적, 신체적 특징 등 다양한 요인에 의해 규정될 수 있음

② 수적으로 소수(少數)를 의미하는 것이 아니라 권력의 열세에 있는 사람을 의미함
    └─ 여성은 남성에 비해 수적으로 소수가 아니지만 많은 사회에서 사회적 소수자로 차별을 받고 있어.

③ 소수자 집단의 구성원이라는 이유로 차별을 받음

④ 주류 집단에 비해 사회적 희소가치의 획득 과정에서 차별을 받음

⑤ 소수자 스스로 차별받는 집단의 구성원이라는 인식을 가지고 있음

⑥ 시대, 장소, 소속 집단의 범주 등에 따라 사회적 소수자의 해당 여부가 달라짐

2. 사회적 소수자의 차별 양상 및 해결 방안

(1) **차별 양상**

① 사회적 관계 등에서 배제되어 사회생활에 어려움을 겪음

② 업무 능력에 대한 편견, 취업 과정에서의 차별로 경제적 어려움을 겪음

③ 사회적 소수자를 비정상으로 규정하는 차별적 인식으로 인해 갈등이 야기됨
    └─ 외국인 근로자는 우리 사회의 대표적 사회적 소수자로서, 이들은 취업 과정에서 차별을 받으며 어려움을 겪고 있어.

(2) **해결 방안** [자료 2]

의식적 측면	· 자신과 다른 사람에 대한 편견을 버리고 공존하려는 의식을 가져야 함 · 다원화된 가치를 인정하는 관용의 자세와 평등 의식을 가져야 함
제도적 측면	· 사회적 소수자를 차별하는 제도와 법의 개선 · 적극적 우대 조치❷와 같은 지원 정책이나 제도의 마련

└─ 대학에서 사회적 소수자 자녀를 위한 입학 전형을 운영하는 것이나 장애인을 일정 비율 이상 의무적으로 고용하도록 하는 제도 등이 이에 해당해.

B 성 불평등 문제

| 시·험·단·서 | 성 불평등의 양상이 여러 가지 시사 자료와 관련지어 출제되고 있으며, 이에 대한 해결 방안을 찾는 형태로 문항이 구성돼.

1. 성 불평등의 의미와 발생 요인

(1) **성 불평등**: 생물학적 성*과 사회적 성*의 차이를 이유로 남성과 여성에 관한 편견과 차별이 존재하는 상태

(2) **성 불평등의 발생 요인**
    └─ 남성의 일이 중요하다고 평가받음에 따라 사회적 희소가치가 남성에게 더 많이 분배되고, 이로 인해 성 불평등이 발생하는 거야.

① **성별 분업❸**: 오랜 시간에 걸쳐 사회가 변화하는 과정에서 남성과 여성이 담당하는 일이 구분되었고, 전통적으로 여성보다 남성의 사회적 역할이 중요하다고 평가받고 있음

② **차별적 사회화❹**: 성 정체성*과 성 역할은 사회화의 결과물 → 사회화 과정에서 사회 전반에 자리 잡은 성에 대한 선입견과 편견을 습득함

③ **남성 중심의 사회 구조**: 가부장제, 남성에게 우선되는 사회 진출 기회, 여성에게 집중된 가사와 양육의 부담 등으로 인해 여성에 대한 차별이 불가피하게 나타남 [자료 3]

시험에 잘 나오는 자료

궁금해요

Q. 구성원 수의 많고 적음은 사회적 소수자의 기준이 아닌가요?

A. 과거 남아프리카 공화국에서는 백인에 비해 흑인의 수가 월등히 많았지만, 소수의 백인이 권력을 독점하고 흑인을 차별하였기 때문에 흑인이 사회적 소수자였어. 구성원 수의 많고 적음은 사회적 소수자의 절대적 기준이라고 볼 수 없어.

자료1 사회적 소수자의 성립 요건

- **식별 가능성**: 신체적으로나 문화적으로 다른 집단과 구별되는 뚜렷한 차이가 있음
- **권력의 열세**: 정치권력을 포함한 사회적 권한 행사에서 지배 집단보다 열세에 있음
- **사회적 차별**: 사회적 소수자 집단의 구성원이라는 이유만으로 차별의 대상이 됨
- **집합적 정체성**: 스스로 차별받는 집단의 구성원이라는 인식 또는 소속감이 있음

자료·분석 자료에 제시된 네 가지 성립 요건을 충족할 경우 사회적 소수자라고 한다. 이와 유사한 개념인 사회적 약자는 주류 집단에 비해 불리한 위치에 있는 사람이나, 특정 집단에 소속되어 있다는 이유만으로 차별받는 것은 아니므로 사회적 소수자와는 차이가 있다.

한·줄·핵·심 사회적 소수자의 성립 요건은 식별 가능성, 권력의 열세, 사회적 차별, 집합적 정체성이다.

자료2 사회 불평등의 해결을 위한 제도적 방안

(가) 「장애인 고용 촉진 및 직업 재활법」에 따르면 국가와 지방 자치 단체는 장애인을 공무원 정원의 일정 비율 이상 의무적으로 고용해야 하며, 50인 이상의 근로자를 고용하는 사업주도 장애인을 근로자 수의 일정 비율 이상 의무적으로 고용해야 한다.

(나) 양성평등 채용 목표제는 공무원을 채용할 때 어느 한쪽 성의 합격자 비율이 30% 미만일 경우 하한 성적 범위 내에서 해당 성의 응시자를 목표 비율만큼 추가 합격시키는 제도이다.

(다) 성별 영향 분석 평가 제도는 정부의 주요 정책을 수립·시행할 때 성차별적 요인을 분석·평가하여 정부 정책이 양성평등의 실현에 도움이 되도록 하는 제도이다.

자료·분석 (가)는 장애인의 일자리 마련을 위한 제도적 방안이고, (나)와 (다)는 공무원 채용에서 성별 균형을 추구하고, 정부 정책에서 성차별적 요인을 개선하기 위한 제도적 방안이다. 이러한 정책이나 제도의 마련을 통해 국가는 사회적 소수자 문제 및 성 불평등 문제를 해결하기 위해 노력하고 있다.

한·줄·핵·심 국가는 다양한 사회 불평등 문제를 해결하기 위해 법과 제도를 개선하고 관련 정책을 마련해야 한다.

용어 더하기

* **주류 집단**
  사회에서 중심이 되는 집단

* **관용**
  다른 사람의 신념이나 행동을 존중하고 받아들이는 것

* **생물학적 성**
  선천적·유전적으로 염색체에 의해 결정된 성

* **사회적 성**
  생물학적 성에 대하여 사회가 부여한 후천적·문화적 의미가 결합한 성으로, 차별적 사회화 과정에 의해 부여되기 때문에 사회적 특수성을 가진다.

* **성 정체성**
  자기 자신을 남성 또는 여성으로 지각하는 것으로, 성별에 대한 내면적인 자아의식을 말한다.

자료3 남녀 연령별 경제 활동 참가율 관련 문제 ▶ 189쪽 08번

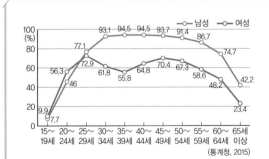

자료·분석 자료에서 남성과 달리 여성의 경제 활동 참가율은 30~40대에 임신·출산·육아로 급격히 감소하였다가 자녀가 성장한 시점부터 다시 증가하는 형태를 보인다. 이는 여성에게 가사 및 육아의 부담이 가중되는 성 불평등으로 인해, 여성의 경제 활동 참여 기회가 제한되고 있음을 보여 준다.

한·줄·핵·심 여성에게 집중된 가사와 양육의 부담은 경제 활동 참여 기회의 성 불평등을 초래한다.

❺ 여성 진출 저조(유리 천장)
여성의 고위직 승진을 가로막는 보이지 않는 장벽을 유리 천장이라고 한다. 영국의 이코노미스트지가 기업의 여성 임원 비율 등을 종합하여 발표하는 유리 천장 지수에 따르면 우리나라는 OECD 회원국 중 가장 낮은 수준을 기록하고 있는데, 이는 우리나라의 성 불평등 정도가 높음을 의미한다.

2. 성 불평등의 양상과 해결 방안

(1) **양상**: 성에 따른 취업 및 승진의 제한, 임금의 격차, 사회적 권한이 강한 분야에의 여성 진출 저조,❺ 왜곡된 성 의식의 재생산 등 `자료 4`

┌─ 다른 것은 다른 것이지 틀린 것이 아님을 주의해야 해. 성별의 차이는 있는 그대로 인정하되, 그러한 차이가 차별로 이어져서는 안 되는 거야.

(2) **해결 방안**

의식적 측면	• 성에 대한 고정관념을 버리고 양성평등 의식 함양 • 성별의 차이가 차별로 이어지지 않도록 상호 존중하는 태도 함양
제도적 측면	• 불합리한 성차별에 대한 제재 강화 • 양성평등의 정착을 위한 법과 제도의 마련 및 교육의 강화

C 빈곤 문제

| **시·험·단·서** | 시사 및 통계 자료를 활용하여 절대적 빈곤과 상대적 빈곤을 비교·분석하는 문제가 자주 출제돼.

1. 빈곤의 의미, 원인 및 영향

(1) **빈곤**: 인간의 기본적 욕구 충족에 필요한 자원이나 소득의 결핍이 지속하는 상태

(2) **빈곤의 원인 및 영향**

원인	• 개인적 측면: 근로 능력의 상실, 성취동기의 부족 등 • 사회적 측면: 사회 보장 제도*의 미비, 교육의 불평등, 경기 불황 및 일자리 부족 등
영향	• 개인적 측면: 생활의 어려움 및 건강의 악화, 상대적 박탈감의 유발, 심리적 위축과 절망감 등 • 사회적 측면: 범죄의 증가, 사회 불안 및 갈등 유발 등

┌─ 빈곤은 사회 통합을 저해하는 주요 요인이기 때문에 대부분 사회에서는 빈곤 문제의 해결을 위해 노력하고 있어.

❻ 중위 소득
한 사회의 모든 가구를 소득 순위에 따라 나열했을 때 가운데에 위치하는 가구의 소득을 의미한다. 우리나라의 경우 2017년을 기준으로 4인 가구의 중위 소득은 4,467,380원이다.

2. 빈곤의 유형 `자료 5`

(1) **절대적 빈곤**

① **의미**: 개인이나 가구의 소득이 최소한의 생활을 유지하는 데 필요한 기준에 미치지 못하는 상태

② **판단 기준**

• 일반적으로 최저 생활에 드는 금액(절대적 빈곤선*)을 기준으로 판단함

• 우리나라는 절대적 빈곤선으로 최저 생계비를 활용함

┌─ 최저 생계비는 국가마다 다양하게 나타나고 있어. 세계은행은 하루 수입 1.9달러를 절대적 빈곤선으로 제시하고 있으며, 이 기준이 국제적으로 활용되고 있어.

③ **특징**

• 일반적으로 저개발국에서 주로 나타남

• 경제 성장 과정에서 감소하지만, 선진국에서도 나타날 수 있음

┌─ 우리나라의 경우 과거에는 국민 상당수가 절대적 빈곤 상태였으나, 경제 성장을 거치며 지금은 그렇지 않아.

(2) **상대적 빈곤**

① **의미**: 다른 사람들보다 자원이나 소득이 낮아 사회 구성원 다수가 누리는 생활 수준을 누리지 못하는 상태

② **판단 기준**

• 일반적으로 중위 소득❻의 일정 비율에 해당하는 금액(상대적 빈곤선)을 기준으로 판단함

• 우리나라는 상대적 빈곤선으로 중위 소득의 50%를 활용함

③ **특징**

• 급속한 경제 성장 과정에서 빈부 격차가 커진 국가에서 주로 나타남

• 국민 대다수가 절대적 빈곤을 벗어난 국가에서도 나타남

❼ 소득 재분배 정책
소득이 많은 사람에게 많은 세금을 거두어서 빈곤층을 위한 사회 보장 제도에 활용하는 정책이다. 이를 위해 과세 대상 금액이 커질수록 높은 세율을 적용하는 누진세 제도를 도입하고 있으며, 이는 소득 격차 완화에 이바지하고 있다.

3. 빈곤 문제의 해결 방안 `자료 6`

(1) **개인적 측면**: 빈곤에서 벗어나기 위한 의지와 노력, 빈곤층을 배려하는 공동체 의식 등

(2) **사회적 측면**: 소득 재분배 정책❼을 통한 소득 분배의 형평성* 제고, 최저 임금제 실시를 통한 임금 노동자의 삶의 질 개선, 교육의 기회 균등으로 빈곤 탈출의 통로 제공 등

자료4 유리 천장 지수 관련 문제 ▶ 188쪽 04번

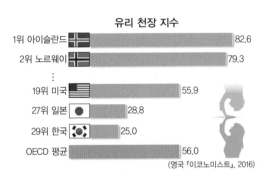

유리 천장 지수

1위 아이슬란드	82.6
2위 노르웨이	79.3
⋮	
19위 미국	55.9
27위 일본	28.8
29위 한국	25.0
OECD 평균	56.0

(영국 「이코노미스트」, 2016)

자료·분석 유리 천장은 여성이라는 이유로 직장에서 고위직으로 승진하는 과정에서 부딪히는 보이지 않는 장벽을 의미한다. 유리 천장 지수는 여성의 고등 교육 이수율, 여성의 경제 활동 참가율, 고위 관리자 중 여성 비율 등을 종합하여 수치화한 것으로, 100점 만점을 기준으로 지수가 낮을수록 여성에 대한 장벽이 높음을 의미한다. 우리나라의 유리 천장 지수는 OCED 국가 중 최하위를 기록하였다.

한·줄·핵·심 여성이 성별을 이유로 승진 기회에서 차별받는 현상이 나타나고 있으며, 우리나라는 그 정도가 높다.

자료5 우리나라 빈곤의 양상 관련 문제 ▶ 189쪽 06번

항목	2012년	2013년	2014년
절대적 빈곤율(%)	8.5	8.6	8.6
상대적 빈곤율(%)	13.7	13.4	13.3

※ 가처분 소득을 기준으로 함　　　　　　　　　　　　보건사회연구원, 「2015 빈곤 통계 연보」, 2015

　* 절대적 빈곤율: 최저 생계비를 빈곤 기준선으로 하여 소득이 이에 미치지 못하는 인구의 비율
　** 상대적 빈곤율: 중위 소득의 50%를 빈곤 기준선으로 하여 소득이 이에 미치지 못하는 인구의 비율
　*** 가처분 소득: 시장에서 벌어들이는 소득에 연금과 정부 지원금을 더하고 조세와 사회 보장 분담금을 제외한 금액

자료·분석 2014년 기준 전체 인구 중 8.6%는 절대적 빈곤 상태이고, 13.3%는 상대적 빈곤 상태임을 알 수 있다. 이 경우 모든 절대적 빈곤 인구는 상대적 빈곤 상태에 속한다. 2012년 이후 상대적 빈곤율이 지속적으로 낮아지고 있는 것은 우리 사회의 빈곤 문제가 개선되고 있음을 의미한다.

한·줄·핵·심 절대적 빈곤율보다 상대적 빈곤율이 높을 경우 절대적 빈곤 인구는 모두 상대적 빈곤 상태에 해당한다.

자료6 최저 임금제 관련 문제 ▶ 189쪽 05번

연도	인상률(%)	최저 임금 시급(원)
2010	2.8	4,110
2011	5.1	4,320
2012	6.0	4,580
2013	6.1	4,860
2014	7.2	5,210
2015	7.1	5,580
2016	8.1	6,030
2017	7.3	6,470

(고용 노동부, 2016)

▲ 최저 임금 인상 추이

자료·분석 최저 임금제는 국가가 노동자의 안정적인 생활을 위해 임금의 최저 수준을 정하고, 사용자에게 그 수준 이상의 임금을 지급하도록 법으로 강제하는 제도이다. 이를 통해 소득 분배의 형평성을 높여 빈곤 문제 해결에 이바지할 수 있다. 최저 임금 수준은 최저 임금 위원회에서 사회적 합의를 바탕으로 결정하고 있으며, 매년 물가 상승률을 감안하여 인상되고 있다.

한·줄·핵·심 우리나라는 빈곤 문제의 해결을 위하여 최저 임금제와 같은 제도적 방안을 도입하여 시행하고 있다.

다양한 사회 불평등 문제

개념풀 Guide 사회적 소수자 문제, 성 불평등 문제, 빈곤 문제의 양상과 특징을 파악해 보자.

1. 사회적 소수자의 특성

(가) 갑은 자국에서는 대학을 졸업한 우수한 인재로 대접받았지만, A국에서는 이주 노동자로서 차별을 당하고 있다.

(나) B국에서는 흑인이 인구의 다수를 차지하지만, 권력을 독점한 소수의 백인이 흑인의 공직 참여 기회를 제한하고 있다.

분석 • (가)에서 갑은 자국에서는 주류 집단에 속하지만, A국에서는 이주 노동자라는 사회적 소수자에 속하게 된다. 이처럼 사회적 소수자의 기준은 정해져 있는 것이 아니라, 시대나 장소에 따라 다르게 규정되는 상대적인 성격을 가진다.

• (나)는 B국에서 흑인이 다수(多數)임에도 불구하고 사회적 소수자에 속하는 것을 보여 준다. 이와 같이 사회적 소수자는 구성원 수의 많고 적음이 아니라, 권력의 우위에 따라 결정된다.

2. 유리 천장과 성 불평등 문제 관련 문제 ▶ 190쪽 04번

'유리 천장'은 여성이 조직에서 상위 직급으로 승진할 때 겪는 '눈에 보이지 않는 장벽'을 의미한다. 유리 천장의 유형으로 여성의 업무 능력에 대한 근거 없는 의심, 비공식 자리에서의 의도적 배제 등을 들 수 있다. 한편 같은 직급이더라도 승진에 유리한 핵심 업무가 있을 수 있는데, 여성이 핵심 업무로부터 수평적으로 분리되는 현상을 '유리벽'으로 표현한다.

분석 '유리 천장'이나 '유리벽'은 직장 내 여성이 겪는 성차별을 나타내는 대표적인 용어이다. 성차별과 같은 성 불평등 문제는 남성 중심적인 사회 구조, 성별에 따른 편견이나 선입견 등의 요인이 복합적으로 작용하여 나타난다. 이로 인해 직장 내 여성들은 취업이나 승진에 제한을 받거나 남성에 비해 적은 임금을 받기도 한다.

3. 사회적 소수자 문제의 해결 방안 관련 문제 ▶ 190쪽 02번

• 장애로 인한 차별을 시정하기 위해 '장애인 차별 금지법'이 시행된 이후 스스로 자신의 권리를 지키려는 장애인들이 많아졌다. 하지만 사회적 인식이 크게 바뀌지 않아 여전히 장애인에 대한 차별이 해소되지 못하고 있다.

• 여성의 사회 진출을 돕기 위한 '남녀 고용 평등과 일·가정 양립 지원에 관한 법률'이 시행된 이후에도 여전한 성차별적 인식으로 인해 여성에게 낮은 임금을 주거나 취업 및 승진 기회를 제한하는 등 여성에 대한 차별이 해소되지 못하고 있다.

분석 사회적 소수자에 대한 차별을 해결하기 위해 '장애인 차별 금지법'과 '남녀 고용 평등과 일·가정 양립 지원에 관한 법률'이 시행되고 있다. 이는 제도적 측면의 해결 방안에 해당하지만, 사회적 소수자에 대한 사회적 인식이 바뀌지 않아 여전히 차별이 해소되지 못하고 있는 상황이다. 이를 통해 사회적 소수자 문제의 해결을 위해서는 의식적 측면의 노력도 필요함을 알 수 있다.

4. 유형별 빈곤율 그래프 분석 관련 문제 ▶ 191쪽 08번

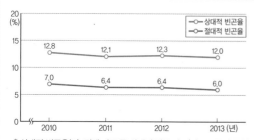

	상대적 빈곤율		절대적 빈곤율
2010	12.8		7.0
2011	12.1		6.4
2012	12.3		6.4
2013	12.0		6.0

분석 제시된 그래프의 모든 연도에서 상대적 빈곤율이 절대적 빈곤율보다 높다. 따라서 모든 연도의 절대적 빈곤 가구는 상대적 빈곤 가구에 해당한다. 또한 모든 연도에서 상대적 빈곤율이 절대적 빈곤율보다 높다는 것은 상대적 빈곤선(중위 소득의 50%)이 절대적 빈곤선(최저 생계비)보다 큼을 의미한다. 따라서 중위 소득은 최저 생계비의 2배를 초과하며, 중위 소득 대비 최저 생계비의 비율은 50% 미만이다.

* 상대적 빈곤율(%): 전체 가구 중 상대적 빈곤 가구(가구 소득이 중위 소득의 50% 미만인 가구)의 비율

** 절대적 빈곤율(%): 전체 가구 중 절대적 빈곤 가구(가구 소득이 최저 생계비 미만인 가구)의 비율

*** 중위 소득: 전체 가구를 소득순으로 나열했을 때 한가운데 위치한 가구의 소득

A 사회적 소수자 문제

01 다음 내용이 옳으면 ○표, 틀리면 ×표를 하시오.

(1) 사회적 소수자는 수적으로 소수인 집단을 의미한다. ( )

(2) 사회적 소수자를 규정하는 기준은 시대와 장소에 따라 상대적이다. ( )

(3) 적극적 우대 조치는 차별 해소를 위해 사회적 소수자를 지원하는 정책이다. ( )

(4) 사회적 소수자는 주류 집단에 비해 사회적 자원의 획득에서 유리한 위치에 있다.

( )

02 사회적 소수자 문제의 해결 방안과 그 내용을 바르게 연결하시오.

(1) 의식적 측면 •
      • ㉠ 사회적 소수자를 지원하는 정책을 마련함
      • ㉡ 자신과 다른 사람에 대한 편견을 버림

(2) 제도적 측면 •
      • ㉢ 사회적 소수자를 차별하는 제도와 법을 개선함
      • ㉣ 다원화된 가치를 인정하는 관용의 자세를 가짐

B 성 불평등 문제

03 빈칸에 알맞은 말을 쓰시오.

(1) 남성과 여성이 서로 다른 성 정체성과 역할을 습득하는 □□□ □□□을/를 통해 성 불평등이 강화된다.

(2) 여성이 회사에서 고위직으로 승진할 때 부딪히게 되는 보이지 않는 장벽을 □□ □□(이)라고 한다.

(3) 성 불평등을 해결하기 위해서는 성별의 차이가 □□(으)로 이어지지 않도록 상호 존중하는 태도를 함양해야 한다.

C 빈곤 문제

04 빈칸에 알맞은 말을 쓰시오.

(1) □□은/는 인간의 기본적 욕구 충족을 위한 자원이나 소득의 결핍이 지속하는 상태이다.

(2) 생존을 위해 필수적인 최소한의 자원이나 소득이 충족되지 못하는 빈곤의 유형을 □□□ □□(이)라고 한다.

05 다음 내용이 옳으면 ○표, 틀리면 ×표를 하시오.

(1) 절대적 빈곤은 주로 선진국에서 두드러지게 나타난다. ( )

(2) 우리나라의 상대적 빈곤 기준은 중위 소득의 50% 미만이다. ( )

(3) 최저 임금과 소득 재분배 정책은 빈곤 문제를 해결하기 위한 제도적 방안이다. ( )

A 사회적 소수자 문제

01 교사의 질문에 대한 옳은 응답을 〈보기〉에서 고른 것은?

> 과거 남아프리카 공화국의 경우 대다수의 흑인을 지배한 것은 전체 인구의 10%에 불과한 소수의 백인이었다. 흑인은 백인에 의해 흑인이라는 이유로 차별받는 대상이었다.

> 교사: 제시된 사례를 통해 파악할 수 있는 사회적 소수자의 특성은 무엇일까요?

> 보기
> ㄱ. 사회적 소수자는 수적으로 소수인 집단입니다.
> ㄴ. 사회적 소수자는 권력의 열세에 있는 집단입니다.
> ㄷ. 사회적 소수자는 소속감이나 연대감이 약한 집단입니다.
> ㄹ. 사회적 소수자는 주류 집단으로부터 차별 대우를 받는 집단입니다.

① ㄱ, ㄴ   ② ㄱ, ㄷ   ③ ㄴ, ㄷ
④ ㄴ, ㄹ   ⑤ ㄷ, ㄹ

02 밑줄 친 제도에 대한 옳은 설명을 〈보기〉에서 고른 것은?

> ○○ 대학교는 장애인 학생과 장애인 가정의 자녀를 위한 대입 특별 전형을 마련하여 실시하고 있다. 특별 전형은 일반 학생을 위한 전형에 비하여 지원 자격 조건이 낮으며, 실제 입학생들의 성적 합격선도 일반 전형에 비해 낮게 형성되고 있다.

> 보기
> ㄱ. 균등한 교육 기회를 보장하기 위한 방안이다.
> ㄴ. 사회적 소수자에 대한 차별을 금지하는 제도이다.
> ㄷ. 사회적 소수자를 지원하는 적극적 우대 조치에 해당한다.
> ㄹ. 의식적 측면에서 사회적 소수자 문제를 해결하는 방안이다.

① ㄱ, ㄴ   ② ㄱ, ㄷ   ③ ㄴ, ㄷ
④ ㄴ, ㄹ   ⑤ ㄷ, ㄹ

B 성 불평등 문제

03 다음 주장에 부합하는 진술을 〈보기〉에서 고른 것은?

> 영유아기의 성장 과정에서는 그 사회에서 바람직하다고 생각하는 여자다움 또는 남자다움을 학습한다. 또한 정상적인 성 역할에서 어긋나는 행동을 하면 제재를 받는 등의 과정을 거쳐 성 역할을 내면화하게 된다. 즉, 여성성, 남성성은 타고나는 것이 아니라 사회화를 통해 만들어지는 것이다.

> 보기
> ㄱ. 성 역할의 구분은 사회화의 산물이다.
> ㄴ. 시대와 사회에 관계없이 성 역할은 동일하다.
> ㄷ. 성별에 대한 선입견은 차별적 사회화의 결과이다.
> ㄹ. 성 역할의 구분은 신체적 특성을 반영한 결과이다.

① ㄱ, ㄴ   ② ㄱ, ㄷ   ③ ㄴ, ㄷ
④ ㄴ, ㄹ   ⑤ ㄷ, ㄹ

04 그림은 성 불평등과 관련된 지표를 나타낸 것이다. 이에 대한 설명으로 옳은 것은?

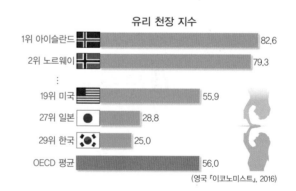

유리 천장 지수

순위	국가	지수
1위	아이슬란드	82.6
2위	노르웨이	79.3
19위	미국	55.9
27위	일본	28.8
29위	한국	25.0
	OECD 평균	56.0

(영국 「이코노미스트」, 2016)

① 우리나라 여성의 임금 격차가 가장 크다.
② 우리나라 여성의 고위직 진출 정도가 가장 높다.
③ 여성의 경제 활동 참가 정도는 우리나라가 가장 낮다.
④ 성 불평등 문제는 아이슬란드에서 가장 심각하게 나타난다.
⑤ 승진과 관련한 여성에 대한 차별 정도는 우리나라가 가장 높다.

C 빈곤 문제

05 교사의 질문에 옳게 답한 학생을 〈보기〉에서 고른 것은?

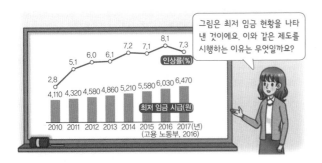

그림은 최저 임금 현황을 나타낸 것이에요. 이와 같은 제도를 시행하는 이유는 무엇일까요?

보기
갑: 소득 분배의 형평성을 높이기 위해서입니다.
을: 근로자의 최저 생활 수준을 보장하기 위해서입니다.
병: 남성과 여성 사이의 임금 격차를 해소하기 위해서입니다.
정: 적극적 우대 조치를 통해 빈곤 문제를 해결하기 위해서입니다.

① 갑, 을   ② 갑, 병   ③ 을, 병
④ 을, 정   ⑤ 병, 정

06 표는 갑국의 절대적 빈곤율과 상대적 빈곤율의 변화를 나타낸 것이다. 이에 대한 분석으로 옳은 것은? (단, 2012～2014년의 전체 가구수는 동일하다.)

항목	2012년	2013년	2014년
절대적 빈곤율(%)	8.5	8.6	8.6
상대적 빈곤율(%)	13.7	14.0	14.2

* 절대적 빈곤율: 가구 소득이 최저 생계비에 미달하는 가구의 비율
** 상대적 빈곤율: 가구 소득이 중위 소득의 50%에 미달하는 가구의 비율

① 절대적 빈곤 가구는 매년 증가하고 있다.
② 상대적 빈곤 가구는 매년 감소하고 있다.
③ 2012년 중위 소득의 50%는 같은 해 최저 생계비와 같다.
④ 2013년 절대적 빈곤 가구와 상대적 빈곤 가구는 같다.
⑤ 2014년 절대적 빈곤 가구보다 상대적 빈곤 가구가 더 많다.

07 A, B에 대한 옳은 설명을 〈보기〉에서 고른 것은? (단, A, B는 각각 절대적 빈곤, 상대적 빈곤 중 하나이다.)

A는 전체 사회의 소득 분포와 관계없이 최저라고 생각되는 어떤 수준을 정하고, 소득이 이 수준에 미달하는 경우를 의미한다. B는 전체 사회의 소득 분포를 대표하는 소득의 일정 비율을 빈곤선으로 정하고 이 소득 수준에 미달하는 경우를 의미한다.

보기
ㄱ. 선진국보다 저개발국에서 A가 주로 나타난다.
ㄴ. 산업화된 선진국에서는 A가 나타나지 않는다.
ㄷ. 소득 격차가 심화될수록 B가 주로 나타난다.
ㄹ. A는 상대적 빈곤, B는 절대적 빈곤이다.

① ㄱ, ㄴ   ② ㄱ, ㄷ   ③ ㄴ, ㄷ
④ ㄴ, ㄹ   ⑤ ㄷ, ㄹ

서술형 문제

08 그림은 남녀 연령별 경제 활동 참가율을 나타낸 것이다. 물음에 답하시오.

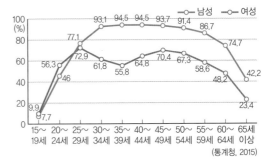

(1) 위 그림에 나타난 사회 불평등의 양상을 쓰시오.
( )

(2) (1)과 같은 양상이 나타나는 요인과 그 해결 방안을 서술하시오.

01 사례에서 도출할 수 있는 결론으로 가장 적절한 것은?

> 갑국은 흑인, 히스패닉 등 갑국 내 소수 인종이 대학 입시에서 혜택을 받도록 적극적 우대 조치를 실시하고 있다. 그러나 소수 인종 학생보다 높은 성적을 받고도 대학에 불합격하는 백인 학생의 사례가 많아지면서 백인 학생들의 불만이 제기되고 있다.

① 사회적 소수자를 구분하는 기준은 상대적이다.
② 사회적 소수자를 인정하는 관용 정신이 필요하다.
③ 사회적 소수자는 주류 집단과 정치적 성향이 다르다.
④ 사회적 소수자에 대한 차별은 사회 갈등으로 이어질 수 있다.
⑤ 사회적 소수자를 배려하는 정책이 역차별 논란을 초래할 수 있다.

수능 기출

02 다음에서 공통적으로 추론할 수 있는 내용으로 가장 적절한 것은?

> • 장애로 인한 차별을 시정하기 위해 '장애인 차별 금지법'이 시행된 이후 스스로 자신의 권리를 지키려는 장애인들이 많아졌다. 하지만 사회적 인식이 크게 바뀌지 않아 여전히 장애인에 대한 차별이 해소되지 못하고 있다.
> • 여성의 사회 진출을 돕기 위한 '남녀 고용 평등과 일·가정 양립 지원에 관한 법률'이 시행된 이후에도 여전한 성 차별적 인식으로 인해 여성에게 낮은 임금을 주거나 취업 및 승진 기회를 제한하는 등 여성에 대한 차별이 해소되지 못하고 있다.

① 사회적 소수자 우대 정책으로 인한 역차별 문제도 함께 해소해야 한다.
② 사회적 소수자는 법을 통한 제도적 인정 여부에 따라 상대적으로 규정된다.
③ 사회적 소수자에 대한 차별은 개인적 능력 차이가 집합적 차별로 전환된 결과이다.
④ 사회적 소수자에 대한 차별을 해소하기 위해서는 문화 다양성 존중보다 문화 동질성 형성이 중요하다.
⑤ 사회적 소수자에 대한 차별을 해소하기 위해서는 제도 개선뿐만 아니라 의식 개혁도 이루어져야 한다.

수능 유형

03 표는 갑국~병국의 성별 임금 격차를 나타낸 것이다. 이에 대한 옳은 설명을 〈보기〉에서 고른 것은?

갑국		을국		병국	
2010년	2018년	2010년	2018년	2010년	2018년
40	37	33	30	10	7

* 2010년 갑국의 경우, 40이라는 수치는 남성의 임금이 100$일 때 여성의 임금은 그보다 40 % 적은 60$라는 것을 의미한다.

> **보기**
> ㄱ. 2010년 기준 여성 임금은 병국이 가장 높다.
> ㄴ. 성별 임금 격차가 가장 작은 나라는 갑국이다.
> ㄷ. 모든 나라에서 성별 상대적 임금 격차 정도가 감소하였다.
> ㄹ. 2018년 갑국~병국의 남성 임금 수준이 동일하다면, 여성 임금 수준이 가장 높은 나라는 병국이다.

① ㄱ, ㄴ ② ㄱ, ㄷ ③ ㄴ, ㄷ
④ ㄴ, ㄹ ⑤ ㄷ, ㄹ

04 다음 글을 통해 도출할 수 있는 옳은 내용만을 〈보기〉에서 있는 대로 고른 것은?

> '유리 천장'은 여성이 조직에서 상위 직급으로 승진할 때 겪는 '눈에 보이지 않는 장벽'을 의미한다. 유리 천장의 유형으로 여성의 업무 능력에 대한 근거 없는 의심, 비공식 자리에서의 의도적 배제 등을 들 수 있다. 한편 같은 직급이더라도 승진에 유리한 핵심 업무가 있을 수 있는데, 여성이 핵심 업무로부터 수평적으로 분리되는 현상을 '유리 벽'으로 표현한다.

> **보기**
> ㄱ. 직장 내 양성평등 문화의 확산은 유리 천장 현상을 완화하는 데 기여한다.
> ㄴ. 여성에 대한 사회적 차별은 남성과 여성의 개인적 능력 차이에서 기인한다.
> ㄷ. 유리벽 현상은 조직 내에서 특정 성에 대한 차별이 구조적으로 나타나는 현상이다.
> ㄹ. 유리 천장과 유리벽 현상이 제거되면 사회적 자원의 배분 과정에서 기회의 공정성이 제고될 것이다.

① ㄱ, ㄷ ② ㄴ, ㄷ ③ ㄴ, ㄹ
④ ㄱ, ㄴ, ㄹ ⑤ ㄱ, ㄷ, ㄹ

05 빈곤에 대한 다음 입장에 부합하는 진술을 〈보기〉에서 고른 것은?

> 개별 구성원이 노력하지 않고 능력이 부족하여 빈곤 상태에 직면하고 있다고 바라보는 사람들이 있다. 그렇지만 빈곤의 근본적인 원인은 개인의 노력과 능력 부족이 아니라, 아무리 노력하더라도 빈곤에서 벗어날 수 없는 불평등한 분배 구조이다. 빈곤 문제의 해결을 위해서는 지배 집단의 이익이 극대화되는 방향으로 만들어진 분배 구조의 개선이 필요하다.

〈보기〉
ㄱ. 빈곤의 원인은 사회 구조적 측면에서 바라봐야 한다.
ㄴ. 빈곤의 원인은 구성원 개개인의 성취동기 부족에 있다.
ㄷ. 빈곤은 특정 계급의 이익이 추구되는 과정에서 재생산된다.
ㄹ. 빈곤 탈출을 위해서는 빈곤층의 자활 의지가 가장 중요하다.

① ㄱ, ㄴ   ② ㄱ, ㄷ   ③ ㄴ, ㄷ
④ ㄴ, ㄹ   ⑤ ㄷ, ㄹ

수능 유형

06 표는 갑국의 빈곤 현황을 나타낸 것이다. 이에 대한 옳은 분석을 〈보기〉에서 고른 것은?

구분	2015년	2016년	2017년
빈곤층 인구	100만 명	80만 명	60만 명
빈곤 탈출률	40%	40%	40%

* 빈곤 탈출률: 이전 연도 빈곤층 인구 중 해당 연도에 빈곤층이 아닌 인구의 비율
** 2014년의 빈곤층 인구는 120만 명이다.

〈보기〉
ㄱ. 2016년과 2017년의 빈곤 탈출 인구는 같다.
ㄴ. 2015년 빈곤층 중 40만 명은 빈곤을 탈출하였다.
ㄷ. 2017년의 빈곤층 중 24만 명은 새롭게 빈곤층이 된 경우이다.
ㄹ. 전체 인구가 동일하다면 빈곤율은 지속적으로 낮아지고 있다.

① ㄱ, ㄴ   ② ㄱ, ㄷ   ③ ㄴ, ㄷ
④ ㄴ, ㄹ   ⑤ ㄷ, ㄹ

07 빈곤 유형 A, B에 대한 옳은 설명을 〈보기〉에서 고른 것은?

> A는 사회 전반적으로 구성원이 누리고 있는 일반적인 생활 수준과 비교하여 상대적으로 박탈 상태에 처한 경우를 의미한다. 반면, B는 기본적인 최저 생활을 유지하는 데 필요한 기준에 미치지 못하는 경우를 의미한다. A에 따르면 사회 전반의 소득 수준에 비교하여 빈곤층이 정의되며, B에 따르면 기본적 욕구 충족이 어려운 경우 빈곤층으로 정의된다.

〈보기〉
ㄱ. 우리나라에서는 A, B 모두 객관적 기준에 의해 분류된다.
ㄴ. 소득의 불평등한 정도를 설명하는 경우 B보다 A가 용이하다.
ㄷ. B와 달리 A는 상대적 박탈감이라는 주관적 기준에 의해 분류된다.
ㄹ. 경제 발전을 기준으로 선진국에서는 A만, 저개발국에서는 B만 나타난다.

① ㄱ, ㄴ   ② ㄱ, ㄷ   ③ ㄴ, ㄷ
④ ㄴ, ㄹ   ⑤ ㄷ, ㄹ

수능 유형

08 그림은 갑국의 빈곤율을 나타낸 것이다. 이에 대한 분석으로 옳은 것은? (단, 갑국의 모든 가구의 구성원 수는 동일하다.)

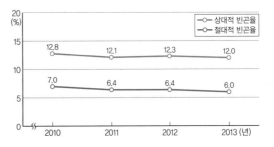

① 2010년에 상대적 빈곤 가구는 모두 절대적 빈곤 가구이다.
② 2011년에 상대적 빈곤 가구의 인구는 절대적 빈곤 가구의 인구보다 2배 이상 많다.
③ 전년과 대비하여 2012년에 상대적 빈곤 가구의 수는 증가했고, 절대적 빈곤 가구의 수는 변함이 없다.
④ 2013년에 중위 소득은 같은 해 최저 생계비의 2배이다.
⑤ 제시된 모든 연도에서 중위 소득 대비 최저 생계비의 비율은 50% 미만이다.

04 ∿ 사회 복지와 복지 제도

핵심 질문으로 흐름잡기

A 사회 복지의 의미 변화 과정은?

B 복지 제도의 각 유형별 특징은?

C 복지 제도의 역할과 한계는?

❶ 복지 국가의 발달 과정
- 바이마르 헌법(독일, 1919년): 최초로 사회권 규정
- 사회 보장법(미국, 1935년): 뉴딜 정책의 하나로 시행된 사회 보장법에 따라 본격적인 복지 국가 지향
- 베버리지 보고서(영국, 1942년): 현대적 의미의 사회 보장 제도 확립

❷ 능력에 따른 부담
사회 보험의 혜택을 받기 위해서는 일정 수준의 보험료를 정기적으로 납부해야 한다. 이때 보험료는 수혜 정도가 아니라 가입자의 경제적 능력에 비례하여 산출되며, 이를 통해 소득 재분배 효과가 나타나게 된다.

❸ 상호 부조의 원리
사회 보험은 수혜 정도가 아니라 경제적 능력에 따라 비용을 부담하기 때문에 특정 개인이 납부한 보험료가 그 사람이 아닌 다른 가입자를 위해 활용될 수 있다. 이러한 점에서 서로 도움을 주고받는 상호 부조가 이루어진다.

❹ 부정적 낙인
공공 부조는 빈곤층을 대상으로 하는 제도로서 대상자 선정을 위해서는 빈곤 여부를 확인해야 하는데, 이 과정에서 사회적 취약 계층이라는 낙인이 찍혀질 수 있다. 이는 선별적 복지 제도가 가지는 대표적인 문제점이다.

A 사회 복지의 의미와 변화 과정

| 시·험·단·서 | 현대 복지 국가에서의 사회 복지의 의미를 파악하는 문제가 주로 출제돼.

1. 사회 복지의 의미와 필요성

(1) **의미**: 사회 구성원의 안전하고 행복한 삶을 보장하기 위한 사회적 노력

(2) **필요성**: 사람은 누구나 예상치 못한 어려움으로 인해 인간다운 생활이 어려워질 수 있으며, 이는 개인의 안정적인 삶을 위협할 뿐만 아니라 사회 문제로 이어질 수 있음
┗ 사람은 누구나 질병, 사고, 실업, 빈곤, 재해 등과 같은 어려움을 겪을 수 있어.

2. 사회 복지의 의미 변화

전통 사회	현대 복지 국가❶ 자료1
• 빈곤의 책임이 개인에게 있다고 봄 • 국가보다는 민간 단체 중심으로 빈민 구제 활동이 이루어짐 • 시혜적인 성격이 강함	• 배경: 자본주의의 발달 과정에서 빈부 격차 심화, 실업 증가 등의 사회 문제 발생 → 사회적 책임이 강조됨 • 국가의 적극적인 개입을 통해 사회권 및 국민의 인간다운 삶 보장 • 빈곤 해결뿐만 아니라 모든 국민의 삶의 질 향상을 위한 제도 시행

B 복지 제도의 유형

| 시·험·단·서 | 자료를 바탕으로 복지 제도의 유형과 그 특징을 파악하는 문제가 자주 출제돼.

1. 사회 보험 자료2

의미	국민에게 발생하는 질병, 장애, 노령, 실업 등의 사회적 위험을 보험 방식으로 대비함으로써, 국민이 안전한 삶을 누리는 데 필요한 건강과 소득을 보장하는 제도
대상	모든 국민
목적	사회적 위험에 대비함으로써 모든 국민의 안전한 삶 보장
비용 부담	• 가입자와 사용자(기업), 국가가 공동 부담 • 가입자의 부담 능력에 따라 비용 부담❷
특징	• 의무 가입을 원칙으로 함 • 수혜 정도와 무관하게 비용 부담 능력에 따라 비용을 부담함 • 상호 부조의 원리❸를 기반으로 함 ┏ 서로 도움을 주고 받는 것 • 미래의 위험에 대비하는 사전 예방적 성격을 가짐 • 금전적 지원을 원칙으로 함
종류	국민 건강 보험, 국민연금, 고용 보험, 산업 재해 보상 보험, 노인 장기 요양 보험 등

┗ 질병, 실업, 산업 재해, 은퇴 및 노령과 같은 사회적 위험에 따라 사회 보험의 종류가 구분돼.

2. 공공 부조 자료3

의미	국가와 지방 자치 단체의 책임하에 생활 유지 능력이 없거나 생활이 어려운 국민의 최저 생활을 보장하고 자립을 지원하는 제도
대상	생활 유지 능력이 없거나 생활이 어려운 국민
목적	국민의 최소한의 인간다운 생활 보장 및 자립 지원
비용 부담	국가와 지방 자치 단체가 전액 부담 ── 수혜자는 비용 부담이 없으며, 세금으로 비용을 충당해.
특징	• 금전적 지원을 원칙으로 함 • 현재 직면한 사회적 위험에 대응하는 사후 처방적 성격을 가짐 • 수혜자가 비용 부담 없이 복지를 누림으로써 소득 재분배 효과가 큼 • 국가의 재정 부담이 가중될 수 있음 ┗ 사회 보험보다 공공 부조의 소득 재분배 효과가 더 커. • 부정적 낙인❹이 발생할 수 있고, 근로 의욕이 저하될 수 있음
종류	국민 기초 생활 보장 제도, 의료 급여 제도, 기초 연금 제도 등

시험에 잘 나오는 자료

내용 이해를 돕는 팁

자료1 베버리지 보고서

- 사회 보험은 전 국민을 대상으로 한다.
- 사회 보험의 급여는 국민의 최저 생활을 보장하는 수준이어야 한다.
- 사회 보험에 가입할 수 없는 저소득층은 국가가 지원한다.
- 사회 보험이 성공하기 위해서는 아동 수당을 비롯한 가족 수당, 전 국민을 대상으로 하는 무료 의료 체계, 완전 고용이 전제되어야 한다.

자료·분석 제2차 세계 대전 이후 영국 정부는 빈곤의 원인을 사회적 책임으로 인식하고 사회 복지에 관한 다양한 정책을 내놓았는데, 베버리지 보고서는 이 중 하나이다. 베버리지 보고서는 '요람에서 무덤까지'로 요약되는 영국 사회 보장 제도의 근간이 되었고, 이후 다른 복지 국가가 형성되는 데 영향을 미쳤다.

한·줄·핵·심 베버리지 보고서는 현대적 의미의 사회 보장 제도를 확립하였다.

자료2 사회 보험의 종류

국민 건강 보험	질병·부상에 대한 예방·진단·치료·재활과 출산 및 건강 증진 등에 대한 보험 급여를 통해 국민 보건 향상
국민연금	국민의 노령, 장애 또는 사망 시 연금 급여 시행으로 국민의 생활 안정과 복지 증진
고용 보험	실업 보험 사업과 고용 안정 및 직업 능력 개발 사업 등을 통해 근로자의 생활 안정과 구직 활동 촉진
산업 재해 보상 보험	근로자의 업무상 재해에 대한 신속하고 공정한 보상, 재해 근로자의 사회 복귀 지원, 재해 예방 및 근로자 복지 증진 사업을 통한 근로자 보호
노인 장기 요양 보험	고령이나 노인성 질병 등 일상생활을 혼자 수행하기 어려운 노인들에게 제공하는 장기 요양 급여로 노후의 건강 증진 및 생활 안정 지원

자료·분석 제시된 자료는 우리나라의 5대 사회 보험으로 모두 미래에 직면할 사회적 위험에 대비한다는 점에서 사전 예방적 성격을 가진다. 사회 보험은 의무 가입 및 금전적 지원을 원칙으로 하고, 그 비용은 가입자와 사용자, 국가가 공동으로 부담한다.

한·줄·핵·심 사회 보험은 모든 국민을 대상으로 의무적으로 실시하는 사전 예방적 복지 제도이다.

자료3 국민 기초 생활 보장 제도의 맞춤형 급여 관련 문제 ▶ 200쪽 04번

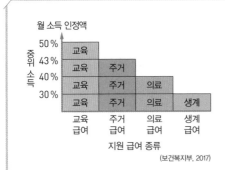

자료·분석 2015년 7월 1일부터 시행되고 있는 국민 기초 생활 보장 제도의 맞춤형 급여는 기초 생활 수급자의 가구 여건에 맞는 지원을 하기 위해 세부 복지 항목별로 선정 기준을 다원화하여 운영하고 있다. 예를 들어 중위 소득 30% 이하 가구의 경우 교육, 주거, 의료, 생계 급여를 모두 지원받지만, 중위 소득 43%∼50%인 가구의 경우는 교육 급여만 지원받는다.

한·줄·핵·심 맞춤형 급여 체계는 소득 수준에 따라 대상자가 선정된다는 점에서 공공 부조에 해당한다.

? **궁금해요**

Q. 사회 보험과 민간 보험의 차이는 무엇인가요?

A. 사회 보험은 국가가 사회 복지를 목적으로 법에 따라 가입을 강제하지. 반면, 민간 보험은 개인이 필요에 의해 임의로 가입해. 또한, 국가가 보장하는 사회 보험과 달리 민간 보험은 수혜자 개인의 부담을 통해 보장이 이루어져.

용어 더하기

* **시혜**
은혜를 베푼다는 뜻으로, 시혜적인 복지란 자선적 차원의 복지라고 할 수 있다.

* **자본주의**
이윤 획득을 목적으로 생산 활동이 이루어지는 사회 경제 체제

* **사회권**
국민이 국가로부터 인간다운 생활을 보장받을 권리

* **자립**
남에게 의지하지 않고 스스로 일어서는 것

* **수혜자**
복지 제도에 따라 혜택을 받는 사람

* **재정**
국가 또는 지방 자치 단체가 행정 활동이나 공공 정책을 시행하기 위하여 자금을 만들어 관리하고 이용하는 활동

3. 사회 서비스 자료 4

의미	국가와 지방 자치 단체 및 민간 부문의 도움이 필요한 모든 국민에게 상담, 재활, 돌봄, 정보 제공, 관련 시설의 이용, 역량 개발, 사회 참여 지원 등을 통하여 삶의 질이 향상될 수 있도록 지원하는 제도 └ 사회 서비스 제공은 국가의 일정한 지원으로 기업이나 사회봉사 단체 등 민간 부문의 참여가 활발한 편이야.
대상❺	국가나 지방 자치 단체 및 민간의 도움이 필요한 국민
목적	국민의 삶의 질 향상
비용 부담	• 비용 부담 능력이 있는 국민의 경우 수익자 부담을 원칙으로 함 • 일정 소득 수준 이하 국민의 경우 비용의 전부 또는 일부를 국가와 지방 자치 단체가 부담함
특징	• 비금전적 형태의 서비스 제공을 원칙으로 함 • 공공 부문만이 아니라 민간 부문도 참여할 수 있음 ── 금전적 지원인가 비금전적 지원인가는 사회 서비스와 사회 보험·공공 부조를 구별할 수 있는 기준이야. 사회 보험과 공공 부조는 금전적 지원을 원칙으로 해. • 사회 보험이나 공공 부조를 보조하는 성격을 가짐
종류	노인 돌봄, 실업자 고용 알선 및 직업 훈련, 장애인 활동 지원, 간병* 서비스 등

C 복지 제도의 역할 및 한계

| 시·험·단·서 | 자료를 바탕으로 복지 제도의 한계를 파악하고 그 해결 방법을 탐색하는 문제가 주로 출제돼.

1. 복지 제도의 역할

(1) 개인적 차원

① 질병, 사고, 재해 등 사회적 위험이 닥쳤을 때 이를 극복할 수 있도록 도움 → 경제적·사회적으로 자립의 기회 제공

② 도움이 필요한 사람들의 기본적 욕구를 충족하고 최소한의 인간다운 삶을 보장함❻
└ 저소득층, 장애인, 돌봄이 필요한 노인이나 어린이 등은 모두 도움이 필요한 사람들이며, 국가는 복지 제도를 통해 이들의 인간다운 삶을 보장하고 있어.

(2) 사회적 차원

① 사회 구조와 환경 개선을 통해 모든 사회 구성원의 인간으로서의 존엄과 가치 실현

② 소득 재분배를 통해 빈부 격차를 완화하고, 구성원의 기본적 생활을 보장함으로써 사회 안정과 통합에 기여

2. 복지 제도의 한계

(1) 복지 제도의 부작용❼ 발생: 개인의 근로 의욕이 저하되어 국가의 복지 제도에 의존하려는 사람들이 증가함 → 사회 전체의 생산성과 효율성 하락

(2) 국가 재정 부담 가중: 복지 제도의 확대는 국가의 재정 부담 심화와 국민의 조세* 부담 상승으로 이어짐 → 경제 성장 가능성 약화

(3) 복지 제도의 경직화: 도움이 필요한 사람이 실질적인 혜택을 받지 못하는 경우가 발생함

(4) 도덕적 해이* 문제 발생: 복지 제도를 악용하여 급여를 부정 수급하는 등의 문제가 발생함

3. 생산적 복지 자료 5

(1) 의미: 자활*을 위한 노력과 노동하는 것을 조건으로 복지를 제공하는 새로운 형태의 복지 제도
└ 복지로 인한 문제를 개선하려면 개인의 의식 변화와 함께 생산적 복지와 같은 제도적 보완이 필요해.

(2) 등장 배경: 복지 제도에 따른 효율성 저하와 복지 축소에 따른 형평성 저하를 모두 해결하기 위해 등장함

(3) 특징: 근로 능력이 있는 사람의 근로 의욕과 경제 활동 참여를 장려하여 경제적 효율성을 달성함과 동시에 사회적 약자를 보호함

(4) 종류: 직업 교육, 취업 지원 등을 통한 복지 수급자들의 자립 지원, 근로 장려금 제도 등

자료4 **사회 서비스의 사례**

(가) 큰딸이 언어 발달에 문제가 있어 검사를 받고 주의력 결핍 과잉 행동 장애(ADHD)라는 진단을 받아 걱정했지만 드림 스타트 서비스를 통해 지역 아동 센터 연계 상담과 치료, 학습 지원을 받았습니다. 저 역시 상담과 교육 훈련을 통해 직업 관련 자격증을 취득하여 일자리를 구할 수 있었습니다. 드림 스타트를 통해 저와 제 아이는 능력을 키울 수 있었고, 우리 가족이 안정을 되찾아가면서 삶의 질이 높아졌습니다.

(나) 을은 2급 장애인으로 집에서 식사 준비, 빨래, 청소 등을 할 때 많은 어려움을 겪고 있다. 을의 친구는 일상생활과 사회 활동이 어려운 저소득층에게 가사·간병 서비스를 지원하는 제도를 알게 되었다. 이에 을은 친구와 함께 행정 기관을 방문하여, 한 달에 일정 시간 동안 가사 또는 간병 서비스를 지원받을 수 있는 이용권(바우처)을 받았다.

자료·분·석 (가)와 (나)의 사례는 모두 사회 서비스에 해당한다. (가)는 의사소통 및 기초 학습 능력 강화, 정서 발달 지원, 부모의 자녀 양육 및 교육 역량 강화 등의 서비스를 제공하고, (나)는 가사, 간병 서비스를 제공하고 있다. 이처럼 사회 서비스는 금전적인 지원이 아니라 직접적인 도움을 통해 생활의 어려움을 개선하거나 해결할 수 있도록 한다.

한·줄·핵·심 사회 서비스는 비금전적 형태의 서비스 지원을 원칙으로 하는 사회 복지 제도이다.

자료5 **근로 장려금 제도** 관련 문제 ▶ 199쪽 07번

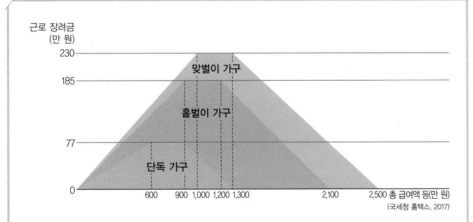

(국세청 홈택스, 2017)

자료·분·석 근로 장려금 제도는 근로 장려금(현금 급여)을 지급하여 근로를 장려하고 취약 계층의 실질 소득 향상을 도모하는 근로 연계형 소득 지원 제도로, 근로 소득에 따라 근로 장려금을 차등 지급함으로써 근로를 유인하는 기능이 있다. 이 제도는 일할수록 소득이 늘어나도록 함으로써 소득 지원 효과뿐만 아니라 기존 복지 제도와 달리 근로 의욕을 높이고 수혜자 스스로 빈곤에서 벗어날 수 있도록 지원하는 역할을 한다.

한·줄·핵·심 근로 장려금 제도는 저소득 가구의 자활 노력을 장려함으로써 생산적 복지의 이념을 반영하고 있다.

궁금해요

Q. 생산적 복지의 한계는 무엇인가요?

A. 생산적 복지는 수급자의 자활 노력과 노동을 조건으로 함으로써 근로 능력이 전혀 없는 계층은 복지에서 소외될 수 있다는 한계가 있어.

용어 더하기

* **간병**
아픈 사람을 곁에서 돌보는 것으로, 간호라고도 한다.

* **조세**
국가 또는 지방 자치 단체가 필요한 경비로 사용하기 위하여 국민이나 주민으로부터 거두어들이는 세금

* **도덕적 해이**
법과 제도에 허점이 있을 경우, 이 허점을 이용해 자기 책임을 소홀히 하는 행동

* **자활**
자기 자신의 힘으로 살아가는 것

수능 자료로
개념을 다지는
개념 POOL

복지 제도의 유형

개념풀 Guide 사회 보험, 공공 부조, 사회 서비스의 특징을 구별하여 복지 제도의 유형을 파악해 보자.

1. 복지 제도의 유형 구분

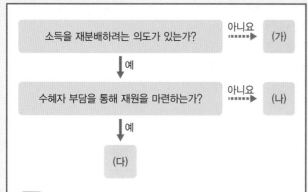

분석 소득을 재분배하려는 의도가 있는 복지 제도에는 사회 보험과 공공 부조가 있다. 따라서 (가)는 사회 서비스이다. 수혜자 부담을 통해 재원을 마련하는 제도는 사회 보험, 그렇지 않은 제도는 공공 부조이다. 따라서 (나)는 공공 부조, (다)는 사회 보험이다.

2. 사회 보험과 공공 부조의 구분

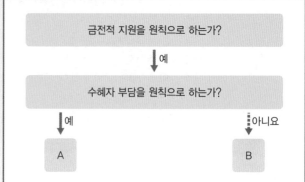

분석 금전적 지원을 원칙으로 하는 복지 제도에는 사회 보험과 공공 부조가 있다. 공공 부조는 국가 및 지방 자치 단체가 비용을 전액 부담하는 반면, 사회 보험은 수혜자가 부담 능력에 따라 비용을 부담한다. 따라서 A는 사회 보험, B는 공공 부조이다.

3. 표로 파악하는 복지 제도의 유형 관련 문제 ▶ 201쪽 06번

구분	A	B	C
강제 가입을 원칙으로 하는가?	아니요	아니요	예
금전적 지원을 원칙으로 하는가?	아니요	예	예

분석 강제 가입을 원칙으로 하는 C는 사회 보험이다. 금전적 지원을 원칙으로 하는 복지 제도에는 사회 보험과 공공 부조가 있으며, 비금전적 지원을 원칙으로 하는 제도는 사회 서비스이다. 따라서 A는 사회 서비스, B는 공공 부조이다.

4. 사회 보험과 공공 부조의 예 관련 문제 ▶ 201쪽 05번

- 2008년 7월부터 시행된 이 제도는 A의 하나로서, 국민 건강 보험 가입자 또는 그 피부양자 가운데 고령이나 노인성 질병 등으로 일상생활을 혼자서 수행하기 어려운 사람들에게 신체 활동 또는 가사 활동 지원 등의 장기 요양 급여를 판정 등급에 따라 제공한다.
- 2014년 7월부터 시행된 이 제도는 B의 하나로서, 국민연금의 혜택을 충분히 누리지 못하고 빈곤을 겪고 있는 노인을 위해 마련되었다. 만 65세 이상이며, 가구의 소득 인정액이 기준액 이하인 사람들을 수혜 대상으로 한다.

분석 • 첫 번째 글에 나타난 제도는 노인 장기 요양 보험으로 사회 보험에 해당한다. 따라서 A는 사회 보험이다. 사회 보험은 모든 국민을 대상으로 강제 가입을 원칙으로 하며, 가입자와 사용자, 국가가 비용을 공동으로 부담한다.
• 두 번째 글에 나타난 제도는 기초 연금 제도로 공공 부조에 해당한다. 따라서 B는 공공 부조이다. 공공 부조는 생활 유지 능력이 없거나 생활이 어려운 국민을 대상으로 하며, 국가와 지방 자치 단체가 비용을 부담한다.

A 사회 복지의 의미와 변화 과정

01 다음 내용이 옳으면 ○표, 틀리면 ×표를 하시오.

(1) 최초로 사회권을 규정한 것은 영국의 베버리지 보고서이다. ( )

(2) 현대 복지 국가에서는 빈곤의 원인으로 개인적 요인을 강조한다. ( )

(3) 현대 복지 국가에서의 사회 복지는 빈곤의 해결만을 목적으로 한다. ( )

(4) 사회 복지란 사회 구성원의 안전하고 행복한 삶을 보장하기 위한 사회적인 노력을 의미 한다. ( )

B 복지 제도의 유형

02 복지 제도의 유형과 그 종류를 바르게 연결하시오.

(1) 사회 보험 •   • ㉠ 노인 돌봄, 간병 서비스 등

(2) 공공 부조 •   • ㉡ 국민 건강 보험, 산업 재해 보상 보험 등

(3) 사회 서비스 •   • ㉢ 국민 기초 생활 보장 제도, 기초 연금 제도 등

03 알맞은 말에 ○표를 하시오.

(1) (사회 보험, 사회 서비스)은/는 비금전적 형태의 서비스 제공을 원칙으로 한다.

(2) 사회 보험은 미래의 위험에 대비하는 (사전 예방적, 사후 처방적) 성격을 가진다.

(3) 수혜 정도와 무관하게 능력에 따라 비용을 부담하는 제도는 (사회 보험, 공공 부조)이다.

(4) 생활 유지 능력이 없거나 생활이 어려운 국민을 대상으로 금전적 지원을 하는 사회 보장 제도 는 (공공 부조, 사회 서비스)이다.

C 복지 제도의 역할 및 한계

04 다음 내용이 옳으면 ○표, 틀리면 ×표를 하시오.

(1) 복지 제도는 사회적 측면에서 소득을 재분배하고 사회 통합에 기여한다. ( )

(2) 과도한 사회 복지 제도는 근로 의욕 감퇴와 같은 부작용을 초래할 수 있다. ( )

(3) 복지의 범위가 확대되고 복지 대상자가 증가할수록 정부의 재정 부담은 감소한다.

( )

05 빈칸에 알맞은 말을 쓰시오.

(1) 근로 의욕 저하, 조세 부담 증가 등과 같은 복지 제도의 부작용을 □□□(이)라고 한다.

(2) 국가의 복지 제도에 의존하려는 사람들이 증가하면 사회 전체의 생산성과 □□□이/가 하락한다.

(3) □□□ □□은/는 자활 노력을 전제로 복지를 지원하여 복지와 경제 성장을 함께 실현 하기 위한 새로운 복지 이념이다.

A 사회 복지의 의미와 변화 과정

01 밑줄 친 ⊙에 대한 옳은 설명을 〈보기〉에서 고른 것은?

초기 자본주의 사회에서 빈민 구제는 자선적 성격이 강하였으며 국가보다는 민간 중심으로 이루어졌다. 그러나 자본주의의 발전 과정에서 빈부 격차, 실업 등의 심각한 사회 문제가 발생하자 1942년 영국에서는 국가가 국민의 최소한의 인간다운 생활을 보장해야 한다는 베버리지 보고서가 제안되었다. 이 보고서를 채택함으로써 ⊙현대적 의미의 사회 복지가 발전하게 되었다.

보기
ㄱ. 빈곤의 책임이 개인에게 있다고 본다.
ㄴ. 사회 복지를 국민의 권리로 인식한다.
ㄷ. 빈곤층에 한정되어 사회 복지가 이루어진다.
ㄹ. 빈곤의 원인으로 개인적 요인과 사회적 요인을 모두 강조한다.

① ㄱ, ㄴ   ② ㄱ, ㄷ   ③ ㄴ, ㄷ
④ ㄴ, ㄹ   ⑤ ㄷ, ㄹ

B 복지 제도의 유형

02 (가), (나)의 복지 제도에 대한 설명으로 옳은 것은?

(가) 국민에게 발생할 수 있는 사회적 위험에 대비하기 위한 제도로, 국민 건강 보험, 국민연금, 고용 보험 등이 있다.
(나) 국민의 삶의 질을 향상하기 위한 제도로, 도움이 필요한 모든 국민에게 상담, 재활, 돌봄, 정보 제공 등의 서비스를 제공한다.

① (가)는 강제 가입을 원칙으로 한다.
② (가)는 수혜 정도에 따라 비용을 부담한다.
③ (나)의 비용은 국가가 전액 부담한다.
④ (나)의 사례로 국민 기초 생활 보장 제도가 대표적이다.
⑤ (가), (나) 모두 수혜 대상이 되려면 일정 소득 기준을 충족해야 한다.

03 (가), (나)와 관련 있는 복지 제도에 대한 옳은 설명을 〈보기〉에서 고른 것은?

(가) 생활이 어려운 저소득층 국민의 인간다운 생활을 보장하기 위해 질병, 부상, 출산 등과 관련된 의료비를 국가가 부담한다.
(나) 아동의 건강한 성장과 발달을 도모하고 공평한 출발 기회를 보장하기 위해, 도움이 필요한 아동에게 건강 검진, 정서 발달 지원, 부모의 자녀 양육 및 교육 역량 강화 등의 서비스를 제공한다.

보기
ㄱ. (가)는 사전 예방적 성격이 강하다.
ㄴ. (가)는 국가의 재정 부담을 높인다.
ㄷ. (나)는 비금전적 지원을 원칙으로 한다.
ㄹ. (나)는 상호 부조의 원리를 기반으로 한다.

① ㄱ, ㄴ   ② ㄱ, ㄷ   ③ ㄴ, ㄷ
④ ㄴ, ㄹ   ⑤ ㄷ, ㄹ

04 표에 대한 옳은 설명을 〈보기〉에서 고른 것은? (단, A, B는 각각 사회 보험과 공공 부조 중 하나이다.)

구분	A	B
공통점	⊙	
차이점	ⓒ	수혜자의 비용 부담 없음

보기
ㄱ. A는 임의 가입을 원칙으로 한다.
ㄴ. B는 모든 국민을 대상으로 한다.
ㄷ. ⊙에는 '소득 재분배 효과가 나타남'이 적절하다.
ㄹ. ⓒ에는 '상호 부조의 원리를 기반으로 함'이 적절하다.

① ㄱ, ㄴ   ② ㄱ, ㄷ   ③ ㄴ, ㄷ
④ ㄴ, ㄹ   ⑤ ㄷ, ㄹ

정답과 해설 61쪽

C 복지 제도의 역할 및 한계

05 다음 글에서 설명하는 복지 제도에 대한 옳은 설명을 〈보기〉에서 고른 것은?

> 일정 수준의 소득 이하로 국가의 보호가 필요한 가구에 대하여 직업 훈련, 구직 활동 등의 참여를 조건으로 생계비를 지급하는 제도이다. 근로 장려를 위하여 근로 활동으로 발생하는 소득이 있을 때는 추가적인 장려금을 지급한다.

보기
ㄱ. 공공 부조에 해당한다.
ㄴ. 사전 예방적 성격이 강하다.
ㄷ. 생산적 복지 이념을 반영하고 있다.
ㄹ. 수혜자 비용 부담 원칙이 적용된다.

① ㄱ, ㄴ   ② ㄱ, ㄷ   ③ ㄴ, ㄷ
④ ㄴ, ㄹ   ⑤ ㄷ, ㄹ

06 빈칸에 들어갈 진술로 가장 적절한 것은?

> 빈곤 계층의 인간다운 생활을 보장하기 위해 국가 차원에서의 지원은 필요하다. 그러나 빈곤 계층에 대한 조건 없는 국가의 지원은 오히려 빈곤 계층을 의존적인 존재로 전락시키고, 사회 전체적인 생산성과 효율성을 크게 떨어뜨릴 수 있다. 이와 같은 문제를 해결하기 위해 국가는 _____

① 빈곤 문제에 개입하지 않아야 한다.
② 복지 지출을 확대하여 재정 부담을 완화해야 한다.
③ 근로를 장려할 수 있는 복지 정책을 실시해야 한다.
④ 복지 정책 확대를 통해 소득 재분배를 강화해야 한다.
⑤ 복지의 대상을 빈곤 계층에서 전 국민으로 확대해야 한다.

07 그림은 근로 장려금 제도 시행으로 근로 소득에 따라 받을 수 있는 근로 장려금을 나타낸 것이다. 이에 대한 옳은 설명을 〈보기〉에서 고른 것은?

근로 장려금(만 원)
230
0   1,000 1,300   2,500
근로 소득(만 원)

보기
ㄱ. 근로 소득이 없으면 근로 장려금을 받을 수 없다.
ㄴ. 근로 장려금 지급으로 수혜자의 근로 의욕이 감퇴한다.
ㄷ. 가구의 근로 소득이 1,000만 원일 경우 가구의 총소득은 1,230만 원이다.
ㄹ. 가구의 근로 소득이 1,300만 원을 초과할 경우 근로 소득이 증가할수록 가구의 총소득은 감소하게 된다.

① ㄱ, ㄴ   ② ㄱ, ㄷ   ③ ㄴ, ㄷ
④ ㄴ, ㄹ   ⑤ ㄷ, ㄹ

서술형 문제

08 그림은 복지 제도 A, B의 특징을 연결한 것이다. A, B가 각각 무엇인지 쓰고, (가)에 들어갈 내용을 서술하시오.

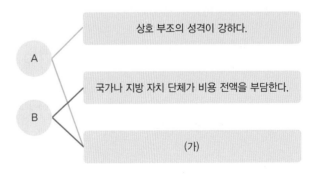

A — 상호 부조의 성격이 강하다.
B — 국가나 지방 자치 단체가 비용 전액을 부담한다.
(가)

199

도전! 실력 올리기

01 그림은 사회 보험과 공공 부조의 특징을 도식화한 것이다. (가)~(다)에 들어갈 특징을 〈보기〉에서 바르게 연결한 것은?

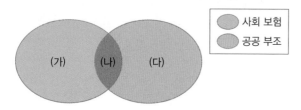

	사회 보험
	공공 부조

(가) (나) (다)

> 보기
> ㄱ. 상호 부조의 성격을 갖는다.
> ㄴ. 사후 처방적 성격을 갖는다.
> ㄷ. 소득 재분배 효과가 나타난다.
> ㄹ. 금전적 지원을 원칙으로 한다.

	(가)	(나)	(다)
①	ㄱ	ㄴ, ㄷ	ㄹ
②	ㄱ	ㄷ, ㄹ	ㄴ
③	ㄴ	ㄱ	ㄷ, ㄹ
④	ㄴ	ㄱ, ㄷ	ㄹ
⑤	ㄷ	ㄴ	ㄱ, ㄹ

02 교사의 질문에 대한 옳은 응답을 〈보기〉에서 고른 것은?

> 갑: 우리나라의 복지 제도 중 A와 B는 금전적 지원을 원칙으로 해요.
> 을: 복지에 드는 비용 중 정부 재정이 차지하는 비중은 A가 B보다 커요.
> 교사: 두 학생 모두 정확히 이야기하였어요. A, B의 다른 특징에 관해 이야기해 볼까요?

> 보기
> ㄱ. 소득 재분배 효과는 A가 B보다 커요.
> ㄴ. 사후 처방적 성격은 A가 B보다 강해요.
> ㄷ. 상호 부조의 성격은 A가 B보다 강해요.
> ㄹ. 수혜 대상자의 범위는 A가 B보다 넓어요.

① ㄱ, ㄴ ② ㄱ, ㄷ ③ ㄴ, ㄷ
④ ㄴ, ㄹ ⑤ ㄷ, ㄹ

수능 유형

03 그림은 복지 제도의 유형 A~C를 분류한 것이다. 이에 대한 설명으로 옳은 것은? (단, A~C는 각각 사회 보험, 공공 부조, 사회 서비스 중 하나이다.)

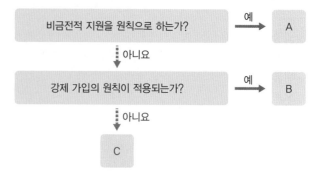

① A는 수혜 정도와 무관하게 비용을 부담한다.
② B는 수혜 정도에 따라 비용을 부담한다.
③ C는 경제적 능력 정도에 따라 비용을 부담한다.
④ B는 C와 달리 원칙적으로 모든 국민을 대상으로 한다.
⑤ C는 B와 달리 상호 부조의 원리에 따라 운영된다.

수능 유형

04 (가), (나)는 갑국의 사회 복지 제도 변화를 나타낸 것이다. 이에 대한 분석으로 옳은 것은?

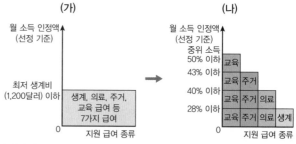

* 최저 생계비는 중위 소득 40%와 동일함
** 개별 가구의 월 소득 인정액 이외의 다른 조건은 모두 동일함
*** 중위 소득: 전체 가구를 소득순으로 나열했을 때 한가운데 위치한 가구의 소득

① (가)는 선별적 복지보다는 보편적 복지의 성격이 강하다.
② (나)에서 교육 급여를 받을 수 있는 기준은 월 소득 인정액 1,400달러 이하이다.
③ (나)에서 월 소득 인정액 1,000달러인 가구는 의료 급여를 받을 수 있다.
④ (가)는 (나)와 달리 상대적 생활 수준을 반영한 기준을 적용한다.
⑤ 월 소득 인정액 900달러인 가구는 (가)에서는 모든 급여를 받았으나 (나)에서는 교육 급여만 받을 수 있다.

05 우리나라 사회 보장 제도 A, B의 일반적 특징에 대한 설명으로 옳은 것은?

- 2008년 7월부터 시행된 이 제도는 A의 하나로서, 국민 건강 보험 가입자 또는 그 피부양자 가운데 고령이나 노인성 질병 등으로 일상생활을 혼자서 수행하기 어려운 사람들에게 신체 활동 또는 가사 활동 지원 등의 장기 요양 급여를 판정 등급에 따라 제공한다.
- 2014년 7월부터 시행된 이 제도는 B의 하나로서, 국민연금의 혜택을 충분히 누리지 못하고 빈곤을 겪고 있는 노인을 위해 마련되었다. 만 65세 이상이며, 가구의 소득 인정액이 기준액 이하인 사람들을 수혜 대상으로 한다.

① A는 B에 비해 빈곤층 자활 지원의 성격이 강하다.
② A는 B와 달리 국가와 지방 자치 단체가 비용을 전액 부담하는 것을 원칙으로 한다.
③ B는 A에 비해 소득 재분배 효과가 크다.
④ B는 A에 비해 사전 예방적 성격이 강하다.
⑤ A, B는 모두 수혜자 부담의 원칙이 적용된다.

06 표는 복지 제도의 유형 A~C를 구분한 것이다. 이에 대한 설명으로 옳은 것은? (단, A~C는 각각 사회 보험, 공공 부조, 사회 서비스 중 하나이다.)

구분	A	B	C
강제 가입을 원칙으로 하는가?	아니요	아니요	예
금전적 지원을 원칙으로 하는가?	아니요	예	예

① A, B 모두 수혜 정도에 따라 비용을 부담한다.
② B와 달리 A는 소득 재분배 효과가 나타난다.
③ B는 A를 보조하는 성격을 가지고 있다.
④ C와 달리 B는 빈곤층의 최저 생활 보장을 목적으로 한다.
⑤ C와 달리 B는 상호 부조의 원리가 적용된다.

07 밑줄 친 '새로운 복지 개념'에 대한 옳은 설명을 〈보기〉에서 고른 것은?

영국은 1970년대 경제 불황을 겪으면서 경제적 위기를 타개하기 위하여 새로운 복지 개념을 도입하였다. 이 개념에 따라 실업자들이 직업 센터에서 요구하는 직업 훈련을 거부하거나 직업 계획 프로그램에 불참할 경우 실업 수당을 줄이거나 실업 수당 지급을 중단하였다. 일할 의사가 없는 사람은 복지 제도의 대상에서 제외한 것이다.

〈보기〉
ㄱ. 복지병 문제를 초래하였다.
ㄴ. 베버리지 보고서를 통해 확립되었다.
ㄷ. 복지 수혜자의 자활 노력을 중시한다.
ㄹ. 복지에 따른 비효율성의 개선을 추구한다.

① ㄱ, ㄴ ② ㄱ, ㄷ ③ ㄴ, ㄷ
④ ㄴ, ㄹ ⑤ ㄷ, ㄹ

08 (가), (나)에 나타난 복지 제도의 공통된 특징을 〈보기〉에서 고른 것은?

(가) 고용 보험 제도는 일자리를 잃은 사람 중 구직 활동 및 직업 훈련 등과 같은 적극적인 재취업 활동을 하는 사람에게만 실업 급여를 지급한다.
(나) 자활 장려금 제도는 생계 급여 지급 대상자가 자활 근로 사업에 참여할 경우 해당 활동으로 인한 근로 소득의 일정 비율을 산정하여 장려금으로 지급한다.

〈보기〉
ㄱ. 전액 국가의 재정으로 비용을 부담한다.
ㄴ. 복지 대상자의 근로 의욕을 고취시킨다.
ㄷ. 복지 강화에 따른 복지병의 심화를 초래한다.
ㄹ. 경제적 효율성과 사회적 약자 보호를 동시에 추구한다.

① ㄱ, ㄴ ② ㄱ, ㄷ ③ ㄴ, ㄷ
④ ㄴ, ㄹ ⑤ ㄷ, ㄹ

01
사회 불평등 현상의 이해

02
사회 이동과 사회 계층 구조

A 사회 불평등 현상

(1) 사회 불평등 현상: 부, 권력, 명예 등의 사회적 자원이 차등적으로 분배되어 개인 및 집단이 서열화하는 현상

(2) 사회 불평등 현상을 보는 관점

기능론	• 기본 관점: 사회적 역할의 중요도 및 기여도에 따른 차등 보상으로 사회 불평등 발생 • 가치 배분 기준: 개인의 노력, 능력, 업적 등 사회 전체적으로 합의된 정당한 기준 • 기능: 개인에게 성취동기 부여, 구성원 간 경쟁의 유발로 사회적 효율성 향상, 인재의 적재적소 배치 • 사회 불평등은 보편적이고 불가피한 현상 → 사회의 유지와 발전을 위해 불평등은 존재해야 함
갈등론	• 기본 관점: 계급 재생산을 위해 지배 집단이 만든 분배 구조에 따라 사회 불평등 발생 • 가치 배분 기준: 지배 집단만의 합의가 반영된, 지배 집단에게 유리한 기준 • 기능: 불평등한 계층 구조를 고착화함으로써 상대적 박탈감 및 사회적 갈등과 대립 유발 • 사회 불평등은 보편적 현상이나 불가피한 현상은 아님 → 사회 불평등의 제거를 위해 사회 구조의 변혁 필요

B 사회 계층화 현상

(1) 사회 계층화 현상: 사회 구성원 간 불평등이 일정한 요인에 따라 범주화되고, 구조적 서열로 나타나는 현상

(2) 사회 계층화 현상에 관한 대표적 이론

계급론 (마르크스)	• 계급의 정의: 생산 수단을 둘러싸고 나타나는 위계 구조에서 공통의 위치를 차지하는 사람들의 집합체 • 계급 구분 기준: 생산 수단의 소유 여부 → 일원론 • 계급 구분: 지배 계급, 피지배 계급 • 특징: 불연속적·이분법적 계급 구분, 동일한 계급 구성원 간의 소속감과 연대 의식 중시, 계급 간 갈등 및 대립을 사회 변혁의 원동력으로 간주
계층론 (베버)	• 계층의 정의: 다양한 요인에 의해 공통의 서열상 위치를 갖는 사람들의 집합체 • 계층 구분 기준: 경제적 요인(계급), 사회적 요인(위신, 명예), 정치적 요인(권력) 등 → 다원론 • 계층 구분: 상층, 중층, 하층 • 특징: 계층이 연속적이고 복합적으로 나타나는 서열화임을 강조, 지위 불일치 현상을 설명하기 적합

A 사회 이동

(1) 이동 방향에 따른 유형

수평 이동	동일한 계층 내에서 다른 직업을 갖거나 소속을 옮기는 등의 이동 → 계층적 위치에 변화가 없음
수직 이동	한 계층에서 다른 계층으로 상승하거나 하강하는 이동 → 상승 이동과 하강 이동으로 구분됨

(2) 이동 원인에 따른 유형

개인적 이동	개인의 노력이나 능력 등과 같은 개인적 요인에 의해 계층적 위치가 변화하는 이동
구조적 이동	급격한 사회 변동으로 인해 기존의 사회 구조가 변화하면서 개인이나 집단의 계층적 위치가 변화하는 이동

(3) 세대 범위에 따른 유형

세대 내 이동	개인의 한 생애 내에서 나타나는 사회 이동
세대 간 이동	두 세대 이상에 걸쳐 계층적 위치가 변화하는 이동

B 사회 계층 구조

(1) 계층의 이동 가능성에 따른 유형

폐쇄적 계층 구조	계층 간 이동이 엄격하게 제한된 계층 구조 → 전근대 사회에서 지배적으로 나타남
개방적 계층 구조	계층 간 이동 가능성이 열려 있는 계층 구조 → 근대 이후에 확산됨

(2) 계층 구성 비율에 따른 유형

피라미드 형	하층의 비율이 가장 높고, 상층의 비율이 가장 낮은 계층 구조 → 봉건적 신분제 사회에서 주로 나타남
다이아 몬드형	중층의 비율이 상층과 하층의 비율보다 높은 계층 구조 → 근대 이후의 산업 사회에서 주로 나타남

(3) 정보 사회의 계층 구조

모래시계 형	중층의 비율이 가장 낮고 소수의 상층과 다수의 하층으로 구성된 계층 구조 → 비관적 관점
타원형	계층 간 소득 격차가 감소하여 중층이 대다수를 차지하는 계층 구조 → 낙관적 관점

03
다양한 사회 불평등

🅐 사회적 소수자 문제

(1) 사회적 소수자

의미	신체적·문화적 특징 등으로 사회의 주류 집단으로부터 구분되어 차별을 받는 사람
특성	• 반드시 수적으로 소수를 의미하는 것은 아님 • 시대·장소·소속 집단의 범주 등에 따라 사회적 소수자의 해당 여부가 달라짐 → 상대적 개념

(2) 사회적 소수자 문제의 해결 방안

의식적 측면	다른 사람과의 공존 추구, 다원화된 가치를 인정하는 관용의 자세와 평등 의식 함양 등
제도적 측면	사회적 소수자를 차별하는 제도와 법의 개선, 적극적 우대 조치와 같은 지원 정책이나 제도의 마련 등

🅑 성 불평등 문제

의미	성별의 차이를 이유로 특정 성이 차별·억압받는 현상
요인	성별 분업, 차별적 사회화(성 정체성과 성 역할은 사회화의 결과물), 남성 중심의 사회 구조 등
양상	취업 및 승진의 제한(유리 천장), 임금 격차, 왜곡된 성 의식의 재생산 등
해결 방안	• 의식적: 성에 대한 고정관념을 버리고 양성평등 의식 함양 • 제도적: 양성평등의 정착을 위한 법과 제도의 마련

🅒 빈곤 문제

(1) 빈곤의 유형

절대적 빈곤	개인이나 가구의 소득이 최소한의 생활을 유지하는 데 필요한 기준에 미치지 못하는 상태
상대적 빈곤	다른 사람들보다 자원이나 소득이 낮아 사회 구성원 다수가 누리는 생활 수준을 누리지 못하는 상태

(2) 해결 방안

개인적 측면	빈곤에서 벗어나기 위한 의지와 노력, 빈곤층을 배려하는 공동체 의식 등
사회적 측면	소득 재분배 정책을 통한 소득 분배의 형평성 제고, 최저 임금제 실시, 교육의 기회 균등 등

04
사회 복지와 복지 제도

🅐 사회 복지의 의미와 변화 과정

의미	사회 구성원의 안전하고 행복한 삶을 위한 사회적 노력
변화 과정	• 전통 사회: 시혜적 성격이 강함 • 현대 복지 국가: 국가의 적극적인 개입을 통한 국민의 인간다운 삶 보장

🅑 복지 제도의 유형

사회 보험	• 대상: 모든 국민 • 목적: 미래에 생길 수 있는 사회적 위험에 대비 • 비용: 부담 능력에 따라 비용 부담 • 종류: 국민 건강 보험, 국민연금, 고용 보험, 산업 재해 보상 보험, 노인 장기 요양 보험 • 특징: 의무 가입, 사전 예방적 성격, 금전적 지원 등
공공 부조	• 대상: 생활 유지 능력이 없거나 생활이 어려운 국민 • 목적: 국가가 최소한의 인간다운 생활을 보장 • 비용: 국가와 지방 자치 단체가 전액 부담 • 종류: 국민 기초 생활 보장 제도, 의료 급여 제도, 기초 연금 제도 등 • 특징: 금전적 지원, 사후 처방적 성격 등
사회 서비스	• 대상: 국가나 민간의 도움이 필요한 국민 • 목적: 국민의 삶의 질 향상 • 비용: 비용 부담 능력에 따라 수익자나 국가 부담 • 종류: 상담, 재활, 돌봄 서비스 등 • 특징: 비금전적 서비스 제공, 민간 부문 참여 가능 등

🅒 복지 제도의 역할 및 한계

(1) 역할 및 한계

역할	• 개인: 기본 욕구 충족 → 최소한의 인간다운 삶 보장 • 사회: 기본적 생활 보장 → 사회 안정과 통합에 기여
한계	복지 제도의 부작용(복지병), 국가 재정 부담 가중, 복지 제도의 경직성, 도덕적 해이 등

(2) 생산적 복지

의미	자활을 위한 노력과 노동하는 것을 조건으로 복지를 제공하는 새로운 형태의 복지 제도
특징	근로 의욕과 경제 활동 참여 장려 → 경제적 효율성 달성 및 사회적 약자 보호

01 사회 불평등 현상에 대한 다음 관점에 부합하는 주장을 〈보기〉에서 고른 것은?

> 의사나 변호사와 같은 전문직 종사자가 단순 육체 노동자에 비해 더 많은 소득을 얻는 것은 전문직 종사자가 사회적으로 더 중요한 일을 하고 있기 때문이다. 만약 전문직 종사자와 육체 노동자의 소득 수준이 비슷하다면, 많은 준비 기간과 노력이 요구되는 전문직에 유능한 인재가 충원되지 않아 그 피해가 사회 구성원 모두에게 미치게 될 것이다.

보기
ㄱ. 사회의 유지와 발전을 위해 불평등은 존재해야 한다.
ㄴ. 사회적 희소가치의 차등 분배는 사회적 효율성을 향상시킨다.
ㄷ. 사회 불평등은 보편적이지도 불가피하지도 않은 사회 현상이다.
ㄹ. 직업별 중요도의 차이는 사회 전체적 합의를 반영하지 못하고 있다.

① ㄱ, ㄴ ② ㄱ, ㄷ ③ ㄴ, ㄷ
④ ㄴ, ㄹ ⑤ ㄷ, ㄹ

02 그림은 사회 계층화 현상에 관한 이론 A, B의 공통점과 차이점을 나타낸 것이다. (가)~(다)에 들어갈 내용을 바르게 연결한 것은?

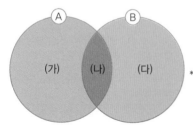

* A는 일원론적 관점으로, B는 다원론적 관점으로 사회 계층화 현상을 설명한다.

① (가) – 계층을 연속적으로 구분한다.
② (가) – 지위 불일치 현상을 설명하기 용이하다.
③ (나) – 경제적 요인을 사회 불평등의 원인으로 본다.
④ (다) – 이분법적으로 사회 계층화를 설명한다.
⑤ (다) – 동일 계층 구성원 간 계급 의식을 강조한다.

03 사회 불평등 현상을 보는 갑, 을의 관점에 대한 설명으로 옳은 것은?

> 갑: 사람들 간 능력과 노력의 차이에 따라 사회적 희소 자원이 분배되는 과정에서 불평등이 발생하고 있어.
> 을: 사회적 희소 자원을 독점하고 있는 불평등한 사회 구조로 인해 사회 불평등이 발생하고 있어.

① 갑은 사회 불평등을 극복해야 할 현상으로 본다.
② 갑은 차등적 보상으로 개인의 성취동기가 자극된다고 본다.
③ 을은 사회 전체적 합의를 바탕으로 희소가치가 분배된다고 본다.
④ 을은 사회적 역할의 중요도에 따라 차등적으로 보상이 이루어진다고 본다.
⑤ 을과 달리 갑은 개인의 귀속적 요인이 사회 불평등에 미치는 영향이 크다고 본다.

04 표는 사회 이동의 유형을 나타낸 것이다. (가), (나)에 해당하는 사례를 〈보기〉에서 골라 바르게 연결한 것은?

구분	수직 이동인가?	개인적 이동인가?
(가)	예	아니요
(나)	예	예

보기
ㄱ. 갑은 신분제 폐지로 인하여 노예에서 자유민이 되었다.
ㄴ. 을은 ○○ 회사 사장이었으나 회사 부도로 인해 노숙자로 전락하였다.
ㄷ. 병은 청나라의 황제였으나 사회주의 혁명으로 인해 평민이 되었다.
ㄹ. 정은 평사원으로 입사한 후 능력을 인정받아 사장의 자리까지 오르게 되었다.

	(가)	(나)
①	ㄱ, ㄴ	ㄷ, ㄹ
②	ㄱ, ㄷ	ㄴ, ㄹ
③	ㄴ, ㄷ	ㄱ, ㄹ
④	ㄴ, ㄹ	ㄱ, ㄷ
⑤	ㄷ, ㄹ	ㄱ, ㄴ

05 표는 갑국과 을국의 계층별 구성 비율을 나타낸 것이다. 이에 대한 옳은 분석을 〈보기〉에서 고른 것은? (단, A, B는 각각 하층과 중층 중 하나이며, 계층은 상층, 중층, 하층으로만 구분된다.)

(단위: %)

구분	갑국	을국
상층	10	20
A	30	60
B	60	20

보기
ㄱ. A가 중층이라면 갑국의 계층 구조는 을국에 비해 개방적이다.
ㄴ. B가 중층이라면 갑국의 계층 구조는 을국에 비해 사회 안정에 유리하다.
ㄷ. 갑국의 계층 구조가 피라미드형이라면 A에서 B로의 이동은 하강 이동에 해당한다.
ㄹ. 을국의 계층 구조가 다이아몬드형이라면 중층 인구의 규모는 을국이 갑국보다 크다.

① ㄱ, ㄴ　　② ㄱ, ㄷ　　③ ㄴ, ㄷ
④ ㄴ, ㄹ　　⑤ ㄷ, ㄹ

06 다음 대화에 나타난 계층 구조 A~D에 대한 설명으로 옳은 것은?

학생 1: 계층 간 이동 가능성에 따라 A와 B를 구분할 수 있어요.
학생 2: 계층 구성원의 비율에 따라 C와 D를 구분할 수 있어요.
학생 3: A, C는 주로 봉건제 사회에서 나타났어요.
학생 4: B, D는 주로 산업 사회에서 나타나고 있어요.
교사: 모두 정확하게 이야기했어요.

① A는 개방적 계층 구조이다.
② B는 다이아몬드형 계층 구조이다.
③ C는 중층의 비율이 가장 높은 계층 구조이다.
④ A에 비해 B는 계층 구조의 개방성이 낮다.
⑤ C에 비해 D는 사회 안정의 실현에 유리하다.

07 다음 사례에서 공통으로 추론할 수 있는 사회적 소수자에 관한 내용으로 가장 적절한 것은?

• A국에서 주류 집단에 속했던 갑은 B국으로 이주한 이후 외국인에 대한 B국의 배타적인 문화로 인하여 차별과 소외를 당하고 있다.
• 남성 중심적인 C국에 거주하던 을은 여성 중심적인 D국으로 이주한 이후 남성이라는 이유만으로 차별과 사회적 불이익을 받고 있다.

① 사회적 소수자에 대한 차별은 갈등을 초래한다.
② 집단 구성원의 많고 적음이 사회적 소수자의 판단 기준이다.
③ 사회적 소수자를 구분하는 기준은 사회에 따라 상대적이다.
④ 사회적 소수자는 주류 집단에 비해 수적으로 열세인 집단이다.
⑤ 사회적 소수자가 향유하는 문화는 사회 전체의 통합을 약화시킨다.

08 표는 절대적 빈곤 가구와 상대적 빈곤 가구 현황을 가정한 것이다. 이에 대한 옳은 분석을 〈보기〉에서 고른 것은?

(가)	절대적 빈곤 가구와 상대적 빈곤 가구가 일치함
(나)	절대적 빈곤 가구가 아닌 상대적 빈곤 가구가 존재함
(다)	상대적 빈곤 가구가 아닌 절대적 빈곤 가구가 존재함

* 절대적 빈곤 가구: 소득이 최저 생계비 미만인 가구
** 상대적 빈곤 가구: 소득이 중위 소득의 50% 미만인 가구

보기
ㄱ. (가)의 경우 중위 소득과 최저 생계비는 같다.
ㄴ. (나)의 경우 중위 소득이 최저 생계비의 2배보다 크다.
ㄷ. (다)의 경우 최저 생계비는 중위 소득의 50%보다 크다.
ㄹ. (가)와 달리 (나)의 경우 절대적 빈곤 가구는 모두 상대적 빈곤 가구이다.

① ㄱ, ㄴ　　② ㄱ, ㄷ　　③ ㄴ, ㄷ
④ ㄴ, ㄹ　　⑤ ㄷ, ㄹ

09 표의 (가), (나)에 대한 옳은 설명을 <보기>에서 고른 것은?

구분	시기	사회 복지를 바라보는 관점
(가)	초기 자본주의	사회 복지는 경제적 어려움에 처한 구성원들에게 특별한 서비스를 제공하는 것으로 인식하였다.
(나)	현대 복지 사회	사회 복지는 모든 국민이 당연히 누려야 할 권리로 인식되고 있다.

<보기>

ㄱ. (가)는 복지의 시혜적 성격을 강조하였다.
ㄴ. (나)는 모든 국민의 삶의 질을 향상하고자 한다.
ㄷ. 빈곤에 대해 (가)와 달리 (나)는 개인의 책임을 강조한다.
ㄹ. (나)에 비해 (가)는 복지에 대한 국가의 의무를 강조하였다.

① ㄱ, ㄴ   ② ㄱ, ㄷ   ③ ㄴ, ㄷ
④ ㄴ, ㄹ   ⑤ ㄷ, ㄹ

10 표는 우리나라의 사회 보장 제도 A, B의 특징을 구분한 것이다. 이에 대한 설명으로 옳은 것은? (단, A, B는 각각 사회 보험과 공공 부조 중 하나이다.)

구분	A	B
사전 예방적 성격	강함	약함
(가)	약함	강함

① A는 빈곤층의 생활 보장을 목적으로 한다.
② B는 수혜자 부담을 원칙으로 한다.
③ A와 달리 B는 금전적 지원을 원칙으로 한다.
④ (가)에는 '소득 재분배 효과'가 들어갈 수 있다.
⑤ (가)에는 '상호 부조의 성격'이 들어갈 수 있다.

11 (가)~(다)에 들어갈 내용을 <보기>에서 골라 바르게 연결한 것은?

구분	특징	공통점
사회 보험	(가)	(다)
공공 부조	(나)	

<보기>

ㄱ. 의무 가입의 원칙   ㄴ. 금전적 지원의 원칙
ㄷ. 사후 처방적 성격   ㄹ. 능력에 따른 비용 부담

	(가)	(나)	(다)
①	ㄱ	ㄴ, ㄷ	ㄹ
②	ㄱ, ㄹ	ㄷ	ㄴ
③	ㄴ	ㄹ	ㄱ, ㄷ
④	ㄷ	ㄱ, ㄴ	ㄹ
⑤	ㄴ, ㄷ	ㄹ	ㄱ

12 우리나라의 사회 보장 제도 (가), (나)의 일반적인 특징에 대한 옳은 설명을 <보기>에서 고른 것은?

(가) 국민의 질병·부상에 대한 예방·진단·치료·재활과 출산 및 건강 증진 등에 대한 보험 급여를 지급하는 제도
(나) 소득 인정액이 일정 수준 이하인 가구의 최저 생활을 보장하기 위해 일정한 절차를 거쳐 급여를 지급하는 제도

<보기>

ㄱ. (가)에 비해 (나)는 사후 처방의 성격이 강하다.
ㄴ. (가)와 달리 (나)는 소득 재분배 효과가 있다.
ㄷ. (나)와 달리 (가)는 의무 가입을 원칙으로 한다.
ㄹ. (나)와 달리 (가)는 수혜 정도에 따라 비용을 부담한다.

① ㄱ, ㄴ   ② ㄱ, ㄷ   ③ ㄴ, ㄷ
④ ㄴ, ㄹ   ⑤ ㄷ, ㄹ

13 다음 글을 읽고 물음에 답하시오.

> (가) 사회 불평등은 생산 수단의 소유 여부에 따라 결정되며, 생산 수단을 소유한 집단과 그렇지 않은 집단 간에는 지배와 피지배 관계가 형성된다.
> (나) 사회 불평등은 생산 수단의 소유 여부뿐만 아니라 사회적 요인, 정치적 요인 등 다양한 요인이 복합적으로 작용하여 발생한다.

(1) (가), (나)에 해당하는 사회 계층화 현상을 설명하는 이론을 쓰시오.

(가): (   ), (나): (   )

(2) (가), (나) 중 지위 불일치 현상을 설명하기에 적합한 이론을 고르고, 그 이유를 함께 서술하시오.

14 그림을 보고 물음에 답하시오.

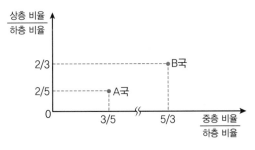

(1) A국과 B국에 해당하는 계층 구조를 쓰시오.

A국: (   ), B국: (   )

(2) A국에 비해 B국의 계층 구조가 가지는 특징을 <u>두 가지</u> 서술하시오.

15 (가), (나)에 나타난 사회적 소수자의 특징을 각각 서술하시오.

> (가) 갑은 대학을 졸업한 후 대기업에서 인재로 대접받았으나, 자국에서 발생한 내전을 피해 A국으로 이동한 후 이주 노동자로 차별을 당하고 있다.
> (나) B국에서는 백인이 인구의 다수를 차지하지만, 권력을 독점한 소수의 흑인이 백인의 공직 참여 기회 및 경제 활동의 자유를 제한하고 있다.

(가) _____

(나) _____

16 갑국은 근로 장려금의 지급 기준을 다음과 같이 개편하였다. 물음에 답하시오.

개편 전	근로 장려금 대상 저소득 가구에 총 급여액에 관계없이 모두 100만 원씩 지급
⊙개편 후	근로 장려금(만 원) 210 ⌐ ─ ─ ─ ─ ─ 0 ─── 1,000 1,300 ─── 2,500 총 급여액(만 원)

(1) 밑줄 친 ⊙과 같은 형태의 복지를 무엇이라고 하는지 쓰시오.

(   )

(2) 개편 전과 비교하여 개편 후에 나타날 수 있는 변화를 적고, 이에 따라 기대되는 효과를 서술하시오.

V

현대의
사회 변동

배울 내용 한눈에 보기

01 사회 변동과 사회 운동

사회
변동 ─ 요인 ─ 과학 기술의 발전, 자연환경의 변화, 가치관의 변화 등

─ 이론 ┬ 진화론, 순환론
       └ 기능론, 갈등론

사회
운동 ─ 목적 ─ 사회 변동의 달성 또는 저지

─ 특징 ─ 뚜렷한 목표, 지속성·조직성

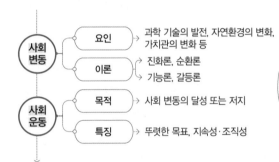
사회 변동은 사회 구조의 전반적인 변화를 의미하고, 사회 운동은 이러한 사회 변동에 영향을 주는 주요 요인이야.

02 현대 사회의 변화와 대응 방안

현대
사회의
변동 ┬ 세계화
     ├ 정보화
     ├ 저출산·고령화 현상
     └ 다문화 사회로의 변화

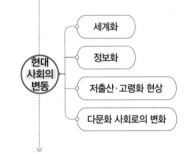
현대 사회에서는 전 세계적으로 세계화, 정보화 현상이 나타나고 있어. 그리고 우리나라를 비롯한 선진국에서는 저출산·고령화 문제가 심각해. 다문화 사회로의 변화 또한 빠른 속도로 진행되고 있지.

03 전 지구적 수준의 문제와 지속 가능한 사회

전
지구적
문제 ┬ 환경 문제
     ├ 자원 문제 ─ 지속 가능한 사회, 세계 시민
     └ 전쟁과 테러

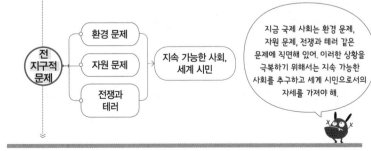
지금 국제 사회는 환경 문제, 자원 문제, 전쟁과 테러 같은 문제에 직면해 있어. 이러한 상황을 극복하기 위해서는 지속 가능한 사회를 추구하고 세계 시민으로서의 자세를 가져야 해.

01 ~ 사회 변동과 사회 운동

핵심 질문으로 흐름잡기

A 사회 변동의 의미는?

B 사회 변동을 설명하는 이론은?

C 사회 운동의 특징은?

❶ **현대 사회 변동의 특징**
사회 변동의 속도가 완만했던 과거 농업 사회와 달리 현대 사회는 과학 기술과 교통·통신의 발달로 매우 빠르게 변화하고 있다. 특히 정보 사회로의 변동은 정치, 경제, 문화 등 여러 분야에 걸쳐 광범위하게 이루어지고 있다.

❷ **프로테스탄트 윤리**
신이 직업과 그에 따른 부를 부여했다고 보는 윤리로, 이윤의 창출과 부의 축적을 신학적으로 정당화하여 자본주의의 사상적 바탕이 되었다.

❸ **순환론적 관점에서 바라본 이슬람 문명**
14세기 아랍의 역사학자 이븐 할둔(Ibn Khaldun)은 120년을 주기로 나타나는 유목민과 정착민 간의 갈등을 통해 이슬람 문명의 흥망성쇠를 설명하였다. 그는 유목민이 정착민을 정복하고 정착 생활을 시작하지만 이에 안주하여 안일한 삶이 만연해지자 다시 강력한 다른 유목민에게 정복되는 것을 통해 유목민이 정착, 타락, 몰락, 그리고 다시 정복을 반복한다고 보았다.

A 사회 변동의 이해

|시·험·단·서| 사례를 바탕으로 사회 변동의 요인과 특징을 파악하는 문제가 주로 출제돼.

1. 사회 변동의 의미와 특징

(1) **사회 변동**: 시간의 경과에 따라 물질적 생활양식이나 가치, 규범, 사회적 관계, 제도 등의 사회 구조가 전반적으로 변화하는 현상

(2) **특징**❶
   사회 변동의 구체적인 모습은 사회마다 다르지만, 사회 변동 자체는 모든 사회에서 볼 수 있는 보편적 현상이야.

   ① 사회에 따라 사회 변동의 규모와 속도, 양상 등이 다르게 나타남
   ② 현대 사회에서는 과거에 비해 변동 속도가 점차 빨라지고 있음
   ③ 한 영역에서 나타난 변화가 다른 영역에서의 변화를 유발하거나 촉진하기도 함

2. 사회 변동의 요인 자료1

요인	사례
과학 기술의 발전	증기 기관의 발명에 따른 산업화와 도시화
자연환경의 변화	기후 변화로 인한 에너지 산업 및 친환경 산업의 성장
가치관·이념의 변화	프로테스탄트 윤리❷의 확산에 따른 자본주의의 발전
문화 요소의 전파	백제 문화가 전해져 형성된 일본의 아스카 문화
사회 운동	시민 혁명을 통한 근대 사회의 등장

특정 요인이 단독으로 사회 변동을 일으킬 수도 있지만, 대부분 다양한 요인들이 결합하여 복합적으로 사회 변동을 일으키지.

B 사회 변동을 설명하는 이론

|시·험·단·서| 사회 변동을 설명하는 네 가지 이론을 도식으로 주고 이를 분석하는 문제가 주로 출제돼.

1. 사회 변동의 방향에 대한 이론

(1) **진화론** 자료2
   모든 생물체가 점점 복잡한 형태로 진화해 나가는 과정을 인간의 사회 변동 과정에 적용한 거야.

기본 입장	• 사회는 단순한 상태에서 점점 복잡한 형태로 일정한 방향을 가지고 변동함 • 사회 변동은 곧 진보와 발전을 의미함
사례	개발 도상국이 근대화 과정을 거쳐 선진국으로 발전하는 것을 진화론으로 설명할 수 있음
장점	사회의 발전 방향을 설명하기 용이함
한계	• 사회가 퇴보*하거나 멸망한 사례를 설명하기 어려움 • 모든 사회가 같은 방향으로 변화하지는 않음 • 서구 사회를 진보한 사회라고 전제하므로 서구 제국주의* 역사를 정당화하는 수단으로 악용될 수 있음

(2) **순환론** 자료3

기본 입장	사회는 시간의 흐름에 따라 생성, 성장, 쇠퇴, 해체의 과정을 반복함
사례	유목민과 정착민 간의 갈등으로 인해 흥망성쇠를 거듭한 이슬람 문명을 순환론으로 설명할 수 있음❸
장점	지난 역사에서 반복된 사회 변동과 문명의 생성 및 몰락을 설명하기 용이함
한계	• 순환 과정이 매우 오랜 시간에 걸쳐 일어나므로 단기적인 사회 변동을 설명하기 어려움 • 사회 변동을 예측하여 대응하기 어려움

시험에 잘 나오는 자료

자료1 과학 기술의 발달과 사회 변동 관련 문제 ▶ 217쪽 04번

세계 경제 포럼(WEF)이 발표한 「일자리의 미래」 보고서에 따르면 "앞으로는 인공 지능, 로봇 기술, 생명 과학 등이 4차 산업 혁명을 주도하여 상당수 기존 직업이 사라지고 기존에 없던 새로운 일자리가 만들어질 것"이라고 내다보았다. 18세기 중반 영국에서 시작된 1차 산업 혁명과 19세기 후반 전기, 통신, 자동차의 출현으로 본격화된 2차 산업 혁명에 이어 20세기 후반 인터넷 등의 3차 산업 혁명을 토대로 최근 기술 발달이 4차 산업 혁명을 이끌고 있다는 것이다. …… 인공 지능, 로봇 공학 등 기술 발전은 사물 인터넷, 자율 주행 자동차, 3차원 인쇄와 같은 혁신을 내놓고 있다. 이러한 속도라면 로봇이 사람의 일자리를 대체하는 것은 시간문제라는 것이다.

자료·분석 과학 기술의 발달은 지난 역사에서 주요 사회 변동을 초래한 대표적인 요인이다. 제시된 자료에서는 최근 과학 기술의 발달이 4차 산업 혁명을 이끌고 있음을 확인할 수 있다. 특히 이에 따른 사회 변동은 매우 급속하게 진행되어 곧 사람의 일자리를 로봇이 대체할 것으로 예상된다.

한·줄·핵·심 과학 기술의 발달은 가장 대표적인 사회 변동 요인이다.

자료2 콩트의 진화론적 관점 관련 문제 ▶ 218쪽 08번

프랑스의 사회학자 콩트는 인간 정신과 사회가 세 가지 단계를 밟아 발전한다고 보았다. 즉 모든 현상을 신의 의지와 같은 초자연적 법칙에 따라 설명하려는 '신학적 단계', 현상 세계를 신의 의지 대신에 이성적 능력을 통해 발견할 수 있는 추상적 논리로 설명하려던 '형이상학적 단계', 그리고 더는 초자연적 법칙이나 추상적 논리와 같은 궁극적 본질에 의존하지 않고 관찰과 실험 및 비교를 통한 과학적인 방법으로 경험적 사실 간의 법칙적 관계를 수립하려는 '실증적 단계'로 진화한다는 것이다. — 민경배, 「처음 만나는 사회학」 —

자료·분석 콩트는 사회가 '신학적 단계-형이상학적 단계-실증적 단계'를 거치면서 발전한다고 보았다. 이는 모든 사회가 같은 경로로 진화한다고 보는 것이므로 진화론적 관점과 관련 있다.

한·줄·핵·심 진화론은 사회가 일정한 방향으로 변동하는데, 변동이 곧 진보와 발전이라고 본다.

자료3 파레토의 순환론적 관점 관련 문제 ▶ 218쪽 05번

이탈리아의 경제학자 파레토(Pareto, V.)는 사회를 지배하는 엘리트를 힘과 질서를 중시하는 사자형 엘리트와 선동과 술수에 능한 여우형 엘리트로 구분하고, 인류의 역사를 두 엘리트의 순환 과정으로 설명하였다. 한 유형의 엘리트가 권력을 잡으면 다른 유형의 엘리트가 세력을 키워 권력을 대체하며 서로 다른 권력이 순환적으로 교체된다는 것이다.

자료·분석 파레토는 서로 다른 두 유형의 엘리트인 사자형 엘리트와 여우형 엘리트가 순환적으로 교체하면서 역사를 이끌어간다고 보았다. 이는 순환론적 관점과 관련 있다.

한·줄·핵·심 순환론은 사회가 생성과 성장, 쇠퇴, 해체를 반복하며 순환한다고 본다.

내용 이해를 돕는 팁

❓ 궁금해요

Q. 진화론이 서구 제국주의를 정당화한다고 보는 이유는 무엇인가요?

A. 진화론에 따르면 서구 사회가 가장 진보되고 발달된 사회이며, 모든 사회들이 서구 문명을 향해서 발달해. 이러한 주장은 서구의 선진 사회가 후진국을 식민지화하고 착취했던 서구 제국주의를 정당화하는 논리로 악용될 수 있지.

용어 더하기

* **퇴보**
정도나 수준이 이제까지의 상태보다 뒤떨어지거나 못하게 되는 것

* **제국주의**
우월한 군사력과 경제력으로 다른 나라나 민족을 정벌하여 대국가를 건설하려는 침략주의적 경향

* **흥망성쇠(興亡盛衰)**
흥하고 망함, 융성함과 쇠퇴함을 뜻하며, 나라 또는 집안 등이 융성했다가 망하고 다시 흥하는 것처럼 순환하는 세상의 이치를 가리키는 표현이다.

❹ 기능론에서의 사회 변동
기능론은 사회가 상호 의존적인 다양한 부분으로 구성되어 있고, 각 부분은 사회의 안정과 질서 유지에 필요한 기능을 수행한다고 본다. 이에 따르면 사회가 일시적으로 불안정한 상태에 빠지더라도 사회의 각 부분이 역할을 제대로 수행함으로써 조화와 균형을 회복할 수 있다. 기능론은 이렇게 다시 균형을 찾아가는 과정을 사회 변동이라고 본다.

2. 사회 구조적인 측면에서 사회 변동을 설명하는 이론

(1) 기능론❹ ── 기능론은 사회 변동을 일시적이며 병리적인 현상이라고 봐.

기본 입장	• 사회를 구성하는 각 부분이 균형을 이루면서 사회 전체의 균형과 안정을 이룰 수 있음 • 사회 변동은 사회 통합을 저해하는 비정상적 현상을 극복하고 다시 균형을 찾아가는 과정임
장점	사회의 질서와 안정성을 바탕으로 점진적인 사회 변동을 설명하기 용이함
한계	혁명과 같은 급격한 사회 변동을 설명하기 어려움

(2) 갈등론 ── 갈등론은 사회에 갈등이 내재되어 있는 한 사회 변동은 항상 나타날 수밖에 없는 자연스러운 현상이라고 봐.

기본 입장	• 사회는 기존 사회 질서를 유지하려고 하는 지배 집단과 새로운 사회 질서를 원하는 피지배 집단 간의 갈등이 내재되어 있음 • 사회 변동은 피지배 집단의 지배 집단에 대한 불만과 갈등이 외부로 표출되면서 일어나는 자연스러운 현상임
장점	혁명과 같은 급격한 사회 변동을 설명하기 용이함
한계	사회 통합이나 사회를 이루는 다양한 요소들의 상호 의존성을 설명하기 어려움

❺ 사회 운동의 유형
사회 운동은 그 성격에 따라 개혁적 사회 운동, 혁명적 사회 운동, 복고적 사회 운동으로 구분된다.

개혁적 사회 운동	기존 사회 체계의 일부분을 변화시키려는 제한적인 사회 운동 예 사형제 폐지 운동
혁명적 사회 운동	기존의 사회 체계 자체를 변화시키려는 사회 운동 예 프랑스 혁명
복고적 사회 운동	기존의 사회 체계를 고수하려는 사회 운동 예 위정척사 운동

C 사회 운동의 이해

|시·험·단·서| 사례를 바탕으로 사회 운동의 특징이나 사회 운동과 사회 변동의 관련성을 찾는 문제가 출제돼.

1. 사회 운동의 의미와 특징

(1) 사회 운동❺: 다수의 사람이 사회 변동을 달성하거나 저지하기 위해 지속적이고 조직적으로 하는 행동

(2) 변화: 과거에는 노동 운동이나 여성 참정권 운동 등을 중심으로 사회 운동이 일어났으나, 오늘날에는 환경·평화·인권 등으로 사회 운동의 분야가 다양해짐 → 현대 사회에서 요구되는 다양한 대안적 가치들을 제시함 [자료 4]

(3) 특징 [자료 5]
  ① 기존의 사회 질서를 유지❻하거나 새로운 사회 질서를 형성하려는 목적으로 전개됨
  ② 뚜렷한 목표와 이념을 가지고 있음
  ③ 목표를 달성하기 위한 구체적인 계획과 체계적인 조직을 갖춤
  ④ 시민들의 참여가 중심이 되어 사회 변동을 일으킴

❻ 위정척사 운동
위정척사 운동은 기존의 사회 질서를 유지하기 위해 진행된 대표적인 복고적 사회 운동이다. 조선 후기 성리학적 질서를 수호하고 성리학 이외의 모든 종교와 사상을 배척한 운동으로, 외국과의 통상 반대 운동으로 이어졌다.

2. 사회 운동이 사회 변동에 미치는 영향 [자료 6]

(1) 사회 변동의 주요 요인으로 작용함
  예 4·19 혁명, 5·18 민주화 운동, 6월 민주 항쟁 등으로 대표되는 우리나라의 민주화 운동이 군부 정권*에 의한 권위적인 통치를 종식시키고 민주주의 정착에 기여함

(2) 사회의 문제점을 드러내고 문제의 원인과 책임, 해결 방안을 제시함으로써 많은 사람이 함께 반성하고 고민할 수 있는 기회를 제공함 ── 문제에 대한 반성과 고민은 사회 변동을 유발할 수 있는 동력이야.
  예 환경 운동은 기존의 무절제한 개발과 성장 중심의 경제 정책을 반성할 수 있는 계기가 됨

(3) 다양한 사회 문제와 갈등을 해소하고 사회의 바람직한 변동 방향을 제시함
  예 노동 운동을 통해 근로자들의 권리를 보호할 수 있도록 제도가 변화하였으며, 노사 간의 갈등을 해결할 수 있는 기준과 장치도 마련됨 ── 노동 삼권 보장, 최저 임금제 시행 등으로 근로자의 권리가 보장받게 되었어.

(4) 사회 운동이 바람직하지 않은 목표나 이념을 추구할 경우 사회 전체의 이익을 저해하거나 공동체의 삶에 위험을 가져올 수 있음❼

❼ 사회 운동을 올바르게 바라보는 관점
사회 운동이 항상 바람직한 방향으로 사회 변동을 초래하는 것은 아니다. 따라서 사회 구성원들은 각 사회 운동이 지향하는 목표와 운동 방식, 사회적 영향 등을 비판적으로 고찰할 필요가 있다.

시험에 잘 나오는 자료

자료4 **신사회 운동** 관련 문제 ▶ 219쪽 09번

신사회 운동이란 환경, 평화, 여성, 반핵 등 기존의 사회 운동에서 볼 수 없었던 영역에서 새롭게 등장한 사회 운동을 가리킨다. 신사회 운동은 '삶의 정치', '생활 민주주의' 등으로 불리며, 신사회 운동이 지향하는 참여 민주주의는 시민이 정치적 의사 결정에 직접 참여함으로써 근대 대의 민주주의가 갖는 한계를 보완할 수 있는 전략으로 제시된다. 신사회 운동을 통한 참여 민주주의의 강화는 시민들을 책임감 있는 정치적 주체로 만드는 교육적 가치와 공동체의 결속 의식을 높이는 사회 통합의 효과가 있다.

자료·분석 신사회 운동의 영역으로 제시된 환경, 평화, 반핵 등의 주제들은 모두 초기 사회 운동에서는 잘 다루지 않았던 내용이다. 사회 변화에 따라 사회 운동의 영역이 다양해지고 이를 통한 참여 민주주의가 강화되면서 기존 사회 제도나 체제에 대한 문제 제기가 활발해졌다.

▶ **한·줄·핵·심** 현대 사회에는 다양한 영역에서 새로운 사회 운동이 등장하고 있다.

자료5 **흑인 민권 운동** 관련 문제 ▶ 219쪽 11번

▲ 흑인 민권 운동

자료·분석 흑인 민권 운동은 사회 변동을 일으킨 대표적인 사회 운동이다. 1960년대까지 흑인들은 백인과 동등하게 교육을 받을 수 없었고 선거에도 참여하지 못했으며, 버스나 화장실 등에서도 차별을 받았다. 하지만 지속적인 흑인 민권 운동과 인종 차별 반대 운동 끝에 인종 차별을 금지하는 법률이 제정되었고, 흑인의 정치 참여가 활성화됨으로써 미국의 민주주의도 한층 발달하게 되었다.

▶ **한·줄·핵·심** 사회 운동은 뚜렷한 목표를 가지고 지속적이고 조직적으로 전개되며 사회 변동을 일으킨다.

자료6 **사회 운동의 의의**

일반 시민들이 환경, 인권, 구호 등을 위해 자발적으로 결성한 단체를 비정부 기구(NGO, non-governmental organization)라고 한다. 수많은 비정부 기구가 세계 곳곳에서 바람직한 사회를 이루기 위해 다양한 노력을 전개하고 있다. 대표적인 비정부 기구로는 의료 구호 활동을 전개하는 국경없는의사회, 인권 보호를 위해 활동하는 국제앰네스티 등을 들 수 있다. 이 단체들은 자발적으로 참여하는 시민들의 노력을 바탕으로 다양한 형태의 사회 운동을 전개하고 있으며, 인류 사회의 평화 증진에 기여한 공로를 인정받아 1977년에 국제앰네스티가, 1999년에 국경없는의사회가 노벨 평화상을 받았다.

자료·분석 비정부 기구의 활동은 국제 사회가 당면한 여러 가지 문제를 해소하는 데 기여하고 있다. 이처럼 현대의 사회 운동은 사회의 바람직한 변동 방향을 제시한다.

▶ **한·줄·핵·심** 사회 운동을 통해 다양한 문제를 해결하고 바람직한 사회로 나아갈 수 있다.

내용 이해를 돕는 팁

❓ **궁금해요**

Q. 기능론을 보수적인 관점이라고 보는 이유는 무엇인가요?

A. 기능론은 사회가 기능적으로 통합되어 있고 사회를 구성하는 각 부분이 사회 질서와 안정을 유지하는 데 이바지한다고 봐. 따라서 사회의 정당한 변화와 개혁을 수용하지 않고 사회 질서와 안정을 강조하기 때문에 보수적이라는 비판을 받기도 해.

Q. 다수의 사람이 같은 목적을 가지고 하는 행동은 모두 사회 운동인가요?

A. 다수의 사람이 공통적인 목적을 위해 행동한다고 해도 그 행동이 지속적이거나 조직적이지 않다면 사회 운동이라고 할 수 없어. 예를 들어 사고 발생 시 여러 시민이 힘을 합쳐 구조하는 것이나 항공기 지연 운항에 대해 승객들이 항의하는 것 등은 사회 운동에 해당하지 않아.

용어 더하기

* **민주화 운동**
비민주적인 정치 체제에 저항하여 민주주의 확립을 달성하기 위해 벌이는 운동

* **군부 정권**
군이 직접 정치 체제를 지배하는 통치 형태로, 대부분 물리적 강제력을 수반하기 때문에 국민에 대한 억압으로 이어질 수 있다.

* **종식**
한때 매우 성하던 현상이나 일이 끝나거나 없어지는 것

진화론과 순환론

개념풀 Guide 사회 변동의 방향을 설명하는 이론인 진화론과 순환론을 도식과 제시문을 바탕으로 비교해 보자.

1. 진화론과 순환론 그래프 관련 문제 ▶ 220쪽 04번

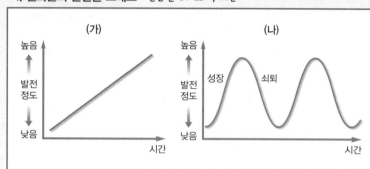

분석 • (가)는 시간의 경과에 따라 발전 정도가 높아지고 있으므로 진화론을 나타낸 그래프이다.
• (나)는 성장과 쇠퇴가 반복되고 있으므로 순환론을 나타낸 그래프이다.

2. 진화론과 순환론을 구분하는 질문

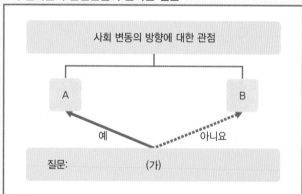

분석 A, B는 각각 진화론과 순환론 중 하나이다. (가)에는 '사회 변동이 일정한 방향을 갖는다고 보는가?', '서구 중심적이라는 비판을 받는가?', '문명의 생성과 몰락을 설명하기 용이한가?' 등과 같이 진화론과 순환론을 확실히 구분할 수 있는 내용이 들어갈 수 있다.

3. 진화론과 순환론을 구분하는 질문 관련 문제 ▶ 221쪽 06번

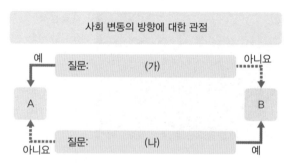

분석 A, B는 각각 진화론과 순환론 중 하나이다. (가), (나)에 들어갈 수 있는 질문은 모두 진화론과 순환론 중 하나의 관점에만 부합하는 내용이어야 한다. 예를 들어 '사회 변동이 곧 발전이라고 보는가?', '사회가 퇴보할 수도 있다고 보는가?'는 각각 진화론 또는 순환론에만 부합하는 질문이므로 (가) 또는 (나)에 들어갈 수 있다.

4. 진화론과 순환론의 비교

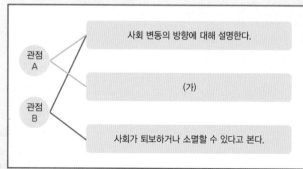

분석 관점 A, B는 각각 진화론과 순환론 중 하나이다. 진화론과 순환론은 사회 변동의 방향에 대해 설명한다는 공통점이 있다. 관점 B는 사회가 퇴보하거나 소멸할 수 있다고 보므로 순환론에 해당한다. 따라서 관점 A는 진화론이다. (가)에는 '사회가 일정한 방향으로 변동한다고 본다.', '사회 변동이 곧 발전을 의미한다고 본다.' 등과 같이 진화론에만 부합하는 내용이 들어갈 수 있다.

5. 진화론과 순환론의 비교   관련 문제 ▶ 220쪽 03번

(가) 단순한 생물체가 점차 그 조직의 구조가 분화되고 통합되어 복합적인 생물체로 변화되듯이, 사회 또한 사회를 구성하는 집단이 증가할 뿐만 아니라 집단 간 결합이 양적, 질적으로 강화되는 방향으로 변화될 것이다.

(나) 한 사회가 일련의 도전에 어떻게 반응하는가에 따라 변동 방향이 좌우된다. 그 반응의 성공 여부에 의해 개별 사회가 성장하고 쇠퇴하는데, 결국 인류 문명에서 이러한 성장과 쇠퇴는 지속적으로 되풀이될 것이다.

분석 • (가)는 모든 사회가 일정한 방향으로 발전하며 변화될 것이라고 주장하고 있으므로 진화론에 해당한다.
• (나)는 인류 문명이 성장과 쇠퇴를 되풀이할 것이라고 주장하고 있으므로 순환론에 해당한다.

6. 진화론과 순환론의 비교

(가) 인류 사회는 일정한 방향으로 진보해 온 것이 아니라 시간의 흐름에 따라 생성, 성장, 쇠퇴, 소멸의 과정을 반복해 왔다. 사회 변동은 단선적 발전 과정이 아니라 주기적으로 반복되어 나타나는 것이다.

(나) 인류 사회는 사회 변동을 통해 특정한 방향으로 진보해 왔다. 방향을 갖는다는 것은 단순한 사회로부터 복잡하고 분화된 사회로, 진보한다는 것은 새롭고 보다 나은 문명의 사회로 나아감을 의미한다.

분석 • (가)는 단선적인 발전 과정을 부정하고 사회가 시간의 흐름에 따라 생성, 성장, 쇠퇴, 소멸을 반복해 왔다고 주장하고 있으므로 순환론에 해당한다.
• (나)는 사회가 사회 변동을 통해 특정한 방향으로 진보해 왔다고 주장하고 있으므로 진화론에 해당한다.

7. 진화론과 순환론의 비교

(가) 인류 문명은 감각적 문화, 관념적 문화, 이상주의적 문화의 세 가지 문화 체계가 번갈아 출현한다. 감각적 문화는 물질주의와 향락주의가 강조되는데, 로마 제국이나 오늘날의 서구 문명이 그 예이다. 관념적 문화는 정신적이고 비물질적인 존재를 지향하는 유형인데, 기독교가 지배하던 중세 유럽 문명이 그 사례이다. 이상주의적 문화는 이들 두 가지 문화가 한데 모여 균형을 유지하면서 공존하는 유형으로, 르네상스 시기의 유럽 문명이 이에 해당한다.

(나) 인류 문명은 신학적, 형이상학적, 실증적 단계를 거쳐 발전하며 각 단계마다 상이한 시대정신을 갖는다. 신학적 단계에서는 초자연적 힘이나 초월적 존재에 의존하여 지적 기준과 사회 구조가 형성된다. 형이상학적 단계에서는 이성에 기초한 추상적이고 논리적인 사고가 지배한다. 실증적 단계에서는 경험적 관찰과 합리성을 토대로 과학이 발전하고 산업화가 진행된다. 모든 문명은 완전성을 지향하는 시대정신을 향해 동일한 변동 과정을 밟는다.

분석 • (가)는 인류 문명은 감각적 문화, 관념적 문화, 이상주의적 문화가 번갈아 출현한다고 보고 있으므로 순환론에 해당한다.
• (나)는 인류 문명은 신학적, 형이상학적, 실증적 단계를 거치며 발전하고, 모든 문명이 이와 동일한 변동 과정을 밟는다고 주장하고 있으므로 진화론에 해당한다.

A 사회 변동의 이해

01 빈칸에 들어갈 사회학적 개념을 쓰시오.

> 농업 혁명, 산업 혁명, 정보 혁명과 같은 일련의 사건을 겪으면서 우리 사회는 부족 단위의 초기 원시 사회에서 정보 사회로 변화해 왔다. 이처럼 시간의 경과에 따라 나타나는 물질적 생활양식이나 가치, 규범, 사회적 관계, 제도 등을 포함하는 사회 구조의 전반적인 변화를 _____ (이)라고 한다.

(   )

02 사회 변동에 대한 설명으로 옳으면 ○표, 틀리면 ×표를 하시오.

(1) 대부분의 사회에서 동일한 양상으로 진행된다. (   )

(2) 한 부분의 변화가 다른 부분의 변화를 촉진시키기도 한다. (   )

(3) 과학 기술의 발전, 가치관의 변화 등 다양한 요인에 의해 사회는 변동한다. (   )

B 사회 변동을 설명하는 이론

03 사회 변동을 설명하는 이론과 내용을 바르게 연결하시오.

(1) 진화론 •
(2) 순환론 •
(3) 기능론 •
(4) 갈등론 •

• ㉠ 사회는 생성, 성장, 쇠퇴, 해체를 반복한다.
• ㉡ 사회는 일정한 방향으로 점점 발전하며 변동한다.
• ㉢ 사회 변동은 사회의 일시적인 불균형을 조정하는 과정이다.
• ㉣ 사회 변동은 사회에 내재된 갈등에 의해 초래되는 자연스러운 현상이다.

04 알맞은 말에 ○표를 하시오.

(1) 진화론에 따르면 사회는 점점 (복잡한, 단순한) 형태로 변화한다.

(2) 순환론은 (장기적인, 단기적인) 사회 변동을 설명하기 어렵다는 비판을 받는다.

(3) 기능론은 사회의 질서와 안정성을 바탕으로 (급진적인, 점진적인) 사회 변동을 설명하기 용이하다.

(4) 갈등론은 지배 집단과 피지배 집단 간의 (대립, 협력) 속에서 사회가 변동할 수밖에 없다고 본다.

C 사회 운동의 이해

05 사회 운동에 대한 설명으로 옳으면 ○표, 틀리면 ×표를 쓰시오.

(1) 사회 운동은 다수의 사람이 일시적이고 조직적으로 하는 행동이다. (   )

(2) 현대 사회에는 과거에 비하여 사회 운동의 분야가 단일해지고 있다. (   )

(3) 사회 운동이 사회 변동으로 이어지기 위해서는 사회 구성원의 지지가 필요하다. (   )

탄탄! 내신 다지기

A 사회 변동의 이해

01 다음 글에 부각된 사회 변동의 요인으로 가장 적절한 것은?

> 인공 지능, 로봇 공학, 생명 과학 등을 중심으로 한 4차 산업 혁명이 앞으로의 직업군 구조를 크게 변화시킬 전망이다. 18세기 중반 영국에서 시작된 1차 산업 혁명이 산업 사회로의 변화를 촉진했던 것과 같이 4차 산업 혁명 역시 거대한 사회 변동을 초래할 것으로 예상된다.

① 사회 운동
② 자연환경의 변화
③ 문화 요소의 전파
④ 과학 기술의 발전
⑤ 가치관·이념의 변화

02 다음 글을 종합하여 파악한 사회 변동의 특징을 〈보기〉에서 고른 것은?

> • 원시 인류가 불을 이용하면서 거주 영역이 확장되었으며, 그 과정에서 집단의 규모가 커지고 사회적 관계와 제도는 더욱 복잡해졌다.
> • 인류 역사를 하루로 압축하면 농업은 밤 11시 56분, 문명은 11시 57분에야 시작되었다. 근대 사회는 11시 59분 30초가 되어서야 형성되었고, 이후의 모든 변화는 남은 30초 동안 진행되었다.

보기
ㄱ. 사회에 따라 다른 양상으로 진행된다.
ㄴ. 사회 변동의 속도가 점차 빨라지고 있다.
ㄷ. 사회를 구성하는 영역마다 변동 속도가 다르다.
ㄹ. 한 영역에서의 변화가 다른 영역에서의 변화를 유발한다.

① ㄱ, ㄴ
② ㄱ, ㄷ
③ ㄴ, ㄷ
④ ㄴ, ㄹ
⑤ ㄷ, ㄹ

03 사례에 공통으로 나타난 사회 변동의 특징으로 가장 적절한 것은?

> • 정보 통신 기술이 발달하면서 산업 구조가 변화하였으며, 전자 상거래와 인터넷 뱅킹 등의 등장으로 경제생활이 편리해졌다.
> • 양성평등 가치관이 확산하면서 여성의 사회 진출이 활발해졌다. 이로 인해 초혼 연령이 상승하였으며 저출산 현상이 심화되고 있다.

① 단기간 내에 급속도로 이루어진다.
② 물질적 요소의 변화만이 나타난다.
③ 기술의 발달이 주요 요인으로 작용한다.
④ 변화하는 속도가 시대나 장소에 따라 다르다.
⑤ 특정 부분의 변화가 연쇄적인 사회 변동을 야기한다.

B 사회 변동을 설명하는 이론

04 그림은 사회 변동의 방향을 바라보는 관점 A, B를 구분한 것이다. 이에 대한 설명으로 옳지 <u>않은</u> 것은?

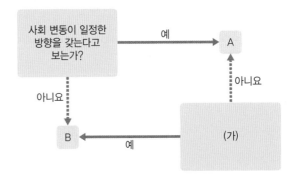

① A는 진화론, B는 순환론이다.
② A는 서구 제국주의 역사를 정당화하는 수단으로 악용될 수 있다.
③ B는 단기간의 사회 변동을 설명하기 어렵다는 한계를 갖는다.
④ (가)에는 '사회가 소멸할 수도 있다고 보는가?'가 들어갈 수 있다.
⑤ (가)에는 '모든 사회가 같은 경로로 변화한다고 보는가?'가 들어갈 수 있다.

05 다음 글에 나타난 사회 변동의 방향을 바라보는 관점에 부합하는 내용을 〈보기〉에서 고른 것은?

이탈리아의 경제학자 파레토는 사회를 지배하는 엘리트를 사자형 엘리트와 여우형 엘리트로 구분하고, 역사를 두 엘리트의 순환 과정으로 설명하였다. 한 유형의 엘리트가 권력을 잡으면 다른 유형의 엘리트가 세력을 키워 권력을 대체하며 서로 다른 권력이 순환적으로 교체된다는 것이다.

보기
ㄱ. 사회는 일정한 방향으로 변동한다.
ㄴ. 사회 변동은 생물 유기체의 진화와 같다.
ㄷ. 사회는 생성과 성장, 쇠퇴와 소멸을 반복한다.
ㄹ. 사회 변동이 곧 진보와 발전을 의미하지는 않는다.

① ㄱ, ㄴ   ② ㄱ, ㄷ   ③ ㄴ, ㄷ
④ ㄴ, ㄹ   ⑤ ㄷ, ㄹ

06 사회 구조적 측면에서 사회 변동을 설명하는 이론과 관련하여, 갑의 관점에 대한 옳은 설명을 〈보기〉에서 고른 것은?

갑: 사회는 생명체와 마찬가지로 항상성*을 갖기 때문에 안정을 지향하려는 경향이 있어.
을: 그렇지만 사회가 변하는 것도 사실이잖아?
갑: 맞아. 하지만 그런 변화는 일시적으로 균열이 발생한 사회에서 다시 균형을 찾기 위한 과정일 뿐이야.
*항상성: 최적화된 일정한 상태를 유지하려는 속성

보기
ㄱ. 급격한 사회 변동을 설명하는 데 한계가 있다.
ㄴ. 사회 변동 요인이 사회 구조에 내재되어 있다고 전제한다.
ㄷ. 사회를 구성하는 요소들이 기능적으로 통합되어 있다고 본다.
ㄹ. 사회 변동을 항상 나타날 수밖에 없는 자연스러운 현상으로 본다.

① ㄱ, ㄴ   ② ㄱ, ㄷ   ③ ㄴ, ㄷ
④ ㄴ, ㄹ   ⑤ ㄷ, ㄹ

07 그림은 사회 변동을 설명하는 이론 A~D를 구분한 것이다. 이에 대한 설명으로 옳은 것은? (단, A~D는 각각 기능론, 갈등론, 진화론, 순환론 중 하나이다.)

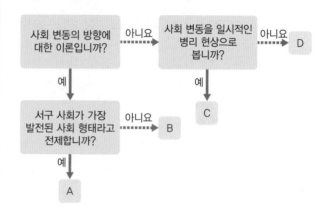

① A를 뒷받침하는 사례로 개발 도상국들이 근대화 과정을 거쳐 선진국으로 발전한 것을 들 수 있다.
② B는 단기간의 사회 변동을 설명하기 용이하다.
③ C는 사회 변동은 자연스러운 현상이라고 본다.
④ D는 혁명과 같은 급격한 사회 변동을 설명하기 어렵다는 한계를 갖는다.
⑤ A, B와 달리 C, D는 사회 변동의 구체적인 모습이 사회마다 다르다고 본다.

08 사회 변동의 방향을 바라보는 갑의 관점에 대한 설명으로 가장 적절한 것은?

사회학자 갑은 사회가 세 가지 단계를 밟아 발전한다고 보았다. 첫 번째 단계는 모든 현상을 신의 의지와 같은 초자연적 법칙에 따라 설명하려는 단계이고, 두 번째 단계는 이성에 근거한 추상적 논리로 설명하려는 단계, 세 번째 단계는 관찰과 실험 등 과학적 방법으로 설명하려는 단계이다.

① 역사적 퇴보를 설명하기 곤란하다.
② 사회 변동을 일정한 패턴의 반복으로 본다.
③ 점진적인 사회 변동을 설명하는 데 유용하다.
④ 미래 사회의 변동을 예측하는 데 적합하지 않다.
⑤ 모든 사회가 같은 방향으로 변동하는 것은 아니라고 본다.

C 사회 운동의 이해

09 다음 글을 통해 알 수 있는 사회 운동의 변화 양상으로 가장 적절한 것은?

> 신사회 운동이란 환경, 평화, 여성, 반핵 등 기존의 사회 운동에서 볼 수 없었던 영역에서 새롭게 등장한 사회 운동을 가리킨다. 신사회 운동은 '삶의 정치', '생활 민주주의' 등으로 불리며, 현대 사회가 추구해야 할 새로운 가치의 지향점을 제시하고 있다.

① 사회 운동의 성격이 모호해지고 있다.
② 사회 운동의 주체가 다양해지고 있다.
③ 사회 운동이 다양한 분야로 확대되고 있다.
④ 사회 운동의 조직성이 더욱 강화되고 있다.
⑤ 사회 운동이 사회의 문제점을 정확히 드러내지 못하고 있다.

10 사회 운동의 유형 (가)~(다)에 대한 옳은 설명을 〈보기〉에서 고른 것은?

> (가) 기존의 사회 질서를 부정하고 이를 전면적으로 바꾸려는 운동
> (나) 기존의 사회 질서를 유지하면서 사회 체계의 일부를 변화시키려는 운동
> (다) 기존의 사회 질서를 고수하면서 급격한 사회 변화에 대항하기 위한 운동

> 보기
> ㄱ. (가)는 복고적 사회 운동이다.
> ㄴ. (나)의 예로 사형제 폐지 운동을 들 수 있다.
> ㄷ. (다)의 예로 프랑스 혁명을 들 수 있다.
> ㄹ. (가), (나)와 달리 (다)는 사회 변동을 저지하려는 목적의 사회 운동이다.

① ㄱ, ㄴ   ② ㄱ, ㄷ   ③ ㄴ, ㄷ
④ ㄴ, ㄹ   ⑤ ㄷ, ㄹ

11 다음 글을 통해 사회 운동과 관련하여 도출할 수 있는 결론으로 가장 적절한 것은?

> 미국에서는 노예 제도가 폐지된 후에도 흑인에 대한 차별이 지속되었다. 흑인들은 1960년대까지 백인과 동등하게 교육을 받을 수 없었고 선거에도 참여하지 못했으며, 버스나 화장실 등에서도 차별을 받았다. 하지만 지속적인 흑인 민권 운동과 인종 차별 반대 운동 끝에 인종 차별을 금지하는 법률이 개정되었고, 흑인의 정치 참여가 활성화됨으로써 미국의 민주주의도 한층 발달하게 되었다.

① 새로운 형태의 사회 운동이 등장하고 있다.
② 사회 변동을 저지하려는 사회 운동도 가능하다.
③ 사회 운동은 사회 변동의 주요 요인으로 작용한다.
④ 사회 운동으로 인해 사회 전체의 이익을 해칠 수 있다.
⑤ 사회 운동은 뚜렷한 목표를 가지고 개별적으로 이루어진다.

서술형 문제

12 다음 주장을 읽고 물음에 답하시오.

> 많은 개발 도상국들이 근대화 과정을 거쳐 선진국으로 발전한 사례를 보면 사회 변동이 일정한 방향을 가짐을 알 수 있다. 따라서 사회 변동은 곧 진보와 발전을 의미한다.

(1) 위의 주장에 나타난 사회 변동의 방향에 대한 이론을 쓰시오.

(   )

(2) (1)의 이론에 대해 제기할 수 있는 비판점 한 가지와 그 이유를 서술하시오.

도전! 실력 올리기

01 그림은 학생이 사회 변동 과정에서 나타난 주요 변화를 정리한 것이다. 이에 대한 설명으로 옳지 <u>않은</u> 것은?

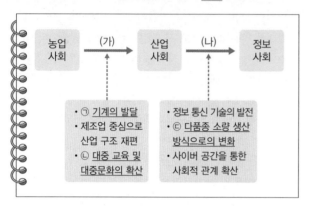

① (가), (나) 모두 사회 구조의 전반적 변화이다.
② 과학 기술의 발전은 (가), (나) 모두의 요인에 해당한다.
③ ㉠은 모든 사회에서 같은 속도로 사회 변동을 이끄는 요인이다.
④ ㉡은 대중의 지위를 향상시키는 변화를 가져왔다.
⑤ ㉢을 통해 사회 변동에 물질적 생활양식의 변동이 포함됨을 알 수 있다.

02 사회 변동의 사례 (가), (나)에 대한 옳은 설명을 〈보기〉에서 고른 것은?

> (가) 증기 기관의 발명을 시작으로 공장제 기계 공업이 보편화되었으며, 이를 통해 대량 생산 및 대량 소비가 가능해졌다.
> (나) 자유주의 이념의 확산으로 시장의 자율성을 근간으로 하는 시장 경제 체제가 자리 잡았으며, 이는 경제 발전으로 이어졌다.

<보기>
ㄱ. (가)는 사회 변동의 양상이 사회마다 다름을 보여 준다.
ㄴ. (나)는 가치관의 변화에 따른 사회 변동의 사례이다.
ㄷ. (나)와 달리 (가)는 비물질적 요소가 사회 변동의 요인으로 작용하였다.
ㄹ. (가)와 (나) 모두 어느 한 부분의 변화가 다른 부분의 변화를 유발하였다.

① ㄱ, ㄴ   ② ㄱ, ㄷ   ③ ㄴ, ㄷ
④ ㄴ, ㄹ   ⑤ ㄷ, ㄹ

03 사회 변동의 방향을 보는 관점 (가), (나)에 대한 설명으로 옳은 것은?

> (가) 단순한 생물체가 점차 그 조직의 구조가 분화되고 통합되어 복합적인 생물체로 변화되듯이, 사회 또한 사회를 구성하는 집단이 증가할 뿐만 아니라 집단 간 결합이 양적, 질적으로 강화되는 방향으로 변화될 것이다.
> (나) 한 사회가 일련의 도전에 어떻게 반응하는가에 따라 변동 방향이 좌우된다. 그 반응의 성공 여부에 의해 개별 사회가 성장하고 쇠퇴하는데, 결국 인류 문명에서 이러한 성장과 쇠퇴는 지속적으로 되풀이될 것이다.

① (가)는 사회가 주기적으로 동일한 과정을 통해 변동하는 것으로 본다.
② (나)는 서구의 제국주의 역사를 정당화하는 수단으로 악용될 수 있다는 비판을 받는다.
③ (가)는 (나)와 달리 모든 사회가 일정한 방향으로 발전한다고 본다.
④ (나)는 (가)와 달리 선진국과 후진국 간의 불평등한 힘의 관계에 주목한다.
⑤ (가), (나) 모두 서구 사회가 밟아 왔던 변동의 과정이 최선의 것은 아니라고 본다.

04 그림은 사회 변동의 방향에 관한 관점 (가), (나)를 그래프로 나타낸 것이다. 이에 대한 설명으로 옳지 <u>않은</u> 것은?

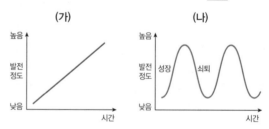

① (가)는 서구 중심적 사고라는 비판을 받는다.
② (가)는 사회 변동이 일정한 양상을 반복한다고 본다.
③ (나)는 지난 역사에서 반복되는 사회 변동을 설명하기 용이하다.
④ (나)는 미래의 사회 변동에 대한 역동적 대응이 곤란하다는 비판을 받는다.
⑤ (가)와 달리 (나)는 전쟁 등에 의해 흥망성쇠를 거듭한 국가의 사례를 설명할 수 있다.

05 다음은 학생 갑이 작성한 수행 평가지이다. 이에 대한 옳은 설명을 〈보기〉에서 고른 것은?

〈수행 평가지〉
• 사회 변동을 설명하는 이론 중 기능론과 달리 갈등론에 해당하는 내용을 세 가지 쓰시오. (채점 기준: 옳은 내용 1개당 1점)

내용 1	㉠ 사회를 대립과 투쟁의 장으로 본다.
내용 2	㉡ 급격한 사회 변동을 설명하기 어렵다.
내용 3	㉢ _____

• 채점 결과: 2점

〈보기〉
ㄱ. ㉠과 달리 ㉡은 틀린 답에 해당한다.
ㄴ. ㉢에는 '사회 변동을 자연스러운 현상으로 본다.'가 들어갈 수 있다.
ㄷ. ㉢에 '사회 변동의 요인이 사회에 내재되어 있다고 본다.'가 들어가면 갑의 점수는 1점이다.
ㄹ. 수행 평가 주제는 사회 변동의 방향에 대한 이론이다.

① ㄱ, ㄴ   ② ㄱ, ㄷ   ③ ㄴ, ㄷ
④ ㄴ, ㄹ   ⑤ ㄷ, ㄹ

수능 유형

06 그림은 사회 변동의 방향에 대한 관점 A, B를 구분한 것이다. 이에 대한 옳은 설명을 〈보기〉에서 고른 것은?

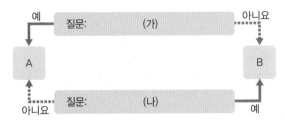

〈보기〉
ㄱ. A, B 중 하나는 사회 변동을 일시적인 병리 현상으로 본다.
ㄴ. (가)가 '사회 변동이 일정한 방향을 갖는다고 보는가?'라면, B는 진화론이다.
ㄷ. A가 순환론이라면, (나)에 '사회 변동을 곧 발전이라고 보는가?'가 들어갈 수 있다.
ㄹ. (가)가 '서구 중심적이라는 비판을 받는가?'라면, (나)에 '사회는 퇴보할 수도 있는가?'가 들어갈 수 있다.

① ㄱ, ㄴ   ② ㄱ, ㄷ   ③ ㄴ, ㄷ
④ ㄴ, ㄹ   ⑤ ㄷ, ㄹ

07 다음 글을 통해 알 수 있는 사회 운동의 특징을 〈보기〉에서 고른 것은?

지하철역에서 지하철과 승강장 사이에 몸이 낀 사람을 근처에 있던 다수의 사람이 힘을 합쳐 구조하는 모습을 보고 사회 운동이라고 하지는 않는다. 반면, 과거 미국 사회에서 진행된 인권 신장을 위한 흑인들의 싸움은 사회 운동의 대표적인 사례로 본다.

〈보기〉
ㄱ. 뚜렷한 목표를 갖는다.
ㄴ. 지속적·조직적으로 진행된다.
ㄷ. 다수가 협력적으로 상호 작용을 한다.
ㄹ. 사회 변동을 달성 또는 저지하고자 한다.

① ㄱ, ㄴ   ② ㄱ, ㄷ   ③ ㄴ, ㄷ
④ ㄴ, ㄹ   ⑤ ㄷ, ㄹ

08 (가), (나)에 나타난 사회 운동에 대한 설명으로 옳은 것은?

(가) 20세기 초반 여성들을 중심으로 참정권 확보를 위한 운동이 확산되었다. 그 결과 영국에서는 1918년에, 미국에서는 1920년에 여성 참정권이 정식으로 인정되었다.
(나) 1811년경 영국에서 시작된 러다이트 운동은 '기계 파괴 운동'이라고도 한다. 작업의 기계화로 일자리를 잃은 노동자들이 산업 혁명의 물결에 저항하기 위해 기계를 파괴한 사건이었다.

① (가)를 통해 사회 운동이 실패할 수도 있음을 알 수 있다.
② (나)는 신사회 운동의 사례로 볼 수 있다.
③ (나)와 달리 (가)는 조직적으로 진행된 사회 운동의 사례이다.
④ (가)와 달리 (나)는 사회 변동을 저지하려는 의도로 진행된 사회 운동의 사례이다.
⑤ (가), (나) 모두 사회 변동에 영향을 끼치지 않았다.

02 ~ 현대 사회의 변화와 대응 방안

핵심 질문으로 흐름잡기

A 세계화로 인한 문제와 대응 방안은?
B 정보화로 인한 문제와 대응 방안은?
C 저출산·고령화 문제의 대응 방안은?
D 다문화 사회의 과제와 대응 방안은?

❶ 세계화로 인한 사회 변동

정치적 측면	· 민주주의 이념 확산 · 국제 평화, 인권 개선, 환경 문제 해결 등을 위한 국제기구의 역할 증대
경제적 측면	· 넓은 시장 확보 · 국가 간 무역 및 경쟁의 확대
사회·문화적 측면	· 다양한 국제 행위 주체의 등장 · 문화 교류의 확산과 초국가적인 보편적 문화 형성

A 세계화로 인한 사회 변화

|시·험·단·서| 사례를 바탕으로 세계화에 따른 문제점을 파악하는 문제가 주로 출제돼.

1. 세계화의 의미와 배경

(1) **세계화**: 국경을 넘어 전 세계가 상호 의존하며 하나로 통합되어 가는 현상

(2) **배경**: 교통·통신 기술의 발달, 세계 무역 기구(WTO)의 출범, 다국적 기업의 활동 증가 등

└ 세계 무역 기구의 출범으로 자유 무역이 강화되어 세계화가 촉진되었어.

2. 세계화를 통한 사회 변화 양상 ❶

(1) 생산자는 더 넓은 시장을 확보하고 소비자는 다양한 상품을 접할 수 있게 됨 — 전 세계가 하나의 시장으로 단일화되었기 때문이야.

(2) 인구 이동이나 매체 등을 통해 세계 각국의 다양한 문화가 확산함

(3) 다국적 기업, 비정부 기구(NGO) 등과 같은 다양한 행위 주체가 등장함

(4) 인권, 자유, 평등 등 인류의 보편적 가치가 전 세계로 확산함

3. 세계화로 인한 문제와 대응 방안

세계화 과정에서 국제기구, 다국적 기업, 강대국의 영향력이 커지면서 개별 주권 국가의 자율성이 침해될 수 있어.

문제 자료1	대응 방안
· 개별 주권 국가의 정책 자율성 침해 · 선진국과 개발 도상국 간의 격차 확대 ❷ · 전 세계의 문화가 강대국의 문화로 획일화됨 · 특정 지역의 경제적 위기가 전 지구적 위기로 확산할 가능성이 커짐 └ 강대국 중심의 일방적인 문화 전파로 고유문화가 훼손되고 문화의 획일화가 초래될 수 있어.	· 개인, 기업, 국가의 경쟁력 강화 · 개발 도상국의 생산자를 보호하기 위한 활동 예 공정 무역 · 문화 상대주의적 태도와 관용의 자세 · 세계 시민으로서의 자질 함양

❷ 선진국과 개발 도상국 간 격차 확대

세계화로 국가 간 경쟁이 심화하면서 경쟁력이 약한 개발 도상국의 산업은 위축되고 선진국과 개발 도상국 간의 격차는 더욱 벌어지는 문제가 발생한다.

B 정보화로 인한 사회 변화

|시·험·단·서| 정보화를 통한 사회 변화의 구체적인 양상을 고르는 문제가 주로 출제돼.

1. 정보화의 의미와 배경

(1) **정보화**: 정보 통신 기술의 발달로 지식과 정보가 가장 중요한 자원이 되는 사회, 즉 정보 사회로 변화하는 현상

(2) **배경**: 정보 통신 기술의 발달, 사회 구성원들의 지식과 정보에 대한 열망 증대 등

2. 정보화를 통한 사회 변화 양상 ❸ 자료2

(1) 부가 가치 창출의 원천으로서 지식과 정보의 가치가 증대함

(2) 다품종 소량 생산 방식으로 변화함 — 산업 사회의 소품종 대량 생산 방식에서 다품종 소량 생산 방식으로 변화하여 소비자들의 다양한 기호를 충족할 수 있어.

(3) 업무의 편리성이 증대되고 전자 상거래 등의 등장으로 경제생활이 편리해짐

(4) 정보 통신 매체나 인터넷을 통해 사회적 관계가 형성되면서 수평적 사회 조직이 증가함

(5) 시민의 정치 참여가 증가하고 참여 민주주의가 활성화됨

❸ 정보화와 근무 형태의 변화

인터넷을 활용한 원격 근무와 재택근무가 가능해지면서 시간과 장소의 제약 없이 언제 어디서나 효율적인 근무를 할 수 있게 되었다. 이러한 변화는 여성의 경제 참여 증가에도 영향을 주었다.

3. 정보화로 인한 문제와 대응 방안

정보 격차를 줄이기 위해서는 취약 계층에게 컴퓨터 등 정보 기기를 지원하고 정보 교육을 실시해야 해.

문제	대응 방안
· 개인 정보 유출과 사생활 침해 증가 · 정보 격차에 따른 사회적 불평등 심화 · 정보 오남용 및 사이버 일탈 증가 · 피상적 인간관계의 확산과 인간 소외 현상의 심화	· 개인적 차원: 타인의 권리 존중, 정보 윤리 함양, 정보에 대한 비판적 분석 능력 함양 · 제도적 차원: 사이버 범죄와 정보 격차 해결을 위한 법적·제도적 장치 마련, 정보 교육 실시

자료1 세계화로 인한 문제 관련 문제 ▶ 228쪽 02번

전 세계 언어 중 25%가 곧 사라질 위기에 처했다는 경고가 학계에 의해 제기되어 논란이 일고 있다. 영국 케임브리지 대학 연구진이 '세계 7,000여 개에 달하는 소수 인종 언어 중 약 25%가 소멸 위기에 처했다.'라는 연구 결과를 발표하였다. 주목할 만한 것은 언어 소멸 과정인데 1인당 국내 총생산이 높아지고 경제 성장이 가속화될수록 토착 언어의 소멸 또한 빨라진다는 것이다. 예를 들어, 경제 성장에 매달리다 보면 영어와 같은 세계적인 주류 언어에 편입되려는 성향이 강해지고 자연히 토착 언어는 관심 밖으로 밀려나다가 사라진다는 것이다.

자료·분석 세계화에 따라 세계 각국의 문화가 활발하게 교류하면서 여러 나라의 다양한 문화를 접할 수 있게 되었다. 하지만 강대국 중심의 문화 전파로 인해 문화 획일화 문제가 나타날 수 있다. 제시된 자료에서도 세계화 및 경제 성장 과정에서 영어가 확산하면서 전 세계 소수 인종 언어 중 상당수가 소멸 위기에 처했음을 우려하고 있다.

한·줄·핵·심 세계화에 따라 **강대국 문화 중심으로 전 세계의 문화가 획일화**될 수 있다.

자료2 정보화와 사물 인터넷

사물 인터넷이란 각종 사물에 통신과 감지기 기능을 내장하여 사물들끼리 서로 정보를 주고받으면서 스스로 최적의 대안을 만들어 내거나 인간에게 필요한 서비스를 제공해 주는 기술이다. 집 밖에서 스마트폰으로 조정할 수 있는 에어컨이나 세탁기와 같은 가전제품이 대표적이다. 사물 인터넷은 최근 의료·건강 분야에서 다양하게 활용되기 시작하였다. 체중과 체지방 등을 분석하여 운동 처방까지 내려 주는 체중계가 등장하였고, 약 먹

▲ 스마트홈은 집 안에 있는 가전제품과 보안 시스템, 조명 등을 서로 연결해 원격으로 제어하도록 만든 집이다. 스마트홈은 사물 인터넷 기술이 집약된 결과물이라고 할 수 있다.

을 시간이 지나도 약병이 열리지 않으면 병원 시스템이 자동으로 작동하여 환자에게 문자 등으로 약 먹을 시간이 지났음을 알려 주는 약병도 등장하였다. 사물 인터넷을 적용한 가로등은 사람의 수를 자동으로 계산하여 밝기를 조정함으로써 에너지 절약에도 이바지한다. 농업 분야에서는 온도와 습도, 토양의 상태를 측정한 자료를 관개 장비에 전송하여 알아서 물이나 비료를 주는 시스템도 활용하고 있다.

자료·분석 정보 사회에서는 사람은 물론 사물들까지도 정보 통신 기술에 기반하여 하나의 네트워크로 연결되고 있다. 이를 사물 인터넷이라고 하는데, 고속 도로 요금소에서 볼 수 있는 하이패스 시스템이나 스마트홈 서비스 등이 사물 인터넷 기술을 활용한 예이다. 뿐만 아니라 최근에는 의료·건강, 농업, 에너지 관리 등 다양한 분야에 사물 인터넷 기술이 활용되면서 생활의 편리성과 효율성이 증대되고 있다.

한·줄·핵·심 정보화에 따라 사물 인터넷 등이 등장하여 **생활의 편리성과 효율성**이 증대되었다.

Q. 정보화가 시민의 정치 참여를 어떻게 증가시키나요?

A. 정보화를 통해 시민들은 인터넷과 SNS 등에서 자신의 의견을 직접 표출할 수 있게 되었으며, 전자 투표 등으로 정치 과정에 더욱 쉽게 접근할 수 있게 되었어. 이처럼 정보화는 시민의 정치 참여를 증가시킨단다.

용어 더하기

* **다국적 기업**
  세계적으로 활동하는 기업으로, 여러 나라에 생산 거점을 두고 영업을 하며 초국적 기업이라고도 불린다.

* **공정 무역**
  개발 도상국에서 생산된 상품을 구매할 때 생산자에게 정당한 가격을 지불하고 거래하는 것

* **부가 가치**
  생산 과정에서 새롭게 만들어진 가치를 말한다. 산업 사회에서는 노동과 자본이, 정보 사회에서는 지식과 정보가 부가 가치 창출의 주요 원천이 된다.

* **피상적**
  본질적인 현상은 추구하지 않고 겉으로 드러나 보이는 현상에만 관계하는 것

* **인간 소외 현상**
  인간이 본래 지닌 인간성이 상실되어 인간다운 삶을 잃어버리는 현상

* **정보 윤리**
  정보 사회 구성원으로서 지켜야 할 올바른 가치관과 행동 양식

❹ 고령화 단계

전체 인구에서 노인 인구가 차지하는 비율에 따라 한 사회의 고령화 수준을 3단계로 구분할 수 있다.

단계	비율
고령화 사회	7% 이상
고령 사회	14% 이상
초고령 사회	20% 이상

❺ 고령 친화 산업

고령자를 대상으로 정신적·육체적 건강, 편익, 안전을 도모하기 위한 상품 및 서비스를 제공하는 산업으로, 노인 주거 시설이나 각종 의료기기 등과 관련된 산업을 예로 들 수 있다.

❻ 외국인 근로자와 다문화

우리나라는 산업 구조의 고도화와 저출산·고령화에 따른 노동력 감소 문제를 해결하기 위해 외국인 근로자를 받아들이고 있다. 이로 인해 인종적·문화적 다양성이 증가하고 있다.

❼ 다문화 사회 정책

용광로 정책	다양한 문화를 모두 녹여 새로운 문화를 형성하는 정책(동화주의로 나타나기도 함)
샐러드 볼 정책	서로 다른 문화들이 고유한 특성을 유지하면서 공존하게 하는 정책

C 저출산·고령화 사회로의 변화

| 시·험·단·서 | 그래프를 바탕으로 저출산·고령화 현상을 파악하고 그 문제점을 고르는 문제가 주로 출제돼.

1. 저출산·고령화의 의미와 원인

┌ 인구 통계에서 노인 인구는 65세 이상인 인구를 의미해.

(1) 의미: 출산율이 낮아지고, 전체 인구에서 <u>노인 인구가 차지하는 비율이 증가하는 현상</u>❹

(2) 원인

┌ 청년 실업, 주거 비용 상승 등으로 인해 결혼 기피 현상이 나타나기도 해.

저출산	여성의 사회 활동 증가, 혼인·출산에 대한 가치관 변화, 자녀 양육에 따른 경제적 부담 등
고령화	의료 기술 발달과 생활 수준 향상에 따른 평균 수명의 증가, <u>저출산 현상 등</u>

└ 저출산 현상으로 인해 유소년 인구의 비중이 줄어들어 전체 인구 중 노인 인구가 차지하는 비중이 더욱 커져.

2. 우리나라의 저출산·고령화 진행 상황 [자료 3]

(1) 합계 출산율이 1970년 4.53명에서 2015년 1.24명으로 급격히 감소함

(2) 노인 인구 비율이 꾸준히 증가하여 2015년 13.2%에 이어 2018년 14.3%를 기록함으로써 고령 사회에 진입함

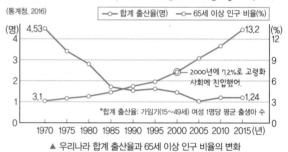

▲ 우리나라 합계 출산율과 65세 이상 인구 비율의 변화

└ 우리나라의 저출산·고령화 진행 속도가 매우 빠름을 알 수 있어.

3. 저출산·고령화로 인한 문제와 대응 방안

구분	문제 [자료 4]	대응 방안
저출산	경제 활동 인구*의 감소로 노동력 부족, 생산성 감소, 소비 위축 문제 발생 → 경제 성장 둔화	• 일과 가정이 양립할 수 있는 제도 마련 • 가부장적 가족 문화 개선과 가족 내 양성평등 실현
고령화	• 노인 빈곤 문제 • 노년 부양비*와 노인 복지 지출 증대로 인한 재정 부담 증가 • 일자리와 노인 부양 책임을 둘러싼 세대 간 갈등 심화	• 노인 일자리 창출 • 고령 친화 산업 육성❺ • 노인을 대상으로 한 사회 보장 제도 정비

└ 출산 보조금과 양육 수당 지급 등의 제도를 시행하여 출산과 유아에 대한 개인적 부담을 덜어 주어야 해.

D 다문화 사회로의 변화

| 시·험·단·서 | 사례를 바탕으로 다문화 사회로의 변화 양상을 파악하는 문제가 주로 출제돼.

1. 다문화 사회의 의미와 배경

(1) 다문화 사회: 다양한 인종·종교·문화를 가진 사람들이 함께 살아가는 사회

(2) 배경

① 세계화에 따른 노동력 이동의 활성화❻

② <u>국제결혼에 따른 이민자 증가</u> ┬ 농촌 지역의 인구 감소와 성비 불균형에 따른 낮은 혼인율을

③ 북한 이탈 주민 증가 └ 해소하는 과정에서 국제결혼 이주 여성이 증가하고 있어.

2. 다문화 사회의 과제와 대응 방안

과제	대응 방안 [자료 5]
• 외국인 이주민이 겪는 언어 소통의 어려움과 문화 적응 문제 • 외국인 근로자에 대한 부당한 대우 • 다문화 가정에 대한 편견과 차별에 따른 갈등	• 외국인 이주민에 대한 취업 지원, 학교 교육 지원 등 다양한 다문화 정책 마련❼ • 다문화 사회에 대한 인식 개선 및 다문화 수용성* 강화 • 문화의 차이를 인정하고 존중하는 관용의 태도 함양

자료3 우리나라의 고령화 현상　관련 문제 ▶ 229쪽 08번

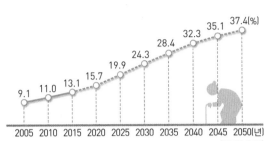

▲ 우리나라 65세 이상 인구 비율 추이 및 전망

자료·분석　인구 통계상 전체 인구에서 노인 인구가 차지하는 비율이 7% 이상이면 고령화 사회, 14% 이상이면 고령 사회, 20% 이상이면 초고령 사회로 분류된다. 우리나라의 경우 이미 2005년에 고령화 사회 단계를 지났고, 2026년 이후에는 인구 5명 중 1명 이상이 노인인 초고령 사회에 접어들 것으로 예상된다.

한·줄·핵·심　우리나라의 고령화는 진행 속도가 매우 빠르므로 적극적인 관심과 대처가 필요하다.

자료4 저출산·고령화의 영향　관련 문제 ▶ 229쪽 05번

국민연금 재정 추계 위원회가 2013년에 발표한 바에 따르면 국민연금은 2044년부터 적자가 발생하고 2060년에는 적립 기금이 소진된다고 한다. 국민 건강 보험 역시 현 보험료율과 지출 행태를 유지하면 2025년에 고갈된다고 한다. 이러한 전망의 배경에는 저출산·고령화 현상이 있다. 국민연금을 받거나 의료 서비스를 받아야 하는 고령 인구는 증가하지만, 연금 기금과 보험 기금을 뒷받침하는 청·장년층 인구는 감소하고 있기 때문이다.

자료·분석　사회가 고령화될 경우 노인 부양을 위한 사회적 비용은 청·장년층 세대에게 부담된다. 저출산으로 인해 청·장년층 인구가 감소하여 노인 복지 지출에 대한 정부의 재정 부담은 더욱 커질 것이다.

한·줄·핵·심　저출산·고령화는 노인 복지에 따른 재정 부담 증대 문제를 초래할 수 있다.

자료5 다문화 사회로의 변화에 대한 대응 방안

「재한 외국인 처우 기본법」 제1조(목적) 이 법은 재한 외국인에 대한 처우 등에 관한 기본적인 사항을 정함으로써 재한 외국인이 대한민국 사회에 적응하여 개인의 능력을 충분히 발휘할 수 있도록 하고, 대한민국 국민과 재한 외국인이 서로를 이해하고 존중하는 사회 환경을 만들어 대한민국의 발전과 사회 통합에 이바지함을 목적으로 한다.

자료·분석　「재한 외국인 처우 기본법」은 우리나라에서 진행되고 있는 다문화적 변화에 대한 대응 사례로 볼 수 있다. 이 법은 국내 거주 외국인에 대한 처우 개선 의지를 담고 있고, 나아가 이러한 노력이 사회 통합에 이바지할 것을 목적으로 삼고 있다.

한·줄·핵·심　다문화 사회로의 변화에 대응하기 위해서는 다문화 가정, 외국인 이주민 등에 대한 차별과 편견에 따른 어려움을 해소하고 인간다운 삶을 보장할 수 있도록 법과 제도를 정비해야 한다.

❓ 궁금해요
Q. 저출산·고령화, 다문화 사회로의 변화는 부정적으로만 봐야 하나요?
A. 그렇지만은 않아. 저출산·고령화로의 변화는 새로운 산업 구조의 출현과 노동 정책의 변화를 가져올 수 있고, 다문화 사회로의 변화 역시 문화의 다양성 증가와 문화 발전 가능성 증대, 저출산·고령화에 따른 문제점 개선 등의 긍정적 측면을 기대할 수 있어.

용어 더하기
* **경제 활동 인구**
15세 이상 인구 가운데 노동 능력 및 노동 의사를 가지고 있는 인구로, 취업자와 실업자를 모두 포함한다.

* **노년 부양비**
생산 가능 인구(15~64세 인구) 100명당 부양해야 하는 노인 인구(65세 이상 인구)의 수

* **다문화 수용성**
자신과 다른 구성원이나 문화에 대해 편견을 갖지 않고 동등하게 인정하며 그들과 조화롭게 공존하고자 노력하는 태도

정보화로 인한 문제와 대응 방안

개념풀 Guide   제시문을 통해 정보화에 따른 다양한 문제점을 파악하고 그에 대한 대응 방안을 탐색해 보자.

1. 개인 정보 유출과 사생활 침해 문제   관련 문제 ▶ 230쪽 04번

정보 사회에서는 기업 활동의 필요성으로 인한 개인 정보 노출과 그에 따른 프라이버시 침해 문제가 심각하다. 이는 용납될 수 없다. 프라이버시 존중은 자신이 자기 운명의 주인이라는 것을 드러내는 사회 의례와 같은 것이라는 점에서, 개인 정보 침해는 바로 우리 인격에 대한 모욕이 될 수 있다. 또한 프라이버시는 비밀 투표, 양심과 학문의 자유, 집회 및 결사의 자유 등을 지키는 민주주의의 근본 토대이다.

분석 정보 사회에서는 개인 정보 유출이 쉬워 사생활 침해 문제가 심각하다. 개인 정보에 대한 권리, 즉 프라이버시권은 인간의 기본적인 권리로서 당연히 보장되어야 하는 권리이다. 따라서 타인의 권리를 존중하는 태도가 필요하며, 개인 정보 보호를 위한 법적 장치도 마련되어야 한다.

2. 저작권 침해 문제

초고속 통신망의 확산과 함께 저작권 침해 사범이 2007년 25,271명에서 2008년에는 91,683명으로 급증했다. …… 이는 저작권에 대한 사용자들의 인식 부재를 보여 준다. 하지만 저작권 교육은 제대로 이루어지고 있지 않다. 2008년 각종 저작권 교육을 받은 사람과 강사 수를 비교한 결과, 강사 한 사람이 1회 평균 234명을 대상으로 강의한 것으로 집계됐다. 이는 현재의 저작권 교육이 저작권의 실질적인 내용을 제대로 전달하지 못하고 있음을 의미한다. 따라서 이에 대한 개선책을 마련해야 할 것이다.

분석 정보화에 따라 저작권 침해가 증가한 것은 저작권에 대한 사용자들의 인식 부재로 인해 나타나는 문제로, 이는 문화 지체 현상으로 볼 수 있다. 이러한 문제를 해결하기 위해 개인적으로 정보 윤리를 함양하고, 제도적으로는 실질적인 저작권 교육을 실시하는 노력이 필요하다.

3. 정보화에 따른 문제점

표는 학생들의 인터넷 사용과 관련된 조사 결과이다.

항목	갑	을	병
댓글 등으로 다른 사람을 비방한 적이 있다.	1	5	1
정보 검색 방법을 몰라 어려움을 느낀 적이 있다.	3	1	5
인터넷을 하느라 밤늦게까지 잠을 못 잔 적이 있다.	5	1	1
동영상 등의 파일을 불법 다운로드 한 적이 있다.	2	4	1

* 1-매우 드물게, 2-드물게, 3-가끔, 4-자주, 5-매우 자주

분석 갑은 인터넷을 하느라 밤늦게까지 잠을 못 잔 적이 자주 있으므로 과도하게 인터넷을 사용하고 있다. 인터넷 중독도 정보화로 인해 발생하는 문제에 해당한다. 을은 댓글 등으로 다른 사람을 비방하고, 동영상 등을 불법 다운로드 한 적이 자주 있으므로 타인의 권리를 침해하고 있다. 병은 정보 검색 방법을 몰라 어려움을 느낀 적이 많으므로 정보 격차 문제가 나타남을 알 수 있다.

4. 정보화로 인한 문제의 대응 방안   관련 문제 ▶ 231쪽 05번

(가) 방송통신위원회는 인터넷상의 '비밀번호 변경', '휴면 계정 정리' 및 '아이핀(i-PIN) 전환'을 주요 내용으로 하는 캠페인을 실시하고 있다.
(나) 정부는 정보 취약 계층과 취약 지역을 파악하여 정보 인프라를 우선적으로 구축할 수 있도록 다양한 재정적 지원 제도를 마련하고 있다.

*휴면 계정: 일정 기간 동안 사이트를 이용하지 않아 로그인이 제한된 ID
**아이핀: 인터넷상에서 주민 등록 번호 대신 사용할 수 있는 신원 번호

분석 (가)는 정보화에 따라 발생할 수 있는 개인 정보 유출을 방지하기 위한 방법이다. 주기적인 인터넷상의 비밀번호 변경과 아이핀(i-PIN) 전환 등은 해킹 등으로 인한 개인 정보 유출을 막는 데 도움을 준다. 한편, (나)는 정보 격차를 해결하기 위한 제도적 방법이다. 정보 취약 계층을 대상으로 한 정보 인프라 구축이나 취약 계층에 대한 정보 교육 실시 등을 통해 정보 격차 문제를 해결할 수 있다.

A 세계화로 인한 사회 변화

01 다음 내용이 옳으면 ○표, 틀리면 ×표를 하시오.

(1) 교통·통신 기술의 발달로 세계화가 촉진되었다. ( )

(2) 세계화를 통해 인권, 자유, 평등과 같은 인류의 보편적 가치가 쇠퇴하였다. ( )

(3) 전 세계가 하나의 시장으로 통합되어 소비자는 다양한 상품을 저렴한 가격에 접할 수 있게 되었다. ( )

B 정보화로 인한 사회 변화

02 알맞은 말에 ○표를 하시오.

(1) 정보화에 따라 부가 가치 창출의 원천으로서 지식과 (정보, 노동)의 가치가 증대하였다.

(2) 정보화 과정에서 (소품종 대량 생산, 다품종 소량 생산) 방식으로 생산 방식이 변화하였다.

(3) 인터넷 등을 통한 사회적 관계 형성으로 (수평적, 수직적) 사회 조직이 증가하였다.

03 정보화 과정에서 나타날 수 있는 문제점과 대응 방안을 바르게 연결하시오.

(1) 정보 격차에 따른 사회적 불평등 심화 •   • ㉠ 정보 윤리 교육의 확대

(2) 사이버 일탈 행위 증가 •   • ㉡ 정보 취사선택 능력의 함양

(3) 정보 오남용에 따른 피해 증가 •   • ㉢ 취약 계층에 대한 정보화 지원

C 저출산·고령화 사회로의 변화

04 다음 내용이 옳으면 ○표, 틀리면 ×표를 하시오.

(1) 저출산을 통해 고령화의 진행을 늦출 수 있다. ( )

(2) 우리나라의 저출산·고령화 진행 속도는 점점 느려지고 있다. ( )

(3) 저출산·고령화로 인해 사회 보장 제도의 유지 부담이 늘어난다. ( )

D 다문화 사회로의 변화

05 빈칸에 알맞은 말을 쓰시오.

(1) 다양한 인종·종교·문화를 가진 사람들이 함께 살아가는 사회를 □□□ 사회라고 한다.

(2) 노동력 부족 문제 해결을 위한 □□□ □□□의 유입은 다문화 사회로의 변화를 촉진하였다.

(3) 다문화 사회로 변화함에 따라 다른 사회의 문화를 인정하고 배려하는 □□의 태도를 함양해야 한다.

A 세계화로 인한 사회 변화

01 다음 글을 통해 알 수 있는 세계화의 영향을 〈보기〉에서 고른 것은?

> 중국 내 양고기 소비가 증가하면서 전 세계적으로 섬유 제품들의 가격이 올랐다. 이는 중국의 양고기 소비가 증가하자 섬유 제품의 원료인 양모를 생산하던 주요 국가들이 양고기 생산용 양 사육을 늘리기 위해 양모 생산용 양 사육을 줄였기 때문이다.

> 보기
> ㄱ. 국가 간 경제적 갈등이 증가하였다.
> ㄴ. 세계가 하나의 시장으로 연결되었다.
> ㄷ. 민주주의 가치가 전 세계로 확산되었다.
> ㄹ. 국제 사회의 상호 의존성이 증대되었다.

① ㄱ, ㄴ   ② ㄱ, ㄷ   ③ ㄴ, ㄷ
④ ㄴ, ㄹ   ⑤ ㄷ, ㄹ

02 다음 글에 나타난 세계화에 따른 문제점으로 가장 적절한 것은?

> 영국 케임브리지 대학 연구진이 '세계 7,000여 개에 달하는 소수 인종 언어 중 약 25%가 소멸 위기에 처했다.'라는 연구 결과를 발표하였다. 주목할 만한 것은 언어 소멸 과정인데 1인당 국내 총생산이 높아지고 경제 성장이 가속화될수록 토착 언어의 소멸 또한 빨라진다는 것이다. 예를 들어, 경제 성장에 매달리다 보면 영어와 같은 세계적인 주류 언어에 편입되려는 성향이 강해지고 자연히 토착 언어는 관심 밖으로 밀려나 사라진다.

① 개별 국가들의 정책 자율성을 침해한다.
② 선진국과 개발 도상국 간 격차가 심화된다.
③ 전 세계적으로 문화 획일화 현상이 나타난다.
④ 전 지구적 경제 위기가 발생할 가능성이 높아진다.
⑤ 다국적 기업의 시장 독점에 따른 폐해가 증가한다.

B 정보화로 인한 사회 변화

03 다음 대화에 대한 설명으로 옳은 것은?

> 교사: ⊙정보화로 인한 사회 변화에 대해 발표해 볼까요?
> 갑: 노동과 자본이 부가 가치 창출의 새로운 원천으로 부각되고 있습니다.
> 을: 인터넷 등을 통해 가상 공간에서 맺는 사회적 관계가 증가하며 유연하고 창의적인 조직이 등장하고 있습니다.
> 병: _____(가)_____
> 교사: ⓒ한 사람만 빼고 옳게 발표했네요.

① ⊙의 촉진 배경으로 세계 무역 기구(WTO)의 출범을 들 수 있다.
② ⓒ은 병이다.
③ 을의 대답은 수직적 인간관계 중시와 관련 있다.
④ (가)에는 '다품종 소량 생산 방식으로 변화하고 있습니다.'가 들어갈 수 있다.
⑤ (가)에는 '업무의 편리성과 효율성이 떨어지고 있습니다.'가 들어갈 수 있다.

04 다음 글에 대한 옳은 설명을 〈보기〉에서 고른 것은?

> 정보화가 정보의 생산과 사용 기회의 평등을 보장하는 것은 아니다. 계층 간 소득 격차로 인해 정보에 대한 접근 및 사용 기회가 모두에게 같지는 않기 때문이다.

> 보기
> ㄱ. 왜곡된 정보 확산과 사이버 범죄 증가의 원인이다.
> ㄴ. 정보 격차에 따른 사회적 불평등 문제를 보여 준다.
> ㄷ. 피상적인 인간관계가 확산될 수 있음을 우려하고 있다.
> ㄹ. 취약 계층에 대한 정보 교육 실시를 해결 방안으로 제시할 수 있다.

① ㄱ, ㄴ   ② ㄱ, ㄷ   ③ ㄴ, ㄷ
④ ㄴ, ㄹ   ⑤ ㄷ, ㄹ

정답과 해설 72쪽

C 저출산·고령화 사회로의 변화

05 다음 글을 통해 추론할 수 있는 저출산·고령화 사회의 문제를 〈보기〉에서 고른 것은?

> 국민연금 적자 우려와 함께 국민 건강 보험 역시 현 운용 방식을 그대로 유지한다고 가정할 경우 2025년쯤 고갈될 것으로 전망된다. 이렇게 전망하는 이유는 고령 인구는 증가하지만 청·장년층 인구는 감소하고 있기 때문이다.

보기
ㄱ. 일과 가정의 양립이 어려워진다.
ㄴ. 경제 활동 인구의 증가로 실업 문제가 발생한다.
ㄷ. 노인 부양과 관련한 세대 간 갈등이 심화할 수 있다.
ㄹ. 사회 보장 제도 운용에 필요한 재정 부담이 증가한다.

① ㄱ, ㄴ   ② ㄱ, ㄷ   ③ ㄴ, ㄷ
④ ㄴ, ㄹ   ⑤ ㄷ, ㄹ

06 그림은 우리나라의 합계 출산율과 65세 이상 인구 비율 변화를 나타낸 것이다. 이에 대한 분석으로 옳은 것은?

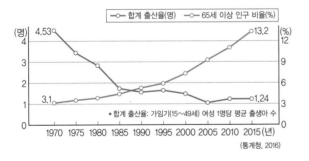

*합계 출산율: 가임기(15~49세) 여성 1명당 평균 출생아 수
(통계청, 2016)

① 2015년을 기준으로 초고령 사회에 진입하였다.
② 출산 장려 정책은 위와 같은 현상을 심화시킬 수 있다.
③ 우리나라의 저출산·고령화 진행 속도가 완만함을 알 수 있다.
④ 노인을 대상으로 한 사회 보장 제도의 축소가 요구됨을 보여 준다.
⑤ 혼인 및 출산에 대한 가치관의 변화, 의료 기술의 발달을 원인으로 들 수 있다.

D 다문화 사회로의 변화

07 다음 글에 나타난 문제점에 대한 대응 방안으로 가장 적절한 것은?

> 서로 다른 국가 출신의 남성이 한국인에게 길을 묻는 실험이 진행되었다. 실험에서 캐나다 출신의 백인 남성이 길을 물으면 거의 모든 사람이 성심껏 답을 하며 길을 알려주었지만, 인도네시아 출신의 남성이 길을 물으면 약 80%의 사람들이 그냥 지나쳐 가버렸다.

① 다문화에 대한 수용성을 낮춰야 한다.
② 다른 문화에 대한 상대주의적 태도를 가져야 한다.
③ 우리 문화 속에 이주민들의 문화를 녹여내야 한다.
④ 다른 인종에 대한 편견을 버리고 존중하는 자세를 가져야 한다.
⑤ 이주민의 정착을 도울 수 있는 다양한 지원책을 마련해야 한다.

서술형 문제

08 그림은 우리나라 65세 이상 인구 비율 추이 및 전망을 나타낸 것이다. 이를 보고 물음에 답하시오.

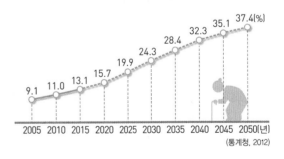

(통계청, 2012)

(1) 위 그림에서 알 수 있는 현대 사회의 변화를 쓰시오.
(   )

(2) (1)에 대응하는 방안을 두 가지 서술하시오.

01 다음 대화에 대한 옳은 설명을 〈보기〉에서 고른 것은?

> 갑: 세계화를 통해 지구촌은 단일 시장으로 통합돼. 이를 바탕으로 각국이 비교 우위를 갖는 제품에 특화하여 자유롭게 상호 무역을 한다면 지구촌 전체의 번영을 기대할 수 있을 거야.
> 을: 세계화는 초국적 자본이 세계 경제를 지배하는 수단이야. 세계화가 진행될수록 전 지구적 수준에서의 불평등이 심화할 뿐이야.

> **보기**
> ㄱ. 갑은 세계화로 자유 무역의 이익이 실현된다고 본다.
> ㄴ. 갑은 세계화가 경제적 효율성의 하락을 가져온다고 본다.
> ㄷ. 을은 선진국과 개발 도상국 간의 격차 심화를 우려하고 있다.
> ㄹ. 을의 주장에 따르면 세계화가 진행될수록 개별 국가의 자율성은 강화될 것이다.

① ㄱ, ㄴ   ② ㄱ, ㄷ   ③ ㄴ, ㄷ
④ ㄴ, ㄹ   ⑤ ㄷ, ㄹ

02 다음 글에 대한 설명으로 옳지 <u>않은</u> 것은?

> A는 경제 선진국과 개발 도상국 간 불공정한 무역 구조로 인해 발생하는 부의 편중, 환경 파괴, 노동력 착취, 인권 침해 등의 문제를 해결하기 위해 대두된 무역 형태이자 사회 운동이다. 그 목표는 개발 도상국의 가난한 생산자를 원조·자선의 방식으로 돕는 것이 아니라 ㉠경제적 자립 역량을 키울 수 있도록 돕는 것이다.

① A는 공정 무역이다.
② A는 세계화로 인한 문제의 대응 방안에 해당한다.
③ A의 사례로 아동 노동을 통해 생산된 제품의 이용 금지 운동을 들 수 있다.
④ ㉠으로 인해 선진국의 산업 기반이 무너질 수 있다.
⑤ ㉠의 방안으로 개발 도상국 생산자의 적정 이윤 보장을 들 수 있다.

03 다음 글에서 부각된 정보 사회의 특징으로 가장 적절한 것은?

> 온라인 백과사전 □□는 처음부터 반상업주의를 천명하였으며 비영리로 운영되고 있다. □□에서는 누구든지 내용을 작성할 수 있지만, 아무도 중앙 집중적 편집권을 갖지 못한다. 누구나 그것에 접근할 수 있으며, 어떤 내용도 작성자에게 귀속되지 않는다. 전 세계 수많은 일반 이용자들이 작성과 편집에 관한 기준을 만들며, 정보의 지속적인 확인과 즉각적인 수정을 통해 비교적 높은 수준의 정확성을 유지하고 있다. □□는 사이버 공간 속 집단 지성의 산물이다.

① 사생활 침해가 늘어난다.
② 피상적 인간관계가 줄어든다.
③ 지식과 정보의 공유가 활발해진다.
④ 전문가 집단의 영향력이 강화된다.
⑤ 정보의 생산자와 소비자가 분리된다.

04 다음 주장에 부합하는 진술로 가장 적절한 것은?

> 정보 사회에서는 기업 활동의 필요성으로 인한 개인 정보 노출과 그에 따른 프라이버시 침해 문제가 심각하다. 이는 용납될 수 없다. 프라이버시 존중은 자신이 자기 운명의 주인이라는 것을 드러내는 사회 의례와 같은 것이라는 점에서, 개인 정보 침해는 바로 우리 인격에 대한 모욕이 될 수 있다. 또한 프라이버시는 비밀 투표, 양심과 학문의 자유, 집회 및 결사의 자유 등을 지키는 민주주의의 근본 토대이다.

① 민주주의 발전을 위해 익명성은 어느 정도 제한되어야 한다.
② 개인 정보 보호는 인간의 기본적인 권리로 강조되어야 한다.
③ 개인 정보의 상품적 가치를 높이기 위해 개인 정보는 보호되어야 한다.
④ 책임 있는 의사 표현을 위해 개인 정보는 어느 정도 드러낼 수 있어야 한다.
⑤ 자신의 이익을 위해 스스로 개인 정보를 제공할 경우, 기업에 의한 개인 감시는 감수해야 한다.

05 (가), (나)는 정보 사회에서 나타나는 문제점을 해결하기 위한 노력이다. 이에 대한 옳은 설명을 〈보기〉에서 고른 것은?

> (가) 방송통신위원회는 인터넷상의 '비밀번호 변경', '휴면 계정 정리' 및 '아이핀(i-PIN) 전환'을 주요 내용으로 하는 캠페인을 실시하고 있다.
> (나) 정부는 정보 취약 계층과 취약 지역을 파악하여 정보 인프라를 우선적으로 구축할 수 있도록 다양한 재정적 지원 제도를 마련하고 있다.
> *휴면 계정: 일정 기간 동안 사이트를 이용하지 않아 로그인이 제한된 ID
> **아이핀: 인터넷상에서 주민 등록 번호 대신 사용할 수 있는 신원 번호

보기
> ㄱ. (가)는 네티즌들의 정보 공유를 촉진하기 위한 것이다.
> ㄴ. (나)는 정보 활용 능력보다 정보 접근성을 높이는 데 초점을 두고 있다.
> ㄷ. (가)는 사이버 범죄 예방에, (나)는 정보 이용자 저변 확대에 도움이 된다.
> ㄹ. (가)와 (나) 모두 개인 정보 보호에 주안점을 두고 있다.

① ㄱ, ㄴ ② ㄱ, ㄷ ③ ㄴ, ㄷ
④ ㄴ, ㄹ ⑤ ㄷ, ㄹ

---

06 (가), (나)에 나타난 현상의 요인으로 가장 적절한 것은?

(가) 노년 부양비 추이

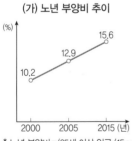

(나) 우리나라 합계 출산율 추이

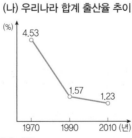

* 노년 부양비=(65세 이상 인구/15~64세 인구)×100
** 합계 출산율: 여성 한 명이 가임 기간(15~49세) 동안 낳을 것으로 예상되는 평균 출생아 수

	(가)	(나)
①	정년 단축	이혼율 증가
②	출산율 감소	국제결혼 증가
③	노인 인구 증가	초혼 연령 하락
④	평균 수명 증가	양육비 부담 증가
⑤	재취업 노인 증가	결혼 기피 현상

---

07 다음은 우리나라 출산 관련 정책의 변화를 보여 주는 포스터이다. 이에 대한 옳은 설명만을 〈보기〉에서 있는 대로 고른 것은?

〈1980년대〉   〈2000년대〉

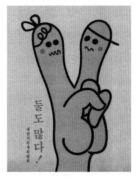

보기
> ㄱ. 1980년대에는 인구 억제가 정책의 주요 목표였다.
> ㄴ. 1980년대 정책은 출산과 양육에 따른 경제적 부담을 가중시켰다.
> ㄷ. 2000년대 정책은 일과 가정이 양립할 수 있는 제도 마련을 통해 실현될 수 있다.
> ㄹ. 1980년대에서 2000년대로 출산 관련 정책이 변화한 원인에는 여성의 사회 활동 증가가 있다.

① ㄱ, ㄴ ② ㄱ, ㄹ ③ ㄴ, ㄷ
④ ㄱ, ㄷ, ㄹ ⑤ ㄴ, ㄷ, ㄹ

---

08 밑줄 친 ㉠~㉤에 대한 설명으로 옳은 것은?

> 다문화 사회 정책에는 ㉠용광로(melting-pot) 정책과 ㉡샐러드 볼(salad bowl) 정책이 있다. 원칙적으로 용광로 정책은 ㉢다양한 문화를 모두 녹여 새로운 문화를 형성하려는 정책이지만, 현실에서는 ㉣주류 문화에 비주류 문화를 동화시키는 정책으로 나타났기 때문에 동화주의라는 비판을 받는다. 샐러드 볼 정책은 다양한 채소들이 한 그릇 안에서 어우러져 그 자체로 요리가 되는 것처럼 ㉤서로 다른 집단의 문화들이 고유한 특성을 유지하면서 공존하는 사회를 만들려는 정책이다.

① ㉠은 문화의 공존을 저해하고 갈등을 초래할 수 있다.
② ㉡을 통해 다문화에 대한 수용성을 낮출 수 있다.
③ ㉢은 타 문화를 배척하는 정책이다.
④ ㉣을 통해 문화의 다양성을 높일 수 있다.
⑤ ㉤은 외국인 이주민이 사회에 적응하는 데 어려움을 초래할 수 있다.

03 전 지구적 수준의 문제와 지속 가능한 사회

핵심 질문으로 흐름잡기

A 전 지구적 수준의 다양한 문제와 그 해결 방안은?

B 지속 가능한 사회의 구현 방안과 세계 시민으로서의 자세는?

A 전 지구적 수준의 문제

| 시·험·단·서 | 제시문을 바탕으로 전 지구적 수준의 문제를 파악하고 그에 대한 대응 방안을 찾는 문제가 주로 출제돼.

1. 환경 문제

(1) 환경 문제의 원인

① 산업화에 따른 무분별한 개발

② 물질적 가치의 획득을 위해 자연을 수단으로만 간주하는 인간 중심적 사고

③ 환경 문제의 심각성에 대한 인식 부족

(2) 주요 환경 문제와 해결 방안

① 주요 환경 문제 `자료1`　　이 밖에도 황사, 미세 먼지, 빙하 유실 문제 등이 발생하고 있어.

지구 온난화	· 의미: 대기 중의 온실가스가 증가하여 지구의 평균 기온이 상승하는 현상 · 원인: 산업화 과정에서의 삼림 파괴, 화석 연료 사용 급증 등 · 문제: 이상 기후 현상, 해수면 상승, 생태계 파괴 등
사막화	· 의미: 삼림과 초원이 황폐해지고 사막으로 변하는 현상 · 원인: 과도한 벌목이나 농경지 개발, 기후적 요인 등 · 문제: 토양 침식, 물·식량 부족 문제, 생태계 파괴 등
열대 우림 파괴❶	· 의미: 아마존 밀림과 같은 큰 숲이 파괴되는 현상 · 원인: 무분별한 벌목, 불법적 방화 등 · 문제: 각종 동식물의 서식지 파괴에 의한 생물 다양성 감소, 지구 온난화 현상의 심화 등

사막화가 진행될수록 경작이 가능한 토지가 줄어들기 때문에 식량 부족 문제가 발생할 수 있어.

② 해결 방안 `자료2`

· 환경 문제 개선에 대한 관심과 실천

· 환경 문제 해결을 위한 국제 사회의 노력❷

· 기업의 폐수 및 매연 등 환경 정화 시설 정비와 친환경 제품 개발

· 자연을 인간의 목적을 달성하기 위한 수단이 아닌 더불어 살아가는 존재로 인식하는 태도

2. 자원 문제

(1) 자원 문제의 원인

① 제한된 자원의 매장량

② 인구 증가와 산업 발달에 따른 자원 사용량 급증

③ <u>무절제한 자원 소비</u> ── 자원은 현재 세대뿐만 아니라 미래 세대의 생존을 위해서도 필요한 것이기 때문에 자원을 남용하는 것은 미래 세대의 삶의 기반을 빼앗는 행위로 볼 수 있어.

(2) 자원 문제의 양상과 해결 방안

① 양상 ── 천연가스, 석탄, 석유 등과 같이 화석 연료에서 얻는 에너지야.

· 석유·석탄 등 주요 화석 에너지 자원의 고갈 위기 증대 `자료3`

· 식량 자원 생산 및 분배의 지역적 편중에 따른 식량 부족 문제❸

· 인구 증가, 도시 확장, 가뭄 등으로 인한 물 부족 문제

· 자원을 둘러싼 국가 간 갈등 및 분쟁 증대

② 해결 방안

· 절약하는 습관과 재활용하는 태도

· 자원 문제 해결을 위한 국제 사회의 노력

· 화석 에너지를 대체할 수 있는 <u>신·재생 에너지</u> 개발

· 성장 위주의 정책과 소비 위주의 문화 개선 ── 화석 연료와 달리 재생이 가능하므로 고갈되지 않아.

---

❶ 열대 우림 파괴에 의한 지구 온난화의 심화

열대 우림은 주로 잎이 넓은 상록 활엽수로 구성되며, 지구 온난화 현상의 주범인 이산화탄소를 흡수하고 산소를 내뿜는다. 따라서 열대 우림의 파괴는 지구 온난화 현상을 더욱 심화시키는 요인이 될 수 있다.

❷ 파리 협정(2015년)

일부 선진국에게만 온실가스 감축 의무를 부과했던 교토 의정서(1997년)와 달리 선진국은 물론 개발 도상국도 온실가스 감축에 동참하기로 한 최초의 합의이다. 지구 기온의 상승 폭을 산업화 이전 대비 2℃ 이내로 유지하는 것을 목표로 한다.

❸ 식량 부족 문제

육류 소비와 옥수수, 사탕수수 등에서 추출하는 연료의 생산이 늘면서 곡물에 대한 수요가 증가하고 있다. 하지만 생산 지역의 편중과 국제 교역 및 정치적·경제적 이해관계 등으로 지역에 따라 식량 부족 문제가 발생하고 있다. 또한 사막화와 이상 기후 현상 등의 환경 문제로 인해 곡물 생산이 감소하기도 한다.

자료1 사진으로 보는 주요 환경 문제

▲ 사막화

▲ 열대 우림 파괴

자료·분석 인간의 무분별한 개발로 사막화와 열대 우림 파괴가 전 지구적 수준의 환경 문제로 부각되고 있다. 사막화와 열대 우림 파괴는 다양한 생물 종의 서식지를 위협하여 생태계를 파괴할 수 있다.

한·줄·핵·심 사막화와 열대 우림 파괴는 생태계를 파괴하는 주요 환경 문제이다.

자료2 환경 문제의 해결을 위한 노력 관련 문제 ▶ 237쪽 02번

REDD+ 계획이란 개발 도상국의 산지 개발 및 산림 황폐화를 방지하여 탄소 배출량을 줄이고자 국제 연합 기후 변화 협약이 개발한 것이다. REDD+ 규범을 준수한 개발 도상국은 검증된 감축 실적에 따라 국제 연합을 통해 보상을 받는다. 이를 통해 개발 도상국이 온실가스 배출량을 줄이고, 지속 가능한 발전을 위한 저탄소 성장에 투자하게 한다.

자료·분석 REDD+ 계획은 지구 온난화를 해결하기 위한 국제 사회의 노력을 보여 준다. 환경 문제는 전 지구적 차원의 문제인 만큼, 국제 사회의 모든 주체들이 해결을 위해 노력하여야 한다.

한·줄·핵·심 환경 문제의 해결을 위해서는 다양한 국제 사회 주체들의 협력이 필요하다.

자료3 자원 고갈 문제 관련 문제 ▶ 237쪽 03번

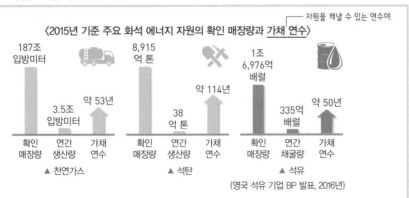

〈2015년 기준 주요 화석 에너지 자원의 확인 매장량과 가채 연수〉
                                                                     └ 자원을 캐낼 수 있는 연수야.

187조 입방미터 / 3.5조 입방미터 / 약 53년
확인 매장량 / 연간 생산량 / 가채 연수
▲ 천연가스

8,915억 톤 / 38억 톤 / 약 114년
확인 매장량 / 연간 생산량 / 가채 연수
▲ 석탄

1조 6,976억 배럴 / 335억 배럴 / 약 50년
확인 매장량 / 연간 채굴량 / 가채 연수
▲ 석유

(영국 석유 기업 BP 발표, 2016년)

자료·분석 천연가스, 석탄, 석유는 상품 생산은 물론 일상생활에도 꼭 필요한 에너지 자원이다. 하지만 이러한 자원들은 무절제한 사용의 결과 조만간 고갈될 위험에 처해 있다.

한·줄·핵·심 자원의 무절제한 사용으로 인해 주요 에너지 자원이 고갈될 위기에 처해 있다.

❹ 테러(terror)

▲ 벨기에 무차별 살상 테러

테러는 살인, 납치, 유괴, 약탈 등 다양한 방법의 폭력을 행사하여 사회적 공포 상태를 일으킨다. 종교적 이념이나 정치적 목적 달성을 위해 행해지는 것이 일반적이지만, 뚜렷한 목적 없이 불특정 다수를 대상으로 한 테러가 증가하여 사람들의 일상이 위협받고 있다.

3. 전쟁과 테러

(1) 전쟁과 테러의 의미와 원인

① **전쟁**: 서로 대립하는 국가들이나 이에 준하는 집단들 간에 군사력을 사용해서 상대의 의지를 강제하려는 행위

예 이스라엘과 팔레스타인 분쟁, 우크라이나 정부군과 친러시아 무장 세력 간 교전 등

② **테러❹**: 특정 목적을 가진 개인이나 조직이 자신들의 목적을 위해 살인, 납치 등의 폭력을 써서 상대를 위협하거나 공포에 빠뜨리는 행위

예 벨기에 무차별 살상 테러, 파리 총격·폭탄 연쇄 테러 등

③ **원인**: 민족 간의 대립, 이념 갈등, 종교 갈등, 경제적 이해관계의 대립 등

(2) 전쟁과 테러로 인한 문제와 해결 방안

① **문제**: 인명 피해, 시설 및 자연환경의 파괴, 인권 침해 등

② **해결 방안** [자료 4]

- 분쟁의 원인에 대한 객관적인 파악
- 상호 존중과 협력을 바탕으로 <u>평화적인 문제 해결</u> 방법 모색
- 국제 연합(UN)❺과 같은 국제기구들의 분쟁 중재
- 인류의 보편적 가치를 지향하는 합리적인 사고

> 전쟁과 테러는 인류가 오랜 시간에 걸쳐 확보한 인권과 삶의 터전을 송두리째 무너뜨릴 수 있어. 따라서 문제 상황을 해결할 때에는 평화적인 방법이 선행되어야 해.

❺ 국제 연합(UN)

제2차 세계 대전 이후 세계 평화를 유지하고 국가 간 우호와 협력을 증진하기 위해 1945년에 창설된 국제기구이다. 국제 연합은 국제 평화와 안전의 유지를 최고의 목적으로 삼는다.

B 지속 가능한 사회와 세계 시민

| 시·험·단·서 | 지속 가능한 사회를 만들기 위해 가져야 하는 자세를 묻는 문제가 주로 출제돼.

1. 지속 가능한 사회의 의미와 구현 방안

> 현재 세대는 물론 미래 세대의 삶의 질이 함께 보장되며 세대 간 조화와 균형을 이루는 사회라고 볼 수 있어.

(1) 지속 가능한 사회: 미래 세대가 자신들의 필요를 충족하기 위해 갖춰야 할 여건을 저해하지 않으면서, 현재 세대가 필요로 하는 다양한 욕구를 충족시키는 사회

(2) 구현 방안

① 환경 문제, 자원 문제, 전쟁, 테러와 같은 전 지구적 수준의 문제는 특정 국가만의 노력으로 해결할 수 없으므로 모든 인류의 노력으로 함께 개선해 나가야 함

② 국가 간의 이해와 합의, 국제기구와의 협력을 바탕으로 지속 가능한 사회를 만들기 위한 대책을 수립하고 실천해야 함

③ 개인도 한 국가의 국민일 뿐 아니라 인류 공동체의 일원으로서 전 지구적 수준의 문제에 <u>주체적이고 능동적으로 참여</u>해야 함

> 친환경적인 생활 방식이나 공정 무역 제품 이용 등의 윤리적 소비 실천을 예로 들 수 있어.

2. 세계 시민의 의미와 자세

(1) 세계 시민: 더불어 사는 지구촌을 만들기 위해 공동체 의식을 가지고 다양한 지구촌의 문제를 해결하기 위해서 적극적으로 행동하는 사람

(2) 세계 시민으로서의 자세 [자료 5]

① 전 지구적 수준의 문제에 대한 지속적인 관심과 해결을 위한 노력

② 인권, 평화와 같은 인류의 보편적 가치 지향

③ 현재 세대와 미래 세대의 권리를 조화롭게 인식하는 자세

④ 지구적 세계관을 바탕으로 인류를 하나의 운명 공동체로 여기는 자세

⑤ 지구촌 사회의 시민으로서 다양한 사람들과 더불어 살아가는 태도

⑥ 다양한 문화를 이해하고 수용하는 개방적인 자세

❻ 지속 가능한 발전

미래 세대의 필요를 충족시킬 수 있는 지구의 능력을 훼손하지 않으면서 현재의 필요를 충족하는 발전으로, 환경 보존과 더불어 경제 성장, 사회 발전을 모두 포괄한다. 즉, 지속 가능한 발전은 '지속 가능한 사회'와 맥락을 같이 이해하는 개념이다.

자료4 북아일랜드 분쟁의 해결

1998년 4월 10일 영국 북아일랜드의 벨파스트에서 영국과 아일랜드(아일랜드 공화국) 사이에 평화 협정이 체결되었다. 아일랜드 공화국 군(IRA)의 테러 등으로 세계적 뉴스가 되었던 북아일랜드 분쟁을 해결하는 초석이 된 이 협정에 영국과 아일랜드 정부, 북아일랜드 내 신·구교 8개 정파가 합의하기까지 숱한 고통과 인내, 협상이 필요하였다. 이 협정은 신·구교 인구 비례로 북아일랜드 의회를 구성한 뒤 각 진영 간 연정을 통해 자치 정부를 꾸리도록 함으로써 북아일랜드 주민들이 민주적으로 이 문제를 해결하기 위한 틀을 갖추었다. 이후 2005년에는 아일랜드 공화국 군이 무장 해제를 선언하였고, 2012년 6월에는 아일랜드 공화국 군에게 사촌을 잃었던 엘리자베스 2세 영국 여왕이 벨파스트에서 마틴 맥기니스 북아일랜드 자치 정부 부총리를 만나 악수하였다. 이에 관해 언론들은 '피로 얼룩진 과거사의 종식을 의미하는 역사적인 사건'이라고 평가하였다.

자료·분석 북아일랜드 분쟁은 영국과 아일랜드 간의 종교 분쟁으로, 오랫동안의 무장 투쟁과 테러로 인해 약 3,200명에 이르는 사망자가 나왔다. 더 이상의 희생자를 막고 평화적으로 문제를 해결하기 위해 영국과 아일랜드는 1998년 벨파스트 협정을 체결하였다.

한·줄·핵·심 전쟁과 테러는 심각한 인명 피해와 인권 침해, 자연환경 파괴 등을 가져오므로 상호 존중과 협력을 통해 평화적으로 문제를 해결하는 방법을 모색해야 한다.

자료5 세계 시민으로서의 자세 관련 문제 ▶ 238쪽 08번

국제 개발 협력은 개발 도상국의 빈곤 퇴치와 경제·사회 개발 지원과 관련한 국제 사회의 광범위한 협력을 의미한다. 세계 시민은 이러한 국제 개발 협력에 적극적으로 동참하는 사람으로, 구체적으로는 다음과 같이 실천하는 사람이다.
1. 지구촌 공동체에 속해 있는 우리가 모두 서로 연결되어 살아간다는 상호 의존성에 대해 이해한다.
2. 빈곤, 불평등, 교육, 사회 정의, 물과 식량 부족, 재난, 갈등, 평화와 같은 다양한 문제에 관해 관심을 두고, 이와 관련된 이웃의 아픔에 공감한다.
3. 지구촌 문제를 균형 잡힌 관점에서 바라보고, 세계 시민으로서 책임감을 느끼고 적극적으로 창의적인 해결책을 모색한다.
4. 편견 없는 사고와 열린 마음으로 다양한 문화를 이해하고 존중하며 차별하지 않는다.
5. 빈곤과 불평등이 없는 세계를 만들기 위해 노력한다.

자료·분석 국제 개발 협력 사업은 전 지구적 수준의 문제 해결과 관련 있다. 이에 적극 동참하여 지구촌의 문제에 관심을 두고 다양한 문화를 존중하며, 빈곤과 불평등이 없는 세계를 만들기 위해 노력하는 것은 세계 시민으로서의 삶을 실천할 수 있는 방안이다.

한·줄·핵·심 세계 시민은 전 지구적 수준의 문제에 관심을 가지고 이를 해결하기 위해 적극적으로 행동하는 사람이다.

? 궁금해요

Q. 현재 세대가 미래 세대의 필요까지 생각하며 자원을 이용해야 하는 이유가 무엇인가요?

A. 우리에게 주어지는 자원은 희소해. 만약 현재 세대가 희소한 자원을 고갈시켜 버린다면 미래 세대는 주어진 자원이 전혀 없는 조건에서 살아가야 할 거야. 따라서 현재 세대는 미래 세대가 누려야 할 삶의 기회를 줄이지 않는 범위에서 자원을 이용해야 해.

용어 더하기

* **국제기구**
정부나 민간단체, 개인 등을 회원으로 하는 행위 주체로서 국가의 범위를 넘어 국제적으로 영향력을 행사한다.

* **중재**
분쟁에 끼어들어 당사자 사이에서 분쟁을 조정하고 해결하는 것

A 전 지구적 수준의 문제

01 빈칸에 알맞은 말을 쓰시오.

(1) 대기 중의 온실가스가 증가하여 지구의 평균 기온이 계속 상승하는 현상을 ☐☐ ☐☐☐ (이)라고 한다.

(2) 과도한 벌목이나 농경지 개발로 인해 삼림과 초원이 황폐해지고 ☐☐(으)로 변하는 문제가 발생한다.

(3) 아마존과 같은 ☐☐ ☐☐의 파괴로 생태계가 교란되고 지구 온난화가 심화한다.

02 환경 문제의 해결 방안으로 옳은 것에 ○표, 틀린 것에 ×표를 하시오.

(1) 자연을 인간의 목적을 달성하기 위한 수단으로 인식한다. ( )

(2) 지속 가능한 개발에 대해 관심을 갖고 일상생활에서 실천한다. ( )

(3) 다양한 국제 사회의 주체들이 참여하여 환경 문제 개선을 위해 노력한다. ( )

03 자원 문제의 대표적인 양상을 〈보기〉에서 골라 기호를 쓰시오.

보기	ㄱ. 물 부족	ㄴ. 이상 기후	ㄷ. 인명 살상	ㄹ. 화석 연료의 고갈

( )

04 ㉠, ㉡에 들어갈 개념을 쓰시오.

> ☐㉠☐ 은/는 서로 대립하는 국가들이나 이에 준하는 집단들 간에 군사력을 사용해서 상대의 의지를 강제하려는 행위이다. 한편, ☐㉡☐ 은/는 특정 목적을 가진 개인이나 조직이 자신들의 목적을 위해 살인, 납치 등의 폭력을 써서 상대를 위협하거나 공포에 빠뜨리는 행동이다.

㉠: ( ), ㉡: ( )

05 알맞은 말에 ○표를 하시오.

(1) 국가 간에 발생한 분쟁을 해결할 때에는 (무력적인, 평화적인) 방법이 선행되어야 한다.

(2) 지구촌의 평화를 위해서는 분쟁에 대한 (국제기구, 다국적 기업)의 적절한 중재가 필요하다.

B 지속 가능한 사회와 세계 시민

06 빈칸에 알맞은 말을 쓰시오.

(1) 현재 세대뿐 아니라 미래 세대의 안정적이고 풍요로운 삶의 질이 보장되는 사회를 ☐☐ ☐☐☐ ☐☐(이)라고 한다.

(2) 전 지구적 수준의 문제를 해결하기 위해서는 지구촌 문제에 관심을 가지고 해결을 위해 적극적으로 노력하는 ☐☐ ☐☐의 자세가 필요하다.

A 전 지구적 수준의 문제

01 밑줄 친 '이것'에 대한 옳은 설명을 〈보기〉에서 고른 것은?

이것은 토지가 점차 사막 환경으로 변해가는 현상이다. 이것이 진행된 지역에서는 식량난이 발생할 수 있고, 질병이 퍼질 수도 있다. 또한 해당 지역에서 발생한 먼지가 기류를 타고 다른 지역이나 국가로 퍼져 나가면서 여러 가지 피해를 발생시킨다.

보기
ㄱ. '이것'은 사막화 현상이다.
ㄴ. 생물 종의 다양성 감소가 주요 원인이다.
ㄷ. 인간의 무분별한 개발에 따른 결과이다.
ㄹ. 특정 국가나 지역에만 국한되는 문제이다.

① ㄱ, ㄴ ② ㄱ, ㄷ ③ ㄴ, ㄷ
④ ㄴ, ㄹ ⑤ ㄷ, ㄹ

02 다음은 환경 문제에 대한 대응 방안이다. 이에 대한 설명으로 적절하지 <u>않은</u> 것은?

REDD+ 계획이란 개발 도상국의 산지 개발 및 산림 황폐화를 방지하여 탄소 배출량을 줄이고자 국제 연합 기후 변화 협약이 개발한 것이다. REDD+ 규범을 준수한 개발 도상국은 검증된 감축 실적에 따라 국제 연합(UN)을 통해 보상을 받는다. 이를 통해 개발 도상국이 탄소 배출량을 줄이고, 지속 가능한 발전을 위한 저탄소 성장에 투자하게 한다.

① 성장과 환경의 조화를 추구한다.
② 지구 온난화 현상에 대한 대응 방안이다.
③ 실효성 확보를 위해 경제적 유인이 활용된다.
④ 환경 문제에 대한 국제 사회의 유기적 협력 사례이다.
⑤ 국가 참여를 배제하고 국제기구가 주체가 되어 진행한다.

03 다음 자료에 대한 설명으로 옳은 것은?

〈2015년 기준 주요 화석 에너지 자원의 확인 매장량과 가채 연수〉

* 가채 연수: 자원을 캐낼 수 있는 연수

(영국 석유 기업 BP 발표, 2016년)

① 석유 생산을 줄이고 석탄 사용을 늘려야 함을 보여 준다.
② 주요 에너지 자원이 고갈될 위기에 처해 있음을 보여 준다.
③ 청정 에너지를 대체할 수 있는 새로운 에너지 자원의 개발이 필요함을 보여 준다.
④ 탐지 기술 개발을 통해 다른 나라에 있는 화석 에너지의 새로운 매장 지역을 찾아야 함을 시사한다.
⑤ 다른 조건이 일정한 상태에서 연간 생산량(채굴량)이 늘면 미래 세대의 이용 가능한 자원량은 증가할 것이다.

04 (가)에 들어갈 적절한 내용을 〈보기〉에서 고른 것은?

사회자: 최근 석유, 석탄 등의 자원 고갈 문제가 대두되면서 에너지 위기가 고조되고 있습니다. 이에 대한 일반 시민들의 대응 방안으로는 어떤 것이 있을까요?
전문가: _____(가)_____

보기
ㄱ. 자원 재활용 노력이 필요합니다.
ㄴ. 불필요한 전력 사용을 줄여야 합니다.
ㄷ. 소비를 최소화하고 저축을 늘려야 합니다.
ㄹ. 해외 자원 확보를 위한 외교를 강화해야 합니다.

① ㄱ, ㄴ ② ㄱ, ㄷ ③ ㄴ, ㄷ
④ ㄴ, ㄹ ⑤ ㄷ, ㄹ

05 밑줄 친 '이것'에 대한 옳은 설명을 〈보기〉에서 고른 것은?

> 이것은 일반적으로 군사력을 이용한 국가 간의 대립 상태로 볼 수 있다. 제2차 세계 대전 이후 인류 종말을 가져올 수 있는 핵무기가 개발되면서 이것의 억제를 위해 국제 사회가 협력하고 있지만, 여전히 지구상에서 이것은 멈추지 않고 있다.

> **보기**
> ㄱ. 인류의 문명과 자연환경을 보존할 수 있다.
> ㄴ. 인명 피해와 인권 침해를 초래할 우려가 있다.
> ㄷ. 종교 갈등, 영토 갈등 등이 발생 요인으로 작용한다.
> ㄹ. 불특정 다수를 대상으로 살인, 납치 등의 위협을 가하는 경우가 증가하고 있다.

① ㄱ, ㄴ   ② ㄱ, ㄷ   ③ ㄴ, ㄷ
④ ㄴ, ㄹ   ⑤ ㄷ, ㄹ

06 다음 사진에 나타난 문제를 해결하기 위한 방안으로 가장 적절한 것은?

▲ 이스라엘과 팔레스타인 분쟁

▲ 파리 총격·폭탄 연쇄 테러

① 우선적으로 군사력을 동원한다.
② 상대방의 공격에 무조건 무력으로 대응한다.
③ 갈등이 발생하는 상대를 맹목적으로 배척한다.
④ 분쟁을 당사자끼리 자체적으로 해결하도록 한다.
⑤ 상호 존중과 이해 및 협력을 바탕으로 대화를 시도한다.

B 지속 가능한 사회와 세계 시민

07 다음은 한 학생이 작성한 생활 실천 계획서이다. 이에 대한 평가로 가장 적절한 것은?

> 저는 앞으로 생각하는 소비를 하겠습니다. 이를 위해 두 가지를 꼭 실천하겠습니다.
> 첫째, 필요 없는 소비를 하지 않겠습니다.
> 둘째, 내가 사는 물건이 생산 및 유통 과정에서 지구의 환경이나 다른 지구촌 구성원에게 피해를 주지 않았는지를 고려하겠습니다.

① 세계 시민 의식을 확인할 수 있다.
② 서로 다른 문화에 대한 수용적 태도를 갖고 있다.
③ 환경 보존이 경제 성장보다 우선한다는 인식을 하고 있다.
④ 지속 가능한 발전과 경제 성장은 조화를 이룰 수 없음을 전제한다.
⑤ 지속 가능한 사회를 위해 시장을 통한 자원 배분 시스템에 참여하지 않겠다는 의지가 담겨 있다.

서술형 문제

08 다음은 국제 개발 협력 교육 자료에서 제시한 세계 시민의 자세이다. 이러한 자세가 필요한 이유를 서술하시오.

> 1. 지구촌 공동체에 속해 있는 우리가 모두 서로 연결되어 살아간다는 상호 의존성에 대해 이해한다.
> 2. 빈곤, 불평등, 교육, 사회 정의, 물과 식량 부족, 재난, 갈등, 평화와 같은 다양한 문제에 관해 관심을 두고, 이와 관련된 이웃의 아픔에 공감한다.
> 3. 지구촌 문제를 균형 잡힌 관점에서 바라보고, 세계 시민으로서 책임감을 느끼고 적극적으로 창의적인 해결책을 모색한다.
> 4. 편견 없는 사고와 열린 마음으로 다양한 문화를 이해하고 존중하며 차별하지 않는다.
> 5. 빈곤과 불평등이 없는 세계를 만들기 위해 노력한다.

01 다음은 어느 지역의 변화를 나타낸 것이다. 이에 대한 설명으로 옳지 <u>않은</u> 것은?

① 지구 온난화 현상을 심화시킨다.
② 전 지구적 수준의 환경 문제이다.
③ 물 부족 문제를 초래하는 직접적인 요인이다.
④ 무분별한 벌목, 불법적 방화 등을 원인으로 들 수 있다.
⑤ 동식물의 서식지를 파괴하여 생태계의 균형이 깨질 수 있다.

02 다음 자료에 대한 옳은 설명만을 〈보기〉에서 있는 대로 고른 것은?

• 게임 규칙: 시작할 때 카드 두 장을 받는다. 두 장의 카드 뒷면에 적힌 내용이 모두 전 지구적 수준의 문제 중 특정 문제에 대한 대응 방안에 해당할 경우 게임이 종료된다. 만약 두 장의 카드 뒷면에 적힌 내용이 서로 다른 문제에 대한 대응 방안일 경우 한 장을 버리고 새로 한 장을 받는다.
• 게임 결과: 갑은 처음에 받은 A, B 두 장의 카드 중 B를 버리고 새로 C를 받았고, 게임은 바로 종료되었다.
*단, 카드 A의 뒷면에 적힌 내용은 '신·재생 에너지 개발'이었다.

보기
ㄱ. '자원을 절약하는 습관'은 B에 들어갈 수 없다.
ㄴ. B의 뒷면에 적힌 내용은 자원 문제에 대한 대응 방안이다.
ㄷ. '국제 사회의 유기적 협력'은 C에 들어갈 수 있다.
ㄹ. A, C의 뒷면에 적힌 내용은 모두 환경 문제에 대한 대응 방안이다.

① ㄱ, ㄷ   ② ㄱ, ㄹ   ③ ㄴ, ㄷ
④ ㄱ, ㄴ, ㄹ   ⑤ ㄴ, ㄷ, ㄹ

03 밑줄 친 '갑국의 내전'에 대한 옳은 설명을 〈보기〉에서 고른 것은?

갑국은 오랜 기간 부자 세습의 독재정치를 이어왔다. 갑국 시민들이 정권 퇴진을 요구하는 시위를 벌이자 갑국 정부는 군대를 동원해 유혈 진압했고, 사태는 독재 정부를 축출하려는 반정부군과 정부군 사이의 내전으로 번졌다. 현재 갑국의 내전은 종교 전쟁의 성격, 정부군과 반군을 지원하는 국가들의 대리전 성격까지 띠는 방향으로 전개되고 있다. 국제 연합 안전 보장 이사회는 최근 긴급 회의를 열고 이에 대한 적절한 대응 방안을 찾고 있다.

보기
ㄱ. 국가 간 무력 분쟁이다.
ㄴ. 분쟁의 성격이 복잡해지고 있다.
ㄷ. 경제적 이해관계의 대립에 의해 시작되었다.
ㄹ. 국제기구에 의한 분쟁 해결 노력이 시도되고 있다.

① ㄱ, ㄴ   ② ㄱ, ㄷ   ③ ㄴ, ㄷ
④ ㄴ, ㄹ   ⑤ ㄷ, ㄹ

04 다음은 미래 세대에서 온 편지 내용 중 일부이다. 이와 관련하여 현재 세대에게 요구되는 자세로 옳지 <u>않은</u> 것은?

당신 시대의 사람들은 공공 정책과 일상생활에서 인류의 미래에 영향을 미칠 수 있는 엄청난 힘을 가지고 있습니다. 우리는 당신에게서 직접 이익을 얻을 수도, 고통을 받을 수도 있어서 당신의 선택에 깊은 관심이 있습니다. 우리는 시간이라는 강의 흐름 속에서 보았을 때 당신보다 하류에 살고 있어서 당신이 그 흐름 속에 흘려 보낸 모든 것은 우리에게 영향을 주게 됩니다.

① 세계 시민 의식을 가져야 한다.
② 현재 세대와 미래 세대의 권리를 개별적으로 인식해야 한다.
③ 미래 세대가 사용할 경제, 사회, 환경 등의 자원을 낭비해서는 안 된다.
④ 인권, 자유, 평등과 같은 인류 보편의 가치를 지향하고 확산해야 한다.
⑤ 전 지구적 수준의 문제에 관심을 가지고 해결을 위해 적극적으로 노력해야 한다.

01
사회 변동과 사회 운동

02
현대 사회의 변화와 대응 방안

A 사회 변동의 이해

(1) **사회 변동**: 시간의 경과에 따라 물질적 생활양식이나 가치, 규범, 제도 등의 사회 구조가 전반적으로 변화하는 현상

(2) **사회 변동의 특징과 요인**

특징	• 사회에 따라 사회 변동의 규모와 속도, 양상이 다름 • 한 영역의 변화가 다른 영역의 변화를 유발함
요인	과학 기술의 발전, 자연환경의 변화, 가치관·이념의 변화, 문화 요소의 전파, 사회 운동 등

B 사회 변동을 설명하는 이론

(1) **사회 변동의 방향에 대한 이론**

진화론	사회 변동은 일정한 방향을 가지고 있으며, 변동은 곧 진보와 발전을 의미함
순환론	사회는 시간의 흐름에 따라 생성, 성장, 쇠퇴, 해체의 과정을 반복함

(2) **사회 구조적인 측면에서 사회 변동을 설명하는 이론**

기능론	사회 변동은 사회에 균열이 발생했을 때 사회가 다시 균형을 찾아가는 일시적인 현상임
갈등론	사회 변동은 피지배 집단이 지배 집단에 대한 불만과 갈등을 외부로 표출하면서 일어나는 자연스러운 현상임

C 사회 운동의 이해

(1) **사회 운동**: 다수의 사람이 사회 변동을 달성하거나 저지하기 위해 지속적이고 조직적으로 하는 행동

(2) **사회 운동의 특징과 사회 변동에 미치는 영향**

특징	• 기존 사회 질서의 유지 혹은 새로운 사회 질서의 형성을 목적으로 함 • 뚜렷한 목표와 이념, 체계적인 조직을 가지고 있음
영향	• 사회 변동의 주요 요인으로 작용함 • 사회의 문제점을 드러내고 해결 방안을 찾는 기회를 제공함 • 사회적 갈등을 해소하고 바람직한 변화 방향을 제시함

A 세계화로 인한 사회 변화

(1) **세계화**

의미	국경을 넘어 전 세계가 상호 의존하며 하나로 통합되어 가는 현상
배경	교통·통신 기술의 발달, 세계 무역 기구(WTO)의 출범, 다국적 기업의 활동 증가 등
변화 양상	세계 시장의 단일화, 다양한 문화의 전파, 다국적 기업과 비정부 기구 등의 활동 증가, 인류의 보편적 가치 확산 등

(2) **세계화로 인한 문제와 대응 방안**

문제	개별 주권 국가의 정책 자율성 침해, 선진국과 개발 도상국 간 격차 확대, 문화의 획일화 등
대응 방안	개인, 기업, 국가의 경쟁력 강화, 개발 도상국의 생산자를 보호하기 위한 활동, 문화 상대주의적 태도와 관용의 자세, 세계 시민으로서의 자질 함양 등

B 정보화로 인한 사회 변화

(1) **정보화**

의미	정보 통신 기술의 발달로 지식과 정보가 가장 중요한 자원이 되는 정보 사회로 변화하는 현상
배경	정보 통신 기술의 발달, 사회 구성원들의 지식과 정보에 대한 열망 증대 등
변화 양상	지식과 정보의 가치 증대, 다품종 소량 생산 방식으로의 변화, 업무와 경제생활의 편리성, 수평적 사회 조직 증가, 참여 민주주의 활성화 등

(2) **정보화로 인한 문제와 대응 방안**

문제	개인 정보 유출과 사생활 침해 증가, 정보 격차에 따른 사회적 불평등 심화, 정보 오남용 및 사이버 일탈 증가, 피상적 인간관계의 확산과 인간 소외 현상의 심화 등
대응 방안	타인의 권리 존중, 정보 윤리 함양, 사이버 범죄에 대한 법적 장치 마련, 취약 계층에 대한 정보 교육 실시 등

C 저출산·고령화 사회로의 변화

(1) 저출산·고령화: 출산율이 낮아지고, 전체 인구에서 노인 인구가 차지하는 비율이 증가하는 현상

(2) 원인

저출산	여성의 사회 활동 증가, 혼인·출산에 대한 가치관 변화, 자녀 양육비 부담 등
고령화	의료 기술 발달과 생활 수준 향상에 따른 평균 수명의 증가, 저출산 현상과 등

(3) 저출산·고령화로 인한 문제와 대응 방안

문제	• 저출산 문제: 경제 활동 인구의 감소에 따른 노동력 부족, 경제 성장 둔화 등 • 고령화 문제: 노인 빈곤 문제, 노인 부양에 대한 재정 부담 증가, 세대 간 갈등 심화 등
대응 방안	• 저출산 대응 방안: 일과 가정이 양립할 수 있는 제도 마련, 가족 내 양성평등 실현 등 • 고령화 대응 방안: 노인 일자리 창출, 고령 친화 산업 육성, 노인을 대상으로 한 사회 보장 제도 정비 등

D 다문화 사회로의 변화

(1) 다문화 사회의 의미와 배경

의미	다양한 인종·종교·문화를 가진 사람들이 함께 살아가는 사회
배경	세계화에 따른 노동력 이동의 활성화, 국제결혼에 따른 이민자 증가, 북한 이탈 주민 증가 등

(2) 다문화 사회의 과제와 대응 방안

과제	외국인 이주민이 겪는 언어 소통의 어려움과 문화 적응 문제, 외국인 근로자에 대한 부당한 대우, 다문화 가정에 대한 편견과 차별에 따른 갈등 등
대응 방안	외국인 이주민에 대한 다양한 지원책 마련, 다문화 사회에 대한 인식 개선 및 다문화 수용성 강화, 문화의 차이를 인정하고 존중하는 관용의 태도 함양 등

A 전 지구적 수준의 문제

(1) 환경 문제

원인	산업화에 따른 무분별한 개발, 물질적 가치의 획득을 위해 자연을 수단으로만 간주하는 인간 중심적 사고 등
양상	지구 온난화, 사막화, 열대 우림 파괴 등
해결 방안	자연과 더불어 살아가려는 태도, 환경 문제 해결을 위한 국제 사회의 노력, 기업의 환경 정화 시설 정비와 친환경 제품 개발 등

(2) 자원 문제

원인	제한된 자원 매장량, 무절제한 자원 소비 등
양상	주요 화석 에너지 자원의 고갈, 식량 부족 문제, 물 부족 문제, 자원을 둘러싼 국가 간 갈등 등
해결 방안	절약하는 습관과 재활용하는 태도, 신·재생 에너지 개발, 자원 문제 해결을 위한 국제 사회의 노력, 성장 위주의 정책과 소비 위주의 문화 개선 등

(3) 전쟁과 테러

의미	• 전쟁: 서로 대립하는 국가들이나 이에 준하는 집단들 간에 군사력을 사용해서 상대의 의지를 강제하려는 행위 • 테러: 특정 목적을 가진 개인이나 조직이 자신들의 목적을 위해 살인, 납치 등의 폭력을 써서 상대를 위협하거나 공포에 빠뜨리는 행위
문제점	인명 피해, 시설 및 자연환경의 파괴, 인권 침해 등
해결 방안	상호 존중과 협력을 통한 평화적 문제 해결, 국제 연합(UN)과 같은 국제기구의 분쟁 중재 등

B 지속 가능한 사회와 세계 시민

지속 가능한 사회	미래 세대가 자신들의 필요를 충족하기 위해 갖춰야 할 여건을 저해하지 않으면서, 현재 세대가 필요로 하는 다양한 욕구를 충족시키는 사회
세계 시민	더불어 사는 지구촌을 만들기 위해 공동체 의식을 가지고 다양한 지구촌의 문제를 해결하기 위해서 적극적으로 행동하는 사람

01 다음에 공통으로 나타난 사회 변동의 요인으로 옳은 것은?

> • 천부 인권 및 자유주의 사상의 확산을 통해 민주주의 사회가 확립되었다.
> • 내세를 지향하면서도 세속적 생활양식을 합리화한 프로테스탄티즘의 확산은 자본주의의 발전을 촉진시켰다.

① 인구 변화
② 자연환경의 변화
③ 과학 기술의 발전
④ 가치관 또는 이념의 변화
⑤ 새로운 문화 요소의 전파

02 다음은 사회 변동 이론 A, B가 갖는 한계이다. 이에 대한 옳은 설명을 〈보기〉에서 고른 것은? (단, A, B는 각각 기능론, 갈등론 중 하나이다.)

| A | → | 사회 변동을 지나치게 대립과 갈등 측면에서 파악한다. |
| B | → | 전쟁·혁명과 같은 급격한 사회 변동을 설명하기 어렵다. |

보기
ㄱ. A는 사회 변동을 사회가 균형을 찾아가는 과정으로 본다.
ㄴ. B는 사회 변동을 일시적이며 병리적인 현상이라고 본다.
ㄷ. A와 달리 B는 보수적인 관점으로 평가된다.
ㄹ. B와 달리 A는 사회 변동을 사회 구조적인 측면에서 설명한다.

① ㄱ, ㄴ ② ㄱ, ㄷ ③ ㄴ, ㄷ
④ ㄴ, ㄹ ⑤ ㄷ, ㄹ

03 그림은 사회 변동 이론 A, B를 구분한 것이다. 이에 대한 옳은 설명을 〈보기〉에서 고른 것은? (단, A, B는 각각 진화론, 순환론 중 하나이다.)

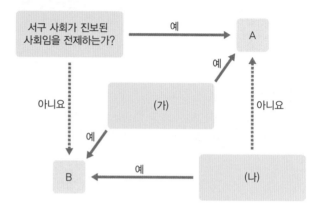

보기
ㄱ. A와 달리 B는 단기적 사회 변동을 설명하기 용이하다.
ㄴ. B와 달리 A는 사회 변동이 일정한 방향을 갖는다고 본다.
ㄷ. (가)에는 '사회 변동의 방향에 대한 이론인가?'가 들어갈 수 있다.
ㄹ. (나)에는 '역사적 퇴보를 설명하기 곤란한가?'가 들어갈 수 있다.

① ㄱ, ㄴ ② ㄱ, ㄷ ③ ㄴ, ㄷ
④ ㄴ, ㄹ ⑤ ㄷ, ㄹ

04 다음에 해당하는 사회학적 개념에 대한 설명으로 옳지 않은 것은?

> 다수의 사람이 사회 변동을 달성 또는 저지하려는 의도를 가지고 지속적·조직적으로 하는 활동

① 사회 변동의 주요 요인으로 작용한다.
② 복고적 성격의 활동으로 나타날 때도 있다.
③ 과거에는 노동 운동을 중심으로 진행되었다.
④ 다양한 사회 갈등을 해소하는 계기가 될 수 있다.
⑤ 사회 전체의 이익을 증진시키는 방향으로만 진행된다.

05 다음 대화에 대한 설명으로 옳지 <u>않은</u> 것은?

> 교사: A의 요인에 대해 발표해 볼까요?
> 갑: 국가 간 시공간적 거리가 줄어들었기 때문입니다.
> 을: 기업들이 경제 활동의 범위를 세계 시장으로 넓혔기 때문입니다.
> 병: 국제 무역의 범위가 넓어졌기 때문입니다.
> 교사: 모두 옳게 발표했어요.

① A는 전 세계의 상호 의존성이 커지는 현상이다.
② A로 인해 나타난 문제로 선진국과 개발 도상국 간의 격차 심화를 들 수 있다.
③ 갑이 발표한 내용은 교통·통신 기술의 발달에 기인한다.
④ 을이 발표한 내용의 결과 자본, 노동이 아닌 상품의 국가 간 이동이 증가했다.
⑤ 병이 발표한 내용의 요인으로 세계 무역 기구(WTO)의 출범을 들 수 있다.

06 다음 글에 나타난 필자의 주장에 부합하는 진술로 가장 적절한 것은?

> 정보화에 따른 인터넷의 발달로 시민들이 정치에 참여할 수 있는 기회가 늘어나면서 전자 민주주의가 가능해졌다는 주장이 있다. 그러나 정보 접근 기회 및 정보 활용 능력이 떨어지는 계층에게는 오히려 정치 과정에서의 소외를 가져올 수 있다.

① 정보화를 통한 전자 민주주의는 정치 발전을 가져온다.
② 정치적 의사를 표현할 수 있는 방법이 점차 단순화되고 있다.
③ 정치 과정에 모든 국민이 참여하기 위해서는 전자 민주주의가 필요하다.
④ 정보 윤리를 함양하고 올바른 사이버 문화의 정착을 위해 노력해야 한다.
⑤ 정보 격차는 정치 참여 과정에도 영향을 미칠 수 있으므로 대책이 필요하다.

07 그림은 우리나라의 노령화 지수와 노년 부양비를 나타낸 것이다. 이에 대한 설명으로 옳지 <u>않은</u> 것은?

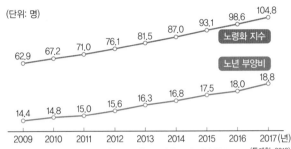

(단위: 명)
* 노년 부양비: 생산 가능 인구(15~64세) 100명당 65세 이상 인구
** 노령화 지수: 유소년 인구(0~14세) 100명당 65세 이상 인구
(통계청, 2018)

① 저출산·고령화 현상이 심화하고 있다.
② 사회 구성원들의 노인 부양 부담이 증대되고 있다.
③ 2017년에 유소년 인구수가 노인 인구수를 초과한다.
④ 출산 장려 정책을 통해 위와 같은 현상을 완화할 수 있다.
⑤ 노인 인구를 위한 사회 복지 제도의 확충이 요구됨을 보여 준다.

08 그림은 국내 거주 외국인 주민 수와 비중을 나타낸 것이다. 이에 나타난 현상의 대응 방안으로 가장 적절한 것은?

(국회 입법 조사처, 2015)

① 외국인 주민과의 문화 차이를 인정하지 않는다.
② 국제결혼 이주자의 국내 입국 요건을 강화한다.
③ 우리 민족의 정체성과 주체성 함양을 위해 노력한다.
④ 외국인 주민을 대상으로 한국 문화에 대한 교육을 강화한다.
⑤ 외국인 주민이 사회에 적응할 수 있도록 다양한 다문화 정책을 마련한다.

09 밑줄 친 '파리 협정'에 대한 옳은 설명을 〈보기〉에서 고른 것은?

> 파리 협정은 교토 의정서의 뒤를 잇는 새로운 기후 변화 협약이다. 일부 선진국에만 온실가스 감축 의무를 부과했던 교토 의정서와 달리 개발 도상국까지도 온실가스 감축에 동참하도록 한 데 의의가 있다.

보기
> ㄱ. 지속 가능한 사회를 지향한다.
> ㄴ. 지구 온난화 문제를 해결하고자 한다.
> ㄷ. 교토 의정서에 비해 참가국의 수가 감소했다.
> ㄹ. 선진국보다 개발 도상국이 환경 문제에 대한 책임이 무거움을 강조한다.

① ㄱ, ㄴ ② ㄱ, ㄷ ③ ㄴ, ㄷ
④ ㄴ, ㄹ ⑤ ㄷ, ㄹ

11 (가), (나)에 대한 옳은 설명을 〈보기〉에서 고른 것은?

> (가) 은/는 국가나 그에 상응하는 정치 집단 간에 전면적 또는 국지적으로 무력·폭력이 발생하는 갈등 상황이다. 한편, (나) 은/는 개인이나 단체가 다양한 방법의 폭력을 행사하여 자신들의 특정 목적을 추구하는 행위이다.

보기
> ㄱ. (가)는 제2차 세계 대전 이후 발생하지 않고 있다.
> ㄴ. 최근 불특정 다수를 대상으로 한 (나)가 증가하여 시민들의 일상생활이 위협받고 있다.
> ㄷ. (가)는 (나)와 달리 인명 피해와 자연환경의 파괴를 초래한다.
> ㄹ. (가), (나)의 해결 방안으로 국제 연합(UN)과 같은 국제기구의 중재를 들 수 있다.

① ㄱ, ㄴ ② ㄱ, ㄷ ③ ㄴ, ㄷ
④ ㄴ, ㄹ ⑤ ㄷ, ㄹ

10 밑줄 친 ㉠~㉣에 대한 설명으로 옳지 않은 것은?

> ㉠생태 발자국 지수란 사람들의 먹을거리, 교통 이용, 주거 환경, 소비 활동 등을 충족하기 위해 소요되는 ㉡자원과 ㉢폐기물을 처리하는 데 필요한 토지 면적이다. 즉, 지수가 낮을수록 친환경적인 생활 습관을 갖고 있다고 볼 수 있다. 2016년 기준으로 ㉣지구가 감당할 수 있는 1인당 생태 발자국 지수는 18,000 m²인데, 우리나라 사람들의 1인당 생태 발자국 지수는 57,000 m²인 것으로 조사됐다.

① 대중교통을 이용하는 것은 ㉠을 줄일 수 있는 실천 방안에 해당한다.
② 성장 위주의 정책과 소비 위주의 문화가 확산할수록 ㉠은 높아질 것이다.
③ ㉡은 일반적으로 자연에서 얻지만 한정되어 있다.
④ ㉢의 양과 ㉠은 정(+)의 관계이다.
⑤ ㉣은 우리나라에서 사용할 수 있는 자원의 양이 풍부함을 의미한다.

12 (가)에 들어갈 내용으로 적절하지 않은 것은?

> '로하스(LOHAS)'는 'Lifestyles of Health And Sustainability'의 앞 글자를 딴 용어로, 공동체 전체의 보다 나은 삶을 위해 건강과 환경, 사회의 지속 가능한 발전 등을 고려하는 소비자들의 생활 방식을 말한다. 이를 실현하기 위해서는 (가)

① 세계 시민으로서 책임감을 가져야 한다.
② 전 지구적 수준의 문제에 관심을 두어야 한다.
③ 일회용 제품의 사용량을 늘려 위생 문제를 개선해야 한다.
④ 지구 환경에 미칠 영향을 고려하여 소비 생활을 해야 한다.
⑤ 미래 세대에게 필요한 여건을 저해하지 않고 생산된 제품을 구매해야 한다.

13 다음 글을 읽고 물음에 답하시오.

> 시간의 경과에 따라 나타나는 물질적인 생활양식이나 가치, 규범, 사회적 관계, 제도 등을 포함하는 사회 구조의 전반적인 변화를 ___(가)___ (이)라고 한다. ___(가)___ 의 요인으로 과학 기술의 발전, 자연환경의 변화, 가치관·이념의 변화, 사회 운동 등을 들 수 있다.

(1) (가)에 들어갈 용어를 쓰시오.

(   )

(2) (가)의 특징을 <u>두 가지</u> 서술하시오.

14 다음 글을 읽고 물음에 답하시오.

> 생명체는 최적화된 일정한 상태를 유지하려는 성질, 즉 항상성(恒常性)을 갖는다. 사회 변동을 설명하는 이론 중 A는 생명체의 이러한 특성에 주목하여 사회 구조도 생명체와 마찬가지로 항상성을 갖는다고 보고, 사회 변동은 항상성에 대한 예외적인 현상으로 설명한다.

(1) A에 해당하는 이론을 쓰시오.

(   )

(2) A의 장점과 한계점을 서술하시오.

15 다음 글을 읽고 물음에 답하시오.

> 세계화는 전 세계가 하나로 통합되어 가는 것으로, 다음과 같은 두 가지 현상을 함축하고 있다. 하나는 ㉠국가 간의 인구 이동과 경제적·정치적·문화적인 교류가 활발해지는 것이고, 다른 하나는 ㉡국가 간의 상호 연관성과 상호 의존성 등이 심화하는 것이다.

(1) 밑줄 친 ㉠이 가능해진 주요 요인을 <u>한 가지</u> 쓰시오.

(   )

(2) 밑줄 친 ㉡으로 인해 발생할 수 있는 세계화의 문제점을 서술하시오.

16 다음은 국제 연합(UN)에서 발표한 '지속 가능 발전 목표' 중 일부이다. 이를 읽고 물음에 답하시오.

> • 국가 내·국가 간 불평등 완화
> • 모두에게 지속 가능한 에너지 보장
> • 지속 가능한 소비 및 생산 패턴 확립

(1) 위의 목표를 가지고 지구 공동체의 일원으로서 노력하는 사람을 지칭하는 용어를 쓰시오.

(   )

(2) 위와 같은 목표가 필요한 이유를 서술하시오.

집중력을 높이는
컬러링 note

내 꿈은

집중력을 높이는
미로 Game

주방보조 몬스터!
냥쉐프에게 요리 재료를 무사히 전달하라!

너의 꿈은
뭐니?

꿈을 찾는 법

꿈을 찾고 있나요?

여러분의 꿈은 무엇인가요? 요리사, 연예인, 비행사, 변호사, 전문 경영인(CEO)…

혹시 아직 꿈이 없다면, 꿈을 찾기 위해 고민을 하고 있나요?

꿈을 찾았다고 해도 이것이 진정 내가 찾는 꿈인지 고민이 들 때가 있을 거예요.

꿈을 찾기 위해 어떻게 해야 할까요?

일단 내가 꿈꾸고자 하는 것들을 하나씩 빈 노트에 적어보세요.

그리고 내가 정말 흥미를 느끼는 일인지, 나의 적성에 맞는 일인지,

내가 잘할 수 있는 일인지 등을 생각해 보아요.

적성과 노력, 흥미 모두 중요하지만 가장 중요한 것은

내가 정말 행복할 수 있는 일인가 하는 거예요.

꿈을 찾는 과정에서 주저앉아 울고 싶을 때…

삶에 지쳐 잠시 주저앉아 있거나 어디로 가야 할지

인생의 방향을 잃었을 때 그 자리에 주저앉아 울기보다는

앞으로 더 좋아질 것이라는 희망과 가슴속 깊이 간직한

꿈을 떠올려 보아요.

내 꿈은
'한식왕' 챔피언!

지학사

개념 학습과 정리가 한번에 끝나는 기본서

개념풀

사회·문화

정답과 해설

개념과 정리가 한번에 끝나는 기본서

개념풀
— 사회·문화 —

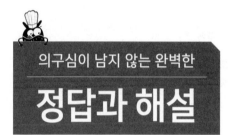

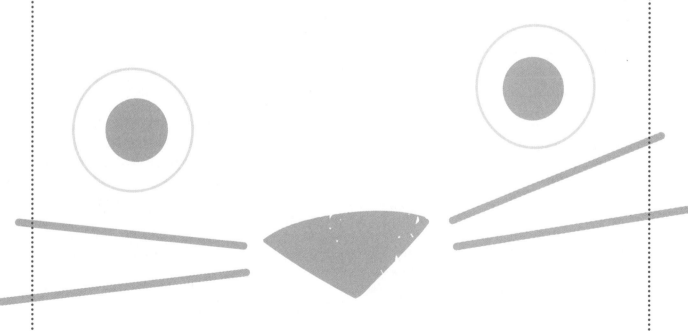

I » 사회·문화 현상의 탐구

01 ~ 사회·문화 현상의 이해

콕콕! 개념 확인하기   20쪽

01 (1) ㉠ (2) ㉡ (3) ㉡ (4) ㉠
02 (1) ○ (2) ○ (3) ○ (4) ✕
03 (1) 갈등론 (2) 기능론 (3) 상징적 상호 작용론 (4) 기능론
    (5) 상징적 상호 작용론
04 (1) 기능론 (2) 갈등론 (3) 상징적 상호 작용론

탄탄! 내신 다지기   21~23쪽

01 ②   **02** ④   **03** ⑤   **04** ④   **05** ④   **06** ④   **07** ⑤
08 ⑤   **09** ②   **10** ⑤   **11** ⑤   **12** ①   **13** 해설 참조

01 자연 현상과 사회·문화 현상의 구분

자료 분석 | 자연 현상과 사회·문화 현상은 인간의 의지나 노력이 작용하여 발생하느냐를 기준으로 하여 구분할 수 있다. 단풍 축제(㉠)와 기상청의 예보(㉢)는 인간의 의지나 노력이 작용한 것이므로 사회·문화 현상에 해당하고, 비가 내리는 것(㉡)과 단풍이 지는 것(㉣)은 인간의 의지나 가치와 무관하게 자연계의 원리에 의해 발생하므로 자연 현상에 해당한다.

[선택지 분석]

① ㉠, ㉡ → ㉡은 자연 현상이다.
☑ ② ㉠, ㉢
③ ㉡, ㉢ → ㉡은 자연 현상이다.
④ ㉡, ㉣ → ㉡, ㉣은 자연 현상이다.
⑤ ㉢, ㉣ → ㉣은 자연 현상이다.

02 사회·문화 현상의 특징

[선택지 분석]

① 몰가치적이다.
    _{가치 함축적}
② 존재 법칙의 지배를 받는다.
    _{당위 법칙}
③ 법칙의 발견과 예측이 용이하다.
    _{어렵다}
  ➡ 사회·문화 현상은 발생 요인과 결과가 법칙으로 대응하기보다는 확률적으로 관련을 맺고 있어 법칙의 발견과 예측이 어렵다. 법칙의 발견과 예측이 용이한 것은 자연 현상이다.
☑ ④ 시·공간적 보편성과 특수성을 가진다.
⑤ 인과 관계가 분명하며, 확실성의 원리가 적용된다.
  ➡ 사회·문화 현상은 개연성과 확률의 원리가 적용된다. 인과 관계가 분명하며 확실성의 원리가 적용되는 것은 자연 현상이다.

03 사회·문화 현상의 특징

자료 분석 | '이 현상'은 사회·문화 현상이다. 사회·문화 현상은 시대와 사회를 초월하여 동일하게 나타나는 보편성과 시대와 사회에 따라 구체적인 모습이 다르게 나타나는 특수성이 동시에 존재한다.

[선택지 분석]

✕ 몰가치적이다.
  ➡ 사회·문화 현상은 가치가 포함되어 있으므로 가치 함축적이다. 몰가치적인 것은 자연 현상이다.
✕ 존재 법칙이 지배한다.
  ➡ 사회·문화 현상은 당위 법칙이 지배하고, 자연 현상은 존재 법칙이 지배한다.
㉢ 개연성과 확률의 원리가 적용된다.
㉣ 인과 관계가 존재하지만 불분명하다.
  ➡ 사회·문화 현상은 발생 요인과 그 결과가 법칙으로 대응하기보다 확률적으로 관련을 맺고 있어 예외적인 현상이 나타날 수 있다. 즉, 인과 관계가 존재하지만 불분명하다.

04 자연 현상과 사회·문화 현상

자료 분석 | (가)는 자연 현상, (나)는 사회·문화 현상이다.

[선택지 분석]

✕ (카)와 같은 현상은 예외가 존재한다.
    _(나)
  ➡ 자연 현상은 예외가 존재하지 않는다.
㉡ (나)와 같은 현상은 당위 법칙의 지배를 받는다.
✕ (카)와 같은 현상은 (나)와 같은 현상과 달리 개연성이
    _(나)   _(가)
나타난다.
  ➡ 개연성은 사회·문화 현상의 특징에 해당한다.
㉣ (나)와 같은 현상은 (가)와 같은 현상과 달리 사람들의 가치나 신념이 반영되어 나타난다.
  ➡ 자연 현상은 몰가치적, 사회·문화 현상은 가치 함축적이다.

05 자연 현상과 사회·문화 현상

자료 분석 | ㉠은 자연 현상, ㉡은 사회·문화 현상이다.

[선택지 분석]

① ㉠과 같은 현상은 존재 법칙의 지배를 받는다.
② ㉡과 같은 현상은 확률의 원리가 적용된다.
③ ㉠과 같은 현상은 몰가치적, ㉡과 같은 현상은 가치 함축적이다.
☑ ④ ㉡과 같은 현상은 ㉠과 같은 현상에 비해 인과 관계가 분명하다.
  ➡ 인과 관계가 분명한 것은 자연 현상이다.
⑤ ㉡과 같은 현상은 ㉠과 같은 현상과 달리 보편성과 특수성이 함께 나타난다.

06 자연 현상과 사회·문화 현상

자료 분석 | ㉠, ㉡, ㉣은 사회·문화 현상, ㉢은 자연 현상이다.

[선택지 분석]

① ㉠, ㉣과 같은 현상은 확실성의 원리를 따른다.
  ➡ ㉠, ㉣은 모두 사회·문화 현상으로, 확률의 원리를 따른다.

② ⓒ과 같은 현상과 달리 ⓔ과 같은 현상은 인과 관계가 존재한다.

➡ ⓒ, ⓔ은 모두 사회·문화 현상으로, 인과 관계가 존재하나, 불분명하다.

③ ⓒ과 같은 현상은 ⓒ과 같은 현상과 달리 당위 법칙의 지배를 받는다.

➡ 자연 현상(ⓒ)은 존재 법칙의 지배를 받고, 사회·문화 현상(ⓒ)은 당위 법칙의 지배를 받는다.

✅ ⓒ, ⓒ, ⓒ과 같은 현상은 모두 경험적 자료에 의해 연구할 수 있다.

➡ 사회·문화 현상도 자연 현상과 마찬가지로 경험적 자료를 토대로 연구를 진행할 수 있다.

⑤ ⓒ, ⓔ과 같은 현상과 달리 ⓒ과 같은 현상은 인간의 의지와 감정이 개입되어 발생한다.

➡ 인간의 의지와 감정이 개입되어 발생하는 것은 사회·문화 현상(ⓒ, ⓔ)이다.

07 상징적 상호 작용론

자료 분석 | 제시문에는 인간이 대상에 대하여 스스로 부여한 의미에 기초하여 행동하며 자율성을 지닌 능동적 존재라고 보는 **상징적 상호 작용론**이 나타나 있다.

[선택지 분석]

❌ 개인에 대한 사회 구조의 영향력을 ~~중시~~ 한다.
　　　　　　　　　　　　　　　　　　　간과

➡ 상징적 상호 작용론은 개인에 대한 사회 구조의 영향력을 간과한다는 한계를 지닌다.

❌ 인간 행동의 동기에 대한 의미와 해석을 ~~경시~~ 한다.
　　　　　　　　　　　　　　　　　　　중시

ⓒ 인간은 상황에 대한 자신의 해석을 바탕으로 행동한다고 본다.

ⓔ 사회·문화 현상의 의미는 그것이 발생하는 상황 맥락에 따라 달라질 수 있다고 본다.

08 기능론

자료 분석 | 유기체가 자동 안정화 기능에 의해 항상성을 갖듯이 사회도 구성 요소들의 역할 수행에 의해 안정 상태를 이루고 있다는 **사회 유기체설**은 기능론과 맥락을 같이한다. 기능론은 사회의 하위 체계 구성 요소들이 정상적으로 작동해야 **사회 통합이 유지될 수** 있다고 본다.

[선택지 분석]

❌ 급격한 사회의 변동을 설명하기에 ~~용이~~ 하다.
　　　　　　　　　　　　　　　　　곤란

➡ 갈등론에 해당하는 진술이다. 기능론은 급격한 사회 변동을 설명하기 곤란하다.

❌ 사회 규범이 ~~특정 집단~~ 의 합의를 통해 형성된다고 본다.
　　　　　　사회 구성원 전체의

➡ 갈등론에 해당하는 진술이다. 기능론은 사회 규범에 대한 사회 구성원의 합의가 존재한다고 본다.

ⓒ 사회가 스스로 균형을 유지하려는 속성을 지닌다고 본다.

ⓔ 사회 구성원은 사회의 조화와 안정에 필요한 역할을 수행한다고 본다.

09 상징적 상호 작용론

자료 분석 | 제시문에는 인간의 상호 작용에 담긴 **상징 행위의 의미** 해석을 중시하는 **상징적 상호 작용론**이 나타나 있다.

[선택지 분석]

① 사회는 이익을 둘러싸고 대립하는 계급으로 구성된다고 본다. → 갈등론

✅ 인간이 상황 정의에 기초하여 행동하는 자율적인 존재라고 본다.

③ 사회 구조나 제도는 지배와 피지배의 관계를 반영하여 형성된다고 본다. → 갈등론

④ 사회의 유지에 필요한 핵심적인 가치나 규범에 관하여 사회적 합의가 존재한다고 본다. → 기능론

⑤ 사회의 각 부분이 역할을 제대로 수행함으로써 조화와 균형을 회복할 힘을 갖고 있다고 본다. → 기능론

10 기능론과 갈등론

자료 분석 | 갑은 학교 교육을 통해 개인이 사회에서 공유되는 가치를 배운다고 주장하고 있다. 이는 사회 유지에 필요한 가치에 관한 **사회적 합의가 존재**한다고 보는 것이므로 **기능론의 관점**이다. 을은 학교 교육이 **사회 불평등 구조를 재생산**한다고 주장하고 있다. 이는 갈등론의 관점이다.

[선택지 분석]

① 갑의 관점은 보수적인 관점이라는 비판을 받는다.

② 을의 관점은 학교에서 가르치는 내용이 지배 계급의 이익을 위한 것이라고 본다.

③ 갑의 관점은 을의 관점과 달리 학교는 사회의 존속과 질서 유지에 기여한다고 본다.

④ 갑, 을의 관점은 모두 개인의 행위가 사회 구조의 영향을 받아 나타난다고 본다.

➡ 거시적 관점에 대한 진술이다. 기능론과 갈등론은 모두 거시적 관점에 해당한다.

✅ 갑, 을의 관점은 모두 학교와 학교 교육에 대해 학생들이 부여하는 다양한 의미와 해석에 주목한다.

➡ 갑의 관점은 기능론, 을의 관점은 갈등론이다. 학생들이 부여하는 의미와 해석에 주목하는 것은 상징적 상호 작용론이다.

11 기능론과 갈등론

자료 분석 | 갑의 관점은 **갈등론**, 을의 관점은 **기능론**에 해당한다.

[선택지 분석]

❌ 갑의 관점은 사회의 지배적 규범 습득이 사회 존속에 필수적이라고 본다.

➡ 사회의 지배적 규범을 습득하는 것이 사회 존속에 필수적이라고 보는 관점은 기능론(을)이다.

❌ 을의 관점은 개인이 각자의 주관에 따라 다양한 사회상을 만들어 낸다고 본다.

➡ 특정한 상황에 대한 개인의 주관적 해석이나 의미 부여에 따라 다양한 사회·문화 현상이 나타난다고 보는 관점은 미시적 관점이다. 갑과 을의 관점은 모두 거시적 관점이다.

ⓒ 갑의 관점은 을의 관점과 달리 사회화가 현재의 불평등한 구조를 정당화한다고 비판한다.

➡ 갈등론은 사회 구조와 제도가 지배 계급의 이익을 보호하는 장치라고 본다. 따라서 학교와 같은 사회화 기관을 현재의 불평등한 계층 구조를 정당화하고, 지배 계급의 이익을 지키기 위한 수단으로 인식한다.

ⓔ 을의 관점은 갑의 관점에 비해 사회 통합의 유지를 중시한다.

➡ 기능론은 사회 통합과 안정을 중시하여 사회의 각 부분이 상호 의존적으로 사회 통합을 위해 맡은 기능을 수행한다고 본다.

12 기능론과 상징적 상호 작용론

자료 분석 | 인간의 능동적 사고와 자율적 행위의 측면을 강조하는 관점은 상징적 상호 작용론이고, 사회가 사회 구성원 전체의 합의에 따라 만들어진다고 보는 관점은 기능론이다. 따라서 (가)는 상징적 상호 작용론, (나)는 기능론에 해당한다.

[선택지 분석]

✔ (가)의 관점은 개인에 대한 사회 구조의 영향력을 간과한다.

➡ 상징적 상호 작용론은 인간을 사회·문화 현상을 만들어가는 능동적인 존재로 보아, 개인의 행위가 사회 구조나 제도에 의해 나타날 수 있음을 간과한다.

② (가)의 관점은 사회 구성원은 사회의 안정과 조화에 필요한 역할을 수행한다고 본다.
(나)

➡ 기능론에 대한 설명이다.

③ (나)의 관점은 현상의 본질이 구성원의 해석에 따라 달라진다고 본다.
(가)

➡ 상징적 상호 작용론에 대한 설명이다.

④ (나)의 관점은 사람들이 행위를 해석하고 정의하는 과정에 초점을 둔다.
(가)

➡ 상징적 상호 작용론에 대한 설명이다.

⑤ (가)의 관점과 (나)의 관점 모두 거시적 관점에 해당한다.

➡ (가) 상징적 상호 작용론은 미시적 관점, (나) 기능론은 거시적 관점에 해당한다.

13 기능론과 갈등론

[예시 답안] 갑의 관점은 기능론, 을의 관점은 갈등론이다. 기능론의 한계점으로는 혁명과 같은 급격한 사회 변동을 설명하기 어려우며, 기득권층의 이익을 대변하는 논리로 이용될 우려가 있다는 것을 들 수 있다. 갈등론의 한계점으로는 사회 각 부분 간의 복잡한 관계를 지배와 피지배의 관계로 단순화하고, 조화와 협동 및 사회적 합의를 경시한다는 것을 들 수 있다.

채점 기준		
상	갑과 을의 관점에 대해 바르게 쓰고, 각 관점의 한계점을 한 가지씩 충실하게 서술한 경우	
중	갑과 을의 관점은 바르게 쓰고, 각 관점의 한계점을 한 가지씩 서술하였으나, 그 내용이 부족한 경우	
하	갑과 을의 관점만 바르게 쓴 경우	

도전! 실력 올리기 24~25쪽

| 01 ② | 02 ① | 03 ② | 04 ③ | 05 ② | 06 ③ | 07 ③ |
| 08 ④ | | | | | | |

01 자연 현상과 사회·문화 현상

자료 분석 | 기온이 떨어지는 것은 인간의 의지나 가치와 무관하게 자연 스스로의 원리에 의해 일어나므로 자연 현상이다. 벚꽃 축제, 벚꽃을 즐기려는 관광객 증가, 일기 예보는 모두 인간의 의지나 가치가 개입되어 발생하는 사회·문화 현상이다. 따라서 ㉠은 자연 현상이고, ㉡, ㉢, ㉣은 사회·문화 현상이다.

[선택지 분석]

① 갑: ㉠-○, ㉡-×, ㉢-○, ㉣-×

➡ 자연 현상은 몰가치적인 반면, 사회·문화 현상은 가치 함축적이다.

✔ 을: ㉠-○, ㉡-×, ㉢-×, ㉣-×

➡ 존재 법칙의 적용을 받는 것은 자연 현상이다.

③ 병: ㉠-×, ㉡-○, ㉢-×, ㉣-○

➡ 확률의 원리가 적용되는 것은 사회·문화 현상이다.

④ 정: ㉠-×, ㉡-×, ㉢-○, ㉣-○

➡ 보편성과 특수성이 공존하는 것은 사회·문화 현상이다.

⑤ 무: ㉠-○, ㉡-○, ㉢-×, ㉣-×

➡ 자연 현상과 사회·문화 현상은 모두 경험적 자료에 의해 연구할 수 있다.

02 자연 현상과 사회·문화 현상

자료 분석 | ㉠은 사회·문화 현상이고, ㉡과 ㉢은 자연 현상이다.

[선택지 분석]

㉠ ㉠과 같은 현상은 확률의 원리를 따른다.

➡ 사회·문화 현상은 확률의 원리, 자연 현상은 확실성의 원리를 따른다.

㉡ ㉡과 같은 현상은 인과 관계가 분명하다.

➡ 자연 현상은 특정 원인에 따라 그에 상응하는 결과가 예외 없이 발생하여 인과 관계가 분명하다.

✗ ㉠과 같은 현상은 ㉢과 같은 현상에 비해 보편성이 강하게 나타난다.

➡ 자연 현상이 사회·문화 현상에 비해 보편성이 강하게 나타난다.

✗ ㉡과 같은 현상은 ㉢과 같은 현상과 달리 몰가치적이다.

➡ ㉡과 ㉢ 모두 자연 현상으로 몰가치적이다.

03 자연 현상과 사회·문화 현상

자료 분석 | ㉠과 ㉢은 인간의 의지와 무관하게 일어나므로 자연 현상에 해당한다. ㉡과 ㉣은 인간의 의지에 의한 사회·문화 현상이다.

[선택지 분석]

① ㉠과 같은 현상은 ㉣과 같은 현상과 달리 인과 관계가 나타난다.

➡ 자연 현상은 인과 관계가 나타난다. 사회·문화 현상도 자연 현상보다 불분명하긴 하나 인과 관계가 나타난다.

✔ ⓛ과 같은 현상은 ⓒ과 같은 현상과 달리 당위 법칙을 따른다.
> ➡ 존재 법칙의 지배를 받는 자연 현상(ⓒ)과 달리 사회·문화 현상(ⓛ)은 '마땅히 해야 한다'로 표현되는 당위 법칙을 따른다.

③ ⓒ과 같은 현상은 ⓝ과 같은 현상과 달리 확률의 원리가 적용된다.
> ➡ 확률의 원리가 적용되는 사회·문화 현상(ⓝ)과 달리 자연 현상(ⓒ)은 예외가 존재하지 않아 확실성의 원리가 적용된다.

④ ⓔ과 같은 현상은 ⓛ과 같은 현상과 달리 보편성보다 특수성이 강하다.
> ➡ ⓛ, ⓔ과 같은 사회·문화 현상은 보편성보다 특수성이 강하다.

⑤ ⓝ, ⓛ과 같은 현상은 ⓒ, ⓔ과 같은 현상과 달리 몰가치적이다.
> ➡ ⓝ, ⓒ과 같은 자연 현상은 몰가치적이고 ⓛ, ⓔ과 같은 사회·문화 현상은 가치 함축적이다.

04 기능론

자료 분석 | 제시문에는 기능론적 관점이 나타나 있다.

[선택지 분석]

① 사회 갈등이 사회 변동의 원동력이 된다고 본다.
> ➡ 기능론은 사회 갈등이나 사회 문제를 사회 구성 요소가 제 기능을 제대로 수행하지 못해 발생하는 병리적인 현상이라고 본다. 따라서 사회 구성 요소가 원래의 기능을 회복하면 사회는 다시 안정을 이룬다고 본다.

② 사회 질서는 특정 집단의 합의에 근거한다고 본다.
> ➡ 기능론은 특정 집단이 아니라 사회 전체의 합의라고 본다.

✔ 질서 유지를 위한 사회 하위 체계의 기능에 주목한다.

④ 개인 간 상호 작용의 주관적 의미를 이해하고 밝히는 데 유용하다.
> ➡ 상징적 상호 작용론에 해당한다.

⑤ 사회 구조보다는 개별 행위의 맥락적인 의미와 동기 해석이 중요하다고 본다.
> ➡ 상징적 상호 작용론에 해당한다.

05 기능론과 갈등론

자료 분석 | 갑의 관점은 기능론, 을의 관점은 갈등론이다.

[선택지 분석]

① 갑의 관점은 교육에 있어 가정 배경의 영향력을 중시한다. (을)
> ➡ 기능론은 교육이 개인의 능력과 노력에 따른 사회 이동의 통로가 된다고 본다.

✔ 갑의 관점은 교육 수준에 따른 사회적 희소가치의 차등 배분을 정당하다고 본다.

③ 을의 관점은 교육이 계층의 재생산을 억제한다고 본다.
> ➡ 갈등론의 입장에서는 교육이 사회적 계층 구조의 재생산에 기여한다고 본다.

④ 을의 관점은 교육이 사회 이동의 기회를 제공함을 강조한다. (갑)

⑤ 갑, 을의 관점은 모두 학교 교육에 대한 교사와 학생의 상황 정의에 주목한다.
> ➡ 갑, 을의 관점은 모두 거시적 관점이다. 학교 교육에 대한 교사와 학생의 상황 정의에 주목하는 것은 미시적 관점인 상징적 상호 작용론이다.

06 상징적 상호 작용론

자료 분석 | 제시문은 인간이 상황 정의에 기초하여 각자의 주관에 따라 행동한다고 보고 있으므로 상징적 상호 작용론에 해당한다.

[선택지 분석]

✗ 사회 문제를 병리적인 현상으로 간주한다. → 기능론
> ➡ 기능론에서는 사회 문제를 사회 구성 요소가 제 기능을 정상적으로 수행하지 못해 발생하는 병리적 현상으로 간주한다.

ⓛ 개인에 대한 사회 구조의 영향력을 경시한다.
> ➡ 미시적 관점인 상징적 상호 작용론의 한계에 해당한다.

ⓒ 인간의 능동적 사고와 자율적 행위의 측면을 강조한다.

✗ 사회적 희소가치의 분배 기준이 사회적으로 합의된 것이라고 본다. → 기능론

07 기능론

자료 분석 | 제시문은 '사회는 유기체처럼 다양한 부분들이 상호 의존적으로 연결되어 하나의 체계를 형성하고 있다.'라는 부분으로 미루어 기능론의 관점이다.

[선택지 분석]

① 사회적 합의를 경시한다.
> ➡ 기능론은 사회 구성원 전체의 합의를 통해 사회 규범이 형성되고 사회의 질서가 유지된다고 본다.

② 사회 안정 및 균형의 측면을 간과한다.
> ➡ 기능론은 사회 안정 및 균형의 측면을 중시한다.

✔ 기득권층의 이익을 대변하는 논리로 악용될 수 있다.
> ➡ 기능론은 사회 안정을 강조하여 기득권층의 이익을 대변하는 논리로 이용될 우려가 있다.

④ 사회 관계를 지배와 피지배의 관계로 단순화하였다.
> ➡ 갈등론의 한계에 해당하는 설명이다.

⑤ 개인의 행위가 사회 구조의 영향을 받음을 간과한다.
> ➡ 상징적 상호 작용론의 한계에 해당하는 설명이다.

08 사회·문화 현상을 바라보는 관점

자료 분석 | 갑은 기능론, 을은 상징적 상호 작용론, 병은 갈등론의 관점에서 노인 소외 문제를 바라보고 있다.

[선택지 분석]

① 갑의 관점은 상황에 대한 개인의 주관적 의미 부여를 강조한다. (을)
> ➡ 상황에 대한 개인의 주관적 의미 부여는 상징적 상호 작용론에서 중시된다.

② 을의 관점은 사회가 필연적으로 변화하며 집단 간 갈등이 변화의 동력이라고 본다. (병)
> ➡ 사회의 필연적 변화, 변화의 동력으로서의 집단 간 갈등은 갈등론에서 중시된다.

③ 병의 관점은 기득권층의 이익을 대변하는 논리로 사용
  (갑)
  된다는 비판을 받는다.
  ➡ 기득권층의 이익을 대변하는 논리로 사용된다는 비판을 받는
    관점은 기능론이다.
☑ 갑의 관점은 병의 관점과 달리 사회 구성 요소의 기능
  과 역할이 사회적으로 합의된 것이라고 본다.
  ➡ 기능론은 갈등론과 달리 사회를 유기체에 비유하면서 사회 구
    성 요소의 기능과 역할이 사회적으로 합의된 것이라고 본다.
⑤ 을, 병의 관점은 갑의 관점과 달리 사회 문제를 설명하
  (갑,병)   (을)
  는 데 사회 구조적 요인을 중시한다.
  ➡ 기능론과 갈등론은 거시적 관점으로, 사회 문제를 설명하는 데
    구조적 요인을 중시한다.

02 ~ 사회·문화 현상의 탐구 방법

콕콕! 개념 확인하기   33쪽

01 (1) 질 (2) 양 (3) 질 (4) 양
02 (가): 양적 연구 방법, (나): 질적 연구 방법
03 (1) 문헌 연구법 (2) 면접법 (3) 질문지법
04 (1) ㄹ (2) ㄷ (3) ㄱ (4) ㄴ

탄탄! 내신 다지기   34~37쪽

01 ②   **02** ⑤   **03** ③   **04** ③   **05** ⑤   **06** ②   **07** ④
08 ②   **09** ④   **10** ②   **11** ④   **12** ①   **13** ⑤   **14** ④
15~16 해설 참조

01 양적 연구 방법

자료 분석 | 사회·문화 현상에 고도의 규칙성이 있다고 보아 사회·
문화 현상의 인과 관계를 밝히려는 연구는 양적 연구이다.
[선택지 분석]
① 연구 대상자의 주관적 상황 정의를 중시한다.
  ➡ 질적 연구에 대한 설명이다.
☑ 변인 간 관계에 대한 법칙 발견을 목적으로 한다.
  ➡ 양적 연구는 사회·문화 현상에 내재하는 법칙 발견을 목적으
    로 한다.
③ 사회·문화 현상에 대하여 심층적으로 이해하고자 한다.
  ➡ 질적 연구에 대한 설명이다.
④ 사회 과학은 자연 과학과는 다른 방법으로 연구해야 한
  다고 본다.
  ➡ 질적 연구에 대한 설명이다.
⑤ 연구자의 직관적인 통찰에 의한 인간 행위의 의미 이해
  를 중시한다.
  ➡ 질적 연구에 대한 설명이다.

02 양적 연구 방법의 한계

자료 분석 | 제시된 연구 목적이 스마트폰 사용과 학업 성취도와의
상관관계를 밝히는 것이므로 이는 일반화나 법칙 발견을 목적으로
하는 양적 연구이다.
[선택지 분석]
① 변인 간의 상관관계를 알아보기 곤란하다.
  ➡ 양적 연구는 변인 간의 상관관계 분석이 용이하다.
② 정밀하고 정확한 연구 결과를 얻기 힘들다.
  ➡ 양적 연구는 정밀하고 정확한 연구가 가능하다.
③ 연구자의 주관적 가치가 개입될 우려가 크다.
  ➡ 질적 연구의 단점이다.
④ 경험적 자료를 근거로 하여 결론을 도출하기 어렵다.
  ➡ 양적 연구와 질적 연구 모두 경험적 자료를 근거로 하여 결론
    을 도출한다.
☑ 계량화하여 분석하기 곤란한 연구에는 적합하지 않다.
  ➡ 양적 연구는 사회·문화 현상에 대한 측정과 계량화를 통해 연
    구를 진행하므로 계량화가 곤란한 인간의 주관적이고 정신적
    인 연구에는 제약이 있다.

03 양적 연구 방법

자료 분석 | A 대학 연구팀은 닮은 사람에 대한 기억과 낯선 사람
에 대한 신뢰도 간의 관계를 알아보기 위하여 실험법을 통해 연구
를 진행하여 일반적인 법칙을 밝혀냈다. 이는 양적 연구 방법을 사
용한 것이다.
[선택지 분석]
① 편지, 일기 등 비공식적인 자료를 주로 활용한다.
  ➡ 질적 연구에 대한 설명이다.
② 사회·문화 현상이 나타나게 된 사회적 맥락의 이해에
  중점을 둔다.
  ➡ 질적 연구에 대한 설명이다.
☑ 경험적인 자료의 계량화를 통해 사회·문화 현상을 분석
  하려고 한다.
④ 사회·문화 현상의 탐구 방법이 자연 현상의 탐구 방법
  과는 다르다고 본다.
  ➡ 질적 연구에 대한 설명이다.
⑤ 인간 행위의 동기나 의도를 파악하여 사회·문화 현상의
  의미를 이해하고자 한다.
  ➡ 질적 연구에 대한 설명이다.

04 양적 연구 방법

자료 분석 | 사회 세계의 법칙을 발견하려는 '이 연구 방법'은 양적
연구 방법이다.
[선택지 분석]
✕ 연구 대상자와의 정서적 교감을 중시한다.
  ➡ 질적 연구에 대한 설명이다.
ⓛ 연구 설계를 할 때 개념의 조작적 정의가 이루어질 수
  있다.
ⓒ 측정과 계량화를 통해 사회·문화 현상을 정밀하게 분
  석할 수 있다고 본다.

✕ 연구 대상의 사회·문화적 맥락 이해를 중시하는 방법론적 이원론에 기반한다.

➡ 질적 연구에 대한 설명이다. 양적 연구는 방법론적 일원론에 기반하며, 일반화나 법칙 발견을 목적으로 한다.

05 양적 연구 방법

자료 분석 | 방법론적 일원론을 바탕으로 하므로 양적 연구 방법이다.

[선택지 분석]

① 유럽 국가별 복지 재정 지출 실태 비교 연구
➡ 객관적 자료를 이용하여 계량화가 가능한 연구로 양적 연구에 적합한 주제이다.

② 청소년의 대화에 나타난 줄임말 사용 빈도 연구
➡ 객관적 자료를 이용하여 계량화가 가능한 연구로 양적 연구에 적합한 주제이다.

③ 부모와의 유대와 학업 성취도 간의 상관관계 연구
➡ 두 변수 간의 상관관계를 검증하기 위한 것으로 양적 연구에 적합한 주제이다.

④ 직업별 결혼 이주 여성의 경제 활동 참가율 변화 연구
➡ 객관적 자료를 이용하여 계량화가 가능한 연구로 양적 연구에 적합한 주제이다.

✓⑤ 섬 거주 주민들의 주민 공동체 행위에 대한 사례 연구
➡ 인간의 행위 동기나 목적 등을 깊이 있게 연구하려는 질적 연구에 적합한 주제이다.

06 질적 연구 방법

자료 분석 | 제시문은 사회·문화 현상을 이해할 때 인과 관계를 규명하는 것이 어려우므로 인간의 주관적 행위 동기나 목적 등을 깊이 있게 이해해야 한다는 입장이다. 이는 질적 연구에 해당한다.

[선택지 분석]

㉠ 연구자의 감정 이입을 통해 사회 현상을 이해한다.
➡ 질적 연구는 연구자의 직관적 통찰과 감정 이입적인 이해를 통해 사회·문화 현상의 본질을 이해하려고 한다.

✕ 법칙 발견을 통해 사회 현상을 설명하고 예측하고자 한다.
➡ 양적 연구에 대한 설명이다.

㉢ 자연 과학의 연구 방법을 사회 현상 연구에 적용할 수 없다고 본다.
➡ 질적 연구는 사회·문화 현상은 자연 현상과 본질적으로 다른 특성을 가지므로 자연 과학의 연구 방법으로는 사회·문화 현상을 연구할 수 없다는 방법론적 이원론을 바탕으로 한다.

✕ 경험적 자료를 수량으로 측정하고, 통계적으로 분석하고자 한다.
➡ 양적 연구에 대한 설명이다.

07 질적 연구 방법

자료 분석 | 연구 대상자의 행위에 담긴 동기에 대한 심층적인 이해를 강조하는 연구 방법은 질적 연구이다.

[선택지 분석]

㉠ 자료 해석 과정에서 연구자의 직관적 통찰을 중시한다.

㉡ 인간 행동의 동기, 의도와 같은 본질을 이해하고자 한다.
㉢ 연구 대상자가 구성해 내는 생활 세계에 연구의 초점을 둔다.
✕ 측정이나 실험을 통해 사회·문화 현상을 연구하는 방법론적 일원론의 전통을 따른다.
➡ 방법론적 일원론은 양적 연구와 관련 있다. 양적 연구는 사회·문화 현상이 자연 현상과 본질적으로 동일한 특성을 지니고 있으므로 측정, 실험 등 자연 현상의 연구 방법을 사회·문화 현상의 연구에 적용할 수 있다고 본다.

08 문헌 연구법

자료 분석 | 기록으로 남아 있는 자료를 활용하여 정보를 수집하고 있으므로, 공통으로 사용된 자료 수집 방법은 문헌 연구법이다.

[선택지 분석]

① 시간과 장소의 제약으로부터 비교적 자유롭다.
✓② 1차 자료의 수집용으로 활용되는 경우가 많다.
　　2차 자료
③ 양적 연구와 질적 연구 모두에 활용될 수 있다.
④ 기존 연구 동향이나 성과 파악을 통한 참고 자료 수집에 적합하다.
⑤ 자료의 해석 과정에서 연구자의 주관적 가치가 개입될 우려가 있다.

09 자료 수집 방법

자료 분석 | 질적 연구에서는 참여 관찰법과 면접법이, 양적 연구에서는 질문지법과 실험법이 주로 활용된다.

[선택지 분석]

✕ A가 '현상의 계량화 정도'라면, ㉠은 면접법, ㉡은 질문지법이 될 수 있다.
➡ 현상의 계량화 정도는 질문지법이 면접법보다 크다.

㉡ A가 '연구자의 주관이 개입될 가능성 정도'라면, ㉠은 면접법, ㉡은 실험법이 될 수 있다.

✕ A가 '자료 수집 상황에 대한 통제 수준'이라면, ㉠은 참여 관찰법, ㉡은 실험법이 될 수 있다.
➡ 자료 수집 상황에 대한 통제 수준은 실험법이 참여 관찰법보다 크다.

㉣ A가 '자료의 실제성 확보가 용이한 정도'라면, ㉠은 참여 관찰법, ㉡은 질문지법이 될 수 있다.
➡ 자료의 실제성 확보는 참여 관찰법의 장점이다.

10 자료 수집 방법

자료 분석 | A는 문자 해득 능력이 있는 사람을 연구 대상자로 하고 있으므로 질문지법이다. B는 언어적 소통이 불가능한 경우에도 사용할 수 있으므로 참여 관찰법이고, C는 면접법이다.

[선택지 분석]

㉠ A는 B에 비해 자료의 통계적 처리가 용이하다.
➡ 질문지법은 계량화된 자료를 수집할 때 주로 이용하여 자료의 통계적 처리가 용이하다.

✗ B는 C에 비해 추가적 질문을 통해 자료의 정확성을 높일 수 있다.

　➡ 추가적 질문을 통해 자료의 정확성을 높일 수 있는 방법은 면접법이다.

ⓒ B와 C는 A에 비해 연구자의 편견이 개입될 가능성이 크다.

　➡ 질문지법에 비해 참여 관찰법과 면접법은 연구자의 편견이 개입될 가능성이 크다.

✗ C는 A에 비해 법적·윤리적 문제에서 자유롭지 않다.

　➡ 실험법이 인간을 실험 대상으로 하여 법적, 윤리적 문제가 제기될 수 있다.

11 자료 수집 방법

자료 분석 | A는 질문지법, B는 참여 관찰법, C는 면접법, D는 실험법이다.

[선택지 분석]

① A는 C에 비해 자료 수집 과정에서 연구자의 유연한 대처가 용이하다.

　➡ 면접법은 질문에 대한 응답에 따라 질문 내용을 자유롭게 바꿀 수 있으므로 미리 정해진 질문에 대한 답변만 얻는 질문지법에 비해 유연한 대처가 용이하다.

② B는 D에 비해 윤리적 문제가 발생할 가능성이 크다.

　➡ 실험법이 참여 관찰법보다 윤리적 문제가 발생할 가능성이 크다.

③ C는 A와 달리 대량의 자료를 수집하는 데 유리하다.

　➡ 질문지법은 면접법과 달리 대량의 자료 수집에 용이하다.

✔C는 D에 비해 연구자의 주관이 개입될 가능성이 크다.

　➡ 면접법은 실험법에 비해 연구자의 주관이 개입될 가능성이 크다.

⑤ A, D는 B, C에 비해 조사자의 편견이 개입될 가능성이 크다.

　➡ 참여 관찰법(B)과 면접법(C)이 자료 수집과 해석 과정에서 조사자의 편견이 개입될 가능성이 크다.

12 자료 수집 방법

자료 분석 | 갑은 질문지법, 을은 참여 관찰법, 병은 면접법을 사용하였다.

[선택지 분석]

✔갑의 방법은 을의 방법보다 통계 분석에 용이하다.

　➡ 질문지법은 통계 분석에 용이하다.

② 갑의 방법은 병의 방법보다 깊이 있는 정보의 수집에 적당하다.

　➡ 면접법이 질문지법보다 더 깊이 있는 정보의 수집에 적당하다.

③ 을의 방법은 병의 방법과 달리 2차 자료를 수집할 때 사용한다.

　➡ 갑, 을, 병을 통해 수집된 자료가 모두 연구자가 자신의 의도에 따라 직접 수집하여 최초로 분석되는 자료가 된다면, 이는 모두 1차 자료를 수집할 때 사용되는 것이다.

④ 병의 방법은 갑의 방법보다 연구 결과의 일반화에 유리하다.

➡ 양적 연구는 일반화를 목적으로 한다. 질문지법은 주로 양적 연구에 활용된다.

⑤ 갑의 방법은 주로 질적 연구에, 을과 병의 방법은 주로
　　　　　　　　　　　　　　　　　　　　　　　　양적
양적 연구에 사용한다.
질적

　➡ 질문지법은 주로 양적 연구에서, 참여 관찰법과 면접법은 주로 질적 연구에서 사용한다.

13 질문지법과 참여 관찰법

자료 분석 | (가)는 질문지를 활용하여 자료를 수집하였다는 점에서 질문지법이고, (나)는 투루카나족과 같이 생활하며 그들의 모습을 관찰하였다는 점에서 참여 관찰법이다.

[선택지 분석]

① (가)는 (나)에 비해 시간과 비용이 많이 든다.

　➡ 질문지법은 짧은 시간에 적은 비용으로 대량의 자료를 수집할 수 있다.

② (가)는 (나)에 비해 깊이 있는 자료를 수집하기에 적합하다.

　➡ 참여 관찰법이 질문지법에 비해 깊이 있는 자료를 수집하기에 적합하다.

③ (가)는 (나)와 달리 다수의 응답자에게 동일한 내용을 조사하기 곤란하다.

　➡ 질문지법은 동일한 질문을 통해 다수의 응답자에게 동일한 내용을 조사할 수 있다.

④ (나)는 (가)와 달리 기존 연구 동향 파악을 위한 자료 수집에 적합하다.

　➡ 기존 연구 동향 파악을 위한 참고 자료를 수집하는 것은 문헌 연구법이다.

✔(나)는 (가)와 달리 언어가 통하지 않는 유아나 아동에게 실시할 수 있다.

　➡ 질문지법은 문맹자에게 실시할 수 없지만, 참여 관찰법은 의사소통이 어려운 유아나 아동에게도 실시할 수 있다.

14 참여 관찰법과 질문지법

자료 분석 | A는 참여 관찰법, B는 질문지법이다.

[선택지 분석]

① A는 연구 대상자가 모집단을 대표하는지를 중시한다.
　B

② B는 자료의 실제성을 확보하는 데 유리하다.
　A

③ A는 B와 달리 1차 자료를 수집할 때 사용한다.

　➡ 연구자가 연구에서 분석하는 자료 중 연구자 자신의 의도에 따라 직접 수집하여 최초로 분석하는 자료를 1차 자료라고 한다. 질문지법과 참여 관찰법 모두 1차 자료를 수집할 때 사용할 수 있다.

✔B는 A에 비해 구조화된 자료 수집 방법이다.

　➡ 질문지법이 참여 관찰법보다 구조화된 자료 수집 방법이다.

⑤ B는 A보다 심층적인 자료를 얻기에 용이하다.

　➡ 참여 관찰법이 질문지법보다 심층적인 자료를 얻기에 용이하다.

15 질적 연구

[예시 답안] '이것'은 직관적 통찰이며, 직관적 통찰이 주로 사용되는 연구 방법은 질적 연구이다. 질적 연구는 법칙을 발견하기보다는 사회·문화 현상에 대하여 심층적으로 이해하고자 한다.

채점기준		
상	밑줄 친 '이것'이 직관적 통찰이라는 점과 질적 연구의 연구 목적을 정확하게 서술한 경우	
중	밑줄 친 '이것'이 직관적 통찰이라는 점과 질적 연구에서 사용된다는 점만 서술한 경우	
하	밑줄 친 '이것'이 직관적 통찰이라는 것만 서술한 경우	

16 자료 수집 방법

[예시 답안] (가): 관찰하고자 하는 현상이 나타날 때까지 기다려야 한다는 점을 들 수 있다. (나): 질적

채점기준		
상	제시문에 나온 내용이 아닌 참여 관찰법의 단점을 바르게 서술하고, (나)에 '질적' 혹은 '해석적'이라고 쓴 경우	
중	참여 관찰법의 단점을 서술하였으나 그 내용이 미흡하고, (나)에 '질적' 혹은 '해석적'이라고 쓴 경우	
하	(나)에 들어갈 용어만 옳게 쓴 경우	

도전! 실력 올리기   38~39쪽

01 ③   **02** ③   **03** ②   **04** ⑤   **05** ①   **06** ⑤   **07** ②
08 ②

01 질적 연구 방법

자료 분석 | 제시문에 나타난 사회·문화 현상의 연구 방법은 질적 연구이다.

[선택지 분석]

✗ 주로 연역적 과정을 통해 결론을 도출한다.
➡ 질적 연구는 구체적 사례에서 관찰한 현상의 공통적인 것을 모아 일반적인 원리를 도출하는 귀납적 과정을 통해 결론을 도출한다.

ⓛ 사회·문화 현상이 자연 현상과 본질적으로 다르다고 전제한다.
➡ 사회·문화 현상이 자연 현상과 본질적으로 다르기 때문에 연구 방법이 근본적으로 달라야 한다는 방법론적 이원론은 질적 연구와 관련 있다.

ⓒ 행위자의 주관적 가치 및 행위 동기에 대해 심층적으로 이해하고자 한다.
➡ 행위자의 주관적 가치 및 행위 동기, 상황 맥락과 불가분의 관계에 있는 사회·문화 현상에 대하여 심층적으로 이해하고자 하는 연구는 질적 연구이다.

✗ 사회·문화 현상에 내재한 규칙성을 발견함으로써 일반화나 법칙을 정립하고자 한다.
➡ 양적 연구에 대한 설명이다.

02 사회·문화 현상의 연구 방법

자료 분석 | A는 양적 연구, B는 질적 연구이다. 양적 연구는 일반화나 법칙 정립을 목적으로 하므로 계량화된 자료의 통계적 분석을 중시하고, 질적 연구는 사회 현상에 대한 깊이 있는 이해를 중시한다.

[선택지 분석]

① A는 감정 이입과 직관적 통찰을 통한 이해를 중시한다.
    B
➡ 질적 연구에 대한 설명이다.

② B는 사회·문화 현상 연구에 자연 과학적 연구 방법을
                        A
사용한다.
➡ 양적 연구에 대한 설명이다.

✔ A는 B와 달리 계량화된 자료의 통계적 분석을 중시한다.

④ B는 A와 달리 경험적 자료를 중시한다.
➡ 양적 연구와 질적 연구 모두 경험적 자료를 중시한다.

⑤ A, B 모두 연구자가 연구 대상으로부터 분리될 수 있다고 본다.
➡ 양적 연구에만 해당하는 설명이다.

03 양적 연구와 질적 연구

자료 분석 | ㉠은 양적 연구 방법, ㉡은 질적 연구 방법이다.

[선택지 분석]

① ㉠과 같은 방법은 경험적 자료를 통해 연구 대상자의 가치나 태도를 객관적으로 파악하고자 한다.

✔ ㉡과 같은 방법은 직관적 통찰을 통해 주로 인간 행위의 이면보다 행위 자체를 분석하고자 한다.
➡ 질적 연구는 직관적 통찰을 통해 인간 행위의 이면을 심층적으로 분석하고자 한다.

③ ㉠과 같은 방법은 ㉡과 같은 방법에 비해 연구 결과를 일반화할 수 있어 현상에 대한 예측력이 높다.
➡ 양적 연구는 일반적으로 가설을 검증하고 그 검증 결과를 바탕으로 일반화하는 과정을 거치며, 변수 간의 관계 파악을 통해 미래의 결과에 대한 예측도 가능하다.

④ ㉡과 같은 방법은 ㉠과 같은 방법에 비해 연구자와 연구 대상자 간의 정서적 교감을 중시한다.
➡ 질적 연구에서는 연구 대상자와의 교감이 중시된다.

⑤ ㉠과 같은 방법은 방법론적 일원론, ㉡과 같은 방법은 방법론적 이원론에 기초하고 있다.
➡ 양적 연구는 방법론적 일원론에 기초하고, 질적 연구는 방법론적 이원론에 기초한다.

04 자료 수집 방법

자료 분석 | 질적 연구에 주로 사용되는 A, B는 각각 참여 관찰법과 면접법 중 하나이고, 양적 연구에 주로 사용되는 C, D는 각각 질문지법과 실험법 중 하나이다. 언어적 상호 작용이 필수적인 것은 면접법과 질문지법이다. 따라서 A는 참여 관찰법, B는 면접법, C는 질문지법, D는 실험법이다.

[선택지 분석]

① A는 기존 연구의 경향성 파악에 용이하다.
➡ 기존 연구의 경향성 파악에 용이한 것은 문헌 연구법이다.

② B는 문맹자에게 사용하기 어렵다.

➡ 질문지법에 대한 설명이다.

③ C는 시간과 비용이 많이 든다.

➡ 질문지법은 대량의 자료를 적은 시간과 비용으로 수집한다.

④ D는 일상생활을 심층적으로 파악하기에 용이하다.

➡ 참여 관찰법에 대한 설명이다.

✔ 자료 수집 상황에 대한 통제 수준은 D>C>B>A 순이다.

➡ 자료 수집 상황에 대한 통제 수준은 실험법(D)이 가장 높고, 다음 질문지법(C), 면접법(B), 참여 관찰법(A) 순이다.

05 사회·문화 현상의 연구 방법

자료 분석 | A는 질적 연구, B는 양적 연구이다.

[선택지 분석]

㉠ A는 연구 대상자가 구성해 내는 생활 세계에 연구의 초점을 둔다.

㉡ B는 연구자와 연구 대상이 되는 사회·문화 현상을 분리할 수 있다고 본다.

✗ A는 B에 비해 객관적이고 정밀한 연구에 용이하다.

　B　　　A

✗ B는 A와 달리 직관적 통찰과 감정 이입적 이해를 중시한다.

　A　　　　B

06 질문지 작성 시 유의 사항

[선택지 분석]

① 특정 응답을 유도하는 문항은 없다.

➡ (1)번과 (2)번은 객관적인 내용에 대한 질문이면서 특정 응답을 유도하고 있지 않고, (3)번의 경우도 특정 응답을 유도하는 문항은 아니다.

② 선택지가 포괄적이지 않은 문항은 없다.

➡ 제시된 질문지의 선택지는 모두 포괄적이다.

③ 선택지가 상호 배타적이지 않은 문항은 없다.

➡ 선택지가 2개 이상 선택되는 경우가 없다.

④ 두 가지 내용을 동시에 묻고 있는 문항은 없다.

➡ 한 문항에 한 가지씩 묻고 있다.

✔ 묻는 것이 명료하지 않아 응답에 혼란을 주는 문항은 없다.

➡ 방과 후 학교 수강 시간이 1주일 단위인지 혹은 한 달 단위인지 기준이 명확하지 않다.

07 양적 연구와 실험법

자료 분석 | 제시된 연구는 실험법을 사용한 양적 연구이다.

[선택지 분석]

① ㉠을 통해 실험법이 사용되었음을 알 수 있다.

➡ 실험을 통해 자료를 수집하였다.

✔ ㉡은 갑의 연구에서 독립 변인이다.

➡ 독립 변인은 차량의 크기이다.

③ ㉢과 ㉣은 모두 실험 처치가 이루어졌다.

➡ 두 상황에서는 각각 다른 차량을 가지고 실험했으므로, 실험 처치가 이루어진 것이다.

④ ㉤을 통해 갑의 연구가 일반화되는 것은 아니다.

➡ 같은 장소에서 실험을 반복했다는 것만으로 갑의 연구가 일반화 될 수는 없다.

⑤ 이 연구는 양적 연구에 해당한다.

➡ 실험법을 통한 양적 연구를 실시하였다.

08 자료 수집 방법

자료 분석 | 주로 계량화된 자료를 수집하는 데 활용되는 것은 질문지법과 실험법이므로, A와 C는 각각 질문지법과 실험법 중 하나이고, B와 D는 각각 면접법과 참여 관찰법 중 하나이다.

[선택지 분석]

① (가)는 '인위적으로 통제된 상황에서 변수의 효과를 관찰하는 방법인가?'가 적절하다.

➡ 인위적으로 통제된 상황에서 변수의 효과를 관찰하는 것은 실험법이므로 이를 통해서는 면접법과 참여 관찰법을 구분할 수 없다.

✔ (가)가 '언어적 상호 작용에 의한 자료 수집이 필수적인가?'라면 A는 질문지법, D는 참여 관찰법이다.

➡ 언어적 상호 작용에 의한 자료 수집이 필수적인 것은 면접법과 질문지법이므로, A는 질문지법, D는 참여 관찰법이다.

③ (가)가 '자료 수집 시 연구 대상자의 응답이 필수 요건인가?'라면 B는 면접법, C는 질문지법이다.

➡ 자료 수집 시 연구 대상자의 응답이 필수적인 것은 면접법과 질문지법이므로, B는 면접법, C는 실험법이다.

④ A가 질문지법이라면 (가)는 '다수를 대상으로 한 자료 수집에 주로 사용되는가?'가 적절하다.

➡ 다수를 대상으로 한 자료 수집에 주로 사용되는 것은 질문지법이므로 이를 통해서는 면접법과 참여 관찰법을 구분할 수 없다.

⑤ B가 참여 관찰법이라면 (가)는 '연구자가 현상이 실제로 발생한 현지에 가서 연구해야 하는가?'가 적절하다.

➡ 연구자가 현상이 실제로 발생한 현지에 가서 연구해야 하는 것은 참여 관찰법이므로 이를 통해서는 실험법과 질문지법을 구분할 수 없다.

---

03 ~ 사회·문화 현상의 탐구 절차와 윤리

콕콕! 개념 확인하기　47쪽

01 (1) 가설 검증　(2) 연구 설계　(3) 연구 주제 선정
(4) 연구 설계

02 (1) 성찰적 태도　(2) 객관적 태도　(3) 상대주의적 태도
(4) 개방적 태도

03 (1) ㉠　(2) ㉠　(3) ㉡　(4) ㉡　(5) ㉠

04 (1) 익명성　(2) 출처

01 ⑤	02 ③	03 ③	04 ②	05 ⑤	06 ③	07 ④
08 ④	09 ④	10 ②	11 ①	12 ⑤	13 ②	14 ⑤
15 ③	16 ③	17 해설 참조				

01 양적 연구의 연구 설계 단계

[선택지 분석]

① 개념의 조작적 정의가 이루어진다.

➡ 양적 연구에서는 연구 설계 단계에서 추상적 개념을 측정 가능한 구체적 개념으로 바꾸는 개념의 조작적 정의가 이루어진다.

② 연구에 대한 구체적인 계획을 세운다.

➡ 연구 설계 단계에서 행해진다.

③ 잠정적 결론인 가설 설정 다음 단계에 행해진다.

➡ 연구 설계 단계는 가설 설정 단계 다음 단계이다.

④ 자료 수집 방법으로 주로 질문지법이나 실험법을 선택한다.

➡ 양적 연구에서는 질문지법이나 실험법이 주로 사용되며, 자료 수집 방법은 연구 설계 단계에서 결정한다.

⑤ 가설과 자료 분석 결과가 일치하면 가설을 수용하고 일치하지 않으면 기각한다.

➡ 가설 검증 단계에서 이루어지는 내용이다.

02 질적 연구 절차

[선택지 분석]

① 가설을 설정하지 않는 것이 일반적이다.

➡ 질적 연구는 가설을 설정하지 않는 것이 일반적이며, 대신 연구 주제와 관련한 대략적인 가정을 세우기도 한다. 이러한 가정들은 자료를 수집하고 해석하는 과정에서 새롭게 형성되거나 수정되기도 한다.

② 연구 문제를 인식함으로써 연구가 시작된다.

➡ 질적 연구도 양적 연구와 같이 연구 문제를 인식함으로써 연구가 시작된다.

③ 자료를 해석할 때는 통계적 분석 기법을 활용한다.

➡ 질적 연구는 주관적 세계에 대한 심층적 이해를 목적으로 하므로, 통계적 분석보다는 직관적 통찰을 중시한다.

④ 주로 면접법이나 참여 관찰법을 통해 자료를 수집한다.

⑤ 자료 수집과 해석 단계에서는 연구자의 감정 이입이나 직관적 통찰이 중시된다.

03 가치 중립

자료 분석 | ㉠은 가치 중립이다. 가치 중립이 엄격히 지켜져야 하는 연구 단계는 자료 수집, 자료 분석, 가설 검증, 결론 도출 단계이다.

[선택지 분석]

① 가설 설정, 연구 설계

➡ 두 단계 모두 가치 개입이 이루어지는 단계이다.

② 연구 설계, 자료 수집

➡ 연구 설계는 가치 개입이 이루어지는 단계이며, 자료 수집은 가치 중립이 지켜져야 하는 단계이다.

③ 자료 수집, 자료 분석

④ 연구 주제 선정, 가설 설정

➡ 두 단계 모두 가치 개입이 이루어지는 단계이다.

⑤ 결론 도출, 연구 결과의 활용

➡ 결론 도출은 가치 중립이 지켜져야 하는 단계이고, 연구 결과의 활용은 가치 개입이 이루어지는 단계이다.

04 사회·문화 현상의 연구 절차

자료 분석 | (가)~(라)는 SNS 활동 시간과 성격과의 상관관계에 대한 양적 연구 과정을 보여 준다. (가)는 연구 주제 선정, (나)는 연구 설계, (다)는 자료 수집, (라)는 가설 설정 단계에 해당한다.

[선택지 분석]

① (가)에서는 연구자의 가치 개입이 ~~배제되어야 한다.~~
이루어질 수 있다

➡ (가)는 연구 주제 선정 단계이다. 연구 주제를 선정할 때는 사회적 가치나 인류 보편적 가치를 존중하는 가치 판단이 요구된다.

② (나)에서는 개념의 조작적 정의가 이루어졌다.

➡ 추상적 개념을 측정 가능한 구체적 개념으로 바꾸는 개념의 조작적 정의가 이루어졌다.

③ (다), (라)의 연구 단계에서는 연구자의 가치가 개입된다.

➡ (다)는 자료 수집 단계이고, (라)는 가설 설정 단계이다. 자료 수집 단계는 엄격한 가치 중립이 지켜져야 하는 단계이며, 가설 설정 단계는 가치 개입이 이루어지는 단계이다.

④ 연구 결과를 우리나라 성인 전체로 일반화할 수 있다.

➡ 양적 연구에서는 가설이 수용되면 일반화를 하게 된다. 제시된 연구는 양적 연구이기는 하지만, 수도권에 거주 중인 성인 남녀 1,000명이 우리나라 성인을 대표한다고 볼 수 없으므로 일반화하기 어렵다.

⑤ 이 연구는 ~~질적~~ 연구로 (가) → (라) → (나) → (다)의 순
양적
으로 이루어진다.

05 사회·문화 현상의 연구 절차

자료 분석 | 제시된 연구 과정은 양적 연구에 해당한다. (가)는 대안 제시 단계, (나)는 가설 검증 단계, (다)는 자료 수집 단계, (라)는 가설 설정 단계이다. (가), (라)는 가치가 개입되는 단계이고, (나), (다)는 엄격한 가치 중립이 요구되는 단계이다.

[선택지 분석]

① (가)에서는 엄격한 가치 중립이 요구된다.

➡ (가) 단계에서 연구자는 사회적 책임 의식을 바탕으로 적극적으로 가치를 개입시켜야 한다.

② (나)를 통해 연구 결과를 우리나라 청소년 전체로 일반화할 수 있다.

➡ 가설이 수용되었다고 해서 반드시 연구 결과를 모집단에게 일반화할 수 있는 것은 아니다. 수도권에 거주하는 고등학생은 청소년이라는 모집단을 대표할 수 없으므로 표본의 대표성이 떨어진다.

③ (다) 단계에서 사용된 자료 수집 방법은 ~~실험법~~이다.
질문지법

④ (다) 무작위로 선정된 고등학생 1,000명은 ~~모집단~~에 해당한다.
표본 집단

⑤ (라)에서는 가치가 개입된다.

06 질적 연구

자료 분석 | 제시된 연구는 질적 연구이다. (가)는 연구 주제 선정, (나)는 연구 설계, (다)는 자료 수집 및 해석, (라)는 결론 도출 단계이다.

[선택지 분석]

① (가)는 ~~가설 설정~~ 단계이다.
  연구 주제 선정 단계

② (나)는 ~~가설 검증~~ 단계이다.
  연구 설계 단계

✅ (다)에서는 감정 이입적인 이해를 통한 자료 해석이 이루어질 수 있다.
  ➡ (다)는 자료 수집 및 해석 단계이다. 질적 연구에서는 일반적으로 자료 수집과 해석이 거의 동시에 이루어지며, 자료 수집과 해석 단계에서는 연구자의 감정 이입이나 직관적 통찰이 중시된다.

④ (라)는 ~~가치가 개입될 수밖에 없는~~ 단계이다.
  엄격한 가치 중립이 요구되는

⑤ 조사 대상자의 수가 많을 경우에 적합한 자료 수집 방법을 사용하였다.
  ➡ 조사 대상자의 수가 많을 경우에 적합한 자료 수집 방법은 질문지법이다. 면접법은 소수를 대상으로 깊이 있는 자료를 수집할 경우에 적합하다.

07 양적 연구 절차

자료 분석 | 제시된 연구는 교사의 칭찬과 학생들의 학업 성취도와의 상관관계를 알아보는 양적 연구이다.

[선택지 분석]

✗ 표본이 모집단의 특성을 대표한다.
  ➡ ○○시에 소재한 △△고등학교의 학생들이 전체 학생을 대표하는 것은 아니므로 표본의 대표성이 떨어진다.

㉡ 표준화된 자료 수집 방법을 채택하였다.
  ➡ 질문지법은 표준화된 자료 수집 방법이다.

✗ 경험적으로 검증 불가능한 가설이 설정되었다.
  ➡ 제시된 가설은 가치가 개입된 당위적 진술이 아니며, 객관적 관찰이 가능하여 과학적인 연구 방법을 통해 경험적으로 검증할 수 있다.

㉣ '학생들의 학업 성취도'는 종속 변수에 해당한다.
  ➡ '교사의 칭찬'은 독립 변수, '학생들의 학업 성취도'는 종속 변수에 해당한다.

08 가설 설정의 요건

[선택지 분석]

① 필기구의 종류가 많을수록 학업 성취도가 높을 것이다.

② 모둠 활동 수업과 학업 성취도는 정(+)의 관계가 있을 것이다.

③ 거울을 보는 횟수가 많을수록 외모에 대한 자신감이 클 것이다.

✅ 바람직한 삶을 살기 위해서는 좋은 가치관을 가져야 할 것이다.
  ➡ 가치가 개입된 당위적 진술은 객관적 관찰이 불가능하여 과학적인 연구 방법을 통해 경험적으로 검증할 수 없다.

⑤ 부모와의 유대가 높은 학생일수록 학교생활 만족도가 높을 것이다.

09 양적 연구 절차

자료 분석 | 제시된 연구는 부모의 양육 태도와 초등학생의 시험 불안과의 상관관계에 대한 양적 연구로, (가)는 가설 설정 단계, (나)는 자료 수집 단계이다.

[선택지 분석]

㉠ 표준화된 도구를 통해 자료를 수집하였다.
  ➡ 설문 조사를 실시하였으므로 표준화된 도구를 통해 자료를 수집하였음을 알 수 있다.

㉡ 양적 자료를 분석하여 결론을 도출하였다.
  ➡ 부모의 양육 태도 점수 및 초등학생의 시험 불안 점수 등 계량화한 양적 자료를 분석하여 결론을 도출하였다.

㉢ (가)에서 (나)로의 과정은 연역적이다.
  ➡ 가설 설정 단계에서 자료 수집 단계로의 과정은 일반적인 것에서 구체적인 것으로 가는 흐름으로 연역적이다.

✗ (가), (나) 단계에서는 모두 연구자의 엄격한 가치 중립이 요구된다.
  ➡ (가)에서는 가치 개입이 이루어지며, (나)에서만 엄격한 가치 중립의 자세가 요구된다.

10 개방적 태도와 객관적 태도

자료 분석 | (가)에서 강조하는 사회·문화 현상의 탐구 태도는 개방적 태도, (나)에서 강조하는 탐구 태도는 객관적 태도이다.

[선택지 분석]

✅ (가) – 개방적 태도, (나) – 객관적 태도
  ➡ 개방적 태도는 사회·문화 현상의 연구 방법이나 연구 관점이 다양할 수 있으므로 자신의 주장과 다른 주장이 존재할 수 있음을 인정하고, 자신의 주장에 대한 비판을 허용하는 태도이다. 객관적 태도는 탐구 과정에서 연구자가 자신의 주관적 가치나 편견, 이해관계 등을 배제하고 제3자의 입장에서 사실을 있는 그대로 관찰하는 태도이다.

11 상대주의적 태도

자료 분석 | 제시된 사례들은 동일한 사회·문화 현상이라도 시대와 사회에 따라 다른 의미를 지닐 수 있음을 고려해야 하는 상대주의적 태도와 관련 있다.

[선택지 분석]

㉠ 해당 사회와 문화의 특수성을 고려하여 이해하는 태도이다.
  ➡ 사례는 모두 사회·문화 현상은 그것이 발생한 맥락이나 배경 속에서 의미를 갖는다는 사실을 인식해야 한다는 상대주의적 태도에 해당한다.

㉡ 해당 사회와 문화를 상대적으로 인식하고 탐구하는 태도이다.
  ➡ 특정 맥락이나 배경 속에서 의미를 갖는 사회·문화 현상에 대한 연구 결론을 맥락이나 배경이 다른 사회에 맹목적으로 적용하려는 태도를 지양해야 한다는 상대주의적 태도에 해당한다.

I

✗ 인간의 주관적 가치가 개입되지 않은 사물의 참된 특성을 발견하기 위한 태도이다.

➡ 객관적 태도에 대한 설명이다. 객관적 태도는 연구자가 자신의 주관적 가치관이나 편견, 이해관계 등을 배제하고 사회·문화 현상이 가진 사실로서의 특성만을 있는 그대로 파악하려는 태도이다.

✗ 살펴보고 반성하며 현상에 대하여 지적 호기심을 갖는 능동적인 태도이다.

➡ 성찰적 태도에 대한 설명이다. 성찰적 태도는 사회·문화 현상을 보이는 그대로 받아들이기보다 현상의 이면에 담겨 있는 발생 원인이나 원리, 그것이 초래할 결과 등에 대하여 능동적으로 살펴보려는 태도이다.

12 성찰적 태도

자료 분석 | 제시된 글에서 필자는 사회·문화 현상의 겉으로 드러나는 면만을 보아서는 안 되며, 자신이 연구 절차나 방법, 연구 윤리 등을 제대로 지키고 있는지 짚어보아야 한다고 강조하고 있다. 따라서, 필자가 강조하고 있는 사회·문화 현상의 탐구 태도는 성찰적 태도이다.

[선택지 분석]

① 주관적 가치와 편견을 배제하는 태도
➡ 객관적인 태도이다.

② 사회·문화 현상이 발생한 맥락을 고려하여 탐구하는 태도
➡ 상대주의적 태도이다.

③ 자신의 주장에 대하여 다른 사람의 비판을 허용하는 태도
➡ 개방적 태도이다.

④ 영원불변하는 절대적인 진리가 존재할 수 없다는 진리관을 갖는 태도
➡ 개방적 태도이다.

✓ 당연해 보이는 현상일지라도 적극적·능동적으로 의문을 가지며 검토하는 태도

13 가치 중립

자료 분석 | 사회·문화 현상의 탐구 절차에서 (가)는 자료 분석, (나)는 연구 주제 선정, (다)는 가설 설정, (라)는 자료 수집, (마)는 연구 결과의 활용 단계이다. 탐구 단계 중 자료 수집 및 분석 단계와 결론 도출 단계에서는 반드시 가치 중립이 이루어져야 연구 과정이나 결과가 왜곡되지 않을 수 있다.

[선택지 분석]

① (가), (다)
➡ (다) 가설 설정 단계에서는 연구자의 가치가 개입되기 마련이다.

✓ ② (가), (라)

③ (나), (다)
➡ 연구자가 자신이 관심이 있고 중요하다고 생각하는 문제를 연구 주제로 선정하므로, (나) 연구 주제 선정 단계에서는 연구자의 가치가 개입되기 마련이다.

④ (가), (라), (마)
➡ (마) 연구자가 연구 결과를 활용하여 제언할 때에는 연구자가 책임 의식을 바탕으로 자신의 가치를 개입한다.

⑤ (나), (다), (라)

14 연구 윤리

[선택지 분석]

① 사실을 왜곡하지 않는 자세를 갖는다.
➡ 연구자는 정직한 방법으로 자료를 수집해야 하며, 자료 분석 과정에서 의도한 결론을 끌어내기 위해 자료를 조작해서는 안 된다. 또한 연구 결과의 공표가 자신에게 미칠 악영향을 고려하거나 공표를 통해 이익을 얻을 목적으로 연구 결과를 은폐하거나 왜곡, 축소, 과장해서도 안 된다.

② 비윤리적인 연구 목적을 세우지 않는다.
➡ 연구자는 윤리적인 연구 목적을 세우는 방향으로 연구를 하는 것이 바람직하다.

③ 연구자는 연구 대상자의 사생활 관련 정보 및 개인 정보를 연구 목적 이외의 용도로 활용해서는 안 된다.
➡ 연구자는 연구 대상자의 익명성을 보장해야 한다.

④ 연구를 진행하면서 예상하지 못한 문제가 발생할 경우 연구 대상자의 안전과 이익을 최대한 고려해야 한다.
➡ 연구자는 연구에 참여하는 것이 연구 대상자에게 어떤 영향을 미치는지, 특히 예상되는 피해가 무엇인지 정확하고 자세하게 설명해 주어야 한다.

✓ ⑤ 연구 목적을 알려주는 것이 연구 결과에 크게 영향을 미치는 경우 연구 목적을 끝까지 알리지 않아도 된다.
➡ 연구 목적을 알려주는 것이 연구 결과에 크게 영향을 미치는 경우에는 불가피하게 연구가 끝난 후 연구 결과를 발표하기 전에 양해를 구해야 한다.

15 연구 대상자와 관련된 연구 윤리

자료 분석 | 연구 대상자에 대한 인권 침해 등이 발생한다면 연구 결과가 사회에 유익할지라도 연구 과정이 정당화될 수는 없다.

[선택지 분석]

① 연구 결과를 은폐하거나 왜곡, 축소, 과장해서는 안 된다.

② 다른 연구자의 연구물을 활용하는 경우 그 출처를 정확하게 밝혀야 한다.

✓ ③ 연구 과정에서 인권이 침해되어서는 안 되며, 인간의 존엄성을 존중해야 한다.
➡ 제시된 실험 과정에서 보이는 인권 침해 요소들로 인해 연구가 인간의 존엄성을 존중하고 있다고 볼 수 없다.

④ 사생활 관련 정보 및 개인 정보를 연구 목적 이외의 용도로 활용해서는 안 된다.

⑤ 연구 성과가 사회적으로 악용되지 않도록 결과에 대하여 책임 있는 자세를 보여야 한다.

16 연구 결과의 활용과 관련된 연구 윤리

자료 분석 | 연구자는 연구 성과가 사회적으로 악용되지 않도록 결과에 대하여 책임 있는 자세를 보여야 한다.

[선택지 분석]

① 연구자는 어떤 경우에라도 연구 대상자의 익명성을 지켜주어야 한다.

② 연구자는 연구의 목적과 내용, 그리고 연구자 자신에 대하여 명확하게 밝혀야 한다.

❸ 연구자는 자신이 연구하는 주제와 내용이 사회와 사람들에게 미칠 영향도 고려해야 한다.

➡ 연구자는 연구 주제를 정하고 연구 결론에 기초하여 제언을 할 때 어느 정도 가치 개입이 일어나는 것을 용인받는다. 그렇다고 하여 인간 사회를 해치거나 인권을 침해하는 방향에서도 허용되는 것은 아니므로 연구자는 자신이 연구하는 주제와 내용이 사회와 사람들에게 미칠 영향도 고려해야 한다.

④ 연구 결과가 인류에게 미칠 영향에 대하여 사전에 성찰하기보다는 사후에 반성적으로 성찰할 필요가 있다.

➡ 자신의 연구 결과가 인류에게 미칠 영향에 대하여 사후에 성찰하기보다는 사전에 반성적으로 성찰할 필요가 있다.

⑤ 연구 주제가 사회의 정의를 위한 것이라면 연구자는 연구 윤리 논란에 있어서 자유로워진다.

➡ 연구 주제가 사회의 정의를 위한 것이라고 해서 연구 윤리 논란에서 벗어날 수 있는 것은 아니다. 연구자는 연구 과정과 연구 대상 및 연구 결과 공표 등에서 연구 윤리를 지켜야 한다.

17 사회·문화 현상의 탐구 절차와 가치 중립

[예시 답안] 탐구는 (가) → (라) → (나) → (다) 순으로 이루어진다. ㉠에 해당하는 단계는 (가), (라)이고, ㉡에 해당하는 단계는 (나), (다)이다.

채점기준		
상	탐구 절차를 올바르게 쓰고, ㉠과 ㉡에 해당하는 단계를 모두 바르게 서술한 경우	
중	탐구 절차를 올바르게 쓰고, ㉠, ㉡에 해당하는 단계 중 일부를 서술하지 못한 경우	
하	탐구 절차만 올바르게 쓴 경우	

도전! 실력 올리기
52~53쪽

01 ② **02** ③ **03** ④ **04** ⑤ **05** ⑤ **06** ③ **07** ④
08 ③

01 양적 연구의 탐구 절차

자료 분석 | 제시된 연구는 양적 연구로, 실험법으로 자료를 수집하였다. (가)는 연구 주제 선정, (나)는 자료 수집, (다)는 자료 분석, (라)는 가설 설정 단계에 해당한다.

[선택지 분석]

① ㉠을 실험 집단, ㉡을 통제 집단으로 설정하였다.

➡ 독립 변인을 처치한 ㉠이 실험 집단이고, 그렇지 않은 ㉡은 통제 집단에 해당한다.

✅ 설정한 가설은 변수와 변수 간의 관계가 명확하다.

➡ '관련이 있을 것이다.'라고 한 것은 두 변수 간 관계의 방향을 설정하지 않은 것으로, 두 변수 간의 관계가 어떤 방향으로 나타나도 가설의 타당성을 주장할 수 있는 모호한 가설이다.

③ (가)는 연구 주제 선정 단계로 가치가 개입된다.

④ (다) 단계에서는 엄격한 가치 중립이 요구된다.

⑤ 연구는 (가) → (라) → (나) → (다) 순으로 이루어진다.

02 사회·문화 현상의 탐구 절차

자료 분석 | 건전한 인성 형성은 추상적 개념이므로 이를 측정 가능한 구체적 개념인 타인 배려 정도와 관용 정신 정도로 지수화한 것은 개념의 조작적 정의에 해당한다.

[선택지 분석]

① ㉠ 단계에서는 연구자의 가치 중립이 요구된다.

➡ ㉠은 연구 주제의 선정으로, 연구 주제 선정 단계에서는 연구자의 가치가 개입된다.

② ㉡은 표본으로, ㉢은 실험 집단으로 선정된 것이다.

➡ ㉡은 표본에 해당하지만, ㉢은 실험 집단이 아니다. 제시된 연구에서 1,000명이라는 다수를 대상으로 자료 수집을 한 것으로 보아 질문지법이 실시되었을 것이다.

✅ ㉣은 종속 변인을 조작적으로 정의하는 과정이다.

➡ 건전한 인성 형성을 타인 배려 정도, 관용 정신 정도로 측정하려고 하였다는 점에서, ㉣은 종속 변인인 건전한 인성 형성을 조작적으로 정의하는 과정에 해당한다.

④ ㉤은 사전 조사를 통해 기존의 연구 동향을 파악한 것이다.

➡ ㉤은 가설 검증을 위한 조사 과정으로 기존의 연구 동향을 파악하기 위한 것이 아니다. 기존의 연구 동향 파악을 위해서는 문헌을 분석하는 것이 일반적이다.

⑤ ㉥을 통해 갑의 가설은 검증되지 않았음을 알 수 있다.

➡ ㉥을 통해 가설은 검증되었다. 다만, 가설이 수용된 것은 아니다.

03 양적 연구의 탐구 절차

자료 분석 | 제시된 연구는 양적 연구로, (가)는 문제 인식 및 연구 주제 선정, (나)는 자료 수집, (다)는 가설 설정, (라)는 자료 분석 단계이다.

[선택지 분석]

✗ (나)를 통해 연구 결과를 일반화할 수 있다.

➡ 표본의 대표성이 결여되어 조사 결과를 우리나라 청소년 전체의 결과로 일반화할 수 없다.

Ⓛ (다)를 통해 양적 연구가 행해졌음을 알 수 있다.

➡ 가설 설정은 주로 양적 연구에서 행해진다.

✗ (나), (다)에서는 엄격하게 가치 중립을 지켜야 한다.

➡ 엄격한 가치 중립이 지켜져야 되는 단계는 (나), (라)이다.

㉣ 연구는 (가) → (다) → (나) → (라)의 순서로 이루어진다.

➡ 양적 연구는 주제 선정 → 가설 설정 → 연구 설계 → 자료 수집 → 자료 분석 → 가설 검증 및 결론 도출 → 대안 제시 단계 순으로 이루어진다.

04 양적 연구의 탐구 절차

자료 분석 | 제시된 연구는 종이 신문 읽기와 인터넷 기사 읽기가 고등학생의 학업 성취도에 미치는 영향에 대한 양적 연구를 나타낸다.

[선택지 분석]

① 연구 결과를 우리나라 고등학생에게 일반화할 수 있다.

➡ 연구 대상이 서울 소재 고등학생이므로 표본의 대표성이 확보되지 않아, 우리나라 고등학생에게 일반화할 수 없다.

② (나), (라)에서 가설이 ~~커각되었음을~~ 알 수 있다.

　　　　　　　　　수용

③ (다)에서는 연구자의 ~~엄격한 가치 중립이 요구된다.~~

　　　　　　　　　　　가치 개입이 불가피하다

④ (라), (마)에서는 연구자의 가치 개입이 불가피하다.

➡ 자료 수집 및 분석, 결론 도출 단계는 연구자의 엄격한 가치 중립이 요구된다.

☑️ 연구는 (다) → (나) → (가) → (마) → (라)의 순서로 이루어진다.

➡ 연구는 (다) 주제 선정 → (나) 가설 설정 → (가) 연구 설계(연구 대상 선정) → (마) 자료 수집 및 분석 → (라) 결론 도출의 순서로 이루어진다.

05 가치 중립과 가치 개입

자료 분석 | 가치 판단이 요구되는 단계는 연구 주제 선정, 가설 설정, 연구 설계, 연구 결과의 활용 단계이다. 가치 중립이 요구되는 단계는 자료 수집, 자료 분석, 가설 검증, 결론 도출 단계이다.

[선택지 분석]

① 연구 주제 선정 단계는 ㉠에 해당한다.

➡ 연구 주제 선정 단계는 가치가 개입되는 단계이다.

② 개념을 조작적으로 정의하는 단계는 ㉠에 해당한다.

➡ 개념의 조작적 정의는 연구 설계 단계에서 행해지는 것으로 가치가 개입되는 단계이다.

③ 모집단이 청소년일 때, 연구 대상자를 고등학생으로 선정하기로 하는 것은 ㉠에 해당한다.

➡ 연구 설계 단계에서 행해지는 것으로 가치가 개입되는 단계이다.

④ 가설의 진위 여부 확인을 통해 가설의 수용 여부를 결정하는 것은 ㉡에 해당한다.

➡ 가설 검증 단계는 가치 중립을 지켜야 하는 단계이다.

☑️ 독립 변수와 종속 변수 간의 관계를 명확히 하여 잠정적 결론을 설정하는 것은 ㉡에 해당한다.

➡ 가설 설정 단계는 가치가 개입되는 단계이다.

06 객관적 태도

자료 분석 | 제시문에 나타난 사회·문화 현상의 탐구 태도는 객관적 태도이다.

[선택지 분석]

① 타인의 비판을 편견 없이 받아들이는 태도이다.

➡ 개방적 태도이다.

② 연구자가 연구 절차나 방법이 제대로 수행되었는지 살펴보는 태도이다.

➡ 성찰적 태도이다.

☑️ 자신과 관련된 이해관계를 떠나 경험적 근거에 기초하여 탐구하는 태도이다.

④ 사회·문화 현상의 이면에 담겨 있는 인과 관계나 의미를 파악하려는 태도이다.

➡ 성찰적 태도이다.

⑤ 사회·문화 현상의 탐구 과정에서 해당 사회의 문화적 맥락이나 배경을 고려하는 태도이다.

➡ 상대주의적 태도이다.

07 상대주의적 태도

자료 분석 | 제시문은 상대주의적 태도를 강조하고 있다.

[선택지 분석]

① 자신의 이해관계를 떠나 객관성을 유지한다.

➡ 객관적 태도에 대한 설명이다.

② 가치와 관련된 주제의 연구는 자제해야 한다.

③ 여러 가지 가능성이 공존할 수 있음을 인정한다.

➡ 개방적 태도에 대한 설명이다.

☑️ 사회·문화 현상이 발생하는 문화적·사회적 맥락을 고려한다.

➡ 상대주의적 태도는 사회·문화 현상의 특수성과 각각의 고유한 가치를 인정하고, 역사적·문화적 배경이나 현실적 여건을 고려하여 이해하려는 태도이다. 이는 동일한 사회·문화 현상이라도 시대와 사회에 따라 다른 의미를 지닐 수 있음을 고려하는 태도이다.

⑤ 연구 절차나 연구 윤리에 따라 탐구하고 있는지를 되짚어 본다.

➡ 성찰적 태도에 대한 설명이다.

08 사회 과학의 연구 윤리

자료 분석 | 갑은 연구 대상자와 관련된 연구 윤리 중 연구자에 대한 고지 의무를 강조하고 있고, 을은 연구 과정 및 결과 활용과 관련된 연구 윤리 중 연구 과정에서 자료를 조작하는 등 부정직한 행위를 해서는 안 된다는 점을 강조하고 있다.

[선택지 분석]

✖ 공동 연구 성과를 단독 연구 성과로 발표하는 것은 갑이 강조하는 연구 윤리에 어긋난다.

➡ 공동 연구 성과를 단독 연구 성과로 발표하는 것은 연구 결과의 공표와 관련된 연구 윤리에 어긋나는 행동이지만 갑이 강조하는 연구 윤리는 아니다. 갑은 연구 대상자와 관련된 윤리 원칙을 말하고 있다.

Ⓛ 연구 대상자에게 연구 참여에 대한 동의를 받지 않는 것은 갑이 강조하는 연구 윤리에 어긋난다.

➡ 갑은 연구 대상자에 대한 윤리를 강조하고 있다. 연구 대상자가 알아야 할 사항(연구 목적과 절차, 연구 참여에 따른 영향 등)을 정확하게 안내하고 연구 참여에 대한 동의를 받지 않는다면 갑이 강조하는 연구 윤리에 어긋난다.

Ⓒ 연구 의뢰자의 이익을 위해 자료를 조작하여 분석하는 것은 을이 강조하는 연구 윤리에 어긋난다.

➡ 을은 자료 수집과 분석 과정에서 연구자가 정직하게 행동할 것을 강조하고 있다. 연구 의뢰자의 이익을 위해 자료를 조작하여 분석하는 것은 을이 강조하는 연구 윤리에 어긋난다.

✖ 갑은 자료 분석 단계에서, 을은 연구 결과 발표 단계에서 지켜야 할 연구 윤리를 강조하고 있다.

➡ 갑은 연구에 들어가기 전 연구 대상자에게 지켜야 할 윤리를, 을은 자료를 수집하고 분석하는 단계에서 연구자가 지켜야 할 연구 윤리를 강조하고 있다.

01 자연 현상과 사회·문화 현상의 특징

자료 분석 | ㉠은 자연 현상, ㉡은 사회·문화 현상이다.

[선택지 분석]

☑ ㉠은 몰가치적이며, 당위 법칙이 적용된다.
　　　　　　　　　　　　존재 법칙
　➡ 자연 현상은 존재 법칙이 적용된다.

② ㉠의 발생 원리는 시대와 장소에 상관없이 같다.

　➡ 자연 현상의 발생 원리는 시대와 장소에 상관없이 동일하므로 일정한 조건만 갖춰지면 시대와 장소를 초월하여 동일한 현상이 발생한다.

③ ㉡은 개연성이 적용된다.

④ ㉡은 발생 요인과 그 결과가 확률적으로 관련을 맺고 있어 예외적인 현상이 나타날 수 있다.

⑤ ㉠과 ㉡은 모두 인과 관계가 존재한다.

02 자연 현상과 사회·문화 현상의 특징

자료 분석 | (가)는 자연 현상, (나)는 사회·문화 현상이다.

[선택지 분석]

① (가)에는 확률의 원리가 적용된다.

　➡ (가) 자연 현상에는 필연성과 인과 법칙이 적용된다. 확률의 원리가 적용되는 것은 (나) 사회·문화 현상이다.

☑ (나)에는 보편성과 특수성이 공존한다.

　➡ (나) 사회·문화 현상은 시대와 사회를 초월하여 동일하게 나타난다는 점에서 보편성, 시대와 사회에 따라 서로 다른 모습으로 나타난다는 점에서 특수성을 지닌다.

③ (나)는 인간의 의지나 가치와 무관한 현상이다.

　➡ (나) 사회·문화 현상은 사람들의 가치나 신념이 반영되어 가치 함축적이고, (가) 자연 현상이 인간의 의지나 가치와 무관한 몰가치적이다.

④ (가)는 가치 함축적이고, (나)는 몰가치적인 현상이다.

　➡ (가) 자연 현상이 몰가치적이고, (나) 사회·문화 현상이 가치 함축적이다.

⑤ (가)에는 당위 법칙이, (나)에는 존재 법칙이 적용된다.

　➡ (가) 자연 현상에는 존재 법칙이, (나) 사회·문화 현상에는 당위 법칙이 적용된다.

03 기능론과 갈등론

자료 분석 | 갑의 관점은 기능론, 을의 관점은 갈등론이다.

[선택지 분석]

① 갑의 관점은 사회가 균형을 지향한다고 본다.

　➡ 기능론에 대한 설명이다.

② 갑의 관점은 사회 제도가 비정상적으로 작동할 때 사회 문제가 발생한다고 본다.

　➡ 기능론에 대한 설명이다. 갈등론은 불평등하고 억압적인 사회 구조로 인해 사회 문제가 발생한다고 본다.

☑ 을의 관점은 사회의 변동 가능성을 부정한다.

　➡ 갈등론은 사회는 이익 대립의 장으로서 필연적으로 변동할 수밖에 없다고 본다.

④ 을의 관점은 사회 구조를 중시하는 거시적 관점이다.

　➡ 기능론과 갈등론은 모두 거시적 관점에 해당한다.

⑤ 을과 달리 갑의 관점은 사회 집단 간의 관계를 상호 의존 관계로 이해한다.

　➡ 사회 집단 간의 관계에 대하여 기능론은 상호 의존적인 관계를, 갈등론은 이익 대립의 관계를 강조한다.

04 상징적 상호 작용론과 기능론

자료 분석 | 갑은 개인들의 행위 동기에 초점을 두어 사회 현상을 이해하므로 상징적 상호 작용론의 관점이다. 을은 가족 문제가 가족이 제 기능을 제대로 수행하지 못해 발생한다고 보고 있으므로, 기능론의 관점이다.

[선택지 분석]

① 갑은 1인 가구 증가에 미치는 사회 구조의 영향력이 강하다고 본다.

　➡ 미시적 관점인 상징적 상호 작용론은 1인 가구 증가에 미치는 사회 구조의 영향력이 약하다고 본다.

② 을은 1인 가구 증가는 가족 구성에 대해 부여하는 의미가 달라진 결과라고 본다.

　➡ 가족 구성에 대해 부여하는 의미가 달라져 1인 가구가 증가했다고 보는 관점은 상징적 상호 작용론이다.

③ 갑은 을과 달리 1인 가구 증가가 가족 내 불평등 구조에서 발생한다고 본다.

　➡ 1인 가구 증가가 가족 내 불평등 구조에서 발생한다고 보는 관점은 갈등론이다.

☑ 을은 갑과 달리 가족 기능의 약화를 1인 가구 증가의 원인이라고 본다.

⑤ 1인 가구 증가에 대해 갑과 을은 모두 사회 병리적 현상으로 본다.

　➡ 을과 같은 기능론이 사회 문제를 사회 병리 현상으로 본다.

05 질적 연구 방법의 한계

자료 분석 | '행위자의 동기나 의도', '의미를 심층적으로'라는 내용을 통해 제시문에 나타난 연구 방법은 질적 연구 방법임을 알 수 있다.

[선택지 분석]

㉠ 연구자의 주관적 가치 개입의 우려가 크다.

㉡ 일반화할 수 있는 결론이나 법칙을 발견하는 데 적합하지 않다.

✗ 계량화하여 분석하기 곤란한 사회·문화 현상의 연구에는 적합하지 않다.

　➡ 양적 연구의 한계에 대한 설명이다.

✗ 인간의 주관적 가치를 배제한 연구를 함으로써 사회·문화 현상에 대한 피상적인 연구에 그칠 우려가 있다.

　➡ 양적 연구의 한계에 대한 설명이다.

06 양적 연구 방법

자료 분석 | '설문 조사 실시', '규칙성 발견' 등을 통해 제시문에 나타난 연구 방법은 양적 연구 방법임을 알 수 있다.

[선택지 분석]

ㄱ 방법론적 일원론을 전제로 한다.

ㄴ 계량화를 통한 법칙 발견이 용이하다.

✗ 사회·문화 현상에 대하여 심층적으로 이해하고자 한다.

➡ 질적 연구 방법에 대한 설명이다.

✗ 연구자의 직관적 통찰에 의하여 사회 현상의 의미를 이해하고자 한다.

➡ 질적 연구 방법에 대한 설명이다.

07 면접법과 참여 관찰법

자료 분석 | 갑은 면접법, 을은 참여 관찰법을 사용하였다. 면접법과 참여 관찰법은 주로 질적 연구에 사용되며, 연구자의 편견이 개입될 우려가 있다.

[선택지 분석]

① 시간과 비용이 절약된다.

➡ 질문지법의 특징이다.

✔ 연구자의 편견이 개입될 우려가 있다.

③ 연구 대상자의 수가 많을 때 주로 사용한다.

➡ 질문지법의 특징이다.

④ 불성실한 응답으로 인해 신뢰성의 문제가 발생한다.

➡ 질문지법의 특징이다.

⑤ 관찰하고자 하는 상황이 나타날 때까지 기다려야 한다.

➡ 참여 관찰법만 해당하는 특징이다.

08 자료 수집 방법

자료 분석 | A, B는 양적 연구에서 사용되는데, 많은 사람에게서 정보를 얻는 방법인 A가 질문지법이므로, B는 실험법이다. C, D는 질적 연구에서 주로 사용되는데, 의사 소통이 어려운 경우에 사용할 수 없는 C가 면접법이므로, D는 참여 관찰법이다.

[선택지 분석]

① A는 시간과 비용이 절약되고, 자료의 비교 분석이 용이하다. → 질문지법

② B는 법적·윤리적 문제를 초래할 우려가 있다. → 실험법

③ B는 실험 집단에 일정한 조작을 가해 나타난 변화를 통제 집단과 비교하여 자료를 수집한다. → 실험법

✔ C는 낮은 회수율, 불성실한 응답 등으로 신뢰성의 문제
A
가 발생한다.

➡ 질문지법에 대한 설명이다.

⑤ D는 언어나 문자로 표현할 수 없는 현상까지도 조사 가능하다. → 참여 관찰법

09 사회·문화 현상의 연구 절차

자료 분석 | 제시문은 개념의 조작적 정의에 대한 내용이다. 개념의 조작적 정의는 연구 설계 단계에서 이루어진다.

[선택지 분석]

① 결론을 도출하고, 일반화하는 단계이다.

➡ 결론 도출 및 일반화 단계에 대한 설명이다.

② 수집된 자료를 정리하여 분석하는 단계이다.

➡ 자료 분석 단계에 대한 설명이다.

③ 연구 주제에 대한 잠정적인 결론을 제시한다.

➡ 가설 설정 단계이다.

✔ 개념의 조작적 정의와 세부 실행 계획 구상을 한다.

⑤ 자료 분석 결과에 따라 가설의 수용 여부를 결정한다.

➡ 가설 검증 단계에 대한 설명이다.

10 실험법과 양적 연구

자료 분석 | 갑은 실험법을 활용하여 양적 연구를 진행하였다.

[선택지 분석]

① ㉠은 변수들 간의 인과 관계가 분명하다.

➡ ㉠은 한 학기에 책 한 권 읽기라는 독립 변수와 고등학생의 학업 성취도라는 종속 변수 간의 인과 관계가 분명한 가설이다.

② ㉡은 동질적으로 구성되어야 한다.

➡ ㉡은 실험 집단과 통제 집단을 의미한다. 실험법에서는 이 두 집단을 동질적으로 구성해야 독립 변수가 종속 변수에 미치는 영향을 파악할 수 있다.

✔ ㉢은 종속 변수에 해당하는 실험 처치를 가한 집단이다.

➡ ㉢은 독립 변수에 해당하는 실험 처치를 가한 집단인 실험 집단이다.

④ ㉣은 변인 통제 과정이다.

➡ ㉣은 연구자가 연구에서 설정한 변수만 종속 변수에 영향을 미치고 나머지 다른 변수들은 종속 변수에 영향을 주지 못하도록 일정하게 유지하는 변인 통제 과정이다.

⑤ 실험 후 ㉢의 학업 성취도가 ㉣보다 높아졌다면 ㉠은 수용될 것이다.

➡ 실험 집단의 학업 성취도가 통제 집단보다 높아졌다면 가설은 수용될 것이다.

11 개방적 태도

[선택지 분석]

✔ 개방적 태도

➡ 제시된 글에서는 과학에서 중요한 것은 반증을 통해 처음에 제시되었던 이론이 뒤집힐 수 있음을 인정하고, 기존의 이론을 폐기하거나 수정하여 새로운 이론으로 발전해 나가는 것이라고 주장하고 있다. 이처럼 자신의 주장에 대한 비판을 허용하고 새로운 주장의 가능성을 인정하는 데 필요한 태도는 개방적 태도이다.

② 객관적 태도

③ 성찰적 태도

④ 비판적 태도

⑤ 상대주의적 태도

12 연구 윤리

자료 분석 | (가)에서 갑은 학교장에게만 허락을 구하였으므로 연구 대상자의 동의를 구하지 않았다. (나)에서 을은 연구 결과 발표 시 연구 대상자의 익명성을 보장하지 않았다.

ⓙ (가) – 연구 대상자의 동의를 구하지 않았다.

➡ 학교장에게만 허락을 구하였으므로 연구 대상자의 동의를 구하지 않았다.

✕ (나) – 연구자의 의도적인 조작이 이루어졌다.

➡ 자료 분석 과정에서 연구자의 의도적인 조작은 나타나지 않았다.

ⓔ (나) – 연구 대상자의 익명성을 보장하지 않았다.

➡ 연구 대상자의 이름과 직장을 밝힘으로써 익명성이 보장되지 않았다.

✕ (가), (나) – 수집된 자료를 연구 이외의 목적으로 활용하였다.

➡ (가), (나) 모두 수집된 자료를 연구 이외의 목적으로 활용하였는지는 알 수 없다.

13 연구 윤리

자료 분석 | 제시된 사례에서 갑이 수집한 자료의 수치를 백의 자리에서 반올림하면 모든 연도에 범죄 건수가 14,000건으로 같아진다. 따라서 갑의 행위는 실제 범죄가 증가하는데도 불구하고 범죄가 증가하지 않은 것처럼 발표한 것으로, ○○시에 카지노 시설을 유치하기 위하여 연구 결과를 진실하지 않게 공표한 것이다.

[선택지 분석]

① 연구 대상자의 익명성을 보장하지 않았다.

② 다른 연구자의 연구를 활용하고 그 출처를 밝혔다.

③ 연구 대상자의 자발적 참여 기회를 보장하지 않았다.

☑ 연구자의 이해관계를 반영하여 연구 결과를 축소하였다.

➡ 실제 범죄가 증가하였음에도 불구하고 자신의 이해관계를 반영하여 범죄가 증가하지 않은 것처럼 발표하였다.

⑤ 연구 대상자에게 연구 관련 정보를 사전에 제공하지 않았다.

14 상징적 상호 작용론

(1) A: 상징적 상호 작용론, B: 상황 정의

(2) [예시 답안] 개인의 행위가 사회 구조나 제도의 영향에 의해 나타날 수 있음을 경시한다.

채점기준	상	상징적 상호 작용론이 사회 구조나 제도의 영향력을 경시함을 정확하게 서술한 경우
	하	상징적 상호 작용론이 미시적 관점이므로 사회 구조나 제도의 영향력을 경시한다는 의미가 나타나게 서술한 경우

15 양적 연구 방법

(1) [예시 답안] 계량화하여 분석하기 곤란한 사회·문화 현상의 연구에는 적합하지 않으며, 행위 주체인 인간의 주관적 가치를 배제한 연구를 함으로써 사회·문화 현상에 대한 피상적인 연구에 그칠 우려가 있다.

(2) 가설

(3) 연역적

채점기준	상	양적 연구 방법의 한계점 두 가지에 대해 충실하게 서술한 경우
	중	양적 연구 방법의 한계점을 두 가지 서술하였으나, 그 내용이 미흡한 경우
	하	양적 연구 방법의 한계점에 대해 한 가지만 서술한 경우

16 질문지 작성 시 유의점

[예시 답안] 질문 1의 경우 '최근'의 의미가 모호하여 명확하지 않은 용어가 사용되었다. '최근'이 현재부터 언제까지인지는 조사 대상자마다 다르게 해석할 수 있기 때문이다. 질문 2의 경우 '2시간'에 대한 응답 항목이 ①, ② 2개이다. 즉, 응답 항목 간에 배타성이 결여되어 있다는 문제가 있다. 질문 3의 경우 '1만 원 이상 2만 원 미만'에 대한 응답 항목이 없다. 즉, 응답 항목 간 포괄성이 결여되어 있다.

채점기준	상	질문 1, 2, 3의 바르지 못한 부분을 모두 다 찾아내어 그 이유를 서술한 경우
	중	질문 세 개 중 두 개의 바르지 못한 부분만 찾아내어 그 이유를 서술한 경우
	하	질문 한 개의 바르지 못한 부분만 찾아내어 그 이유를 서술한 경우

17 성찰적 태도

(1) 성찰적

(2) [예시 답안] 연구자가 연구 절차나 방법, 연구 윤리 등을 제대로 지키며 탐구하고 있는지 스스로 되짚어 보는 태도이다.

채점기준	상	성찰적 태도의 의미를 연구자의 연구 과정에 적용하여 충실하게 서술한 경우
	하	성찰적 태도의 의미를 연구자의 연구 과정에 적용하되 제시문에 나온 내용으로 서술한 경우

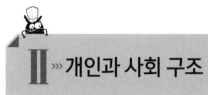

II ≫ 개인과 사회 구조

01 ~ 개인과 사회의 관계

콕콕! 개념 확인하기　　　　　　　　　65쪽

01 (1) × (2) ○ (3) ×
02 (1) ㉢ (2) ㉠ (3) ㉣ (4) ㉢
03 (1) 명목론 (2) 명목론 (3) 실재론
04 (1) × (2) ○ (3) ○ (4) × (5) × (6) ○

탄탄! 내신 다지기　　　　　　　　　66쪽

01 ⑤　**02** ③　**03** ②　**04** ②　**05** ③　**06** 해설 참조

01 사회 구조의 변동성

[선택지 분석]

① 지속성
② 강제성
③ 실체성
④ 안정성
✔ ⑤ 변동성

➡ 제시문은 흑인 인권 운동에 의해 흑인을 차별하는 제도가 사라졌다는 내용으로, 변동성을 나타낸다.

02 사회 구조의 특징

[선택지 분석]

① 사회 구성원이 바뀌어도 쉽게 바뀌지 않고 유지된다.

➡ 사회 구조는 지속성을 지니고 있다.

② 다른 사회 구성원들의 사회생활을 쉽게 예측하게 한다.

➡ 구성원들이 사회적으로 구조화된 행동을 따르기 때문에 다른 사회 구성원의 행동을 예측할 수 있다.

✔ ③ 사회 구성원들의 행동이나 가치, 규범 등이 변해도 변화하지 않는다.

➡ 사회 구조는 구성원의 가치관이나 행동 변화에 따라 변한다.

④ 사회 구성원의 의지와는 상관없이 어떤 특정한 행동을 하도록 구속할 수 있다.

➡ 사회 구조는 강제성을 지니고 있다.

⑤ 사회 구성원들이 구조화된 행동을 따르게 하여 안정적인 사회적 관계를 유지할 수 있게 한다.

➡ 사회 구조는 안정성을 지니고 있다.

03 사회 명목론

[선택지 분석]

① 사회는 단순한 개인의 집합체 그 이상이다.

➡ 사회 실재론의 관점에 해당한다.

✔ ② 한 개인의 성향을 관찰하면 그 나라의 국민 성향을 알 수 있다.

③ 선거에서 후보자의 능력이나 자질보다 소속 정당의 특성을 더 중요하게 생각한다.

➡ 개인이 소속된 사회 집단의 영향력을 고려하므로 사회 실재론의 관점에 해당한다.

④ 생물이 여러 기관으로 구성되어 있듯이 사회 구조도 여러 부분으로 이루어져 있다.

➡ 사회 유기체설은 사회 실재론과 맥락을 같이 한다.

⑤ 학군을 중요하게 여기는 것은 개인의 학습에 학교의 분위기가 영향을 준다고 생각하기 때문이다.

➡ 사회 실재론의 관점에 해당한다.

04 사회 실재론

자료 분석 | 제시문은 사회의 특징이 구성원의 특징을 합친 것과 달라질 수 있다고 말하는데, 이는 **사회 실재론**과 관련 있다.

[선택지 분석]

① 사회는 개인의 총합에 불과하다. → 사회 명목론
✔ ② 사회는 개인의 사고와 행동을 구속한다.
③ 개인의 특성을 종합한 것이 사회의 특성이다 → 사회 명목론
④ 사회는 개인으로 환원될 수 있는 성질을 지닌다.
　　　　　　　　　　　　　　　　　　　→ 사회 명목론
⑤ 개인이 존재하지 않는다면 사회도 존재할 수 없다.
　　　　　　　　　　　　　　　　　　　→ 사회 명목론

05 사회 명목론

자료 분석 | 제시문은 **사회 계약론**을 언급하고 있다. 사회 계약론은 개인이 없으면 국가가 성립할 수 없고, 개인들의 힘이 모여 사회가 구성되었다고 보므로 사회에 대한 개인의 우월성을 인정한다. 이는 **사회 명목론**과 관련 있다.

[선택지 분석]

① 사회는 개인의 집합을 넘어선다. → 사회 실재론
② 사회는 살아있는 유기체와 같다. → 사회 실재론
✔ ③ 개인의 특성이 사회의 특성을 결정한다.
④ 사회는 개인의 삶을 구속하는 영향력을 갖는다.
　　　　　　　　　　　　　　　　　　　→ 사회 실재론
⑤ 사회의 이익을 위해서 개인의 이익은 희생할 수 있다.
　　　　　　　　　　　　　　　　　　　→ 전체주의

06 사회 실재론의 한계점

[예시 답안] 사회 실재론, 사회 실재론은 사회 구조가 개인에게 미치는 영향을 강조하여 개인의 자율성을 경시하며, 지나칠 경우 전체주의를 정당화할 우려가 있다.

채점 기준		
상	사회 실재론을 쓰고, 개인의 자율성 경시와 전체주의의 정당화라는 사회 실재론의 한계점을 모두 정확하게 서술한 경우	
중	사회 실재론을 쓰고, 사회 실재론의 한계점 중 한 가지만 서술한 경우	
하	사회 실재론이라고만 쓴 경우	

01 ③   **02** ④   **03** ②   **04** ③

01 사회 구조의 특징

[선택지 분석]

✔ (가) – 지속성, (나) – 안정성

➡ (가)는 사회 구조가 시간이 지나고 사회 구성원들이 바뀌어도 큰 변화가 나타나지 않고 있다는 내용이므로, 사회 구조의 지속성을, (나)는 전학을 왔음에도 학교 생활이 크게 달라지지 않은 것을 언급하며 사회적 행동 양식과 범위가 유사하게 나타나는 구조화된 형태를 지니고 있음을 보여 주므로 사회 구조의 안정성을 나타낸다.

02 개인과 사회의 관계를 보는 관점

자료 분석 | 정당이 후보에 미치는 영향이 있으므로 정당을 우선 고려해야 한다는 갑의 입장은 사회 실재론에 가깝다. 그리고 을은 정당보다는 후보에 주목해야 한다는 주장을 펼치고 있는데, 이는 개인의 사회에 대한 우월성과 개인의 주체성을 강조하는 사회 명목론과 연결되어 있다. 병은 후보자와 정당이 서로 영향을 주고받기 때문에 둘 다 고려해야 한다고 주장하고 있으므로, 사회 명목론과 실재론을 조화하고자 하는 태도로 볼 수 있다.

[선택지 분석]

① 갑은 사회보다 개인이 우선한다고 본다.

➡ 갑은 사회가 개인보다 우선한다고 보는 사회 실재론의 입장이다.

② 갑은 사회 구조가 개인의 의사 결정에 영향력을 미치지 못한다고 본다.

➡ 갑은 사회의 개인에 대한 영향력을 인정한다.

③ 을은 사회의 영향력과 개인의 의지를 모두 중시한다.

➡ 을은 사회 명목론자로서 사회의 영향력을 중시하지 않는다.

✔ 을은 개인의 특성이 집단의 특성을 결정하는 핵심적 요소라고 생각한다.

⑤ 병의 관점은 갑의 관점이 지나친 개인주의로, 을의 관점이 개인에 대한 억압으로 흐를 것을 우려한다.

➡ 병은 사회 명목론과 사회 실재론을 조화하려는 입장으로 갑이 전체주의로, 을이 지나친 개인주의로 흐를 것을 우려한다.

03 사회 실재론

자료 분석 | 제시문은 회사를 살리기 위해 직원들의 임금 삭감과 같은 개인의 희생을 주장하고 있다. 여기에는 사회를 위해 개인의 희생을 강조하는 전체주의 시각이 나타나 있는데, 이는 개인에 대한 사회의 우위를 강조하는 사회 실재론과 연결된다.

[선택지 분석]

ㄱ 사회는 독립된 실체로서 존재한다.

✗ 사회 현상의 주체는 결국 개인일 수밖에 없다.

➡ 개인의 주체성을 강조하는 사회 명목론과 관련 있다.

ㄷ 사회에 따라 개인의 사고와 행동은 달라진다.

✗ 개인의 사고와 행동은 자율적 선택의 결과이다.

➡ 사회의 개인에 대한 영향력을 부정하는 것은 사회 명목론이다.

04 사회 실재론과 사회 명목론

자료 분석 | 사회 실재론은 사회는 개인의 외부에 실제로 존재하며, 독자적인 특성을 보인다는 입장이다. 그래서 사회는 개인들의 합 이상이며, 개인은 사회를 구성하는 요소에 불과하다고 본다. 사회 명목론은 사회는 단지 개인들이 모여 있는 것으로 실제로 존재하지 않는다는 입장이다. 사회는 개인들의 집합체에 붙여진 이름에 불과하며, 개인의 목표를 실현해 주는 수단에 불과하다고 본다. (가)는 개인의 정신 상태를 유일하게 관찰 가능한 대상으로 보는 사회 명목론이다. (나)는 제도를 그 자체로 다양하고 복합적인 역사적 맥락을 가진 실체로 보는 사회 실재론이다.

[선택지 분석]

✗ (가)는 사회가 개인들의 속성으로 환원될 수 없다고 본다.

➡ 사회가 개인들의 속성으로 환원될 수 없고, 사회는 개인들의 합 이상으로 고유한 성격을 지닌다는 입장은 사회 실재론이다.

ㄴ (가)는 사회가 개인의 자율적인 의지에 의해 형성된다고 본다.

➡ 사회와 관계없이 개인의 행동은 자신의 자율적인 의지에 따라 이루어진다고 보는 입장은 사회 명목론이다.

ㄷ (나)는 개인이 사회 속에서만 존재 의미를 갖는다고 본다.

➡ 개인이 사회 속에서만 존재 의미를 갖는다고 보는 입장은 사회 실재론이다.

✗ (나)는 개인들이 옳다고 믿기 때문에 사회 규범이 존재한다고 본다.

➡ 개인들이 옳다고 믿기 때문에 사회 규범이 존재한다고 보는 것은 개인의 자율성을 중시하는 입장이므로 사회 명목론이다.

02 ~ 사회적 존재로서의 인간

콕콕! 개념 확인하기   75쪽

01 (1) 사회화 (2) 재사회화
02 (1) 가족 (2) ㉠: 2차적, ㉡: 비공식적
03 (1) 학교 (2) 대중 매체
04 (1) ◯ (2) ✕
05 (1) 역할 (2) 역할 행동
06 역할 갈등

탄탄! 내신 다지기   76~79쪽

01 ⑤	**02** ③	**03** ⑤	**04** ③	**05** ②	**06** ③	**07** ③
08 ⑤	**09** ④	**10** ①	**11** ②	**12** ②	**13** ⑤	**14** ⑤
15 ②	**16** ③	**17** ⑤	**18** ①	**19** ⑤	**20** 해설 참조	

01 사회화

[선택지 분석]

① 사회마다 사회화의 내용은 다르다.

② 사회화는 그 사회의 문화를 학습하는 것이다.

③ 다른 사람과의 상호 작용을 통해 사회화가 이루어진다.

④ 사회화를 통해 인간은 비로소 인간다운 존재로 성장한다.

✔ 사회화를 통해 사람들은 사회적으로 바람직한 내용만을 배우게 된다.

➡ 사회화는 사회적 행동 양식을 학습하는 과정으로, 사회적으로 바람직하지 못한 도박이나 음주 같은 행동도 학습될 수 있다.

02 사회화의 기능

자료 분석 | 사례의 두 소녀는 유년기에 인간으로서의 행동 양식을 적절하게 학습하지 못했으므로 인간다운 행동을 보여 주지 못하였다. 이를 통해 인간이 유소년기에 적절한 사회화를 거쳐야 인간답게 성장할 수 있음을 알 수 있다.

[선택지 분석]

① 인간으로서의 특성은 선천적이다.

➡ 인간은 태어나면서부터 인간다운 특성을 보이는 것이 아니다. 사회화 과정을 거치면서 사회적인 존재로 성장할 수 있으므로, 인간으로서의 특성을 선천적이라고 보기 어렵다.

② 사회화는 유소년기에 대부분 완성된다.

➡ 사회화는 평생에 걸쳐 진행된다.

✔ 인간은 사회화를 통해 사회적 존재로 성장한다.

➡ 사례의 두 소녀는 다른 사람들과 상호 작용을 하면서 사회에서 필요한 것들을 배우지 못해 인간다운 행동을 보여 주지 못하고 있다. 인간은 사회화를 통해 사회적 존재로 성장하는 것이다.

④ 사회화는 타인과의 상호 작용이 없어도 가능하다.

➡ 사회화는 부모님, 친구, 이웃 등 다른 사람들과의 상호 작용을 통해 이루어진다.

⑤ 사회에 따라 사회화의 내용과 방식은 다양하게 나타난다.

➡ 사회화에 관한 옳은 내용이나, 제시문의 내용과 관련 없다. 제시문은 사회화를 거쳐야 사회적 존재로 성장할 수 있다는 내용이다.

03 사회화의 유형

자료 분석 | 제시된 사례는 결혼을 앞둔 예비부부를 대상으로 부부 생활에 대해 교육을 하고 있으므로, 예기 사회화에 해당한다.

[선택지 분석]

① 탈사회화

➡ 기존에 습득한 규범이나 생활 방식을 버리는 과정을 의미한다.

② 역할 행동

➡ 개인이 자신의 역할을 실제로 수행하는 구체적인 방식이다.

③ 역할 갈등

➡ 개인이 차지한 여러 지위에 따른 역할 간에 충돌이 발생하는 현상이다.

④ 재사회화

➡ 사회의 변동이나 개인의 환경 변화에 적응하기 위해 새로운 지식이나 가치, 행동 양식 등을 습득하는 과정을 말한다.

✔ 예기 사회화

➡ 미래에 속하게 될 특정 사회나 집단에 적응하는 데 필요한 규범이나 기술 등을 미리 학습하는 과정이다.

04 사회화의 유형

[선택지 분석]

✔ 갑 – 예기 사회화, 을 – 탈사회화

➡ 갑은 미래에 자신이 소속될 예정인 집단에서의 생활에 필요한 내용을 미리 학습하고 있으므로, 예기 사회화, 을은 기존에 학습된 내용을 버리고 있으므로 탈사회화를 경험하고 있다.

05 재사회화

[선택지 분석]

① 경력직 입사자 대상 사내 연수

✔ 유치원 원아들에 대한 놀이 학습

➡ 어린아이들이 유치원에서 놀이를 통해 기본적인 규칙을 배우는 것은 재사회화로 볼 수 없다.

③ 교도소 재소자에 대한 교화 프로그램

④ 경로당 어르신 대상 인터넷 뱅킹 활용 교육 활동

⑤ 북한을 이탈한 새터민의 한국 사회 적응 프로그램

06 사회화 기관의 유형

자료 분석 | 사회화의 내용에 따라 ㉠ 1차적 사회화 기관과 ㉡ 2차적 사회화 기관으로 나눌 수 있다. 사회화 기관의 형성 목적에 따라 사회화를 목적으로 하는 ㉢ 공식적 사회화 기관과, 사회화를 목적으로 설립되지는 않았지만 사회화의 기능을 수행하는 ㉣ 비공식적 사회화 기관으로 구분된다.

[선택지 분석]

✘ 재사회화를 담당하는 것은 ㉢뿐이다.

➡ 직장과 같은 비공식적 사회화 기관에서도 재사회화를 담당한다.

㉡ 현대 사회에서는 ㉣의 영향력이 커지고 있다.

➡ 현대 사회에서는 비공식적 사회화 기관인 대중 매체의 영향력이 더욱 커지고 있다.

㉢ ㉠보다 ㉡이 전문화된 사회화 내용을 다룬다.

➡ 가족과 같은 1차적 사회화 기관보다 학교와 같은 2차적 사회화 기관이 더 전문화된 내용을 다룬다.

✘ ㉠, ㉡은 형성 목적을 기준으로 구분한다.

➡ 사회화의 내용에 따라 구분한 결과이다.

07 공식적 사회화 기관과 비공식적 사회화 기관

자료 분석 | A는 ㉠중학교 중퇴 이후 일용직을 전전하며 생계를 근
  <공식적 사회화 기관>
근이 이어가다가 그의 어려운 삶이 ㉡누리 소통망(SNS)에 소개되면
  <비공식적 사회화 기관>
서 여러 인터넷 이용자들의 관심을 받았다. 이후 A는 사람들의 후
원을 받아 ㉢중소기업에 취업하였고, 자신처럼 배움의 기회를 놓친
  <비공식적 사회화 기관>
사람들을 위해 지역 ㉣평생교육원에 월급의 일부를 기부하고 있다.
  <공식적 사회화 기관>

[선택지 분석]

✔ 공식적 사회화 기관 – ㉠, ㉣, 비공식적 사회화 기관 – ㉡, ㉢

➡ 사회화를 목적으로 형성된 기관인 공식적 사회화 기관은 중학교와 평생교육원이다. 사회화를 목적으로 형성되지는 않았지만 사회화에 영향을 미치는 비공식적 사회화 기관은 누리 소통망과 중소기업이다.

08 사회화 기관

자료 분석 | A는 1차적 사회화 기관이며 동시에 공식적 사회화 기관이고, B는 1차적 사회화 기관이며 동시에 비공식적 사회화 기관이다. C는 공식적 사회화 기관이며 동시에 2차적 사회화 기관이고, D는 비공식적 사회화 기관이며 동시에 2차적 사회화 기관이다.

[선택지 분석]

① A는 유아기, B는 성인기 이후의 사회화를 담당한다.
➡ A와 B 모두 1차적 사회화 기관으로 영유아기, 유소년기와 같은 초기의 사회화를 담당한다.

② A와 B를 구분하는 기준은 사회화가 이루어지는 시기이다.
➡ 사회화 기관의 형성 목적을 기준으로 A는 공식적 사회화 기관, B는 비공식적 사회화 기관으로 구분된다.

③ B와 D를 구분하는 기준은 기관의 형성 목적이다.
➡ 사회화의 내용을 기준으로 B는 1차적 사회화 기관, D는 2차적 사회화 기관으로 구분된다.

④ C는 직장, D는 대중 매체가 이에 해당한다.
➡ 직장은 비공식적 사회화 기관이다.

☑ C의 사례로 학교나 직업 훈련소 등을 들 수 있다.

09 지위

[선택지 분석]

① 직업상의 지위는 대부분 귀속 지위이다.
➡ 직업은 대부분 개인의 능력에 따라 얻으므로 성취 지위이다.

② 개인은 소속 집단에서 한 가지 지위만 갖는다.
➡ 고등학생은 학교에서 학생이면서 동시에 누군가의 친구이기도 하다. 이처럼 개인은 소속 집단에서 여러 가지 지위를 동시에 가질 수 있다.

③ 귀속 지위는 개인의 노력에 의해 획득이 가능하다.
➡ 귀속 지위는 개인의 의지와 관계없이 선천적으로 주어지는 지위이다.

☑ 산업 구조의 고도화와 직업의 분화로 성취 지위의 획득 기회가 늘어났다.

⑤ 신분제 사회에서는 개인의 노력을 통한 성취 지위의 획득이 불가능했다.
➡ 귀속 지위가 강건하게 존재하던 신분제 사회에서도 개인의 능력으로 신분의 벽을 뛰어넘어 성취 지위를 얻은 사례들이 있었다.

10 귀속 지위와 성취 지위

[선택지 분석]

☑ 귀속 지위 - 서자, 중인, 성취 지위 - 의관, 숭록대부
➡ 허준이 양반 가문에서 본부인의 자녀(정실)가 아닌 첩의 자녀(서자)인 것과 그로 인해 중인의 신분을 가지게 된 것은 자신의 능력과 의지에 의한 것이 아니므로 귀속 지위에 해당한다. 반면, 의관이 된 것과 종1품 숭록대부에 오른 것은 자신의 능력과 공적으로 얻은 성취 지위에 해당한다.

11 지위와 역할

[선택지 분석]

㉠ 지위에 따라 역할이 다르게 나타난다.
➡ 역할은 지위에 따라 기대되는 행동 양식이므로 아버지 또는 어머니라는 지위에 따라 역할은 다르게 나타난다.

✗ 시대가 달라져도 지위에 따른 역할은 변하지 않는다.
➡ 과거에는 남성이 생계를 책임졌지만 오늘날에는 여성이 생계를 책임질 수 있다는 인식이 확산되고 있다. 시대에 따라 지위에 요구되는 역할이 다르게 나타난다.

㉢ 지위에 따른 역할은 사회적 상황에 따라 달라질 수 있다.

✗ 현대 사회에서는 성취 지위의 중요성이 더욱 커지고 있다.
➡ 제시문과 관련 없는 내용이다.

12 역할

[선택지 분석]

① 보상
☑ 역할
➡ 지위에 따라 사회적으로 기대되는 행동 양식을 역할이라고 한다.
③ 역할 행동
④ 역할 갈등
⑤ 성취 지위

13 역할 행동에 대한 보상과 제재

[선택지 분석]

✗ (가)는 역할에 대해 주어지는 보상, (나)는 제재를 나타낸다.
➡ (가)와 (나)는 역할이 아닌 역할 행동에 대해 주어지는 보상과 제재이다.

㉡ (가)는 사회 구성원이 사회적으로 바람직한 행동을 하도록 유도한다.
➡ (가)는 사회적 기대에 부응한 역할 행동에 대한 보상의 사례이다.

㉢ 범죄를 저지른 사람이 징역과 같은 처벌을 받는 것은 (나)의 사례이다.
➡ (나)는 사회적 기대에 미치지 못하거나 부정적으로 평가된 역할 행동에 대한 제재의 사례이다.

㉣ (가)와 (나)는 개인이 자신의 역할을 수행하는 구체적인 방식과 관련이 있다.
➡ 개인이 자신의 역할을 수행하는 구체적인 방식을 역할 행동이라고 한다.

14 역할 갈등

자료 분석 | 갑은 아버지라는 지위에 대해 돈을 잘 벌어오길 바라는 기대와 가정을 잘 돌보길 바라는 기대 사이에서 고민하고 있으므로 이는 한 가지 지위에서 상반된 역할이 요구되는 역할 갈등 상황(역할 긴장)에 해당한다. 을은 할머니라는 지위에서 손자에 대한 엄격한 훈육 기대와 인자한 용서에 대한 기대가 서로 충돌하고 있으므로, 한 가지 지위에서 상반된 역할이 요구되는 역할 갈등 상황(역할 긴장)이다.

[선택지 분석]

① 지위

➡ 지위는 한 개인이 집단이나 사회 속에서 차지하는 위치로, 사례에서 말하려는 핵심이 아니다.

② 역할

➡ 역할은 지위에 따라 사회적으로 기대되는 행동 양식으로, 사례에서 말하려는 핵심이 아니다.

③ 사회화

➡ 사회화는 인간이 사회적 존재로 성장해 가는 과정으로, 사례에서 말하려는 핵심이 아니다.

④ 역할 행동

➡ 역할 행동은 개인이 자신의 역할을 실제로 수행하는 구체적인 방식으로, 사례에서 말하려는 핵심이 아니다.

⑤ 역할 갈등

➡ 사례는 갑은 아버지, 을은 할머니라는 지위에서 상반된 역할이 요구되는 역할 갈등 상황이다.

15 역할 갈등의 원인

[선택지 분석]

㉠ 갑의 역할 갈등이다.

➡ 갑이 회사원과 아버지라는 지위에서 요구되는 회사 일에 충실할 것과 자녀와의 약속을 잘 지킬 것이라는 역할이 충돌하여 고민하는 역할 갈등이다.

㉡ 한 가지 지위에서 상반된 역할을 요구받고 있다.

➡ 회사원이라는 지위와 아버지라는 지위에서 요구받는 역할이 충돌하는 상황이다.

㉢ 갑이 복수의 성취 지위로 인해 겪고 있는 역할 갈등이다.

➡ 회사원과 아버지라는 성취 지위로 인한 역할 갈등이다.

㉣ 갑이 가지는 성취 지위와 귀속 지위에 따른 역할 갈등이다.

➡ 회사원이라는 지위와 아버지라는 지위는 모두 성취 지위이므로, 성취 지위와 귀속 지위에 따른 역할 갈등으로 볼 수 없다.

16 역할 갈등의 양상

[선택지 분석]

⑤ (가) – 역할 갈등, (나) – 역할 갈등

➡ (가)는 하나의 지위에서 상반된 역할들이 요구될 때 발생하는 역할 갈등의 사례이고, (나)는 두 가지 이상의 지위에 따른 역할들이 충돌하여 발생하는 역할 갈등의 사례이다.

17 역할 갈등의 양상 및 해결 방안

자료 분석 | 제시된 자료에서 갑은 학생의 지위에서 수업에 참여해야 한다는 역할과 친구라는 지위에서 고민 상담이라는 역할이 동시에 주어진 상황으로, 역할 갈등 상황에 놓여 있다. 이러한 역할 갈등을 해결하기 위해서 개인은 역할 간에 우선순위를 정하고 중요한 일부터 해야 하며, 상대방은 관용의 태도를 가져야 한다.

[선택지 분석]

㉠ 갑이 가진 동일한 지위에 서로 다른 역할이 기대되고 있다.

➡ 학생과 친구라는 서로 다른 지위에서 서로 다른 역할이 충돌하고 있다.

㉡ 갑은 학생으로 해야 할 역할과 친구로서의 역할 사이에서 고민하고 있다.

㉢ 갑은 우선순위를 정하여 중요한 역할부터 수행하는 방법으로 갈등 상황을 해결할 수 있다.

➡ 역할 갈등을 해결하기 위해서는 우선순위를 정하여 중요한 역할부터 수행하거나, 한 가지 역할을 선택하고 다른 것을 포기해야 한다.

㉣ 을은 관용 정신을 발휘하여 갑이 처해 있는 상황을 인정하고 갑의 합리적 의사 결정을 존중해야 한다.

➡ 을은 관용 정신을 발휘하여 역할 갈등을 겪는 갑의 상황을 인정하고 존중하여, 갑이 역할 갈등을 해결하는 데 도울 수 있다.

18 역할 갈등

[선택지 분석]

① 경제학과와 경영학과 중 어느 학과에 진학해야 할지 고민에 빠졌다.

➡ 단순한 심리적 차원의 진로 고민에 해당하므로 역할 갈등으로 볼 수 없다.

② 딸의 잘못을 너그러이 용서해야 할지, 엄격하게 훈육해야 할지 고민에 빠져 있다.

➡ 부모로서 요구되는 역할들이 충돌하는 역할 갈등이다.

③ 오케스트라 단원으로 순회공연을 하던 도중 아버지가 돌아가셨다는 소식을 듣게 되었다.

➡ 단원이라는 지위에서 공연을 지속할지 자녀라는 지위에서 공연을 중단하고 장례식에 참여할지 고민하는 것이므로 두 가지 지위에 따른 역할이 충돌하는 역할 갈등이다.

④ 회사에서 중요한 업무가 있는 날 딸이 아파서 병원에 긴급히 데려가야 한다는 연락을 받았다.

➡ 회사원과 부모라는 지위에 따른 역할의 충돌인 역할 갈등에 해당한다.

⑤ 친구 같이 다정한 교사와 원칙을 강조하는 엄격한 교사 중에서 어떤 모습이 좋은 모습인지 선택해야 한다.

➡ 교사로서 요구되는 역할들이 충돌하는 역할 갈등이다.

19 역할 갈등의 해결 방안

자료 분석 | 제시된 자료에서 갑은 부모의 역할과 회사원의 역할이 충돌하는 역할 갈등을 겪고 있다. 이를 해결하기 위한 개인적 차원의 대책은 역할 간에 우선순위를 정하는 것이고, 사회적 차원의 대책으로는 육아 휴직제를 확대하고 직장 내 돌봄 시설을 확대하는 방안 등이 거론될 수 있다.

[선택지 분석]

① 개인적 차원 – 육아 휴직 제도 도입 → 사회적 차원

② 개인적 차원 – 공공 보육 시설 확충 → 사회적 차원

③ 사회적 차원 – 중요한 역할 우선 수행 → 개인적 차원

④ 사회적 차원 – 한 가지 역할만을 선택 → 개인적 차원

⑤ 사회적 차원 – 직장 내 돌봄 시설 설치

20 사회화 기관

[예시 답안] (가)는 가족, (나)는 직장이다. 가족과 직장은 모두 사회화를 목적으로 형성된 것은 아니지만 사회화에 영향을 주는 비공식적 사회화 기관이다.

채점기준		
상	(가) 가족, (나) 직장이라고 쓰고, 두 기관이 모두 비공식적 사회화 기관임을 그 의미와 함께 서술한 경우	
중	(가) 가족, (나) 직장이라고 쓰고, 두 기관이 모두 비공식적 사회화 기관이라고만 서술한 경우	
하	(가) 가족, (나) 직장이라고만 쓴 경우	

도전! 실력 올리기   80~81쪽

01 ⑤ **02** ③ **03** ② **04** ④ **05** ② **06** ② **07** ⑤
08 ②

01 사회화와 사회화 기관

[선택지 분석]

✗ 공식적 사회화 기관이 청소년의 사회화에 큰 영향을 미치고 있다.
➡ 제시문에서는 대중 매체가 청소년의 사회화에 큰 영향을 미치고 있다. 대중 매체는 비공식적 사회화 기관이다.

✗ 기성세대는 청소년 세대보다 비공식적 사회화 기관의 영향을 더 받는다.
➡ 제시문에 따르면 사회화 기관으로서 대중 매체의 중요성이 커지고 있으며, 기성세대보다 청소년 세대가 대중 매체의 영향을 많이 받는다. 대중 매체는 비공식적 사회화 기관이다.

ⓒ 오늘날에는 대중 매체가 사회화 기관으로서 미치는 영향력이 매우 크다.
➡ 제시문에 따르면 오늘날 신문과 방송 같은 대중 매체가 사회화에 중요한 역할을 하고 있다.

ⓔ 1차적 사회화 기관과 2차적 사회화 기관 모두 사회화에 영향을 주고 있다.
➡ 제시문에는 가정, 학교, 동료 집단, 대중 매체 등이 사회화에 영향을 주고 있음이 나타나 있다. 가정과 동료 집단은 1차적 사회화 기관이고, 학교, 대중 매체는 2차적 사회화 기관이다.

02 사회화 기관

자료 분석 | 기본적인 언어, 의식주 습관이나 인성 등을 배우는 A는 가족이다. 놀이에서의 규칙, 기초적 인간관계를 형성하는 같은 연령대의 모임인 B는 또래 집단, 지속적이고 체계적인 학습이 이루어지는 C는 학교이다.

[선택지 분석]

① A는 ~~또래 집단~~ 으로 원초적 사회화를 담당한다.
   가족
② B는 A와 달리 비공식적 사회화 기관이다.
➡ 또래 집단(B)과 가족(A)은 모두 비공식적 사회화 기관이다.

✔ C는 A, B와 달리 2차적 사회화 기관이다.
④ C는 재사회화를 전담하는 공식적 사회화 기관이다.
➡ 학교는 공식적 사회화 기관이지만, 재사회화를 전담한다고 볼 수 없다.

⑤ C와 달리 A, B는 앞으로 얻게 될 지위에 요구되는 역할을 미리 학습하는 사회화 기관이다.
➡ 앞으로 얻게 될 지위에 요구되는 역할을 미리 학습하는 것은 예기 사회화이다. 가족(A)과 또래 집단(B)이 예기 사회화를 담당하는 기관이라고 보기는 어렵다.

03 사회화 기관

자료 분석 | 〈자료 2〉에서 사회화 자체를 목적으로 설립된 기관은 공식적 사회화 기관, 그렇지 않은 기관은 비공식적 사회화 기관이며, 기초적 수준의 사회화를 담당하는 기관은 1차적 사회화 기관, 전문적 지식을 가르치는 기관은 2차적 사회화 기관이다. 따라서 (가)는 공식적 사회화 기관이자 2차적 사회화 기관이고, (나)는 비공식적 사회화 기관이자 2차적 사회화 기관이며, (다)는 비공식적 사회화 기관이자 1차적 사회화 기관이다.

[선택지 분석]

✔ (가) – ㉠, (나) – ㉡, ㉢, (다) – ㉣
➡ (가)에는 대학, (나)에는 ○○ 난민 지원 센터와 신문, (다)에는 가족이 들어갈 수 있다.

04 역할 행동과 보상

자료 분석 | 허준이 종1품 숭록대부에 오르는 보상을 받은 것은 내의원의 의관이라는 지위에서 요구되는 역할을 잘 수행하였기 때문이다. 즉, 선조와 왕세자들을 극진히 보살핀 역할 행동에 대해 보상을 받은 것이다. 마리 퀴리가 노벨 물리학상을 받은 것도 과학자로서 밤낮없이 연구하여 라듐을 분리해 낸 역할 행동에 대한 보상이다.

[선택지 분석]

① 성취 지위와 귀속 지위 간 역할 갈등이다.
② 개인은 사회에서 하나의 지위만 가질 수 있다.
③ 개인에게 요구되는 역할들이 상충하는 상황이다.
➡ 제시문에는 역할 갈등이 나타나 있지 않다.

✔ 사회적으로 바람직한 역할 행동에는 보상이 주어진다.
➡ 역할에 대한 실제 수행 결과인 역할 행동이 사회적 기대에 부응하는지에 따라 보상과 제재가 주어질 수 있다.

⑤ 현대와 달리 과거에는 선천적으로 부여된 지위만 가질 수 있었다.

05 지위와 역할 갈등

자료 분석 | (가)에 등장한 갑은 의사라는 지위에서 접수 순서대로 입원을 시켜야 하는 역할과 주변의 지인들로부터 편의를 봐줄 수 있다는 기대 사이에서 역할이 충돌하여 고민하고 있어 역할 갈등을 겪고 있다. 반면, (나)에 등장한 마을 이장 을은 화장장 유치를 반대하는 주민들을 설득하기 위한 고민에 빠져 있는데, 이는 단순한 고민으로 역할 갈등이 아니다.

[선택지 분석]

㉠ (가)는 부정한 청탁을 제한하는 법률을 제정함으로써 문제를 줄일 수 있다.

➡ 역할 갈등을 줄이기 위한 사회적 차원의 방안이다.

✘ (나)에서 을은 같은 지위에서 요구되는 서로 다른 역할 때문에 고민하고 있다.

➡ (가)에 등장한 갑에 해당하는 내용이다.

✘ (가)와 (나)에는 모두 역할 갈등이 나타나 있다.

➡ (나)의 을은 역할 갈등을 겪고 있지 않다.

㉣ (가)의 갑과 (나)의 을은 모두 한 가지 이상의 성취 지위를 가지고 있다.

06 지위와 역할 갈등

자료 분석 | 제시된 자료에서 갑은 A 대학의 면접 위원이자 친인척으로서 공정한 입시 관리와 친척에 대한 특혜라는 상반된 기대 사이에서 **역할 갈등**을 겪고 있다.

[선택지 분석]

㉠ ㉠은 학생, 교사와 같은 성취 지위이다.

➡ 면접 위원은 학생, 교사와 같은 성취 지위이다.

✘ ㉡은 개인의 의지나 노력에 의한 지위이다.

➡ 친척과 같은 귀속 지위는 개인의 의지나 능력과 관계없이 선천적 요인으로 주어지는 것이다.

㉢ ㉢은 ㉠으로서 갑에게 요구되는 역할이다.

➡ 지원자를 공정하게 평가하는 것은 면접 위원의 지위에서 갑에게 기대되는 역할에 해당한다.

✘ ㉣은 갑이 겪는 역할 갈등 상황으로 보기 어렵다.

➡ 갑은 면접 위원으로서 공정하게 평가해야 하는 역할과 친척으로서 어려운 일을 도와야 하는 역할이 충돌하여 고민하고 있으므로 역할 갈등 상황이다.

07 지위, 역할, 역할 갈등

자료 분석 | 갑이 □□영화제에서 ㉠ 신인상을 받은 것은 **갑의 역할 행동에 대한 보상**이다. 그리고 ㉡ 공연 관람 동아리는 **비공식적 사회화 기관**이지만, ㉣ ◇◇대학 연극학과는 **공식적 사회화 기관**이다. 갑은 연극배우가 되고 싶어 했지만, 실제로 연극배우가 된 것은 아니므로 ㉢ 연극배우는 갑의 성취 지위라고 볼 수 없다. 반면, △△독립 영화제 ㉤ 집행 위원장은 **갑의 성취 지위**에 해당한다. 한편, 독립 영화제의 홍보에 힘쓸지, 자신이 출연한 영화 홍보에 힘쓸지 ㉥ 고민하는 것은 **갑의 역할 갈등**에 해당한다.

[선택지 분석]

① ㉠은 갑의 역할에 대한 보상이다.

➡ 역할이 아닌 역할 행동에 대한 보상이다.

② ㉡과 ㉣은 모두 공식적 사회화 기관이다.

➡ ㉡ 공연 관람 동아리는 비공식적 사회화 기관이고, ㉣ ◇◇대학 연극학과는 공식적 사회화 기관이다.

③ ㉢과 ㉤은 모두 갑의 성취 지위이다.

➡ 갑은 실제로 연극배우가 된 것이 아니므로 ㉢ 연극배우는 갑의 성취 지위라고 볼 수 없다.

④ ㉣에서 갑은 재사회화를 경험하였다.

➡ 갑은 ◇◇대학 연극학과 입학을 포기하였으므로 갑이 ㉣에서 재사회화를 경험했다고 볼 수 없다.

✔㉥ ㉥은 갑의 역할 갈등이다.

➡ 갑이 독립 영화제의 홍보에 힘쓸지, 아니면 자신이 출연한 영화의 홍보에 힘쓸지 고민하는 것은, 두 가지 역할이 상충하여 발생하는 갈등 상황에 해당하므로 역할 갈등이라고 볼 수 있다.

08 역할 갈등

[선택지 분석]

㉠ ㉠은 갑이 가지는 성취 지위에 따른 역할이다.

➡ ㉠은 갑이 가지는 부모라는 지위에 따른 역할이다. 부모는 개인의 노력에 따라 후천적으로 얻는 성취 지위이다.

✘ ㉡, ㉣은 모두 성취 지위이다.

➡ ㉡ 딸은 귀속 지위이고, ㉣ 상사는 성취 지위이다.

✘ ㉢은 공식적 사회화 기관이다.

➡ ㉢ 회사는 사회화 자체를 목적으로 형성된 기관이 아니므로, 공식적 사회화 기관이 아니라 비공식적 사회화 기관이다.

㉣ ㉥은 갑이 겪는 역할 갈등 상황이다.

➡ ㉥의 고민은 부모의 역할과 회사원의 역할이 충돌하여 나타나는 심리적 갈등으로, 역할 갈등에 해당한다.

---

03 ~ 사회 집단과 사회 조직

콕콕! 개념 확인하기   89쪽

01 (1) ✕ (2) ○
02 (1) 결합 의지 (2) 불일치 (3) 공동체
03 비공식 조직
04 (1) 자발적 결사체 (2) 이익 집단
05 (1) ㉠: 관료제, ㉡: 표준화 (2) 목적 전치 (3) 연공서열

탄탄! 내신 다지기   90~93쪽

01 ⑤ **02** ② **03** ⑤ **04** ⑤ **05** ② **06** ① **07** ④
08 ⑤ **09** ③ **10** ⑤ **11** ① **12** ③ **13** ⑤ **14** ②
15 ① **16** 해설 참조

01 공동 사회와 이익 사회

[선택지 분석]

✘ (가)는 공동 사회, (나)는 이익 사회이다.

➡ 선택적 의지에 의해 형성된 (가)는 이익 사회, 본질적 의지에 따라 자연스럽게 형성된 (나)는 공동 사회이다.

✗ (가), (나)는 구성원의 접촉 방식에 따라 사회 집단을 구분한 것이다.

➡ 공동 사회와 이익 사회는 구성원의 결합 의지에 따라 구분한다. 구성원의 접촉 방식에 따라서는 1차 집단과 2차 집단으로 구분한다.

Ⓒ (가)에는 회사, 학교 등이 해당하고, (나)에는 가족, 친족 등이 해당한다.

Ⓔ (가)는 (나)와 달리 간접적이고 수단적인 인간관계가 주로 이루어진다.

02 사회 집단의 유형

[선택지 분석]

① ⑤ - 외집단 → 내집단

✔️ ② ⑥ - 이익 사회

➡ 동호회는 자연 발생적으로 형성된 것이 아니라 구성원의 선택 의지에 따라 특정 목적을 위해 의도적으로 만들어진 것이므로, 이익 사회에 해당한다.

③ ⑥ - 내집단 → 외집단

④ ⑥ - 1차 집단 → 2차 집단

⑤ ⑩ - 2차 집단 → 1차 집단

03 1차 집단과 2차 집단

[선택지 분석]

✔️ ⑤ ⑤ - 2차 집단, ⑥ - 1차 집단

➡ 군대는 간접적이고 수단적인 인간관계가 이루어지는 2차 집단이지만, 친밀한 대면 접촉이 이루어지고 있다는 분대원의 글과 같이 1차 집단의 성격이 부분적으로 나타나기도 한다.

04 내집단

[선택지 분석]

① 1차 집단은 구성원끼리 강한 연대감과 친밀감을 형성하기 때문이다.

② 2차 집단의 인간관계에서는 협동심보다 경쟁심이 강조되기 때문이다.

③ 외집단을 통해 집단 간 서로 다른 판단과 행동의 기준을 자각하기 때문이다.

④ 이익 사회는 선택 의지에 따라 특정 목적을 위해 의도적으로 만들어지기 때문이다.

✔️ 강한 내집단 의식이 외집단에 대한 부정적이고 배타적인 태도로 이어졌기 때문이다.

➡ 자신이 속한 팬클럽은 내집단이고, 다른 아이돌 그룹의 팬클럽은 외집단이다. 내집단 의식이 지나치게 강하면 외집단과 갈등을 일으켜 사회 통합을 저해할 수 있다.

05 사회 집단의 유형

[선택지 분석]

⑤ 내집단

➡ 해당 학과 대학생이 학과 점퍼를 입고 다니는 것은 내집단에 대한 소속감을 표현하는 것이다.

✗ 1차 집단

Ⓒ 준거 집단

➡ 수험생들은 그 집단에 소속되길 바라며 학과 점퍼를 입고 다니는 것으로, 해당 학과를 준거 집단으로 설정한 것이다.

✗ 공동 사회

06 사회 집단의 유형

[선택지 분석]

⑤ ⑤은 선택적 의지로 형성된 집단이다.

➡ 고등학교는 선택적 의지로 형성된 이익 사회이다.

⑥ ⑥의 구성원 간에는 직접적 접촉이 일반적이다.

➡ 가족은 구성원 간 직접적 접촉이 이루어지는 1차 집단이다.

✗ ⑥은 ○○○의 내집단이다.

➡ 생활 지도부는 ○○○이 소속감을 느끼는 내집단이 아니다.

✗ ⑥은 공동 사회로 볼 수 있다. → 이익 사회

07 공식 조직과 비공식 조직

[선택지 분석]

① ⑤은 비공식 조직이다.

➡ ⑤ ○○ 기업 낚시 동호회는 ○○ 기업이라는 공식 조직 내에서 낚시라는 공통의 관심사에 따라 형성된 조직이므로 비공식 조직이다.

② ⑥은 공식 조직이다.

➡ ⑥ 인사부는 ○○ 기업 내의 공식 조직이다.

③ ⑤은 ⑥에 비해 친밀한 인간관계를 중시한다.

✔️ ④ ⑤과 달리 ⑥은 관습과 전통에 의해 운영된다.

➡ ⑥은 공식 조직이다. 공식 조직은 명확한 규칙과 절차가 강조되는 조직이다.

⑤ ⑥과 달리 ⑤은 공통의 관심을 가진 구성원들에 의해 자발적으로 형성된 조직이다.

08 비공식 조직의 역기능

[선택지 분석]

① 업무의 책임 소재가 불분명하다.

② 목적과 과업 달성을 지나치게 중시한다.

③ 2차적 인간관계를 강조하여 인간 소외 현상을 초래한다.

④ 명확한 규칙과 절차를 강조하여 업무에서 개인의 창의성이 발휘되기 어렵다.

✔️ 비공식 조직의 인간관계를 중시하여 공식 조직의 업무 수행에 부정적 영향을 끼친다.

➡ 대화에서는 ○○○ 씨가 승진한 이유를 등산 동호회 활동에서 찾고 있다. 이는 비공식 조직 내에서의 개인적인 친분이 공식 조직의 업무 수행에 부정적인 영향을 끼쳤음을 보여 준다.

09 자발적 결사체

[선택지 분석]

① 1차 집단의 성격이 강하다.

② 본질 의지에 의해 형성된 집단이다. → 공동 사회

☑️ 구성원들의 자발성을 바탕으로 한다.

　➡️ 고등학교 교사 연구 동아리와 시민 단체는 모두 자발적 결사체로, 구성원들이 뚜렷한 목표와 신념을 가지고 자발적으로 참여한다.

④ 구성원들의 권한과 책임이 명확하다.

⑤ 공식적인 상호 작용이 일반적으로 나타난다.

10 자발적 결사체

자료 분석 | (가)는 시민 단체, (나)는 친목 집단으로, (가), (나) 모두 자발적 결사체이며, 이익 사회이다.

[선택지 분석]

① (가)는 비공식 조직, (나)는 공식 조직이다.

　➡️ (가)는 공식 조직, (나)는 비공식 조직이다.

② (가)는 1차 집단, (나)는 2차 집단에 해당한다.

　➡️ (가)는 2차 집단이고, (나)는 1차 집단과 2차 집단의 성격을 동시에 갖는 경우가 많다.

③ (가)는 (나)와 달리 선택 의지와 무관하게 자연 발생적으로 형성된다.

　➡️ 선택 의지와 무관하게 자연 발생적으로 형성된 것은 공동 사회이다. (가), (나) 모두 공동 사회가 아니라 이익 사회이다.

④ (가)와 달리 (나)는 사회의 공익을 이익을 증진하기 위한 집단이다.

　➡️ (가)는 공익을 추구하기 위해 결성된 시민 단체이고, (나)는 구성원의 취미 공유 및 친목을 도모하는 친목 집단이다. (나)와 달리 (가)가 공익 증진을 목적으로 한다.

☑️ (가), (나) 모두 가입과 탈퇴가 자유롭고 공동의 목표를 기반으로 조직된다.

11 사회 집단과 사회 조직

[선택지 분석]

☑️ ㉠, ㉣은 자발적 결사체에 속한다.

　➡️ ㉠ 조기 축구회와 ㉣ 배드민턴 동호회는 모두 공통의 관심사를 가진 사람들이 자발적으로 결성한 자발적 결사체이다.

② ㉠, ㉣은 이익 사회이자 공식 조직이다.

　➡️ ㉣은 회사라는 공식 조직 내의 비공식 조직이다.

③ ㉠, ㉤은 본능적 결합 의지에 의해 만들어진다.

　➡️ 본능적 결합 의지에 의해 만들어진 것은 공동 사회이다. ㉤은 공동 사회이나, ㉠은 이익 사회이다.

④ ㉡, ㉢은 갑의 내집단에 해당한다.

　➡️ ㉢은 거래처의 부서로, 갑이 소속감을 느끼는 내집단으로 볼 수 없다.

⑤ ㉡, ㉤은 공식 조직이라고 볼 수 있다.

　➡️ 회사와 달리 가족은 공식 조직으로 볼 수 없다.

12 관료제의 특징

자료 분석 | 그림의 사회 조직은 관료제로, 기업의 조직이 피라미드 형태이며, 각 부서는 자신들만의 고유한 업무를 가지고 있다. 그리고 부서 내에서도 부장–차장–과장으로 이어지는 위계 서열이 뚜렷한 구조이다.

[선택지 분석]

① 업무 범위와 권한이 포괄적이다.

　➡️ 관료제 조직은 업무 범위와 권한이 세밀히 나누어져 분업화되어 있다.

② 위계 서열이 약한 수평적 조직이다.

　➡️ 관료제 조직은 위계 서열이 강한 수직적 조직이다.

☑️ 규약과 절차에 따라 업무가 수행된다.

④ 상향식 의사 결정이 주로 이루어진다.

　➡️ 관료제 조직은 위계 서열화된 조직의 특성에 기인해 하향식 의사 결정으로 의사 결정이 과두화되는 문제가 나타날 수 있다.

⑤ 능력과 업무 성과에 따라 임금과 승진이 결정된다.

　➡️ 관료제 조직은 연공서열에 따라 보상을 주로 하며, 업무 성과에 따른 보상은 탈관료제 조직의 특징에 해당한다.

13 관료제의 문제점

[선택지 분석]

① 연공서열을 지나치게 강조한다.

② 업무의 책임 소재가 명확하지 않다.

③ 무사안일주의를 유발하여 무능한 구성원을 양성한다.

④ 표준화된 업무 처리로 인해 개인의 창의성을 발휘하기 어렵다.

☑️ 조직의 목적보다 절차 준수가 우선시되는 목적 전치 현상이 나타난다.

　➡️ 인터넷을 통한 수당 신청이나 구직 활동 서류 제출 등은 효율적인 업무 수행을 위해 마련된 규칙과 절차이지만, 사례에서는 이러한 각종 절차가 오히려 도움이 필요한 사람을 제때에 돕지 못하는 결과를 가져오고 있다. 이처럼 조직의 목적보다 규칙과 절차의 준수가 우선시되는 현상을 목적 전치 현상이라고 한다.

14 탈관료제 조직의 특징

자료 분석 | 그림은 핵심 영역과 다른 주변 영역 간에 수평적 연결성이 이루어진 네트워크형 조직을 나타낸 것이다. 네트워크형 조직은 대표적인 탈관료제 조직으로, 수평적 조직 체계의 특성을 강화하여 부서 상호 간 활발한 교류를 통해 사회 변화에 유연하게 적응할 수 있는 조직이다.

[선택지 분석]

㉠ 팀 간 수평적 관계를 이룬다.

✖️ 구성원들의 전문성이 보장되지 않는다.

　➡️ 탈관료제 조직으로 바뀐다고 해서 구성원들의 전문성이 떨어진다고 단정지을 수 없다.

㉢ 여러 팀이 상호 유기적으로 운영될 수 있다.

✖️ 급격한 사회 변화에 맞춰 조직이 유연하게 적용하기 어렵다.

　➡️ 탈관료제 조직은 급격한 사회 변화에 유연하게 적응하기 위해 등장한 사회 조직 유형이다.

15 관료제 조직과 탈관료제 조직

자료 분석 | (가)는 중간 관리자가 다수 포진한 전형적인 관료제 조직이다. (나)는 중간 관리자를 줄이고 조직을 간소화한 탈관료제 조직의 유형으로 팀제 조직에 해당한다.

[선택지 분석]

☑ 환경 변화에 유연하게 대응할 수 있다.

➡ 탈관료제 조직은 환경 변화에 유연하게 대응하여 조직의 목표를 효율적으로 달성하게 한다.

② 정형화된 규칙과 절차에 따라 업무가 수행된다. → 관료제

③ 구성원들의 연공서열에 따라 승진과 보상이 이루어진다. → 관료제

④ 구성원이 바뀌어도 안정적이고 지속적인 과업 수행이 가능하다. → 관료제

⑤ 조직 내 의사 결정권이 소수의 상층부에 집중되어 일반 구성원과의 소통이 소홀해질 수 있다. → 관료제

16 준거 집단과 소속 집단의 일치 여부

[예시 답안] (가)처럼 소속 집단과 준거 집단이 일치할 경우 소속 집단에 대한 만족감이 높으며 자신감과 안정감을 느끼지만, (나)처럼 소속 집단과 준거 집단이 불일치할 경우 소속 집단에 불만을 느껴 준거 집단으로 옮겨 가려고 노력하게 된다.

채점 기준	상	준거 집단과 소속 집단이 일치하는 경우와 불일치하는 경우를 비교하여 정확히 서술한 경우
	하	준거 집단과 소속 집단이 일치하는 경우와 불일치하는 경우 중 한 가지만 정확히 서술한 경우

도전! 실력 올리기   94~95쪽

01 ⑤   **02** ④   **03** ③   **04** ②   **05** ⑤   **06** ⑤   **07** ⑤
08 ④

01 사회 집단의 유형

자료 분석 | 소속감과 친밀감, 지속성이 강할수록 1차 집단의 특성이 강하고, 목표 지향성이 강할수록 2차 집단의 특성이 강하다. 따라서 A는 1차 집단의 성격이 가장 강하고, C는 2차 집단의 성격이 가장 강하다.

[선택지 분석]

① A에서는 공식적 통제가 주로 나타난다.

➡ A는 1차 집단의 성격이 강하므로 공식적 통제보다는 비공식적 수단에 의한 통제가 이루어진다.

② C는 구성원 간 관계가 전인격적이다.

➡ 구성원 간 전인격적 관계가 이루어지는 것은 1차 집단이다. C는 2차 집단의 성격이 강하므로, 구성원 간 전인격적 관계가 가장 두드러지는 것은 A이다.

③ 사내 동호회는 B보다는 C에 해당한다.

➡ 사내 동호회는 1차 집단과 2차 집단의 성격이 동시에 나타나므로 C보다는 B에 가깝다.

④ B는 C보다 2차 집단적 성격이 강하다.

➡ B는 C보다 1차 집단의 성격은 강하고 2차 집단의 성격은 약하다.

☑ A는 1차 집단의 성격이 강하고 C는 2차 집단의 성격이 강하다.

➡ 친밀감과 지속성이 가장 높고 목표 지향성이 가장 낮은 A가 1차 집단의 성격이 가장 강하다.

02 사회 집단

자료 분석 | '구성원 간의 관계가 전인격적이며 비공식적 수단에 의한 통제가 일반적인가?'라는 질문에 '예'라고 답한 A, B는 1차 집단, '아니요'라고 답한 C는 2차 집단이다. '자연 발생적 관계를 매개로 본질 의지에 따라 무의도적으로 형성되었는가?'라는 질문에 '예'라고 답한 A는 공동 사회, '아니요'라고 답한 B, C는 이익 사회이다. 따라서 A는 1차 집단이며 공동 사회, B는 1차 집단이며 이익 사회, C는 2차 집단이며 이익 사회이다.

[선택지 분석]

㉠ 가족은 A에 해당한다.

㉡ 학교, 회사 같은 공식 조직은 대체로 C로 분류된다.

㉢ 동호회 같은 조직은 구성원 간의 관계에 따라 B, C 둘 중 하나에 속한다.

✗ C와 달리 A, B에서는 구성원 간 수단적 만남과 간접적 접촉이 이루어진다.

➡ 구성원 간 수단적 만남과 간접적 접촉이 이루어지는 것은 C이다.

03 사회 집단과 사회 조직

자료 분석 | A는 B, C를 모두 포함하므로 이익 사회, B는 자발적 결사체, C는 비공식 조직이다.

[선택지 분석]

✗ A는 본능적 의지에 의해 형성된다.

➡ 본능적 의지에 의해 형성되는 것은 공동 사회이다. A는 이익 사회로 구성원의 선택적 의지에 의해 형성된다.

㉡ B는 가입과 탈퇴가 자유롭다.

➡ B는 자발적 결사체이다. 가입과 탈퇴가 자유로운 것은 자발적 결사체의 특징이다.

㉢ C는 공식 조직의 효율성을 높이기도 한다.

➡ C는 비공식 조직이다. 비공식 조직은 구성원들에게 정서적 안정감과 만족감을 주면서 공식 조직의 효율성을 높이기도 한다.

✗ 시민 단체는 A~C 모두에 해당한다.

➡ 시민 단체는 이익 사회이자 자발적 결사체이지만, 비공식 조직은 아니다.

04 사회 집단과 사회 조직

[선택지 분석]

㉠ ㉠과 ㉡은 선택적 의지에 의해 형성되는 이익 사회이다.

➡ 시민 단체와 학급은 특정 목적을 위해 만들어진 이익 사회이다.

✗ 갑, 을은 병과 달리 자발적 결사체에 소속되어 있다.

➡ 갑이 속한 시민 단체, 을이 속한 사내 야구 동호회와 노동조합, 병이 속한 청소년 봉사 단체는 자발적 결사체이다. 따라서 갑~병 모두 자발적 결사체에 소속되어 있다.

✗ 을, 병은 갑과 달리 비공식 조직에 소속되어 있다.

➡ 비공식 조직은 공식 조직에 속한 구성원들이 조직 내에서 구

성원 간의 친밀한 인간관계에 바탕을 두고 자발적으로 형성한 집단을 말한다. 갑~병이 속한 조직 중 비공식 조직에는 을의 사내 야구 동호회만 해당한다.

ㄹ 갑~병 모두 공동 사회와 공식 조직에 소속되어 있다.
➡ 갑~병은 모두 가족에 속해 있으므로 공동 사회의 구성원이다. 갑이 속한 학교와 대학원, 을이 속한 회사와 노동조합, 병이 속한 학교는 공식 조직이다.

05 사회 집단과 사회 조직

자료 분석 | 구성원 간의 접촉 방식에 따라 분류한 사회 집단은 1차 집단과 2차 집단이다. 이 중 구성원들이 대면 접촉을 통해 전인격적인 관계를 맺는 집단은 1차 집단이므로 A는 1차 집단, B는 2차 집단이다. 구성원의 결합 의지에 따라 분류한 사회 집단은 공동 사회와 이익 사회이다. 이 중 구성원의 선택 의지에 따라 결합된 집단은 이익 사회이므로, C는 이익 사회, D는 공동 사회이다. 다원화된 현대 사회에서 공통의 관심과 목표를 가진 사람들이 자발적으로 결성한 E는 자발적 결사체이다.

[선택지 분석]

① A에서는 B와 달리 특정 목적을 달성하기 위한 인간관계가 주로 나타난다.
➡ 특정 목적을 달성하기 위한 인간관계가 주로 나타나는 집단은 1차 집단이 아니라 2차 집단이다.

② D에서는 E와 달리 구성원의 가입과 탈퇴가 자유롭다.
➡ 구성원의 가입과 탈퇴가 자유로운 집단은 자발적 결사체이다.

③ A, D에서는 모두 형식적 인간관계가 주로 나타난다.
➡ 1차 집단과 공동 사회에서는 형식적 인간관계보다는 전인격적 인간관계가 주로 나타난다.

④ B, C에서는 모두 법적 제재보다 관습적 제재가 주로 적용된다.
➡ 2차 집단과 이익 사회에서는 관습적 제재보다 법적 제재가 주로 적용된다.

⑤ 시민 단체와 이익 집단은 모두 C이면서 E에 속한다.
➡ 시민 단체와 이익 집단은 이익 사회이면서 자발적 결사체이다.

06 관료제와 탈관료제

자료 분석 | 그림에서 업무 수행의 유연성이 높게 나타나는 조직이 탈관료제이다. 따라서 (가)에는 관료제에서 강하게 나타나는 특성이, (나)에는 탈관료제에서 강하게 나타나는 특성이 들어가야 한다.

[선택지 분석]

✓ (가) – 업무의 표준화, (나) – 의사 결정 권한의 분산
➡ 관료제 조직은 업무가 표준화되어 있어 업무 수행 시 유연성이 다소 부족하다. 탈관료제 조직은 의사 결정 권한이 분산되어 있어 수평적인 조직 문화를 지향하지만, 관료제 조직은 엄격한 위계 서열 구조와 권한과 책임의 세분화로 업무가 분업화되어 있어 의사 결정 권한은 상부에 집중되어 있다.

07 관료제와 탈관료제

자료 분석 | (가)와 (나)가 각각 관료제와 탈관료제 중 하나이므로 관료제와 탈관료제를 구분할 수 있는 질문이 들어가야 한다.

[선택지 분석]

✗ 효율적인 과업 수행이 강조되는가?
➡ 효율적인 과업 수행은 관료제와 탈관료제 모두 중시하는 것으로 관료제와 탈관료제를 구분하는 질문으로 볼 수 없다.

ㄴ 의사 결정 권한의 집중보다 분산이 강조되는가?

ㄷ 조직의 운영에서 유연성보다 안정성이 강조되는가?

ㄹ 규약에 따른 과업 수행보다 창의적 과업 수행이 강조되는가?

08 관료제와 탈관료제의 특징

자료 분석 | 지위에 따라 권한과 책임이 다르고, 승진과 보수는 경력과 직급에 따라 결정되는 A 기업의 조직은 관료제이다. 따라서 (가)는 관료제 조직이다. 업무에 따라 팀을 구성하여 운영하고, 팀 내 구성원의 관계는 수평적이며 업무에 대한 의사 결정 권한이 분산되어 있는 B 기업의 조직은 탈관료제 조직 중 하나인 팀제이다. 따라서 (나)는 탈관료제 조직이다.

[선택지 분석]

ㄱ (가)는 무사안일주의로 인한 비효율성이 나타날 가능성이 크다.

ㄴ (나)는 외부의 환경 변화에 신속하고 유연하게 대처하기가 용이하다.

✗ (가)는 (나)와 달리 공식적 통제 방식으로 갈등을 해결한다.
➡ 관료제와 탈관료제 모두 공식 조직으로 공식적 통제 방식으로 갈등을 해결한다.

ㄹ (나)는 (가)에 비해 업무 결정권이 분산되며, 구성원의 창의성이 발휘되기가 더 용이하다.

---

04 ~ 일탈 행동

콕콕! 개념 확인하기
101쪽

01 (1) ✕ (2) ✕ (3) ○
02 (1) 급격한 (2) 비합법 (3) 아노미
03 (1) 상호 작용 (2) ㉠: 방법, ㉡: 가치관
04 (1) 상대성 (2) 2차적 일탈
05 (1) ㉢ (2) ㉡ (3) ㉣ (4) ㉠

탄탄! 내신 다지기
102~103쪽

01 ① **02** ② **03** ⑤ **04** ① **05** ② **06** ④ **07** ④
08 해설 참조

01 일탈 행동의 상대성

[선택지 분석]

☑ 일탈 행동은 상대적으로 규정된다.

➡ 시대에 따라 끈질긴 구애의 행동을 긍정적으로 보기도 하지만 일탈로 보기도 하는 것처럼 일탈 행동에 관한 규정은 시대에 따라 달라지는 상대성을 가지고 있다.

② 아노미 상태가 일탈 행동을 야기한다.

③ 일탈 행동은 학습에 의해 이루어진다.

④ 지배 집단과의 갈등으로 일탈이 발생한다.

⑤ 일탈에 대한 객관적 기준은 존재하지 않는다.

02 일탈 행동의 영향

[선택지 분석]

① 사회 질서의 유지가 어려워지고 사회 불안을 초래한다.

☑ 사회 구성원이 느끼는 심리적 긴장에서 벗어나는 기회를 제공한다.

➡ 카니발을 통해 사람들은 그동안 억눌린 감정을 제도적으로 해소하게 되는데, 이는 일탈 행동이 사회 구성원이 느끼는 심리적 긴장에서 벗어나는 기회를 제공한다는 점을 보여 준다.

③ 기존 사회 질서나 규범의 모순과 문제점을 표면에 드러내는 역할을 한다.

④ 사회적 통제에서 벗어나 개인의 창의성을 발휘하는 통로의 기능을 한다.

⑤ 다른 구성원으로부터 부정적인 평가를 받게 되어 사회 부적응에 빠질 우려가 있다.

03 아노미 이론

[선택지 분석]

① 일탈을 규정하는 절대적인 기준은 존재하지 않는다.

② 일탈 집단과의 접촉과 학습을 통해 일탈 행동이 발생한다.

③ 불평등한 사회 구조와 계급 갈등이 일탈 행동의 원인이 된다.

④ 일탈 행동은 문화적 목표와 수단 간의 괴리 때문에 발생한다.

☑ 사회적 합의를 통한 지배적 규범의 정립을 통해 일탈 문제를 해결할 수 있다

➡ 사회 규범의 약화로 일탈이 발생한다고 보는 이론적 시각은 뒤르켐의 아노미 이론이다. 뒤르켐의 아노미 이론은 일탈에 대한 대책으로 규범의 통제력 회복을 위한 새로운 규범 확립 및 규범에 대한 구성원들의 올바른 인식 확립을 주장한다.

04 낙인 이론과 머튼의 아노미 이론

[선택지 분석]

☑ (가) – 낙인 이론, (나) – 아노미 이론

➡ (가)는 1차적 일탈을 한 행위자가 낙인을 받아들이고 일탈 행동을 습관화한다는 것으로 낙인 이론의 관점이다. (나)는 문화적 목표와 제도적 수단 사이의 괴리로 일탈이 증가한다고 보고 있으므로, 머튼의 아노미 이론이다.

05 낙인 이론

자료 분석 | 제시문은 일탈 행동의 객관적 기준이 존재하지 않으며, 특정한 행동 자체보다 행동에 대한 주변의 부정적 낙인이 일탈 행동을 촉진한다고 보고 있는데, 이는 낙인 이론의 관점이다.

[선택지 분석]

① 일탈 행동이 무규범 상태에서 발생한다고 본다.
→ 뒤르켐의 아노미 이론

☑ 전과자가 지속해서 범죄를 저지르는 것을 설명하기 쉽다.

➡ 낙인 이론은 주변 사람들의 부정적 낙인이 일탈자로 하여금 부정적 자아 정체성을 강화하여 일탈 행동을 이끈다고 본다.

③ 일탈 행동은 목표와 수단 간의 괴리로 인해 발생한다고 본다. → 머튼의 아노미 이론

④ 일탈 행동을 해결하려면 사회 규범의 통제력을 회복해야 한다고 주장한다. → 뒤르켐의 아노미 이론

⑤ 일탈자와 지속해서 접촉해도 일탈 행동을 하지 않는 사례를 설명하기 어렵다. → 차별 교제 이론

06 차별 교제 이론

자료 분석 | 제시문에서 연구자 갑은 A 지역이 지역 공동체 구성원들과의 지속적인 상호 작용으로 형성된 문화적 방식으로 일탈이 학습된다고 보고 있으므로, 이는 차별 교제 이론에 해당한다.

[선택지 분석]

① 일탈 행동의 원인을 규범 부재에서 찾는다. → 아노미 이론

② 차별적인 제재가 일탈 행동의 원인이라고 본다. → 낙인 이론

③ 일탈 행동을 규정하는 절대적인 기준이 없다고 본다.
→ 낙인 이론

☑ 일탈자와의 상호 작용을 통해 일탈 행동이 학습된다고 본다.

⑤ 일탈 행동 자체보다 일탈 행동에 대한 사회적 반응에 주목한다. → 낙인 이론

07 아노미 이론

자료 분석 | (가)는 사회 규범의 혼란에 따라 범죄가 증가한다는 주장이므로, 뒤르켐의 아노미 이론과 관련된다. (나)는 목표를 이룰 합법적 수단의 부재로 범죄가 증가한다고 보므로, 머튼의 아노미 이론과 관련된다.

[선택지 분석]

㉠ (가)는 지배적인 규범의 부재를 일탈 행동의 원인으로 본다.

✗ (나)의 사례로 광복 이후 우리 사회의 이념적 혼란을 들 수 있다.

➡ 광복 이후 우리 사회의 이념적 혼란은 (가) 뒤르켐의 아노미 이론으로 설명할 수 있다.

㉢ (가), (나)는 모두 아노미 상태에서 일탈 행동이 일어난다고 설명한다.

㉣ 일탈 행동의 대책으로 (가)는 지배적인 규범 정립을, (나)는 목표 달성 기회의 균등 보장을 주장한다.

08 차별 교제 이론

자료 분석 | 지란지교란 지초와 난초와 같은 향기로운 사귐이라는 뜻으로, 선한 사람과 함께 동화되는 높은 수준의 교우 관계를 의미한다. 맹모삼천지교는 맹자의 어머니가 맹자의 교육을 위해 이사를 세 번 했다는 이야기에서 유래한 고사성어로, 교육에서 환경의 중요성을 강조할 때 자주 사용되는 사례이다. 근묵자흑 근주자적이란 내 주변에 어떤 사람이 있는가에 따라 영향을 받는다는 내용이다. 제시된 고사성어들은 주변 사람과의 상호 작용이 개인의 특성에 큰 영향을 준다고 보는 시각을 담고 있다. 이는 일탈 행동을 설명하는 이론 가운데 차별 교제 이론의 시각과 가깝다.

[예시 답안] 차별 교제 이론, 차별 교제 이론은 일탈 행동이 일탈 행동을 하는 집단과의 지속적인 상호 작용을 통해 일탈 행동을 정당화하는 가치관을 학습하여 발생한다고 본다.

채점 기준	상	차별 교제 이론을 쓰고, 일탈 행동의 발생 원인을 정확히 설명한 경우
	하	차별 교제 이론이라고만 쓴 경우

도전! 실력 올리기   104~105쪽

01 ⑤   **02** ④   **03** ②   **04** ①   **05** ③   **06** ③   **07** ②
08 ②

01 일탈 행동의 긍정적 영향

자료 분석 | 후세인이라는 수단 여성의 일탈 행동은 수단 여성들의 인권 의식에 영향을 미쳤다. 이는 기존의 사회 규범의 문제점을 표면으로 드러나게 하여 사회 규범이 변화하는 계기가 될 수 있다.

[선택지 분석]

① 일탈 행동은 사회에 부정적인 영향을 미친다.
  ➡ 바지를 입는 일탈 행동이 여성들의 인권 의식에 영향을 미친 것은 사회의 변화를 이끌어내는 긍정적 영향이다.

② 일탈 행동을 규정하는 보편적 기준이 존재한다.
  ➡ 일탈 행동은 상대적이어서 시대와 사회에 따라 일탈 행동을 규정하는 기준이 다르다.

③ 사회는 모든 일탈 행동에 대해 법적인 처벌을 가한다.
  ➡ 모든 범죄는 일탈 행위이지만 모든 일탈 행위가 반드시 범죄가 되지는 않는다. 예를 들면 지각이나 친구와의 약속을 어기는 것은 일탈 행위에 해당하지만 이를 범죄로 취급하지는 않는다.

④ 개인의 지속적 일탈은 사회 부적응의 문제를 야기한다.
  ➡ 일탈 행동의 부정적 영향이나 제시문에서는 알 수 없다.

☑ 일탈 행동은 잠재된 문제를 표출시켜 사회 변화의 계기를 마련한다.

02 일탈 행동을 설명하는 이론

자료 분석 | (가) 1차적 일탈을 한 사람에 대해 계속하여 일탈 행동을 할 것이라는 낙인을 찍게 되면 부정적 자아가 형성되고 이것이 2차적 일탈을 초래하는 원인이 된다고 주장하는 것은 낙인 이론이다. (나) 경제적 성공을 강조하는 문화를 공유하는 사회에서 제도화된 수단이 부족하여 일탈 행동이 나타난다는 이론은 아노미 이론(머튼)이다. (다) 일탈자와의 상호 작용을 통해 일탈적 가치와 태도를 수용하여 일탈 행동이 나타난다는 이론은 차별 교제 이론이다.

[선택지 분석]

① (가)는 (다)와 달리 사회의 지배적 가치와 규범을 사회화하지 못함으로써 일탈 행동이 발생한다고 본다.
  ➡ 낙인 이론은 일탈 행동을 규정하는 객관적인 기준이 없다고 본다. 사회의 지배적 가치와 규범을 사회화하지 못함으로써 일탈 행동이 발생한다고 보는 것은 낙인 이론과 관련 없다.

② (나)는 (가)와 달리 일탈 행동의 발생에 있어 타인과의 상호 작용을 통한 학습 과정을 강조한다.
  ➡ 일탈 행동의 발생에 있어 타인과의 상호 작용을 통한 학습 과정을 강조하는 것은 차별 교제 이론이다.

③ (다)는 (나)와 달리 일탈 행동을 초래하는 사회 구조의 영향력을 강조한다.
  ➡ 사회 구조의 영향력을 강조하는 것은 거시적 관점에 해당한다. 거시적 관점에 해당하는 것은 아노미 이론이다.

☑ (가)는 (나), (다)와 달리 일탈이 행동의 속성이 아니라 그에 대한 사회적 반응에 의해 규정된다고 본다.
  ➡ 일탈 행동을 규정할 수 있는 특징이 있는 것이 아니라 행동에 대해 서로 다른 사회적 반응으로 일탈이 규정된다고 보는 것은 낙인 이론에 해당한다.

⑤ (나)는 (가), (다)와 달리 지배 집단의 기득권 보호를 위한 사회 제도 때문에 일탈 행동이 발생한다고 본다.
  ➡ 일탈 행동의 발생 원인을 지배 집단의 기득권 보호를 위한 사회 제도라고 보는 것은 갈등론이다.

03 일탈 행동을 설명하는 이론

자료 분석 | 문화적 목표와 제도적 수단 간의 괴리로 인해 일탈이 발생한다고 보는 (가)는 머튼의 아노미 이론이다. 일탈자와의 지속적인 접촉에 의한 일탈 행동의 학습이 일탈의 발생 원인이라고 보는 (나)는 차별 교제 이론이다. 낙인 이론은 특정 행위를 다른 사람들이 일탈로 낙인찍음으로써 일탈 행동이 발생한다고 본다. 따라서 (다)에는 '특정 행동에 대한 사회의 부정적인 낙인'이 들어갈 수 있다.

[선택지 분석]

㉠ (가)의 일탈 행동 사례로 공무원의 뇌물 승진을 들 수 있다.
  ➡ 공무원이 승진이라는 문화적 목표를 달성하기 위해 뇌물이라는 비합법적인 수단을 이용한 것이므로, 머튼의 아노미 이론의 일탈 행동 사례로 적절하다.

✗ (나)는 일탈 행동에 대한 객관적인 기준이 존재하지 않는다고 전제한다. → 낙인 이론

㉢ (다)에는 '특정 행동에 대한 사회의 부정적인 낙인'이 들어갈 수 있다.

✗ (가)는 (나)보다 일탈 행동의 상대성을 더 강조한다.
  ➡ 일탈 행동을 규정하는 객관적인 기준이 없다고 주장하는 것은 낙인 이론이다.

04 낙인 이론과 아노미 이론

자료 분석 | (가)는 일탈자에 대한 주변 사람들의 부정적 인식이 일탈자의 행동에 영향을 주어 일탈 행동을 반복하게 된다는 낙인 이론의 시각에 해당한다. (나)는 돈을 벌어 성공하고 싶다는 문화적 목표를 이루기 위해 사회적으로 할 수 있는 일(제도적 수단)이 제한된 사람이 일탈 행동을 저지른다고 보고 있으므로 머튼의 아노미 이론에 해당한다.

[선택지 분석]

✔️ (가)는 일탈 행동을 규정하는 절대적 기준은 없다고 주장한다.
➡ 낙인 이론은 일탈 행동을 규정하는 객관적 기준의 부재를 강조한다.

② (나)는 개인 간의 상호 작용에 의해 일탈 행동이 발생한다고 본다.
➡ 차별 교제 이론의 시각에 해당한다.

③ (가)는 (나)와 달리 일탈자를 대상으로 한 재사회화의 필요성을 인정하지 않는다.
➡ 낙인 이론에서는 일탈에 대한 대책으로 일탈자가 올바른 정체성을 회복할 수 있도록 재사회화의 지원을 주장한다.

④ (나)는 (가)보다 일탈 행동을 일으키는 사회 구조의 영향력을 간과한다.
➡ 아노미 이론은 일탈 행동을 일으키는 구조적 원인을 파악하여 문제 해결의 단초를 제공한다.

⑤ (가), (나) 모두 사회 지배 계층이 자신들의 가치관에서 벗어난 행동을 일탈 행동으로 규정한다고 본다.
➡ 낙인 이론에만 해당하는 설명이다.

05 낙인 이론

자료 분석 | 첫 번째 자료는 전과 기록 말소 제도로서 전과로 인한 낙인을 예방하기 위한 것이다. 두 번째 자료는 소년원 보호 처분을 받은 청소년이 소년원 보호 처분 사실을 주변 사람들이 쉽게 알 수 없도록 하는 제도이다. 이 두 제도는 주변의 부정적 낙인이 일탈 행동을 촉발한다고 보는 낙인 이론에서 제시하는 대책이다. 낙인 이론에서는 일탈 행동의 문제를 해결하기 위해 부정적 낙인에 대한 신중한 접근을 요구하고, 일탈자가 올바른 정체성을 회복할 수 있는 재사회화에 대한 지원을 요청한다.

[선택지 분석]

① 일탈 행동의 원인이 사회 구조에 있다고 본다. → 아노미 이론

② 규범 혼란 상태가 일탈 행동의 원인이라고 본다.
→ 뒤르켐의 아노미 이론

✔️ 일탈 행동보다 그에 대한 사회적 반응에 주목한다.
➡ 낙인 이론에서는 특정한 행동 자체보다 행동에 대한 주변의 부정적 낙인이 일탈 행동을 촉진한다고 보고 있으므로, 부정적 낙인을 최소화하는 낙인에 대한 신중한 태도와 올바른 정체성 확립을 위한 재사회화를 대책으로 제시한다.

④ 일탈 행동이 목표와 수단 간의 괴리 때문에 발생한다고 본다. → 머튼의 아노미 이론

⑤ 일탈자와의 접촉을 통한 학습으로 일탈 행동이 발생한다고 본다. → 차별 교제 이론

06 낙인 이론

자료 분석 | 똑같은 행동을 하더라도 명문대 재학생들과 달리 막노동을 하는 젊은이들에게는 범죄자라는 꼬리표가 달린다는 것은 낙인 이론의 시각이다.

[선택지 분석]

✗ 일탈의 원인을 사회 구조적 측면에서 규명하고자 한다.
→ 아노미 이론

ㄴ 사회 주류 세력의 인식에 따라 대상자의 정체성 형성에 영향을 줄 수 있다고 본다.

ㄷ 특정 행위에 대해 낙인을 신중하게 하는 것이 문제 해결의 방법이 될 수 있다고 본다.

✗ 사회적 목표를 달성하기 위한 적절한 수단이 공정하게 제공되는 해결 방안을 제시한다. → 머튼의 아노미 이론

07 머튼의 아노미 이론과 낙인 이론

자료 분석 | 갑은 물질적 풍요라는 문화적 목표를 달성하기 위한 제도적 수단의 부족으로 하류층에서 범죄자가 많이 나타난다고 보는데, 이는 머튼의 아노미 이론과 관련 있다. 을은 하류 계층 사람들의 행동에 대한 부정적 인식과 그에 따른 사회적 반응의 결과로 범죄가 발생하고 있다고 보는데, 이는 낙인 이론에 해당한다.

[선택지 분석]

① 갑의 이론은 일탈 행동이 타인과의 상호 작용에서 비롯된다고 본다.
➡ 일탈 행동이 타인과의 상호 작용에서 비롯된다고 보는 이론은 을의 낙인 이론이다.

✔️ 을의 이론은 부정적 자아가 형성되어 일탈 행동이 반복된다고 본다.
➡ 낙인 이론에서는 특정 행위에 대한 낙인과 이로 인한 부정적 자아의 형성으로 인해 일탈 행동이 반복된다고 본다.

③ 갑의 이론은 을의 이론과 달리 일탈 행동을 미시적 관점에서 바라보고 있다.
➡ 아노미 이론은 거시적 관점, 낙인 이론은 미시적 관점에서 일탈 행동을 바라본다.

④ 을의 이론은 갑의 이론과 달리 일탈을 규정하는 객관적 기준이 존재한다고 본다.
➡ 일탈을 규정하는 객관적 기준이 아노미 이론에서는 존재하지만, 낙인 이론에서는 존재하지 않는다고 본다.

⑤ 갑, 을의 이론 모두 일탈 행동에 대한 대책으로 강력한 사회 통제를 강조한다.
➡ 일탈 행동에 대한 대책으로 강력한 사회 통제를 강조하는 이론은 뒤르켐의 아노미 이론이다.

08 일탈 행동을 설명하는 이론

자료 분석 | 일탈 행동의 원인으로 사회 규범의 부재를 강조하는 것은 뒤르켐의 아노미 이론이고, 일탈 행동의 해결 방안으로 정상적인 사회 집단과의 교류 촉진을 강조하는 것은 차별 교제 이론이다. 따라서 (가)는 뒤르켐의 아노미 이론, (나)는 낙인 이론, (다)는 차별 교제 이론이다.

[선택지 분석]

① (가)는 일탈 행동의 상대성을 강조한다. → (나) 낙인 이론

✓ (나)는 일탈 행동 자체보다 상호 작용을 통한 낙인 과정에 주목한다.

③ (다)는 급격한 사회 변동으로 인해 일탈 행동이 촉발된다고 본다. → (가) 뒤르켐의 아노미 이론

④ (나)는 (다)와 달리 일탈 행동이 문화적 목표와 제도적 수단 간 괴리에서 비롯된다고 본다. → 머튼의 아노미 이론

⑤ (가)~(다) 모두 일탈 행동에 대한 대책으로 불평등 구조의 근본적인 변화를 강조한다. → 갈등론

한번에 끝내는 대단원 문제   108~111쪽

01 ③   **02** ④   **03** ③   **04** ④   **05** ②   **06** ③   **07** ①

08 ③   **09** ④   **10** ④   **11** ①   **12** ⑤

13~16 해설 참조

---

01 개인과 사회의 관계를 보는 관점

자료 분석 | (가)는 정당원들의 성격에 따라 정당의 성격이 결정된다고 보고 있다. 이는 사회는 구성원들의 집합체 그 이상이 될 수 없다는 사회 명목론을 반영한다. 사회 명목론에서는 개인의 자유의지를 중시하며 개인을 사회를 변화시킬 수 있는 능동적 주체로 보는데, 제시문에서도 지도부의 노선에 따라 정당의 성격이 바뀔 수 있다고 언급하고 있다. (나)는 후보자가 소속된 정당의 성격과 정책에 얽매일 수밖에 없다고 보고 있으므로, 이는 사회가 개인에게 미치는 영향력을 인정하는 사회 실재론의 입장과 가깝다.

[선택지 분석]

✗ (가)는 사회 유기체설과 연관되어 있다.
   (나)
   ➡ 사회 유기체설은 사회 실재론과 연관되어 있다.

ⓛ (가)는 개인주의적 관점에 토대를 두고 있다.

ⓒ (나)는 개인과 별개로 사회가 존재한다고 본다.

✗ (나)는 사회가 개인들의 인위적 약속으로 만들어졌다
   (가)
   고 본다.

02 사회 명목론

자료 분석 | 제시문의 밑줄 친 '이들'은 개인이 사회 발전의 주체이며 사회는 개인들의 이익을 극대화하기 위한 도구적 역할만 한다고 보고 있으므로 사회 명목론적 시각과 관련 있다.

[선택지 분석]

✗ 사회 현상을 분석할 때 집단적 요인을 중시한다.
   ➡ 사회 실재론에 대한 설명이다.

ⓛ 개인주의 및 자유주의적 시각에 바탕을 두고 있다.
   ➡ 사회 명목론과 관련된 이론으로 개인주의, 자유주의 등을 들 수 있다.

✗ 사회를 생물 유기체에 비유하는 사회 유기체설에 근거한다.
   ➡ 사회 실재론에 대한 설명이다.

ⓡ 사회 계약론자들이 개인과 사회를 보는 관점과 일맥 상통한다.
   ➡ 사회 계약론은 사회를 개인들이 계약을 맺어 만들어낸 것이라 보는데, 이는 사회 명목론의 관점과 일맥상통한다.

03 재사회화

자료 분석 | 갑, 을에게는 공통적으로 새로운 환경에 적응하는 것이 우선적으로 요청되고 있다. 갑은 북한과 다른 한국 사회에, 을은 교도소와 다른 교도소 밖 사회에 적응해야 하는 상황에 놓여 있다.

[선택지 분석]

① 역할 갈등의 극복
   ➡ 갑과 을에게는 역할 갈등이 나타나 있지 않다.

② 지속적 1차 사회화
   ➡ 1차 사회화는 영유아기 때 주로 이루어지므로 갑, 을과는 관련 없다.

✓ 체계적인 재사회화

④ 기대에 부응하는 역할 행동
   ➡ 갑과 을이 주변의 기대에 부응하지 못하는 상황은 나타나 있지 않다.

⑤ 개인의 특성을 고려한 예기 사회화
   ➡ 갑이 탈북을 한 직후에는 예기 사회화의 필요성이 있다고 볼 수 있지만, 오랫동안 한국 사회에 적응하기 위해 노력했으므로, 예기 사회화가 요구되는 것은 아니다.

04 지위와 역할

자료 분석 | 제시문에서는 시대의 변화에 따라 여성이라는 지위에 대해 사회가 기대하는 역할이 달라졌음을 보여 주고 있다.

[선택지 분석]

① 역할은 사회의 규범에 따라 규정된다.

② 사회적 지위에 따라 역할이 다르게 나타난다.

③ 역할에는 지위에 따른 사회의 요구가 반영된다.

✓ 귀속 지위에 따른 역할은 시대가 바뀌어도 변하지 않는다.
   ➡ 여성이 육체적 일을 하는 것에 대해 차별적으로 바라보는 시선이 줄어들었다는 것은 지위에 따른 행동 기대(역할)가 시대에 따라 바뀐다는 것을 의미한다.

⑤ 역할에 대한 사회적 기대에 어긋나는 행동에는 제재가 따른다.

05 지위와 역할

[선택지 분석]

① 역할
   ➡ 남편으로서 아내의 기대에 부응하는 것, 아들로서 어머니의 기대에 부응하는 것은 역할이다.

✓ 사회화
   ➡ 사회화는 사회생활에 필요한 언어, 지식, 기능 등을 습득하고, 한 사회의 가치 및 규범 등을 내면화하는 과정이다. 제시문에는 사회화의 개념이 나타나 있지 않다.

③ 역할 갈등
　　➡ 어머니와 아내 사이에서 중재 역할을 해야 하는 남편의 역할
　　　갈등이 간접적으로 나타나 있다.
④ 귀속 지위
　　➡ 아들은 귀속 지위이다.
⑤ 성취 지위
　　➡ 남편, 어머니, 아내는 성취 지위이다.

06 사회 집단과 사회 조직

[선택지 분석]

✗ ⒜은 ~~성취~~ 지위이다.
　　　귀속 지위
　　➡ 장남은 개인의 능력이나 노력과는 관계없이 선천적으로 갖게
　　　된 귀속 지위이다.

◯ⒷⒷ은 공동 사회이며 1차 집단이다.

◯ⒸⒷ과 ⒸⒷ은 갑에게 내집단이다.

✗ ⒸⒷ과 ⒹⒷ은 자발적 결사체이며 공식 조직이다.
　　➡ ⒹⒷ 시민 단체는 자발적 결사체이면서 공식 조직이고, ⒸⒷ 동호
　　　회는 자발적 결사체이며, 직장이라는 공식 조직에서 파생된 비
　　　공식 조직이다.

07 사회 집단과 사회 조직

자료 분석 ┃ (가)는 이익 사회에 대한 설명이고, (나)는 비공식 조직
에 대한 설명이다.

[선택지 분석]

◯ (가)는 이익 사회이다.

◯ (나)는 비공식 조직이다.

✗ (가)는 모두 (나)에 해당한다.
　　➡ (나) 비공식 조직은 모두 선택에 의해 결합된 집단이라는 점에
　　　서 (가) 이익 사회에 해당한다. 그러나 비공식 조직 외에도 공
　　　식 조직, 자발적 결사체 등이 이익 사회에 해당하므로, 이익 사
　　　회가 모두 비공식 조직에 해당한다고 볼 수는 없다.

✗ (나)와 달리 (가)에서는 전인격적인 관계가 일반적이다.
　　➡ 전인격적 관계가 일반적으로 나타나는 것은 공동 사회이다.
　　　(가) 이익 사회에서는 이해관계에 바탕을 둔 이해 타산적인 인
　　　간관계가 주로 나타난다.

08 자발적 결사체

자료 분석 ┃ 첫 번째 자료의 사내 동호회는 공식 조직 내에 만들어
진 비공식 조직으로서 자발적 결사체에 해당한다. 두 번째 자료의
자신이 사는 동네에서 같은 지역 출신들이 모여서 만든 향우회도
자발적 결사체이다. 자발적 결사체는 공통의 목표나 이해관계를 추
구하는 사람들이 자발적으로 결성한 집단이다.

[선택지 분석]

① 결합 자체가 집단의 목적이다.
　　➡ 결합 자체를 목적으로 하는 집단은 공동 사회이다. 동호회와
　　　향우회는 모두 이익 사회로 특정한 목적을 달성하기 위하여
　　　선택 의지에 의해 결합된 집단이다.

② 구성원의 지위와 역할이 명확하다.
　　➡ 공식 조직에서 나타나는 특징이다. 제시된 동호회와 향우회는
　　　자발적 결사체이다.

◯ 자발적으로 결성한 사회 집단이다.

④ 공식 조직 내에서 만들어진 사회 집단이다.
　　➡ 첫 번째 자료의 동호회들은 공식 조직 내에 만들어진 비공식
　　　조직이지만, 두 번째 자료의 향우회는 비공식 조직에 해당하지
　　　않는다.

⑤ 구성원의 본질 의지에 의해 자연 발생적으로 형성된다.
　　➡ 공동 사회에 대한 설명이다. 동호회와 향우회는 모두 이익 사
　　　회이다.

09 탈관료제

[선택지 분석]

✗ 과업 수행에 대한 예측 가능성이 크다.
　　➡ 관료제의 특징이다. 관료제는 구성원이 바뀌더라도 정해진 절
　　　차에 따라 지속적인 과업 수행이 가능하며, 과업 수행에 대한
　　　예측 가능성이 크다.

◯ 조직 구성원들에게 자율성이 보장된다.
　　➡ 탈관료제의 특징이다. 탈관료제 조직은 관료제에서 벗어나 구
　　　성원의 창의성과 자율성을 보장하는 새로운 조직 형태이다.

✗ 과업의 전문화로 업무 수행이 효율적이다.
　　➡ 관료제의 특징이다. 관료제는 과업을 세분화, 전문화함으로써
　　　신속하고 효율적인 업무 수행이 가능하다.

◯ 환경의 변화에 대해 유연한 대처가 가능하다.
　　➡ 탈관료제의 특징이다. 탈관료제는 유연한 조직 구조를 특징으
　　　로 하여 환경 변화에 대한 유연한 대처와 신속한 의사 결정이
　　　가능하다.

10 일탈 행동의 상대성

자료 분석 ┃ 제시문은 근친혼에 대한 고대 이집트 사람들과 현대 한
국인의 생각이 다르고, 알코올 중독에 대한 미국인과 한국인의 인
식이 다르다는 것을 보여 준다. 이는 일탈 행동이 시대나 사회에 따
라 다르게 나타나는 상대성을 지니고 있음을 보여 준다.

[선택지 분석]

① 사회 구조의 모순적 상황 때문에 발생한다.

② 지배적 사회 규범의 부재 때문에 발생한다.

③ 사회 구성원들의 심리적 긴장을 완화해 준다.
　　➡ 일탈 행동의 긍정적 기능이나, 자료와 관련이 없다.

◯ 시대와 사회적 상황에 따라 다르게 규정된다.

⑤ 대책을 마련하는 데 따른 사회적 비용을 증가시킨다.
　　➡ 일탈 행동의 부정적 기능이나, 자료와 관련이 없다.

11 차별 교제 이론

자료 분석 ┃ 제시문은 일탈을 저지르는 사람들과의 교류를 통해 일
탈을 학습한다고 보고 있으므로, 이는 차별 교제 이론에 해당한다.

[선택지 분석]

◯ 타인에 대한 신중한 낙인을 강조한다.
　　➡ 낙인 이론에 대한 설명이다. 낙인 이론은 특정 개인이나 집단
　　　이 일탈자로 규정되는 과정과 사회적 여건에 주목하여 사회적

낙인에 대한 신중한 접근을 강조한다.

② '맹모삼천지교'와 같은 고사성어와 관련이 깊다.
　➡ 맹모삼천지교는 맹자에게 적절한 교육 환경을 제공하기 위해 맹자의 어머니가 세 번 이사했다는 고사에서 유래한 것으로 차별 교제 이론을 반영하는 관용적인 표현이다.

③ 타인과의 상호 작용 과정에서 일탈을 배운다고 본다.

④ 정상적인 집단과의 교류 촉진을 문제의 해결책으로 제시한다.

⑤ 일탈 행동을 하는 사람과의 접촉을 차단하여 일탈 문제를 해결할 수 있다고 본다.
　➡ 일탈의 원인이 일탈자와의 교류에 있다고 보고 있으므로, 일탈자와의 교류 대신 정상적인 사회 집단과의 교류를 촉진할 것을 해결책으로 제시한다.

12 낙인 이론

자료 분석 ｜ 제시문은 가벼운 범죄를 저지른 범죄자들이 형사 처벌을 받게 된다면 전과자라는 낙인에 시달리며 자신을 부정적으로 인식하게 될 것이므로, 이들을 전과자로 만드는 대신 반성의 기회를 주어 일탈을 방지하고자 하는 내용을 담고 있는데, 이는 낙인 이론의 관점이 담겨 있다.

[선택지 분석]

① 급속한 사회 변동을 일탈의 원인으로 본다.
　➡ 뒤르켐의 아노미 이론에서 급속한 사회 변동을 일탈의 원인으로 본다.

② 정상적 집단과의 교류 강화를 대안으로 제시한다.
　➡ 차별 교제 이론이 일탈을 저지르는 사람과의 교류를 통해 일탈이 이루어진다고 보아 정상적 집단과의 교류 강화를 일탈 문제의 해결 방안으로 제시한다.

③ 인간의 주체성과 자율성을 경시한다는 비판을 받고 있다.
　➡ 차별 교제 이론이 같은 환경에 있어도 일탈에 빠지지 않는 사람들에 대한 설명이 부족하여 인간의 주체성과 자율성을 무시한다는 비판을 받기도 한다.

④ 문화적 목표를 이룰 적절한 수단의 제공을 해결책으로 본다.
　➡ 머튼의 아노미 이론에서 제시하는 일탈의 해결 방안이다. 머튼은 문화적 목표와 제도적 수단이 일치하지 않는 아노미 상태에서 비합법적 방법으로 목표를 달성하려고 하는 일탈이 발생한다고 본다.

✔ 낙인으로 인해 부정적 자아가 형성되어 일탈 행동이 반복된다고 본다.
　➡ 낙인 이론은 일탈 행동 자체보다 그에 대한 사회적 반응을 문제시하여 신중한 낙인을 강조한다.

13 사회 실재론

(1) 사회 실재론

(2) [예시 답안] 사회 실재론은 사회가 개인의 사고와 행동에 어떤 영향을 미치는지를 설명할 수 있다는 장점을 가지는 동시에, 개인의 자율성을 경시하며 지나칠 경우 전체주의를 정당화할 우려가 있다는 한계를 가진다.

채점기준	상	사회 실재론의 장점과 한계를 모두 정확히 서술한 경우
	하	사회 실재론의 장점과 한계 중 한 가지만 정확히 서술한 경우

14 역할 갈등

[예시 답안] 갑의 휴학에 대한 고민은 개인적이고 심리적인 차원의 것이다. 반면 을은 대학생이라는 지위에서 공부를 지속적으로 수행하길 바라는 역할과 자녀로서 몸이 불편한 어머니를 돌봐드려야 하는 역할 사이에서 역할 갈등을 겪고 있다.

채점기준	상	역할 갈등의 개념을 정확히 사용하여 갑과 을의 차이점을 설명한 경우
	하	역할 갈등의 개념을 적절히 설명하지 못한 경우

15 관료제와 탈관료제

(1) A 조직: 관료제, B 조직: 탈관료제

(2) [예시 답안] 권한의 분산을 통해 개인의 창의적 능력이 발휘될 수 있는 수평적 관계를 중시하며, 연공서열보다 구성원의 능력과 업적에 따라 승진 및 보상이 이루어진다.

채점기준	상	탈관료제 조직의 특징을 구성원 간의 관계 및 보상의 차원에서 두 가지 모두 정확히 서술한 경우
	하	탈관료제 조직의 특징을 한 가지만 정확히 서술한 경우

16 아노미 이론과 차별 교제 이론

(1) (가): (머튼의) 아노미 이론, (나): 차별 교제 이론

(2) [예시 답안] (가)와 관련된 머튼의 아노미 이론에서는 사회적 가치를 획득할 충분한 기회를 제도적으로 보장함으로써 일탈 행동을 해결할 수 있다고 보았고, (나)와 관련된 차별 교제 이론에서는 일탈 행동을 일삼는 집단과의 교류를 차단함으로써 일탈 행동을 해결할 수 있다고 보았다.

채점기준	상	아노미 이론과 차별 교제 이론의 해결 방안을 모두 정확히 서술한 경우
	하	아노미 이론과 차별 교제 이론의 해결 방안 중 한 가지만 정확히 서술한 경우

III »문화와 일상생활

01 ~ 문화의 이해

콕콕! 개념 확인하기 · 119쪽

01 (1) ○ (2) × (3) ○

02 (1) ㉣ (2) ㉢ (3) ㉠ (4) ㉤ (5) ㉥

03 (1) 비교론적 관점 (2) ㉠: 보편성, ㉡: 특수성

04 (1) 총체론적 (2) 상대론적

05 (1) 없다 (2) 약화 (3) 낮게 (4) 극단적 문화 상대주의

탄탄! 내신 다지기 · 120~123쪽

01 ②	02 ③	03 ①	04 ⑤	05 ④	06 ②	07 ④
08 ③	09 ①	10 ④	11 ②	12 ②	13 ①	14 ④
15 ③	16 ②	17 해설 참조				

---

01 문화의 의미

자료 분석 | 예술적이고 교양 있거나 세련된 것만을 문화로 보는 (가)는 좁은 의미의 문화, 인간이 만들어 낸 모든 생활 양식을 문화로 보는 (나)는 넓은 의미의 문화이다.

[선택지 분석]

✔️ (가) - 문화재, (나) - 청소년 문화

➡️ 문화재, 문화생활, 문화 공연, 문화 상품권 등은 좁은 의미의 문화, 민족 문화, 청소년 문화 등은 넓은 의미의 문화에 해당한다.

02 문화의 의미

자료 분석 | ㉠은 넓은 의미의 문화, ㉡은 좁은 의미의 문화에 해당한다.

[선택지 분석]

✖️ ㉠은 정신적·예술적으로 특별한 의미가 있는 것을 말한다. (㉡)

② ㉡은 신문의 문화면과 같은 의미로 사용된다.

③ ㉡은 고급스러운 것, 교양 있거나 세련된 것과 같은 의미로 사용된다.

✖️ ㉠은 좁은 의미의 문화, ㉡은 넓은 의미의 문화에 해당한다. (넓은 / 좁은)

03 문화의 의미와 특징

[선택지 분석]

✔️ 인간이 행하는 모든 행위는 문화이다.

➡️ 인간의 행동 중 목이 말라 물을 마시는 것, 졸려서 하품을 하는 것과 같이 생리적인 현상이나 본능적인 행동은 문화에 해당하지 않는다.

---

② 예술뿐만 아니라 가치와 규범도 문화에 해당한다.

③ 인간이 누리는 문화는 어느 사회에서나 동일한 측면이 있다.

④ 문화는 좁은 의미의 문화와 넓은 의미의 문화로 구분할 수 있다.

⑤ 사회마다 공통으로 존재하는 문화가 있지만 그 양상은 다를 수 있다.

04 넓은 의미의 문화

자료 분석 | 문화를 사회 구성원들 사이에서 공유되는 지식, 태도 및 생활 양식의 총체로 보는 것은 넓은 의미의 문화이다.

[선택지 분석]

① 한국에는 추석에 송편을 빚는 문화가 있다.

② 중동의 국가 중에는 아직도 일부다처제 혼인 문화가 존재하는 나라가 있다.

③ 경복궁을 방문하는 외국 여행객들은 한국 문화를 체험하기 위해 한복을 입는다.

④ 인터넷의 발달로 SNS 문화가 발달하면서 다양한 사람들 간의 의사소통이 활발해졌다.

✔️ 정부는 국민의 여가 생활 증진을 위해 '문화가 있는 날'을 만들어 음악회 등을 주최한다.

➡️ 음악회 등의 문화는 예술적이고 교양 있는 것, 고급스러운 것을 의미하는 좁은 의미의 문화이다.

05 문화의 속성

[선택지 분석]

① 문화는 태어나면서부터 선천적으로 습득된다.

➡️ 문화는 후천적으로 학습되는 것이다.

② 문화는 다양한 구성 요소들이 독립적으로 존재한다. (상호 유기적으로)

③ 문화는 환경이나 가치관의 변화와 상관없이 고정불변한다.

➡️ 문화는 환경이나 가치관의 변화 등에 따라 끊임없이 변화한다.

✔️ 문화는 언어와 문자를 통해 한 세대에서 다음 세대로 전승된다.

➡️ 문화는 언어나 문자와 같은 상징체계를 통해 세대 간 전승되면서 새로운 요소가 추가되어 더욱 풍부해진다.

⑤ 문화는 사회 구성원들이 서로의 행동을 예측하는 데 영향을 미치지 않는다.

➡️ 한 사회의 구성원들은 같은 문화를 공유하므로 서로의 행동을 이해하고 예측할 수 있다.

06 문화의 학습성과 전체성

[선택지 분석]

✔️ (가) - 학습성, (나) - 전체성

➡️ 한 개인의 가치관과 생활 양식이 사회화 과정을 통해 형성된다고 보는 (가)는 문화의 학습성과 관련 있고, 문화 요소가 서로 긴밀한 유기적 연관성을 지니고 있다고 보는 (나)는 문화의 전체성과 관련 있다.

07 문화의 속성

자료 분석 | (가)는 학습성, (나)는 전체성, (다)는 변동성, (라)는 축적성, (마)는 공유성이다.

[선택지 분석]

① (가)는 공유성에 해당한다.
  (마)

② (나)는 문화가 본능에 따른 행동이 아님을 의미한다.
  (가)

③ (다)는 한 요소의 변화가 다른 요소의 연쇄적 변화를 가
  (나)
  져옴을 설명할 수 있다.

☑️ (라)는 인간의 문화가 동물의 단순한 후천적 학습과 다
  름을 설명할 수 있다.

  ➡️ 동물은 후천적으로 학습한 내용을 다음 세대의 동물에게 전달
    할 수 없으므로 축적성은 인간의 문화와 동물의 행동을 구분
    하는 기준이 된다.

⑤ (마)는 문화가 오랜 시간에 걸쳐 누적된 지식의 결과물
  (라)
  임을 의미한다.

08 문화의 공유성

자료 분석 | 우리나라 사람은 미역국은 생일에, 찹쌀떡은 시험에 붙기를 기원하며 먹는 음식이라는 것을 알고 있다. 이처럼 문화는 한 사회의 구성원들이 공통으로 가지는 생활 양식이라는 속성, 즉 공유성을 가지고 있다.

[선택지 분석]

① 문화는 시간이 지나면서 변화한다. → 변동성

② 문화는 선천적인 것이 아닌 학습된 것이다. → 학습성

③ 문화는 한 사회 구성원들이 공통으로 가지는 생활 양식
  이다.

④ 문화는 상징을 통해 다음 세대로 전해지면서 점점 풍요
  로워진다. → 축적성

⑤ 문화는 다양한 문화 요소들이 상호 유기적인 관계를 유
  지하면서 전체를 이룬다. → 전체성

09 문화의 속성

자료 분석 | 윷놀이를 공유하고 있으므로 ㉠은 공유성, 사촌 동생이 윷놀이를 학습하여 익히고 있으므로 ㉡은 학습성, 윷의 재료가 변화하고 있으므로 ㉢은 변동성에 해당한다.

[선택지 분석]

㉠ ㉠은 우리나라 사람들이 윷놀이를 공유하는 공유성을
  나타낸다.

  ➡️ 우리나라에서 명절에 윷놀이하는 것은 문화의 공유성을 나타
    낸다.

㉡ ㉡은 문화가 후천적으로 학습되는 생활 양식임을 나타
  낸다.

  ➡️ 사촌 동생이 윷놀이를 익히는 것은 문화가 후천적으로 학습된
    다는 문화의 학습성을 보여 준다.

✖️ ㉢은 문화가 오랜 시간과 역사에 걸쳐 누적된 지식과
  경험의 결과물임을 설명하기에 적합하다. → 축적성

✖️ ㉡은 전체성, ㉢은 축적성에 해당한다.
   학습성   변동성

10 문화의 전체성과 변동성

자료 분석 | (가)는 김치가 다른 문화 요소들과 관련이 있음을 보여 주고 있으므로 전체성, (나)는 한글의 모음이 변화한 것을 보여 주고 있으므로 변동성과 관련된 사례이다.

[선택지 분석]

✖️ (가)를 통해 문화의 생성과 소멸 과정을 설명할 수 있다.
  (나)

㉡ (가)는 문화의 한 부분에 변화가 생기면 다른 부분에도
  변화가 생길 수 있음과 관련 있다.

  ➡️ 전체성은 문화를 구성하는 여러 요소가 상호 유기적인 관계를
    맺고 있는 것으로, 이에 따라 문화의 한 부분이 변화하면 다른
    부분에도 연쇄적으로 변화가 나타난다.

✖️ (나)는 축적성을 설명하기 위한 사례이다.
      변동성

㉣ (나)는 문화가 시간의 흐름에 따라 그 모습이나 내용이
  변화하는 것과 관련 있다.

  ➡️ 변동성은 문화가 시간의 흐름에 따라 끊임없이 변화하는 것을
    의미한다.

11 비교론적 관점

자료 분석 | 제시문에서는 우리나라와 중국, 일본 문화의 차이점을 명확히 구분하지 못하는 것에 대하여 문화 간의 유사성과 차이점을 살펴봐야 한다고 말하고 있다. 이는 문화의 보편성과 특수성을 파악하고자 하는 관점으로 비교론적 관점에 해당한다.

[선택지 분석]

① 문화를 평가의 대상으로 바라본다.

☑️ 자기 문화를 객관적으로 파악하는 데 용이하다.

  ➡️ 비교론적 관점에서 문화를 바라보면 자기 문화의 모습을 객관
    적으로 이해할 수 있다.

③ 한 사회의 문화를 그 사회의 맥락 속에서 파악하고자
  한다. → 상대론적 관점

④ 모든 문화의 보편적인 공통점에만 초점을 맞추어 이해
  한다.

  ➡️ 비교론적 관점은 문화의 보편성뿐만 아니라 각 문화가 가지는
    특수성도 파악하고자 한다.

⑤ 문화 요소와 관련된 종교, 역사 등 다양한 측면을 종합
  적으로 바라본다. → 총체론적 관점

12 문화를 바라보는 관점

자료 분석 | (가)는 문화를 전체 문화의 맥락 속에서 이해하는 총체론적 관점, (나)는 문화 간의 유사성과 차이점을 분석하는 비교론적 관점, (다)는 상대론적 관점이다.

[선택지 분석]

㉠ (가)는 문화에 대한 편협한 이해를 방지한다.

  ➡️ 총체론적 관점은 부분이 아닌 전체적인 관점에서 문화를 바라
    봄으로써 편협하고 왜곡된 문화 이해를 방지한다.

✖️ (나)는 문화를 절대적 기준을 가지고 평가해야 한다고
  강조한다.

ⓒ (다)는 문화에 우열이 없다고 본다.

➡ 상대론적 관점은 문화가 평가의 대상이 아니므로 우열을 가릴 수 없다고 본다.

✗ (가)와 (다)는 문화가 보편성과 특수성을 지니고 있음을 전제한다.

➡ 문화의 보편성과 특수성을 파악하고자 하는 것은 (나) 비교론적 관점이다.

13 비교론적 관점

자료 분석 | 제시문은 중국의 여러 지방에서 자연환경에 따라 다르게 발달한 음식 문화를 보여 주고 있다. 모든 지역에 음식 문화가 존재(문화의 보편성)하지만, 그 양상은 지역별로 차이가 있음(문화의 특수성)을 말하고 있으므로 비교론적 관점과 관련 있다.

[선택지 분석]

㉠ 문화의 보편성과 특수성을 밝히고자 한다.

➡ 비교론적 관점은 서로 다른 문화 간의 유사성과 차이점을 분석하여 보편성과 특수성을 밝히고자 한다.

㉡ 자기 문화의 특징을 객관적으로 이해할 수 있다.

➡ 다른 문화와 자기 문화를 비교하는 과정에서 자기 문화를 객관적으로 이해할 수 있다.

✗ 객관적인 기준에 따라 문화의 우열을 가릴 수 있다고 본다.

✗ 여러 문화 요소 간의 관계를 바탕으로 문화를 이해하고자 한다. → 총체론적 관점

14 자문화 중심주의

[선택지 분석]

① 문화의 다양성을 보존하는 측면에서 유용하다.

➡ 자문화 중심주의는 타 문화에 대해 배타적이므로 문화의 다양성을 해칠 수 있다.

② 각 사회가 지니고 있는 문화의 고유한 특성과 가치를 인정한다.

➡ 자문화 중심주의는 자기 문화를 기준으로 다른 문화를 평가하여 각 사회가 지니는 문화의 고유성을 인정하지 않는다.

③ 특정 기준에 따른 문화 간의 우열이 존재함을 인정하지 않는다.

➡ 자문화 중심주의는 자기 문화를 가장 우월한 것으로 본다.

✔ 다른 사회의 문화를 열등하거나 비합리적인 것이라고 낮추어 평가한다.

➡ 자문화 중심주의는 자기 문화의 관점에서 다른 문화를 비합리적인 것으로 평가한다.

⑤ 다른 문화를 무분별하게 수용하여 자기 문화의 정체성을 상실할 우려가 있다.

➡ 자문화 중심주의는 자기 문화에 대한 정체성과 자부심을 높인다.

15 문화를 이해하는 태도

자료 분석 | 문화를 이해하는 데 절대적인 기준을 적용하는 태도에는 문화 사대주의와 자문화 중심주의가 있는데, 이 중 다른 사회의 문화를 우월한 것으로 보는 ㉠은 문화 사대주의이다. 따라서 ㉡은

자문화 중심주의이다. 문화를 그 사회의 맥락 속에서 이해하는 ㉢은 문화 상대주의이며, 인류의 보편적 가치를 훼손하는 것도 문화로 인정하는 ㉣은 극단적 문화 상대주의이다.

[선택지 분석]

✗ ㉠과 ㉡은 모두 타 문화를 적극적으로 수용하려는 경향을 보인다.

➡ 문화 사대주의는 다른 문화를 우월한 것으로 여겨 적극적인 수용 자세를 가지는 반면, 자문화 중심주의는 자기 문화를 우월한 것으로 여겨 타 문화를 배척한다.

㉡ ㉠과 달리 ㉡은 다른 사회와 문화적 마찰을 겪을 가능성이 크다.

➡ 자문화 중심주의는 다른 사회의 문화를 낮게 평가하여 문화적 마찰을 겪을 가능성이 크다.

㉢ ㉠, ㉡과 달리 ㉢은 문화의 다양성을 보존하는 데 기여한다.

➡ 문화 상대주의를 통해 문화의 다양성을 보존할 수 있다.

✗ ㉢은 <del>자문화 중심주의</del>, ㉣은 극단적 문화 상대주의이다.
   문화 상대주의

16 문화 사대주의와 문화 상대주의

[선택지 분석]

✔ (가) – 문화 사대주의, (나) – 문화 상대주의

➡ (가)에는 조선의 중국에 대한 문화 사대주의적 태도가 나타나 있고, (나)에는 티베트의 조장 문화를 그 사회의 환경을 고려하여 이해하는 문화 상대주의적 태도가 나타나 있다.

17 극단적 문화 상대주의

[예시 답안] 제시된 글에 나타난 극단적 문화 상대주의는 인간의 존엄성, 생명, 자유, 평등 등 인류의 보편적 가치를 부정하는 문화마저도 인정함으로써 인류의 보편적 가치를 훼손하고 인류 문화의 발전을 저해한다.

채점 기준	
상	극단적 문화 상대주의를 언급하고, 극단적 문화 상대주의의 문제점을 정확히 서술한 경우
하	극단적 문화 상대주의만 언급하고, 문제점을 서술하지 못한 경우

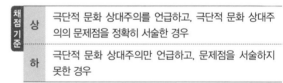

도전! 실력 올리기   124~125쪽

01 ③   02 ④   03 ⑤   04 ②   05 ⑤   06 ⑤   07 ⑤
08 ⑤

01 문화의 의미와 특징

자료 분석 | 잠을 자는 생리적인 현상은 문화라고 할 수 없으나, 집 안에서 잠을 자고 생활하는 것은 문화라고 할 수 있다. 집의 형태는 지역에 따라서 고상 가옥, 이동식 가옥 등 다양하게 나타난다.

[선택지 분석]

① ㉠은 문화에 해당한다.

➡ 생리적인 현상은 문화라고 할 수 없다.

② ⓛ은 좁은 의미의 문화이다.
  ➡ 집을 짓고 살아가는 생활 양식을 문화로 보는 것은 넓은 의미의 문화이다.
✓③ ⓒ을 문화로 보는 것은 한 사회 구성원이 공유하는 생활 양식의 총체를 문화로 이해하는 것이다.
  ➡ ⓒ은 넓은 의미의 문화에 해당한다.
④ ⓔ은 ⓒ과 달리 인간이 자연환경에 적응한 문화이다.
  ⓒ과 ⓔ은
⑤ ⓛ은 특수성, ⓒ과 ⓔ은 보편성을 통해 설명할 수 있다.
  보편성   특수성

02 문화의 속성

자료 분석 | ㉠에는 축적성과 변동성, ㉡에는 공유성이, ㉢에는 학습성이, ㉣에는 공유성과 변동성이 나타나 있다.

[선택지 분석]

✗ ㉡은 전승된 문화를 바탕으로 새로운 문화가 창출된다는 것을 보여 준다.
  ➡ 전승된 문화를 바탕으로 새로운 문화가 창출되는 것은 문화의 축적성으로 ㉠에 나타나 있다.

✓ⓛ ㉢은 문화가 후천적으로 습득된다는 것을 보여 준다.
  ➡ ㉢에는 문화를 후천적으로 습득하는 학습성이 나타나 있다.

✗ ㉣은 ㉠과 달리 문화 현상이 고정된 것이 아니라 지속
  ㉠과 ㉣은
  적으로 변화함을 보여 준다.

✓ⓔ ㉡, ㉣은 모두 문화가 구성원의 사고와 행동을 구속한다는 것을 보여 준다.
  ➡ ㉡과 ㉣에는 문화가 구성원의 사고와 행동을 구속함을 보여 주는 공유성이 나타나 있다.

03 문화의 공유성

자료 분석 | 첫 번째 사례에서는 공유성, 두 번째 사례에서는 공유성과 변동성, 전체성을 파악할 수 있다. 따라서 두 사례에 공통으로 나타난 속성은 공유성이다.

[선택지 분석]

① 문화는 세대 간 전승되면서 풍요로워진다 → 축적성
② 문화 요소들은 상호 간에 유기적인 관계를 맺고 있다.
  → 전체성
③ 문화는 사회화의 과정을 통해 후천적으로 학습된 결과이다. → 학습성
④ 문화는 시간이 지나면서 사회 구성원들의 요구에 따라 변화한다. → 변동성
✓⑤ 문화를 통해 사회 구성원들의 사고방식을 이해하고 행동을 예측할 수 있다.
  ➡ 공유성을 통해 한 사회의 구성원들은 서로의 사고방식을 이해하고 행동을 예측할 수 있다.

04 문화의 속성

자료 분석 | ㉠은 문화가 상징 수단을 통해 세대 간 전승된다고 하였으므로 축적성, ㉡은 세대가 변하면서 새로운 재료가 가미되었다고 하였으므로 축적성과 변동성, ㉢은 발효 식품 만드는 법을 배우는 것이므로 학습성과 관련 있다.

[선택지 분석]

✓㉠ ㉠을 통해 문화는 더욱 발전하고 다양해질 수 있다.
  ➡ 문화는 문화 요소가 축적되면서 발전하고 더욱 풍부해진다.

✗ ㉡은 문화의 요소들이 서로 유기적인 관계에 있음을 보여 준다.
  ➡ 문화의 요소들이 서로 유기적인 관계에 있는 것은 전체성에 대한 설명이다. ㉡에는 축적성과 변동성이 나타나 있다.

✓㉢ ㉢을 통해 후천적으로 문화를 익히며 사회에 적응할 수 있다.
  ➡ 문화는 후천적으로 습득되는 것으로 학습을 통해 문화를 익히고 사회에 적응할 수 있다.

✗ ㉠과 ㉢에는 공통으로 문화의 전체성이 나타나 있다.
  ➡ ㉠에는 문화의 축적성이, ㉢에는 학습성이 나타나 있다.

05 상대론적 관점

자료 분석 | 제시문에서 풍장을 그 사회의 관점에서 이해하려는 것처럼 해당 사회의 전통적·사회적 맥락을 고려하여 문화를 이해하고자 하는 것은 상대론적 관점이다.

[선택지 분석]

① 자기 문화를 객관적으로 이해하고자 한다. → 비교론적 관점
② 문화 요소 간의 유기적 관계를 이해하고자 한다.
  → 총체론적 관점
③ 문화 요소 간의 공통점과 차이점을 파악하고자 한다.
  → 비교론적 관점
④ 자기 문화의 관점에서 다른 사회의 문화를 이해하고자 한다. → 자문화 중심주의
✓⑤ 해당 문화 향유자들의 관점에서 문화의 의미를 파악하고자 한다.
  ➡ 상대론적 관점은 문화를 향유하는 사회 구성원들의 입장에서 문화의 고유한 의미를 파악하고자 한다.

06 비교론적 관점과 상대론적 관점

자료 분석 | 갑은 한 사회의 문화를 이해하기 위해서는 다른 사회의 문화도 함께 살펴봐야 한다고 하였으므로 비교론적 관점을 취하고 있으며, 을은 그 사회 구성원의 관점에서 문화를 바라봐야 한다고 하였으므로 상대론적 관점을 취하고 있다.

[선택지 분석]

✗ 갑의 관점은 문화를 다른 문화 요소와의 관계 속에서 이해하려 한다.
  ➡ 다른 문화 요소와의 유기적 관계를 강조하는 것은 총체론적 관점이다.

✗ 갑의 관점은 문화가 지니는 특수성을 통해서만 문화를 이해하고자 한다.
  ➡ 비교론적 관점은 서로 다른 문화 간에 나타나는 유사성과 차이점을 분석하여 문화가 지닌 보편성과 특수성을 모두 파악하고자 한다.

✓㉢ 을의 관점은 절대적 기준으로 문화가 평가되어서는 안 된다고 본다.
  ➡ 상대론적 관점은 문화를 절대적 기준이 아닌 그 사회의 맥락에서 이해해야 함을 강조한다.

ⓔ 을의 관점은 문화가 각 사회의 특수한 환경과 역사 속에서 형성되었음을 전제한다.

➡ 상대론적 관점은 각 사회의 특수한 환경과 사회적·역사적 맥락을 고려하여 문화를 바라본다.

07 문화 이해의 태도

자료 분석 ㅣ 갑은 ○○부족의 문화를 그 사회 구성원의 관점에서 이해하고 있으므로 **문화 상대주의적 태도**를 가지고 있다. 을은 자기 나라의 문화를 중심으로 ○○부족의 문화를 낮게 평가하고 있으므로 **자문화 중심주의적 태도**를 가지고 있다. 병은 A국의 문화를 우수한 것으로 여기고 ○○부족의 문화와 자기 나라의 문화를 낮게 평가하고 있으므로 **문화 사대주의적 태도**를 가지고 있다.

[선택지 분석]

① 갑의 태도는 을의 태도와 달리 문화 간에 우열이 있다고 본다.

➡ 문화 간에 우열이 있다고 보는 것은 자문화 중심주의와 문화 사대주의이다.

② 을의 태도는 갑의 태도에 비해 타 문화 수용에 적극적이다.

➡ 자문화 중심주의는 자기 문화를 우월하다고 여겨 타 문화를 낮게 평가하므로 타 문화 수용에 배타적이다.

③ 을의 태도는 병의 태도에 비해 문화의 다양성 확보에 유리하다.

➡ 자문화 중심주의는 타 문화 수용에 배타적이므로 문화의 다양성 확보에 유리하지 않다.

④ 병의 태도는 을의 태도와 달리 집단 구성원의 결속력을 높이는 데 기여한다.

➡ 집단 구성원의 결속력을 높일 수 있는 것은 자문화 중심주의이다.

⑤ 을, 병의 태도는 모두 특정 사회의 문화를 기준으로 타 문화를 평가할 수 있다고 본다.

➡ 자문화 중심주의는 자기 문화를, 문화 사대주의는 다른 사회의 문화를 우월하다고 보고 이를 기준으로 타 문화를 평가할 수 있다고 본다.

08 문화 이해의 태도

자료 분석 ㅣ 문화를 평가하는 절대적 기준이 있음을 부정하는 **(가)는 문화 상대주의**이다. 자기 문화의 우월성을 강조하는 **(다)는 자문화 중심주의**, 그렇지 않은 **(나)는 문화 사대주의**이다.

[선택지 분석]

① (가)는 문화 간 우열이 존재한다고 본다.
(나)와 (다)
➡ 문화 상대주의는 문화 간에 우열이 없다고 본다.

② (가)는 자기 문화에 대한 주체성을 상실할 우려가 있다.
(나)

③ (나)는 문화 제국주의로 이어질 우려가 있다.
(다)

④ (다)는 (가)에 비해 문화 다양성 유지에 유리하다.
불리
➡ 자문화 중심주의는 자기 문화를 가장 우월하게 여겨 타 문화 수용에 배타적이므로 문화의 다양성을 유지하기 어렵다.

---

⑤ (다)는 (나)에 비해 자문화의 정체성 보존에 유리하다.

➡ 자문화 중심주의는 자기 문화에 대한 자부심이 강하므로 자문화의 정체성 보존에 유리하다. 반면, 문화 사대주의는 자기 문화에 대한 정체성을 상실할 우려가 있다.

02 ~ 하위문화와 대중문화

콕콕! 개념 확인하기   131쪽

01 (1) 하위 (2) 다양한 (3) 상대적
02 (1) ⓒ (2) ⓛ (3) ⓖ
03 청소년 문화
04 (1) × (2) ○ (3) × (4) × (5) ○
05 (1) 인쇄 (2) 비판적 (3) 생산자

탄탄! 내신 다지기   132~133쪽

01 ④   **02** ③   **03** ④   **04** ①   **05** ④   **06** ④   **07** ⑤
08 ④   **09** 해설 참조

01 하위문화의 특징

자료 분석 ㅣ (가)는 하위문화이다. 하위문화는 **한 사회 내의 일부 구성원이 공유하는 문화**를 의미한다.

[선택지 분석]

① 사회의 유연성을 약화한다.

➡ 하위문화는 사회의 유연성을 증대하여 역동적인 사회를 만드는 데 이바지한다.

② 사회가 다원화될수록 그 종류가 줄어든다.

➡ 하위문화는 사회가 다원화될수록 다양하게 나타난다.

③ 주류 문화와 동일한 생활 양식이 나타난다.

➡ 하위문화는 주류 문화와는 다른 생활 양식이 나타난다.

④ 같은 문화를 공유하는 사람들 간의 결속력을 강화한다.

➡ 하위문화는 같은 문화를 공유하는 사람들 간의 소속감과 결속력을 높여 준다.

⑤ 주류 문화의 범주와는 상관없이 항상 동일하게 정의된다.

➡ 하위문화는 주류 문화의 범주를 어떻게 규정하느냐에 따라 상대적으로 정의된다.

02 하위문화의 특징

자료 분석 ㅣ 제시문을 통해 팝 음악 장르의 하위문화였던 아이돌 음악이 오늘날에는 주류 문화로 자리 잡았음을 알 수 있다. 이처럼 **하위문화는 시간이 지남에 따라 주류 문화가 되기도 한다.**

[선택지 분석]

① 주류 문화를 획일화한다.

② 문화 갈등의 요인이 된다.

➡ 하위문화에 해당하는 설명이지만, 제시문과 관련 없다.

④ 사회에 따라 상대적으로 규정된다.
➡ 아이돌 음악이 시간이 지난 후 주류 문화가 된 것을 통해 하위 문화가 사회에 따라 상대적임을 알 수 있다.
④ 다른 문화와의 동질감을 형성한다.
⑤ 한 사회 구성원들이 모두 공유한다.

03 하위문화의 기능
[선택지 분석]
① 문화의 획일화를 방지한다.
② 다양한 문화적 욕구를 충족시킨다.
③ 역동적인 사회를 만드는 데 기여한다.
✔ 문화가 지향하는 가치 간의 충돌을 막아 문화의 보편성을 높인다.
➡ 하위문화는 지향하는 가치 간의 충돌로 문화 갈등을 일으킬 수 있다.
⑤ 주류 문화에 대한 대안을 제시함으로써 문화에 활력을 불어넣는다.

04 지역 문화
자료 분석 | 진주 남강 유등 축제는 진주시의 지역 축제이다. 따라서 제시문의 밑줄 친 유등 놀이는 진주시의 지역 문화에 해당한다. 지역 문화는 특정 지역에서 나타나는 고유한 생활 양식을 말한다.
[선택지 분석]
㉠ 전체 사회의 문화적 다양성을 강화한다.
㉡ 특정 지역에서 나타나는 고유한 문화이다.
➡ 유등 놀이는 특정 지역에서 나타나는 고유한 문화로 지역 문화에 해당한다.
✗ 지역 구성원의 유대감과 자부심을 떨어뜨린다.
➡ 지역 문화를 통해 지역 구성원은 유대감과 자부심을 높일 수 있다.
✗ 문화를 획일화하여 사회 구성원의 일체감을 높인다.
➡ 지역 문화는 주류 문화의 획일화를 방지하는 역할을 한다.

05 반문화
자료 분석 | 1960년대 미국에서 일어났던 히피 문화는 당시 미국 주류 사회에 통용되는 규범과 가치관에 거부하는 문화로, 대표적인 반문화에 해당한다.
[선택지 분석]
① 사회 구성원의 연대 의식을 강화한다.
➡ 히피 문화와 같은 특정 하위문화를 누리는 구성원들 사이에서만 연대 의식이 강화될 수 있다.
② 사회 구성원 다수가 향유하는 문화이다. → 주류 문화
③ 사회 갈등보다는 사회 통합에 기여한다.
➡ 반문화는 사회 통합보다는 사회 갈등을 유발한다.
✔ 사회의 지배적인 문화에 대항하는 성격을 지닌다.
⑤ 시대나 사회가 달라져도 해당 문화에 대한 규정은 달라지지 않는다.
➡ 반문화에 대한 규정은 시대나 사회에 따라 다르다.

06 대중문화
[선택지 분석]
㉠ 문화의 민주화에 이바지한다.
➡ 대중문화를 통해 과거 특권층이 누리던 고급문화를 다수가 누릴 수 있게 되었다.
㉡ 시민 의식을 성장시켜 민주주의의 발전에 기여한다.
➡ 대중문화는 시민이 사회에 관심을 가지고 참여하도록 함으로써 시민 의식 성장과 민주주의의 발전에 이바지한다.
㉢ 대중 매체를 통해 대량 유통되어 문화가 획일화될 우려가 있다.
➡ 대중문화는 문화를 획일화하는 문제점이 있다.
✗ 한 사회 내의 다양한 집단 중 특정 집단의 구성원들이 공유하는 문화이다. → 하위문화

07 뉴 미디어와 대중문화
자료 분석 | 제시문은 인터넷과 같은 뉴 미디어의 등장으로 대중이 대중문화의 생산에 직접 참여하고 있음을 보여 준다. 또한 대부분의 학생들이 개인 방송으로 접한 화장법을 하고 다닌다는 점에서 대중문화가 문화의 획일화로 이어질 수 있음을 알 수 있다.
[선택지 분석]
✗ 오락성에 치우쳐서 정치적 무관심을 초래할 수 있다.
➡ 대중문화에 대한 설명이지만, 제시문과 관련 없다.
✗ 지나친 상업화로 인해 대중문화의 질이 낮아질 수 있다.
➡ 대중문화에 대한 설명이지만, 제시문과 관련 없다.
㉢ 문화의 획일화로 문화의 다양성과 개성을 잃을 수 있다.
㉣ 뉴 미디어의 등장으로 대중이 대중문화의 생산에 직접 참여할 수 있다.

08 대중문화의 비판적 수용
자료 분석 | 제시문의 운동 경기 중계와 같이 대중문화에서는 성차별, 성 불평등의 사례를 쉽게 찾아볼 수 있다. 따라서 대중문화를 올바르게 수용하기 위해서는 비판적인 수용 자세가 필요하다.
[선택지 분석]
① 대중문화의 획일성을 경계해야 한다.
➡ 대중문화의 올바른 수용 자세에 해당하지만, 제시문과 관련 없는 내용이다.
② 대중문화의 양적 발전을 추구해야 한다.
➡ 대중문화의 질적 발전을 추구하는 자세가 필요하지만, 제시문과 관련 없는 내용이다.
③ 다양한 매체를 통해 정보와 지식을 접해야 한다.
➡ 대중문화의 올바른 수용 자세에 해당하지만, 제시문과 관련 없는 내용이다.
✔ 대중문화에 대한 비판적인 수용 자세가 필요하다.
➡ 대중문화를 올바르게 수용하기 위해서는 대중 매체가 제공하는 정보를 비판적으로 바라보고 주체적으로 수용해야 한다.
⑤ 대중은 문화의 소비자이면서 생산자의 역할을 수행해야 한다.
➡ 대중문화의 올바른 수용 자세에 해당하지만, 제시문과 관련 없는 내용이다.

09 대중문화의 부정적 기능

[예시 답안] 요제프 괴벨스는 대중 조작을 통해 대중의 의사를 자신이 원하는 방향으로 유도하였다. 이처럼 대중문화는 정치 권력이나 특정 집단에 의해 대중 조작의 수단으로 악용될 수 있다는 문제점을 가지고 있다.

채점기준		
상	대중문화가 대중 조작의 수단으로 악용될 수 있음을 제시된 사례와 연결지어 서술한 경우	
하	대중문화가 대중 조작의 수단으로 악용될 수 있다고만 서술한 경우	

도전! 실력 올리기   134~135쪽

01 ② **02** ③ **03** ③ **04** ① **05** ④ **06** ⑤ **07** ③
08 ⑤

01 하위문화의 특징

자료 분석 | 천주교가 조선 시대에는 박해를 받았으나 오늘날에는 공인받은 대표적인 종교가 되었다는 것은 하위문화가 사회 변동에 따라 주류 문화가 되었음을 의미한다.

[선택지 분석]

① 사회가 다원화될수록 다양해진다.
➡ 하위문화의 특징에 해당하지만, 제시문과 관련 없다.

✓② 사회 변동에 따라 주류 문화가 되기도 한다.
➡ 제시문에서 하위문화였던 천주교가 사회 변동에 따라 주류 문화가 되었음을 알 수 있다.

③ 전체 사회가 추구하는 가치와 일맥상통한다.

④ 전체 사회의 문화적 다양성을 형성하는 데 기여한다.
➡ 하위문화의 특징에 해당하지만, 제시문과 관련 없다.

⑤ 사회 구성원들의 다양한 문화적 욕구를 충족시킬 수 있다.
➡ 하위문화의 특징에 해당하지만, 제시문과 관련 없다.

02 반문화와 세대 문화

자료 분석 | A 문화는 정부 정책에 도전하고 기존의 생활 태도를 거부하고 있으므로 반문화, B 문화는 2030세대의 문화를 보여 주고 있으므로 세대 문화에 해당한다. 반문화와 세대 문화는 모두 하위문화이다.

[선택지 분석]

① A 문화는 B 문화와 달리 전체 사회에 문화 다양성을 제
　A 문화와 B 문화는 모두
공한다.

② B 문화는 A 문화와 달리 기존 주류 문화에 저항하는 특
　　　A 문화는
징을 보인다.

✓③ A 문화나 B 문화에 속하는 것을 구분하는 기준은 상대적이다.
➡ 시대나 장소에 따라 하위문화의 구분 기준은 상대적이다.

④ A 문화는 사회 통합에, B 문화는 사회 변동에 기여한다.
➡ 반문화는 사회 통합보다는 사회 갈등을 야기한다.

⑤ A 문화와 B 문화의 총합은 주류 문화이다.
➡ 하위문화의 총합은 주류 문화가 될 수 없다.

03 청소년 문화의 특징

자료 분석 | 청소년들이 친구들과 같은 문화를 공유하기 위해서 필요하지 않은 물건을 사는 것, 연예인이 착용한 것을 따라 사는 것 등은 청소년 문화가 모방적인 성향을 가지고 있으며 또래 집단의 영향을 많이 받음을 의미한다.

[선택지 분석]

✗ 반문화적 성격을 지닌다.
➡ 청소년 문화의 특징에 해당하지만, 제시문과 관련 없다.

ⓛ 모방적인 성향이 강하다.
➡ 광고에 나온 연예인이 입었다는 이유로 특정 외투를 따라 사는 것을 통해 모방적인 성향이 강하고 대중 매체의 영향을 많이 받음을 알 수 있다.

ⓒ 또래 집단의 영향을 많이 받는다.
➡ 친구들이 입고 다닌다는 이유로 특정 외투를 사는 것을 통해 또래 집단의 영향을 많이 받음을 알 수 있다.

✗ 기성세대의 문화에 대해 비판적이다.
➡ 청소년 문화의 특징에 해당하지만, 제시문과 관련 없다.

04 하위문화의 특징과 청소년 문화

자료 분석 | (가)의 사례는 인터넷 및 스마트폰의 보급이라는 물질문화의 변동으로 인하여 기존에 하위문화였던 온라인 게임 문화가 주류 문화로 변화되었다는 내용을 보여 준다. 반면, (나)의 사례는 하위문화에 해당하는 청소년들의 언어 문화로 인하여 기성세대와의 문화적 이질성이 심화하고 있음을 보여 준다.

[선택지 분석]

✓① (가)에서는 물질문화의 변동으로 인해 하위문화가 주류 문화로 변화되었다.
➡ 인터넷 및 스마트폰의 보급은 물질문화의 변동에 해당하며, 이로 인해 하위문화였던 온라인 게임 문화가 전 세대가 즐기는 주류 문화로 변화하였다.

② (나)에서는 하위문화로 인해 세대 문화 간의 이질성이 약화되었다.
➡ (나)에서는 청소년들의 언어문화로 인해 기성세대와의 의사소통에 장애가 발생하였다. 즉, 하위문화로 인한 세대 문화 간 이질성이 심화되었다.

③ (가)는 (나)와 달리 문화 지체 현상을 포함하고 있다.
➡ 문화 지체 현상이란 물질문화와 비물질문화의 변동 속도 간의 차이로 발생하는 문제이다. (가), (나) 모두 문화 지체 현상은 나타나 있지 않다.

④ (나)는 (가)와 달리 반문화의 범위가 확장된 사례이다.
➡ (가), (나) 모두 반문화에 대한 내용은 나타나 있지 않다.

⑤ (가), (나)는 모두 특정 집단의 문화가 기존의 주류 문화를 대체한 사례이다.
➡ (가)의 사례에서 하위문화가 주류 문화로 변한 것을 확인할 수 있지만, 기존의 주류 문화를 대체하였다고 단정할 수는 없다. (나)에서도 하위문화가 기존의 주류 문화를 대체하였음은 나타나 있지 않다.

05 문화의 유형과 특징

자료 분석 ㅣ A 문화는 부르주아지들만 가지고 있던 문화로 하위문화, B 문화는 구체제를 전복하려 했다는 점에서 반문화, C 문화는 새로운 근대 사회가 도래한 이후 부르주아지의 문화가 봉건제적 문화를 대체하였다는 점에서 주류 문화에 해당한다.

[선택지 분석]

✗ A 문화는 C 문화와 대립하여 사회 안정을 저해한다.
➡ 하위문화 중 주류 문화와 대립하는 문화는 반문화(B)이다.

ⓛ C 문화는 사회 변동에 따라 A 문화가 되기도 한다.
➡ 주류 문화는 사회 변동에 따라 하위문화가 되기도 하고, 하위문화가 사회 변동에 따라 주류 문화가 되기도 한다.

✗ 한 사회에서 B 문화는 C 문화와 공존이 불가능하다.
➡ 한 사회에서 반문화와 주류 문화는 공존이 가능하다.

ⓔ 한 사회에서 C 문화는 A 문화의 총합으로 설명할 수 없다.
➡ 하위문화의 합이 주류 문화인 것은 아니다. 즉, 주류 문화는 여러 하위문화들을 통틀어서 일컫는 말이 아니다. 주류 문화와 하위문화의 양상은 서로 다르게 나타나며 공존할 수 있다.

06 대중 매체와 대중문화

[선택지 분석]

ⓖ ㉠에는 인터넷, 누리 소통망(SNS) 등이 해당한다.

✗ ㉠의 등장으로 정보 생산자와 소비자 간의 일방향 의사소통이 강화되었다.
➡ 뉴 미디어의 등장으로 정보 생산자와 소비자 간의 쌍방향 의사소통이 가능해졌다.

ⓒ ㉡에는 인쇄 매체, 음성 매체, 영상 매체 등이 있다.
➡ 대중 매체는 인쇄 매체 → 음성 매체 → 영상 매체 → 뉴 미디어의 순으로 발달하여 왔으며, 뉴 미디어를 제외한 매체들이 전통적인 대중 매체라고 할 수 있다.

ⓔ ㉠은 ㉡보다 대중문화의 생산자와 소비자의 경계가 모호하다.
➡ 뉴 미디어를 통해 대중이 대중문화의 생산에 직접 참여할 수 있게 되었다. 따라서 뉴 미디어의 등장으로 대중문화의 생산자와 소비자의 경계가 점차 모호해지고 있다.

07 대중문화의 기능

자료 분석 ㅣ 대중문화의 기능과 관련하여 갑은 고급문화의 대중화를, 을은 정치적 무관심을, 병은 쌍방향 의사소통을, 정은 문화의 획일화를 이야기하고 있다.

[선택지 분석]

① 갑은 고급문화의 대중화를 주장하고 있다.
➡ 갑은 뮤지컬, 연극 등을 누구나 즐길 수 있게 되었다는 점에서 고급문화의 대중화를 말하고 있다. 고급문화의 대중화는 대중문화의 순기능이다.

② 을은 대중문화가 정치적 무관심을 초래할 수 있음을 우려하고 있다.
➡ 을은 대중문화가 오락성에 치우쳐 정치적 무관심을 초래할 수 있음을 우려하고 있다.

✔ 병은 대중문화의 일방성에 대해 비판적인 태도를 보이고 있다.
➡ 병은 인터넷 등의 뉴 미디어를 통한 쌍방향 의사소통에 대해 말하고 있다.

④ 정은 대중문화가 문화를 획일화한다고 보고 있다.
➡ 정은 대중문화로 인해 다양한 개성이 상실되고 문화가 획일화되는 것에 대해 말하고 있다.

⑤ 갑~정은 모두 대중문화가 대중의 일상생활에 미치는 영향력을 인정하고 있다.
➡ 갑~정 모두 대중문화와 관련된 대중의 일상생활에 대해 이야기하고 있다.

08 대중문화의 비판적 수용

자료 분석 ㅣ 게이트 키핑 과정을 거치면서 특정 사건의 보도 내용은 보도 기관에 따라 다를 수 있다. 또한 사건이 수정 또는 왜곡되어 보도되는 때도 있고, 정치권력 등 외부 압력에 의해 공정성을 잃을 수도 있다. 따라서 비판적인 수용 자세가 요구된다.

[선택지 분석]

① 정치적 무관심을 극복해야 한다.
➡ 대중문화의 올바른 수용 자세에 해당하지만, 제시문과 관련 없다.

② 대중문화의 질적 수준을 높여야 한다.
➡ 대중문화의 올바른 수용 자세에 해당하지만, 제시문과 관련 없다.

③ 문화의 다양성을 확보하기 위해 노력해야 한다.
➡ 대중문화의 올바른 수용 자세에 해당하지만, 제시문과 관련 없다.

④ 상업적인 대중문화에 대한 선별적 수용이 필요하다.
➡ 대중문화의 올바른 수용 자세에 해당하지만, 제시문과 관련 없다.

✔ 대중 매체가 제공하는 정보에 대한 비판적 수용 자세가 필요하다.
➡ 대중 매체가 제공하는 정보가 왜곡될 수 있다는 점에서 비판적 수용의 자세가 필요함을 알 수 있다.

03 ～ 문화 변동

콕콕! 개념 확인하기
143쪽

01 (1) 발견 (2) 직접 전파 (3) 자극 전파

02 (1) ㉡ (2) ㉣ (3) ㉠ (4) ㉢ (5) ㉤

03 (1) ㉠: 물질, ㉡: 비물질, ㉢: 문화 지체 현상 (2) 아노미 현상

04 (1) ✕ (2) ○ (3) ✕

탄탄! 내신 다지기
144~147쪽

01 ③	02 ⑤	03 ②	04 ①	05 ⑤	06 ④	07 ②
08 ④	09 ②	10 ③	11 ⑤	12 ④	13 ④	14 ②
15 ②	16 해설 참조					

01 문화 변동의 내재적 요인

[선택지 분석]

✔ (가) – 발견, (나) – 발명

➡ 이미 존재하고 있었으나 알려지지 않았던 것을 찾아내는 (가)는 발견, 존재하지 않았던 것을 새롭게 만들어 내는 (나)는 발명이다.

02 문화 변동의 외재적 요인

자료 분석 | 다른 사회의 문화가 유입되어 문화 변동을 초래하는 것은 문화 변동의 외재적 요인인 문화 전파를 의미한다. 따라서 (가)에는 문화 변동의 외재적 요인 혹은 문화 전파가 들어갈 수 있다. ㉠은 이민자, 유학생, 선교사 등 사회 구성원의 직접적인 접촉을 통해 문화가 전파되는 것으로 직접 전파이다. ㉡에는 간접 전파의 사례가 들어가야 하며, ㉢은 다른 사회의 문화에서 착안하여 새로운 문화를 만든 것으로 자극 전파이다.

[선택지 분석]

✘ (가)는 문화 변동의 내재적 요인이다.
　　　　　　　　　　　　　　　외재적

✘ ㉠은 자극 전파이다.
　　　　직접 전파

㉢ ㉡에는 '인터넷을 통한 한류의 확산'이 들어갈 수 있다.

➡ 간접 전파는 텔레비전, 인터넷 등 매체를 통한 문화의 전파를 말한다.

㉣ ㉢은 다른 사회의 문화에서 아이디어를 얻어 발명이 이루어지는 것이다.

03 문화 변동의 내재적 요인

자료 분석 | (가)의 비타민 C의 효과는 이미 존재하고 있었던 것으로 이를 알아낸 것은 발견에 해당한다. (나)의 축음기는 이전에 없었던 새로운 기술과 사물을 만들어 낸 것으로 발명에 해당한다.

[선택지 분석]

① (카)는 존재하지 않았던 문화 요소를 만들어 내는 것이다.
　 (나)

✔ (나)에는 사상이나 가치관 등 비물질적인 것도 포함된다.

➡ 발명에는 물질적인 것뿐만 아니라 비물질적·관념적인 것을 만들어 내는 것도 포함된다.

③ (나)의 사례로 외국 선교사들에 의해 새로운 종교가 전해진 것을 들 수 있다. → 직접 전파

④ (가)와 (나)에는 모두 직접 전파가 나타나 있다.
　　　　　　　　　　　　　　나타나 있지 않다.

⑤ (나)는 (카)와 달리 내재적 요인에 의한 문화 변동에 해당한다.
　 (가)와 (나)는 모두
　 당한다.

04 문화 변동의 외재적 요인

자료 분석 | 다른 사회의 문화로부터 자극을 받아 발명이 이루어지는 것은 자극 전파이다. 따라서 A는 자극 전파이다. 매개체를 통해 문화가 전파되는 것은 간접 전파이다. 따라서 B는 간접 전파, C는 직접 전파이다.

[선택지 분석]

㉠ A는 체로키족이 영어를 바탕으로 체로키 문자를 만든 것이 대표적 사례이다.

➡ 체로키족이 영어에서 아이디어를 얻어 새로운 문화 요소인 체로키 문자를 발명한 것은 자극 전파의 사례이다.

㉡ B는 정보 통신 기술의 발달에 큰 영향을 받는다.

➡ 간접 전파는 텔레비전, 인터넷 등의 매체를 통해 이루어지므로 정보 통신 기술의 발달에 큰 영향을 받는다.

✘ C는 이미 존재하고 있었지만 알려지지 않았던 것을 찾아내는 것이다.

➡ 이미 존재하고 있었지만 알려지지 않았던 것을 찾아내는 것은 발견이다.

✘ A는 B, C와 달리 전파된 외래문화 요소의 성격이 그대로 유지된다.

➡ A는 전파된 외래문화 요소로부터 아이디어만 얻어 새로운 문화 요소를 만드는 것이므로 외래문화 요소의 성격이 그대로 유지된다고 볼 수 없다.

05 문화 변동의 요인

자료 분석 | 문화 변동의 내재적 요인에는 발명과 발견, 외재적 요인에는 직접 전파, 간접 전파, 자극 전파가 있다. 서로 다른 사회의 구성원들 간 직접적인 접촉을 통해 문화가 전파되는 것은 직접 전파, 매체를 통해 문화가 전파되는 것은 간접 전파이다. 따라서 ㉢은 직접 전파, ㉣은 간접 전파이다.

[선택지 분석]

① ㉠에는 발명과 발견이 있다.

② ㉡에는 직접 전파, 간접 전파, 자극 전파가 있다.

③ ㉢은 전쟁, 식민 지배 등의 과정에서 발생할 수 있다.

➡ 직접 전파는 전쟁, 식민 지배, 선교, 교역 등으로 이루어질 수 있다.

④ ㉣은 우리나라 음악, 영화 등의 세계적 확산과 관련이 있다.

➡ 우리나라 음악과 영화 등이 인터넷 등의 매체를 통해 전파되면서 세계적으로 확산되고 있다.

✔ ㉢과 ㉣은 모두 전통 사회에서는 예를 찾아볼 수 없다.

➡ 전통 사회에서는 대중 매체가 많이 발달하지 않아 간접 전파의 사례는 찾아보기 쉽지 않다. 하지만 전통 사회에서도 사회 구성원 간의 교류로 직접 전파가 나타났다.

06 문화 변동의 양상

자료 분석 | 광종이 쌍기의 건의를 받아들여 과거제를 시행하고 선진 문물을 도입하고자 한 것은 직접 전파를 통한 자발적 문화 접변에 해당한다.

[선택지 분석]

✘ 발명으로 인한 내재적 문화 변동이 나타나 있다.

㉡ 직접 전파를 통한 문화 변동 양상을 파악할 수 있다.

➡ 광종과 쌍기의 직접적인 접촉을 통해 과거제가 전파되었으므로 직접 전파에 해당한다.

✘ 강제적 문화 접변에 의한 문화 동화 현상이 나타나 있다.

㉣ 스스로 다른 사회의 문화를 수용하려는 모습이 나타나 있다.

➡ 광종은 스스로 과거제를 받아들이고 선진 문물과 제도를 수용하고자 했으므로 자발적 문화 접변이라고 볼 수 있다.

07 문화 접변의 유형과 양상

자료 분석 | 우리나라에 기독교(개신교), 불교, 천주교 등 여러 종교가 분포하고 있는 것은 문화 공존에 해당한다. 서학을 배우기 위해 스스로 중국에 가거나 외국인 성직자로부터 학습하여 다른 사회의 문화 요소를 받아들이는 것은 자발적 문화 접변에 해당한다.

[선택지 분석]

ㄱ) 문화 공존

✗ 문화 동화
> ➡ 한 사회의 문화 요소가 외래문화 요소로 대체되는 것으로 제시문과 관련 없다.

ㄷ) 자발적 문화 접변

✗ 강제적 문화 접변
> ➡ 문화 수용자의 의지와 상관없이 물리적 강제력에 의한 문화 변동으로 제시문과 관련 없다.

08 문화 접변의 양상

[선택지 분석]

✔ (가) – 문화 공존, (나) – 문화 동화
> ➡ (가)는 캐나다의 퀘벡주에서 영어와 프랑스어가 공용어로 나란히 존재하고 있으므로 문화 공존의 사례이다. (나)는 서구 열강의 지배를 받은 아프리카의 나라들에서 토속 신앙이 기독교로 대체되었으므로 문화 동화의 사례이다.

09 문화 변동의 요인과 양상

[선택지 분석]

ㄱ) 외재적 요인에 의한 문화 변동이 나타났다.
> ➡ 식민 지배로 B국의 언어가 A국에 직접 전파되었으므로 외재적 요인에 의한 문화 변동이다.

✗ 내재적 요인에 의한 문화 융합 현상이 나타났다.

ㄷ) 강제적 문화 접변에 의한 문화 동화 현상이 나타났다.
> ➡ B국의 강요에 의해 A국에서 B국의 언어가 사용되고 이후 A국의 언어가 소멸된 것은 강제적 문화 접변에 의한 문화 동화이다.

✗ 자발적 문화 접변에 의한 문화 공존 현상이 나타났다.

10 문화 융합

자료 분석 | (가)에서는 유럽 백인들의 음악과 아프리카 흑인들의 음악이 결합하여 새로운 성격을 가지는 재즈가 만들어졌다. (나)에서는 인디언 문화와 유럽 문화가 결합하여 새로운 문화인 메스티소 문화가 형성되었다. 이는 모두 문화 융합의 사례이다.

[선택지 분석]

① 자기 문화에 대한 정체성을 상실할 수 있다. → 문화 동화

② 한 사회의 문화 요소가 외래문화 요소로 대체된다.
> → 문화 동화

✔ 서로 다른 두 사회의 문화가 합쳐서 새로운 성격의 문화가 생겨난다.

④ 서로 다른 두 사회의 문화가 한 사회 내에서 각각의 정체성을 유지하며 공존한다. → 문화 공존

⑤ 우리나라에 불교, 천주교, 기독교 등 다양한 종교가 동시에 존재하는 것을 예로 들 수 있다. → 문화 공존

11 문화 융합

자료 분석 | 간다라 미술은 인도 문화와 서양의 문화가 만나 기존에 없던 새로운 미술 양식이 만들어진 것으로, 대표적인 문화 융합의 사례이다.

[선택지 분석]

✗ 기존 문화 요소의 정체성이 상실되었다. → 문화 동화

✗ 서로 다른 두 사회의 문화가 공존하고 있다. → 문화 공존

ㄷ) 직접 전파에 의한 문화 융합 사례에 해당한다.
> ➡ 알렉산드로스 대왕의 원정으로 서양 문화가 전파되었으므로 직접 전파에 의한 문화 융합이다.

ㄹ) 서로 다른 두 사회의 문화 요소가 결합하여 제3의 문화가 만들어진 것이다.

12 문화 지체 현상

자료 분석 | 드론이 우리의 일상생활에 빠르게 활용되고 있는 것은 물질문화의 변동에 해당한다. 그러나 이에 필요한 규범, 제도 등이 마련되지 않아 여러 가지 사회 문제가 발생하고 있다. 이는 물질문화의 변동 속도를 비물질문화의 변동 속도가 따라가지 못해 나타나는 문제로, 문화 지체 현상에 해당한다.

[선택지 분석]

① 문화 정체성이 약화되어 혼란이 나타나고 있다.

② 문화 수용에 대한 의견 차이로 갈등이 발생하고 있다.

③ 비물질문화의 변동 속도를 물질문화가 따라가지 못하고
   물질문화   비물질문화
있다.

✔ 문화 지체 현상으로 문화 요소 간에 부조화 현상이 나타나고 있다.
> ➡ 제시문에는 문화 지체 현상으로 인해 물질문화와 비물질문화 사이에 부조화 현상이 나타나고 있다.

⑤ 전통적 규범과 가치관이 무너지고 이를 대체할 새로운 규범과 가치관이 정립되지 않았다.
> ➡ 물질문화의 변동에 맞는 새로운 규범과 가치관이 필요한 것은 맞지만, 기존의 전통적 규범과 가치관이 무너진 것은 아니다.

13 문화 지체 현상

자료 분석 | 제시된 그림은 물질문화의 변동 속도를 비물질문화의 변동 속도가 따라가지 못하는 것으로 문화 지체 현상을 보여 준다.

[선택지 분석]

✗ 운전면허 시험이 간소화되면서 운전 미숙에 따른 사고가 증가하고 있다.
> ➡ 운전면허 시험의 간소화는 제도 변화의 문제로 문화 지체 현상과 관련 없다.

ㄴ) 주거 시설의 발전으로 아파트가 많아지면서 층간 소음 문제가 증가하고 있다.
> ➡ 물질문화의 변동으로 아파트가 급격히 보급되었으나, 공동 주택 사용에 대한 예절이나 질서, 규범 등 비물질문화가 정립되지 못하여 발생하는 문제로 문화 지체 현상에 해당한다.

✗ 온라인 강의 수업이 늘어났지만 이를 뒷받침할 교육용 소프트웨어는 부족한 실정이다.

➡ 온라인 강의 수업과 교육용 소프트웨어 모두 물질문화이므로 문화 지체 현상과 관련 없다.

ⓔ 스마트폰이 대중화되면서 스마트폰을 보느라 앞을 보지 않아 발생하는 교통사고가 증가하고 있다.

➡ 물질문화의 변동으로 스마트폰이 빠르게 대중화되었으나. 이에 필요한 가치관, 규범 등이 정립되지 못하여 발생하는 문제로 문화 지체 현상에 해당한다.

14 문화 변동에 따른 문제점의 대처 방안

[선택지 분석]

① 문화 변동에 유연한 자세를 가지고 능동적으로 대처한다.

✔ 전통문화를 보존하기 위해서 외래문화의 수용에 반대한다.

➡ 외래문화의 수용에 무조건 반대하기보다는 유연한 자세를 가지고 비판적으로 수용해야 한다.

③ 다른 사회의 문화를 존중함으로써 문화 공존의 자세를 가진다.

④ 새로운 물질문화를 뒷받침할 수 있는 규범이나 제도 등을 마련한다.

⑤ 자기 문화에 대한 정체성을 가지고 외래문화를 비판적으로 수용한다.

15 문화 변동에 따른 문제점의 대처 방안

자료 분석 | 제시문은 스마트폰의 등장으로 생활이 편리해졌으나 이에 맞는 가치관이나 규범 등이 정립되지 않아 발생하는 사회 문제를 이야기하고 있다. 이러한 문제의 해결을 위한 개인적 측면의 노력으로는 올바른 가치관 정립, 의식 개선, 문화에 대한 비판적 수용의 자세 등을 들 수 있다. 구조적 측면의 노력으로는 새로운 물질문화에 적합한 제도의 마련, 규범 확립 등을 들 수 있다.

[선택지 분석]

ⓖ ㉠에는 문화 변동에 맞추어 올바른 가치관을 정립하는 것이 해당한다.

✘ ⓔ에는 문화에 대한 비판적인 수용 자세가 해당한다.
　　㉠

ⓒ ㉡에는 새로운 물질문화에 적합한 제도의 마련 혹은 개선이 해당한다.

✘ ㉠은 ㉡과 달리 문화 지체 현상을 해결하는 데 이바지한다.

➡ 문화 지체 현상을 해결하기 위해서는 개인적 측면과 구조적 측면의 노력이 모두 필요하다.

16 문화 변동의 요인과 양상

(1) 직접 전파

(2) [예시 답안] (가)의 필리핀에서는 타갈로그어와 영어가 공용어로 사용되고 있으므로 서로 다른 문화가 한 사회 안에서 나란히 존재하는 문화 공존이 나타나고 있다. 반면, (나)의 A국은 전통적인 종교가 소멸하고 이를 외래문화 요소인 기독교가 대체하였으므로 문화 동화가 나타났다.

채점기준		
상	(가)에는 문화 공존이, (나)에는 문화 동화가 나타나 있음을 정확히 서술한 경우	
하	(가) 문화 공존과 (나) 문화 동화 중 한 가지만 정확히 서술한 경우	

도전! 실력 올리기　　　　　148~149쪽

01 ③　**02** ①　**03** ②　**04** ②　**05** ②　**06** ③　**07** ③
08 ⑤

01 문화 변동의 요인

자료 분석 | 문화 변동의 내재적 요인인 (가)는 발견, 사회 구성원 간의 직접적인 접촉으로 전해지는 (나)는 직접 전파, (다)는 간접 전파이다.

[선택지 분석]

① (가)는 발견, (나)는 ~~간접 전파~~이다.
　　　　　　　　　직접 전파

② (가)는 이전에 없던 새로운 문화 요소를 만들어 내는 것이다.

➡ 이전에 없던 새로운 문화 요소를 만들어 내는 것은 발명이다.

ⓖ (나)의 사례로 중국에서 문익점이 목화씨를 가져온 것을 들 수 있다.

④ (다)를 통해 새로운 제3의 문화 요소가 만들어진다.

➡ 새로운 제3의 문화 요소가 만들어지는 것은 자극 전파이다.

⑤ 최근에는 (다)보다는 (나)를 통한 문화 변동이 증가하고 있다.

➡ 최근에는 정보 통신 기술의 발달로 간접 전파를 통한 문화 변동이 증가하고 있다.

02 문화 변동의 요인

자료 분석 | 문화 변동의 요인은 내재적 요인과 외재적 요인으로 구분한다. A는 발명, B는 발견으로 내재적 요인에 해당하며, C는 자극 전파, D는 간접 전파, E는 직접 전파로 외재적 요인에 해당한다.

[선택지 분석]

ⓖ 물질문화, 비물질문화 모두 A를 통해 만들어질 수 있다.

➡ 각종 재화, 기술, 도구 등의 물질문화와 규범, 제도 등의 비물질문화 모두 발명을 통해 만들어질 수 있다.

② 특정 종교의 창시는 B의 사례이다.
　　　　　　　　　　　 A

③ 상호 인적 교류가 없는 집단들 간에는 D를 통한 문화 변동이 이루어질 수 ~~없다~~.
　　　　　　　　　　　　　　　　　　　 있다

➡ 상호 인적 교류가 없는 집단들 간에도 텔레비전, 인터넷 등 매체를 통한 간접적 접촉으로 문화 변동이 이루어질 수 있다.

④ D와 달리 E는 C의 원인이 될 수 있다.

➡ 직접 전파된 문화 요소와 간접 전파된 문화 요소는 모두 자극 전파의 원인이 될 수 있다.

⑤ A, B와 달리 C, D, E는 문화 지체 현상을 초래할 수 있다.

➡ 모든 문화 변동은 문화 지체 현상을 초래할 수 있다.

03 문화 공존과 문화 동화

자료 분석 | (가) 한국의 생활양식을 받아들이면서도 중국의 고유문화를 유지하고 있는 인천의 차이나타운은 **문화 공존**의 사례이다. (나) 자신들의 고유한 언어를 잃어버리고 외래문화인 프랑스어를 사용하고 있는 아프리카 국가들은 **문화 동화**의 사례이다.

[선택지 분석]

① (가)에서는 각 문화의 정체성이 보존된다.

➡ 문화 공존의 상태에서는 각 문화의 정체성이 보존된다.

✔ (나)는 자발적 문화 접변의 사례이다.

➡ 자발적 문화 접변은 구성원들의 자발적인 요구에 의해 이루어지는 문화 접변이다. 문화 동화는 대부분 정복이나 식민 지배와 같은 강제적 문화 접변을 통해 이루어진다.

③ (가)와 (나)는 모두 문화 접변의 양상이다.

➡ 문화 공존과 문화 동화는 모두 문화 접변의 양상이다.

④ (가)는 문화 공존, (나)는 문화 동화에 해당한다.

⑤ (가), (나)는 모두 직접 전파에 의한 문화 변동이다.

➡ (가)에서는 중국인들이 한국에 직접 온 것이고, (나)에서도 아프리카 국가들이 프랑스의 식민 지배를 받았으므로 모두 직접 전파에 의한 문화 변동이다.

04 문화 변동의 요인과 양상

자료 분석 | 문화 변동의 외재적 요인이 아닌 (가)는 발명이다. 타문화로부터 아이디어를 얻어 새로운 문화 요소가 만들어지는 것은 자극 전파이다. 따라서 (나)는 **자극 전파**, (다)는 **직접 전파**이다. 갑국에서는 **발명과 자극 전파로 인한 문화 변동**이, 을국에서는 **자극 전파와 직접 전파로 인한 문화 변동**이 나타났다.

[선택지 분석]

① (가)는 발명, (나)는 직접 전파이다.

　　　　　　　　　　　　자극 전파

✔ 을국에서는 (다)로 인한 문화 융합이 나타났다.

➡ 을국에서는 직접 전파를 통해 갑국의 문화 요소 ○와 을국의 문화 요소 ●가 결합하여 제3의 문화 요소 ◎이 등장했으므로 문화 융합이 나타났음을 알 수 있다.

③ 을국에서 창조된 문화 요소가 갑국으로 직접 전파되었다.

➡ 갑국에서 발명된 □가 을국에 직접 전파되었다.

④ 갑국과 을국에서는 모두 문화 동화가 나타났다.

➡ 갑국과 을국의 문화 변동에서 문화 동화는 찾아볼 수 없다.

⑤ 을국은 1차 변동 이후 갑국의 영향을 받지 않았다.

➡ 을국에서 1차 변동 이후, 자극 전파로 문화 요소 △가 만들어졌다. 그리고 2차 변동 이후 문화 융합으로 인해 문화 요소 ◎가 만들어지고, 문화 요소 □가 직접 전파되었다. 이를 통해 을국은 1차, 2차 변동 모두에서 갑국의 영향을 받았음을 알 수 있다.

05 문화 변동의 요인과 양상

자료 분석 | 멕시코 원주민들은 에스파냐 정복 세력의 강요에 의해 가톨릭을 접하게 되었는데, 이는 **직접 전파로 인한 강제적 문화 접변**이라고 할 수 있다. 한편, 그들은 시간이 흐른 후 토착 여신과 성모 마리아상을 결합하여 독특한 신앙을 만들었다. 이는 **문화 융합**에 해당한다.

[선택지 분석]

① ㉠은 문화 융합을 의미한다.

➡ 전통 종교가 소멸하고 외래 종교로 대체되는 것은 문화 동화이다.

✔ ㉡은 강제적 문화 접변의 사례이다.

➡ 멕시코 원주민들이 에스파냐 정복 세력의 강요에 의해 가톨릭을 믿게 되었으므로 강제적 문화 접변에 해당한다.

③ ㉢은 자극 전파에 의한 문화 융합의 사례이다.

➡ 에스파냐의 정복에 의해 가톨릭이 전파된 것은 직접 전파에 해당한다.

④ ㉣은 문화 동화의 사례이다.

➡ ㉣은 우리나라 문화와 가톨릭의 문화가 결합한 것으로 문화 융합의 사례이다.

⑤ ㉣은 ㉡과 달리 간접 전파에 의한 문화 변동이다.

➡ 우리나라에 가톨릭 문화가 들어온 요인은 제시문에서 알 수 없다.

06 문화 접변의 양상

자료 분석 | ○○국에서 고유 언어와 외래 언어를 모두 공용어로 사용하는 것은 한 사회에 서로 다른 문화 요소가 나란히 존재하는 것으로, A는 문화 공존이다. 서로 다른 문화가 결합하여 새로운 문화를 형성하는 B는 문화 융합이다.

[선택지 분석]

✖ (가)에는 '외래문화 요소에서 영감을 얻어 새로운 문화 요소를 만듦'이 들어갈 수 있다.

➡ 문화 공존이란 한 사회에 서로 다른 문화 요소가 나란히 존재하는 것을 말한다. 외래문화 요소에서 영감을 얻어 새로운 문화 요소를 만드는 것은 자극 전파이다.

㉡ (나)에는 '△△국에서 전통적인 온돌 문화와 외래의 침대 문화가 혼합된 돌침대가 만들어짐'이 들어갈 수 있다.

➡ 전통적인 온돌 문화와 외래의 침대 문화가 혼합되어 돌침대가 만들어진 것은 새로운 제3의 문화가 나타나는 문화 융합의 사례이다.

㉢ (다)에는 '고유문화의 정체성이 남아 있음'이 들어갈 수 있다.

➡ 문화 공존과 문화 융합의 공통점은 고유문화와 외래문화의 정체성이 남아 있다는 점이다.

✖ A와 B의 구분 기준은 외래문화의 자발적 수용 여부이다.

➡ 문화 공존과 문화 융합의 구분 기준은 새로운 제3의 문화가 나타났는지 여부이다. 새로운 문화가 나타나면 문화 융합, 새로운 문화의 등장 없이 두 문화가 그대로 존재하면 문화 공존이라고 할 수 있다.

07 문화 변동에 따른 문제점

자료 분석 | 갑국에서는 새로운 문화 요소(민주주의 가치)의 유입으로 인해 기존의 군주 정치와 관련된 문화를 부정하는 태도가 나타나고 있다. 이는 **문화 정체성에 혼란**이 발생한 것이다.

[선택지 분석]

① 갑국 사람들에게 문화 지체 현상이 나타나고 있다.

➡ 문화 지체 현상은 제시문에 나타나 있지 않다.

② 갑국과 을국 사이에 강제적 문화 접변이 나타났다.
➡ 제시문을 통해 확인할 수 없다.
✔③갑국 사람들에게 문화 정체성의 혼란이 나타나고 있다.
④ 갑국에서는 ~~내재적~~ 외재적 요인에 의한 문화 변동이 나타났다.
⑤ 갑국의 국민 사이에 전통문화에 대한 일체감이 강화되고 있다.
➡ 새로운 문화의 유입으로 갑국 국민의 전통문화에 대한 자긍심이 줄어들어 문화 일체감이 약화되고 있다.

08 문화 변동의 양상과 문제점

[선택지 분석]

① ㉠은 직접 전파로 을국에 비물질문화를 유입시켰다.
➡ 교역을 통한 문화의 전파는 직접 전파에 해당하지만, 을국에 유입된 음식 문화는 물질문화이다.
② ㉡과 ㉢이 결합되어 새로운 성격의 음식 문화가 만들어졌다.
➡ A와 B가 결합된 것은 문화 융합으로, 제시문에 나타나 있지 않다.
③ ㉢은 을국에서 강제적 문화 접변으로 대중화되었다.
➡ B는 을국의 젊은이들이 스스로 받아들인 것으로 자발적 문화 접변에 해당한다.
④ ㉣은 문화 공존에 대한 우려에 해당한다.
➡ 새로운 문화 B로 인해 전통문화 A가 사라지는 것은 문화 동화로, ㉣은 문화 동화를 우려한 것이다.
✔⑤㉤에는 문화 지체 현상이 나타나 있다.
➡ B라는 새로운 형태의 음식 문화(물질문화)와 관련된 법률(비물질문화)이 미비한 것은 물질문화의 변동 속도를 비물질문화가 따라가지 못하는 문화 지체 현상에 해당한다.

한번에 끝내는 대단원 문제   152~155쪽 ▶

01 ④   **02** ③   **03** ④   **04** ③   **05** ④   **06** ④   **07** ④
08 ⑤   **09** ③   **10** ②   **11** ③   **12** ④
13~16 해설 참조

---

01 문화의 의미

자료 분석 | ㉠은 넓은 의미의 문화, ㉡은 좁은 의미의 문화에 해당한다. 넓은 의미의 문화는 인간이 만든 모든 생활 양식을 문화로 이해한다. 이와 달리 좁은 의미의 문화는 고급스러운 것, 세련된 것 등과 같이 정신적 혹은 물질적으로 발전된 상태를 의미한다.

[선택지 분석]

✘ㄱ. ㉠은 '문화인'에 사용된 문화와 같은 의미이다.
➡ '문화인'은 좁은 의미의 문화이다.
ㄴ. ㉠은 모든 사회에서 나타나는 것으로 그 사회의 생활 양식이다.
✘ㄷ. ㉡은 의식주와 관련된 모든 규범을 포함한다.
➡ 의식주와 관련된 모든 규범을 포함하는 것은 넓은 의미의 문화이다.
ㄹ. ㉡은 문화를 교양 있거나 세련된 것으로 본다.

02 문화의 속성

[선택지 분석]

✔①(가) - ㄴ, (나) - ㄷ, (다) - ㄱ
➡ (가)는 문화의 축적성, (나)는 학습성, (다)는 전체성에 대한 설명이다. 〈보기〉의 ㄱ은 문화의 전체성, ㄴ은 축적성, ㄷ은 학습성, ㄹ은 공유성에 대한 사례이다.

03 문화를 바라보는 관점

자료 분석 | 갑은 농경 문화와 다른 문화 요소를 연관지어 분석하고 있으므로 총체론적 관점, 을은 우리나라와 일본, 중국의 문화를 비교하고 있으므로 비교론적 관점, 병은 일본의 문화를 그 사회의 맥락 속에서 이해하고 있으므로 상대론적 관점이다.

[선택지 분석]

① 갑의 관점은 개별 문화 요소를 부분적으로 이해한다.
➡ 총체론적 관점은 개별 문화 요소를 다른 문화 요소나 전체와의 관련성 속에서 이해한다.
② 갑의 관점은 문화의 보편성과 특수성을 파악하는 데 유리하다.
➡ 비교론적 관점이 문화의 보편성과 특수성을 파악하는 데 유리하다.
③ 을의 관점은 다른 문화를 깊이 이해하기 어렵다.
➡ 비교론적 관점을 통해 다른 문화를 더욱 깊게 이해할 수 있다.
✔④을의 관점은 자기 문화에 대한 객관적 이해를 가능하게 한다.
➡ 비교론적 관점은 다른 문화와의 비교를 통해 자기 문화를 객관적으로 이해할 수 있다.
⑤ 병의 관점은 문화 간 우열을 평가할 수 있다고 본다.
➡ 상대론적 관점은 문화 간 우열을 평가하지 않고 그 사회의 사회적·역사적 맥락에서 문화를 이해한다.

04 문화를 이해하는 태도

자료 분석 | 서로 다른 문화 간에 우열이 있음을 인정하지 않는 (가)는 문화 상대주의이다. 외래문화의 수용에 적극적인 것은 문화 사대주의이므로, (나)는 자문화 중심주의, (다)는 문화 사대주의이다.

[선택지 분석]

✘ㄱ. (가)는 자기 문화의 정체성을 상실할 우려가 있다.
➡ 자기 문화의 정체성을 상실할 우려가 있는 것은 다른 나라의 문화를 높게 평가하고 자기 나라의 문화를 무시하거나 낮게 평가하는 문화 사대주의이다.
ㄴ. (나)는 문화 제국주의로 이어져 국제적 마찰을 일으킬 수 있다.
➡ 자문화 중심주의는 다른 나라의 전통적 가치를 파괴하고 문화적으로 종속되게 만드는 문화 제국주의를 표방할 가능성이 높아 주변 국가와 마찰을 일으킬 가능성이 높다.
ㄷ. (다)는 (가)와 달리 문화를 평가하는 절대적 기준이 있음을 인정한다.
➡ 자문화 중심주의는 자기 나라의 문화를 기준으로 다른 나라의 문화를 평가하지만, 문화 상대주의는 문화를 평가하는 객관적 기준이 없다고 본다.

✗ (나), (다)는 자기 문화에 대한 자부심을 높이고 사회 통합에 기여할 수 있다.

➡ 자문화 중심주의의 장점으로 (나)에만 해당되는 내용이다.

05 하위문화의 기능

자료 분석 | 하위문화는 한 사회의 일부 구성원들만이 공유하는 문화로서 다양한 문화적 욕구 충족, 문화의 다양성 보존, 집단 내의 소속감 형성과 결속력 강화 등의 긍정적 기능을 한다. 하지만 집단 간의 지향하는 가치 사이에 충돌이 발생하면 문화 갈등을 일으키고 사회 통합을 저해할 수 있다.

[선택지 분석]

㉠ ㉠ – 주류 문화에서 채울 수 없었던 다양한 욕구를 충족시킨다.

㉡ ㉠ – 같은 문화를 공유하는 사람들끼리 소속감과 결속력을 다지게 해 준다.

✗ ㉡ – 문화의 다양성을 감소시켜 주류 문화를 획일화시킨다.

➡ 하위문화는 주류 문화의 획일화를 방지하고 주류 문화에 대한 대안을 제시함으로써 주류 문화에 활력을 불어넣는다.

㉢ ㉡ – 집단 간 대립과 갈등을 야기하여 사회 통합을 저해할 수 있다.

06 반문화

자료 분석 | 밑줄 친 '운동권 문화'는 현실 정치에 저항하고 사회 변혁을 꾀했다는 점에서 반문화에 해당한다.

[선택지 분석]

① 사회의 주류 문화를 거부한다.

② 사회적 혼란을 초래하여 부정적으로 인식된다.

③ 사회 내의 일부 집단에서만 누리는 하위문화이다.

✓ 시대나 사회가 바뀌어도 그 성격은 변하지 않는다.

➡ 반문화에 대한 규정은 시대나 사회에 따라 변한다.

⑤ 사회 문제를 노출시킴으로써 사회 변화를 이끌어내기도 한다.

➡ 반문화는 주류 문화에 대한 성찰의 계기를 마련하여 사회 변화를 가져오기도 한다.

07 대중문화와 뉴 미디어

자료 분석 | 오늘날 새롭게 등장한 대중 매체인 (가)는 뉴 미디어이다. 뉴 미디어를 통해 대중문화의 생산자와 소비자 간 쌍방향 의사소통이 가능해졌으며, 과거 대중문화의 소비자들이 적극적으로 문화의 생산자로 변화하고 있다.

[선택지 분석]

✗ (가)에는 텔레비전, 신문 등이 해당한다.
　　　　인터넷, 누리 소통망(SNS)

㉡ (가)를 통해 기존 매체보다 신속한 정보 전달이 가능해졌다.

✗ (가)의 등장으로 대중문화의 생산자와 소비자의 경계가 뚜렷해졌다.
　　　　　모호해지고 있다

➡ (가)로 인해 무책임하고 왜곡된 정보가 생산되어 전파될 우려가 있다.

➡ 뉴 미디어를 통해 정보를 생산하고 전파하는 게 쉬워져 무책임하고 왜곡된 정보가 양산될 수 있다.

08 대중문화의 수용 자세

자료 분석 | (가)는 대중문화의 성 불평등 요소를 보여 주고 있으며, (나)는 대학 축제의 지나친 상업화로 인해 축제의 의미와 가치가 떨어지고 있음을 보여 주고 있다. (가)와 (나)는 모두 대중문화의 역기능으로, 대중문화를 비판적으로 수용하는 자세가 요구된다.

[선택지 분석]

① (가)는 대중문화가 지나치게 상업화될 때의 문제점을
　 (나)
보여 준다.

② (가)의 문제를 해결하기 위해 일방적인 정보를 적극적
　　　　　　　　　　　　　　　　　　비판적으로
으로 받아들여야 한다.

③ (나)로 인한 대중의 정치적 무관심을 경계해야 한다.

➡ 대중의 정치적 무관심은 대중문화의 역기능에 해당하지만, 제시문과 관련 없다.

④ (나)의 과정을 거쳐 대중문화의 질이 높아질 수 있다.
　　　　　　　　　　　　　　　　　떨어질
➡ 대중문화의 지나친 상업화는 대중문화의 질을 떨어뜨린다.

✓ (가), (나)에는 대중문화의 역기능이 나타나 있다.

09 문화 변동의 요인

자료 분석 | 내재적 요인인 ㉠은 발명, ㉡은 발견. 외재적 요인인 ㉢은 간접 전파, ㉣은 직접 전파이다.

[선택지 분석]

① ㉠의 예로 불, 비타민 등이 있다.

➡ 불, 비타민 등은 이미 존재하고 있었으나 알려지지 않은 것을 찾아낸 것으로 ㉡ 발견의 예이다.

② ㉡의 예로 자동차, 텔레비전 등이 있다.

➡ 자동차, 텔레비전 등은 기존에 없던 것을 새로 만들어 낸 것으로 ㉠ 발명의 예이다.

✓ ㉢을 통해 한류 문화가 세계화되고 있다.

➡ 우리나라의 음악, 드라마 등은 인터넷, 누리 소통망(SNS) 등을 통해 확산되어 세계적으로 한류 열풍을 불러일으키고 있는데, 이는 간접 전파의 대표적 사례이다.

④ ㉣은 인쇄물, 인터넷 등을 통해 이루어진다.

➡ 인쇄물, 인터넷 등의 매개체를 통해 간접적으로 문화가 전파되는 것은 ㉢ 간접 전파이다.

⑤ ㉠, ㉡과 달리 ㉢, ㉣에 의한 문화 변동은 부작용이 존재한다.

➡ 문화 변동에 따른 문제점은 변동 요인에 상관없이 발생한다.

10 문화 접변의 양상

자료 분석 | 서로 다른 문화 요소가 결합하여 제3의 문화 요소가 나타나는 것은 문화 융합, 자문화의 정체성을 상실하고 외래문화 요소로 대체되는 것은 문화 동화이다. 따라서 A는 문화 융합, B는 문화 동화, C는 문화 공존이다.

[선택지 분석]

⊙ A는 서로 다른 문화 요소가 그 성격을 유지하면서 결합하는 것이다.

✕ B는 한식집, 일식집, 피자집이 나란히 있는 것을 예로 들 수 있다.

ᄃ

ⓒ C는 외래문화 요소가 변형되지 않고 사회에 정착한 것이다.
➡ 문화 공존은 외래문화 요소가 한 사회 안에 정착하여 전통문화 요소와 나란히 존재하는 현상이다.

✕ B는 C에 비해 문화의 다양성 보존에 유리하다.

불리
➡ 문화 동화는 전통문화 요소가 소멸하고 외래문화로 대체되므로 문화 공존에 비해 문화 다양성을 보존하기 불리하다.

11 문화 변동의 양상

[선택지 분석]

✕ A − 문화 동화 현상이 나타난다.
➡ A는 자문화의 통합 정도가 강하므로 타 문화의 강제적 수용에 맞서 저항하거나 복고 운동이 나타날 가능성이 크다. 문화 동화 현상은 자문화의 통합 정도가 약할 때 발생한다.

ⓛ B − 외래문화의 영향이 크게 작용한다.
➡ B는 타 문화의 수용이 강제적인데, 자문화의 통합 정도가 약하므로 타 문화를 수용할 가능성이 크다. 즉, 외래문화의 영향이 크게 작용한다.

ⓒ C − 문화의 다양성을 촉진할 수 있다.
➡ C는 타 문화를 자발적으로 수용하면서도 자문화의 통합 정도가 강하므로 자문화와 타 문화가 함께 공존할 가능성이 크다. 따라서 문화의 다양성을 촉진할 수 있다.

✕ D − 자문화에 대한 복고 운동이 강하게 일어난다.
➡ D는 타 문화를 자발적으로 수용하면서 자문화의 통합 정도가 약하므로 타 문화가 자연스럽게 들어올 것이다. 따라서 자문화를 지키려는 복고 운동이 일어날 가능성은 적다.

12 문화 지체 현상

자료 분석 | ㉠은 물질문화, ㉡은 비물질문화이다. (가)는 물질문화의 변동 속도를 비물질문화의 변동 속도가 따라가지 못해 발생하는 문화 지체 현상이다. 문화 지체 현상의 대응책으로는 물질문화의 변동 속도에 부합하도록 물질문화와 관련한 비물질문화(제도, 관념, 가치관 등)를 개선하는 것이 적절하다.

[선택지 분석]

✕ (가)에는 아노미 현상이 나타나 있다.

문화 지체 현상

ⓛ (가)의 대응책으로 물질문화의 변동에 대한 제도 마련 및 올바른 가치관 정립을 들 수 있다.

✕ ㉠은 비물질문화, ㉡은 물질문화이다.

물질문화　　　비물질문화

ⓔ ㉠이 ㉢, ㉡이 ㉣에 해당한다면 (나)는 문화 지체 현상을 나타낸 것이다.
➡ 물질문화의 변동 속도가 비물질문화의 변동 속도보다 빠르면 문화 지체 현상이 일어난다.

13 문화의 의미와 속성

(1) ㉠: 문화가 아닌 것, ㉡: 문화인 것

(2) [예시 답안] 문화가 사회화의 결과물이라는 것을 통해 문화의 학습성을 알 수 있다. 문화의 학습성은 문화가 선천적으로 타고나는 것이 아니라 후천적으로 학습하여 습득됨을 의미한다.

채점기준		
상	문화의 학습성을 쓰고, 그 내용을 제대로 서술한 경우	
하	문화의 학습성이라고만 쓴 경우	

14 하위문화의 특징

[예시 답안] 하위문화는 (가)의 사례처럼 시대의 변화에 따라 그 양상이 변화하고, (나)의 사례처럼 지역이나 주류 문화의 범주를 어떻게 규정하느냐에 따라 상대적으로 정의할 수 있는 상대성을 가진다.

채점기준		
상	하위문화가 시대와 장소에 따라 상대적임을 사례와 연결지어 정확히 서술한 경우	
하	하위문화가 상대적이라고만 서술한 경우	

15 문화 접변의 양상

(1) A: 문화 동화, B: 문화 공존, C: 문화 융합

(2) [예시 답안] 우리나라에 여러 토착 종교와 외래 종교가 함께 존재하는 것은 문화 공존의 사례이다.

채점기준		
상	A, B, C를 정확하게 파악하고, 문화 공존의 사례를 적절하게 제시한 경우	
하	A, B, C를 정확하게 파악하였으나, 문화 공존의 사례를 잘못 제시한 경우	

16 문화 지체 현상

(1) 문화 지체 현상

(2) [예시 답안] 자동 운전 시스템과 같은 물질문화의 변동 속도를 제도 등과 같은 비물질문화의 변동 속도가 따라가지 못하기 때문에 문화 지체 현상이 발생한다.

채점기준		
상	문화 지체 현상의 발생 원인을 물질문화와 비물질문화의 변동 속도 측면에서 정확히 서술한 경우	
하	문화 지체 현상의 발생 원인을 물질문화와 비물질문화라는 용어를 사용하지 않고 추상적으로 서술한 경우	

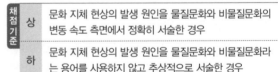

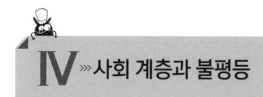

IV » 사회 계층과 불평등

01 ~ 사회 불평등 현상의 이해

01 사회 불평등 현상

자료 분석 | 사회적 희소가치의 소유나 접근 기회의 차이는 사회 불평등 현상을 의미한다. 사회 불평등 현상은 정치적, 경제적, 사회적 영역에서 나타나며, 이러한 차이는 구성원 간 생활 양식 등의 차이를 초래한다.

[선택지 분석]

✘ 갈등론에서는 불가피한 현상으로 바라본다.
　　　　　　 제거해야 할 현상
✘ 기능론에서는 제거해야 할 현상으로 바라본다.
　　　　　　　　불가피한 현상
ⓒ 사회 구성원 간 생활 양식, 가치관의 차이를 초래할 수 있다.
　➡ 소득 수준에 따라 생활 양식의 차이가 발생하며, 이러한 차이는 가치관 및 사고 방식의 차이로 이어진다.
ⓔ 정치적 영역에서는 정치 참여 기회의 차이로 나타날 수 있다.

02 사회·문화적 불평등

자료 분석 | 문화 및 여가 생활 등과 같은 사회·문화적 자원이 차등적으로 분배됨으로써 나타나는 불평등은 사회·문화적 불평등에 해당한다.

[선택지 분석]

① 경제적 불평등에 해당한다.
② 경제적 가치가 차등 분배되고 있다.
　➡ 경제적 가치는 소득이나 재산 등을 의미한다.
④ 권력의 소유 및 행사에 있어 차이가 나타난다.
　➡ 정치적 불평등에 대한 설명이다.
④ 가장 일반적이고 전형적인 불평등에 해당한다.
　➡ 가장 전형적인 불평등은 경제적 불평등이다.
☑ 사회·문화적 자원이 차등적으로 분배되고 있다.

03 경제적 불평등

자료 분석 | 정규직/비정규직이라는 고용 형태에 따라 임금 총액에 차이가 나타나고 있으며, 비정규직 내에서도 고용 형태별로 임금 총액에 차이가 나타나고 있다. 이는 소득의 차등 분배라는 점에서 경제적 불평등 현상을 보여 주고 있다.

[선택지 분석]

✘ 정치 참여 기회가 일부에게만 부여되고 있다.
　➡ 정치적 불평등에 대한 설명이다.
ⓛ 사회적 희소 자원의 분배에 차이가 나타난다.
　➡ 임금은 사회적 희소 자원에 해당한다.
ⓒ 고용 형태에 따라 소득이 차등 분배되고 있다.
✘ 사회·문화적 생활에서 불평등이 나타나고 있다.
　➡ 사회·문화적 생활에서의 불평등은 여가 생활 등이 해당한다.

04 기능론과 갈등론

자료 분석 | 기능론은 차등 분배가 사회적으로 합의된 결과이며 이를 통해 사회 발전이 도모된다고 본다. 따라서 사회 불평등을 정당하고 불가피한 현상으로 이해한다. 반면, 갈등론은 사회 불평등을 개인의 노력이 아닌 사회·경제적 배경에 의한 것이기에 정당하지 않으며 해소해야 할 문제로 인식한다.

[선택지 분석]

ㄱ. 사회 불평등은 정당하고 불가피한 현상이다. → 기능론
ㄴ. 사회 불평등은 부당하고 해소해야 할 현상이다. → 갈등론
ㄷ. 사회적 희소가치의 차등 분배는 사회의 발전 가능성을 높인다. → 기능론
ㄹ. 사회적 희소가치는 개인의 노력이 아닌 사회·경제적 배경에 의해 차등 분배된다. → 갈등론

05 기능론

자료 분석 | 직업별 중요도에 따라 차등 분배가 필요하다는 입장은 기능론에 해당한다. 기능론은 차등 분배를 통해 사회 구성원의 성취동기가 자극된다고 본다.

[선택지 분석]

① 사회 불평등은 불가피한 현상이 아니다.
　➡ 기능론은 불가피한 현상으로 본다.
☑ 차등적 보상은 개인의 성취동기를 자극한다.
③ 빈곤 문제의 해결을 위해서는 사회 변혁이 필요하다.
　➡ 사회 변혁을 중시하는 것은 갈등론의 입장이다.
④ 사회적 지위는 개인의 노력이나 능력을 반영하지 않는다.
　➡ 기능론은 개인의 노력과 능력에 따라 사회적 희소가치가 배분된다고 본다.
⑤ 사회적 희소가치의 분배 기준은 지배 계급의 입장을 반영한다.
　➡ 기능론은 분배 기준이 사회 전체적 합의를 반영한다고 본다.

06 사회 계층화 현상의 시대적 양상

자료 분석 | 전통 사회는 가문, 혈통 등 선천적 요인(귀속 지위)에 의해, 현대 사회는 노력과 실력 등 후천적 요인(성취 지위)에 의해

사회 계층화가 나타난다. 전통 사회와 달리 현대 사회에서는 개인의 능력이나 노력에 따라 사회 이동이 가능하다.

[선택지 분석]

① ㉠에서는 귀속 지위 중심으로 사회 계층화가 나타나고 있다.

② ㉡에서는 성취 지위 중심으로 사회 계층화가 나타나고 있다.

③ ㉠과 ㉡ 모두 사회 계층화 현상이 나타나고 있다.
  ➡ 사회 계층화 현상은 모든 사회에서 보편적으로 나타나는 현상이다.

✔ ㉠은 ~~㉡과~~ 달리 개인의 능력에 따른 사회 이동이 가능
  ㉡은 ㉠과 달리
  하다.

⑤ ㉠과 ㉡ 모두 사회적 희소가치가 구성원 사이에 차등적으로 분배되고 있다.
  ➡ 사회적 희소가치의 차등적 분배는 사회 계층화로 이어진다.

07 사회 계층화 현상의 시대적 양상

자료 분석 | (가)는 가문, 혈통 등과 같은 귀속 요인에 따라 계층이 구분된다는 점에서 전통 사회에 해당하며, (나)는 개인의 노력이나 능력과 같은 성취 요인에 따라 계층이 구분된다는 점에서 현대 사회에 해당한다. 전통 사회의 계층화 현상의 사례로는 중세 유럽의 봉건 제도나 인도의 카스트 제도, 현대 사회의 계층화 현상의 사례로는 자유 민주주의 사회가 적절하다.

[선택지 분석]

✘ (가) – ~~현대 사회~~
       전통 사회

✘ (나) – ~~전통 사회~~
       현대 사회

㉢ (다) – 중세 유럽의 봉건 제도

㉣ (라) – 현대 자유 민주주의 사회

08 계급론과 계층론

자료 분석 | 계층론은 정치적, 경제적, 사회적으로 다양한 요인에 의해 사회 계층이 연속적으로 나타난다고 보는 반면, 계급론은 생산 수단의 소유 여부라는 경제적 요인에 의해 사회 계층이 이분법적으로 나타난다고 본다.

[선택지 분석]

㉠ 계층론은 지위 불일치 현상을 설명하기 적절해요.
  ➡ 계층론은 정치적·경제적·사회적 요인으로 분배 상태를 범주화하므로 지위 불일치 현상을 설명할 수 있다.

✘ 계층론은 이분법적으로 사회 계층화 현상을 설명해요.
  ➡ 계층론은 연속적으로, 계급론은 이분법적으로 사회 계층화 현상을 설명한다.

㉢ 계급론은 동일 계급 구성원 간의 소속감이나 연대 의식을 강조해요.
  ➡ 계급론은 계층론과 달리 동일 계급 구성원 간의 계급 의식을 강조한다.

✘ 계급론은 다양한 요인으로 사회적 희소가치의 불평등한 배분 상태를 설명해요.

➡ 계급론은 생산 수단의 소유 여부를 기준으로, 계층론은 다양한 요인으로 사회 계층화 현상을 설명한다.

09 계급론과 계층론

자료 분석 | 사회 계층화 현상을 설명하는 이론에는 계층론과 계급론이 있으며, 이 중 계급론은 생산 수단의 소유 여부를 기준으로 사회 계층화를 설명한다. 따라서 A는 계층론, B는 계급론이다.

[선택지 분석]

① A는 자본가와 노동자로 계급을 구분한다. → 계급론

② A는 일원론적 관점으로 사회 계층화를 설명한다. → 계급론

③ B는 사회 계층화를 연속적인 서열화로 바라본다. → 계층론

✔ B는 동일한 계층의 구성원 간에 계급 의식이 나타난다고 본다. → 계급론

⑤ A는 ~~마르크스의 계급론~~, B는 ~~베버의 계층론~~이다.
     베버의 계층론   마르크스의 계급론

10 계층론

자료 분석 | 그림은 경제적, 사회적, 정치적 요인을 기준으로 사회 계층을 구분하고 있다는 점에서 계층론에 해당한다. 계급론은 한 가지 기준으로 계급을 구분하는 반면, 계층론은 다원론의 입장에서 사회 계층화 현상을 설명한다.

[선택지 분석]

① 노동자와 자본가로 계급을 구분한다. → 계급론

② 계층 구성원 간의 계급 의식을 강조한다. → 계급론

③ 사회 계층화 현상을 불연속적으로 바라본다. → 계급론

④ 계층의 구분 기준으로 생산 수단을 강조한다. → 계급론

✔ 다원론의 입장에서 사회 계층화 현상을 바라본다.

11 기능론

(1) 기능론

(2) [예시 답안] 직업별 중요도에 대한 평가는 사회 전체적 합의의 결과가 아니라 지배 계급에 의해 이루어지고 있다. 차등 분배는 사회 전체가 아니라 지배 계급의 이익을 보장하기 위한 것일 뿐이다.

채점 기준		
	상	기능론을 반박하는 내용을 두 가지 모두 정확히 서술한 경우
	하	기능론을 반박하는 내용을 한 가지만 정확히 서술한 경우

12 계급론과 계층론 비교

(1) A – 계층론, B – 계급론

(2) [예시 답안] (가) – 계층론과 계급론 모두 경제적 요인에 의한 사회 계층화 현상을 설명할 수 있다는 점에서 공통점을 가진다. (나) – 경제적·사회적·정치적으로 다양한 요인을 토대로 다원론적으로 사회 계층화 현상을 분석한다.

채점 기준		
	상	(가)와 (나)에 들어갈 내용을 모두 정확히 서술한 경우
	하	(가)와 (나)에 들어갈 내용 중 한 가지만 정확히 서술한 경우

IV

도전! 실력 올리기
168~169쪽

01 ③　**02** ⑤　**03** ②　**04** ⑤　**05** ④　**06** ④　**07** ③
08 ①

01 기능론

자료 분석 | 차등 분배를 통해 회사의 영업 실적 개선을 기대하고 있다는 점에서 제시문에 나타난 관점은 기능론에 해당한다. 기능론에 따르면 차등 분배는 구성원에게 성취동기를 부여하며, 이를 통해 사회 전체적 효율성이 높아진다고 본다.

[선택지 분석]

① 사회 불평등은 제거되어야 할 사회 문제이다. → 갈등론
② 직업 간 기능적 중요도의 차이는 판단하기 어렵다. → 갈등론
③ 기여도에 따른 차등 분배는 사회 전체적 효율성 향상에 기여한다.
④ 사회적 희소가치의 분배는 성취 지위가 아니라 귀속 지위에 의해 결정된다. → 갈등론
　➡ 갈등론은 개인의 능력이나 노력이 아니라 가정 배경 등과 같은 귀속 지위에 의해 희소가치가 분배된다고 본다.
⑤ 사회적 희소가치의 분배 기준은 사회 전체적 합의를 바탕으로 하지 않는다. → 갈등론

02 기능론과 갈등론

자료 분석 | 기능론은 안정적 사회 유지를 위해 직업별 중요도의 차이에 따른 차등 분배가 필요하다고 본다. 따라서 A는 기능론, B는 갈등론이다. 기능론은 사회 기여도에 따른 차등적 분배가 구성원에게 성취동기를 부여하다고 본다.

[선택지 분석]

① A는 사회 불평등을 제거해야 할 대상으로 본다. → 갈등론
② B는 사회 불평등을 불가피한 현상으로 본다. → 기능론
③ (가)에는 '사회 기여도에 따른 차등 보상'이 적절하다.
　　　　　　　　　　　　　　　　　　　　　　　　　　→ 기능론
④ (나)에는 '사회 전체적 합의'가 적절하다. → 기능론
⑤ (다)에는 '사회 구성원들에게 성취동기 부여'가 적절하다.

03 기능론과 갈등론

자료 분석 | A는 사회 불평등을 불가피한 현상으로 본다는 점에서 기능론, B는 지배 집단에 유리하게 사회적 희소가치가 분배된다고 본다는 점에서 갈등론에 해당한다. 따라서 (가)에는 기능론과 관련된 질문이 적절하다.

[선택지 분석]

㉠ A는 사회 불평등이 사회 발전에 이바지한다고 본다.
✗ B는 가정 배경보다 개인의 자질과 능력에 따라 부가 배분된다고 본다. → 기능론(A)
㉢ (가)에는 '사회 불평등 현상은 사회 전체적 합의를 반영하는가?'가 적절하다.
✗ (가)에는 '지배 계급과 피지배 계급 간의 대립 관계에서 사회 불평등을 이해하는가?'가 적절하다. → 갈등론

04 기능론과 갈등론

자료 분석 | A는 사회적 역할의 중요도에 따른 차등 분배로 불평등이 발생한다고 보고 있다는 점에서 기능론, B는 기득권 집단의 결정으로 사회적 희소가치가 배분된다고 보고 있다는 점에서 갈등론에 해당한다.

[선택지 분석]

① A는 계층화가 개인과 사회의 기능이 최대한 발휘되는 것을 저해한다고 본다. → 갈등론(B)
② B는 사회 불평등 현상을 보편적인 현상으로 본다.
　　　　　　　　　　　　　　　　　　　　　　　→ 기능론(A)
③ B는 A와 달리 개인의 성취동기가 지위 변동에 미치는 영향력을 중시한다.
　➡ 기능론이 차등 분배로 인해 사회 구성원에게 성취동기가 부여된다고 본다.
④ (가)에는 '개인의 능력 차이에 따른 보상의 차등 분배'가 적절하다.
　➡ 능력에 따른 차등 분배는 기능론의 입장이다
⑤ (나)에는 '사회의 효율적 운영을 위한 사회 구성원의 합의'가 적절하다.
　➡ 기능론은 사회적 희소가치의 분배 기준을 사회 전체적 합의의 결과로 본다.

05 계층론과 계급론

자료 분석 | 갑~무 중 한 명만 옳지 않게 대답했다는 점에서 A는 계급론, B는 계층론임을 추론할 수 있다. 동일 계층 구성원 간의 동질감, 즉 계급 의식을 강조하는 것은 계급론이다.

[선택지 분석]

갑: A는 생산 수단의 소유 여부를 중시해요.
을: B는 다양한 요인에 의해 계층이 범주화됨을 강조해요.
병: A는 B와 달리 이분법적, 불연속적으로 계층화를 설명해요.
✗ 정: A와 달리 B는 동일 계층 구성원 간의 동질감을 강조
　　 B와 달리 A는
해요.
무: B와 달리 A는 지위 불일치 현상을 설명하는 데 유용하지 않아요.

06 사회 계층화 현상의 시대적 양상

자료 분석 | (가)는 귀속 지위 중심의 사회 계층화 현상이 나타나는 전통 사회, (나)는 성취 지위 중심의 사회 계층화 현상이 나타나는 근대 이후 사회이다.

[선택지 분석]

✗ (가)에서는 성취적 요인이 계층 형성의 주요 요인이 된다.
　➡ 전통 사회에서는 귀속적 요인의 영향이 크게 작용한다.
㉡ (나)에서는 개인의 능력 및 노력이 계층 형성의 주요 요인이 된다.
　➡ 근대 이후 사회에서는 개인의 능력과 업적, 성취 등과 같은 후천적 요인의 영향이 크다.

✘ (가)에 비해 (나)에서는 다른 계층과의 교류가 자유롭지 못한 편이다.
➡ 전통 사회에 비해 근대 이후 사회에서는 다른 계층과의 교류가 자유롭다.

㉣ 개인의 노력에 따른 계층 이동 가능성은 (가)보다 (나)에서 높게 나타난다.
➡ 근대 이후 사회에서는 개인의 능력이나 업적에 의해 사회 이동이 가능하다.

07 계층론

자료 분석 | 두 가지 제시문 모두 **다양한 요인에 의해 불평등이 발생한다고 설명한다는** 점에서, 제시문에 공통으로 나타난 사회 계층화 이론은 **계층론**이다.

[선택지 분석]

✘ 일원론적 관점에서 계층화 현상을 바라본다.
➡ 계층론은 다원론적 관점에서 계층화 현상을 바라본다.

㉡ 현대 사회의 지위 불일치 현상을 설명하기 용이하다.
➡ 다양한 요인에 의한 사회 불평등을 설명할 수 있기에 지위 불일치 현상을 설명하기 용이하다.

㉢ 동일 계층 구성원 간의 귀속 의식을 강조하지 않는다.
➡ 계급론은 귀속 의식을 강조하는 반면, 계층론은 귀속 의식을 강조하지 않는다.

✘ 사회 계층화 현상을 불연속적이고 이분법적으로 바라본다. → 계급론

08 계층론

자료 분석 | A 이론은 생산 수단의 소유 여부뿐만 아니라 **소득이나 부의 크기, 지위, 파당 등의 다양한 요인을 사회 불평등을 구성하는 요인으로 보므로 계층론에** 해당한다.

[선택지 분석]

㉠ 지위 불일치 가능성을 인정한다.
➡ 지위 불일치란 정치적, 경제적, 사회적 측면 중 어느 한 측면의 서열이 다른 측면의 서열과 일치하지 않는 것이다. 계층론은 다양한 차원에서 계층이 형성된다고 보아 지위 불일치 현상을 설명하기에 유용하다.

㉡ 다차원적 측면에서 사회 불평등 현상을 파악한다.
➡ 계층론은 계급, 위신, 파당 등 다양한 요인을 가지고 사회 불평등 현상을 파악한다.

✘ 동일 집단 구성원 간의 강한 연대 의식을 강조한다.
➡ 계급 간 연대 의식을 강조하는 것은 계급론이다. 계층론에서는 계급 의식의 형성이 필연적이라고 보지 않는다.

✘ 사회 불평등 현상을 불연속적으로 구분되어 있는 상태로 본다.
➡ 계층론은 사회 불평등 현상을 사회 구성원들의 연속적인 서열화로 보지만, 계급론은 이분법적으로 계급이 구분되어 불연속적이라고 본다.

02~ 사회 이동과 사회 계층 구조

콕콕! 개념 확인하기 　　　　　　　　176쪽

01 (1) ○ (2) × (3) × (4) ○
02 (1) 구조적 이동 (2) 수직 이동 (3) 세대 간 이동
03 (1) 폐쇄적 계층 구조 (2) 피라미드형 계층 구조
　　 (3) 모래시계형 계층 구조
04 (1) × (2) × (3) ○ (4) ○
05 (1) 다이아몬드형 (2) 타원형

탄탄! 내신 다지기 　　　　　　　　177~179쪽

01 ② 　**02** ⑤ 　**03** ⑤ 　**04** ② 　**05** ④ 　**06** ② 　**07** ②
08 ④ 　**09** ④ 　**10** ⑤ 　**11~12** 해설 참조

01 사회 이동의 유형

자료 분석 | 갑의 부모는 가난한 농부였으나 갑은 회사 사장이 되었다는 점에서 **세대 간 이동**을, 갑은 낮은 직급에서 사장이 되었다는 점에서 세대 내 이동과 수직 이동을, 사회 구조의 변화가 아니라 개인의 노력에 의한 것이라는 점에서 **개인적 이동**을 파악할 수 있다.

[선택지 분석]

㉠ 세대 간 이동을 하였다.

✘ 구조적 이동을 경험하였다.
　　　개인적 이동

㉢ 개인적 이동을 경험하였다.
➡ 개인의 노력으로 계층 지위가 변화하였다.

✘ 수직 이동 중 하강 이동을 경험하였다.
　　　　　상승 이동

02 사회 이동의 유형

자료 분석 | 갑의 사회 이동은 **구조적 이동, 수직 이동, 세대 내 이동, 세대 간 이동에** 해당하며, 을의 사회 이동은 **개인적 이동, 수직 이동, 세대 내 이동, 세대 간 이동에** 해당한다.

[선택지 분석]

✘ 개인적 이동
➡ 갑의 사례에 해당하지 않는다.

✘ 구조적 이동
➡ 을의 사례에 해당하지 않는다.

㉢ 세대 간 이동
➡ 갑, 을 모두 부모의 계층과 일치하지 않는다.

㉣ 세대 내 이동
➡ 갑, 을 모두 사회 진출 시기와 현재 계층이 일치하지 않는다.

03 사회 이동의 유형

자료 분석 | 노비에서 평민이 되었다는 점에서 수직 이동, 신분제 폐지로 평민이 되었다는 점에서 구조적 이동에 해당한다. 따라서 A는 **수직 이동, B는 수평 이동, C는 구조적 이동, D는 개인적 이동**이다.

[선택지 분석]

① A는 동일 계층 내에서의 이동을 의미한다. → 수평 이동(B)

② B는 상승 이동과 하강 이동으로 구분한다. → 수직 이동(A)

③ C는 개인의 능력이나 노력에 의한 이동이다. → 개인적 이동(D)

④ D는 사회 구조 변화에 따른 사회 이동이다. → 구조적 이동(C)

⑤ A는 수직 이동, C는 구조적 이동에 해당한다. ✓

04 사회 이동의 유형

자료 분석 | (가)에 나타난 사회 이동은 수직 이동, 개인적 이동, 세대 내 이동이고, (나)에 나타난 사회 이동 또한 수직 이동, 개인적 이동, 세대 내 이동이다.

[선택지 분석]

㉠ (가)에 나타난 사회 이동은 수직 이동이다.
➡ 노숙자에서 사장으로 지위가 상승 이동하였으므로 수직 이동에 해당한다.

✗ (나)에 나타난 사회 이동은 ~~수평 이동~~이다.
　　　　　　　　　　　　　수직 이동
➡ (생략)

㉢ (가), (나)에 공통으로 나타난 사회 이동은 개인적 이동이다.
➡ 개인의 노력, 실력에 의한 이동이므로 개인적 이동이다.

✗ (가)와 달리 (나)에 나타난 사회 이동은 세대 내 이동이다.
➡ (가), (나) 모두 세대 내 이동에 해당한다.

05 사회 이동 가능성

자료 분석 | 자료에 의하면 근대 이전 사회에 비해 근대 이후 사회의 수직 이동 가능성이 높다. 이는 신분제가 폐지되고 성취 지위가 중시됨에 따라 나타난 현상으로, 수직 이동 가능성의 증가로 인해 계층이 대물림될 가능성은 낮아졌다.

[선택지 분석]

✗ 갑: 계층 구조의 개방성이 축소되었습니다.
➡ 계층 구조의 개방성은 확대되었다.

㉡ 을: 부모의 계층이 세습되는 신분제가 철폐되었습니다.
➡ 신분제가 철폐됨에 따라 수직 이동의 가능성이 높아졌다.

✗ 병: 귀속 지위를 중시하는 사회 문화가 형성되었습니다.
➡ 성취 지위를 중시하는 사회 문화가 형성될 때 수직 이동의 가능성이 높아진다.

㉣ 정: 부모로부터 자녀로 계층이 대물림될 가능성이 낮아졌습니다.
➡ 수직 이동의 가능성이 높아짐에 따라 세대 간 이동의 가능성 또한 높아졌다.

06 정보 사회의 계층 구조

자료 분석 | (가)는 중층의 비율이 가장 낮은 모래시계형 계층 구조, (나)는 중층이 다수를 차지하는 타원형 계층 구조이다. 중층의 비율이 가장 낮을 경우 사회 양극화 문제가 심각해진다.

[선택지 분석]

① (가)는 개방형 계층 구조이다.
➡ 수직 이동이 자유로운 경우 개방형 계층 구조라고 한다.

② (가)는 사회 양극화가 나타나는 계층 구조이다. ✓
➡ 모래시계형 계층 구조는 중층의 비율이 가장 낮아 사회 양극화가 나타난다.

③ (나)는 ~~피라미드형 계층 구조~~이다.
　　　　　타원형 계층 구조

④ (나)는 정보 사회에 대한 비관론을 바탕으로 한다.
➡ 타원형 계층 구조는 정보 사회에 대한 낙관적인 입장에서 예측하는 계층 구조이다.

⑤ (나)에 비해 (가)는 사회 안정성 실현에 용이하다.
➡ 중층의 비율이 높을수록 사회가 안정적이다.

07 계층 구성 비율에 따른 계층 구조

자료 분석 | (가)는 하층의 비율이 가장 높은 피라미드형 계층 구조, (나)는 중층의 비율이 가장 높은 다이아몬드형 계층 구조이다. (가)는 주로 봉건적 신분 사회에서 나타나며, 중층의 비율이 높은 (나)는 (가)에 비해 사회 구조가 안정적이다.

[선택지 분석]

㉠ (가)는 주로 봉건 사회에서 나타난다.

✗ (나)는 주로 전근대 신분 사회에서 나타난다.
➡ 전근대 신분제 사회에서 주로 나타나는 계층 구조는 (가) 피라미드형 계층 구조이다.

㉢ (가)에 비해 (나)는 사회 구조가 안정적이다.
➡ 중층의 비율이 높을수록 사회 구조는 안정적이다.

✗ (가)에 비해 (나)는 계층 구조가 보다 폐쇄적이다.
➡ 피라미드형 계층 구조와 다이아몬드형 계층 구조는 계층 구조의 개방성 여부가 아니라 계층 구성원의 비율로 구분되므로, 계층 구조의 개방성 여부는 알 수 없다.

08 사회 계층 구조

자료 분석 | A는 중층의 비율이 가장 높다는 점에서 타원형 계층 구조, B는 중층의 비율이 가장 낮다는 점에서 모래시계형 계층 구조, C는 하층의 비율이 가장 높다는 점에서 피라미드형 계층 구조에 해당한다.

[선택지 분석]

① ~~A~~는 양극화된 계층 구조를 보인다.
　 B

② B는 ~~피라미드형 계층 구조~~에 해당한다.
　　　　모래시계형 계층 구조

③ C는 ~~타원형 계층 구조~~에 해당한다.
　　　　피라미드형 계층 구조

④ A는 C에 비해 사회 안정을 실현하는 데 유리하다. ✓
➡ 중층의 비율이 높을수록 사회 안정 실현에 유리하다.

⑤ A는 B에 비해 사람들의 상대적 박탈감이 커서 사회 통합의 필요성이 크다.
➡ 중층의 비율이 낮을수록 사회 통합 및 사회 안정의 실현에 불리하며, 이에 따라 사회 통합의 필요성이 크다. 중층의 비율이 낮은 것은 B 모래시계형 계층 구조이다.

09 계층 이동 가능성에 따른 계층 구조

자료 분석 | (가)는 수직 이동이 나타나지 않는다는 점에서 폐쇄적 계층 구조, (나)는 수직 이동이 나타난다는 점에서 개방적 계층 구조에 해당한다.

✗ (가)는 후천적 요인에 의해 계층이 변동할 수 있는 계층 구조이다.

➡ 폐쇄적 계층 구조는 선천적 요인, 개방적 계층 구조는 후천적 요인이 계층에 미치는 영향이 크다.

ⓛ (나)는 귀속 지위보다 성취 지위가 중시되는 사회에서 나타난다.

➡ 전근대 사회에서는 귀속 지위, 근대 이후 사회에서는 성취 지위가 중시되고 있으며, 개방적 계층 구조는 근대 이후 사회에서 나타나고 있다.

✗ (가)는 수평 이동, (나)는 수직 이동만 나타난다.

➡ 개방적 계층 구조는 수직 이동과 수평 이동이 모두 나타난다.

ⓛ (가)는 전근대 사회, (나)는 근대 이후 사회에서 일반적으로 나타난다.

➡ 개방적 계층 구조는 성취 지위가 중시되는 근대 이후 사회에서 나타난다.

10 사회 계층 구조의 유형

자료 분석 | 봉건적 신분제 사회에서는 폐쇄적 계층 구조와 피라미드형 계층 구조가 주로 나타나고, 산업 사회에서는 개방적 계층 구조와 다이아몬드형 계층 구조가 주로 나타난다. 따라서 A는 폐쇄적, B는 개방적, C는 피라미드형, D는 다이아몬드형 계층 구조이다.

[선택지 분석]

① A는 수직 이동이 ~~활발하다~~.
   제한된다
② B는 ~~폐쇄적 계층 구조~~이다.
   개방적 계층 구조
③ C는 ~~다이아몬드형~~ 계층 구조이다.
   피라미드형
④ D는 ~~하층~~의 비율이 가장 높다.
   중층
✓ D는 C에 비해 중층의 비율이 높게 나타난다.

➡ 다이아몬드형 계층 구조가 피라미드형 계층 구조보다 중층의 비율이 높다.

11 사회 이동

(1) 갑-수직 이동, 세대 내 이동, 세대 간 이동, 개인적 이동
   을-수직 이동, 세대 내 이동, 세대 간 이동, 구조적 이동
(2) [예시 답안] 갑은 가난한 농부에서 개인의 실력으로 대기업 임원의 지위에 올랐고, 을은 혁명이라는 사회 구조의 변화에 의해 구조적 이동을 겪었다. 따라서 갑의 사례에만 해당하는 사회 이동의 유형은 개인적 이동이다.

채점기준		
상	갑의 사례에만 해당하는 사회 이동을 그 이유와 함께 정확히 서술한 경우	
하	갑의 사례에만 해당하는 사회 이동을 썼으나, 그 이유를 정확히 서술하지 못한 경우	

12 부모 세대와 자녀 세대의 계층 구조 비교

[예시 답안] 부모 세대의 계층 구조는 하층의 비율이 가장 높은 피라미드형 계층 구조이고, 자녀 세대의 계층 구조는 중층의 비율이 가장 높은 다이아몬드형 계층 구조이다. 중

층의 비율이 높을수록 사회 통합 및 사회 안정의 가능성이 높기 때문에, 부모 세대에 비해 중층의 비율이 높은 자녀 세대의 다이아몬드형 계층 구조가 사회 안정을 실현하는 데 용이하다.

채점기준		
상	부모와 자녀 세대의 계층 구조를 제시하고, 자녀 세대의 계층 구조가 가지는 장점을 정확히 서술한 경우	
중	부모와 자녀 세대의 계층 구조를 제시하고, 자녀 세대의 계층 구조가 가지는 장점을 서술했으나 미흡한 경우	
하	부모와 자녀 세대의 계층 구조만 제시한 경우	

도전! 실력 올리기   180~181쪽

01 ③   **02** ③   **03** ③   **04** ④   **05** ⑤   **06** ③   **07** ⑤
08 ①

01 사회 이동의 유형

자료 분석 | ㄱ은 개인적 이동이자 세대 내 이동인 (나), ㄴ은 개인적 이동이자 세대 간 이동인 (가), ㄷ은 구조적 이동이자 세대 내 이동인 (라), ㄹ은 구조적 이동이자 세대 간 이동인 (다)에 해당한다.

[선택지 분석]

ㄱ. 갑은 노숙자 생활을 하면서도 틈틈이 공부하며 노력한 결과 현재는 대기업의 사장이 되었다. → (나)

➡ 노숙자에서 사장으로의 이동이라는 점에서 개인적 이동이자 세대 내 이동이다.

ㄴ. 을은 부유한 집안에서 태어났으나, 방탕한 생활로 인해 빈곤층으로 전락하였다. → (가)

➡ 부모는 부자이나 을은 빈곤층으로 전락했다는 점에서 세대 간 이동, 방탕한 생활이라는 점에서 개인적 이동이다.

ㄷ. 병은 큰 식당의 주인이었으나 조국이 식민 지배를 받게 되면서 재산을 몰수당해 빈민층이 되었다. → (라)

➡ 식민 지배로 인해 사회 이동이 발생하였다는 점에서 구조적 이동, 큰 식당 주인에서 빈민층으로의 이동이라는 점에서 개인적 이동이다.

ㄹ. 정은 가난한 농부의 자식으로 태어났으나, 급격한 산업화로 인해 부모보다 계층적 지위가 높아졌다. → (다)

➡ 산업화로 인해 사회 이동이 발생하였기에 구조적 이동, 부모와 계층이 다르므로 세대 간 이동이다.

02 계층 구성표 분석

자료 분석 |

구분		부모 세대 계층			계 (%)
		상층	중층	하층	
자녀 세대 계층	상층	2 b	8 a	10 a	20
	중층	6 c	14 b	40 a	60
	하층	2 c	8 c	10 b	20
계		10	30	60	100

세대 간 상승 이동한 경우(a로 표시)는 전체의 58%(8+10+40)이고, 세대 간 계층이 세습된 경우(b로 표시)는 전체의 26%(2+14+10)이며, 세대 간 하강 이동한 경우(c로 표시)는 전체의 16%(6+2+8)이다.

[선택지 분석]

✘ 세대 간 하강 이동이 상승 이동보다 많다.

➡ 세대 간 하강 이동한 비율은 16%, 세대 간 상승 이동한 비율은 58%로 상승 이동이 더 많다.

Ⓛ 세대 간 상승 이동한 경우는 전체의 58%이다.

Ⓒ 부모의 계층이 대물림된 경우는 전체의 26%이다.

➡ 계층의 대물림은 부모의 계층과 자녀의 계층이 동일함을 의미한다.

✘ 자녀 세대 계층 대비 부모와 자녀의 계층이 일치하는 비율은 상층이 가장 높다.

➡ 상층 2/10, 중층 14/60, 하층 10/20으로 하층이 가장 높다.

03 수직 이동과 계층 구조의 개방성

자료 분석 | 빈곤 탈출률은 하층에서 중층 또는 상층으로의 이동 가능성을 나타내는 척도이다. 따라서 빈곤 탈출률이 하락한다는 점에서 갑국에서는 수직 이동의 가능성이 낮아져 계층 구조의 개방성이 축소되고 있음을 추론할 수 있다.

[선택지 분석]

① 세대 간 이동이 증가하고 있다.

② 사회 이동이 빈번하게 나타나고 있다.

③✔ 계층 구조의 개방성이 축소되고 있다.

➡ 수직 이동의 감소를 통해 개방성의 축소를 추론할 수 있다.

④ 사회 통합의 필요성이 약해지고 있다.

⑤ 다이아몬드형 계층 구조가 공고해지고 있다.

04 계층 구성표 분석

자료 분석 | 주어진 조건에 따라 부모 세대와 자녀 세대의 계층 구성표를 작성하면 다음과 같다.

구분		부모 세대 계층			계 (%)
		상층	중층	하층	
자녀 세대 계층	상층	10	Ⓒ	Ⓜ	10
	중층	㉠	15	Ⓗ	30
	하층	Ⓛ	㉣	15	60
계		10	60	30	100

합계를 고려하여 ㉠~Ⓗ을 채우면 다음과 같이 완성된다.

구분		부모 세대 계층			계 (%)
		상층	중층	하층	
자녀 세대 계층	상층	10	0	0	10
	중층	0	15	15	30
	하층	0	45	15	60
계		10	60	30	100

[선택지 분석]

✘ 세대 간 상승 이동한 자녀가 세대 간 하강 이동한 자녀의 3배이다.

➡ 세대 간 상승 이동한 자녀는 15%, 세대 간 하강 이동한 자녀는 45%이다. 따라서 세대 간 하강 이동한 자녀가 세대 간 상승 이동한 자녀의 3배이다.

Ⓛ 자녀 세대 계층 대비 계층 대물림 비율은 상층이 가장 높고 하층이 가장 낮다.

➡ 자녀 세대 계층 대비 계층 대물림 비율은 상층 10/10, 중층 15/30, 하층 15/60이다. 상층이 가장 높고 하층이 가장 낮다.

✘ 중층으로 세대 간 상승 이동한 자녀와 중층으로 세대 간 하강 이동한 자녀의 수는 같다.

➡ 전체에서 중층으로 세대 간 상승 이동한 자녀는 15%, 중층으로 세대 간 하강 이동한 자녀는 0%이므로, 같지 않다.

㉣ 세대 간 계층 이동을 한 사람의 수는 중층 부모를 둔 자녀가 하층 부모를 둔 자녀의 3배이다.

➡ 전체에서 중층 부모를 둔 자녀 45%가 하강 이동하였고, 하층 부모를 둔 자녀 15%가 상승 이동을 하였다. 따라서 3배가 맞다.

05 계층 구조 분석

자료 분석 | 갑국의 계층 구조가 피라미드형 계층 구조라면 A는 하층, B는 중층, C는 상층이다. 따라서 을국의 계층 구조는 다이아몬드형, 병국의 계층 구조는 모래시계형에 해당한다.

[선택지 분석]

① 을국의 계층 구조는 모래시계형이다.
　　　　　　　　　　　　　다이아몬드형

② 을국에서는 사회 양극화 문제가 나타난다.

➡ 사회 양극화 문제는 모래시계형 구조인 병국에서 나타난다.

③ 병국의 계층 구조는 다이아몬드형이다.
　　　　　　　　　　　　모래시계형

④ 갑국과 병국 모두 폐쇄적 계층 구조이다.

➡ 폐쇄적 계층 구조의 여부는 수직 이동의 가능성 여부로 판단할 수 있다.

⑤✔ 병국은 을국에 비해 사회 통합의 필요성이 높게 나타난다.

➡ 중층이 비율이 낮을수록 사회 통합의 필요성이 제기된다.

06 계층 구조 분석

자료 분석 | 부모 세대는 상층 : 중층 : 하층=20 : 60 : 20의 다이아몬드형 계층 구조이고, 자녀 세대는 상층 : 중층 : 하층=10 : 30 : 60의 피라미드형 계층 구조이다. 다이아몬드형 계층 구조가 피라미드형 계층 구조에 비해 사회 안정에 더 유리하다.

[선택지 분석]

✘ 부모 세대와 자녀 세대의 중층 비율은 같다.

➡ 중층의 비율은 부모 세대가 더 높다.

Ⓛ 자녀 세대보다 부모 세대의 계층 구조가 사회 안정에 유리하다.

➡ 중층의 비율이 높을수록 사회 안정에 유리하다.

Ⓒ 부모 세대에 비해 자녀 세대에서 사회 통합의 필요성이 더 높아졌다.

➡ 중층의 비율이 낮을수록 사회 통합의 필요성이 더 높다.

✗ 부모 세대는 성취 지위 중심의 계층 구조이고, 자녀 세대는 귀속 지위 중심의 계층 구조이다.
➡ 자료에서 파악할 수 없다.

07 계층 비율에 따른 계층 구조 분석

자료 분석 | 자료를 분석하면 상층 : 중층 : 하층의 비율이 갑국은 10% : 30% : 60%이고, 을국은 20% : 60% : 20%임을 알 수 있다.

[선택지 분석]

✗ 갑국은 을국에 비해 계층 구조가 폐쇄적이다.
➡ 계층 구조의 폐쇄성 여부는 알 수 없다.

✗ 갑국은 을국에 비해 산업 사회의 계층 구조에 가깝다.
➡ 두 나라 중 을국이 산업 사회의 계층 구조에 가깝다.

ⓒ 을국은 갑국에 비해 사회 안정을 실현하기 용이하다.
➡ 중층의 비율이 가장 높은 을국이 사회 안정 실현에 용이하다.

ⓔ 갑국과 을국의 상층 인구 수가 같다면 전체 인구는 갑국이 더 많다.
➡ 갑국 전체 인구의 10%와 을국 전체 인구의 20%가 그 수치가 동일하다면 전체 인구는 갑국이 더 클 것이다.

08 계층 구조 분석

자료 분석 | (가)를 활용하여 부모 세대와 자녀 세대의 계층 구성을 나타내면 다음과 같다.

구분		부모 세대 계층			계 (%)
		상층	중층	하층	
자녀 세대 계층	상층	a (6)	f	h	20
	중층	d	b (20)	i	50
	하층	e	g	c (24)	30
계		10	30	60	100

(나)를 활용하여 a에 6, b에 20, c에 24가 들어감을 파악할 수 있으며, d+e=4, f+g=10, h+i=36임을 알 수 있다.

[선택지 분석]

ⓐ 세대 간 이동을 경험한 비율은 50%이다.
➡ 세대 간 이동을 경험한 비율은 100에서 a+b+c를 제한 값으로 50%이다.

ⓑ 부모 세대 계층 대비 계층 대물림 비율은 하층에서 가장 낮다.
➡ 부모 계층 대비 대물림 비율은 상층 6/10, 중층 20/30, 하층 24/60이므로 하층에서 가장 낮다.

✗ 부모 세대보다 자녀 세대의 계층 구조가 더 안정적이며 개방적이다.
➡ 계층 구조의 개방성 여부는 제시된 자료에서 파악할 수 없다.

✗ 세대 간 상승 이동을 한 사람보다 세대 간 하강 이동을 한 사람이 더 많다.
➡ 세대 간 상승 이동을 한 사람은 f+h+i이고, 세대 간 하강 이동을 한 사람은 d+e+g이다. h+i가 36인데 d+e가 4이므로, f가 0이고 g가 10이라도 d+e+g는 36을 넘을 수 없다. 따라서 세대 간 상승 이동을 한 경우가 더 많다.

03 ~ 다양한 사회 불평등

콕콕! 개념 확인하기   187쪽

01 (1) × (2) ○ (3) ○ (4) ×
02 (1) ⓛ, ⓔ (2) ⓐ, ⓒ
03 (1) 차별적 사회화 (2) 유리 천장 (3) 차별
04 (1) 빈곤 (2) 절대적 빈곤
05 (1) × (2) ○ (3) ○

탄탄! 내신 다지기   188~189쪽

01 ④ **02** ② **03** ② **04** ⑤ **05** ① **06** ⑤ **07** ②
08 해설 참조

01 사회적 소수자의 특성

자료 분석 | 과거 남아프리카 공화국의 흑인과 같이 사회적 소수자는 단순히 수의 많고 적음이 아니라 지배를 받을 정도로 권력의 열세에 있으며, 사회적 소수자라는 이유만으로 차별 대우를 받는 집단이다.

[선택지 분석]

✗ 사회적 소수자는 수적으로 소수인 집단입니다.
➡ 제시된 사례처럼 권력의 열세에 있다면 수적으로 다수라도 사회적 소수자가 된다.

ⓛ 사회적 소수자는 권력의 열세에 있는 집단입니다.
➡ 흑인이 백인에게 지배를 받는다는 점에서 사회적 소수자는 권력의 열세에 있음을 알 수 있다.

✗ 사회적 소수자는 소속감이나 연대감이 약한 집단입니다.
➡ 사회적 소수자는 연대감이 강한 편이지만 제시문에서는 파악할 수 없다.

ⓔ 사회적 소수자는 주류 집단으로부터 차별 대우를 받는 집단입니다.
➡ 흑인들은 주류 집단인 백인들로부터 흑인이라는 이유로 차별 대우를 받고 있다.

02 사회적 소수자 문제의 해결 방안

자료 분석 | 장애인을 위한 특별 대입 전형은 장애인에 대한 교육의 기회를 실질적으로 보장하기 위한 방안으로, 사회적 소수자를 우대한다는 점에서 적극적 우대 조치에 해당한다.

[선택지 분석]

ⓐ 균등한 교육 기회를 보장하기 위한 방안이다.
➡ 사회적 소수자의 교육 기회를 보장할 수 있는 방안이다.

✗ 사회적 소수자에 대한 차별을 금지하는 제도이다.
➡ 차별 금지가 아니라 사회적 소수자를 지원하는 제도이다.

ⓒ 사회적 소수자를 지원하는 적극적 우대 조치에 해당한다.
➡ 사회적 소수자를 위한 별도의 전형을 운영한다는 점에서 적극적 우대 조치로 볼 수 있다.

✗ 의식적 측면에서 사회적 소수자 문제를 해결하는 방안
　제도적
이다.

03 성 불평등의 요인

자료 분석 | 제시문은 성 정체성과 성 역할의 구분이 사회화의 결과
라고 주장하고 있다. 즉, 사회적 성은 그 개인이 속한 사회의 차별
적 사회화 과정에 의해 부여됨을 강조하고 있는 것이다.

[선택지 분석]

ㄱ 성 역할의 구분은 사회화의 산물이다.
　➡ 성 역할은 타고난 것이 아니라 사회화를 거쳐 내면화된 결과
　　라고 주장하고 있다.

✗ 시대와 사회에 관계없이 성 역할은 동일하다.
　➡ 성 역할이 사회화의 결과라면 시대와 사회에 따라 성 역할은
　　다르게 나타날 것이다.

ㄷ 성별에 대한 선입견은 차별적 사회화의 결과이다.
　➡ 성 역할이 사회화의 결과이기에 각각의 성에 대한 선입견과
　　편견 또한 사회화의 결과라고 볼 수 있다.

✗ 성 역할의 구분은 신체적 특성을 반영한 결과이다.
　➡ 성 역할의 구분은 선천적인 것이 아니라 후천적인 사회화의
　　결과라고 주장하고 있다.

04 성 불평등의 양상

자료 분석 | 유리 천장 지수는 여성의 승진을 가로막는 성 차별적
장벽의 정도를 나타낸 것으로, 수치가 낮을수록 차별의 정도가 높
음을 의미한다.

[선택지 분석]

① 우리나라 여성의 임금 격차가 가장 크다.
　　　　　　　 승진에 대한 차별 정도
② 우리나라 여성의 고위직 진출 정도가 가장 높다.
　　　　　　　　　　　　　　　　　　　 낮다
③ 여성의 경제 활동 참가 정도는 우리나라가 가장 낮다.
　➡ 경제 활동 참가 정도는 알 수 없다.

④ 성 불평등 문제는 아이슬란드에서 가장 심각하게 나타
　난다.
　➡ 아이슬란드는 수치가 가장 높게 나왔으므로 성 불평등 정도가
　　가장 낮을 것이다.

✓ 승진과 관련한 여성에 대한 차별 정도는 우리나라가 가
　장 높다.

05 빈곤 문제의 해결 방안

자료 분석 | 최저 임금제는 근로자의 생활 안정을 위해 국가가 임금
의 최저 수준을 정하고 그 이상의 임금을 지급하도록 하는 제도로,
저소득 근로자의 임금 인상을 통해 소득 분배의 형평성을 높일 수
있다.

[선택지 분석]

ㄹ 소득 분배의 형평성을 높이기 위해서입니다.
　➡ 저소득 근로자의 소득이 높아짐에 따라 소득 분배의 형평성을
　　높일 수 있다.

ㅁ 근로자의 최저 생활 수준을 보장하기 위해서입니다.
　➡ 최저 임금을 정하여 근로자의 최저 생활 수준을 보장한다.

✗ 남성과 여성 사이의 임금 격차를 해소하기 위해서입니다.
　➡ 성별 임금 격차와는 관련 없다.

✗ 적극적 우대 조치를 통해 빈곤 문제를 해결하기 위해
　서입니다.
　➡ 최저 임금제는 저소득층 근로자뿐만 아니라 모든 근로자에게
　　적용된다는 점에서 적극적 우대 조치에 해당하지 않는다.

06 빈곤 문제의 양상

[선택지 분석]

① 절대적 빈곤 가구는 매년 증가하고 있다.
　➡ 2013년과 2014년의 절대적 빈곤 가구는 동일하다.
② 상대적 빈곤 가구는 매년 감소하고 있다.
　　　　　　　　　　　　　　　 증가
③ 2012년 중위 소득의 50%는 같은 해 최저 생계비와 같다.
　➡ 2012년 중위 소득의 50%는 최저 생계비보다 크다.
④ 2013년 절대적 빈곤 가구와 상대적 빈곤 가구는 같다.
　　　　　　　　　　　　　　　　　　　　　　　 같지 않다
✓ 2014년 절대적 빈곤 가구보다 상대적 빈곤 가구가 더
　많다.
　➡ 2014년에 상대적 빈곤율이 절대적 빈곤율보다 높으므로 상대
　　적 빈곤 가구가 절대적 빈곤 가구보다 더 많다.

07 절대적 빈곤과 상대적 빈곤

자료 분석 | A는 최소한의 생활 유지에 필요한 소득이 부족한 상태
로 절대적 빈곤에 해당하고, B는 소득 분포를 대표하는 소득의 일
정 비율을 기준으로 한다는 점에서 상대적 빈곤에 해당한다. 일반
적으로 중위 소득의 일정 비율로 상대적 빈곤의 정도를 측정한다.

[선택지 분석]

ㄱ 선진국보다 저개발국에서 A가 주로 나타난다.
　➡ 절대적 빈곤은 주로 저개발국에서 나타난다.

✗ 산업화된 선진국에서는 A가 나타나지 않는다.
　➡ 선진국에서도 절대적 빈곤은 나타날 수 있다.

ㄷ 소득 격차가 심화될수록 B가 주로 나타난다.
　➡ 상대적 빈곤은 소득 격차가 심화된 사회에서 주로 나타난다.

✗ A는 상대적 빈곤, B는 절대적 빈곤이다.
　　　　 절대적　　　　　　　　 상대적

08 성 불평등 문제의 요인과 해결 방안

(1) 성 불평등 현상
(2) [예시 답안] 가사 및 육아에 대한 부담으로 30~40대 여
성의 경제 활동 참가율이 낮다. 이러한 문제의 해결을 위
해서는 남성의 가사 및 육아에 대한 참여 확대와 일·가정
의 양립이 가능한 제도 마련 등이 요구된다.

채점기준		
	상	성 불평등 문제의 요인 및 해결 방안을 제시된 자료와 연결하여 정확히 서술한 경우
	중	성 불평등 문제의 요인 및 해결 방안을 서술하였으나, 제시된 자료와 연관성이 떨어지는 경우
	하	성 불평등 문제의 요인 및 해결 방안 중 한 가지만 정확히 서술한 경우

01 적극적 우대 조치에 따른 역차별 문제

자료 분석 | 제시된 사례에는 사회적 소수자를 배려하기 위한 적극적 우대 조치로 인해 부정적인 효과가 나타나고 있다. 즉, 특정 집단에 대한 우대 조치는 또 다른 집단에 역차별이 될 수 있다.

[선택지 분석]

① 사회적 소수자를 구분하는 기준은 상대적이다.

➡ 사회적 소수자의 특성이지만 제시문과 관련 없다.

② 사회적 소수자를 인정하는 관용 정신이 필요하다.

➡ 사회적 소수자 문제의 해결을 위해 필요한 자세이지만 제시문과 관련 없다.

③ 사회적 소수자는 주류 집단과 정치적 성향이 다르다.

➡ 사회적 소수자라고 하여 주류 집단과 다른 정치적 성향을 가진다고 단정할 수는 없다.

④ 사회적 소수자에 대한 차별은 사회 갈등으로 이어질 수 있다.

➡ 사회적 소수자에 대한 차별 양상이지만 제시문과 관련 없다.

☑ 사회적 소수자를 배려하는 정책이 역차별 논란을 초래할 수 있다.

02 사회적 소수자 문제

자료 분석 | 제시문에 나타난 '장애인 차별 금지법'과 '남녀 고용 평등과 일·가정 양립 지원에 관한 법률'은 사회적 소수자 문제를 해결하기 위한 제도적 방안에 해당하지만, 사회적 인식이 바뀌지 않아 여전히 차별이 해소되지 못하고 있음을 알 수 있다.

[선택지 분석]

① 사회적 소수자 우대 정책으로 인한 역차별 문제도 함께 해소해야 한다.

② 사회적 소수자는 법을 통한 제도적 인정 여부에 따라 상대적으로 규정된다.

③ 사회적 소수자에 대한 차별은 개인적 능력 차이가 집합적 차별로 전환된 결과이다.

④ 사회적 소수자에 대한 차별을 해소하기 위해서는 문화 다양성 존중보다 문화 동질성 형성이 중요하다.

☑ 사회적 소수자에 대한 차별을 해소하기 위해서는 제도 개선뿐만 아니라 의식 개혁도 이루어져야 한다.

➡ 사회적 소수자 문제의 해결을 위해서는 제도 개선뿐만 아니라 타인에 대한 편견을 버리고 공존하려는 의식과 관용의 자세 등 의식적 측면의 노력도 필요하다.

03 성별 임금 격차와 성 불평등 문제

자료 분석 | 제시된 표는 수치가 낮을수록 남성과 여성의 임금 격차가 작음을 의미한다. 세 나라 모두 수치가 감소하였으므로 성별 임금 격차가 줄어들었음을 알 수 있다.

[선택지 분석]

✗ 2010년 기준 여성 임금은 병국이 가장 높다.

➡ 여성 임금의 높고 낮음은 제시된 자료에서 확인할 수 없다.

✗ 성별 임금 격차가 가장 작은 나라는 <s>갑국</s>이다.

　　　　　　　　　　　　　　　　　　　　병국

ⓒ 모든 나라에서 성별 상대적 임금 격차 정도가 감소하였다.

ⓔ 2018년 갑국~병국의 남성 임금 수준이 동일하다면, 여성 임금 수준이 가장 높은 나라는 병국이다.

➡ 세 나라의 남성 임금 수준이 동일하다면 남성과의 임금 격차가 가장 작은 병국 여성의 임금이 가장 높을 것이다.

04 성 불평등 문제

자료 분석 | 성차별과 같은 성 불평등 문제는 남성 중심적인 사회 구조, 성별에 따른 편견이나 선입견 등의 요인이 복합적으로 작용하여 나타난다. 이로 인해 직장 내 여성들은 취업이나 승진에 제한을 받거나 남성에 비해 적은 임금을 받기도 하는데, 제시문에 나타난 '유리 천장'이나 '유리벽'은 직장 내에서 여성이 겪는 성차별을 나타내는 대표적인 용어에 해당한다.

[선택지 분석]

㉠ 직장 내 양성평등 문화의 확산은 유리 천장 현상을 완화하는 데 기여한다.

➡ 직장 내 양성평등 문화의 확산은 성차별에 대한 사람들의 인식을 개선함으로써 성 불평등 문제를 완화하는 데 기여한다.

✗ 여성에 대한 사회적 차별은 남성과 여성의 개인적 능력 차이에서 기인한다.

➡ 여성에 대한 사회적 차별은 남성과 여성의 개인적 능력 차이와 관계없이 나타난다.

㉢ 유리벽 현상은 조직 내에서 특정 성에 대한 차별이 구조적으로 나타나는 현상이다.

➡ 여성이라는 이유만으로 핵심 업무에서 배제된다는 점에서 구조적인 차별에 해당한다.

㉣ 유리 천장과 유리벽 현상이 제거되면 사회적 자원의 배분 과정에서 기회의 공정성이 제고될 것이다.

➡ 유리 천장과 유리벽 현상이 제거되면 승진이나 업무 분담에 있어 남성과 여성이 공평한 기회를 얻게 될 것이다.

05 빈곤 문제에 대한 갈등론적 관점

자료 분석 | 제시문은 빈곤의 원인이 개인의 노력이나 능력 부족이 아니라 불평등한 분배 구조에 있다고 주장하고 있다. 즉, 지배 계급의 이익에 부합하는 분배 구조의 개선이 필요함을 강조하고 있으며, 이는 갈등론적 관점에 해당한다.

[선택지 분석]

㉠ 빈곤의 원인은 사회 구조적 측면에서 바라봐야 한다.

➡ 분배 구조라는 사회적 측면을 강조하고 있다.

✗ 빈곤의 원인은 구성원 개개인의 성취동기 부족에 있다.

➡ 개인의 능력이나 노력 부족 때문이 아니라고 주장하고 있다.

㉢ 빈곤은 특정 계급의 이익이 추구되는 과정에서 재생산된다.

➡ 지배 계급의 이익을 극대화하는 분배 구조로 빈곤에서 벗어날 수 없음을 주장하고 있다.

✘ 빈곤 탈출을 위해서는 빈곤층의 자활 의지가 가장 중요하다.

➡ 자활 의지와 같은 개인적 측면이 아니라 사회적 측면을 강조하고 있다.

06 빈곤 현황 분석

자료 분석 | 빈곤 탈출률은 이전 연도에 빈곤층이었던 인구 중 해당 연도에 빈곤층이 아닌 인구의 비율을 의미한다. 즉, 2015년 빈곤 탈출률 40%는 2014년의 빈곤층 인구 120만 명 중 40%가 2015년에는 빈곤층이 아님을 의미한다.

[선택지 분석]

✘ 2016년과 2017년의 빈곤 탈출 인구는 같다.

➡ 2016년의 빈곤 탈출 인구는 40만 명(100만 명×0.4), 2017년의 빈곤 탈출 인구는 32만 명(80만 명×0.4)이다.

Ⓛ 2015년 빈곤층 중 40만 명은 빈곤을 탈출하였다.

➡ 2016년의 빈곤 탈출률은 40%로, 2015년의 빈곤층 100만 명 중 40%인 40만 명이 2016년 빈곤층에서 탈출하였다.

✘ 2017년의 빈곤층 중 24만 명은 새롭게 빈곤층이 된 경우이다.

➡ 2017년의 빈곤 탈출률은 40%로, 2016년의 빈곤층 80만 명 중 40%인 32만 명이 빈곤층에서 탈출하였다. 따라서 2016년의 빈곤층 중 나머지 48만 명은 2017년에도 빈곤층이므로 2017년에 새롭게 빈곤층이 된 경우는 12만 명(60만 명−48만 명)이다.

Ⓔ 전체 인구가 동일하다면 빈곤율은 지속적으로 낮아지고 있다.

➡ 빈곤층 인구가 감소하고 있으므로 빈곤율은 낮아지고 있다.

07 절대적 빈곤과 상대적 빈곤

자료 분석 | A는 사회 전반의 소득과 비교하여 소득의 적음 정도에 따라 빈곤층을 정의한다는 점에서 상대적 빈곤, B는 기본적 욕구 충족의 가능 여부를 기준으로 빈곤층을 정의한다는 점에서 절대적 빈곤에 해당한다.

[선택지 분석]

Ⓖ 우리나라에서는 A, B 모두 객관적 기준에 의해 분류된다.

➡ 우리나라의 경우 절대적 빈곤은 최저 생계비, 상대적 빈곤은 중위 소득의 50%를 기준으로 분류한다.

Ⓛ 소득의 불평등한 정도를 설명하는 경우 B보다 A가 용이하다.

➡ 소득의 불평등한 정도는 상대적 빈곤으로 설명하기 용이하다.

✘ B와 달리 A는 상대적 박탈감이라는 주관적 기준에 의해 분류된다.

➡ 상대적 빈곤 또한 중위 소득의 50%라는 객관적 기준에 의해 분류된다.

✘ 경제 발전을 기준으로 선진국에서는 A만, 저개발국에서는 B만 나타난다.

➡ 선진국에서도 절대적 빈곤이, 저개발국에서도 상대적 빈곤이 나타날 수 있다.

08 빈곤율 분석

자료 분석 | 모든 연도에서 상대적 빈곤율이 절대적 빈곤율보다 높다. 따라서 상대적 빈곤선인 중위 소득의 50%가 절대적 빈곤선인 최저 생계비보다 큼을 알 수 있다.

[선택지 분석]

① 2010년 상대적 빈곤 가구는 모두 절대적 빈곤 가구이다.

➡ 2010년 상대적 빈곤율이 절대적 빈곤율보다 높으므로 상대적 빈곤 가구 중 절대적 빈곤 가구가 아닌 경우가 있다.

② 2011년에 상대적 빈곤 가구의 인구는 절대적 빈곤 가구의 인구보다 2배 이상 많다.

➡ 2011년 상대적 빈곤 가구는 전체 가구의 12.1%, 절대적 빈곤 가구는 6.4%이다. 주어진 조건에서 갑국의 모든 가구의 구성원 수는 동일하다고 가정하였으므로, 상대적 빈곤 가구의 인구수는 절대적 빈곤 가구 인구수의 2배가 되지 않는다.

③ 전년과 대비하여 2012년에 상대적 빈곤 가구의 수는 증가했고, 절대적 빈곤 가구의 수는 변함이 없다.

➡ 2011년과 2012년의 총 가구수가 제시되지 않았으므로 상대적 빈곤 가구수와 절대적 빈곤 가구수를 알 수 없다.

④ 2013년에 중위 소득은 같은 해 최저 생계비의 2배이다.

➡ 2013년 상대적 빈곤율은 절대적 빈곤율보다 높다. 따라서 중위 소득의 50%는 최저 생계비보다 클 것이며, 중위 소득은 최저 생계비의 2배를 넘는다.

✓ 제시된 모든 연도에서 중위 소득 대비 최저 생계비의 비율은 50% 미만이다.

➡ 제시된 모든 연도에서 상대적 빈곤율이 절대적 빈곤율보다 높다. 상대적 빈곤선은 중위 소득의 50% 미만이고, 절대적 빈곤선은 최저 생계비이므로 중위 소득 대비 최저 생계비의 비율은 모든 해에서 50% 미만이다.

---

04 ~ 사회 복지와 복지 제도

콕콕! 개념 확인하기   197쪽

01 (1) × (2) × (3) × (4) ○

02 (1) Ⓛ (2) Ⓔ (3) Ⓖ

03 (1) 사회 서비스 (2) 사전 예방적 (3) 사회 보험
(4) 공공 부조

04 (1) ○ (2) ○ (3) ×

05 (1) 복지병 (2) 효율성 (3) 생산적 복지

탄탄! 내신 다지기   198~199쪽

01 ④ **02** ① **03** ③ **04** ⑤ **05** ② **06** ③ **07** ②

08 해설 참조

01 현대적 의미의 사회 복지

자료 분석 | ⊙은 현대 복지 국가에서의 사회 복지를 의미한다. 초기 자본주의 사회에서는 빈곤의 책임이 개인에게 있다고 보고 빈곤 해결에 국가가 적극적으로 개입하지 않았다. 그러나 현대 복지 국가에서는 국가가 빈곤의 해결뿐만 아니라 국민의 삶의 질을 보장하기 위해 적극적으로 노력한다.

[선택지 분석]

✗ 빈곤의 책임이 개인에게 있다고 본다. → 초기 자본주의 사회

ⓛ 사회 복지를 국민의 권리로 인식한다.
  ➡ 현대 복지 국가는 복지를 빈곤층뿐만 아니라 전 국민의 권리로 인식한다.

✗ 빈곤층에 한정되어 사회 복지가 이루어진다. → 초기 자본주의 사회

ⓔ 빈곤의 원인으로 개인적 요인과 사회적 요인을 모두 강조한다.
  ➡ 현대 복지 국가에서는 빈곤의 발생에 대해 개인적 요인뿐만 아니라 사회적 요인도 강조한다.

02 사회 보험과 사회 서비스

자료 분석 | (가)는 국민의 사회적 위험에 대비하며 국민 건강 보험, 국민연금 등을 종류로 한다는 점에서 사회 보험, (나)는 서비스 제공을 통해 국민의 삶의 질 향상을 도모한다는 점에서 사회 서비스에 해당한다.

[선택지 분석]

✔ (가)는 강제 가입을 원칙으로 한다.
  ➡ 사회 보험은 의무 가입이 원칙이다.

② (가)는 수혜 정도에 따라 비용을 부담한다.
  ➡ 사회 보험은 경제적 능력에 따라 비용을 부담한다.

③ (나)의 비용은 국가가 전액 부담한다.
  ➡ 국가가 비용을 전액 부담하는 복지 제도는 공공 부조이다.

④ (나)의 사례로 국민 기초 생활 보장 제도가 대표적이다.
  ➡ 국민 기초 생활 보장 제도는 공공 부조에 해당한다.

⑤ (가), (나) 모두 수혜 대상이 되려면 일정 소득 기준을 충족해야 한다.
  ➡ 일정 소득 기준의 충족이 필요한 복지 제도는 공공 부조이다.

03 공공 부조와 사회 서비스

자료 분석 | (가)는 저소득층의 의료비를 국가가 부담한다는 점에서 공공 부조, (나)는 도움이 필요한 아동에게 건강 검진, 정서 발달 지원 등의 서비스를 제공한다는 점에서 사회 서비스에 해당한다.

[선택지 분석]

✗ (가)는 사전 예방적 성격이 강하다.
  ➡ 공공 부조는 국민이 현재 직면한 사회적 위험에 대응한다는 점에서 사후 처방적 성격을 가진다.

ⓛ (가)는 국가의 재정 부담을 높인다.
  ➡ 공공 부조는 국가가 비용을 전액 부담한다는 점에서 재정 부담을 높일 수 있다.

ⓒ (나)는 비금전적 지원을 원칙으로 한다.
  ➡ 사회 보험과 공공 부조는 금전적 지원을 원칙으로 하고, 사회 서비스는 비금전적 지원을 원칙으로 한다.

✗ (나)는 상호 부조의 원리를 기반으로 한다.
  ➡ 사회 보험에 대한 설명이다.

04 사회 보험과 공공 부조

자료 분석 | B는 수혜자가 비용을 부담하지 않으므로 국가가 비용을 전액 부담하는 공공 부조이다. 따라서 A는 사회 보험이다.

[선택지 분석]

✗ A는 임의 가입을 원칙으로 한다.
  ➡ 사회 보험은 의무 가입을 원칙으로 한다.

✗ B는 모든 국민을 대상으로 한다.
  ➡ 사회 보험은 전 국민을 대상으로, 공공 부조는 일정 소득 이하의 국민을 대상으로 한다.

ⓒ ⊙에는 '소득 재분배 효과가 나타남'이 적절하다.
  ➡ 사회 보험과 공공 부조 모두 수혜 정도와 비용 부담이 일치하지 않는다는 점에서 소득 재분배 효과가 나타난다.

ⓔ ⓛ에는 '상호 부조의 원리를 기반으로 함'이 적절하다.
  ➡ 사회 보험은 부담 능력에 따라 비용을 부담하여 상호 부조가 이루어진다.

05 생산적 복지

자료 분석 | 일정 소득 이하의 가구를 대상으로 하여 구직 활동 등을 조건으로 생계비를 지급한다는 점에서 생산적 복지의 이념이 반영된 공공 부조임을 알 수 있다.

[선택지 분석]

⊙ 공공 부조에 해당한다.
  ➡ 일정 수준 이하의 소득 계층을 대상으로 하는 복지 제도는 공공 부조이다.

✗ 사전 예방적 성격이 강하다.
  사후 처방적

ⓒ 생산적 복지 이념을 반영하고 있다.
  ➡ 구직 활동 등의 조건과 근로 장려금 지급에서 생산적 복지 이념이 나타난다.

✗ 수혜자 비용 부담 원칙이 적용된다.
  ➡ 공공 부조는 수혜자의 비용 부담이 없으며, 국가와 지방 자치 단체가 비용을 전액 부담한다.

06 복지 제도의 한계

자료 분석 | 과도한 복지 제도로 인해 근로 의욕이 저하되고 사회 전반적인 생산성과 효율성이 낮아지는 문제를 해결하기 위해서는 근로 의욕을 장려하는 복지 정책이 필요하다.

[선택지 분석]

① 빈곤 문제에 개입하지 않아야 한다.

② 복지 지출을 확대하여 재정 부담을 완화해야 한다.
  ➡ 단순히 복지 지출을 확대할 경우 국가의 재정 부담은 커지고 제시문에 나타난 문제는 해결할 수 없다.

✔ 근로를 장려할 수 있는 복지 정책을 실시해야 한다.
  ➡ 근로 의욕을 장려하는 복지 정책을 통해 복지의 부작용을 최소화할 수 있다.

④ 복지 정책 확대를 통해 소득 재분배를 강화해야 한다.

⑤ 복지의 대상을 빈곤 계층에서 전 국민으로 확대해야 한다.

07 근로 장려금 제도

자료 분석 | 근로 장려금 제도는 근로 소득의 규모에 따라 국가에서 근로 장려금을 지급함으로써 개별 가구 입장에서는 전체 소득이 증가하여 이익이 되도록 설계한 생산적 복지 방안이다.

[선택지 분석]

◯ 근로 소득이 없으면 근로 장려금을 받을 수 없다.

✕ 근로 장려금 지급으로 수혜자의 근로 의욕이 감퇴한다.

➡ 근로 장려금을 통해 개별 가구의 총소득이 증가하기 때문에 근로 의욕이 고취된다.

◯ 가구의 근로 소득이 1,000만 원일 경우 가구의 총소득은 1,230만 원이다.

➡ 근로 소득 1,000만 원과 근로 장려금 230만 원의 합이 개별 가구의 총소득이 된다.

✕ 가구의 근로 소득이 1,300만 원을 초과할 경우 근로 소득이 증가할수록 가구의 총소득은 감소하게 된다.

➡ 근로 소득이 1,300만 원을 초과할 경우 지급되는 근로 장려금이 감소하는 것이지, 총소득이 감소하는 것은 아니다.

08 복지 제도의 유형

[예시 답안] A는 사회 보험, B는 공공 부조이다. 사회 보험과 공공 부조의 공통된 특징인 (가)에는 '금전적 지원을 원칙으로 한다.'가 들어갈 수 있다.

채점 기준		
상	A, B에 해당하는 복지 제도를 쓰고, (가)에 들어갈 내용을 정확히 서술한 경우	
중	A, B에 해당하는 복지 제도만 쓰거나, (가)에 들어갈 내용만을 서술한 경우	
하	A 또는 B에 해당하는 복지 제도만을 쓴 경우	

도전! 실력 올리기
200~201쪽

01 ② **02** ① **03** ④ **04** ③ **05** ③ **06** ④ **07** ⑤
08 ④

01 사회 보험과 공공 부조

자료 분석 | (가)는 사회 보험에만 해당하는 특징, (나)는 공공 부조와 사회 보험에 공통으로 해당하는 특징, (다)는 공공 부조에만 해당하는 특징이다. 공공 부조와 사회 보험은 모두 금전적 지원을 원칙으로 하고 소득 재분배 효과가 나타난다는 공통점이 있다.

[선택지 분석]

✔ (가) - ㄱ, (나) - ㄷ, ㄹ, (다) - ㄴ

➡ ㄱ. 상호 부조의 성격을 갖는 것은 사회 보험의 특징이다. ㄴ. 사후 처방적 성격을 갖는 것은 공공 부조의 특징이다. ㄷ, ㄹ. 소득 재분배 효과와 금전적 지원 원칙은 사회 보험과 공공 부조의 공통점이다. 따라서 (가)에는 ㄱ, (나)에는 ㄷ, ㄹ, (다)에는 ㄴ이 들어갈 수 있다.

02 사회 보험과 공공 부조

자료 분석 | 금전적 지원을 원칙으로 하는 복지 제도에는 사회 보험과 공공 부조가 있다. 이 중 국가가 비용을 전액 부담하는 공공 부조가 사회 보험보다 정부 재정이 차지하는 비중이 크다. 따라서 A는 공공 부조, B는 사회 보험이다.

[선택지 분석]

◯ 소득 재분배 효과는 A가 B보다 커요.

➡ 소득 재분배 효과는 공공 부조가 사회 보험보다 크다.

◯ 사후 처방적 성격은 A가 B보다 강해요.

➡ 공공 부조는 사후 처방적 성격, 사회 보험은 사전 예방적 성격이 나타난다.

✕ 상호 부조의 성격은 A가 B보다 강해요.

➡ 상호 부조의 성격은 능력에 따라 비용을 부담하여 상호 간에 도움을 주는 사회 보험에서 나타난다.

✕ 수혜 대상자의 범위는 A가 B보다 넓어요.

➡ 모든 국민을 대상으로 하는 사회 보험이 공공 부조보다 수혜 대상자의 범위가 넓다.

03 복지 제도의 유형

자료 분석 | A는 비금전적 지원을 원칙으로 한다는 점에서 사회 서비스, B는 강제 가입을 원칙으로 한다는 점에서 사회 보험, C는 공공 부조이다. 사회 보험은 전 국민을 대상으로 가입이 의무화되는 반면, 공공 부조는 일정 소득 이하의 국민을 대상으로 한다.

[선택지 분석]

① A는 수혜 정도와 무관하게 비용을 부담한다.

➡ 사회 서비스는 부담 능력이 있으면 수익자 부담을 원칙으로 한다.

② B는 ~~수혜 정도~~ 비용 부담 능력 에 따라 비용을 부담한다.

③ C는 경제적 능력 정도에 따라 비용을 부담한다.

➡ 공공 부조는 국가가 비용을 전액 부담한다.

✔ B는 C와 달리 원칙적으로 모든 국민을 대상으로 한다.

➡ 사회 보험은 전 국민을 대상으로, 공공 부조는 일정 소득 이하의 국민을 대상으로 한다.

⑤ ~~C는~~ B는 ~~B와~~ 달리 상호 부조의 원리에 따라 운영된다.

04 맞춤형 급여 제도

자료 분석 | 갑국의 최저 생계비(1,200달러)는 중위 소득의 40%와 동일하다는 내용을 통해, 중위 소득이 3,000달러임을 알 수 있다. (가)에서는 월 소득 인정액이 최저 생계비인 1,200달러 이하인 가구에 대해 생계, 의료, 주거, 교육 등의 7가지 급여를 모두 지급하였다. 반면, 사회 복지 제도가 변화하면서 (나)에서는 중위 소득(3,000달러)의 50%인 1,500달러 이하인 가구에 대해서 소득에 따라 차등적으로 교육, 주거, 의료, 생계 급여를 지급하고 있다.

[선택지 분석]

① (가)는 선별적 복지보다는 보편적 복지의 성격이 강하다.

➡ (가)는 모든 국민을 대상으로 하는 것이 아니라 최저 생계비 이하의 가구에 대해서만 복지가 제공된다는 점에서 선별적 복지에 해당한다.

② (나)에서 교육 급여를 받을 수 있는 기준은 월 소득 인정액 1,400달러 이하이다.
➡ (나)에서 교육 급여를 받을 수 있는 기준은 중위 소득의 50%인 1,500달러 이하이다.

✓ (나)에서 월 소득 인정액 1,000달러인 가구는 의료 급여를 받을 수 있다.
➡ (나)에서 의료 급여를 받을 수 있는 기준은 중위 소득의 40%인 1,200달러 이하이다. 따라서 월 소득 인정액이 1,000달러인 가구는 의료 급여를 받을 수 있다.

④ (가)는 (나)와 달리 상대적 생활 수준을 반영한 기준을 적용한다.
➡ (가)는 절대적 빈곤 개념을, (나)는 상대적 빈곤 개념을 기준으로 하고 있다. 따라서 상대적 생활 수준을 반영한 기준을 적용하는 것은 (나)이다.

⑤ 월 소득 인정액 900달러인 가구는 (가)에서는 모든 급여를 받았으나 (나)에서는 교육 급여만 받을 수 있다.
➡ 900달러는 중위 소득의 30% 수준으로 (나)에서는 교육, 주거, 의료 급여를 받을 수 있다.

05 복지 제도의 유형

자료 분석 | 첫 번째 글에 나타난 제도는 노인 장기 요양 보험으로 사회 보험에 해당한다. 따라서 A는 사회 보험이다. 두 번째 글에 나타난 제도는 기초 연금 제도로 공공 부조에 해당한다. 따라서 B는 공공 부조이다.

[선택지 분석]

① A는 B에 비해 빈곤층 자활 지원의 성격이 강하다.
　　B는 A에 비해

② A는 B와 달리 국가와 지방 자치 단체가 비용을 전액 부담하는 것을 원칙으로 한다.
　　B는 A와 달리

✓ B는 A에 비해 소득 재분배 효과가 크다.
➡ 공공 부조는 사회 보험에 비해 소득 재분배 효과가 크다.

④ B는 A에 비해 사전 예방적 성격이 강하다.
　　A는 B에 비해

⑤ A, B는 모두 수혜자 부담의 원칙이 적용된다.
➡ 수혜자 부담의 원칙이 적용되는 것은 사회 보험이다.

06 복지 제도의 유형

자료 분석 | 금전적 지원을 원칙으로 하지 않는다는 점에서 A는 사회 서비스, 강제 가입을 원칙으로 한다는 점에서 C는 사회 보험, B는 공공 부조이다.

[선택지 분석]

① A, B 모두 수혜 정도에 따라 비용을 부담한다.
➡ 공공 부조(B)는 수혜 정도와 관계없이 국가가 비용을 부담한다.

② B와 달리 A는 소득 재분배 효과가 나타난다.
➡ 소득 재분배 효과가 가장 큰 것은 공공 부조(B)이다.

③ B는 A를 보조하는 성격을 가지고 있다.
➡ 사회 서비스(A)는 사회 보험과 공공 부조를 보조하는 성격을 가지고 있다.

✓ A와 달리 B는 빈곤층의 최저 생활 보장을 목적으로 한다.
➡ 공공 부조(B)는 빈곤층의 최저 생활 보장 및 자활 지원을 목적으로 한다.

⑤ C와 달리 B는 상호 부조의 원리가 적용된다.
➡ 사회 보험(C)은 상호 부조의 원리가 적용된다.

07 생산적 복지

자료 분석 | 밑줄 친 '새로운 복지 개념'은 복지 수혜자의 근로 의욕과 경제 활동 참여를 장려하여 경제적 효율성 달성과 사회적 약자 보호를 동시에 추구하는 생산적 복지에 해당한다.

[선택지 분석]

✗ 복지병 문제를 초래하였다.
➡ 생산적 복지는 복지병에 따른 문제를 해소하기 위한 방안이다.

✗ 베버리지 보고서를 통해 확립되었다.
➡ 베버리지 보고서를 통해 현대 복지 사회의 체계가 구축되었다.

ⓒ 복지 수혜자의 자활 노력을 중시한다.

ⓔ 복지에 따른 비효율성의 개선을 추구한다.
➡ 근로 의욕 고취를 통해 복지의 비효율성을 개선하고자 한다.

08 생산적 복지

자료 분석 | (가)에 나타난 복지 제도는 재취업 활동을 하는 사람에게만 실업 급여를 지급하고 있으며, (나)에 나타난 복지 제도는 자활 근로 사업에 참여하도록 장려금을 지급하고 있다.

[선택지 분석]

✗ 전액 국가의 재정으로 비용을 부담한다.
➡ 고용 보험은 사회 보험의 하나로 국가가 비용을 전액 부담하지 않고 수혜자가 비용 중 일부를 부담한다.

ⓛ 복지 대상자의 근로 의욕을 고취시킨다.
➡ (가), (나)에 나타난 복지 제도는 모두 근로 및 취업 활동을 전제하고 있다.

✗ 복지 강화에 따른 복지병의 심화를 초래한다.
➡ (가), (나)에 나타난 복지 제도는 복지병에 따른 문제를 개선하기 위한 생산적 복지에 해당한다.

ⓔ 경제적 효율성과 사회적 약자 보호를 동시에 추구한다.
➡ (가), (나)에 나타난 복지 제도는 기존 복지 제도의 문제점을 보완하기 위해 경제적 효율성과 사회적 약자 보호를 동시에 추구하는 생산적 복지 이념이 반영되어 있다.

한번에 끝내는 대단원 문제　　　204~207쪽

01 ①　02 ③　03 ②　04 ②　05 ③　06 ⑤　07 ③
08 ③　09 ①　10 ④　11 ②　12 ②
13~16 해설 참조

01 사회 불평등 현상을 보는 관점

자료 분석 | 제시문은 소득을 차등 분배하지 않을 경우 우리 사회 전체적으로 피해를 보게 될 것이라 주장하고 있다. 즉, 사회 전체적 효율성을 위해 차등 분배가 필요하다는 입장으로 기능론에 부합한다.

[선택지 분석]

ⓞ 사회의 유지와 발전을 위해 불평등은 존재해야 한다.

➡ 기능론에서는 사회 불평등을 보편적이고 불가피한 현상으로 본다.

Ⓛ 사회적 희소가치의 차등 분배는 사회적 효율성을 향상 시킨다.

➡ 기능론에서는 사회적 희소가치의 차등 분배가 구성원 간 경쟁을 유발하여 사회적 효율성이 향상된다고 본다.

✕ 사회 불평등은 보편적이지도 불가피하지도 않은 사회 현상이다.

➡ 갈등론은 사회 불평등이 보편적인 현상이나, 불가피하지는 않다고 본다.

✕ 직업별 중요도의 차이는 사회 전체적 합의를 반영하지 못하고 있다.

➡ 기능론은 사회적 희소가치의 분배 기준이 사회 전체적 합의를 반영한다고 보나, 갈등론은 특정 집단의 이익이 반영된 결과라고 주장한다.

02 계층론과 계급론

자료 분석 | A는 일원론적 관점이라는 점에서 계급론, B는 다원론적 관점이라는 점에서 계층론에 해당한다. 따라서 (가)에는 계급론의 내용, (다)에는 계층론의 내용, (나)에는 계급론과 계층론의 공통적인 내용이 들어가야 한다.

[선택지 분석]

① (가) – 계층을 연속적으로 구분한다. → (다) 계층론

② (가) – 지위 불일치 현상을 설명하기 용이하다. → (다) 계층론

☑③ (나) – 경제적 요인을 사회 불평등의 원인으로 본다.

➡ 계층론과 계급론 모두 경제적 요인에 따라 사회 불평등이 나타난다고 본다. 단, 계급론은 경제적 요인에 의해서만, 계층론은 경제적 요인을 비롯한 여러 요인에 의해 사회 불평등이 나타난다고 본다.

④ (다) – 이분법적으로 사회 계층화를 설명한다. → (가) 계급론

⑤ (다) – 동일 계층 구성원 간 계급 의식을 강조한다.
→ (가) 계급론

03 사회 불평등 현상을 보는 관점

자료 분석 | 갑은 능력과 노력의 차이에 따라 사회 불평등이 발생한다고 보므로 기능론적 관점, 을은 불평등한 사회 구조로 인해 사회 불평등이 발생한다고 보므로 갈등론적 관점이다. 기능론은 사회적기여 정도에 따라 차등 분배가 이루어지며 이를 통해 구성원의 성취동기가 자극된다고 본다.

[선택지 분석]

① 갑은 사회 불평등을 극복해야 할 현상으로 본다.
→ 을의 관점(갈등론적 관점)

☑② 갑은 차등적 보상으로 개인의 성취동기가 자극된다고 본다.

③ 을은 사회 전체적 합의를 바탕으로 희소가치가 분배된다고 본다. → 갑의 관점(기능론적 관점)

④ 을은 사회적 역할의 중요도에 따라 차등적으로 보상이 이루어진다고 본다. → 갑의 관점(기능론적 관점)

⑤ 을과 달리 갑은 개인의 귀속적 요인이 사회 불평등에 미치는 영향이 크다고 본다.

➡ 기능론적 관점과 달리 갈등론적 관점에서는 가정 배경 등과 같은 개인의 귀속적 요인이 사회적 지위를 결정하는 데 큰 영향을 미친다고 본다.

04 사회 이동의 유형

자료 분석 | (가)는 수직 이동이나 개인적 이동은 아닌 경우, (나)는 수직 이동이며 개인적 이동인 경우이다.

[선택지 분석]

ㄱ. 갑은 신분제 폐지로 인하여 노예에서 자유민이 되었다.

➡ 노예에서 자유민이 된 것은 수직 이동에 해당하며, 그 원인이 신분제 폐지에 의한 것이므로 개인적 이동이 아닌 구조적 이동이다. 따라서 (가)에 해당한다.

ㄴ. 을은 ○○ 회사 사장이었으나 회사 부도로 인해 노숙자로 전락하였다.

➡ 사장에서 노숙자로 전락한 것은 수직 이동에 해당하며, 회사 부도는 구조적 요인에 의한 것이 아니므로 개인적 이동이다. 따라서 (나)에 해당한다.

ㄷ. 병은 청나라의 황제였으나 사회주의 혁명으로 인해 평민이 되었다.

➡ 황제가 평민이 된 것은 수직 이동에 해당하며, 그 원인이 사회주의 혁명에 의한 것이므로 개인적 이동이 아닌 구조적 이동이다. 따라서 (가)에 해당한다.

ㄹ. 정은 평사원으로 입사한 후 능력을 인정받아 사장의 자리까지 오르게 되었다.

➡ 평사원에서 사장이 된 것은 수직 이동에 해당하며, 그 원인이 개인의 능력에 의한 것이므로 개인적 이동이다. 따라서 (나)에 해당한다.

05 계층 구조와 사회 이동

자료 분석 | A, B가 어떤 계층인지에 따라 갑국과 을국의 계층 구조의 형태가 달라진다. 따라서 ㄱ~ㄹ을 주어진 표에 대입하여 옳고 그름을 파악해야 한다.

구분	갑국	을국
상층	10	20
A	30	60
B	60	20

(단위: %)

[선택지 분석]

✕ A가 중층이라면 갑국의 계층 구조는 을국에 비해 개방적이다.

➡ 자료를 보고 계층 구조의 개방성 여부는 파악할 수 없다. 계층별 구성원의 비율을 비교할 수 있을 뿐이다.

Ⓛ B가 중층이라면 갑국의 계층 구조는 을국에 비해 사회 안정에 유리하다.

➡ 중층의 비율이 높을수록 사회 안정에 유리하다. B가 중층이라면 갑국은 다이아몬드형 계층 구조, 을국은 피라미드형 계층 구조이다.

Ⓒ 갑국의 계층 구조가 피라미드형이라면 A에서 B로의 이동은 하강 이동에 해당한다.

➡ 갑국의 계층 구조가 피라미드형이라면 A는 중층, B는 하층이다. 따라서 A에서 B로의 이동은 하강 이동이다.

✕ 을국의 계층 구조가 다이아몬드형이라면 중층 인구의 규모는 을국이 갑국보다 크다.

➡ 을국이 갑국보다 중층의 비율이 높지만, 갑국와 을국의 전체 인구수가 나와 있지 않으므로 인구 규모는 비교할 수 없다.

06 계층 구조의 유형

자료 분석 | A와 B는 계층 이동 가능성에 따라 구분되는 계층 구조인데, A는 주로 봉건제 사회에서 나타났다는 점에서 폐쇄적 계층 구조, B는 주로 산업 사회에서 나타났다는 점에서 개방적 계층 구조이다. C와 D는 계층 구성원의 비율에 따라 구분되는 계층 구조인데, C는 주로 봉건제 사회에서 나타났다는 점에서 피라미드형 계층 구조, D는 주로 산업 사회에서 나타났다는 점에서 다이아몬드형 계층 구조이다.

[선택지 분석]

① A는 ~~개방적~~ 계층 구조이다.
　　　폐쇄적
② B는 ~~다이아몬드형~~ 계층 구조이다.
　　　개방적
③ C는 ~~중층~~의 비율이 가장 높은 계층 구조이다.
　　　하층
④ A에 비해 B는 계층 구조의 개방성이 ~~낮다~~.
　　　　　　　　　　　　　　　　높다
✔ C에 비해 D는 사회 안정의 실현에 유리하다.
　　➡ 중층의 비율이 높을수록 사회 안정의 실현에 유리하다.

07 사회적 소수자의 특성

자료 분석 | 갑, 을은 모두 주류 집단의 구성원이었다가 이주 후 사회적 소수자가 되어 차별을 받고 있다. 즉, 사회적 소수자를 구분하는 기준이 사회에 따라 상대적임을 알 수 있다.

[선택지 분석]

① 사회적 소수자에 대한 차별은 갈등을 초래한다.
　　➡ 사회적 소수자에 대한 차별이 사회적 갈등을 초래할 수 있지만 제시문과 관련 없다.
② 집단 구성원의 많고 적음이 사회적 소수자의 판단 기준이다.
　　➡ 구성원의 많고 적음은 사회적 소수자의 판단 기준이 아니다.
✔ 사회적 소수자를 구분하는 기준은 사회에 따라 상대적이다.
　　➡ 사회마다 사회적 소수자의 기준이 다르다.
④ 사회적 소수자는 주류 집단에 비해 ~~수적으로~~ 열세인 집단이다.
　　　　　　　　　　　　　　　　　　권력이
⑤ 사회적 소수자가 향유하는 문화는 사회 전체의 통합을 약화시킨다.

08 절대적 빈곤과 상대적 빈곤

[선택지 분석]

✘ (가)의 경우 중위 소득과 최저 생계비는 같다.
　　➡ 절대적 빈곤 가구와 상대적 빈곤 가구가 일치하면 절대적 빈곤선(최저 생계비)과 상대적 빈곤선(중위 소득의 50%)이 일치한다.
Ⓛ (나)의 경우 중위 소득이 최저 생계비의 2배보다 크다.
　　➡ (나)는 상대적 빈곤선이 절대적 빈곤선보다 큰 경우이다. 따라

서 중위 소득의 50%가 최저 생계비보다 더 크며, 최저 생계비의 2배보다 중위 소득이 더 크다.
Ⓓ (다)의 경우 최저 생계비는 중위 소득의 50%보다 크다.
　　➡ (다)는 절대적 빈곤선이 상대적 빈곤선보다 큰 경우이다. 따라서 최저 생계비가 중위 소득의 50%보다 크다.
✘ (가)와 달리 (나)의 경우 절대적 빈곤 가구는 모두 상대적 빈곤 가구이다.
　　➡ (가), (나) 모두 절대적 빈곤 가구는 모두 상대적 빈곤 가구이다.

09 사회 복지의 변화 과정

자료 분석 | (가) 시기는 초기 자본주의 사회, (나) 시기는 현대 복지 사회이다. 초기 자본주의 사회와 달리 현대 복지 사회에서는 모든 국민을 대상으로 사회 복지 정책을 실시하며, 사회 복지를 국민의 권리이자 국가의 의무로 인식하고 있다.

[선택지 분석]

Ⓖ (가)는 복지의 시혜적 성격을 강조하였다.
　　➡ 초기 자본주의 및 전통 사회에서는 복지를 일종의 시혜적 행위로 바라보았다.
Ⓛ (나)는 모든 국민의 삶의 질을 향상하고자 한다.
　　➡ 현대 복지 사회에서는 빈곤의 해결뿐만 아니라 모든 국민의 삶의 질을 향상시키기 위해 노력한다.
✘ 빈곤에 대해 (가)와 달리 (나)는 개인의 책임을 강조한다.
　　➡ 빈곤에 대해 초기 자본주의 사회는 개인의 책임을, 현대 복지 사회는 사회 구조의 책임을 강조하고 있다.
✘ (나)에 비해 (가)는 복지에 대한 국가의 의무를 강조하였다.
　　➡ 현대 복지 사회에서 복지를 국민의 권리이자 국가의 의무로 인식하고 있다.

10 복제 제도

자료 분석 | 사전 예방적 성격이 강한 A는 사회 보험, B는 공공 부조이다. (가)는 사회 보험보다 공공 부조에서 크게 나타나는 특징이다.

[선택지 분석]

① ~~A~~는 빈곤층의 생활 보장을 목적으로 한다.
　B(공공 부조)
② B는 수혜자 부담을 원칙으로 한다.
　　➡ 공공 부조는 국가와 지방 자치 단체가 비용을 전액 부담한다.
③ A와 달리 B는 금전적 지원을 원칙으로 한다.
　　➡ 공공 부조와 사회 보험 모두 금전적 지원을 원칙으로 한다.
✔ (가)에는 '소득 재분배 효과'가 들어갈 수 있다.
⑤ (가)에는 '상호 부조의 성격'이 들어갈 수 있다.
　　➡ 상호 부조의 성격은 공공 부조보다 사회 보험에서 강하다. 따라서 (가)에 들어갈 수 없다.

11 사회 보험과 공공 부조

자료 분석 | (가)에는 사회 보험에만 해당하는 특징이, (나)에는 공공 부조에만 해당하는 특징이, (다)에는 사회 보험과 공공 부조 모두에 해당하는 특징이 들어가야 한다.

[선택지 분석]

ㄱ. 의무 가입의 원칙 → (가) 사회 보험

ㄴ. 금전적 지원의 원칙 → (다) 사회 보험과 공공 부조

ㄷ. 사후 처방적 성격 → (나) 공공 부조

ㄹ. 능력에 따른 비용 부담 → (가) 사회 보험

12 복지 제도

자료 분석 | (가)는 국민 건강 보험으로 사회 보험에 해당하며, (나)는 국민 기초 생활 보장 제도로 공공 부조에 해당한다. 사회 보험은 발생할 수 있는 사회적 위험에 대비하기 위한 것이고, 공공 부조는 생활 유지 능력이 없는 국민에게 국가가 최소한의 인간다운 생활을 보장하기 위한 것이다.

[선택지 분석]

ⓞ (가)에 비해 (나)는 사후 처방의 성격이 강하다.

✗ (가)와 달리 (나)는 소득 재분배 효과가 있다.
    (가), (나) 모두

ⓞ (나)와 달리 (가)는 의무 가입을 원칙으로 한다.

✗ (나)와 달리 (가)는 수혜 정도에 따라 비용을 부담한다.
    ➡ 사회 보험은 수혜 정도와 무관하게 비용 부담 능력에 따라 비용을 부담한다.

13 계급론과 계층론

(1) (가) – 계급론, (나) – 계층론

(2) [예시 답안] 지위 불일치 현상은 계급, 위신, 권력의 각 측면에서 나타나는 계층 서열에서 개인의 위치가 서로 다른 현상이다. 따라서 다양한 요인을 기준으로 삼는 (나)의 계층론이 지위 불일치 현상을 설명하기에 적합하다.

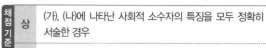

채점기준	상	지위 불일치 현상의 의미와 계층론이 적합한 이유를 모두 정확히 서술한 경우
	중	두 가지 중 한 가지만 정확히 서술한 경우
	하	적합한 이론이 계층론이라는 점만 단순 기술한 경우

14 사회 계층 구조

(1) A국: 피라미드형 계층 구조, B국: 다이아몬드형 계층 구조

➡ 그래프를 분석해 보면 A국은 상층 : 중층 : 하층의 비율이 20 : 30 : 50으로 피라미드형 계층 구조이며, B국은 20 : 50 : 30으로 다이아몬드형 계층 구조이다.

(2) [예시 답안] B국은 A국에 비해 사회 안정 및 통합에 유리하며, A국과 달리 B국은 현대 산업 사회에서 주로 나타난다.

채점기준	상	피라미드형에 비해 다이아몬드형 계층 구조가 가지는 특징을 두 가지 모두 정확히 서술한 경우
	하	특징 중 한 가지만 정확히 서술한 경우

15 사회적 소수자의 특징

[예시 답안] (가) – 시대·장소·소속 집단의 범주 등에 따라 사회적 소수자의 기준은 상대적이다.

(나) – 사회적 소수자는 수적으로 소수를 의미하는 것이 아니라, 권력의 열세에 있는 사람을 의미한다.

채점기준	상	(가), (나)에 나타난 사회적 소수자의 특징을 모두 정확히 서술한 경우
	하	(가), (나) 중 하나의 경우만 정확히 서술한 경우

16 근로 장려금 제도와 생산적 복지

(1) 생산적 복지

(2) [예시 답안] 일정 소득까지 총 급여액이 증가함에 따라 수령할 수 있는 근로 장려금이 많아진다. 이를 통해 저소득 가구의 근로 의욕을 고취하고 경제 활동 참여를 장려할 수 있다.

채점기준	상	개편 후 나타날 수 있는 변화와 기대 효과를 모두 정확히 서술한 경우
	하	변화와 기대 효과 중 하나만 정확히 서술한 경우

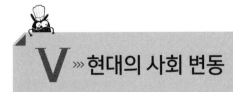

V »현대의 사회 변동

01 ~ 사회 변동과 사회 운동

01 사회 변동의 요인

자료 분석 | 제시문은 최근 급격하게 진행되고 있는 4차 산업 혁명이 사회 변동을 야기할 것을 예상하고 있다. 4차 산업 혁명을 이끌고 가는 주요 요인은 인공 지능, 로봇 공학, 생명 과학 등과 같은 과학 기술의 발전이다.

[선택지 분석]
① 사회 운동
② 자연환경의 변화
③ 문화 요소의 전파
④ 과학 기술의 발전
  ➡ 4차 산업 혁명을 통한 사회 변동 요인은 과학 기술의 발전이다.
⑤ 가치관·이념의 변화

02 사회 변동의 특징

자료 분석 | 첫 번째 글을 통해 인류가 불을 이용하게 되면서 사회 전반적으로 다양한 변화가 일어났음을 알 수 있다. 두 번째 글을 통해서는 산업화 이후 최근까지 짧은 기간 동안 엄청난 속도로 사회 변동이 진행되었음을 알 수 있다.

[선택지 분석]
✗ 사회에 따라 다른 양상으로 진행된다.
  ➡ 사회 변동의 특징에 해당하지만, 제시문을 통해 알 수 있는 진술로 적절하지 않다.
ⓛ 사회 변동의 속도가 점차 빨라지고 있다.
  ➡ 두 번째 글은 시간이 지남에 따라 사회 변동의 속도가 더욱 빨라지고 있음을 보여 준다.
✗ 사회를 구성하는 영역마다 변동 속도가 다르다.
  ➡ 사회 변동의 특징에 해당하지만, 제시문을 통해 알 수 있는 진술로 적절하지 않다.
ⓔ 한 영역에서의 변화가 다른 영역에서의 변화를 유발한다.

➡ 첫 번째 글은 한 영역에서 나타난 변화가 다른 영역에서의 변화를 유발함을 보여 준다.

03 사회 변동의 특징

자료 분석 | 첫 번째 사례는 정보 통신 기술의 발달이 산업 구조와 경제생활 방식의 변화로 이어졌음을 보여 준다. 두 번째 사례는 양성평등 가치관의 확산이 여성의 사회 진출과 초혼 연령 상승, 저출산 현상으로 이어졌음을 보여 준다.

[선택지 분석]
① 단기간 내에 급속도로 이루어진다.
  ➡ 제시된 사례 모두 사회 변동이 이루어진 기간에 대해서는 언급하고 있지 않다.
② 물질적 요소의 변화만이 나타난다.
  ➡ 사회 변동은 물질적 요소뿐만 아니라 비물질적 요소의 변화도 의미한다.
③ 기술의 발달이 주요 요인으로 작용한다.
  ➡ 첫 번째 사례만 기술의 발달과 관련 있다.
④ 변화하는 속도가 시대나 장소에 따라 다르다.
  ➡ 사회 변동의 특징에 해당하지만, 제시된 사례와 관련 없다.
✔ 특정 부분의 변화가 연쇄적인 사회 변동을 야기한다.
  ➡ 제시된 사례 모두 특정 부분의 변화가 연쇄적인 사회 변동을 야기하였다.

04 진화론과 순환론의 비교

자료 분석 | 사회 변동의 방향을 바라보는 관점에는 진화론과 순환론이 있다. 사회 변동이 일정한 방향을 갖는다고 보는 이론은 진화론이다. 따라서 A는 진화론, B는 순환론이다.

[선택지 분석]
① A는 진화론, B는 순환론이다.
② A는 서구 제국주의 역사를 정당화하는 수단으로 악용될 수 있다.
  ➡ 진화론은 서구 사회를 진보한 사회라고 전제하므로 서구 제국주의 역사를 정당화하는 수단으로 악용될 수 있다.
③ B는 단기간의 사회 변동을 설명하기 어렵다는 한계를 갖는다.
  ➡ 순환론은 순환 과정이 매우 오랜 시간에 걸쳐 일어나므로 단기간의 사회 변동을 설명하기 어렵다.
④ (가)에는 '사회가 소멸할 수도 있다고 보는가?'가 들어갈 수 있다.
  ➡ 순환론은 사회가 생성, 성장, 쇠퇴, 소멸의 과정을 반복한다고 보므로 (가)에는 해당 질문이 들어갈 수 있다.
✔ (가)에는 '모든 사회가 같은 경로로 변화한다고 보는가?'가 들어갈 수 있다. 없다
  ➡ 모든 사회가 같은 경로로 변화한다고 보는 이론은 진화론이다. A가 진화론이므로 (가)에는 해당 질문이 들어갈 수 없다.

05 순환론

자료 분석 | 이탈리아의 경제학자 파레토가 설명한 권력의 순환 과정은 사회 변동의 방향을 바라보는 관점 중 순환론과 관련 있다.

[선택지 분석]

✗ 사회는 일정한 방향으로 변동한다. → 진화론

✗ 사회 변동은 생물 유기체의 진화와 같다. → 진화론

ⓒ 사회는 생성과 성장, 쇠퇴와 소멸을 반복한다.

ⓔ 사회 변동이 곧 진보와 발전을 의미하지는 않는다.

06 기능론

자료 분석 | 갑은 사회가 안정을 지향하며 사회 변동은 일시적인 현상이라고 보고 있으므로 기능론적 관점을 가지고 있다.

[선택지 분석]

ⓖ 급격한 사회 변동을 설명하는 데 한계가 있다.

　　➡ 기능론은 사회 질서와 안정을 강조하므로 전쟁이나 혁명과 같은 급격한 사회 변동을 설명하기 어렵다.

✗ 사회 변동 요인이 사회 구조에 내재되어 있다고 전제한다. → 갈등론

ⓒ 사회를 구성하는 요소들이 기능적으로 통합되어 있다고 본다.

　　➡ 기능론은 사회를 구성하는 요소들이 기능적으로 통합되면서 사회 전체의 질서와 안정을 유지한다고 본다.

✗ 사회 변동을 항상 나타날 수밖에 없는 자연스러운 현상으로 본다. → 갈등론

07 사회 변동을 설명하는 이론의 비교

자료 분석 | 사회 변동의 방향에 대한 이론에는 진화론과 순환론이 있다. 서구 사회를 가장 발전된 형태로 보는 A는 진화론, 그렇지 않은 B는 순환론이다. 사회 변동을 일시적인 병리 현상으로 보는 C는 기능론, 그렇지 않은 D는 갈등론이다.

[선택지 분석]

✔ A를 뒷받침하는 사례로 개발 도상국들이 근대화 과정을 거쳐 선진국으로 발전한 것을 들 수 있다.

　　➡ 진화론은 모든 사회가 동일한 발전 단계를 거친다고 본다.

② B는 단기간의 사회 변동을 설명하기 <s>용이하다</s>.
　　　　　　　　　　　　　　　　　　어렵다

　　➡ 순환론은 단기간의 사회 변동을 설명하기 어렵다는 한계를 갖는다.

③ C는 사회 변동은 <s>자연스러운</s> 현상이라고 본다.
　　　　　　　　　일시적인

　　➡ 기능론은 사회 변동이 일시적으로 발생한 사회 문제를 해결하는 과정이라고 본다.

④ <s>D</s>는 혁명과 같은 급격한 사회 변동을 설명하기 어렵다
　C

　는 한계를 갖는다.

　　➡ 급격한 사회 변동을 설명하기 어려운 이론은 기능론이다.

⑤ A, B와 달리 C, D는 사회 변동의 구체적인 모습이 사회마다 다르다고 본다.

　　➡ 사회 변동의 구체적인 모습이 사회마다 다른 것은 일반적인 사회 변동의 특징이다.

08 진화론

자료 분석 | 갑은 사회가 단계적으로 발전한다고 보고 있으므로 사회 변동의 방향을 바라보는 관점 중 진화론적 관점을 가지고 있다.

[선택지 분석]

✔ 역사적 퇴보를 설명하기 곤란하다.

　　➡ 진화론은 모든 사회가 일정한 방향으로 발전한다고 보기 때문에 역사적 퇴보를 설명하기 곤란하다.

② 사회 변동을 일정한 패턴의 반복으로 본다. → 순환론

③ 점진적인 사회 변동을 설명하는 데 유용하다. → 기능론

④ 미래 사회의 변동을 예측하는 데 적합하지 않다. → 순환론

⑤ 모든 사회가 같은 방향으로 변동하<s>는 것은 아니라고 본다</s>.
　　　　　　　　　　　　　　　　　　　한다고 본다

09 사회 운동의 변화

자료 분석 | 신사회 운동은 사회 운동이 다루는 주제가 다양한 영역으로 확장되고 있음을 보여 준다.

[선택지 분석]

① 사회 운동의 성격이 모호해지고 있다.

② 사회 운동의 주체가 다양해지고 있다.

✔ 사회 운동이 다양한 분야로 확대되고 있다.

　　➡ 기존 사회 운동이 노동 운동, 여성 참정권 운동 등의 주제에 국한되었던 반면, 현대 사회에서 진행되고 있는 사회 운동은 환경, 인권, 평화 등 다양한 주제로 확대되고 있다.

④ 사회 운동의 조직성이 더욱 강화되고 있다.

⑤ 사회 운동이 사회의 문제점을 정확히 드러내지 못하고 있다.

10 사회 운동의 유형

자료 분석 | (가)는 혁명적 사회 운동, (나)는 개혁적 사회 운동, (다)는 복고적 사회 운동에 해당한다.

[선택지 분석]

✗ (가)는 복고적 사회 운동이다.
　　　　　혁명적

ⓛ (나)의 예로 사형제 폐지 운동을 들 수 있다.

　　➡ 사형제 폐지 운동은 사회 체계의 일부인 사형제를 폐지하고자 하는 운동으로 개혁적 사회 운동이라고 볼 수 있다.

✗ (다)의 예로 프랑스 혁명을 들 수 있다.

　　➡ 프랑스 혁명은 절대 왕정을 무너뜨리고 신분제를 폐지하는 등 사회 전반적인 변화를 주도한 운동으로 혁명적 사회 운동이라고 볼 수 있다.

ⓔ (가), (나)와 달리 (다)는 사회 변동을 저지하려는 목적의 사회 운동이다.

　　➡ 개혁적 사회 운동과 혁명적 사회 운동은 모두 사회 변동을 달성하는 것이 목적이지만, 복고적 사회 운동은 사회 변동을 저지하려는 것이 목적이다.

11 사회 운동과 사회 변동

자료 분석 | 1960년대까지 흑인은 백인으로부터 차별을 받아 왔다. 그러나 지속적인 흑인 민권 운동을 통해 인종 차별을 금지하는 법률이 제정되었고, 미국의 민주주의가 더욱 발달하게 되었다.

[선택지 분석]

① 새로운 형태의 사회 운동이 등장하고 있다.

② 사회 변동을 저지하려는 사회 운동도 가능하다.

③사회 운동은 사회 변동의 주요 요인으로 작용한다.

➡ 흑인 민권 운동이 새로운 법률 제정과 민주주의 발달에 기여한 것처럼 사회 운동은 사회 변동의 주요 요인으로 작용한다.

④ 사회 운동으로 인해 사회 전체의 이익을 해칠 수 있다.

⑤ 사회 운동은 뚜렷한 목표를 가지고 개별적으로 이루어진다. (조직적)

12 진화론

(1) 진화론

(2) [예시 답안] 진화론은 서구 제국주의 역사를 정당화하는 수단으로 악용될 수 있다는 비판을 받을 수 있다. 왜냐하면 진화론은 서구 사회가 가장 진보한 사회라고 전제하기 때문이다.

채점기준		
상	진화론에 해당하는 비판점을 제시하고 그 이유를 논리적으로 서술한 경우
중	진화론에 해당하는 비판점을 제시했지만, 그 이유를 논리적으로 서술하지 못한 경우
하	진화론만 쓴 경우

도전! 실력 올리기   220~221쪽

01 ③ **02** ④ **03** ③ **04** ② **05** ① **06** ⑤ **07** ④
08 ④

01 사회 변동의 요인과 특징

자료 분석 | (가)는 농업 사회에서 산업 사회로의 변화이고, (나)는 산업 사회에서 정보 사회로의 변화이다. 각 단계의 변화를 초래한 핵심 요인은 과학 기술의 발전이다.

[선택지 분석]

① (가), (나) 모두 사회 구조의 전반적 변화이다.

② 과학 기술의 발전은 (가), (나) 모두의 요인에 해당한다.

➡ 기계의 발달과 정보 통신 기술의 발전은 모두 과학 기술의 발전에 해당한다.

③㉠은 모든 사회에서 같은 속도로 사회 변동을 이끄는 요인이다.

➡ 사회에 따라 사회 변동의 속도는 다르게 나타난다.

④ ㉡은 대중의 지위를 향상시키는 변화를 가져왔다.

➡ 대중 교육과 대중 문화의 확산으로 대중의 지위가 향상되었다.

⑤ ㉢을 통해 사회 변동에 물질적 생활양식의 변동이 포함됨을 알 수 있다.

02 사회 변동의 요인과 특징

자료 분석 | (가)는 기술의 발달, (나)는 가치관의 변화에 따른 사회 변동의 사례이다.

[선택지 분석]

✗ (가)는 사회 변동의 양상이 사회마다 다름을 보여 준다.

➡ 제시문을 통해 개별 사회의 변동 양상은 알 수 없다.

ⓛ (나)는 가치관의 변화에 따른 사회 변동의 사례이다.

✗ (나)와 달리 (가)는 비물질적 요소가 사회 변동의 요인으로 작용하였다. (가)와 달리 (나)는

➡ 비물질적 요소가 사회 변동의 요인으로 작용한 것은 자유주의 이념의 영향을 받은 (나)이다.

ⓔ (가)와 (나) 모두 어느 한 부분의 변화가 다른 부분의 변화를 유발하였다.

➡ (가), (나) 모두 한 부분의 변화로 인해 다른 부분도 변화되었음을 보여 주고 있다.

03 진화론과 순환론

자료 분석 | (가)는 사회가 점점 복잡한 방향으로 변화될 것이라고 보고 있으므로 진화론에 해당하고, (나)는 인류 문명에서 성장과 쇠퇴가 반복될 것이라고 보고 있으므로 순환론에 해당한다.

[선택지 분석]

① (가)는 사회가 주기적으로 동일한 과정을 통해 변동하는 것으로 본다. (나)

➡ 사회가 주기적으로 동일한 과정을 통해 변동한다고 보는 것은 순환론이다.

② (나)는 서구의 제국주의 역사를 정당화하는 수단으로 악용될 수 있다는 비판을 받는다. (가)

➡ 진화론은 서구 제국주의 역사를 정당화하는 수단으로 악용될 수 있다는 비판을 받는다.

③(가)는 (나)와 달리 모든 사회가 일정한 방향으로 발전한다고 본다.

➡ 진화론은 순환론과 달리 모든 사회가 일정한 방향으로 발전한다고 본다.

④ (나)는 (가)와 달리 선진국과 후진국 간의 불평등한 힘의 관계에 주목한다.

➡ 진화론, 순환론과 관련 없는 설명이다.

⑤ (가), (나) 모두 서구 사회가 밟아 왔던 변동의 과정이 최선의 것은 아니라고 본다.

➡ 진화론은 서구 사회가 밟아 왔던 변동의 과정을 최선의 것이라고 본다.

04 진화론과 순환론

자료 분석 | (가)는 시간의 경과에 따라 발전 정도가 높아지므로 진화론, (나)는 성장과 쇠퇴가 반복되고 있으므로 순환론을 나타낸 그래프이다.

[선택지 분석]

① (가)는 서구 중심적 사고라는 비판을 받는다.

➡ 진화론은 서구 사회가 진보된 사회라고 전제하므로 서구 중심적이라는 비판을 받는다.

②(가)는 사회 변동이 일정한 양상을 반복한다고 본다. (나)

➡ 순환론은 사회 변동이 일정한 양상을 반복한다고 본다.

③ (나)는 지난 역사에서 반복되는 사회 변동을 설명하기 용이하다.
➡ 순환론은 지난 역사에서 반복되는 사회의 생성과 몰락을 설명하기 용이하다.

④ (나)는 미래의 사회 변동에 대한 역동적 대응이 곤란하다는 비판을 받는다.
➡ 순환론은 사회 변동의 방향을 예측하기 어려워 미래의 사회 변동에 역동적인 대응이 곤란하다는 비판을 받는다.

⑤ (가)와 달리 (나)는 전쟁 등에 의해 흥망성쇠를 거듭한 국가의 사례를 설명할 수 있다.
➡ 순환론은 사회가 생성, 성장, 쇠퇴, 소멸을 반복한다고 보므로 흥망성쇠를 거듭한 국가의 사례를 설명할 수 있다.

05 기능론과 갈등론

자료 분석 | 갑이 작성한 내용 중 ㉠은 갈등론에 부합하고, ㉡은 기능론에 부합한다. 따라서 2점을 받기 위해서는 ㉢에 갈등론에만 해당하는 내용이 들어가야 한다.

[선택지 분석]

㉠ ㉠과 달리 ㉡은 틀린 답에 해당한다.
➡ 급격한 사회 변동을 설명하기 어려운 것은 기능론이다.

㉡ ㉢에는 '사회 변동을 자연스러운 현상으로 본다.'가 들어갈 수 있다.
➡ 갈등론은 사회 변동을 자연스러운 현상으로 본다.

✗ ㉢에 '사회 변동의 요인이 사회에 내재되어 있다고 본다.'가 들어가면 갑의 점수는 1점이다.
                                     2점
➡ 갈등론은 사회 변동의 요인이 사회에 내재되어 있다고 본다.

✗ 수행 평가 주제는 사회 변동의 방향에 대한 이론이다.
➡ 사회 변동의 방향에 대한 이론에는 진화론과 순환론이 있다.

06 진화론과 순환론

자료 분석 | 사회 변동의 방향에 대한 관점에는 진화론과 순환론이 있다. 따라서 (가), (나)에 들어갈 질문은 두 이론 중 어느 하나에만 부합하는 내용이어야 한다.

[선택지 분석]

✗ A, B 중 하나는 사회 변동을 일시적인 병리 현상으로 본다.
➡ 사회 변동을 일시적인 병리 현상으로 보는 것은 기능론이다.

✗ (가)가 '사회 변동이 일정한 방향을 갖는다고 보는가?'라면, B는 진화론이다.
                                    A
➡ 사회 변동이 일정한 방향을 갖는다고 보는 이론은 진화론이다.

㉢ A가 순환론이라면, (나)에 '사회 변동을 곧 발전이라고 보는가?'가 들어갈 수 있다.
➡ 사회 변동을 곧 발전이라고 보는 이론은 진화론이다. 따라서 A가 순환론이라면 (나)에 해당 질문이 들어갈 수 있다.

㉣ (가)가 '서구 중심적이라는 비판을 받는가?'라면, (나)에 '사회는 퇴보할 수도 있는가?'가 들어갈 수 있다.
➡ 서구 중심적이라는 비판을 받는 이론은 진화론이고, 사회가 퇴보할 수도 있다고 보는 이론은 순환론이다. 따라서 두 질문은 각각 (가), (나)에 들어갈 수 있다.

07 사회 운동의 특징

자료 분석 | 지하철역에서 위험에 처한 사람을 구하기 위해 여러 사람이 힘을 합치는 모습을 사회 운동으로 볼 수 없는 이유는 지속성과 조직성이 없으며, 사회 변동의 달성이나 저지를 목적으로 하지 않기 때문이다.

[선택지 분석]

✗ 뚜렷한 목표를 갖는다.
➡ 지하철의 사례에서도 위험에 처한 사람을 구한다는 뚜렷한 목표가 나타난다.

㉡ 지속적·조직적으로 진행된다.

✗ 다수가 협력적으로 상호 작용을 한다.
➡ 지하철 사례에서도 다수의 협력적 상호 작용이 나타난다.

㉣ 사회 변동을 달성 또는 저지하고자 한다.

08 사회 운동과 사회 변동

자료 분석 | (가)의 여성 참정권 운동은 영국과 미국에서 여성의 참정권이 정식으로 인정되는 결과를 가져왔다. (나)의 러다이트 운동은 산업화라는 사회 변동에 저항하기 위해 진행된 사회 운동이다.

[선택지 분석]

① (가)를 통해 사회 운동이 실패할 수도 있음을 알 수 있다.
➡ (가)는 사회 운동의 성공 사례이다.

② (나)는 신사회 운동의 사례로 볼 수 있다.
                                없다
➡ 신사회 운동은 인권, 평화, 환경 등을 주제로 현대 사회에 새롭게 확산되고 있는 사회 운동을 의미한다.

③ (나)와 달리 (가)는 조직적으로 진행된 사회 운동의 사례이다.
      (가), (나) 모두
➡ —

✓ (가)와 달리 (나)는 사회 변동을 저지하려는 의도로 진행된 사회 운동의 사례이다.
➡ (나)는 산업화를 저지하려는 의도로 진행된 사회 운동이다.

⑤ (가), (나) 모두 사회 변동에 영향을 끼치지 않았다.
➡ (가)는 사회 운동을 통해 여성 참정권이 인정되었으므로 사회 변동에 영향을 끼쳤다.

02 ~ 현대 사회의 변화와 대응 방안

콕콕! 개념 확인하기   227쪽

01 (1) ○ (2) × (3) ○
02 (1) 정보 (2) 다품종 소량 생산 (3) 수평적
03 (1) ㉢ (2) ㉠ (3) ㉡
04 (1) × (2) × (3) ○
05 (1) 다문화 (2) 외국인 근로자 (3) 관용

01 ④ **02** ③ **03** ④ **04** ④ **05** ⑤ **06** ⑤ **07** ④
08 해설 참조

01 세계화를 통한 사회 변화 양상

자료 분석 | 중국의 양고기 소비 증가가 전 세계적으로 섬유 제품 가격에 영향을 미친 것은 세계가 하나의 시장으로 연결되어 있으며 국제 사회의 상호 의존성이 증대되었음을 보여 준다.

[선택지 분석]

✗ 국가 간 경제적 갈등이 증가하였다.
　➡ 세계화로 인해 국가 간 무역, 경제 정책 등을 둘러싼 경제적 갈등이 심화되었지만, 제시문과 관련 없는 내용이다.

ⓛ 세계가 하나의 시장으로 연결되었다.

✗ 민주주의 가치가 전 세계로 확산되었다.
　➡ 세계화 과정에서 민주주의 가치가 확산되었지만, 제시문과 관련 없는 내용이다.

ⓔ 국제 사회의 상호 의존성이 증대되었다.

02 세계화로 인한 문제

자료 분석 | 제시문은 특정 국가가 경제 성장을 추구하는 과정에서 세계적인 주류 언어에 편입되어 소수 인종의 토착 언어가 소멸되는 것을 통해 세계화로 인한 문화 획일화 문제를 보여 준다.

[선택지 분석]

① 개별 국가들의 정책 자율성을 침해한다.
　➡ 세계화로 인한 문제점에 해당하지만, 제시문과 관련 없는 내용이다.

② 선진국과 개발 도상국 간 격차가 심화된다.
　➡ 세계화로 인한 문제점에 해당하지만, 제시문과 관련 없는 내용이다.

✔ 전 세계적으로 문화 획일화 현상이 나타난다.
　➡ 소수 인종의 토착 언어가 소멸되는 것은 세계화로 인해 강대국 문화 중심으로 문화가 획일화되는 문제점을 보여 준다.

④ 전 지구적 경제 위기가 발생할 가능성이 높아진다.
　➡ 세계화로 인한 문제점에 해당하지만, 제시문과 관련 없는 내용이다.

⑤ 다국적 기업의 시장 독점에 따른 폐해가 증가한다.
　➡ 세계화로 인한 문제점에 해당하지만, 제시문과 관련 없는 내용이다.

03 정보화를 통한 사회 변화 양상

자료 분석 | 정보화로 인한 사회 변화에 대하여 갑, 을 중 을만 옳게 발표했다. 교사의 마지막 말에 따르면 한 사람은 틀린 내용을 발표했으므로, 틀린 한 사람은 갑이고, 병의 발표 내용은 옳은 내용이어야 한다.

[선택지 분석]

① ㉠의 촉진 배경으로 세계 무역 기구(WTO)의 출범을 들 수 있다.
　➡ 세계 무역 기구(WTO)의 출범은 세계화의 촉진 배경이다.

② ㉡은 병이다.
　　갑
　➡ 틀린 한 사람은 갑이다. 정보 사회에서는 지식과 정보가 부가 가치 창출의 원천으로 부각된다.

③ 을의 대답은 수직적 인간관계 중시와 관련 있다.
　　　　　　　 수평적
　➡ 정보화에 따라 가상 공간에서 맺는 사회적 관계가 증가하고, 유연하고 창의적인 조직이 등장하면서 수평적 인간관계가 중시되고 있다.

✔ (가)에는 '다품종 소량 생산 방식으로 변화하고 있습니다.'가 들어갈 수 있다.
　➡ 정보화에 따라 다품종 소량 생산 방식으로 생산 방식이 변화하였다.

⑤ (가)에는 '업무의 편리성과 효율성이 떨어지고 있습니다.'가 들어갈 수 있다.
　　　　　　　　　　　　　 증대되고
　➡ 정보화에 따라 업무의 편리성과 효율성이 증대되고 있다.

04 정보화로 인한 문제

자료 분석 | 제시문은 계층 간에 정보에 대한 접근 및 사용 기회가 평등하게 보장되지 않음을 내용으로 하고 있으므로 정보화에 따른 정보 격차 문제를 보여 준다.

[선택지 분석]

✗ 왜곡된 정보 확산과 사이버 범죄 증가의 원인이다.
　➡ 정보화로 인한 문제점에 해당하지만, 제시문과 관련 없는 내용이다.

ⓛ 정보 격차에 따른 사회적 불평등 문제를 보여 준다.
　➡ 계층 간 정보 격차는 사회적 불평등을 야기한다.

✗ 피상적인 인간관계가 확산될 수 있음을 우려하고 있다.
　➡ 정보화로 인한 문제점에 해당하지만, 제시문과 관련 없는 내용이다.

ⓔ 취약 계층에 대한 정보 교육 실시를 해결 방안으로 제시할 수 있다.
　➡ 정보 격차 문제는 취약 계층에 대한 정보 교육 실시 등을 통해 해결할 수 있다.

05 저출산·고령화로 인한 문제

자료 분석 | 제시문은 국민연금 적자와 국민 건강 보험 고갈을 우려하고 있다. 이는 저출산·고령화로 인해 사회 보장 제도의 운용에 필요한 재정 부담이 커지고 있음을 보여 준다.

[선택지 분석]

✗ 일과 가정의 양립이 어려워진다.
　➡ 일과 가정의 양립이 어려운 점은 저출산 현상의 요인으로, 제시문과 관련 없다.

✗ 경제 활동 인구의 증가로 실업 문제가 발생한다.

ⓒ 노인 부양과 관련한 세대 간 갈등이 심화할 수 있다.
　➡ 노인 부양에 필요한 사회적 비용 부담을 둘러싸고 세대 간 갈등이 심화할 수 있다.

ⓔ 사회 보장 제도 운용에 필요한 재정 부담이 증가한다.
　➡ 고령 인구는 증가하지만 저출산 현상으로 인해 비용을 부담할 청·장년층은 감소하고 있으므로 사회 보장 제도 운용에 필요한 재정 부담이 증가한다.

06 저출산·고령화의 진행 양상

자료 분석 | 제시된 그림은 합계 출산율이 급격히 줄어들고, 65세 이상 인구 비율이 빠르게 증가하고 있음을 보여 준다. 이는 저출산·고령화가 심화하고 있음을 의미한다.

[선택지 분석]

① 2015년을 기준으로 초고령 사회에 진입하였다.
➡ 초고령 사회는 전체 인구에서 차지하는 65세 이상 인구의 비율이 20% 이상인 사회를 말한다. 2015년의 65세 이상 인구 비율은 13.2%이므로 2015년은 고령화 사회에 해당한다.

② 출산 장려 정책은 위와 같은 현상을 심화시킬 수 있다.
                                 약화

③ 우리나라의 저출산·고령화 진행 속도가 완만함을 알 수 있다.
                                 급격함

④ 노인을 대상으로 한 사회 보장 제도의 축소가 요구됨을 보여 준다.
                                 확대가

✔️⑤ 혼인 및 출산에 대한 가치관의 변화, 의료 기술의 발달을 원인으로 들 수 있다.
➡ 저출산의 원인으로 혼인 및 출산에 대한 가치관의 변화를, 고령화의 원인으로 의료 기술의 발달에 따른 평균 수명의 증가를 들 수 있다.

07 다문화 사회로의 변화에 따른 대응 방안

자료 분석 | 제시문은 인종에 따른 편견과 차별 문제를 보여 준다.

[선택지 분석]

① 다문화에 대한 수용성을 낮춰야 한다.
                        높여야

② 다른 문화에 대한 상대주의적 태도를 가져야 한다.
➡ 다문화 사회로의 변화에 필요한 대응 방안이지만, 제시문과 관련 없다.

③ 우리 문화 속에 이주민들의 문화를 녹여내야 한다.
➡ 자문화 중심주의적 태도로, 다문화 사회에 적합한 대응 방안으로 볼 수 없다.

✔️④ 다른 인종에 대한 편견을 버리고 존중하는 자세를 가져야 한다.
➡ 다문화 사회에서는 인종에 대한 편견을 버리고 존중하는 자세를 지녀야 한다.

⑤ 이주민의 정착을 도울 수 있는 다양한 지원책을 마련해야 한다.
➡ 다문화 사회로의 변화에 필요한 대응 방안이지만, 제시문과 관련 없다.

08 고령화의 대응 방안

(1) 고령화

(2) [예시 답안] 노인의 일자리를 창출하고, 노인을 대상으로 한 사회 보장 제도를 정비한다.

채점 기준		
	상	고령화를 쓰고, 고령화의 대응 방안을 두 가지 서술한 경우
	중	고령화를 쓰고, 고령화의 대응 방안을 한 가지만 서술한 경우
	하	고령화를 썼으나 고령화의 대응 방안을 잘못 서술한 경우

01 세계화를 바라보는 시각

자료 분석 | 세계화에 대해 갑은 긍정적인 입장을, 을은 부정적인 입장을 가지고 있다. 세계화를 통해 자유로운 무역으로 전 세계의 경제적 발전을 꾀할 수 있지만, 선진국과 개발 도상국 간 격차 심화 등의 불평등 문제가 발생할 수 있다.

[선택지 분석]

⊙ 갑은 세계화로 자유 무역의 이익이 실현된다고 본다.

✘ 갑은 세계화가 경제적 효율성의 하락을 가져온다고 본다.
                                  증대를
➡ 갑은 세계화를 통한 자유 무역이 지구촌 전체의 번영을 가져올 것이라고 주장하므로 세계화가 경제적 효율성의 증대를 가져온다고 본다.

© 을은 선진국과 개발 도상국 간의 격차 심화를 우려하고 있다.
➡ 을은 전 지구적 수준의 불평등을 언급하고 있으므로 선진국과 개발 도상국 간의 격차 심화를 우려하고 있다.

✘ 을의 주장에 따르면 세계화가 진행될수록 개별 국가의 자율성은 강화될 것이다.
                               약화
➡ 을의 주장에 따르면 세계화가 진행될수록 초국적 자본의 개별 국가에 대한 지배력이 높아지고, 이는 결국 개별 국가의 정책 자율성 침해로 이어질 것이다.

02 세계화로 인한 문제의 대응 방안

자료 분석 | A는 공정 무역이다. 공정 무역을 통해 세계화로 인해 나타나는 국가 간 빈부 격차 심화 문제에 대응할 수 있다.

[선택지 분석]

① A는 공정 무역이다.

② A는 세계화로 인한 문제의 대응 방안에 해당한다.

③ A의 사례로 아동 노동을 통해 생산된 제품의 이용 금지 운동을 들 수 있다.
➡ 공정 무역은 아동 노동의 착취를 막기 위해 아동 노동을 통해 생산된 제품의 이용을 반대한다.

✔️④ ⊙으로 인해 선진국의 산업 기반이 무너질 수 있다.
➡ 개발 도상국이 경제적 자립 역량을 키운다고 해서 선진국의 산업 기반이 무너진다고 볼 수 없다.

⑤ ⊙의 방안으로 개발 도상국 생산자의 적정 이윤 보장을 들 수 있다.
➡ 개발 도상국 생산자의 적정 이윤을 보장함으로써 국가 간 빈부 격차를 완화하고 개발 도상국의 경제적 자립을 도울 수 있다.

03 정보화를 통한 사회 변화 양상

자료 분석 | 정보화에 따라 등장한 온라인 백과사전을 통해 전 세계 사람들은 지식과 정보를 공유하고 직접 정보 생산 과정에 참여할 수 있게 되었다.

① 사생활 침해가 늘어난다.

➡ 정보화로 인한 문제점이지만, 제시문과 관련 없는 내용이다.

② 피상적 인간관계가 줄어든다.

➡ 정보화에 따라 피상적 인간관계가 증가하게 되었지만, 제시문과 관련 없는 내용이다.

☑ 지식과 정보의 공유가 활발해진다.

➡ 제시문의 "누구나 그것에 접근할 수 있으며, 어떤 내용도 작성자에게 귀속되지 않는다."라는 내용을 통해 지식과 정보가 공유됨을 파악할 수 있다.

④ 전문가 집단의 영향력이 ~~강화된다~~.
　　　　　　　　　　 약화될 수 있다

➡ 온라인 백과사전은 수많은 이용자가 만든 집단 지성의 산물이므로 전문가 집단의 영향력은 약화될 수 있다.

⑤ 정보의 생산자와 소비자가 ~~분리된다~~.
　　　　　　　　　　　 분리되지 않는다

➡ 온라인 백과사전은 소비자가 직접 정보를 생산하므로 정보 생산자와 소비자가 분리되지 않는다.

04 정보화로 인한 문제

자료 분석 | 정보 사회에서는 개인 정보 노출과 사생활 침해 문제가 심각하게 나타나고 있다. 이를 해결하기 위해서는 민주주의의 근본 토대로서 개인 정보 보호를 위해 노력해야 한다.

[선택지 분석]

① 민주주의 발전을 위해 익명성은 어느 정도 제한되어야 한다.

➡ 익명성을 제한하면 개인 정보의 노출 위험이 커지므로 제시문의 주장에 부합하지 않는다.

☑ 개인 정보 보호는 인간의 기본적인 권리로 강조되어야 한다.

➡ 개인 정보 노출 및 사생활 침해 문제를 막기 위해서는 인간의 기본적인 권리로서 개인 정보를 보호해야 한다.

③ 개인 정보의 상품적 가치를 높이기 위해 개인 정보는 보호되어야 한다.

➡ 개인 정보의 상품적 가치와 관련된 내용은 제시문에 나타나 있지 않다.

④ 책임 있는 의사 표현을 위해 개인 정보는 어느 정도 드러낼 수 있어야 한다.

➡ 개인 정보를 보호해야 한다는 제시문의 주장에 부합하지 않는다.

⑤ 자신의 이익을 위해 스스로 개인 정보를 제공할 경우, 기업에 의한 개인 감시는 감수해야 한다.

➡ 개인 정보를 보호해야 한다는 제시문의 주장에 부합하지 않는다.

05 정보화로 인한 문제의 대응 방안

자료 분석 | (가), (나)는 정보화에 따른 문제의 대응 방안으로 (가)는 개인 정보 유출 방지를 위한 방법, (나)는 계층 간, 지역 간 정보 격차를 해소하기 위한 방법이다.

[선택지 분석]

✗ (가)는 네티즌들의 정보 공유를 촉진하기 위한 것이다.

➡ (가)는 개인 정보 유출을 방지하기 위한 것이다.

ㄴ (나)는 정보 활용 능력보다 정보 접근성을 높이는 데 초점을 두고 있다.

➡ (나)는 정보 격차를 해소하기 위해 정보 취약 계층과 지역을 파악하여 정보 인프라를 구축하고 있다. 이는 정보 접근성을 높이는 방안이다.

ㄷ (가)는 사이버 범죄 예방에, (나)는 정보 이용자 저변 확대에 도움이 된다.

➡ (가)는 개인 정보 유출을 방지함으로써 사이버 범죄를 예방할 수 있고, (나)는 정보 취약 계층에 대한 정보 인프라 구축과 재정적 지원으로 정보 이용자 저변 확대에 도움이 될 수 있다.

✗ (가)와 (나) 모두 개인 정보 보호에 주안점을 두고 있다.
　(가)는

06 저출산·고령화의 요인

자료 분석 | (가)에서 노년 부양비는 꾸준히 증가하고 있으므로 이는 고령화 현상과 관련 있다. (나)에서 합계 출산율은 감소하고 있으므로 이는 저출산 현상과 관련 있다.

[선택지 분석]

	(가)	(나)
①	정년 단축	이혼율 증가
②	출산율 감소	국제결혼 증가
③	노인 인구 증가	초혼 연령 하락
		상승

➡ 노인 인구 증가는 고령화의 원인에 해당한다. 저출산의 원인으로 초혼 연령의 상승을 들 수 있다.

☑ 평균 수명 증가 / 양육비 부담 증가

➡ 고령화의 원인으로는 의료 기술 발달에 따른 평균 수명 증가를, 저출산의 원인으로는 자녀 양육비 부담 증가를 들 수 있다.

⑤ 재취업 노인 증가 / 결혼 기피 현상

➡ 재취업 노인 증가는 노년 부양비 증가와 직접적인 관련이 없다. 결혼 기피 현상은 저출산의 원인에 해당한다.

07 우리나라의 인구 정책 변화

자료 분석 | 우리나라는 1960년대부터 대대적으로 인구 억제 정책을 펼쳤다. 1980년대 포스터에서도 이를 확인할 수 있다. 하지만 여성의 사회 활동 증가 등으로 저출산 현상이 심화하자 2000년대에는 출산 장려 정책이 시행되고 있다.

[선택지 분석]

ㄱ 1980년대에는 인구 억제가 정책의 주요 목표였다.

✗ 1980년대 정책은 출산과 양육에 따른 경제적 부담을 가중시켰다.

➡ 인구 억제 정책이 출산과 양육에 대한 경제적 부담을 가중시켰다고 볼 수 없다.

ㄷ 2000년대 정책은 일과 가정이 양립할 수 있는 제도 마련을 통해 실현될 수 있다.

➡ 저출산 현상은 일과 가정의 양립을 통해 해결할 수 있다.

ㄹ 1980년대에서 2000년대로 출산 관련 정책이 변화한 원인에는 여성의 사회 활동 증가가 있다.

➡ 여성의 사회 활동 증가 등으로 저출산 현상이 심화하자 인구 억제 정책에서 출산 장려 정책으로 정책이 변화하였다.

08 다문화 사회 정책

자료 분석 | 다문화 사회와 관련된 정책에는 **용광로 정책**과 **샐러드 볼 정책**이 있다. 용광로 정책은 동화주의로 이어질 수 있다는 비판을 받는다.

[선택지 분석]

✔️ ㉠은 문화의 공존을 저해하고 갈등을 초래할 수 있다.
　➡️ 용광로 정책은 다양한 문화를 녹여 새로운 문화를 만드는 정책이지만, 다른 문화에 대한 편견을 가지고 이러한 정책을 시행한다면 문화 동화주의로 흘러 문화의 공존을 저해하고 갈등을 초래할 수 있다.

② ㉡을 통해 다문화에 대한 수용성을 ~~낮출~~ 수 있다.
　　　　　　　　　　　　　　 높일
　➡️ 샐러드 볼 정책을 통해 다양한 문화가 공존하고 다문화 수용성을 높일 수 있다.

③ ㉢은 타 문화를 ~~배척하는~~ 정책이다.
　　　　　　　　 수용하는
　➡️ 다양한 문화를 녹여 새로운 문화를 만들고자 하는 것은 타 문화를 수용하는 정책이라고 볼 수 있다.

④ ㉣을 통해 문화의 다양성을 ~~높일~~ 수 있다.
　　　　　　　　　　　　　　 낮출
　➡️ 문화 동화주의는 문화의 다양성을 저해한다.

⑤ ㉤은 외국인 이주민이 사회에 적응하는 데 ~~어려움을 초래할 수 있다.~~
　　　　　　　　　　　　　　　 도움을 줄 수 있다
　➡️ 다양한 문화가 공존함으로써 외국인 이주민은 사회에 더욱 쉽게 적응할 수 있다.

---

03 ~ 전 지구적 수준의 문제와 지속 가능한 사회

콕콕! 개념 확인하기　　　　　　　　　　236쪽

01 (1) 지구 온난화　(2) 사막　(3) 열대 우림
02 (1) ×　(2) ○　(3) ○
03 ㄱ, ㄹ
04 ㉠: 전쟁, ㉡: 테러
05 (1) 평화적인　(2) 국제기구
06 (1) 지속 가능한 사회　(2) 세계 시민

탄탄! 내신 다지기　　　　　　　　　237~238쪽

01 ②　**02** ⑤　**03** ②　**04** ①　**05** ③　**06** ⑤　**07** ①
08 해설 참조

01 사막화 문제

자료 분석 | 밑줄 친 '이것'은 **사막화**이다. 사막화는 토지가 점차 사막 환경으로 변해가는 현상이다. 사막화가 진행되면 토양 침식 현상으로 식량난이 발생하고 질병이 퍼질 수 있다.

[선택지 분석]

㉠ '이것'은 사막화 현상이다.
✗ 생물 종의 다양성 감소가 주요 원인이다.
　➡️ 생물 종의 다양성 감소는 사막화의 결과이다.
㉢ 인간의 무분별한 개발에 따른 결과이다.
　➡️ 사막화는 인간의 무분별한 개발로 인해 발생한다.
✗ 특정 국가나 지역에만 국한되는 문제이다.
　➡️ 제시문에서 특정 지역의 사막화가 다른 지역이나 국가에 영향을 미친다고 했으므로 사막화가 전 지구적 수준의 문제임을 알 수 있다.

02 지구 온난화 문제의 해결 방안

자료 분석 | REDD+ 계획은 **지구 온난화 문제에 대응하기 위해 국제기구와 여러 국가가 함께 노력하는 국제 사회의 유기적 협력 사례**이다.

[선택지 분석]

① 성장과 환경의 조화를 추구한다.
　➡️ REDD+ 계획을 통해 탄소 배출량을 줄이고 지속 가능한 발전을 꾀하고 있으므로 이는 성장과 환경의 조화를 추구한다고 볼 수 있다.
② 지구 온난화 현상에 대한 대응 방안이다.
　➡️ REDD+ 계획은 탄소 배출량을 줄이는 정책으로 지구 온난화 현상에 대한 대응 방안이다.
③ 실효성 확보를 위해 경제적 유인이 활용된다.
　➡️ 탄소 배출량 감축 계획을 이행한 개발 도상국에 대해 감축 실적에 따라 국제 연합을 통해 보상하는 것은 경제적 유인의 활용으로 볼 수 있다.
④ 환경 문제에 대한 국제 사회의 유기적 협력 사례이다.
✔️ 국가 참여를 배제하고 국제기구가 주체가 되어 진행한다.
　➡️ REDD+ 계획은 국가가 주체가 되어 참여하는 사업이다.

03 자원 고갈 문제

자료 분석 | 천연가스, 석탄, 석유는 모두 화석 에너지 자원으로 매장량이 한정되어 있다. 제시된 자료를 통해 계속 자원을 사용할 경우 **자원 고갈 위험**에 맞닥뜨릴 수 있음을 알 수 있다.

[선택지 분석]

① 석유 생산을 줄이고 석탄 사용을 늘려야 함을 보여 준다.
　➡️ 석탄의 가채 연수가 가장 길지만, 이것이 석탄 사용을 늘려야 함을 의미하는 것은 아니다.
✔️ 주요 에너지 자원이 고갈될 위기에 처해 있음을 보여 준다.
　➡️ 천연가스, 석탄, 석유와 같은 주요 에너지 자원의 가채 연수가 약 50년에서 100년 정도 밖에 남아있지 않으므로 주요 에너지 자원이 고갈될 위기에 처해 있음을 알 수 있다.
③ ~~청정 에너지~~를 대체할 수 있는 새로운 에너지 자원의
　　화석 에너지
개발이 필요함을 보여 준다.
　➡️ 자원 고갈 문제에 대응하기 위해서는 화석 에너지를 대체할 수 있는 신·재생 에너지 개발이 필요하다.

④ 탐지 기술 개발을 통해 다른 나라에 있는 화석 에너지의 새로운 매장 지역을 찾아야 함을 시사한다.
➡ 화석 에너지의 새로운 매장 지역을 찾는 노력보다는 신·재생 에너지 개발과 자원 절약을 위해 노력해야 한다.
⑤ 다른 조건이 일정한 상태에서 연간 생산량(채굴량)이 늘면 미래 세대의 이용 가능한 자원량은 증가할 것이다.
　　　　　　　　　　　　　　　　　　　　　　감소

04 자원 문제의 해결 방안

자료 분석 | (가)에는 자원 고갈 문제에 대한 일반 시민들의 대응 방안으로 적절한 내용이 들어가야 한다.

[선택지 분석]

ㄱ 자원 재활용 노력이 필요합니다.
ㄴ 불필요한 전력 사용을 줄여야 합니다.
✗ 소비를 최소화하고 저축을 늘려야 합니다.
➡ 불필요한 소비, 낭비적 소비를 줄이는 노력이 필요한 것이지, 소비 자체를 최소화하는 것은 자원 고갈 문제에 대한 적절한 대응 방안으로 볼 수 없다.
✗ 해외 자원 확보를 위한 외교를 강화해야 합니다.
➡ 사회자는 자원 고갈 문제에 대한 일반 시민들의 대응 방안을 묻고 있다. 해외 자원 확보를 위한 외교적 노력은 국가적 차원의 대응 방안이다.

05 전쟁 문제

자료 분석 | 밑줄 친 '이것'은 전쟁이다. 전쟁은 서로 대립하는 국가 또는 이에 준하는 집단 간에 군사력을 비롯한 수단을 써서 상대의 의지를 강제하는 행위이다.

[선택지 분석]

✗ 인류의 문명과 자연환경을 보존할 수 있다.
　　　　　　　　　　　　　　　파괴
ㄴ 인명 피해와 인권 침해를 초래할 우려가 있다.
➡ 전쟁은 심각한 인명 피해와 인권 침해를 초래한다.
ㄷ 종교 갈등, 영토 갈등 등이 발생 요인으로 작용한다.
➡ 전쟁은 종교·영토·인종적 갈등 등에 의해 발생한다.
✗ 불특정 다수를 대상으로 살인, 납치 등의 위협을 가하는 경우가 증가하고 있다. → 테러

06 전쟁과 테러의 해결 방안

자료 분석 | 왼쪽 사진에는 이스라엘과 팔레스타인의 전쟁 모습이 나타나 있고, 오른쪽 사진에는 파리에서 벌어진 테러의 모습이 나타나 있다.

[선택지 분석]

① 우선적으로 군사력을 동원한다.
➡ 평화적인 방법이 선행되어야 한다.
② 상대방의 공격에 무조건 무력으로 대응한다.
➡ 무조건 무력으로 대응하기보다는 평화적인 다른 방법이 있는지 고려해 보아야 한다.
③ 갈등이 발생하는 상대를 맹목적으로 배척한다.
➡ 맹목적으로 배척하기보다는 대화를 통해 갈등의 근본 원인을 해결해야 한다.

④ 분쟁을 당사자끼리 자체적으로 해결하도록 한다.
➡ 자체적인 해결이 어려울 수 있으므로 국제기구의 적극적인 중재가 필요하다.
✔ 상호 존중과 이해 및 협력을 바탕으로 대화를 시도한다.

07 지속 가능한 사회와 세계 시민

자료 분석 | 지구의 환경과 지구촌 구성원을 생각하여 소비하겠다는 내용을 통해 세계 시민 의식을 확인할 수 있다.

[선택지 분석]

✔ 세계 시민 의식을 확인할 수 있다.
➡ 세계 시민은 지구촌 문제에 관심을 갖고 문제 해결을 위해 적극적으로 행동하는 사람이다.
② 서로 다른 문화에 대한 수용적 태도를 갖고 있다.
➡ 세계 시민으로서 필요한 자세이지만, 제시문과 관련 없다.
③ 환경 보존이 경제 성장보다 우선한다는 인식을 하고 있다.
④ 지속 가능한 발전과 경제 성장은 조화를 이룰 수 없음을 전제한다.
⑤ 지속 가능한 사회를 위해 시장을 통한 자원 배분 시스템에 참여하지 않겠다는 의지가 담겨 있다.
➡ 필요 없는 소비를 줄인다는 것이 시장을 통한 자원 배분 시스템에 참여하지 않음을 의미하지는 않는다.

08 세계 시민으로서 가져야 할 자세

[예시 답안] 지속 가능한 사회를 만들기 위해서는 지구촌 구성원으로서 전 지구적 수준의 문제에 관심을 두고 이를 해결하기 위해 노력해야 한다. 따라서 세계 시민으로서의 자세를 적극적으로 실천해야 한다.

채점기준		
	상	지속 가능한 사회와 전 지구적 수준의 문제 해결 측면에서 서술한 경우
	하	지속 가능한 사회를 언급하지 않고 전 지구적 수준의 문제 해결 측면에서만 서술한 경우

도전! 실력 올리기　　　　　　　　　　239쪽

01 ③　　02 ①　　03 ④　　04 ②

01 열대 우림 파괴 문제

자료 분석 | 제시된 사진은 열대 우림이 파괴되는 환경 문제를 보여준다.

[선택지 분석]

① 지구 온난화 현상을 심화시킨다.
➡ 열대 우림이 파괴되면 지구 온난화가 심화될 수 있다.
② 전 지구적 수준의 환경 문제이다.
✔ 물 부족 문제를 초래하는 직접적인 요인이다.
➡ 물 부족 문제는 인구 증가, 가뭄 등으로 인해 발생한다.

④ 무분별한 벌목, 불법적 방화 등을 원인으로 들 수 있다.

➡ 열대 우림은 무분별한 벌목, 불법적 방화 등에 의해 파괴된다.

⑤ 동식물의 서식지를 파괴하여 생태계의 균형이 깨질 수 있다.

➡ 열대 우림이 파괴되면 각종 동식물의 서식지가 사라지고 생태계의 균형이 깨질 수 있다.

02 자원 문제

자료 분석 | 갑이 처음에 받은 A, B 두 장의 카드에는 서로 다른 문제에 대한 대응 방안이 적혀 있었다. 이후 B를 버리고 C를 받으면서 게임이 종료되었으므로 A, C에는 동일한 문제에 대한 대응 방안이 적혀 있어야 한다. A에 적힌 내용은 자원 문제에 대한 대응 방안이므로 C도 자원 문제에 대한 대응 방안이다. 반면, 버려진 B에는 자원 문제에 대한 대응 방안이 들어갈 수 없다.

[선택지 분석]

㉠ '자원을 절약하는 습관'은 B에 들어갈 수 없다.

➡ '자원을 절약하는 습관'은 자원 문제의 대응 방안이므로 B에 들어갈 수 없다.

✗ B의 뒷면에 적힌 내용은 자원 문제에 대한 대응 방안 ~~이다.~~
이 아니다

㉢ '국제 사회의 유기적 협력'은 C에 들어갈 수 있다.

➡ '국제 사회의 유기적 협력'은 자원 문제의 해결을 위한 방안으로 C에 들어갈 수 있다.

✗ A, C의 뒷면에 적힌 내용은 모두 ~~환경 문제~~에 대한 대응 방안이다.
자원 문제

03 전쟁 문제

자료 분석 | 갑국에서는 반정부군과 정부군 간의 내전이 벌어지고 있다. 내전은 국가에 준하는 집단 간의 무력 분쟁으로 전쟁에 해당한다.

[선택지 분석]

✗ 국가 간 무력 분쟁이다.

➡ 국가 내 반정부군과 정부군 간의 무력 분쟁이다.

㉡ 분쟁의 성격이 복잡해지고 있다.

➡ 분쟁의 성격이 정치적 성격에서 종교적, 국제적 성격으로 복잡해지고 있다.

✗ 경제적 이해관계의 대립에 의해 시작되었다.

➡ 독재 정권 퇴진을 요구하는 시위에서 시작되었다.

㉣ 국제기구에 의한 분쟁 해결 노력이 시도되고 있다.

➡ 국제 연합 안전 보장 이사회가 대응 방안을 찾고 있다는 내용을 통해 국제기구에 의한 분쟁 해결 노력이 시도되고 있음을 알 수 있다.

04 지속 가능한 사회를 위한 노력

자료 분석 | 제시된 편지 내용을 통해 미래 세대의 삶이 현재 세대의 행동에 영향을 받음을 알 수 있다. 따라서 현재 세대뿐 아니라 미래 세대도 안정적이고 풍요로운 삶을 이어나갈 수 있도록 지속 가능한 사회를 만들기 위해 노력해야 한다.

[선택지 분석]

① 세계 시민 의식을 가져야 한다.

➡ 지속 가능한 사회를 만들기 위해 세계 시민 의식을 가져야 한다.

✓ 현재 세대와 미래 세대의 권리를 ~~개별적으로~~ 인식해야
조화롭게
한다.

➡ 미래 세대의 삶은 현재 세대의 영향을 받으므로 현재 세대와 미래 세대의 권리를 조화롭게 인식하고 미래 세대에 필요한 여건을 저해하지 않기 위해 노력해야 한다.

③ 미래 세대가 사용할 경제, 사회, 환경 등의 자원을 낭비해서는 안 된다.

④ 인권, 자유, 평등과 같은 인류 보편의 가치를 지향하고 확산해야 한다.

⑤ 전 지구적 수준의 문제에 관심을 가지고 해결을 위해 적극적으로 노력해야 한다.

┌───┐
│ **한번에 끝내는 대단원 문제**　　242~245쪽 ▶ │
├───┤
│ **01** ④　**02** ③　**03** ③　**04** ⑤　**05** ④　**06** ⑤　**07** ③ │
│ **08** ⑤　**09** ①　**10** ⑤　**11** ④　**12** ③ │
│ **13~16** 해설 참조 │
└───┘

01 사회 변동의 요인

자료 분석 | 천부 인권 및 자유주의 사상의 확산, 프로테스탄티즘의 확산은 모두 가치관 및 이념의 변화에 해당한다.

[선택지 분석]

① 인구 변화

➡ 사회 변동의 요인에 해당하지만, 제시문과 관련 없다.

② 자연환경의 변화

➡ 사회 변동의 요인에 해당하지만, 제시문과 관련 없다.

③ 과학 기술의 발전

➡ 사회 변동의 요인에 해당하지만, 제시문과 관련 없다.

✓ 가치관 또는 이념의 변화

⑤ 새로운 문화 요소의 전파

➡ 사회 변동의 요인에 해당하지만, 제시문과 관련 없다.

02 기능론과 갈등론

자료 분석 | A는 사회 변동을 대립과 갈등 측면에서 파악한다고 했으므로 갈등론, B는 급격한 사회 변동을 설명하기 어렵다고 했으므로 기능론이다.

[선택지 분석]

✗ ~~A~~는 사회 변동을 사회가 균형을 찾아가는 과정으로 본다.
B

➡ 기능론은 사회 변동을 사회가 균형을 찾아가는 과정으로 본다.

㉡ B는 사회 변동을 일시적이며 병리적인 현상이라고 본다.

➡ 기능론은 사회 변동을 일시적이며 병리적인 현상으로 본다.

㉢ A와 달리 B는 보수적인 관점으로 평가된다.

➡ 기능론은 사회의 정당한 변화와 개혁을 수용하지 않고 사회 질서와 안정을 강조하기 때문에 보수적인 관점으로 평가된다.

✗ B와 달리 A는 사회 변동을 사회 구조적인 측면에서 설
　A, B 모두
명한다.
➡ 기능론과 갈등론은 모두 사회 변동을 사회 구조적인 측면에서
설명하는 이론이다.

03 진화론과 순환론

자료 분석 | 서구 사회가 진보된 사회임을 전제로 하는 이론은 진화
론이므로 A는 진화론, B는 순환론이다.

[선택지 분석]

✗ A와 달리 B는 단기적 사회 변동을 설명하기 ~~용이하다.~~
　　　　　　　　　　　　　　　　　　　　어렵다
➡ 순환론은 장기간에 걸쳐 나타나는 사회 변동을 설명하는 이론
으로 단기적 사회 변동을 설명하기 어렵다는 한계를 갖는다.

ㄴ B와 달리 A는 사회 변동이 일정한 방향을 갖는다고 본다.
➡ 진화론은 사회 변동이 일정한 방향을 갖는다고 본다.

ㄷ (가)에는 '사회 변동의 방향에 대한 이론인가?'가 들어
갈 수 있다.
➡ 진화론과 순환론은 모두 사회 변동의 방향에 대한 이론이다.

✗ (나)에는 '역사적 퇴보를 설명하기 곤란한가?'가 들어
갈 수 ~~있다.~~
　　　　없다
➡ 역사적 퇴보를 설명하기 곤란한 이론은 진화론이다.

04 사회 운동

자료 분석 | 다수의 사람이 사회 변동을 달성 또는 저지하려는 의도
를 가지고 지속적·조직적으로 하는 활동은 사회 운동이다.

[선택지 분석]

① 사회 변동의 주요 요인으로 작용한다.
➡ 사회 운동은 사회 변동의 주요 요인이 된다.

② 복고적 성격의 활동으로 나타날 때도 있다.
➡ 기존의 질서를 고수하고 사회 변화에 대항하기 위해 복고적
성격으로 나타날 때도 있다.

③ 과거에는 노동 운동을 중심으로 진행되었다.
➡ 과거에는 노동 운동을 중심으로 진행되었으나, 오늘날에는 환
경·인권·평화 등 다양한 영역에서 사회 운동이 나타나고 있다.

④ 다양한 사회 갈등을 해소하는 계기가 될 수 있다.
➡ 사회 운동을 통해 사회의 문제점을 드러내고 해결 방향을 제
시함으로써 사회 갈등을 해소할 수 있다.

✓ 사회 전체의 이익을 증진시키는 방향으로만 진행된다.
➡ 사회 운동이 바람직하지 않은 목표나 이념을 추구할 경우 사
회 전체의 이익을 저해하거나 공동체의 삶에 위험을 가져올
수 있다.

05 세계화를 통한 사회 변화

자료 분석 | 갑~병의 대답은 모두 세계화의 요인이다. 따라서 A는
세계화이다.

[선택지 분석]

① A는 전 세계의 상호 의존성이 커지는 현상이다.
➡ 세계화는 전 세계가 하나로 통합되면서 상호 의존성이 커지는
현상이다.

② A로 인해 나타난 문제로 선진국과 개발 도상국 간의 격
차 심화를 들 수 있다.
➡ 세계화로 인해 국가 간 경쟁이 과열되어 선진국과 개발 도상
국 간의 격차가 심화하는 문제가 발생한다.

③ 갑이 발표한 내용은 교통·통신 기술의 발달에 기인한다.
➡ 교통·통신 기술의 발달로 국가 간 시공간적 거리가 줄어들면
서 국경을 뛰어넘는 교류가 활발해졌다.

✓ 을이 발표한 내용의 결과 자본, 노동이 아닌 상품의 국
가 간 이동이 증가했다.
➡ 기업들이 경제 활동의 범위를 세계 시장으로 넓히면서 상품뿐
만 아니라 자본, 노동의 국가 간 이동도 증가했다.

⑤ 병이 발표한 내용의 요인으로 세계 무역 기구(WTO)의
출범을 들 수 있다.
➡ 세계 무역 기구(WTO)의 출범으로 각종 무역 장벽이 철폐되고
완화되면서 국제 무역의 범위가 확대되었다.

06 정보화로 인한 문제

[선택지 분석]

① 정보화를 통한 전자 민주주의는 정치 발전을 가져온다.
➡ 옳은 내용이지만, 제시문의 주장에 부합하지 않는다.

② 정치적 의사를 표현할 수 있는 방법이 점차 단순화되고
있다.
➡ 인터넷의 발달을 통해 정치적 의사를 표현할 수 있는 방법은
더욱 다양해졌다.

③ 정치 과정에 모든 국민이 참여하기 위해서는 전자 민주
주의가 필요하다.
➡ 전자 민주주의를 통해 국민의 정치 참여를 높일 수 있지만, 제
시문의 주장에 부합하지 않는다.

④ 정보 윤리를 함양하고 올바른 사이버 문화의 정착을 위
해 노력해야 한다.
➡ 정보화의 문제에 대응하기 위한 자세이지만, 제시문과 관련
없다.

✓ 정보 격차는 정치 참여 과정에도 영향을 미칠 수 있으
므로 대책이 필요하다.
➡ 제시문의 필자는 정보화로 인한 정보 격차 문제를 우려하고
있다.

07 저출산·고령화 문제

자료 분석 | 제시된 그림에서 유소년 인구에 비해 노인 인구가 차지
하는 비율이 증가하여 노령화 지수가 증가하고 있음을 알 수 있다.
또한 저출산의 영향으로 생산 가능 인구가 줄어들고, 노인 인구는
점점 늘어남에 따라 노년 부양비가 증가하고 있음을 알 수 있다.
즉, 그림은 우리나라의 저출산·고령화 현상의 심화를 보여 준다.

[선택지 분석]

① 저출산·고령화 현상이 심화하고 있다.
➡ 제시된 그림은 저출산·고령화 현상의 심화를 보여 준다.

② 사회 구성원들의 노인 부양 부담이 증대되고 있다.
➡ 노년 부양비가 증가하고 있으므로 사회 구성원들의 노인 인구
에 대한 부양 부담이 증대된다.

✓ 2017년에 유소년 인구수가 노인 인구수를 초과한다.
　　　　노인 인구수가 유소년 인구수를
➡ 2017년에 노령화 지수가 100을 넘은 것은 노인 인구수가 유소년 인구수를 초과함을 의미한다.

④ 출산 장려 정책을 통해 위와 같은 현상을 완화할 수 있다.
➡ 출산 장려 정책을 통해 출산율이 높아지면 노령화 지수와 노년 부양비의 증가 추세를 완화시킬 수 있다.

⑤ 노인 인구를 위한 사회 복지 제도의 확충이 요구됨을 보여 준다.
➡ 고령화에 대응하기 위해 노인 인구를 위한 사회 복지 제도의 확충이 요구된다.

08 다문화 사회로의 변화

자료 분석 | 제시된 그림은 외국인 주민 수와 비중이 증가하고 있으므로 다문화 사회로의 변화를 보여 준다.

[선택지 분석]

① 외국인 주민과의 문화 차이를 인정하지 않는다.
➡ 문화 간의 차이를 이해하고 존중하는 자세가 필요하다.

② 국제결혼 이주자의 국내 입국 요건을 강화한다.
➡ 다문화 사회로의 변화에 대한 적절한 대응 방안이 아니다.

③ 우리 민족의 정체성과 주체성 함양을 위해 노력한다.
➡ 외국인 주민과 타 문화에 대한 배척으로 이어져 갈등을 유발할 수 있다.

④ 외국인 주민을 대상으로 한국 문화에 대한 교육을 강화한다.
➡ 한국 문화의 교육 강화는 자칫 문화 동화주의로 흐를 수 있으므로 우리 문화를 교육하기보다는 다른 문화를 존중하는 노력이 필요하다.

✓ 외국인 주민이 사회에 적응할 수 있도록 다양한 다문화 정책을 마련한다.
➡ 다문화 사회로의 변화에 대응하기 위해서는 외국인 주민의 사회 적응을 도울 수 있는 다양한 다문화 정책이 마련되어야 한다.

09 지구 온난화 문제의 해결 방안

자료 분석 | 파리 협정은 교토 의정서의 뒤를 이어 지구 온난화 문제를 해결하기 위해 온실가스를 규제하는 국제 협약이다.

[선택지 분석]

㉠ 지속 가능한 사회를 지향한다.
➡ 파리 협정은 지구 온난화 문제를 해결하기 위한 노력으로, 지속 가능한 사회를 지향한다.

㉡ 지구 온난화 문제를 해결하고자 한다.
➡ 파리 협정은 온실가스 감축을 통해 지구 온난화 문제를 해결하고자 한다.

✗ 교토 의정서에 비해 참가국의 수가 감소했다.
　　　　　　　　　　　　　　　증가
➡ 파리 협정은 개발 도상국까지 참여함으로써 교토 의정서에 비해 참가국의 수가 증가하였다.

✗ 선진국보다 개발 도상국이 환경 문제에 대한 책임이 무거움을 강조한다.
➡ 파리 협정은 선진국과 개발 도상국 모두에게 환경 문제에 대한 책임을 지우는 협정이다.

10 자원 문제

자료 분석 | 생태 발자국 지수가 높다는 것은 그만큼 자원을 많이 사용하고 있다는 증거이다. 2016년 우리나라의 생태 발자국 지수가 지구가 감당할 수 있는 지수보다 3배 이상 높은 것을 통해 자원 절약이 필요함을 알 수 있다.

[선택지 분석]

① 대중교통을 이용하는 것은 ㉠을 줄일 수 있는 실천 방안에 해당한다.
➡ 대중교통을 이용하면 생태 발자국 지수를 줄일 수 있다.

② 성장 위주의 정책과 소비 위주의 문화가 확산할수록 ㉠은 높아질 것이다.
➡ 성장 위주의 정책과 소비 위주의 문화가 확산하면 자원의 무절제한 사용이 늘어 생태 발자국 지수는 높아질 것이다.

③ ㉡은 일반적으로 자연에서 얻지만 한정되어 있다.
➡ 자원은 자연에서 얻을 수 있는 것 중 인간에게 유용한 것으로, 한정적이다.

④ ㉢의 양과 ㉠은 정(+)의 관계이다.
➡ 폐기물을 처리하는 양이 증가하면 이에 필요한 토지 면적인 생태 발자국 지수도 증가한다.

✓ ㉣은 우리나라에서 사용할 수 있는 자원의 양이 풍부함을 의미한다.
➡ 2016년 우리나라의 생태 발자국 지수가 지구가 감당할 수 있는 지수보다 3배 이상 높은 것은 사용 가능한 자원의 양에 비해 자원을 지나치게 낭비하고 있음을 의미한다.

11 전쟁과 테러

자료 분석 | (가)는 전쟁, (나)는 테러이다.

[선택지 분석]

✗ (가)는 제2차 세계 대전 이후 발생하지 않고 있다.
➡ 제2차 세계 대전 이후에도 세계 곳곳에서 전쟁이 발생하고 있다.

㉡ 최근 불특정 다수를 대상으로 한 (나)가 증가하여 시민들의 일상생활이 위협받고 있다.
➡ 최근 불특정 다수를 대상으로 한 테러가 증가하여 시민들의 일상생활이 위협받고 있다.

✗ (가)는 (나)와 달리 인명 피해와 자연환경의 파괴를 초
　　　　　　　　　　　(가), (나) 모두
래한다.
➡ 전쟁과 테러는 인명 피해와 자연환경의 파괴로 이어질 수 있다.

㉣ (가), (나)의 해결 방안으로 국제 연합(UN)과 같은 국제기구의 중재를 들 수 있다.
➡ 국제 연합(UN) 등 국제기구의 중재를 통해 전쟁과 테러 문제를 평화적으로 해결할 수 있다.

12 세계 시민으로서의 자세

자료 분석 | 로하스(LOHAS)는 건강과 환경, 사회를 생각하는 소비 패턴으로 지속 가능한 사회를 만들기 위해 필요한 자세이다.

[선택지 분석]

① 세계 시민으로서 책임감을 가져야 한다.

② 전 지구적 수준의 문제에 관심을 두어야 한다.

③ 일회용 제품의 사용량을 늘려 위생 문제를 개선해야 한다.
➡ 일회용 제품의 사용은 환경 오염을 유발할 수 있으므로 일회용 제품의 사용을 줄여야 한다.
④ 지구 환경에 미칠 영향을 고려하여 소비 생활을 해야 한다.
⑤ 미래 세대에게 필요한 여건을 저해하지 않고 생산된 제품을 구매해야 한다.

13 사회 변동의 특징

(1) 사회 변동
(2) [예시 답안] 한 영역에서의 변화가 다른 영역의 변화를 유발하거나 촉진시키기도 한다. 사회에 따라 사회 변동의 규모와 속도, 양상 등에 차이가 나타난다.

채점기준		
상	사회 변동을 쓰고, 사회 변동의 특징을 두 가지 서술한 경우	
중	사회 변동을 쓰고, 사회 변동의 특징을 한 가지만 서술한 경우	
하	사회 변동만 쓴 경우	

14 기능론

(1) 기능론
(2) [예시 답안] 기능론은 사회의 질서와 안정성을 바탕으로 점진적인 사회 변동을 설명하기 용이하다. 그러나 혁명과 같은 급진적인 사회 변동을 설명하기 어렵다는 한계를 지닌다.

채점기준		
상	기능론을 쓰고, 기능론의 장점과 한계점을 제대로 서술한 경우	
중	기능론을 쓰고, 기능론의 장점과 한계점 중 한 가지만 서술한 경우	
하	기능론만 쓴 경우	

15 세계화

(1) 교통·통신 기술의 발전
(2) [예시 답안] 국가 간의 상호 의존성이 커지면 특정 지역의 경제적 위기가 전 지구적 위기로 확산할 우려가 있다.

채점기준		
상	교통·통신 기술의 발전을 쓰고, 국가 간 상호 의존성 증대와 관련된 문제점을 적절히 서술한 경우	
하	교통·통신 기술의 발전을 썼으나, 국가 간 상호 의존성 증대와 관련된 문제점을 잘못 서술한 경우	

16 지속 가능한 사회와 세계 시민

(1) 세계 시민
(2) [예시 답안] 전 지구적 수준의 문제를 해결하고 미래 세대의 삶의 질까지 보장하는 지속 가능한 사회를 만들기 위해 필요하다.

채점기준		
상	세계 시민을 쓰고, 제시된 목표의 필요성을 전 지구적 수준의 문제 해결과 지속 가능한 사회 측면에서 서술한 경우	
중	세계 시민을 쓰고, 제시된 목표의 필요성을 지속 가능한 사회에 대한 언급 없이 추상적으로 서술한 경우	
하	세계 시민만 쓴 경우	

수고했다옹. 개념 학습을 끝냈으니 이제 정리 노트를 작성해 보자~옹!

개념 학습과 정리가 한번에 끝나는 기본서

개념풀

사회·문화

사과탐 성적 향상 전략

개념 학습은 개념풀

사과탐 실력의 기본은 개념,
개념을 알기 쉽게 풀어 이해가 쉬운
개념풀 기본서로 개념을 완성하세요.

사회 통합사회, 한국사, 생활과 윤리, 윤리와 사상,
한국지리, 세계지리, 정치와 법, 사회·문화

과학 통합과학, 물리학 I, 화학 I, 생명과학 I, 지구과학 I
화학 II, 생명과학 II

시험 대비는 핵심큐

빠르게 내신 실력을 올리는 전략,
내신기출문제를 철저히 분석하여 구성한
핵심큐 문제집으로 내신 만점에 도전하세요.

사회 통합사회, 한국지리, 사회·문화, 생활과 윤리, 정치와 법

과학 통합과학, 물리학 I, 화학 I, 생명과학 I, 지구과학 I

지학사 서포터즈 모집안내

상기 모집 내용 및 일정은 사정에 따라 변동될 수 있습니다. 자세한 사항은 지학사 홈페이지 (www.jihak.co.kr)를 통해 공지됩니다.

모집 분야

개념 학습과 정리가 한번에 끝나는 기본서 **개념풀**	수학을 쉽게 만들어 주는 자 **풍산자**
● **대상** 고등학생(1~2학년)	● **대상** 중·고등학생(1~3학년)
● **모집 시기** 매년 3월, 12월	● **모집 시기** 매년 2월, 8월

활동 내용

❶ 교재 리뷰 작성 ❷ 홍보 미션 수행

혜택

❶ 해당 시리즈 교재 중 1권 증정 ❷ 미션 수행자에게 푸짐한 선물 증정

개념 학습과 정리가 한번에 끝나는 기본서

개념풀
사회·문화

발 행 인 권준구
발 행 처 (주)지학사 (등록번호 : 1957.3.18 제 13–11호) 04056 서울시 마포구 신촌로6길 5
발 행 일 2018년 10월 31일 [초판 1쇄] 2021년 10월 15일 [2판 1쇄]
구입 문의 TEL 02-330-5300 | FAX 02-325-8010 구입 후에는 철회되지 않으며, 잘못된 제품은 구입처에서 교환해 드립니다.
내용 문의 www.jihak.co.kr 전화번호는 홈페이지 〈고객센터 → 담당자 안내〉에 있습니다.

지학사

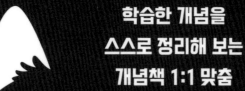

학습한 개념을
스스로 정리해 보는
개념책 1:1 맞춤

정리 노트

개념풀

사회 · 문화

의 노트

개념과 정리가 한번에 끝나는 기본서

개념풀
― 사회·문화 ―

개념책 1:1맞춤

정리노트

c o n t e n t s

정리노트를 작성하기 전 대단원의 흐름을 살펴보면서 워밍업을 해 보세요.

기억이 잘 안난다구요?
기억이 나지 않아도 걱정 마세요.
이제부터 시작이니까요.

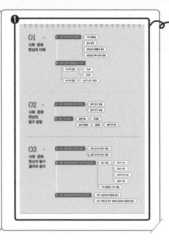

❶ 대단원의 흐름을 한번에 훑어 보세요. 공부했던 내용들의 흐름이 기억날 거예요.

중단원별 중요 내용의 구조를 보고, 개념을 정리하세요.

❷ 선배들이 개념책을 보고 중단원 전체의 내용 구조를 정리했어요.

무엇이 중요하고 무엇을 꼭 정리해 놓고 공부해야 하는지 알 수 있어요.

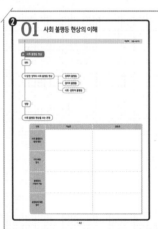

❸ 어디서부터 어떻게 정리해야 할지 모른다구요? 개념책을 펴 보세요. 흐름이 같지요? 개념책의 내용을 나만의 스타일로 정리해 보세요.

대단원별 개념 정리하기와 마인드맵으로 단원의 내용을 확실하게 정리하세요.

❹ 대단원별 중요한 개념을 다시 적어 보세요. 단원의 핵심 개념을 확실하게 정리할 수 있어요.

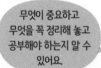

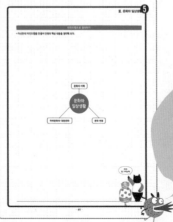

❺ 자신만의 마인드 맵을 만들어 보세요. 단원의 핵심 내용이 머릿속에 쏙!

정리노트 사용하는 2가지 방법

1. 개념책이나 교과서를 펴 놓고 중요 개념을 보면서 써 보기!

2. 외웠던 것을 스스로 확인하는 차원에서 정리해 보기!

수능 1등급 받은
선배들의 정리노트 이야기

정리노트를 작성하기가 막막하다면?
정리노트를 다시 쓰고 싶다면?
지학사 홈페이지(www.jihak.co.kr)에 들어오면,
빈노트와 선배들의 정리노트를 다운받을 수 있어!

선배들이 직접 들려주는 정리노트 노하우!

"개념풀 정리노트는 단원의 전체 흐름과 중요한 세부 내용까지 모두 볼 수 있도록 구성되어 있어. 그동안 공부했던 걸 시험 전날 정리노트에 채워 보고 가면 그 시험은 만점 예약!"

◀ 동영상 바로보기

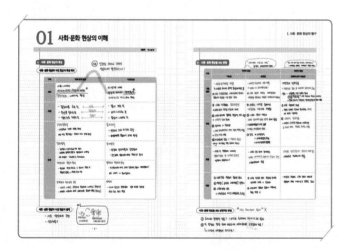

구인영 서울대 재학생

"개념풀 정리노트는 단원의 전체 흐름은 어떤지, 어떤 개념이 중요한지 한눈에 알 수 있도록 구성되어 있어. 헷갈리는 개념을 나만의 스타일로 정리할 수 있어서 너무 좋아!"

◀ 구인영 학생의 노트 바로가기

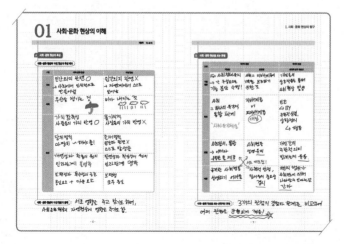

이재승 고려대 재학생

"시험 기간에 노트 정리를 하며 공부하려고 하면 막상 빈 노트에 무엇부터 써야하는지 막막하잖아. 개념풀 정리노트는 빈 노트에 정리하기 두려운 친구들에게 조금이나마 도움이 될 거야!"

◀ 이재승 학생의 노트 바로가기

» 선배들이 작성한 정리노트 바로가기

I
사회·문화
현상의 탐구

01
사회·문화 현상의 이해

A · 사회·문화 현상의 특징
- 가치 함축성
- 당위 법칙
- 개연성과 확률의 원리
- 보편성과 특수성의 공존

B · 사회·문화 현상을 보는 관점
- 거시적 관점
  - 기능론
  - 갈등론
- 미시적 관점
  - 상징적 상호 작용론

02
사회·문화 현상의 탐구 방법

A · 사회·문화 현상의 연구 방법
- 양적 연구 방법
- 질적 연구 방법

B · 자료 수집 방법
- 질문지법 — 면접법
- 참여 관찰법 — 실험법 — 문헌 연구법

03
사회·문화 현상의 탐구 절차와 윤리

A · 사회·문화 현상의 탐구 절차
- 양적 연구의 탐구 절차
- 질적 연구의 탐구 절차

B · 사회·문화 현상의 탐구 태도와 가치 중립
- 탐구 태도
  - 객관적 태도
  - 개방적 태도
  - 상대주의적 태도
  - 성찰적 태도
- 가치 중립과 가치 개입

C · 사회·문화 현상의 탐구와 연구 윤리
- 연구 대상자와 관련된 윤리
- 연구 과정 및 연구 결과의 공표와 관련된 윤리

01 사회·문화 현상의 이해

개념책 12~25 쪽

A 사회·문화 현상의 특징

사회·문화 현상과 자연 현상의 특징 비교

구분	사회·문화 현상	자연 현상
의미		
사례		
특징		

사회·문화 현상과 자연 현상의 관계 :

B 사회·문화 현상을 보는 관점

구분		거시적 관점		미시적 관점
		기능론	갈등론	상징적 상호 작용론
기본 입장				
특징				
장점				
비판				

사회·문화 현상을 보는 균형적인 관점 :

02 사회·문화 현상의 탐구 방법

A 사회·문화 현상의 연구 방법

양적 연구 방법과 질적 연구 방법

구분	양적 연구 방법	질적 연구 방법
의미		
전제		
연구 목적		
특징		
장점		
한계		

양적 연구 방법과 질적 연구 방법의 조화 :

B 자료 수집 방법

구분	의미	특징	장점	단점
질문지법				
면접법				
참여 관찰법				
실험법				
문헌 연구법				

03 사회·문화 현상의 탐구 절차와 윤리

개념책 40~53쪽

A 사회·문화 현상의 탐구 절차

양적 연구의 탐구 절차

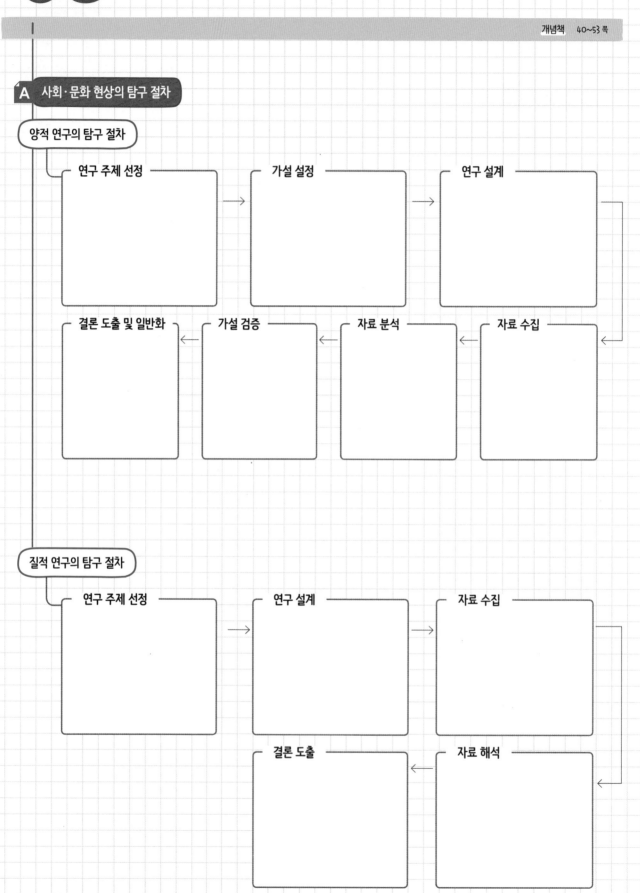

연구 주제 선정 → 가설 설정 → 연구 설계

결론 도출 및 일반화 ← 가설 검증 ← 자료 분석 ← 자료 수집

질적 연구의 탐구 절차

연구 주제 선정 → 연구 설계 → 자료 수집

결론 도출 ← 자료 해석

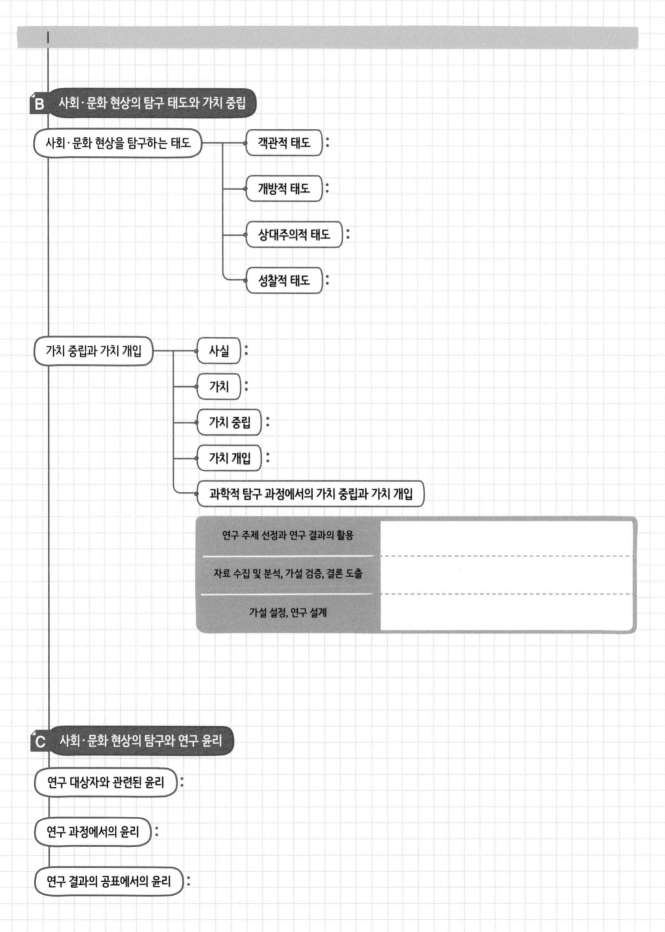

단원 정리하기

● 단원의 핵심 개념을 정리해 보자.

01 사회·문화 현상의 이해

| 자연 현상 |

| 사회·문화 현상 |

| 가치 함축성 |

| 당위 법칙 |

| 개연성과 확률의 원리 |

| 보편성 |

| 특수성 |

| 몰가치성 |

| 존재 법칙 |

| 필연성과 확실성의 원리 |

| 거시적 관점 |

| 미시적 관점 |

| 기능론 |

| 사회 유기체설 |
| 갈등론 |
| 계급 재생산 |
| 사회적 희소가치 |
| 상징적 상호 작용론 |
| 상황 정의 |

02 사회·문화 현상의 탐구 방법

| 과학적 지식 |
| 양적 연구 |
| 질적 연구 |
| 방법론적 일원론 |
| 방법론적 이원론 |
| 질문지법 |
| 모집단 |

| 표본 |

| 구조화된 자료 |

| 면접법 |

| 참여 관찰법 |

| 1차 자료 |

| 2차 자료 |

| 실험법 |

| 독립 변수 |

| 종속 변수 |

| 실험 집단 |

| 통제 집단 |

| 문헌 연구법 |

03 사회·문화 현상의 탐구 절차와 윤리

┆ 가설)

┆ 개념의 조작적 정의)

┆ 비공식적 자료)

┆ 객관적 태도)

┆ 개방적 태도)

┆ 상대주의적 태도)

┆ 성찰적 태도)

┆ 사실)

┆ 가치)

┆ 가치 중립)

┆ 가치 개입)

┆ 연구 윤리)

◉자신만의 마인드맵을 만들어 단원의 핵심 내용을 정리해 보자.

사회·문화 현상의 특징

사회·문화 현상의 탐구

사회·문화 현상을 이해하는 관점

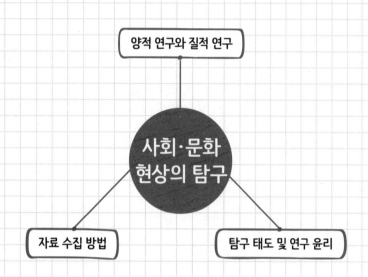

양적 연구와 질적 연구

사회·문화
현상의 탐구

자료 수집 방법

탐구 태도 및 연구 윤리

오옷!
잘 그리는데!

≫ 선배들이 작성한 정리노트 바로가기

II

개인과 사회 구조

01
개인과 사회의 관계

A · 사회 구조의 이해 ── 사회적 관계 ── 사회 구조 ── 사회 구조와 개인

B · 개인과 사회의 관계를 보는 관점 ── 사회 실재론
                              └── 사회 명목론

02
사회적 존재로서의 인간

A · 인간의 사회화 ── 기능 ── 과정 ── 유형

B · 사회화 기관 ── 1차적 사회화 기관 ── 2차적 사회화 기관
                 └── 공식적 사회화 기관 ── 비공식적 사회화 기관

C · 사회적 지위와 역할 ── 지위
                       └── 역할

D · 역할 갈등과 해결 방안 ── 역할 갈등 ── 양상
                                      └── 해결 방안

03
사회 집단과 사회 조직

A · 사회 집단의 의미와 유형 ── 사회 집단 ── 1차 집단 ── 2차 집단
                                       └── 공동 사회 ── 이익 사회
                                       └── 내집단 ── 외집단

B · 사회 조직의 의미와 유형 ── 사회 조직 ── 공식 조직 ── 비공식 조직
                                       └── 자발적 결사체

C · 관료제와 탈관료제 ── 관료제
                       └── 탈관료제

04
일탈 행동

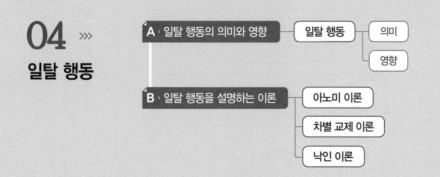

A · 일탈 행동의 의미와 영향 ── 일탈 행동 ── 의미
                              └── 영향

B · 일탈 행동을 설명하는 이론 ── 아노미 이론
                              └── 차별 교제 이론
                              └── 낙인 이론

01 개인과 사회의 관계

개념책 62~67 쪽

A 사회 구조의 이해

사회적 관계 :

사회 구조 ── 의미 :
　　　　　 ── 특징

지속성	
안정성	
변동성	
강제성	

사회 구조와 개인의 관계

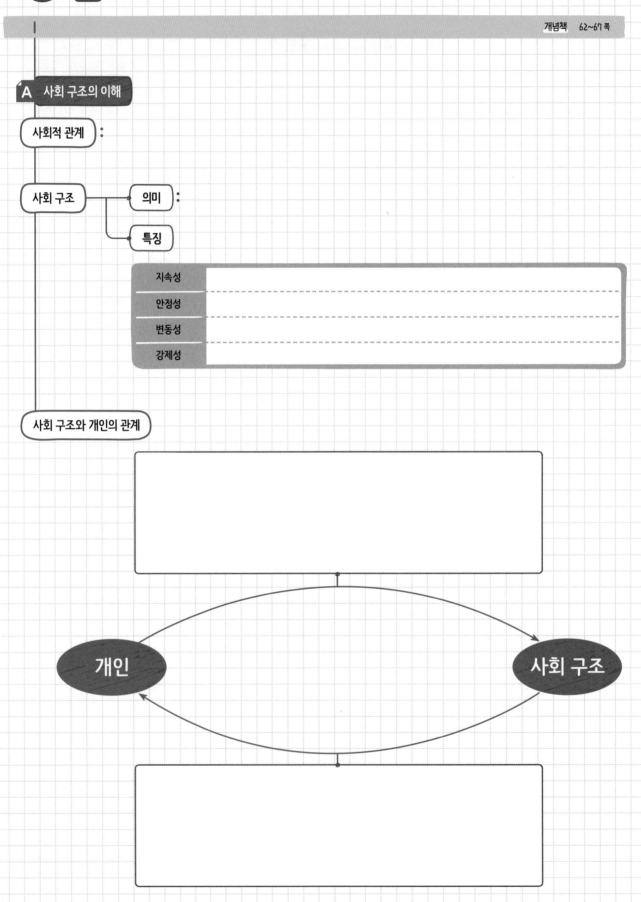

개인　　　　　　　　사회 구조

개념책 62~67 쪽

B 개인과 사회의 관계를 보는 관점

사회 실재론과 사회 명목론

구분	사회 실재론	사회 명목론
기본 입장		
사회·문화 현상 이해		
관련 이론		
장점		
한계		

개인과 사회의 관계를 보는 바람직한 관점 :

02 사회적 존재로서의 인간

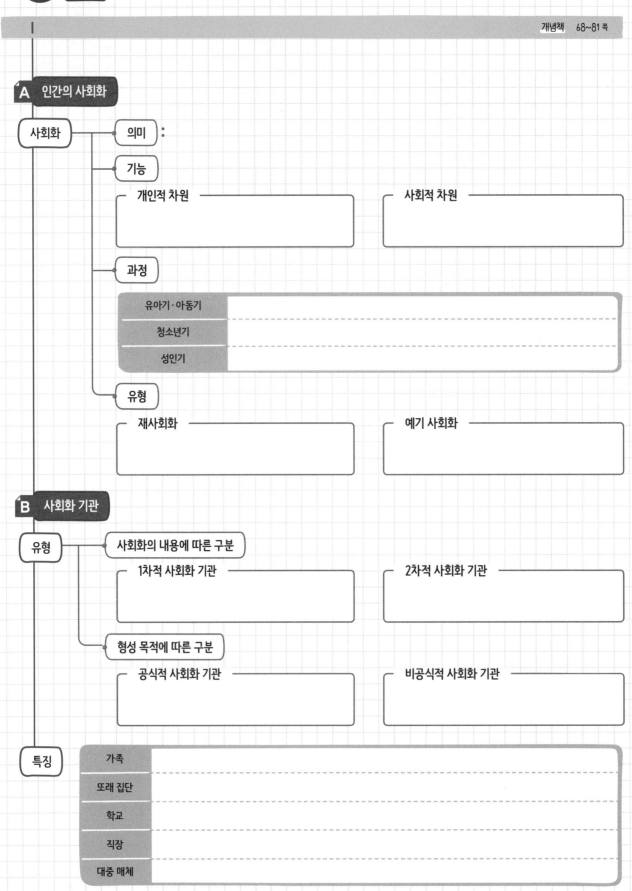

A 인간의 사회화

사회화
- 의미 :
- 기능

개인적 차원	사회적 차원

- 과정

유아기·아동기	
청소년기	
성인기	

- 유형

재사회화	예기 사회화

B 사회화 기관

유형
- 사회화의 내용에 따른 구분

1차적 사회화 기관	2차적 사회화 기관

- 형성 목적에 따른 구분

공식적 사회화 기관	비공식적 사회화 기관

특징

가족	
또래 집단	
학교	
직장	
대중 매체	

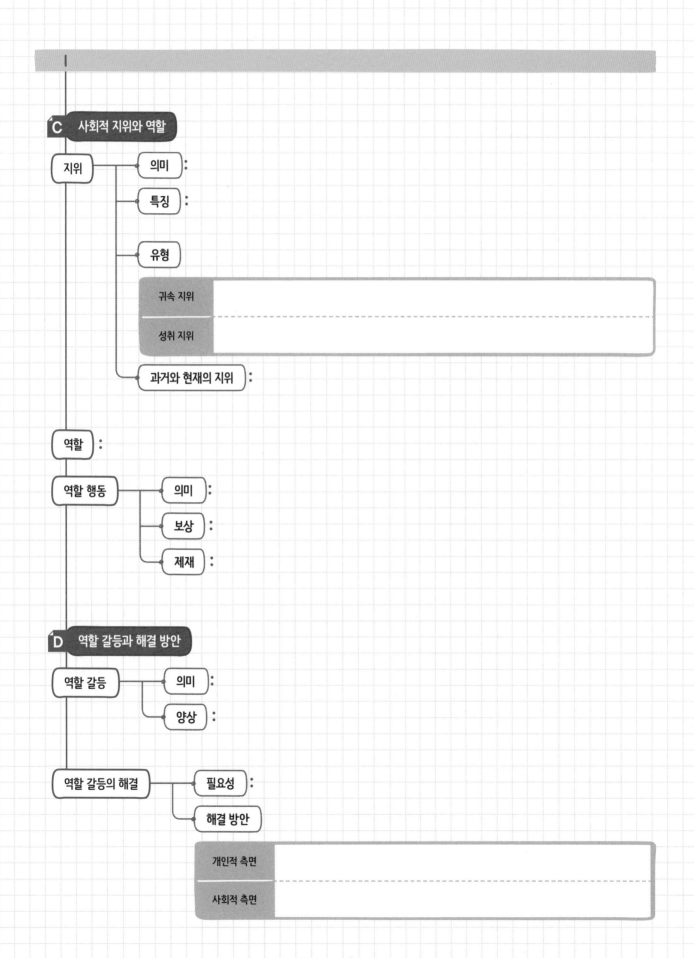

C 사회적 지위와 역할

지위
- 의미 :
- 특징 :
- 유형

귀속 지위	
성취 지위	

- 과거와 현재의 지위 :

역할 :

역할 행동
- 의미 :
- 보상 :
- 제재 :

D 역할 갈등과 해결 방안

역할 갈등
- 의미 :
- 양상 :

역할 갈등의 해결
- 필요성 :
- 해결 방안

개인적 측면	
사회적 측면	

03 사회 집단과 사회 조직

개념책 82~95 쪽

A 사회 집단의 의미와 유형

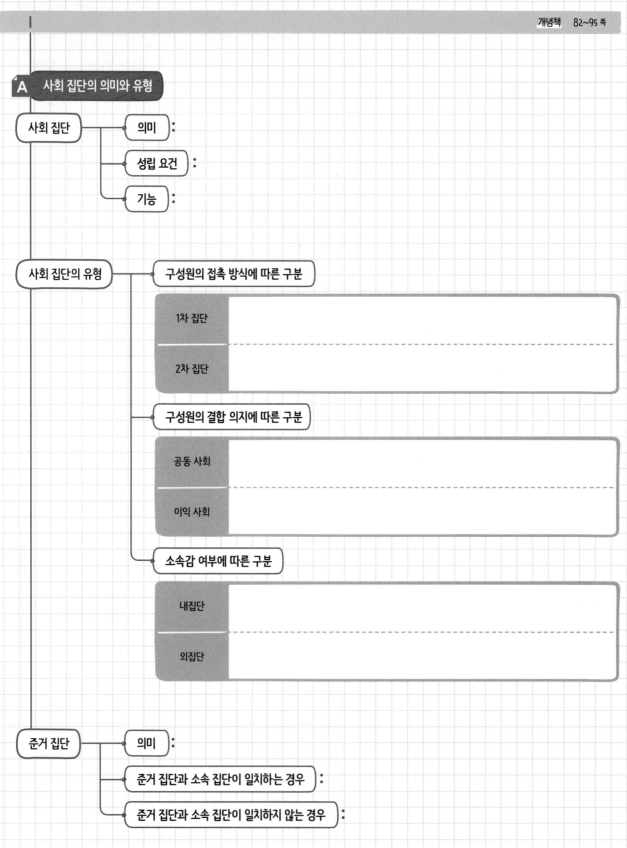

사회 집단 — 의미 :

— 성립 요건 :

— 기능 :

사회 집단의 유형 — 구성원의 접촉 방식에 따른 구분

1차 집단	
2차 집단	

— 구성원의 결합 의지에 따른 구분

공동 사회	
이익 사회	

— 소속감 여부에 따른 구분

내집단	
외집단	

준거 집단 — 의미 :

— 준거 집단과 소속 집단이 일치하는 경우 :

— 준거 집단과 소속 집단이 일치하지 않는 경우 :

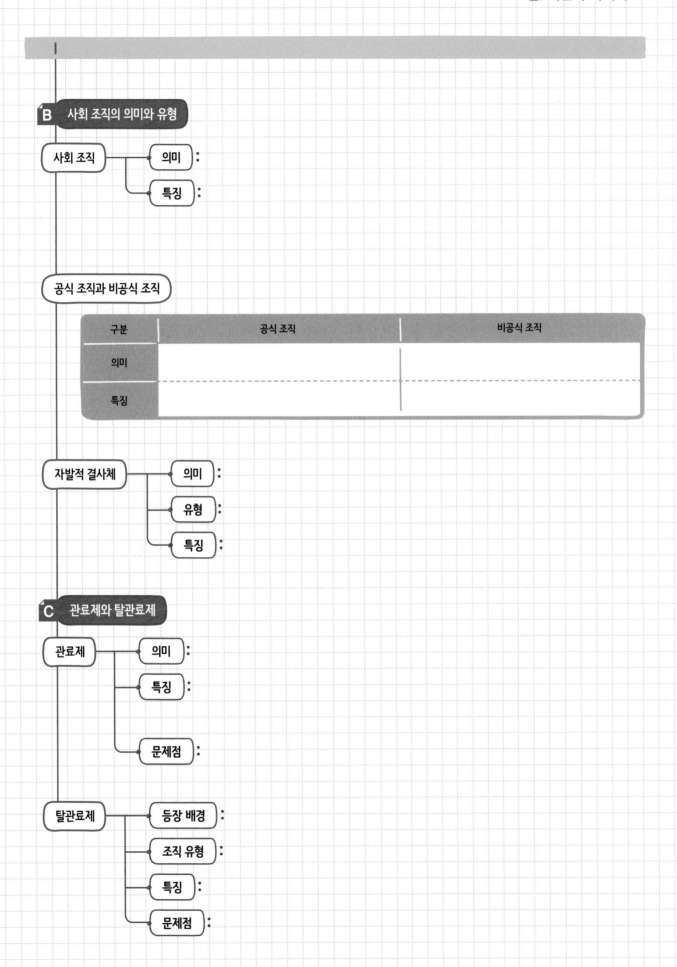

04 일탈 행동

개념책 96~105 쪽

A 일탈 행동의 의미와 영향

일탈 행동 —— 의미 :

—— 상대성 :

—— 영향

긍정적 영향	
부정적 영향	

B 일탈 행동을 설명하는 이론

아노미 이론

구분	의미	원인	해결 방안	의의 및 한계
뒤르켐의 아노미 이론				· 의의:
머튼의 아노미 이론				· 한계:

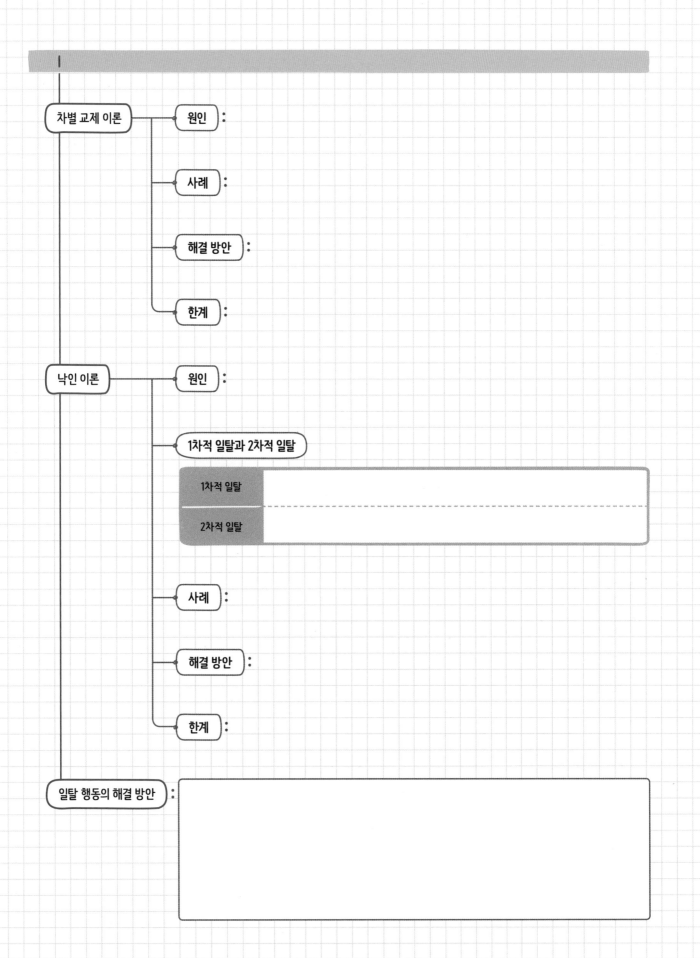

차별 교제 이론 ─ 원인 :

사례 :

해결 방안 :

한계 :

낙인 이론 ─ 원인 :

1차적 일탈과 2차적 일탈

1차적 일탈	
2차적 일탈	

사례 :

해결 방안 :

한계 :

일탈 행동의 해결 방안 :

단원 정리하기

개념 정리하기

단원의 핵심 개념을 정리해 보자.

01 개인과 사회의 관계

사회적 관계

사회 구조

사회 실재론

사회 유기체설

사회 명목론

사회 계약론

02 사회적 존재로서의 인간

사회화

재사회화

탈사회화

예기 사회화

1차 사회화

2차 사회화

| 사회화 기관 |
| 1차적 사회화 기관 |
| 2차적 사회화 기관 |
| 공식적 사회화 기관 |
| 비공식적 사회화 기관 |
| 지위 |
| 귀속 지위 |
| 성취 지위 |
| 역할 |
| 역할 행동 |
| 역할 갈등 |

03 사회 집단과 사회 조직

| 사회 집단 |
| 1차 집단 |
| 2차 집단 |

| 공동 사회 |
| 이익 사회 |
| 내집단 |
| 외집단 |
| 준거 집단 |
| 사회 조직 |
| 공식 조직 |
| 비공식 조직 |
| 자발적 결사체 |
| 친목 집단 |
| 이익 집단 |
| 시민 단체 |
| 관료제 |

| 탈관료제 |
| 팀제 조직 |
| 네트워크형 조직 |
| 아메바형 조직 |

04 일탈 행동

| 일탈 행동 |
| 뒤르켐의 아노미 이론 |
| 머튼의 아노미 이론 |
| 차별 교제 이론 |
| 낙인 이론 |

◉ 자신만의 마인드맵을 만들어 단원의 핵심 내용을 정리해 보자.

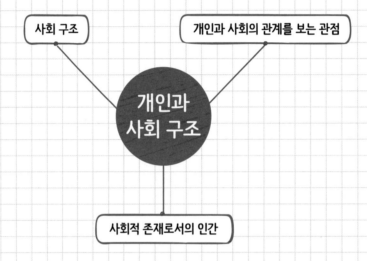

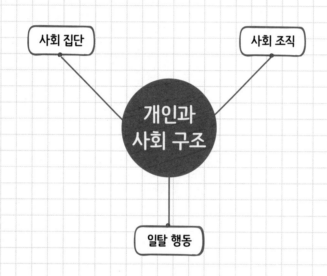

개인과
사회 구조

사회 집단

사회 조직

일탈 행동

오옷!
잘 그리는데!

» 선배들이 작성한 정리노트 바로가기

III

문화와
일상생활

01
문화의 이해

A · 문화의 의미와 속성
- 의미
  - 좁은 의미의 문화
  - 넓은 의미의 문화
- 속성
  - 공유성　학습성
  - 변동성　축적성　전체성

B · 문화를 이해하는 관점과 태도
- 관점　비교론적 관점　총체론적 관점　상대론적 관점
- 태도　자문화 중심주의　문화 사대주의　문화 상대주의

02
하위문화와 대중문화

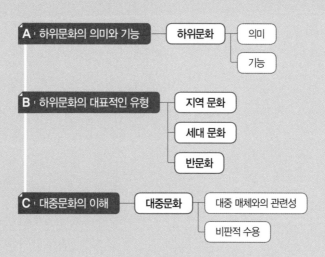

A · 하위문화의 의미와 기능
- 하위문화
  - 의미
  - 기능

B · 하위문화의 대표적인 유형
- 지역 문화
- 세대 문화
- 반문화

C · 대중문화의 이해
- 대중문화
  - 대중 매체와의 관련성
  - 비판적 수용

03
문화 변동

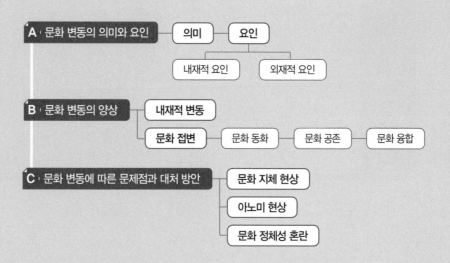

A · 문화 변동의 의미와 요인
- 의미　요인
  - 내재적 요인　외재적 요인

B · 문화 변동의 양상
- 내재적 변동
- 문화 접변　문화 동화　문화 공존　문화 융합

C · 문화 변동에 따른 문제점과 대처 방안
- 문화 지체 현상
- 아노미 현상
- 문화 정체성 혼란

01 문화의 이해

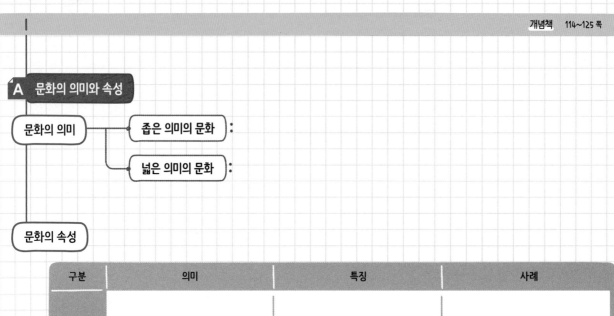

A 문화의 의미와 속성

문화의 의미 ──┬── 좁은 의미의 문화 :
              └── 넓은 의미의 문화 :

문화의 속성

구분	의미	특징	사례
공유성			
학습성			
변동성			
축적성			
전체성			

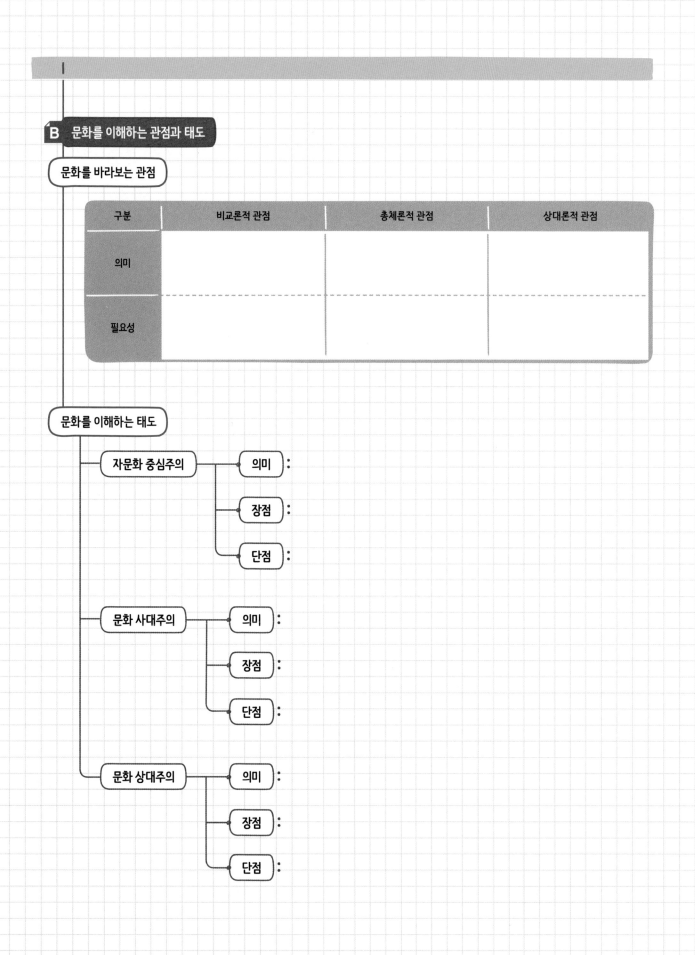

02 하위문화와 대중문화

개념책 126~135 쪽

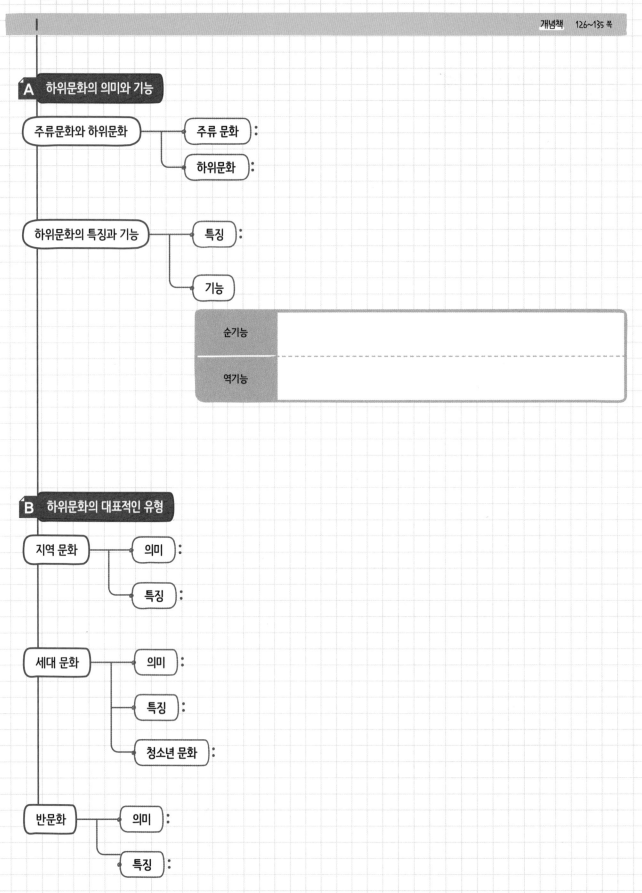

A 하위문화의 의미와 기능

주류문화와 하위문화 ─┬─ 주류 문화 :
                      └─ 하위문화 :

하위문화의 특징과 기능 ─┬─ 특징 :
                        └─ 기능 :

순기능	
역기능	

B 하위문화의 대표적인 유형

지역 문화 ─┬─ 의미 :
           └─ 특징 :

세대 문화 ─┬─ 의미 :
           ├─ 특징 :
           └─ 청소년 문화 :

반문화 ─┬─ 의미 :
        └─ 특징 :

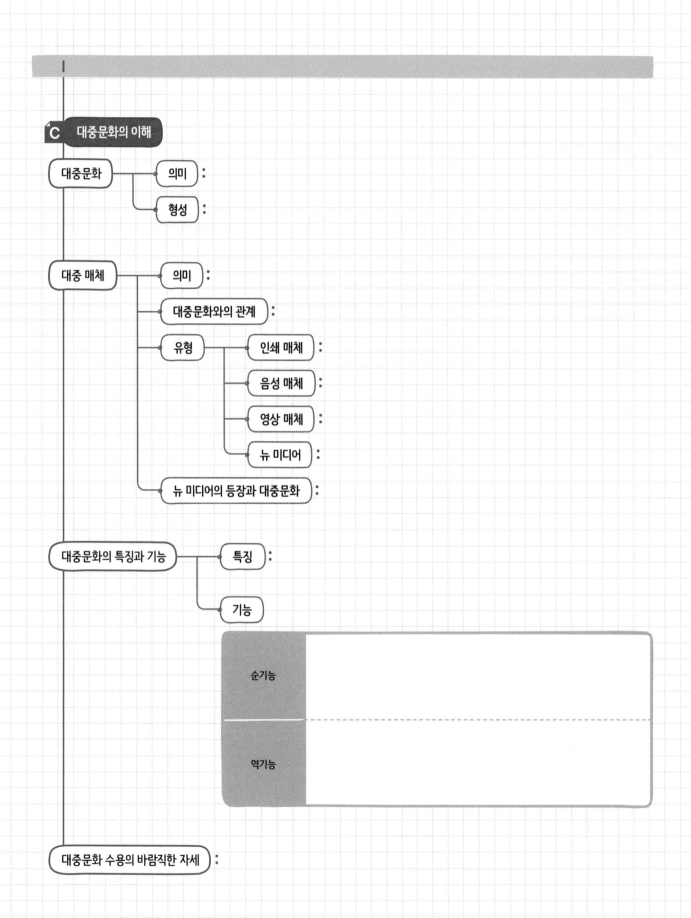

C 대중문화의 이해

대중문화 ┬ 의미 :
        └ 형성 :

대중 매체 ┬ 의미 :
         ├ 대중문화와의 관계 :
         ├ 유형 ┬ 인쇄 매체 :
         │   ├ 음성 매체 :
         │   ├ 영상 매체 :
         │   └ 뉴 미디어 :
         └ 뉴 미디어의 등장과 대중문화 :

대중문화의 특징과 기능 ┬ 특징 :
                    └ 기능

순기능	
역기능	

대중문화 수용의 바람직한 자세 :

03 문화 변동

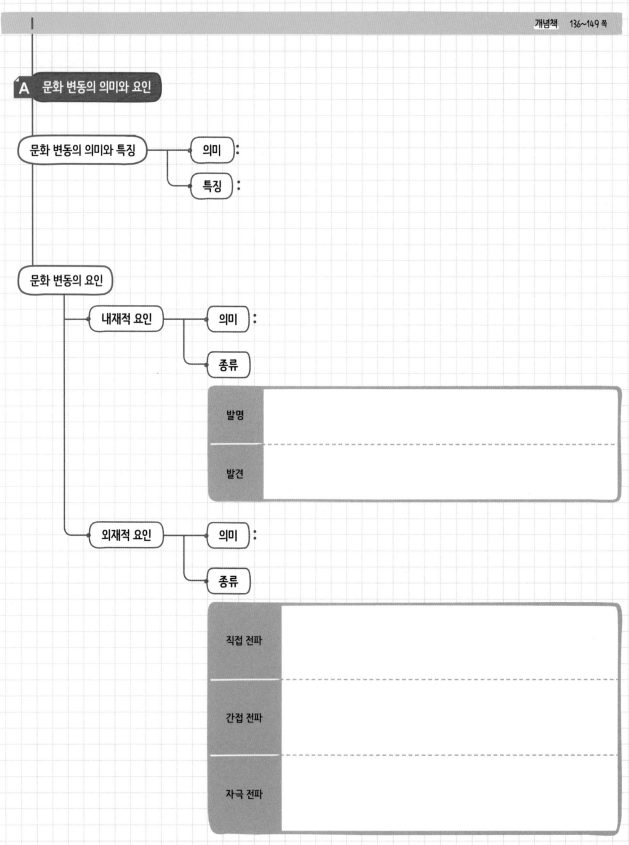

A 문화 변동의 의미와 요인

문화 변동의 의미와 특징 ── 의미 :
                     └─ 특징 :

문화 변동의 요인
         ├─ 내재적 요인 ── 의미 :
         │   └─ 종류

발명	
발견	

         └─ 외재적 요인 ── 의미 :
                        └─ 종류

직접 전파	
간접 전파	
자극 전파	

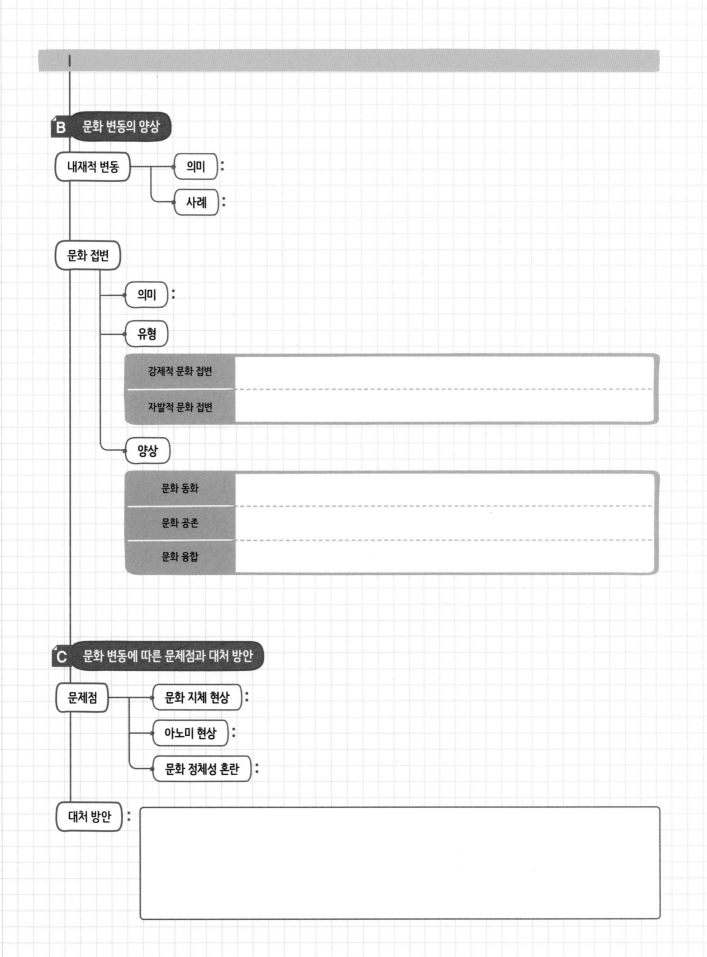

B 문화 변동의 양상

내재적 변동 ─ 의미 :
　　　　　 ─ 사례 :

문화 접변
　　　 ─ 의미 :
　　　 ─ 유형

강제적 문화 접변	
자발적 문화 접변	

　　　 ─ 양상

문화 동화	
문화 공존	
문화 융합	

C 문화 변동에 따른 문제점과 대처 방안

문제점 ─ 문화 지체 현상 :
　　　 ─ 아노미 현상 :
　　　 ─ 문화 정체성 혼란 :

대처 방안 :

◉단원의 핵심 개념을 정리해 보자.

01 문화의 이해

공유성	
학습성	
변동성	
축적성	
전체성	
보편성	
특수성	
비교론적 관점	
상대론적 관점	
총체론적 관점	
자문화 중심주의	
문화 사대주의	
문화 상대주의	

02 하위문화와 대중문화

(주류 문화)

(하위문화)

(지역 문화)

(세대 문화)

(청소년 문화)

(반문화)

(대중문화)

(대중 매체)

(인쇄 매체)

(음성 매체)

(영상 매체)

(뉴 미디어)

03 문화 변동

| 발명 |

| 발견 |

| 직접 전파 |

| 간접 전파 |

| 자극 전파 |

| 내재적 변동 |

| 문화 접변 |

| 강제적 문화 접변 |

| 자발적 문화 접변 |

| 문화 동화 |

| 문화 공존(문화 병존) |

| 문화 융합 |

| 문화 지체 현상 |

| 아노미 현상 |

마인드맵으로 정리하기

●자신만의 마인드맵을 만들어 단원의 핵심 내용을 정리해 보자.

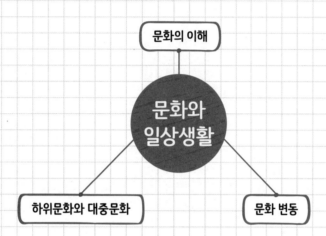

문화의 이해

문화와 일상생활

하위문화와 대중문화

문화 변동

오웃!
잘 그리는데!

≫ 선배들이 작성한 정리노트 바로가기

IV
사회 계층과
불평등

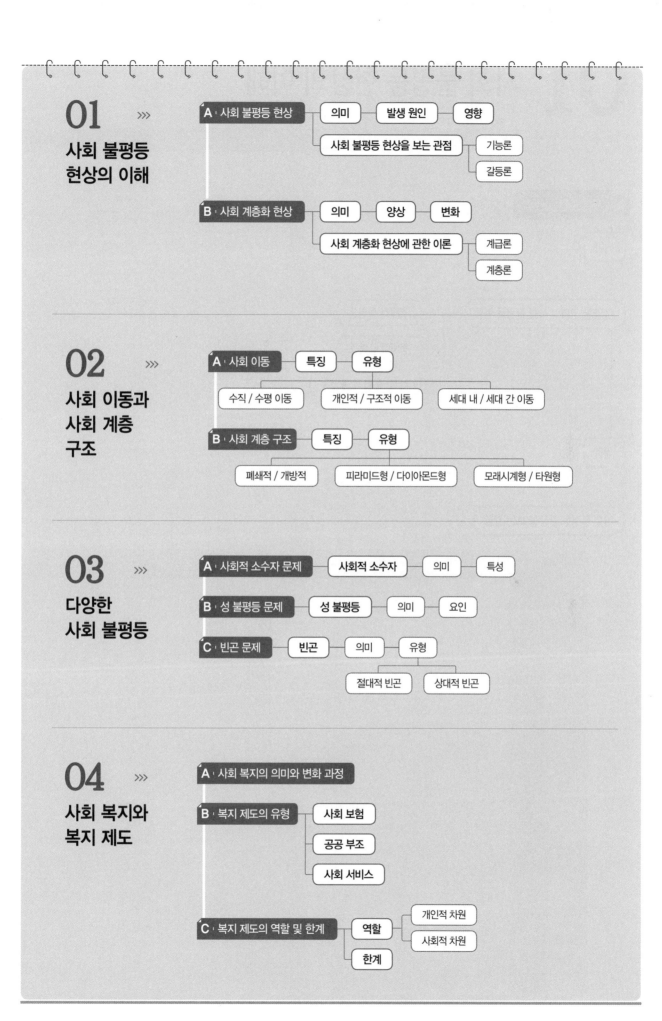

01
>>>
사회 불평등
현상의 이해

A 사회 불평등 현상 ── 의미 ── 발생 원인 ── 영향

사회 불평등 현상을 보는 관점 ── 기능론
                              ── 갈등론

B 사회 계층화 현상 ── 의미 ── 양상 ── 변화

사회 계층화 현상에 관한 이론 ── 계급론
                            ── 계층론

02
>>>
사회 이동과
사회 계층
구조

A 사회 이동 ── 특징 ── 유형

수직 / 수평 이동   개인적 / 구조적 이동   세대 내 / 세대 간 이동

B 사회 계층 구조 ── 특징 ── 유형

폐쇄적 / 개방적   피라미드형 / 다이아몬드형   모래시계형 / 타원형

03
>>>
다양한
사회 불평등

A 사회적 소수자 문제 ── 사회적 소수자 ── 의미 ── 특성

B 성 불평등 문제 ── 성 불평등 ── 의미 ── 요인

C 빈곤 문제 ── 빈곤 ── 의미 ── 유형

절대적 빈곤   상대적 빈곤

04
>>>
사회 복지와
복지 제도

A 사회 복지의 의미와 변화 과정

B 복지 제도의 유형 ── 사회 보험
                    ── 공공 부조
                    ── 사회 서비스

C 복지 제도의 역할 및 한계 ── 역할 ── 개인적 차원
                                      ── 사회적 차원
                            ── 한계

01 사회 불평등 현상의 이해

개념책   158~169 쪽

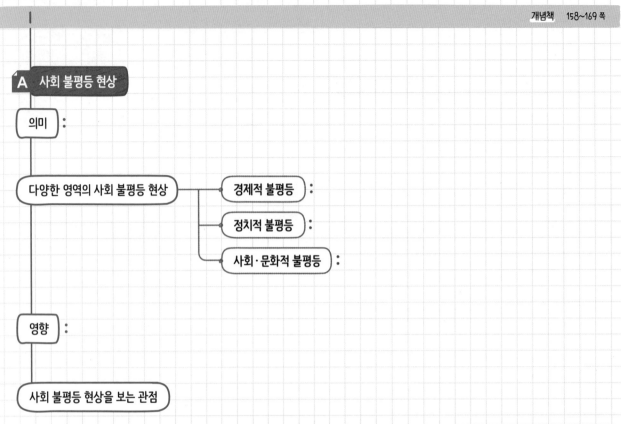

A 사회 불평등 현상

의미 :

다양한 영역의 사회 불평등 현상 ─┬─ 경제적 불평등 :
　　　　　　　　　　　　　　　├─ 정치적 불평등 :
　　　　　　　　　　　　　　　└─ 사회·문화적 불평등 :

영향 :

사회 불평등 현상을 보는 관점

구분	기능론	갈등론
사회 불평등의 발생 원인		
가치 배분 방식		
불평등의 사회적 기능		
불평등에 대한 평가		

B 사회 계층화 현상

의미 :

시대적 변화

┌─ 전통 사회의 사회 계층화 ─────────┐   ┌─ 근대 이후 사회의 사회 계층화 ─────────┐
│   │ →   │   │
│   │   │   │
└──────────────────────────────┘   └──────────────────────────────┘

사회 계층화 현상에 관한 대표적 이론

구분	계급론(마르크스)	계층론(베버)
계급(계층)의 정의		
계급(계층) 구분		
특징		

02 사회 이동과 사회 계층 구조

개념책 170~181쪽

A 사회 이동

의미 :

특징 :

유형

이동 방향에 따른 유형

| 수평 이동 | 수직 이동 |

이동 원인에 따른 유형

| 개인적 이동 | 구조적 이동 |

세대 범위에 따른 유형

| 세대 내 이동 | 세대 간 이동 |

의의 :

B 사회 계층 구조

의미 :

특징 ┬ 구속성 :
     ├ 지속성 :
     └ 다양성 :

유형 ┬ **계층 이동 가능성에 따른 유형**

구분	폐쇄적 계층 구조	개방적 계층 구조
의미		
특징		

├ **계층 구성 비율에 따른 유형**

구분	피라미드형 계층 구조	다이아몬드형 계층 구조
의미		
특징		

└ **정보화와 계층 구조의 변화**

구분	모래시계형 계층 구조	타원형 계층 구조
의미		
특징		

03 다양한 사회 불평등

A 사회적 소수자 문제

사회적 소수자 ─┬─ 의미 :

            └─ 특성 :

차별 양상 :

해결 방안

의식적 측면	
제도적 측면	

B 성 불평등 문제

성 불평등 ─┬─ 의미 :

          └─ 발생 요인 :

양상 :

해결 방안

의식적 측면	
제도적 측면	

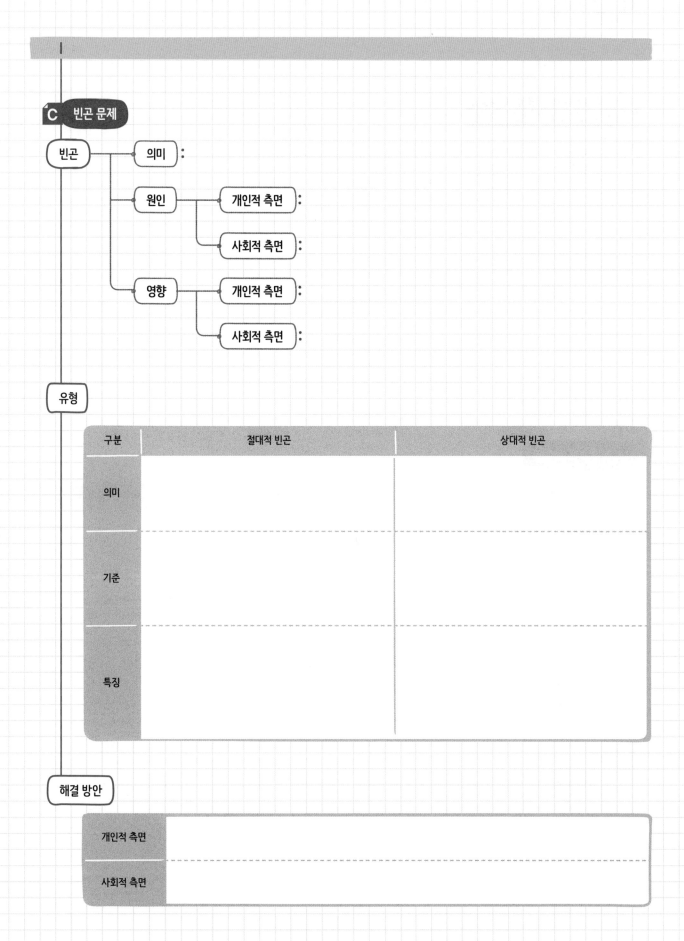

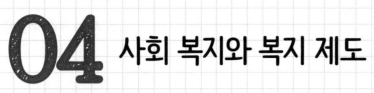

04 사회 복지와 복지 제도

개념책 192~201 쪽

A 사회 복지의 의미와 변화 과정

```
사회 복지 ┬─ 의미 :
          └─ 필요성 :
```

```
사회 복지의 의미 변화
  │
  └─ 전통 사회 [            ]  →  현대 복지 국가 [            ]
```

B 복지 제도의 유형

구분	사회 보험	공공 부조	사회 서비스
의미			
대상			
목적			
비용 부담			
특징			
종류			

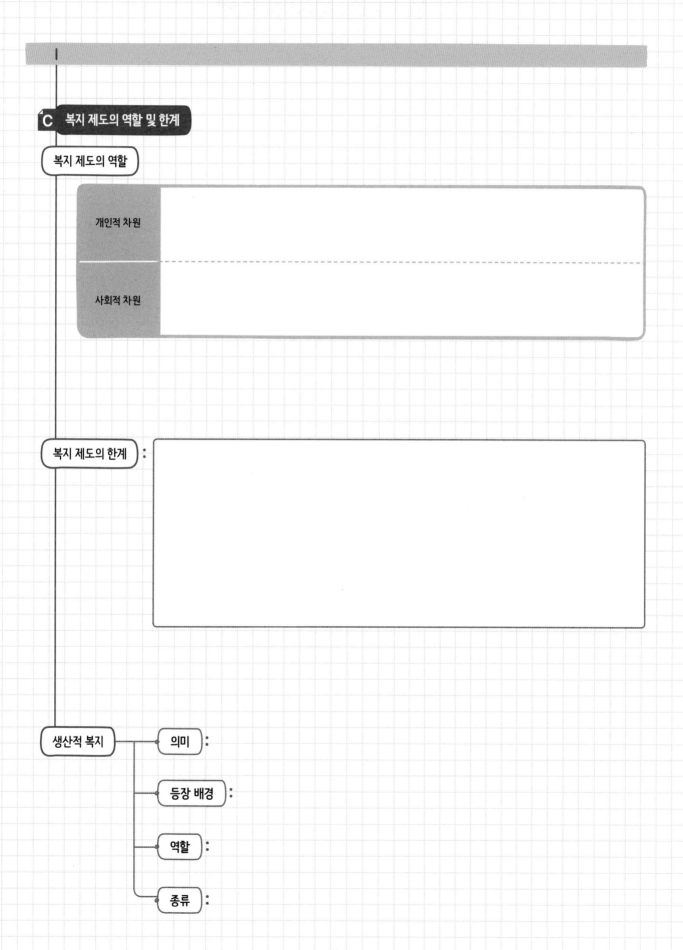

C 복지 제도의 역할 및 한계

복지 제도의 역할

| 개인적 차원 | |
| 사회적 차원 | |

복지 제도의 한계 :

생산적 복지

의미 :

등장 배경 :

역할 :

종류 :

단원 정리하기

● 단원의 핵심 개념을 정리해 보자.

01 사회 불평등 현상의 이해

| 사회 불평등 현상 |

| 기능론 |

| 갈등론 |

| 사회 계층화 현상 |

| 계급론 |

| 계층론 |

| 지위 불일치 현상 |

02 사회 이동과 사회 계층 구조

| 사회 이동 |

| 수평 이동 |

| 수직 이동 |

| 개인적 이동 |

| 구조적 이동 |

세대 내 이동

세대 간 이동

사회 계층 구조

피라미드형 계층 구조

다이아몬드형 계층 구조

모래시계형 계층 구조

타원형 계층 구조

03 다양한 사회 불평등

사회적 소수자

적극적 우대 조치

성 불평등

성별 분업

차별적 사회화

빈곤

| 절대적 빈곤

| 절대적 빈곤선

| 상대적 빈곤

| 상대적 빈곤선

| 중위 소득

04 사회 복지와 복지 제도

| 사회 복지

| 사회 보험

| 공공 부조

| 사회 서비스

| 상호 부조의 원리

| 부정적 낙인

| 복지병

| 생산적 복지

마인드맵으로 정리하기

◉ 자신만의 마인드맵을 만들어 단원의 핵심 내용을 정리해 보자.

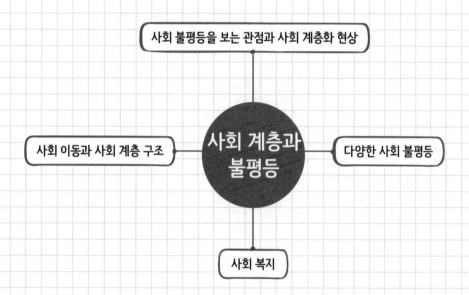

사회 불평등을 보는 관점과 사회 계층화 현상

사회 이동과 사회 계층 구조

사회 계층과 불평등

다양한 사회 불평등

사회 복지

오웃!
잘 그리는데!

» 선배들이 작성한 정리노트 바로가기

V

현대의
사회 변동

01 >>> 사회 변동과 사회 운동

A · 사회 변동의 이해 ── 사회 변동 ── 특징 / 요인

B · 사회 변동을 설명하는 이론 ── 진화론 ─ 순환론 / 기능론 ─ 갈등론

C · 사회 운동의 이해 ── 사회 운동 ── 특징 / 사회 변동에 미치는 영향

02 >>> 현대 사회의 변화와 대응 방안

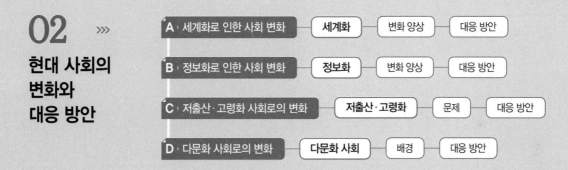

A · 세계화로 인한 사회 변화 ── 세계화 ─ 변화 양상 ─ 대응 방안

B · 정보화로 인한 사회 변화 ── 정보화 ─ 변화 양상 ─ 대응 방안

C · 저출산·고령화 사회로의 변화 ── 저출산·고령화 ─ 문제 ─ 대응 방안

D · 다문화 사회로의 변화 ── 다문화 사회 ─ 배경 ─ 대응 방안

03 >>> 전 지구적 수준의 문제와 지속 가능한 사회

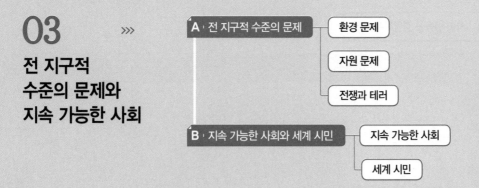

A · 전 지구적 수준의 문제 ── 환경 문제 / 자원 문제 / 전쟁과 테러

B · 지속 가능한 사회와 세계 시민 ── 지속 가능한 사회 / 세계 시민

01 사회 변동과 사회 운동

개념책 210~221쪽

A 사회 변동의 이해

사회 변동 ─┬─ 의미 :
　　　　　├─ 특징 :
　　　　　└─ 요인 :

B 사회 변동을 설명하는 이론

사회 변동의 방향에 대한 이론

구분	진화론	순환론
기본 입장		
사례		
장점		
한계		

사회 구조적인 측면에서 사회 변동을 설명하는 이론

구분	기능론	갈등론
기본 입장		
장점		
한계		

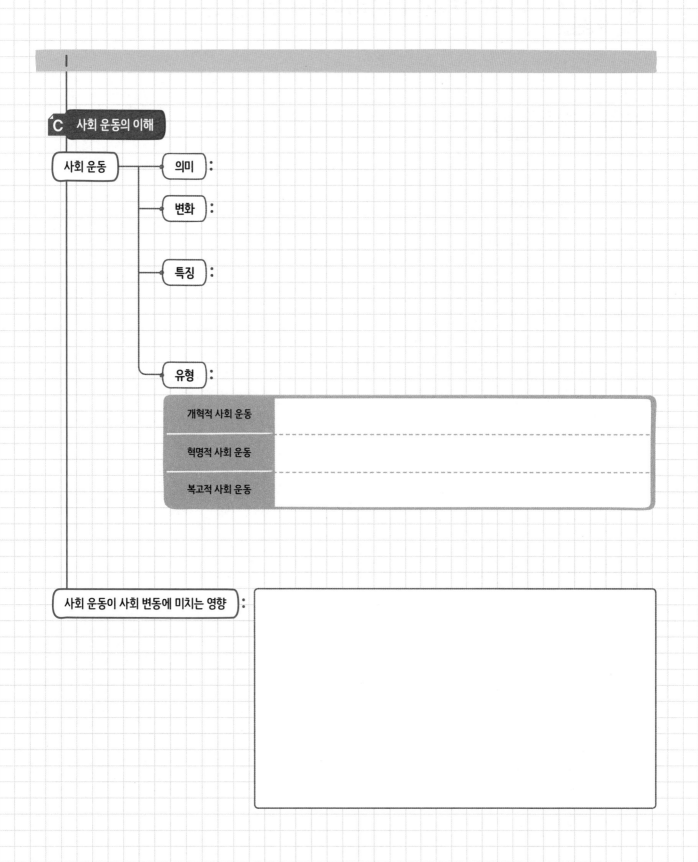

C 사회 운동의 이해

사회 운동 ─── 의미 :

├── 변화 :

├── 특징 :

└── 유형 :

개혁적 사회 운동	
혁명적 사회 운동	
복고적 사회 운동	

사회 운동이 사회 변동에 미치는 영향 :

02 현대 사회의 변화와 대응 방안

개념책 222~231쪽

A 세계화로 인한 사회 변화

세계화
- 의미 :
- 배경 :
- 사회 변화 양상 :

세계화로 인한 문제와 대응 방안

문제	
대응 방안	

B 정보화로 인한 사회 변화

정보화
- 의미 :
- 배경 :
- 사회 변화 양상 :

정보화로 인한 문제와 대응 방안

문제	
대응 방안	

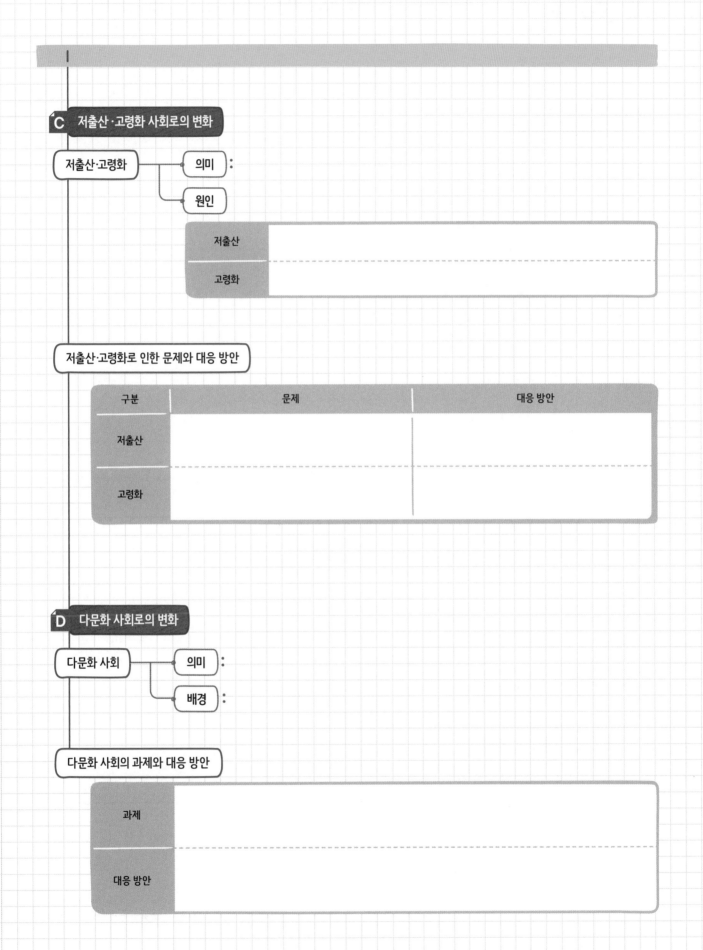

C 저출산·고령화 사회로의 변화

저출산·고령화 ─ 의미 :
                ─ 원인

저출산	
고령화	

저출산·고령화로 인한 문제와 대응 방안

구분	문제	대응 방안
저출산		
고령화		

D 다문화 사회로의 변화

다문화 사회 ─ 의미 :
            ─ 배경 :

다문화 사회의 과제와 대응 방안

과제	
대응 방안	

03 전 지구적 수준의 문제와 지속 가능한 사회

개념책 232~239 쪽

A 전 지구적 수준의 문제

환경 문제

─ 원인 :

─ 주요 환경 문제

지구 온난화	
사막화	
열대 우림 파괴	

─ 해결 방안 :

자원 문제

─ 원인 :

─ 양상 :

─ 해결 방안 :

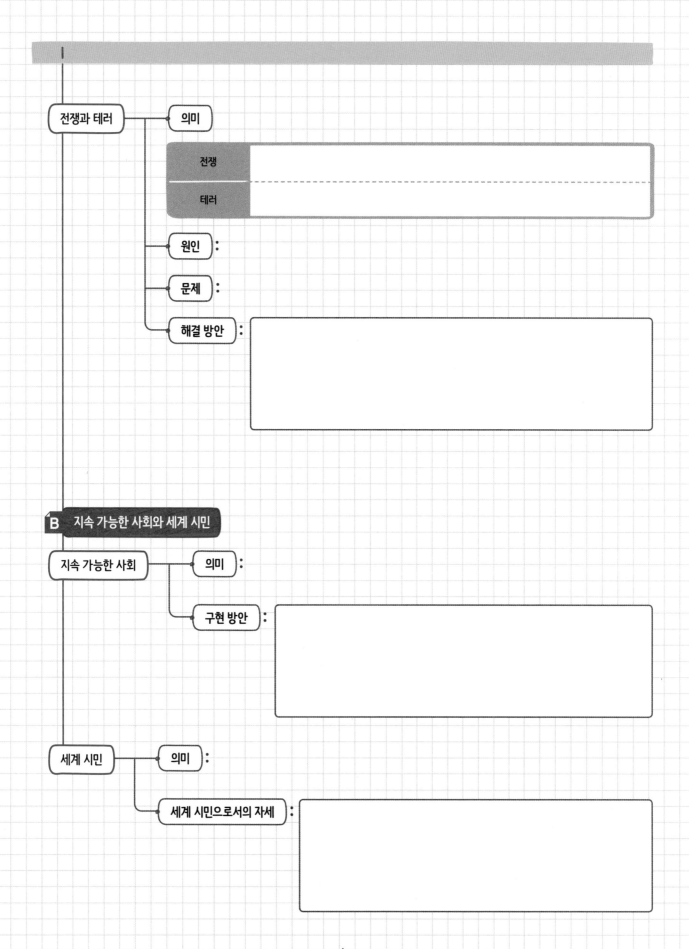

단원 정리하기

● 단원의 핵심 개념을 정리해 보자.

01 사회 변동과 사회 운동

| 사회 변동 |

| 진화론 |

| 순환론 |

| 기능론 |

| 갈등론 |

| 사회 운동 |

| 신사회 운동 |

| 개혁적 사회 운동 |

| 혁명적 사회 운동 |

| 복고적 사회 운동 |

02 현대 사회의 변화와 대응 방안

세계화

공정 무역

다국적 기업

정보화

인간 소외 현상

정보 윤리

저출산

고령화

고령 사회

노년 부양비

다문화 사회

다문화 수용성

03 전 지구적 수준의 문제와 지속 가능한 사회

지구 온난화

온실 가스

사막화

열대 우림 파괴

자원

화석 에너지

신·재생 에너지

전쟁

테러

국제기구

지속 가능한 사회

세계 시민

마인드맵으로 정리하기

● 자신만의 마인드맵을 만들어 단원의 핵심 내용을 정리해 보자.

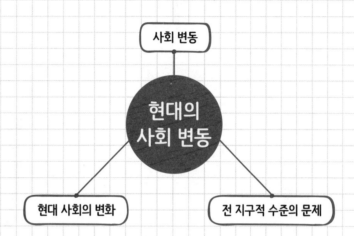

오옷!
잘 그리는데!

집중력을 높이는
미로 Game

주방보조 몬스터!
냥냥펀치에게 요리 대료를 무사히 전달하라!